Les grands romans
*d'*ALEXANDRE DUMAS

III. LES MOUSQUETAIRES

LE VICOMTE
DE BRAGELONNE

* *

ÉDITION ÉTABLIE
PAR CLAUDE SCHOPP

ROBERT LAFFONT

© *Éditions Robert Laffont, S.A., Paris, 1991*

ISBN : 2-221-06454-2

Ce volume contient :

LE VICOMTE
DE BRAGELONNE
Chapitre CXXXIV à La mort de M. d'Artagnan

DOCUMENTS,
BIBLIOGRAPHIE ET INDEX DES LIEUX
ÉTABLIS PAR CLAUDE SCHOPP

AVERTISSEMENT DE L'ÉDITEUR

« Les grands romans d'Alexandre Dumas » ont débuté par la publication de *Mémoires d'un médecin*, titre général des œuvres prérévolutionnaires et révolutionnaires :

Joseph Balsamo (1 volume, 1990)
Le Collier de la reine - Ange Pitou (1 volume, 1990)
La Comtesse de Charny - Le Chevalier de Maison-Rouge (1 volume, 1990)

La série des *Mousquetaires* regroupe :

Les Trois Mousquetaires - Vingt Ans après (1 volume)
Le Vicomte de Bragelonne (2 volumes)

Le lecteur trouvera à la suite de la préface précédant *Les Trois Mousquetaires* un dictionnaire des personnages et, en fin de volume, un index des lieux de l'action.

Dans la première partie du dictionnaire, « Personnages des romans de Dumas », sont rassemblés les personnages que l'auteur a mis en scène ; parmi ceux-ci, des héros historiques auxquels Dumas prête, pour les besoins de l'intrigue, des actions fictives qui s'entremêlent à celles consignées par l'Histoire. Ici, le roman l'emporte sur l'Histoire, la fiction sur la réalité.

Dans la seconde partie du dictionnaire figurent les personnes et personnages historiques qui restent en coulisse et ne sont que cités.

La bibliographie chronologique, figurant dans le deuxième volume du *Vicomte de Bragelonne*, a été augmentée et complétée.

Dans la même collection ont été publiés *Mes Mémoires*, suivis d'un Quid de Dumas, où le lecteur trouvera d'innombrables informations, souvent inédites, et des anecdotes sur la vie et l'œuvre d'Alexandre Dumas.

Troisième partie

LE VICOMTE DE BRAGELONNE

(Suite)

LES MOUSQUETAIRES

CXXXIV

LE NOUVEAU GÉNÉRAL DES JÉSUITES

Tandis que La Vallière et le roi confondaient dans leur premier aveu tous les chagrins du passé, tout le bonheur du présent, toutes les espérances de l'avenir, Fouquet, rentré chez lui, c'est-à-dire dans l'appartement qui lui avait été départi au château, Fouquet s'entretenait avec Aramis, justement de tout ce que le roi négligeait en ce moment.

— Vous me direz, commença Fouquet, lorsqu'il eut installé son hôte dans un fauteuil et pris place lui-même à ses côtés, vous me direz, monsieur d'Herblay, où nous en sommes maintenant de l'affaire de Belle-Ile, et si vous en avez reçu quelques nouvelles.

— Monsieur le surintendant, répondit Aramis, tout va de ce côté comme nous le désirons ; les dépenses ont été soldées, rien n'a transpiré de nos desseins.

— Mais les garnisons que le roi voulait y mettre ?

— J'ai reçu ce matin la nouvelle qu'elles y étaient arrivées depuis quinze jours.

— Et on les a traitées ?

— A merveille.

— Mais l'ancienne garnison, qu'est-elle devenue ?

— Elle a repris terre à Sarzeau, et on l'a immédiatement dirigée sur Quimper.

— Et les nouveaux garnisaires ?

— Sont à nous à cette heure.

— Vous êtes sûr de ce que vous dites, mon cher monsieur de Vannes ?

— Sûr, et vous allez voir, d'ailleurs, comment les choses se sont passées.

— Mais de toutes les garnisons, vous savez cela, Belle-Ile est justement la plus mauvaise.

— Je sais cela et j'agis en conséquence ; pas d'espace, pas de communications, pas de femmes, pas de jeu ; or, aujourd'hui, c'est grande pitié, ajouta Aramis avec un de ces sourires qui n'appartenaient qu'à lui, de voir combien les jeunes gens cherchent à se divertir, et combien, en conséquence, ils inclinent vers celui qui paie les divertissements.

— Mais ils s'amusent à Belle-Ile ?

— S'ils s'amusent de par le roi, ils aimeront le roi ; mais s'ils s'ennuient de par le roi et s'amusent de par M. Fouquet, ils aimeront M. Fouquet.

— Et vous avez prévenu mon intendant, afin qu'aussitôt leur arrivée...

— Non pas : on les a laissés huit jours s'ennuyer tout à leur aise ; mais, au bout de huit jours, ils ont réclamé, disant que les derniers officiers s'amusaient plus qu'eux. On leur a répondu alors que les anciens officiers avaient su se faire un ami de M. Fouquet, et que M. Fouquet, les connaissant pour des amis, leur avait dès lors voulu assez de bien pour qu'ils ne s'ennuyassent point sur ses terres. Alors ils ont réfléchi. Mais aussitôt l'intendant a ajouté que, sans préjuger les ordres de M. Fouquet, il connaissait assez son maître pour savoir que tout gentilhomme au service du roi l'intéressait, et qu'il ferait, bien qu'il ne connût pas les nouveaux venus, autant pour eux qu'il avait fait pour les autres.

— A merveille ! Et, là-dessus, les effets ont suivi les promesses, j'espère ? Je désire, vous le savez, qu'on ne promette jamais en mon nom sans tenir.

— Là-dessus, on a mis à la disposition des officiers nos deux corsaires et vos chevaux ; on leur a donné les clefs de la maison principale ; en sorte qu'ils y font des parties de chasse et des promenades avec ce qu'ils trouvent de dames à Belle-Ile, et ce qu'ils ont pu en recruter ne craignant pas le mal de mer dans les environs.

— Et il y en a bon nombre à Sarzeau et à Vannes, n'est-ce pas, Votre Grandeur ?

— Oh ! sur toute la côte, répondit tranquillement Aramis.

— Maintenant, pour les soldats ?

— Tout est relatif, vous comprenez ; pour les soldats, du vin, des vivres excellents et une haute paie.

— Très bien ; en sorte ?...

— En sorte que nous pouvons compter sur cette garnison, qui est déjà meilleure que l'autre.

— Bien.

— Il en résulte que, si Dieu consent à ce que l'on nous renouvelle ainsi les garnisaires seulement tous les deux mois, au bout de trois ans l'armée y aura passé, si bien qu'au lieu d'avoir un régiment pour nous, nous aurons cinquante mille hommes.

— Oui, je savais bien, dit Fouquet, que nul autant que vous, monsieur d'Herblay, n'était un ami précieux, impayable ; mais dans tout cela, ajouta-t-il en riant, nous oublions notre ami du Vallon : que devient-il ?

Pendant ces trois jours que j'ai passés à Saint-Mandé, j'ai tout oublié, je l'avoue.

— Oh ! je ne l'oublie pas, moi, reprit Aramis. Porthos est à Saint-Mandé, graissé sur toutes les articulations, choyé en nourriture, soigné en vins ; je lui ai fait donner la promenade du petit parc, promenade que vous vous êtes réservée pour vous seul ; il en use. Il recommence à marcher ; il exerce sa force en courbant de jeunes ormes ou en faisant éclater de vieux chênes, comme faisait Milon de Crotone, et comme il n'y a pas de lions dans le parc, il est probable que nous le retrouverons entier. C'est un brave que notre Porthos.

— Oui ; mais, en attendant, il va s'ennuyer.

— Oh ! jamais.

— Il va questionner ?

— Il ne voit personne.

— Mais, enfin, il attend ou espère quelque chose ?

— Je lui ai donné un espoir que nous réaliserons quelque matin, et il vit là-dessus.

— Lequel ?

— Celui d'être présenté au roi.

— Oh ! oh ! en quelle qualité ?

— D'ingénieur de Belle-Ile, pardieu !

— Est-ce possible ?

— C'est vrai.

— Certainement ; maintenant ne serait-il point nécessaire qu'il retournât à Belle-Ile ?

— Indispensable ; je songe même à l'y envoyer le plus tôt possible. Porthos a beaucoup de représentation ; c'est un homme dont d'Artagnan, Athos et moi connaissons seuls le faible. Porthos ne se livre jamais ; il est plein de dignité ; devant les officiers, il fera l'effet d'un paladin du temps des croisades. Il grisera l'état-major sans se griser, et sera pour tout le monde un objet d'admiration et de sympathie ; puis, s'il arrivait que nous eussions un ordre à faire exécuter, Porthos est une consigne vivante, et il faudra toujours en passer par où il voudra.

— Donc, renvoyez-le.

— Aussi est-ce mon dessein, mais dans quelques jours seulement, car il faut que je vous dise une chose.

— Laquelle ?

— C'est que je me défie de d'Artagnan. Il n'est pas à Fontainebleau comme vous l'avez pu remarquer, et d'Artagnan n'est jamais absent ou oisif impunément. Aussi maintenant que mes affaires sont faites, je vais tâcher de savoir quelles sont les affaires que fait d'Artagnan.

— Vos affaires sont faites, dites-vous ?

— Oui.

— Vous êtes bien heureux, en ce cas, et j'en voudrais pouvoir dire autant.

— J'espère que vous ne vous inquiétez plus ?

— Hum !

— Le roi vous reçoit à merveille.

— Oui.

— Et Colbert vous laisse en repos ?

— A peu près.

— En ce cas, dit Aramis avec cette suite d'idées qui faisait sa force, en ce cas, nous pouvons donc songer à ce que je vous disais hier à propos de la petite ?

— Quelle petite ?

— Vous avez déjà oublié ?

— Oui.

— A propos de La Vallière ?

— Ah ! c'est juste.

— Vous répugne-t-il donc de gagner cette fille ?

— Sur un seul point.

— Lequel ?

— C'est que le cœur est intéressé autre part, et que je ne ressens absolument rien pour cette enfant.

— Oh ! oh ! dit Aramis ; occupé par le cœur, avez-vous dit ?

— Oui.

— Diable ! il faut prendre garde à cela.

— Pourquoi ?

— Parce qu'il serait terrible d'être occupé par le cœur quand, ainsi que vous, on a tant besoin de sa tête.

— Vous avez raison. Aussi, vous le voyez, à votre premier appel j'ai tout quitté. Mais revenons à la petite. Quelle utilité voyez-vous à ce que je m'occupe d'elle ?

— Le voici. Le roi, dit-on, a un caprice pour cette petite, à ce que l'on croit du moins.

— Et vous qui savez tout, vous savez autre chose ?

— Je sais que le roi a changé bien rapidement ; qu'avant-hier le roi était tout feu pour Madame ; qu'il y a déjà quelques jours, Monsieur s'est plaint de ce feu à la reine mère ; qu'il y a eu des brouilles conjugales, des gronderies maternelles.

— Comment savez-vous tout cela ?

— Je le sais, enfin.

— Eh bien ?

— Eh bien ! à la suite de ces brouilles et de ces gronderies, le roi n'a plus adressé la parole, n'a plus fait attention à Son Altesse Royale.

— Après ?

— Après, il s'est occupé de Mlle de La Vallière. Mlle de La Vallière est fille d'honneur de Madame. Savez-vous ce qu'en amour on appelle un chaperon ?

— Sans doute.

— Eh bien ! Mlle de La Vallière est le chaperon de Madame. Profitez de cette position. Vous n'avez pas besoin de cela. Mais enfin, l'amour-propre blessé rendra la conquête plus facile ; la petite aura le secret du roi et de Madame. Vous ne savez pas ce qu'un homme intelligent fait avec un secret.

— Mais comment arriver à elle ?

— Vous me demandez cela ? fit Aramis.

— Sans doute, je n'aurai pas le temps de m'occuper d'elle.

— Elle est pauvre, elle est humble, vous lui créerez une position : soit qu'elle subjugue le roi comme maîtresse, soit qu'elle ne se rapproche de lui que comme confidente, vous aurez fait une nouvelle adepte.

— C'est bien, dit Fouquet. Que ferons-nous à l'égard de cette petite ?

— Quand vous avez désiré une femme, qu'avez-vous fait, monsieur le surintendant ?

— Je lui ai écrit. J'ai fait mes protestations d'amour. J'y ai ajouté mes offres de service, et j'ai signé Fouquet[1].

— Et nulle n'a résisté ?

— Une seule, dit Fouquet. Mais il y a quatre jours qu'elle a cédé comme les autres.

— Voulez-vous prendre la peine d'écrire ? dit Aramis à Fouquet en lui présentant une plume.

Fouquet la prit.

— Dictez, dit-il. J'ai tellement la tête occupée ailleurs, que je ne saurais trouver deux lignes.

— Soit, fit Aramis. Écrivez.

Et il dicta :

Mademoiselle, je vous ai vue, et vous ne serez point étonnée que je vous aie trouvée belle.

Mais vous ne pouvez, faute d'une position digne de vous, que végéter à la cour.

L'amour d'un honnête homme, au cas où vous auriez quelque ambition, pourrait servir d'auxiliaire à votre esprit et à vos charmes.

Je mets mon amour à vos pieds ; mais, comme un amour, si humble et si discret qu'il soit, peut compromettre l'objet de son culte, il ne sied pas qu'une personne de votre mérite risque d'être compromise sans résultat sur son avenir.

---

1. « L'on trouva dans les cassettes de M. Fouquet plus de lettres de galanterie que de papiers d'importance ; et, comme il s'y en rencontra de quelques femmes qu'on n'avait jamais soupçonnées d'avoir de commerce avec lui, ce fondement donna lieu de dire qu'il y en avait de toutes les plus honnêtes femmes de France », Mme de La Fayette, *Histoire de Madame Henriette d'Angleterre*. Parmi celles-ci, Mme de Sévigné.

Si vous daignez répondre à mon amour, mon amour vous prouvera sa reconnaissance en vous faisant à tout jamais libre et indépendante[1].

Après avoir écrit, Fouquet regarda Aramis.

— Signez, dit celui-ci.

— Est-ce bien nécessaire ?

— Votre signature au bas de cette lettre vaut un million ; vous oubliez cela, mon cher surintendant.

Fouquet signa.

— Maintenant, par qui enverrez-vous la lettre ? demanda Aramis.

— Mais par un valet excellent.

— Dont vous êtes sûr ?

— C'est mon grison ordinaire.

— Très bien.

— Au reste, nous jouons, de ce côté-là, un jeu qui n'est pas lourd.

— Comment cela ?

— Si ce que vous dites est vrai des complaisances de la petite pour le roi et pour Madame, le roi lui donnera tout l'argent qu'elle peut désirer.

— Le roi a donc de l'argent ? demanda Aramis.

— Dame ! il faut croire, il n'en demande plus.

— Oh ! il en redemandera, soyez tranquille.

— Il y a même plus, j'eusse cru qu'il me parlerait de cette fête de Vaux.

— Eh bien ?

— Il n'en a point parlé.

— Il en parlera.

— Oh ! vous croyez le roi bien cruel, mon cher d'Herblay.

— Pas lui.

— Il est jeune ; donc, il est bon.

— Il est jeune ; donc, il est faible ou passionné ; et M. Colbert tient dans sa vilaine main sa faiblesse ou ses passions.

— Vous voyez bien que vous le craignez.

— Je ne le nie pas.

— Alors, je suis perdu.

— Comment cela ?

— Je n'étais fort auprès du roi que par l'argent.

— Après ?

— Et je suis ruiné.

— Non.

— Comment, non ? Savez-vous mes affaires mieux que moi ?

— Peut-être.

— Et cependant s'il demande cette fête ?

---

1. Voir abbé Choisy, *Mémoires*, troisième livre : « Il osa lever les yeux jusqu'à mademoiselle de La Vallière, mais il s'aperçut bientôt que la place était prise ; et voulant se justifier auprès d'elle et de son amant secret, il se donna à lui-même la mission de confident. »

— Vous la donnerez.

— Mais l'argent ?

— En avez-vous jamais manqué ?

— Oh ! si vous saviez à quel prix je me suis procuré le dernier.

— Le prochain ne vous coûtera rien.

— Qui donc me le donnera ?

— Moi.

— Vous me donnerez six millions ?

— Oui.

— Vous, six millions ?

— Dix, s'il le faut.

— En vérité, mon cher d'Herblay, dit Fouquet, votre confiance m'épouvante plus que la colère du roi.

— Bah !

— Qui donc êtes-vous ?

— Vous me connaissez, ce me semble.

— Je me trompe ; alors, que voulez-vous ?

— Je veux sur le trône de France un roi qui soit dévoué à M. Fouquet, et je veux que M. Fouquet me soit dévoué.

— Oh ! s'écria Fouquet en lui serrant la main, quant à vous appartenir, je vous appartiens bien ; mais, croyez-le bien, mon cher d'Herblay, vous vous faites illusion.

— En quoi ?

— Jamais le roi ne me sera dévoué.

— Je ne vous ai pas dit que le roi vous serait dévoué, ce me semble.

— Mais si, au contraire, vous venez de le dire.

— Je n'ai pas dit le roi. J'ai dit un roi.

— N'est-ce pas tout un ?

— Au contraire, c'est fort différent.

— Je ne comprends pas.

— Vous allez comprendre. Supposez que ce roi soit un autre homme que Louis XIV.

— Un autre homme ?

— Oui, qui tienne tout de vous.

— Impossible !

— Même son trône.

— Oh ! vous êtes fou ! Il n'y a pas d'autre homme que le roi Louis XIV qui puisse s'asseoir sur le trône de France, je n'en vois pas, pas un seul.

— J'en vois un, moi.

— A moins que ce ne soit Monsieur, dit Fouquet en regardant Aramis avec inquiétude... Mais Monsieur...

— Ce n'est pas Monsieur.

— Mais comment voulez-vous qu'un prince qui ne soit pas de la race, comment voulez-vous qu'un prince qui n'aura aucun droit...

— Mon roi à moi, ou plutôt votre roi à vous, sera tout ce qu'il faut qu'il soit, soyez tranquille.

— Prenez garde, prenez garde, monsieur d'Herblay, vous me donnez le frisson, vous me donnez le vertige.

Aramis sourit.

— Vous avez le frisson et le vertige à peu de frais, répliqua-t-il.

— Oh! encore une fois, vous m'épouvantez.

Aramis sourit.

— Vous riez? demanda Fouquet.

— Et, le jour venu, vous rirez comme moi; seulement, je dois maintenant être seul à rire.

— Mais expliquez-vous.

— Au jour venu, je m'expliquerai, ne craignez rien. Vous n'êtes pas plus saint Pierre que je ne suis Jésus, et je vous dirai pourtant : « Homme de peu de foi, pourquoi doutez-vous[1] ? »

— Eh! mon Dieu! je doute... je doute, parce que je ne vois pas.

— C'est qu'alors vous êtes aveugle : je ne vous traiterai donc plus en saint Pierre, mais en saint Paul, et je vous dirai : « Un jour viendra où tes yeux s'ouvriront[2]. »

— Oh! dit Fouquet, que je voudrais croire !

— Vous ne croyez pas ! vous à qui j'ai fait dix fois traverser l'abîme où seul vous vous fussiez engouffré ; vous ne croyez pas, vous qui de procureur général êtes monté au rang d'intendant, du rang d'intendant au rang de premier ministre, et qui du rang de premier ministre passerez à celui de maire du palais. Mais, non, dit-il avec son éternel sourire... Non, non, vous ne pouvez voir, et, par conséquent vous ne pouvez croire cela.

Et Aramis se leva pour se retirer.

— Un dernier mot, dit Fouquet, vous ne m'avez jamais parlé ainsi, vous ne vous êtes jamais montré si confiant, ou plutôt si téméraire.

— Parce que, pour parler haut, il faut avoir la voix libre.

— Vous l'avez donc ?

— Oui.

— Depuis peu de temps alors ?

— Depuis hier.

— Oh! monsieur d'Herblay, prenez garde, vous poussez la sécurité jusqu'à l'audace.

— Parce que l'on peut être audacieux quand on est puissant.

— Vous êtes puissant ?

1. Matthieu, XIV, 31.
2. Actes des apôtres, IX.

— Je vous ai offert dix millions, je vous les offre encore.

Fouquet se leva troublé à son tour.

— Voyons, dit-il, voyons : vous avez parlé de renverser des rois, de les remplacer par d'autres rois. Dieu me pardonne ! mais voilà, si je ne suis fou, ce que vous avez dit tout à l'heure.

— Vous n'êtes pas fou, et j'ai véritablement dit cela tout à l'heure.

— Et pourquoi l'avez-vous dit ?

— Parce que l'on peut parler ainsi de trônes renversés et de rois créés, quand on est soi-même au-dessus des rois et des trônes... de ce monde.

— Alors vous êtes tout-puissant ? s'écria Fouquet.

— Je vous l'ai dit et je vous le répète, répondit Aramis l'œil brillant et la lèvre frémissante.

Fouquet se rejeta sur son fauteuil et laissa tomber sa tête dans ses mains.

Aramis le regarda un instant comme eût fait l'ange des destinées humaines à l'égard d'un simple mortel.

— Adieu, lui dit-il, dormez tranquille, et envoyez votre lettre à La Vallière. Demain, nous nous reverrons, n'est-ce pas ?

— Oui, demain, dit Fouquet en secouant la tête comme un homme qui revient à lui ; mais où cela nous reverrons-nous ?

— A la promenade du roi, si vous voulez.

— Fort bien.

Et ils se séparèrent.

CXXXV

L'ORAGE

Le lendemain, le jour s'était levé sombre et blafard, et, comme chacun savait la promenade arrêtée dans le programme royal, le regard de chacun, en ouvrant les yeux, se porta sur le ciel.

Au haut des arbres stationnait une vapeur épaisse et ardente qui avait à peine eu la force de s'élever à trente pieds de terre sous les rayons d'un soleil qu'on n'apercevait qu'à travers le voile d'un lourd et épais nuage.

Ce matin-là, pas de rosée. Les gazons étaient restés secs, les fleurs altérées. Les oiseaux chantaient avec plus de réserve qu'à l'ordinaire dans le feuillage immobile comme s'il était mort. Les murmures étranges, confus, pleins de vie, qui semblent naître et exister par le soleil, cette respiration de la nature qui parle incessante au milieu de tous les autres bruits, ne se faisait pas entendre : le silence n'avait jamais été si grand.

Cette tristesse du ciel frappa les yeux du roi lorsqu'il se mit à la fenêtre à son lever.

Mais, comme tous les ordres étaient donnés pour la promenade, comme tous les préparatifs étaient faits, comme, chose bien plus péremptoire, Louis comptait sur cette promenade pour répondre aux promesses de son imagination, et, nous pouvons même déjà le dire, aux besoins de son cœur, le roi décida sans hésitation que l'état du ciel n'avait rien à faire dans tout cela, que la promenade était décidée et que, quelque temps qu'il fît, la promenade aurait lieu.

Au reste, il y a dans certains règnes terrestres privilégiés du Ciel des heures où l'on croirait que la volonté du roi terrestre a son influence sur la volonté divine. Auguste avait Virgile pour lui dire : *Nocte pluit tota redeunt spectacula mane*[1]. Louis XIV avait Boileau, qui devait lui dire bien autre chose, et Dieu, qui se devait montrer presque aussi complaisant pour lui que Jupiter l'avait été pour Auguste.

Louis entendit la messe comme à son ordinaire, mais il faut l'avouer, quelque peu distrait de la présence du Créateur par le souvenir de la créature. Il s'occupa durant l'office à calculer plus d'une fois le nombre des minutes, puis des secondes qui le séparaient du bienheureux moment où la promenade allait commencer, c'est-à-dire du moment où Madame se mettrait en chemin avec ses filles d'honneur.

Au reste, il va sans dire que tout le monde au château ignorait l'entrevue qui avait eu lieu la veille entre La Vallière et le roi. Montalais peut-être, avec son bavardage habituel, l'eût répandue ; mais Montalais, dans cette circonstance, était corrigée par Malicorne, lequel lui avait mis aux lèvres le cadenas de l'intérêt commun.

Quant à Louis XIV, il était si heureux, qu'il avait pardonné, ou à peu près, à Madame, sa petite méchanceté de la veille. En effet, il avait plutôt à s'en louer qu'à s'en plaindre. Sans cette méchanceté, il ne recevait pas la lettre de La Vallière ; sans cette lettre, il n'y avait pas d'audience, et sans cette audience il demeurait dans l'indécision. Il entrait donc trop de félicité dans son cœur pour que la rancune pût y tenir, en ce moment du moins.

Donc, au lieu de froncer le sourcil en apercevant sa belle-sœur, Louis se promit de lui montrer encore plus d'amitié et de gracieux accueil que d'ordinaire.

C'était à une condition cependant, à la condition qu'elle serait prête de bonne heure.

Voilà les choses auxquelles Louis pensait durant la messe, et qui, il faut le dire, lui faisaient pendant le saint exercice oublier celles auxquelles il eût dû songer en sa qualité de roi très chrétien et de fils aîné de l'Église.

---

1. « Il a plu toute la nuit, les jeux reprendront demain », paroles prêtées à Virgile.

Cependant Dieu est si bon pour les jeunes erreurs, tout ce qui est amour, même amour coupable, trouve si facilement grâce à ses regards paternels, qu'au sortir de la messe, Louis, en levant ses yeux au ciel, put voir à travers les déchirures d'un nuage un coin de ce tapis d'azur que foule le pied du Seigneur.

Il rentra au château, et, comme la promenade était indiquée pour midi seulement et qu'il n'était que dix heures, il se mit à travailler d'acharnement avec Colbert et Lyonne.

Mais, comme, tout en travaillant, Louis allait de la table à la fenêtre, attendu que cette fenêtre donnait sur le pavillon de Madame, il put voir dans la cour M. Fouquet, dont les courtisans, depuis sa faveur de la veille, faisaient plus de cas que jamais, qui venait, de son côté, d'un air affable et tout à fait heureux, faire sa cour au roi.

Instinctivement, en voyant Fouquet, le roi se retourna vers Colbert.

Colbert souriait et paraissait lui-même plein d'aménité et de jubilation. Ce bonheur lui était venu depuis qu'un de ses secrétaires était entré et lui avait remis un portefeuille que, sans l'ouvrir, Colbert avait introduit dans la vaste poche de son haut-de-chausses.

Mais, comme il y avait toujours quelque chose de sinistre au fond de la joie de Colbert, Louis opta, entre les deux sourires, pour celui de Fouquet.

Il fit signe au surintendant de monter ; puis, se retournant vers Lyonne et Colbert :

— Achevez, dit-il, ce travail, posez-le sur mon bureau, je le lirai à tête reposée.

Et il sortit.

Au signe du roi, Fouquet s'était hâté de monter. Quant à Aramis, qui accompagnait le surintendant, il s'était gravement replié au milieu du groupe de courtisans vulgaires, et s'y était perdu sans même avoir été remarqué par le roi.

Le roi et Fouquet se rencontrèrent en haut de l'escalier.

— Sire, dit Fouquet en voyant le gracieux accueil que lui préparait Louis, sire, depuis quelques jours Votre Majesté me comble. Ce n'est plus un jeune roi, c'est un jeune dieu qui règne sur la France, le dieu du plaisir, du bonheur et de l'amour.

Le roi rougit. Pour être flatteur, le compliment n'en était pas moins un peu direct.

Le roi conduisit Fouquet dans un petit salon qui séparait son cabinet de travail de sa chambre à coucher.

— Savez-vous bien pourquoi je vous appelle ? dit le roi en s'asseyant sur le bord de la croisée, de façon à ne rien perdre de ce qui se passerait dans les parterres sur lesquels donnait la seconde entrée du pavillon de Madame.

— Non, sire... mais c'est pour quelque chose d'heureux, j'en suis certain, d'après le gracieux sourire de Votre Majesté.

— Ah ! vous préjugez ?

— Non, sire, je regarde et je vois.

— Alors, vous vous trompez.

— Moi, sire ?

— Car je vous appelle, au contraire, pour vous faire une querelle.

— A moi, sire ?

— Oui, et des plus sérieuses.

— En vérité, Votre Majesté m'effraie... et cependant j'attends, plein de confiance dans sa justice et dans sa bonté.

— Que me dit-on, monsieur Fouquet, que vous préparez une grande fête à Vaux ?

Fouquet sourit comme fait le malade au premier frisson d'une fièvre oubliée et qui revient.

— Et vous ne m'invitez pas ? continua le roi.

— Sire, répondit Fouquet, je ne songeais pas à cette fête, et c'est hier au soir seulement qu'un *de mes amis* (Fouquet appuya sur le mot) a bien voulu m'y faire songer.

— Mais hier au soir je vous ai vu et vous ne m'avez parlé de rien, monsieur Fouquet.

— Sire, comment espérer que Votre Majesté descendrait à ce point des hautes régions où elle vit jusqu'à honorer ma demeure de sa présence royale ?

— Excusez, monsieur Fouquet ; vous ne m'avez point parlé de votre fête.

— Je n'ai point parlé de cette fête, je le répète, au roi d'abord parce que rien n'était décidé à l'égard de cette fête, ensuite parce que je craignais un refus.

— Et quelle chose vous faisait craindre ce refus, monsieur Fouquet ? Prenez garde, je suis décidé à vous pousser à bout.

— Sire, le profond désir que j'avais de voir le roi agréer mon invitation.

— Eh bien ! monsieur Fouquet, rien de plus facile, je le vois, que de nous entendre. Vous avez le désir de m'inviter à votre fête, j'ai le désir d'y aller ; invitez-moi, et j'irai[1].

— Quoi ! Votre Majesté daignerait accepter ? murmura le surintendant.

---

1. « Il y avait longtemps que le roi avait dit qu'il voulait aller à Vaux, maison superbe de ce surintendant ; et, quoique la prudence dût l'empêcher de faire voir au roi une chose qui marquait si fort le mauvais usage des finances, et qu'aussi la bonté du roi dût le retenir d'aller chez un homme qu'il allait perdre, néanmoins ni l'un ni l'autre n'y firent aucune réflexion », Mme de La Fayette, *op. cit.*

— En vérité, monsieur, dit le roi en riant, je crois que je fais plus qu'accepter ; je crois que je m'invite moi-même.

— Votre Majesté me comble d'honneur et de joie ! s'écria Fouquet ; mais je vais être forcé de répéter ce que M. de La Vieuville disait à votre aïeul Henri IV : *Domine, non sum dignus*[1].

— Ma réponse à ceci, monsieur Fouquet, c'est que, si vous donnez une fête, invité ou non, j'irai à votre fête.

— Oh ! merci, merci, mon roi ! dit Fouquet en relevant la tête sous cette faveur, qui, dans son esprit, était sa ruine. Mais comment Votre Majesté a-t-elle été prévenue ?

— Par le bruit public, monsieur Fouquet, qui dit des merveilles de vous et des miracles de votre maison. Cela vous rendra-t-il fier, monsieur Fouquet, que le roi soit jaloux de vous ?

— Cela me rendra le plus heureux homme du monde, sire, puisque le jour où le roi sera jaloux de Vaux, j'aurai quelque chose de digne à offrir à mon roi.

— Eh bien ! monsieur Fouquet, préparez votre fête, et ouvrez à deux battants les portes de votre maison.

— Et vous, sire, dit Fouquet, fixez le jour.

— D'aujourd'hui en un mois.

— Sire, Votre Majesté n'a-t-elle rien autre chose à désirer ?

— Rien, monsieur le surintendant, sinon, d'ici là, de vous avoir près de moi le plus qu'il vous sera possible.

— Sire, j'ai l'honneur d'être de la promenade de Votre Majesté.

— Très bien ; je sors en effet, monsieur Fouquet, et voici ces dames qui vont au rendez-vous.

Le roi, à ces mots, avec toute l'ardeur, non seulement d'un jeune homme, mais d'un jeune homme amoureux, se retira de la fenêtre pour prendre ses gants et sa canne que lui tendait son valet de chambre.

On entendait en dehors le piétinement des chevaux et le roulement des roues sur le sable de la cour.

Le roi descendit. Au moment où il apparut sur le perron, chacun s'arrêta. Le roi marcha droit à la jeune reine. Quant à la reine mère,

---

1. « (Richelieu) me dit que (La Vieuville) était à M. de Nevers, lequel le voulant récompenser de quelques services qu'il lui avait rendus, avait tant prié Henri IV de le faire Cordon Bleu, que ce prince ne s'en était pu défendre : que la coutume étant que les Chevaliers disent *"Domine non sum dignus"* lorsqu'on leur met le Collier de l'Ordre, M. de La Vieuville en avait dit autant, mais qu'au même temps le roi lui avait répondu qu'il le savait bien, qu'aussi n'était-ce qu'aux prières de son cousin de Nevers qu'il le lui accordait », *Mémoires de M. L. C. D. R. contenant ce qui s'est passé de plus particulier sous le ministère du cardinal de Richelieu et du cardinal Mazarin avec plusieurs particularités remarquables du règne de Louis le Grand*, à Cologne, chez Pierre Marteau, 1788, p. 80. Dumas rapporte postérieurement le mot d'Henri IV dans *Les Grands Hommes en robe de chambre. Henri IV*, chap. V.

toujours souffrante de plus en plus de la maladie dont elle était atteinte, elle n'avait pas voulu sortir.

Marie-Thérèse monta en carrosse avec Madame, et demanda au roi de quel côté il désirait que la promenade fût dirigée.

Le roi, qui venait de voir La Vallière, toute pâle encore des événements de la veille, monter dans une calèche avec trois de ses compagnes, répondit à la reine qu'il n'avait point de préférence, et qu'il serait bien partout où elle serait.

La reine commanda alors que les piqueurs tournassent vers Apremont[1].

Les piqueurs partirent en avant.

Le roi monta à cheval. Il suivit pendant quelques minutes la voiture de la reine et de Madame en se tenant à la portière.

Le temps s'était à peu près éclairci ; cependant une espèce de voile poussiéreux, semblable à une gaze salie, s'étendait sur toute la surface du ciel ; le soleil faisait reluire des atomes micacés dans le périple de ses rayons.

La chaleur était étouffante.

Mais, comme le roi ne paraissait pas faire attention à l'état du ciel, nul ne parut s'en inquiéter, et la promenade, selon l'ordre qui en avait été donné par la reine, fut dirigée vers Apremont.

La troupe des courtisans était bruyante et joyeuse, on voyait que chacun tendait à oublier et à faire oublier aux autres les aigres discussions de la ville.

Madame, surtout, était charmante.

En effet, Madame voyait le roi à sa portière, et, comme elle ne supposait pas qu'il fût là pour la reine, elle espérait que son prince lui était revenu.

Mais, au bout d'un quart de lieue à peu près fait sur la route, le roi, après un gracieux sourire, salua et tourna bride, laissant filer le carrosse de la reine, puis celui des premières dames d'honneur, puis tous les autres successivement qui, le voyant s'arrêter, voulaient s'arrêter à leur tour.

Mais le roi leur faisait signe de la main qu'ils eussent à continuer leur chemin.

Lorsque passa le carrosse de La Vallière, le roi s'en approcha.

Le roi salua les dames et se disposait à suivre le carrosse des filles d'honneur de la reine comme il avait suivi celui de Madame, lorsque la file des carrosses s'arrêta tout à coup.

Sans doute la reine, inquiète de l'éloignement du roi, venait de donner l'ordre d'accomplir cette évolution.

On se rappelle que la direction de la promenade lui avait été accordée.

---

1. Les gorges et platières d'Apremont sont situées dans la forêt à environ 5 km au nord-ouest du château.

Le roi lui fit demander quel était son désir en arrêtant les voitures.

— De marcher à pied, répondit-elle.

Sans doute espérait-elle que le roi, qui suivait à cheval le carrosse des filles d'honneur, n'oserait à pied suivre les filles d'honneur elles-mêmes.

On était au milieu de la forêt.

La promenade, en effet, s'annonçait belle, belle surtout pour des rêveurs ou des amants.

Trois belles allées, longues, ombreuses et accidentées, partaient du petit carrefour où l'on venait de faire halte.

Ces allées, vertes de mousse, dentelées de feuillage, ayant chacune un petit horizon d'un pied de ciel entrevu sous l'entrelacement des arbres, voilà quel était l'aspect des localités.

Au fond de ces allées passaient et repassaient, avec des signes manifestes d'inquiétude, les chevreuils effarés, qui, après s'être arrêtés un instant au milieu du chemin et avoir relevé la tête, fuyaient comme des flèches, rentrant d'un seul bond dans l'épaisseur des bois, où ils disparaissaient, tandis que, de temps en temps, un lapin philosophe, debout sur son derrière, se grattait le museau avec les pattes de devant et interrogeait l'air pour reconnaître si tous ces gens qui s'approchaient et qui venaient troubler ainsi ses méditations, ses repas et ses amours, n'étaient pas suivis par quelque chien à jambes torses ou ne portaient point quelque fusil sous le bras.

Toute la compagnie, au reste, était descendue de carrosse en voyant descendre la reine.

Marie-Thérèse prit le bras d'une de ses dames d'honneur, et, après un oblique coup d'œil donné au roi, qui ne parut point s'apercevoir qu'il fût le moins du monde l'objet de l'attention de la reine, elle s'enfonça dans la forêt par le premier sentier qui s'ouvrit devant elle.

Deux piqueurs marchaient devant Sa Majesté avec des cannes dont ils se servaient pour relever les branches ou écarter les ronces qui pouvaient embarrasser le chemin.

En mettant pied à terre, Madame trouva à ses côtés M. de Guiche, qui s'inclina devant elle et se mit à sa disposition.

Monsieur, enchanté de son bain de la surveille, avait déclaré qu'il optait pour la rivière, et, tout en donnant congé à de Guiche, il était resté au château avec le chevalier de Lorraine et Manicamp.

Il n'éprouvait plus ombre de jalousie.

On l'avait donc cherché inutilement dans le cortège ; mais comme Monsieur était un prince fort personnel, qui concourait d'habitude fort médiocrement au plaisir général, son absence avait été plutôt un sujet de satisfaction que de regret.

Chacun avait suivi l'exemple donné par la reine et par Madame, s'accommodant à sa guise, selon le hasard ou selon son goût.

Le roi, nous l'avons dit, était demeuré près de La Vallière, et, descendant de cheval au moment où l'on ouvrait la portière du carrosse, il lui avait offert la main.

Aussitôt Montalais et Tonnay-Charente s'étaient éloignées, la première par calcul, la seconde par discrétion.

Seulement, il y avait cette différence entre elles deux que l'une s'éloignait dans le désir d'être agréable au roi, et l'autre dans celui de lui être désagréable.

Pendant la dernière demi-heure, le temps, lui aussi, avait pris ses dispositions : tout ce voile, comme poussé par un vent de chaleur, s'était massé à l'occident ; puis, repoussé par un courant contraire, s'avançait lentement, lourdement.

On sentait s'approcher l'orage ; mais, comme le roi ne le voyait pas, personne ne se croyait le droit de le voir.

La promenade fut donc continuée ; quelques esprits inquiets levaient de temps en temps les yeux au ciel.

D'autres, plus timides encore, se promenaient sans s'écarter des voitures, où ils comptaient aller chercher un abri en cas d'orage.

Mais la plus grande partie du cortège, en voyant le roi entrer bravement dans le bois avec La Vallière, la plus grande partie du cortège, disons-nous, suivit le roi.

Ce que voyant, le roi prit la main de La Vallière et l'entraîna dans une allée latérale, où cette fois personne n'osa le suivre.

CXXXVI

LA PLUIE

En ce moment, dans la direction même que venaient de prendre le roi et La Vallière seulement, marchant sous bois au lieu de suivre l'allée, deux hommes avançaient fort insoucieux de l'état du ciel.

Ils tenaient leurs têtes inclinées comme des gens qui pensent à de graves intérêts.

Ils n'avaient vu ni de Guiche, ni Madame, ni le roi, ni La Vallière.

Tout à coup quelque chose passa dans l'air comme une bouffée de flammes suivies d'un grondement sourd et lointain.

— Ah ! dit l'un des deux en relevant la tête, voici l'orage. Regagnons-nous les carrosses, mon cher d'Herblay ?

Aramis leva les yeux en l'air et interrogea le temps.

— Oh ! dit-il, rien ne presse encore.

Puis, reprenant la conversation où il l'avait sans doute laissée :

— Vous dites donc que la lettre que nous avons écrite hier au soir doit être à cette heure parvenue à destination ?

— Je dis qu'elle l'est certainement.

— Par qui l'avez-vous fait remettre ?

— Par mon grison, ainsi que j'ai eu l'honneur de vous le dire.

— A-t-il rapporté la réponse ?

— Je ne l'ai pas revu ; sans doute la petite était à son service près de Madame où s'habillait chez elle, elle l'aura fait attendre. L'heure de partir est venue et nous sommes partis. Je ne puis, en conséquence, savoir ce qui s'est passé là-bas.

— Vous avez vu le roi avant le départ ?

— Oui.

— Comment l'avez-vous trouvé ?

— Parfait ou infâme, selon qu'il aurait été vrai ou hypocrite.

— Et la fête ?

— Aura lieu dans un mois.

— Il s'y est invité ?

— Avec une insistance où j'ai reconnu Colbert.

— C'est bien.

— La nuit ne vous a point enlevé vos illusions ?

— Sur quoi ?

— Sur le concours que vous pouvez m'apporter en cette circonstance.

— Non, j'ai passé la nuit à écrire, et tous les ordres sont donnés.

— La fête coûtera plusieurs millions, ne vous le dissimulez pas.

— J'en ferai six... Faites-en de votre côté deux ou trois à tout hasard.

— Vous êtes un homme miraculeux, mon cher d'Herblay.

Aramis sourit.

— Mais, demanda Fouquet avec un reste d'inquiétude, puisque vous remuez ainsi les millions, pourquoi, il y a quelques jours, n'avez-vous pas donné de votre poche les cinquante mille francs à Baisemeaux ?

— Parce que, il y a quelques jours, j'étais pauvre comme Job.

— Et aujourd'hui ?

— Aujourd'hui, je suis plus riche que le roi.

— Très bien, fit Fouquet, je me connais en hommes. Je sais que vous êtes incapable de me manquer de parole ; je ne veux point vous arracher votre secret : n'en parlons plus.

En ce moment, un grondement sourd se fit entendre qui éclata tout à coup en un violent coup de tonnerre.

— Oh ! oh ! fit Fouquet, je vous le disais bien.

— Allons, dit Aramis, rejoignons les carrosses.

— Nous n'aurons pas le temps, dit Fouquet, voici la pluie.

En effet, comme si le ciel se fût ouvert, une ondée aux larges gouttes fit tout à coup résonner le dôme de la forêt.

— Oh ! dit Aramis, nous avons le temps de regagner les voitures avant que le feuillage soit inondé.

— Mieux vaudrait, dit Fouquet, nous retirer dans quelque grotte.

— Oui, mais où y a-t-il une grotte ? demanda Aramis.

— Moi, dit Fouquet avec un sourire, j'en connais une à dix pas d'ici. Puis s'orientant :

— Oui, dit-il, c'est bien cela.

— Que vous êtes heureux d'avoir si bonne mémoire ! dit Aramis en souriant à son tour ; mais ne craignez-vous pas que, ne nous voyant pas reparaître, votre cocher ne croie que nous avons pris une route de retour et ne suive les voitures de la cour ?

— Oh ! dit Fouquet, il n'y a pas de danger ; quand je poste mon cocher et ma voiture à un endroit quelconque, il n'y a qu'un ordre exprès du roi qui puisse les faire déguerpir, et encore ; d'ailleurs, il me semble que nous ne sommes pas les seuls qui nous soyons si fort avancés. J'entends des pas et un bruit de voix.

Et, en disant ces mots, Fouquet se retourna, ouvrant de sa canne une masse de feuillage qui lui masquait la route.

Le regard d'Aramis plongea en même temps que le sien par l'ouverture.

— Une femme ! dit Aramis.

— Un homme ! dit Fouquet !

— La Vallière !

— Le roi.

— Oh ! oh ! dit Aramis, est-ce que le roi aussi connaîtrait votre caverne ? Cela ne m'étonnerait pas ; il me paraît en commerce assez bien réglé avec les nymphes de Fontainebleau.

— N'importe, dit Fouquet, gagnons-la toujours ; s'il ne la connaît pas, nous verrons ce qu'il devient ; s'il la connaît, comme elle a deux ouvertures, tandis qu'il entrera par l'une, nous sortirons par l'autre.

— Est-elle loin ? demanda Aramis, voici la pluie qui filtre.

— Nous y sommes.

Fouquet écarta quelques branches, et l'on put apercevoir une excavation de roche que des bruyères, du lierre et une épaisse glandée cachaient entièrement.

Fouquet montra le chemin.

Aramis le suivit.

Au moment d'entrer dans la grotte, Aramis se retourna.

— Oh ! oh ! dit-il, les voilà qui entrent dans le bois, les voilà qui se dirigent de ce côté.

— Eh bien ! cédons-leur la place, fit Fouquet souriant et tirant Aramis par son manteau ; mais je ne crois pas que le roi connaisse ma grotte.

— En effet, dit Aramis, ils cherchent, mais un arbre plus épais, voilà tout.

Aramis ne se trompait pas, le roi regardait en l'air et non pas autour de lui.

Il tenait le bras de La Vallière sous le sien, il tenait sa main sur la sienne. La Vallière commençait à glisser sur l'herbe humide.

Louis regarda encore avec plus d'attention autour de lui, et, apercevant un chêne énorme au feuillage touffu, il entraîna La Vallière sous l'abri de ce chêne.

La pauvre enfant regardait autour d'elle ; elle semblait à la fois craindre et désirer d'être suivie.

Le roi la fit adosser au tronc de l'arbre, dont la vaste circonférence, protégée par l'épaisseur du feuillage, était aussi sèche que si, en ce moment même, la pluie n'eût point tombé par torrents. Lui-même se tint devant elle nu-tête.

Au bout d'un instant, quelques gouttes filtrèrent à travers les ramures de l'arbre, et vinrent tomber sur le front du roi, qui n'y fit pas même attention.

— Oh ! sire ! murmura La Vallière en poussant le chapeau du roi. Mais le roi s'inclina et refusa obstinément de se couvrir.

— C'est le cas ou jamais d'offrir votre place, dit Fouquet à l'oreille d'Aramis.

— C'est le cas ou jamais d'écouter et de ne pas perdre une parole de ce qu'ils vont se dire, répondit Aramis à l'oreille de Fouquet.

En effet, tous deux se turent, et la voix du roi put parvenir jusqu'à eux.

— Oh ! mon Dieu ! mademoiselle, dit le roi, je vois, ou plutôt je devine votre inquiétude ; croyez que je regrette bien sincèrement de vous avoir isolée du reste de la compagnie, et cela pour vous mener dans un endroit où vous aller souffrir de la pluie. Vous êtes mouillée déjà, vous avez froid peut-être ?

— Non, sire.

— Vous tremblez cependant ?

— Sire, c'est la crainte que l'on n'interprète à mal mon absence au moment où tout le monde est réuni certainement.

— Je vous proposerais bien de retourner aux voitures, mademoiselle ; mais, en vérité, regardez et écoutez et dites-moi s'il est possible de tenter la moindre course en ce moment ?

En effet, le tonnerre grondait et la pluie ruisselait par torrents.

— D'ailleurs, continua le roi, il n'y a pas d'interprétation possible en votre défaveur. N'êtes-vous pas avec le roi de France, c'est-à-dire avec le premier gentilhomme du royaume ?

— Certainement, sire, répondit La Vallière, et c'est un honneur bien grand pour moi ; aussi n'est-ce point pour moi que je crains les interprétations.

— Pour qui donc, alors ?

— Pour vous, sire.

— Pour moi, mademoiselle ? dit le roi en souriant. Je ne vous comprends pas.

— Votre Majesté a-t-elle donc déjà oublié ce qui s'est passé hier au soir chez Son Altesse Royale ?

— Oh ! oublions cela, je vous prie, ou plutôt permettez-moi de ne me souvenir que pour vous remercier encore une fois de votre lettre, et...

— Sire, interrompit La Vallière, voilà l'eau qui tombe, et Votre Majesté demeure tête nue.

— Je vous en prie, ne nous occupons que de vous, mademoiselle.

— Oh ! moi, dit La Vallière en souriant, moi, je suis une paysanne habituée à courir par les prés de la Loire, et par les jardins de Blois, quelque temps qu'il fasse. Et, quant à mes habits, ajouta-t-elle en regardant sa simple toilette de mousseline, Votre Majesté voit qu'ils n'ont pas grand-chose à risquer.

— En effet, mademoiselle, j'ai déjà remarqué plus d'une fois que vous deviez à peu près tout à vous-même et rien à la toilette. Vous n'êtes point coquette, et c'est pour moi une grande qualité.

— Sire, ne me faites pas meilleure que je ne suis, et dites seulement : Vous ne pouvez pas être coquette.

— Pourquoi cela ?

— Mais, dit en souriant La Vallière, parce que je ne suis pas riche.

— Alors vous avouez que vous aimez les belles choses, s'écria vivement le roi.

— Sire, je ne trouve belles que les choses auxquelles je puis atteindre. Tout ce qui est trop haut pour moi...

— Vous est indifférent ?

— M'est étranger comme m'étant défendu.

— Et moi, mademoiselle, dit le roi, je ne trouve point que vous soyez à ma cour sur le pied où vous devriez y être. On ne m'a certainement point assez parlé des services de votre famille.

« La fortune de votre maison a été cruellement négligée par mon oncle.

— Oh ! non pas, sire. Son Altesse Royale Mgr le duc d'Orléans a toujours été parfaitement bon pour M. de Saint-Remy, mon beau-père. Les services étaient humbles, et l'on peut dire que nous avons été payés selon nos œuvres. Tout le monde n'a pas le bonheur de trouver des occasions de servir son roi avec éclat. Certes, je ne doute pas que, si les occasions se fussent rencontrées, ma famille n'eût eu le cœur aussi grand que son désir, mais nous n'avons pas eu ce bonheur.

— Eh bien ! mademoiselle, c'est aux rois à corriger le hasard, et je me charge bien joyeusement de réparer, au plus vite à votre égard, les torts de la fortune.

— Non, sire, s'écria vivement La Vallière, vous laisserez, s'il vous plaît, les choses en l'état où elles sont.

— Quoi ! mademoiselle, vous refusez ce que je dois, ce que je veux faire pour vous ?

— On a fait tout ce que je désirais, sire, lorsqu'on m'a accordé cet honneur de faire partie de la maison de Madame.

— Mais, si vous refusez pour vous, acceptez au moins pour les vôtres.

— Sire, votre intention si généreuse m'éblouit et m'effraie, car, en faisant pour ma maison ce que votre bonté vous pousse à faire, Votre Majesté nous créera des envieux, et à elle des ennemis. Laissez-moi, sire, dans ma médiocrité ; laissez à tous les sentiments que je puis ressentir la joyeuse délicatesse du désintéressement.

— Oh ! voilà un langage bien admirable, dit le roi.

— C'est vrai, murmura Aramis à l'oreille de Fouquet, et il n'y doit pas être habitué.

— Mais, répondit Fouquet, si elle fait une pareille réponse à mon billet ?

— Bon ! dit Aramis, ne préjugeons pas et attendons la fin.

— Et puis, cher monsieur d'Herblay, ajouta le surintendant, peu payé pour croire à tous les sentiments que venait d'exprimer La Vallière, c'est un habile calcul souvent que de paraître désintéressé avec les rois.

— C'est justement ce que je pensais à la minute, dit Aramis. Écoutons.

Le roi se rapprocha de La Vallière, et, comme l'eau filtrait de plus en plus à travers le feuillage du chêne, il tint son chapeau suspendu au-dessus de la tête de la jeune fille.

La jeune fille leva ses beaux yeux bleus vers ce chapeau royal qui l'abritait et secoua la tête en poussant un soupir.

— Oh ! mon Dieu ! dit le roi, quelle triste pensée peut donc parvenir jusqu'à votre cœur quand je lui fais un rempart du mien ?

— Sire, je vais vous le dire. J'avais déjà abordé cette question, si difficile à discuter par une jeune fille de mon âge, mais Votre Majesté m'a imposé silence. Sire, Votre Majesté ne s'appartient pas ; sire, Votre Majesté est mariée ; tout sentiment qui écarterait Votre Majesté de la reine, en portant Votre Majesté à s'occuper de moi, serait pour la reine la source d'un profond chagrin.

Le roi essaya d'interrompre la jeune fille, mais elle continua avec un geste suppliant :

— La reine aime Votre Majesté avec une tendresse qui se comprend, la reine suit des yeux Votre Majesté à chaque pas qui l'écarte d'elle. Ayant eu le bonheur de rencontrer un tel époux, elle demande au Ciel avec des larmes de lui en conserver la possession, et elle est jalouse du moindre mouvement de votre cœur.

Le roi voulut parler encore, mais cette fois encore La Vallière osa l'arrêter.

— Ne serait-ce pas une bien coupable action, lui dit-elle, si, voyant une tendresse si vive et si noble, Votre Majesté donnait à la reine un sujet de jalousie ? Oh ! pardonnez-moi ce mot, sire. Oh ! mon Dieu ! je sais bien qu'il est impossible, ou plutôt qu'il devrait être impossible que la plus grande reine du monde fût jalouse d'une pauvre fille comme moi. Mais elle est femme, cette reine, et, comme celui d'une simple femme, son cœur peut s'ouvrir à des soupçons que les méchants envenimeraient. Au nom du Ciel ! sire, ne vous occupez donc pas de moi, je ne le mérite pas.

— Oh ! mademoiselle, s'écria le roi, vous ne songez donc point qu'en parlant comme vous le faites vous changez mon estime en admiration.

— Sire, vous prenez mes paroles pour ce qu'elles ne sont point ; vous me voyez meilleure que je ne suis ; vous me faites plus grande que Dieu ne m'a faite. Grâce pour moi, sire ! car, si je ne savais le roi le plus généreux homme de son royaume, je croirais que le roi veut se railler de moi.

— Oh ! certes ! vous ne craignez pas une pareille chose, j'en suis bien certain, s'écria Louis.

— Sire, je serais forcée de le croire si le roi continuait à me tenir un pareil langage.

— Je suis donc un bien malheureux prince, dit le roi avec une tristesse qui n'avait rien d'affecté, le plus malheureux prince de la chrétienté, puisque je n'ai pas pouvoir de donner créance à mes paroles devant la personne que j'aime le plus au monde et qui me brise le cœur en refusant de croire à mon amour.

— Oh ! sire, dit La Vallière, écartant doucement le roi, qui s'était de plus en plus rapproché d'elle, voilà, je crois, l'orage qui se calme et la pluie qui cesse.

Mais, au moment même où la pauvre enfant, pour fuir son pauvre cœur, trop d'accord sans doute avec celui du roi, prononçait ces paroles, l'orage se chargeait de lui donner un démenti ; un éclair bleuâtre illumina la forêt d'un reflet fantastique, et un coup de tonnerre pareil à une décharge d'artillerie éclata sur la tête des deux jeunes gens, comme si la hauteur du chêne qui les abritait eût provoqué le tonnerre.

La jeune fille ne put retenir un cri d'effroi.

Le roi d'une main la rapprocha de son cœur et étendit l'autre au-dessus de sa tête comme pour la garantir de la foudre.

Il y eut un moment de silence où ce groupe, charmant comme tout ce qui est jeune et aimé, demeura immobile, tandis que Fouquet et Aramis le contemplaient, non moins immobiles que La Vallière et le roi.

— Oh ! sire ! sire ! murmura La Vallière, entendez-vous ?

Et elle laissa tomber sa tête sur son épaule.

— Oui, dit le roi, vous voyez bien que l'orage ne passe pas.

— Sire, c'est un avertissement.

Le roi sourit.

— Sire, c'est la voix de Dieu qui menace.

— Eh bien! dit le roi, j'accepte effectivement ce coup de tonnerre pour un avertissement et même pour une menace, si d'ici à cinq minutes il se renouvelle avec une pareille force et une égale violence; mais, s'il n'en est rien, permettez-moi de penser que l'orage est l'orage et rien autre chose.

En même temps le roi leva la tête comme pour interroger le ciel.

Mais, comme si le ciel eût été complice de Louis, pendant les cinq minutes de silence qui suivirent l'explosion qui avait épouvanté les deux amants, aucun grondement nouveau ne se fit entendre, et, lorsque le tonnerre retentit de nouveau, ce fut en s'éloignant d'une manière visible, et comme si, pendant ces cinq minutes, l'orage, mis en fuite, eût parcouru dix lieues, fouetté par l'aile du vent.

— Eh bien! Louise, dit tout bas le roi, me menacerez-vous encore de la colère céleste; et puisque vous avez voulu faire de la foudre un pressentiment, douterez-vous encore que ce ne soit pas au moins un pressentiment de malheur?

La jeune fille releva la tête; pendant ce temps, l'eau avait percé la voûte de feuillage et ruisselait sur le visage du roi.

— Oh! sire, sire! dit-elle avec un accent de crainte irrésistible, qui émut le roi au dernier point. Et c'est pour moi, murmura-t-elle, que le roi reste ainsi découvert et exposé à la pluie; mais que suis-je donc?

— Vous êtes, vous le voyez, dit le roi, la divinité qui fait fuir l'orage, la déesse qui ramène le beau temps.

En effet, un rayon de soleil, filtrant à travers la forêt, faisait tomber comme autant de diamants les gouttes d'eau qui roulaient sur les feuilles ou qui tombaient verticalement dans les interstices du feuillage.

— Sire, dit La Vallière presque vaincue, mais faisant un suprême effort, sire, une dernière fois, songez aux douleurs que Votre Majesté va avoir à subir à cause de moi. En ce moment, mon Dieu! on vous cherche, on vous appelle. La reine doit être inquiète, et Madame, oh! Madame!... s'écria la jeune fille avec un sentiment qui ressemblait à de l'effroi.

Ce nom fit un certain effet sur le roi; il tressaillit et lâcha La Vallière qu'il avait jusque-là tenue embrassée.

Puis il s'avança du côté du chemin pour regarder, et revint presque soucieux à La Vallière.

— Madame, avez-vous dit? fit le roi.

— Oui, Madame; Madame qui est jalouse aussi, dit La Vallière avec un accent profond.

Et ses yeux si timides, si chastement fugitifs, osèrent un instant interroger les yeux du roi.

— Mais, reprit Louis en faisant un effort sur lui-même, Madame, ce me semble, n'a aucun sujet d'être jalouse de moi, Madame n'a aucun droit...

— Hélas ! murmura La Vallière.

— Oh ! mademoiselle, dit le roi presque avec l'accent du reproche, seriez-vous de ceux qui pensent que la sœur a le droit d'être jalouse du frère ?

— Sire, il ne m'appartient point de percer les secrets de Votre Majesté.

— Oh ! vous le croyez comme les autres, s'écria le roi.

— Je crois que Madame est jalouse, oui, sire, répondit fermement La Vallière.

— Mon Dieu ! fit le roi avec inquiétude, vous en apercevriez-vous donc à ses façons envers vous ? Madame a-t-elle pour vous quelque mauvais procédé que vous puissiez attribuer à cette jalousie ?

— Nullement, sire ; je suis si peu de chose, moi !

— Oh ! c'est que, s'il en était ainsi... s'écria Louis avec une force singulière.

— Sire, interrompit la jeune fille, il ne pleut plus ; on vient, on vient, je crois.

Et, oubliant toute étiquette, elle avait saisi le bras du roi.

— Eh bien ! mademoiselle, répliqua le roi, laissons venir. Qui donc oserait trouver mauvais que j'eusse tenu compagnie à Mlle de La Vallière ?

— Par pitié ! sire ; oh ! l'on trouvera étrange que vous soyez mouillé ainsi, que vous vous soyez sacrifié pour moi.

— Je n'ai fait que mon devoir de gentilhomme, dit Louis, et malheur à celui qui ne ferait pas le sien en critiquant la conduite de son roi !

En effet, en ce moment on voyait apparaître dans l'allée quelques têtes empressées et curieuses qui semblaient chercher, et qui, ayant aperçu le roi et La Vallière, parurent avoir trouvé ce qu'elles cherchaient.

C'étaient les envoyés de la reine et de Madame, qui mirent le chapeau à la main en signe qu'ils avaient vu Sa Majesté.

Mais Louis ne quitta point, quelle que fût la confusion de La Vallière, son attitude respectueuse et tendre.

Puis, quand tous les courtisans furent réunis dans l'allée, quand tout le monde eut pu voir la marque de déférence qu'il avait donnée à la jeune fille en restant debout et tête nue devant elle pendant l'orage, il lui offrit le bras, la ramena vers le groupe qui attendait, répondit de la tête au salut que chacun lui faisait, et, son chapeau toujours à la main, il la reconduisit jusqu'à son carrosse.

Et, comme la pluie continuait de tomber encore, dernier adieu de l'orage qui s'enfuyait, les autres dames, que le respect avait empêchées de monter en voiture avant le roi, recevaient sans cape et sans mantelet cette pluie dont le roi, avec son chapeau, garantissait, autant qu'il était en son pouvoir, la plus humble d'entre elles.

La reine et Madame durent, comme les autres, voir cette courtoisie exagérée du roi ; Madame en perdit contenance au point de pousser la reine du coude, en lui disant :

— Regardez, mais regardez donc !

La reine ferma les yeux comme si elle eût éprouvé un vertige. Elle porta la main à son visage et remonta en carrosse.

Madame monta après elle.

Le roi se remit à cheval, sans s'attacher de préférence à aucune portière ; il revint à Fontainebleau, les rênes sur le cou de son cheval, rêveur et tout absorbé[1].

Quand la foule se fut éloignée, quand ils eurent entendu le bruit des chevaux et des carrosses qui allait s'éteignant, quand ils furent sûrs enfin que personne ne les pouvait voir, Aramis et Fouquet sortirent de leur grotte. Puis, en silence, tous deux gagnèrent l'allée.

Aramis plongea son regard, non seulement dans toute l'étendue qui se déroulait devant lui et derrière lui, mais encore dans l'épaisseur des bois.

— Monsieur Fouquet, dit-il quand il se fut assuré que tout était solitaire, il faut à tout prix ravoir votre lettre à La Vallière.

— Ce sera chose facile, dit Fouquet, si le grison ne l'a pas rendue.

— Il faut, en tout cas, que ce soit chose possible, comprenez-vous ?

— Oui, le roi aime cette fille, n'est-ce pas ?

— Beaucoup, et, ce qu'il y a de pis, c'est que, de son côté, cette fille aime le roi passionnément.

— Ce qui veut dire que nous changeons de tactique, n'est-ce pas ?

— Sans aucun doute ; vous n'avez pas de temps à perdre. Il faut que vous voyiez La Vallière, et que, sans plus songer à devenir son amant, ce qui est impossible, vous vous déclariez son plus cher ami et son plus humble serviteur.

— Ainsi ferai-je, répondit Fouquet, et ce sera sans répugnance ; cette enfant me semble pleine de cœur.

— Ou d'adresse, dit Aramis ; mais alors raison de plus.

Puis il ajouta après un instant de silence :

— Ou je me trompe, ou cette petite fille sera la grande passion du roi. Remontons en voiture, et ventre à terre jusqu'au château.

---

1. « Il suivait tout pensif le chemin de Mycènes ; / Sa main sur ses chevaux laissait flotter les rênes », *Phèdre*, acte V, scène VI.

CXXXVII

TOBIE

Deux heures après que la voiture du surintendant était partie sur l'ordre d'Aramis, les emportant tous deux vers Fontainebleau avec la rapidité des nuages qui couraient au ciel sous le dernier souffle de la tempête, La Vallière était chez elle, en simple peignoir de mousseline, et achevant sa collation sur une petite table de marbre.

Tout à coup sa porte s'ouvrit, et un valet de chambre la prévint que M. Fouquet demandait la permission de lui rendre ses devoirs.

Elle fit répéter deux fois ; la pauvre enfant ne connaissait M. Fouquet que de nom, et ne savait pas deviner ce qu'elle pouvait avoir de commun avec un surintendant des finances.

Cependant, comme il pouvait venir de la part du roi, et, d'après la conversation que nous avons rapportée, la chose était bien possible, elle jeta un coup d'œil sur son miroir, allongea encore les longues boucles de ses cheveux, et donna l'ordre qu'il fût introduit.

La Vallière cependant ne pouvait s'empêcher d'éprouver un certain trouble. La visite du surintendant n'était pas un événement vulgaire dans la vie d'une femme de la cour. Fouquet, si célèbre par sa générosité, sa galanterie et sa délicatesse avec les femmes, avait reçu plus d'invitations qu'il n'avait demandé d'audiences.

Dans beaucoup de maisons, la présence du surintendant avait signifié fortune. Dans bon nombre de cœurs, elle avait signifié amour.

Fouquet entra respectueusement chez La Vallière, se présentant avec cette grâce qui était le caractère distinctif des hommes éminents de ce siècle, et qui aujourd'hui ne se comprend plus, même dans les portraits de l'époque, où le peintre a essayé de les faire vivre.

La Vallière répondit au salut cérémonieux de Fouquet par une révérence de pensionnaire, et lui indiqua un siège.

Mais Fouquet, s'inclinant :

— Je ne m'assoirai pas, mademoiselle, dit-il, que vous ne m'ayez pardonné.

— Moi ? demanda La Vallière.

— Oui, vous.

— Et pardonné quoi, mon Dieu ?

Fouquet fixa son plus perçant regard sur la jeune fille, et ne crut voir sur son visage que le plus naïf étonnement.

— Je vois, mademoiselle, dit-il, que vous avez autant de générosité que d'esprit, et je lis dans vos yeux le pardon que je sollicitais. Mais il ne me suffit pas du pardon des lèvres, je vous en préviens, il me faut encore le pardon du cœur et de l'esprit.

— Sur ma parole, monsieur, dit La Vallière, je vous jure que je ne vous comprends pas.

— C'est encore une délicatesse qui me charme, répondit Fouquet, et je vois que vous ne voulez point que j'aie à rougir devant vous.

— Rougir! rougir devant moi! Mais, voyons, dites, de quoi rougiriez-vous?

— Me tromperais-je, dit Fouquet, et aurais-je le bonheur que mon procédé envers vous ne vous eût pas désobligée?

La Vallière haussa les épaules.

— Décidément, monsieur, dit-elle, vous parlez par énigmes, et je suis trop ignorante, à ce qu'il paraît, pour vous comprendre.

— Soit, dit Fouquet, je n'insisterai pas. Seulement, dites-moi, je vous en supplie, que je puis compter sur votre pardon plein et entier.

— Monsieur, dit La Vallière avec une sorte d'impatience, je ne puis vous faire qu'une réponse, et j'espère qu'elle vous satisfera. Si je savais quel tort vous avez envers moi, je vous le pardonnerais. A plus forte raison, vous comprenez bien, ne connaissant pas ce tort...

Fouquet pinça ses lèvres comme eût fait Aramis.

— Alors, dit-il, je puis espérer que, nonobstant ce qui est arrivé, nous resterons en bonne intelligence, et que vous voudrez bien me faire la grâce de croire à ma respectueuse amitié.

La Vallière crut qu'elle commençait à comprendre.

« Oh! se dit-elle en elle-même, je n'eusse pas cru M. Fouquet si avide de rechercher les sources d'une faveur si nouvelle. »

Puis tout haut:

— Votre amitié, monsieur? dit-elle, vous m'offrez votre amitié? Mais, en vérité, c'est pour moi tout l'honneur, et vous me comblez.

— Je sais, mademoiselle, répondit Fouquet, que l'amitié du maître peut paraître plus brillante et plus désirable que celle du serviteur; mais je vous garantis que cette dernière sera tout aussi dévouée, tout aussi fidèle, et absolument désintéressée.

La Vallière s'inclina: il y avait, en effet, beaucoup de conviction et de dévouement réel dans la voix du surintendant.

Aussi lui tendit-elle la main.

— Je vous crois, dit-elle.

Fouquet prit vivement la main que lui tendait la jeune fille.

— Alors, ajouta-t-il, vous ne verrez aucune difficulté, n'est-ce pas, à me rendre cette malheureuse lettre?

— Quelle lettre? demanda La Vallière.

Fouquet l'interrogea, comme il avait déjà fait, de toute la puissance de son regard.

Même naïveté de physionomie, même candeur de visage.

— Allons, mademoiselle, dit-il, après cette dénégation, je suis forcé d'avouer que votre système est le plus délicat du monde, et je ne serais pas moi-même un honnête homme si je redoutais quelque chose d'une femme aussi généreuse que vous.

— En vérité, monsieur Fouquet, répondit La Vallière, c'est avec un profond regret que je suis forcée de vous répéter que je ne comprends absolument rien à vos paroles.

— Mais, enfin, sur l'honneur, vous n'avez donc reçu aucune lettre de moi, mademoiselle ?

— Sur l'honneur, aucune, répondit fermement La Vallière.

— C'est bien, cela me suffit, mademoiselle, permettez-moi de vous renouveler l'assurance de toute mon estime et de tout mon respect.

Puis, s'inclinant, il sortit pour aller retrouver Aramis, qui l'attendait chez lui, et laissant La Vallière se demander si le surintendant était devenu fou.

— Eh bien ! demanda Aramis qui attendait Fouquet avec impatience, êtes-vous content de la favorite ?

— Enchanté, répondit Fouquet, c'est une femme pleine d'esprit et de cœur.

— Elle ne s'est point fâchée ?

— Loin de là ; elle n'a pas même eu l'air de comprendre.

— De comprendre quoi ?

— De comprendre que je lui eusse écrit.

— Cependant, il a bien fallu qu'elle vous comprît pour vous rendre la lettre, car je présume qu'elle vous l'a rendue.

— Pas le moins du monde.

— Au moins, vous êtes-vous assuré qu'elle l'avait brûlée ?

— Mon cher monsieur d'Herblay, il y a déjà une heure que je joue aux propos interrompus[1], et je commence à avoir assez de ce jeu, si amusant qu'il soit. Comprenez-moi donc bien ; la petite a feint de ne pas comprendre ce que je lui disais ; elle a nié avoir reçu aucune lettre ; donc, ayant nié positivement la réception, elle n'a pu ni me la rendre, ni la brûler.

— Oh ! oh ! dit Aramis avec inquiétude, que me dites-vous là ?

— Je vous dis qu'elle m'a juré sur ses grands dieux n'avoir reçu aucune lettre.

— Oh ! c'est trop fort ! Et vous n'avez pas insisté ?

— J'ai insisté, au contraire, jusqu'à l'impertinence.

— Et elle a toujours nié ?

— Toujours.

---

1. *Propos interrompus* : jeu de société dans lequel les joueurs, assis en rond, adressent une question à l'un de leurs voisins, répondent à la question de l'autre, et associent ensuite question et réponse produisant des coq-à-l'âne.

— Elle ne s'est pas démentie un seul instant ?

— Pas un seul instant.

— Mais alors, mon cher, vous lui avez laissé notre lettre entre les mains ?

— Il l'a, pardieu ! bien fallu.

— Oh ! c'est une grande faute.

— Que diable eussiez-vous fait à ma place, vous ?

— Certes, on ne pouvait la forcer, mais cela est inquiétant ; une pareille lettre ne peut demeurer contre nous.

— Oh ! cette jeune fille est généreuse.

— Si elle l'eût été réellement, elle vous eût rendu votre lettre.

— Je vous dis qu'elle est généreuse ; j'ai vu ses yeux, je m'y connais.

— Alors, vous la croyez de bonne foi ?

— Oh ! de tout mon cœur.

— Eh bien ! moi, je crois que nous nous trompons.

— Comment cela ?

— Je crois qu'effectivement, comme elle vous l'a dit, elle n'a point reçu la lettre.

— Comment ! point reçu la lettre ?

— Non.

— Supposeriez-vous !...

— Je suppose que, par un motif que nous ignorons, votre homme n'a pas remis la lettre.

Fouquet frappa sur un timbre.

Un valet parut.

— Faites venir Tobie, dit-il.

Un instant après parut un homme à l'œil inquiet, à la bouche fine, aux bras courts, au dos voûté.

Aramis attacha sur lui son œil perçant.

— Voulez-vous me permettre de l'interroger moi-même ? demanda Aramis.

— Faites, dit Fouquet.

Aramis fit un mouvement pour adresser la parole au laquais, mais il s'arrêta.

— Non, dit-il, il verrait que nous attachons trop d'importance à sa réponse ; interrogez-le, vous ; moi, je vais feindre d'écrire.

Aramis se mit en effet à une table, le dos tourné au laquais dont il examinait chaque geste et chaque regard dans une glace parallèle.

— Viens ici, Tobie, dit Fouquet.

Le laquais s'approcha d'un pas assez ferme.

— Comment as-tu fait ma commission ? lui demanda Fouquet.

— Mais je l'ai faite comme à l'ordinaire, monseigneur, répliqua l'homme.

— Enfin, dis.

— J'ai pénétré chez Mlle de La Vallière, qui était à la messe et j'ai mis le billet sur sa toilette. N'est-ce point ce que vous m'aviez dit ?

— Si fait ; et c'est tout ?

— Absolument tout, monseigneur.

— Personne n'était là ?

— Personne.

— T'es-tu caché comme je te l'avais dit, alors ?

— Oui.

— Et elle est rentrée ?

— Dix minutes après.

— Et personne n'a pu prendre la lettre ?

— Personne, car personne n'est entré.

— De dehors, mais de l'intérieur ?

— De l'endroit où j'étais caché, je pouvais voir jusqu'au fond de la chambre.

— Écoute, dit Fouquet, en regardant fixement le laquais, si cette lettre s'est trompée de destination, avoue-le-moi ; car s'il faut qu'une erreur ait été commise, tu la paieras de ta tête.

Tobie tressaillit, mais se remit aussitôt.

— Monseigneur, dit-il, j'ai déposé la lettre à l'endroit où j'ai dit, et je ne demande qu'une demi-heure pour vous prouver que la lettre est entre les mains de Mlle de La Vallière ou pour vous rapporter la lettre elle-même.

Aramis observait curieusement le laquais.

Fouquet était facile dans sa confiance ; vingt ans cet homme l'avait bien servi.

— Va, dit-il, c'est bien ; mais apporte-moi la preuve que tu dis.

Le laquais sortit.

— Eh bien ! qu'en pensez-vous ? demanda Fouquet à Aramis.

— Je pense qu'il faut, par un moyen quelconque, vous assurer de la vérité. Je pense que la lettre est ou n'est pas parvenue à La Vallière ; que, dans le premier cas, il faut que La Vallière vous la rende ou vous donne la satisfaction de la brûler devant vous ; que, dans le second, il faut ravoir la lettre, dût-il nous en coûter un million. Voyons, n'est-ce point votre avis ?

— Oui ; mais cependant, mon cher évêque, je crois que vous vous exagérez la situation.

— Aveugle, aveugle que vous êtes ! murmura Aramis.

— La Vallière, que nous prenons pour une politique de première force, est tout simplement une coquette qui espère que je lui ferai la cour parce que je la lui ai déjà faite, et qui, maintenant qu'elle a reçu confirmation de l'amour du roi, espère me tenir en lisière avec la lettre. C'est naturel.

Aramis secoua la tête.

— Ce n'est point votre avis ? dit Fouquet.

— Elle n'est pas coquette.

— Laissez-moi vous dire...

— Oh ! je me connais en femmes coquettes, fit Aramis.

— Mon ami ! mon ami !

— Il y a longtemps que j'ai fait mes études, voulez-vous dire. Oh ! les femmes ne changent pas.

— Oui, mais les hommes changent, et vous êtes aujourd'hui plus soupçonneux qu'autrefois.

Puis, se mettant à rire :

— Voyons, dit-il, si La Vallière veut m'aimer pour un tiers et le roi pour deux tiers, trouvez-vous la condition acceptable ?

Aramis se leva avec impatience.

— La Vallière, dit-il, n'a jamais aimé et n'aimera jamais que le roi.

— Mais enfin, dit Fouquet, que feriez-vous ?

— Demandez-moi plutôt ce que j'eusse fait.

— Eh bien ! qu'eussiez-vous fait ?

— D'abord, je n'eusse point laissé sortir cet homme.

— Tobie ?

— Oui, Tobie ; c'est un traître !

— Oh !

— J'en suis sûr ! Je ne l'eusse point laissé sortir qu'il ne m'eût avoué la vérité.

— Il est encore temps.

— Comment cela ?

— Rappelons-le, et interrogez-le à votre tour.

— Soit !

— Mais je vous assure que la chose est bien inutile. Je l'ai depuis vingt ans, et jamais il ne m'a fait la moindre confusion, et cependant, ajouta Fouquet en riant, c'était facile.

— Rappelez-le toujours. Ce matin, il m'a semblé voir ce visage-là en grande conférence avec un des hommes de M. Colbert.

— Où donc cela ?

— En face des écuries.

— Bah ! tous mes gens sont à couteaux tirés avec ceux de ce cuistre.

— Je l'ai vu, vous dis-je ! et sa figure, qui devait m'être inconnue quand il est entré tout à l'heure, m'a frappé désagréablement.

— Pourquoi n'avez-vous rien dit pendant qu'il était là ?

— Parce que c'est à la minute seulement que je vois clair dans mes souvenirs.

— Oh ! oh ! voilà que vous m'effrayez, dit Fouquet.

Et il frappa sur le timbre.

— Pourvu qu'il ne soit pas trop tard, dit Aramis.

Fouquet frappa une seconde fois.

Le valet de chambre ordinaire parut.

— Tobie ! dit Fouquet, faites venir Tobie.

Le valet de chambre referma la porte.

— Vous me laissez carte blanche, n'est-ce pas ?

— Entière.

— Je puis employer tous les moyens pour savoir la vérité ?

— Tous.

— Même l'intimidation ?

— Je vous fais procureur à ma place.

On attendit dix minutes, mais inutilement.

Fouquet, impatienté, frappa de nouveau sur le timbre.

— Tobie ! cria-t-il.

— Mais, monseigneur, dit le valet, on le cherche.

— Il ne peut être loin, je ne l'ai chargé d'aucun message.

— Je vais voir, monseigneur.

Aramis, pendant ce temps, se promenait impatiemment mais silencieusement dans le cabinet.

On attendit dix minutes encore.

Fouquet sonna de manière à réveiller toute une nécropole.

Le valet de chambre rentra assez tremblant pour faire croire à une mauvaise nouvelle.

— Monseigneur se trompe, dit-il avant même que Fouquet l'interrogeât, Monseigneur aura donné une commission à Tobie, car il a été aux écuries prendre le meilleur coureur, et, monseigneur, il l'a sellé lui-même.

— Eh bien ?

— Il est parti.

— Parti ?... s'écria Fouquet. Que l'on coure, qu'on le rattrape !

— Là ! là ! dit Aramis en le prenant par la main ; calmons-nous ; maintenant, le mal est fait.

— Le mal est fait ?

— Sans doute, j'en étais sûr. Maintenant, ne donnons pas l'éveil ; calculons le résultat du coup et parons-le, si nous pouvons.

— Après tout, dit Fouquet, le mal n'est pas grand.

— Vous trouvez cela ? dit Aramis.

— Sans doute. Il est bien permis à un homme d'écrire un billet d'amour à une femme.

— A un homme, oui ; à un sujet, non ; surtout quand cette femme est celle que le roi aime.

— Eh ! mon ami, le roi n'aimait pas La Vallière il y a huit jours ; il ne l'aimait même pas hier, et la lettre est d'hier ; je ne pouvais pas deviner l'amour du roi, quand l'amour du roi n'existait pas encore.

— Soit, répliqua Aramis ; mais la lettre n'est malheureusement pas datée. Voilà ce qui me tourmente surtout. Ah ! si elle était datée d'hier seulement, je n'aurais pas pour vous l'ombre d'une inquiétude.

Fouquet haussa les épaules.

— Suis-je donc en tutelle, dit-il, et le roi est-il donc roi de mon cerveau et de ma chair ?

— Vous avez raison, répliqua Aramis ; ne donnons pas aux choses plus d'importance qu'il ne convient ; puis d'ailleurs... eh bien ! si nous sommes menacés, nous avons des moyens de défense.

— Oh ! menacés ! dit Fouquet, vous ne mettez pas cette piqûre de fourmi au nombre des menaces qui peuvent compromettre ma fortune et ma vie, n'est-ce pas ?

— Eh ! pensez-y, monsieur Fouquet, la piqûre d'une fourmi peut tuer un géant, si la fourmi est venimeuse.

— Mais cette toute-puissance dont vous parliez, voyons, est-elle déjà évanouie ?

— Je suis tout-puissant, soit ; mais je ne suis pas immortel.

— Voyons, retrouver Tobie serait le plus pressé, ce me semble. N'est-ce point votre avis ?

— Oh ! quant à cela, vous ne le retrouverez pas, dit Aramis, et, s'il vous était précieux, faites-en votre deuil.

— Enfin, il est quelque part dans le monde, dit Fouquet.

— Vous avez raison ; laissez-moi faire, répondit Aramis.

CXXXVIII

LES QUATRE CHANCES DE MADAME

La reine Anne avait fait prier la jeune reine de venir lui rendre visite.

Depuis quelque temps, souffrante et tombant du haut de sa beauté, du haut de sa jeunesse, avec cette rapidité de déclin qui signale la décadence des femmes qui ont beaucoup lutté, Anne d'Autriche voyait se joindre au mal physique la douleur de ne plus compter que comme un souvenir vivant au milieu des jeunes beautés, des jeunes esprits et des jeunes puissances de sa cour.

Les avis de son médecin, ceux de son miroir, la désolaient bien moins que ces avertissements inexorables de la société des courtisans qui, pareils aux rats du navire, abandonnent la cale où l'eau va pénétrer grâce aux avaries de la vétusté.

Anne d'Autriche ne se trouvait pas satisfaite des heures que lui donnait son fils aîné.

Le roi, bon fils, plus encore avec affectation qu'avec affection, venait d'abord passer chez sa mère une heure le matin et une heure le soir ; mais, depuis qu'il s'était chargé des affaires de l'État, la visite du matin et celle du soir s'étaient réduites d'une demi-heure ; puis, peu à peu, la visite du matin avait été supprimée.

On se voyait à la messe ; la visite même du soir était remplacée par une entrevue, soit chez le roi en assemblée, soit chez Madame, où la reine venait assez complaisamment par égard pour ses deux fils.

Il en résultait cet ascendant immense sur la cour que Madame avait conquis, et qui faisait de sa maison la véritable réunion royale.

Anne d'Autriche le sentit.

Se voyant souffrante et condamnée par la souffrance à de fréquentes retraites, elle fut désolée de prévoir que la plupart de ses journées, de ses soirées, s'écouleraient solitaires, inutiles, désespérées.

Elle se rappelait avec terreur l'isolement où jadis la laissait le cardinal de Richelieu, fatales et insupportables soirées, pendant lesquelles pourtant elle avait pour se consoler la jeunesse, la beauté, qui sont toujours accompagnées de l'espoir.

Alors elle forma le projet de transporter la cour chez elle et d'attirer Madame, avec sa brillante escorte, dans la demeure sombre et déjà triste où la veuve d'un roi de France, la mère d'un roi de France, était réduite à consoler de son veuvage anticipé la femme toujours larmoyante d'un roi de France.

Anne réfléchit.

Elle avait beaucoup intrigué dans sa vie. Dans le beau temps, alors que sa jeune tête enfantait des projets toujours heureux, elle avait près d'elle, pour stimuler son ambition et son amour, une amie plus ardente, plus ambitieuse qu'elle-même, une amie qui l'avait aimée, chose rare à la cour, et que de mesquines considérations avaient éloignée d'elle.

Mais depuis tant d'années, excepté Mme de Motteville, excepté la Molena, cette nourrice espagnole, confidente en sa qualité de compatriote et de femme, qui pouvait se flatter d'avoir donné un bon avis à la reine ?

Qui donc aussi, parmi toutes ces jeunes têtes, pouvait lui rappeler le passé, par lequel seulement elle vivait ?

Anne d'Autriche se souvint de Mme de Chevreuse, d'abord exilée plutôt de sa volonté à elle-même que de celle du roi, puis morte en exil femme d'un gentilhomme obscur.

Elle se demanda ce que Mme de Chevreuse lui eût conseillé autrefois en pareil cas dans leurs communs embarras d'intrigues, et, après une sérieuse méditation, il lui sembla que cette femme rusée, pleine d'expérience et de sagacité, lui répondait de sa voix ironique :

— Tous ces petits jeunes gens sont pauvres et avides. Ils ont besoin d'or et de rentes pour alimenter leurs plaisirs, prenez-les-moi par l'intérêt.

Anne d'Autriche adopta ce plan.

Sa bourse était bien garnie ; elle disposait d'une somme considérable amassée par Mazarin pour elle et mise en lieu sûr.

Elle avait les plus belles pierreries de France, et surtout des perles d'une telle grosseur, qu'elles faisaient soupirer le roi chaque fois qu'il les voyait, parce que les perles de sa couronne n'étaient que grains de mil auprès de celles-là.

Anne d'Autriche n'avait plus de beauté ni de charmes à sa disposition. Elle se fit riche et proposa pour appât à ceux qui viendraient chez elle, soit de bons écus d'or à gagner au jeu, soit de bonnes dotations habilement faites les jours de bonne humeur, soit des aubaines de rentes qu'elle arrachait au roi en sollicitant, ce qu'elle s'était décidée à faire pour entretenir son crédit.

Et d'abord elle essaya de ce moyen sur Madame, dont la possession lui était la plus précieuses de toutes.

Madame, malgré l'intrépide confiance de son esprit et de sa jeunesse, donna tête baissée dans le panneau qui était ouvert devant elle. Enrichie peu à peu par des dons, par des cessions, elle prit goût à ces héritages anticipés.

Anne d'Autriche usa du même moyen sur Monsieur et sur le roi lui-même.

Elle institua chez elle des loteries.

Le jour où nous sommes arrivés, il s'agissait d'un médianoche chez la reine mère, et cette princesse mettait en loterie deux bracelets fort beaux en brillants et d'un travail exquis.

Les médaillons étaient des camées antiques de la plus grande valeur ; comme revenu, les diamants ne représentaient pas une somme bien considérable, mais l'originalité, la rareté de travail étaient telles, qu'on désirait à la cour non seulement posséder, mais voir ces bracelets aux bras de la reine, et que, les jours où elle les portait, c'était une faveur que d'être admis à les admirer en lui baisant les mains.

Les courtisans avaient même à ce sujet adopté des variantes de galanterie pour établir cet aphorisme, que les bracelets eussent été sans prix s'ils n'avaient le malheur de se trouver en contact avec des bras pareils à ceux de la reine.

Ce compliment avait eu l'honneur d'être traduit dans toutes les langues de l'Europe, plus de mille distiques latins et français circulaient sur cette matière.

Le jour où Anne d'Autriche se décida pour la loterie, c'était un moment décisif : le roi n'était pas venu depuis deux jours chez sa mère. Madame boudait après la grande scène des dryades et des naïades.

Le roi ne boudait plus ; mais une distraction toute-puissante l'enlevait au-dessus des orages et des plaisirs de la cour.

Anne d'autriche opéra sa diversion en annonçant la fameuse loterie chez elle pour le soir suivant.

Elle vit, à cet effet, la jeune reine, à qui, comme nous l'avons dit, elle demanda une visite le matin.

— Ma fille, lui dit-elle, je vous annonce une bonne nouvelle. Le roi m'a dit de vous les choses les plus tendres. Le roi est jeune et facile à détourner ; mais, tant que vous vous tiendrez près de moi, il n'osera s'écarter de vous, à qui, d'ailleurs, il est attaché par une très vive tendresse. Ce soir, il y a loterie chez moi : vous y viendrez ?

— On m'a dit, fit la jeune reine avec une sorte de reproche timide, que Votre Majesté mettait en loterie ses beaux bracelets, qui sont d'une telle rareté, que nous n'eussions pas dû les faire sortir du garde-meuble de la couronne, ne fût-ce que parce qu'ils vous ont appartenu.

— Ma fille, dit alors Anne d'Autriche, qui entrevit toute la pensée de la jeune reine et voulut la consoler de n'avoir pas reçu ce présent, il fallait que j'attirasse chez moi à tout jamais Madame.

— Madame ? fit en rougissant la jeune reine.

— Sans doute ; n'aimez-vous pas mieux avoir chez vous une rivale pour la surveiller et la dominer, que de savoir le roi chez elle, toujours disposé à courtiser comme à l'être ? Cette loterie est l'attrait dont je me sers pour cela : me blâmez-vous ?

— Oh ! non ! fit Marie-Thérèse en frappant dans ses mains avec cet enfantillage de la joie espagnole.

— Et vous ne regrettez plus, ma chère, que je ne vous aie pas donné ces bracelets, comme c'était d'abord mon intention ?

— Oh ! non, oh ! non, ma bonne mère !...

— Eh bien ! ma chère fille, faites-vous bien belle, et que notre médianoche soit brillant : plus vous y serez gaie, plus vous y paraîtrez charmante, et vous éclipserez toutes les femmes par votre éclat comme par votre rang.

Marie-Thérèse partit enthousiasmée.

Une heure après, Anne d'Autriche recevait chez elle Madame, et, la couvrant de caresses :

— Bonnes nouvelles ! disait-elle, le roi est charmé de ma loterie.

— Moi, dit Madame, je n'en suis pas aussi charmée ; voir de beaux bracelets comme ceux-là aux bras d'une autre femme que vous, ma reine, ou moi, voilà ce à quoi je ne puis m'habituer.

— Là ! là ! dit Anne d'Autriche en cachant sous un sourire une violente douleur qu'elle venait de sentir, ne vous révoltez pas, jeune femme... et n'allez pas tout de suite prendre les choses au pis.

— Ah ! madame, le sort est aveugle... et vous avez, m'a-t-on dit, deux cents billets ?

— Tout autant. Mais vous n'ignorez pas qu'il y en aura qu'un gagnant ?

— Sans doute. A qui tombera-t-il ? Le pouvez-vous dire ? fit Madame désespérée.

— Vous me rappelez que j'ai fait un rêve cette nuit... Ah ! mes rêves sont bons... je dors si peu.

— Quel rêve ?... Vous souffrez ?

— Non, dit la reine en étouffant, avec une constance admirable, la torture d'un nouvel élancement dans le sein. J'ai donc rêvé que le roi gagnait les bracelets.

— Le roi ?

— Vous m'allez demander ce que le roi peut faire de bracelets, n'est-ce pas ?

— C'est vrai.

— Et vous ajouterez cependant qu'il serait fort heureux que le roi gagnât, car, ayant ces bracelets, il serait forcé de les donner à quelqu'un.

— De vous les rendre, par exemple.

— Auquel cas, je les donnerais immédiatement ; car vous ne pensez pas, dit la reine en riant, que je mette ces bracelets en loterie par gêne. C'est pour les donner sans faire de jalousie ; mais, si le hasard ne voulait pas me tirer de peine, eh bien ! je corrigerais le hasard... je sais bien à qui j'offrirais les bracelets.

Ces mots furent accompagnés d'un sourire si expressif, que Madame dut le payer par un baiser de remerciement.

— Mais, ajouta Anne d'Autriche, ne savez-vous pas aussi bien que moi que le roi ne me rendrait pas les bracelets s'il les gagnait ?

— Il les donnerait à la reine, alors.

— Non ; par la même raison qui fait qu'il ne me les rendrait pas ; attendu que, si j'eusse voulu les donner à la reine, je n'avais pas besoin de lui pour cela.

Madame jeta un regard de côté sur les bracelets, qui, dans leur écrin, scintillaient sur une console voisine.

— Qu'ils sont beaux ! dit-elle en soupirant. Eh ! mais, dit Madame, voilà-t-il pas que nous oublions que le rêve de Votre Majesté n'est qu'un rêve.

— Il m'étonnerait fort, repartit Anne d'Autriche, que mon rêve fût trompeur ; cela m'est arrivé rarement.

— Alors vous pouvez être prophète.

— Je vous ai dit, ma fille, que je ne rêve presque jamais ; mais c'est une coïncidence si étrange que celle de ce rêve avec mes idées ! il entre si bien dans mes combinaisons !

— Quelles combinaisons ?

— Celle-ci, par exemple, que vous gagnerez les bracelets.

— Alors ce ne sera pas le roi.

— Oh ! dit Anne d'Autriche, il n'y a pas tellement loin du cœur de Sa Majesté à votre cœur... à vous qui êtes sa sœur chérie... Il n'y a pas, dis-je, tellement loin, qu'on puisse dire que le rêve est menteur. Voyez pour vous les belles chances ; comptez-les bien.

— Je les compte.

— D'abord, celle du rêve. Si le roi gagne, il est certain qu'il vous donne les bracelets.

— J'admets cela pour une.

— Si vous les gagnez, vous les avez.

— Naturellement ; c'est encore admissible.

— Enfin, si Monsieur les gagnait !

— Oh ! dit Madame en riant aux éclats, il les donnerait au chevalier de Lorraine.

Anne d'Autriche se mit à rire comme sa bru, c'est-à-dire de si bon cœur, que sa douleur reparut et la fit blêmir au milieu de l'accès d'hilarité.

— Qu'avez-vous ? dit Madame effrayée.

— Rien, rien, le point de côté... J'ai trop ri... Nous en étions à la quatrième chance.

— Oh ! celle-là, je ne la vois pas.

— Pardonnez-moi, je ne me suis pas exclue des gagnants, et, si je gagne, vous êtes sûre de moi.

— Merci ! Merci ! s'écria Madame.

— J'espère que vous voilà favorisée, et qu'à présent le rêve commence à prendre les solides contours de la réalité.

— En vérité, vous me donnez espoir et confiance, dit Madame, et les bracelets ainsi gagnés me seront cent fois plus précieux.

— A ce soir donc !

— A ce soir !

Et les princesses se séparèrent.

Anne d'Autriche, après avoir quitté sa bru, se dit en examinant les bracelets :

« Ils sont bien précieux, en effet, puisque par eux, ce soir, je me serai concilié un cœur en même temps que j'aurai deviné un secret. »

Puis, se tournant vers son alcôve déserte :

— Est-ce ainsi que tu aurais joué, ma pauvre Chevreuse ? dit-elle au vide... Oui, n'est-ce pas ?

Et, comme un parfum d'autrefois, toute sa jeunesse, toute sa folle imagination, tout le bonheur lui revinrent avec l'écho de cette invocation.

CXXXIX

LA LOTERIE

Le soir, à huit heures, tout le monde était rassemblé chez la reine mère.

Anne d'Autriche, en grand habit de cérémonie, belle des restes de sa beauté et de toutes les ressources que la coquetterie peut mettre en des mains habiles, dissimulait, ou plutôt essayait de dissimuler à cette foule de jeunes courtisans qui l'entouraient et qui l'admiraient encore, grâce aux combinaisons que nous avons indiquées dans le chapitre précédent, les ravages déjà visibles de cette souffrance à laquelle elle devait succomber quelques années plus tard.

Madame, presque aussi coquette qu'Anne d'Autriche, et la reine, simple et naturelle, comme toujours, étaient assises à ses côtés et se disputaient ses bonnes grâces.

Les dames d'honneur, réunies en corps d'armée pour résister avec plus de force, et, par conséquent, avec plus de succès aux malicieux propos que les jeunes gens tenaient sur elles, se prêtaient, comme fait un bataillon carré, le secours mutuel d'une bonne garde et d'une bonne riposte.

Montalais, savante dans cette guerre de tirailleur, protégeait toute la ligne par le feu roulant qu'elle dirigeait sur l'ennemi.

De Saint-Aignan, au désespoir de la rigueur, insolente à force d'être obstinée, de Mlle de Tonnay-Charente, essayait de lui tourner le dos ; mais, vaincu par l'éclat irrésistible des deux grands yeux de la belle, il revenait à chaque instant consacrer sa défaite par de nouvelles soumissions, auxquelles Mlle de Tonnay-Charente ne manquait pas de riposter par de nouvelles impertinences.

De Saint-Aignan ne savait à quel saint se vouer.

La Vallière avait non pas une cour, mais des commencements de courtisans.

De Saint-Aignan, espérant par cette manœuvre attirer les yeux d'Athénaïs de son côté, était venu saluer la jeune fille avec un respect qui, à quelques esprits retardataires, avait fait croire à la volonté de balancer Athénaïs par Louise.

Mais ceux-là, c'étaient ceux qui n'avaient ni vu ni entendu raconter la scène de la pluie. Seulement, comme la majorité était déjà informée, et bien informée, sa faveur déclarée avait attiré à elle les plus habiles comme les plus sots de la cour.

Les premiers, parce qu'ils disaient, les uns, comme Montaigne : « Que sais-je[1] ? »

Les autres, parce qu'ils disaient comme Rabelais : « Peut-être[2] ?»

Le plus grand nombre avait suivi ceux-là, comme dans les chasses cinq ou six limiers habiles suivent seuls la fumée de la bête, tandis que tout le reste de la meute ne suit que la fumée des limiers.

Mesdames et la reine examinaient les toilettes de leurs filles et de leurs dames d'honneur, ainsi que celles des autres dames ; et elles daignaient oublier qu'elles étaient reines pour se souvenir qu'elles étaient femmes.

C'est-à-dire qu'elles déchiraient impitoyablement tout porte-jupe, comme eût dit Molière[3].

Les regards des deux princesses tombèrent simultanément sur La Vallière qui, ainsi que nous l'avons dit, était fort entourée en ce moment. Madame fut sans pitié.

— En vérité, dit-elle en se penchant vers la reine mère, si le sort était juste, il favoriserait cette pauvre petite La Vallière.

— Ce n'est pas possible, dit la reine mère en souriant.

— Comment cela ?

— Il n'y a que deux cents billets, de sorte que tout le monde n'a pu être porté sur la liste.

— Elle n'y est pas alors ?

— Non.

— Quel dommage ! Elle eût pu les gagner et les vendre.

— Les vendre ? s'écria la reine.

— Oui, cela lui aurait fait une dot, et elle n'eût pas été obligée de se marier sans trousseau, comme cela arrivera probablement.

— Ah bah ! vraiment ? Pauvre petite ! dit la reine mère, n'a-t-elle pas de robes ?

Et elle prononça ces mots en femme qui n'a jamais pu savoir ce que c'était que la médiocrité.

— Dame ! voyez : je crois, Dieu me pardonne, qu'elle a la même jupe ce soir qu'elle avait ce matin à la promenade, et qu'elle aura pu conserver, grâce au soin que le roi a pris de la mettre à l'abri de la pluie.

Au moment même où Madame prononçait ces paroles, le roi entrait.

Les deux princesses ne se fussent peut-être point aperçues de cette arrivée, tant elles étaient occupées à médire. Mais Madame vit tout à coup La Vallière, qui était debout en face de la galerie, se troubler et

---

1. *Essais*, livre II, chap. XII.

2. D'après la tradition (douteuse), dernière parole de l'écrivain : « Je vais quérir un grand peut-être. »

3. L'expression n'est pas dans Molière mais dans Regnard : « Et rien n'est si trompeur qu'animal porte-jupe. »

dire quelques mots aux courtisans qui l'entouraient ; ceux-ci s'écartèrent aussitôt. Ce mouvement ramena les yeux de Madame vers la porte. En ce moment, le capitaine des gardes annonça le roi.

A cette annonce, La Vallière, qui jusque-là avait tenu les yeux fixés sur la galerie, les abaissa tout à coup.

Le roi entra.

Il était vêtu avec une magnificence pleine de goût, et causait avec Monsieur et le duc de Roquelaure, qui tenaient, Monsieur sa droite, le duc de Roquelaure sa gauche.

Le roi s'avança d'abord vers les reines, qu'il salua avec un gracieux respect. Il prit la main de sa mère, qu'il baisa, adressa quelques compliments à Madame sur l'élégance de sa toilette, et commença à faire le tour de l'assemblée.

La Vallière fut saluée comme les autres, pas plus, pas moins que les autres.

Puis Sa Majesté revint à sa mère et à sa femme.

Lorsque les courtisans virent que le roi n'avait adressé qu'une phrase banale à cette jeune fille si recherchée le matin, ils tirèrent sur-le-champ une conclusion de cette froideur.

Cette conclusion fut que le roi avait eu un caprice, mais que ce caprice était déjà évanoui.

Cependant on eût dû remarquer une chose, c'est que, près de La Vallière, au nombre des courtisans, se trouvait M. Fouquet, dont la respectueuse politesse servit de maintien à la jeune fille, au milieu des différentes émotions qui l'agitaient visiblement.

M. Fouquet s'apprêtait, au reste, à causer plus intimement avec Mlle de La Vallière, lorsque M. Colbert s'approcha, et, après avoir fait sa révérence à Fouquet, dans toutes les règles de la politesse la plus respectueuse, il parut décidé à s'établir près de La Vallière pour lier conversation avec elle. Fouquet quitta aussitôt la place.

Tout ce manège était dévoré des yeux par Montalais et par Malicorne, qui se renvoyaient l'un à l'autre leurs observations.

De Guiche, placé dans une embrasure de fenêtre, ne voyait que Madame. Mais, comme Madame, de son côté, arrêtait fréquemment son regard sur La Vallière, les yeux de de Guiche, guidés par les yeux de Madame, se portaient de temps en temps aussi sur la jeune fille.

La Vallière sentit instinctivement s'alourdir sur elle le poids de tous ces regards, chargés, les uns d'intérêt, les autres d'envie. Elle n'avait, pour compenser cette souffrance, ni un mot d'intérêt de la part de ses compagnes, ni un regard d'amour du roi.

Aussi ce que souffrait la pauvre enfant, nul ne pourrait l'exprimer.

La reine mère fit approcher le guéridon sur lequel étaient les billets de loterie, au nombre de deux cents, et pria Mme de Motteville de lire la liste des élus.

Il va sans dire que cette liste était dressée selon les lois de l'étiquette : le roi venait d'abord, puis la reine mère, puis la reine, puis Monsieur, puis Madame, et ainsi de suite.

Les cœurs palpitaient à cette lecture. Il y avait bien trois cents invités chez la reine. Chacun se demandait si son nom devait rayonner au nombre des noms privilégiés.

Le roi écoutait avec autant d'attention que les autres.

Le dernier nom prononcé, il vit que La Vallière n'avait pas été portée sur la liste.

Chacun, au reste, put remarquer cette omission.

Le roi rougit comme lorsqu'une contrariété l'assaillait.

La Vallière, douce et résignée, ne témoigna rien.

Pendant toute la lecture, le roi ne l'avait point quittée du regard ; la jeune fille se dilatait sous cette heureuse influence qu'elle sentait rayonner autour d'elle, trop joyeuse et trop pure qu'elle était pour qu'une pensée autre que d'amour pénétrât dans son esprit ou dans son cœur.

Payant par la durée de son attention cette touchante abnégation, le roi montrait à son amante qu'il en comprenait l'étendue et la délicatesse.

La liste close, toutes les figures de femmes omises ou oubliées se laissèrent aller au désappointement.

Malicorne aussi fut oublié dans le nombre des hommes, et sa grimace dit clairement à Montalais, oubliée aussi :

« Est-ce que nous ne nous arrangerons pas avec la fortune de manière qu'elle ne nous oublie pas, elle ? »

« Oh ! que si fait », répliqua le sourire intelligent de Mlle Aure.

Les billets furent distribués à chacun selon son numéro.

Le roi reçut le sien d'abord, puis la reine mère, puis Monsieur, puis la reine et Madame, et ainsi de suite.

Alors, Anne d'Autriche ouvrit un sac en peau d'Espagne, dans lequel se trouvaient deux cents numéros gravés sur des boules de nacre, et présenta le sac tout ouvert à la plus jeune de ses filles d'honneur pour qu'elle y prît une boule.

L'attente, au milieu de tous ces préparatifs pleins de lenteur, était plus encore celle de l'avidité que celle de la curiosité.

De Saint-Aignan se pencha à l'oreille de Mlle de Tonnay-Charente :

— Puisque nous avons chacun un numéro, mademoiselle, lui dit-il, unissons nos deux chances. A vous le bracelet, si je gagne ; à moi, si vous gagnez, un seul regard de vos beaux yeux ?

— Non pas, dit Athénaïs ; à vous le bracelet, si vous le gagnez. Chacun pour soi.

— Vous êtes impitoyable, dit de Saint-Aignan, et je vous punirai par un quatrain :

Belle Iris, à mes vœux
Vous êtes trop rebelle...

— Silence ! dit Athénaïs, vous allez m'empêcher d'entendre le numéro gagnant.

— Numéro 1, dit la jeune fille qui avait tiré la boule de nacre du sac de peau d'Espagne.

— Le roi ! s'écria la reine mère.

— Le roi a gagné, répéta la reine joyeuse.

— Oh ! le roi ! votre rêve ! dit à l'oreille d'Anne d'Autriche Madame toute joyeuse.

Le roi ne fit éclater aucune satisfaction.

Il remercia seulement la fortune de ce qu'elle faisait pour lui en adressant un petit salut à la jeune fille qui avait été choisie comme mandataire de la rapide déesse.

Puis, recevant des mains d'Anne d'Autriche, au milieu des murmures de convoitise de toute l'assemblée, l'écrin qui renfermait les bracelets :

— Ils sont donc réellement beaux, ces bracelets ? dit-il.

— Regardez-les, dit Anne d'Autriche, et jugez-en vous-même.

Le roi les regarda.

— Oui, dit-il, et voilà, en effet, un admirable médaillon. Quel fini.

— Quel fini ! répéta Madame.

La reine Marie-Thérèse vit facilement et du premier coup d'œil que le roi ne lui offrirait pas les bracelets ; mais, comme il ne paraissait pas non plus songer le moins du monde à les offrir à Madame, elle se tint pour satisfaite, ou à peu près.

Le roi s'assit.

Les plus familiers parmi les courtisans vinrent successivement admirer de près la merveille, qui bientôt, avec la permission du roi, passa de main en main.

Aussitôt tous, connaisseurs ou non, s'exclamèrent de surprise et accablèrent le roi de félicitations.

Il y avait, en effet, de quoi admirer pour tout le monde ; les brillants pour ceux-ci, la gravure pour ceux-là.

Les dames manifestaient visiblement leur impatience de voir un pareil trésor accaparé par les cavaliers.

— Messieurs, messieurs, dit le roi à qui rien n'échappait, on dirait, en vérité, que vous portez des bracelets comme les Sabins : passez-les donc un peu aux dames, qui me paraissent avoir à juste titre la prétention de s'y connaître mieux que vous.

Ces mots semblèrent à Madame le commencement d'une décision qu'elle attendait.

Elle puisait, d'ailleurs, cette bienheureuse croyance dans les yeux de la reine mère.

Le courtisan qui les tenait au moment où le roi jetait cette observation au milieu de l'agitation générale se hâta de déposer les bracelets entre les mains de la reine Marie-Thérèse, qui, sachant bien, pauvre femme ! qu'ils ne lui étaient pas destinés, les regarda à peine et les passa presque aussitôt à Madame.

Celle-ci et, plus particulièrement qu'elle encore, Monsieur donnèrent aux bracelets un long regard de convoitise.

Puis elle passa les joyaux aux dames ses voisines, en prononçant ce seul mot, mais avec un accent qui valait une longue phrase :

— Magnifiques !

Les dames, qui avaient reçu les bracelets des mains de Madame, mirent le temps qui leur convint à les examiner, puis elles les firent circuler en les poussant à droite.

Pendant ce temps, le roi s'entretenait tranquillement avec de Guiche et Fouquet.

Il laissait parler plutôt qu'il n'écoutait.

Habituée à certains tours de phrases, son oreille, comme celle de tous les hommes qui exercent sur d'autres hommes une supériorité incontestable, ne prenait des discours semés çà et là que l'indispensable mot qui mérite une réponse.

Quant à son attention, elle était autre part.

Elle errait avec ses yeux.

Mlle de Tonnay-Charente était la dernière des dames inscrites pour les billets, et, comme si elle eût pris rang selon son inscription sur la liste, elle n'avait après elle que Montalais et La Vallière.

Lorsque les bracelets arrivèrent à ces deux dernières, on parut ne plus s'en occuper.

— L'humilité des mains qui maniaient momentanément ces joyaux leur ôtait toute leur importance.

Ce qui n'empêcha point Montalais de tressaillir de joie, d'envie et de cupidité à la vue de ces belles pierres, plus encore que de ce magnifique travail.

Il est évident que, mise en demeure entre la valeur pécuniaire et la beauté artistique, Montalais eût sans hésitation préféré les diamants aux camées.

Aussi eut-elle grand-peine à les passer à sa compagne La Vallière. La Vallière attacha sur les bijoux un regard presque indifférent.

— Oh ! que ces bracelets sont riches ! que ces bracelets sont magnifiques ! s'écria Montalais ; et tu ne t'extasies pas sur eux, Louise ? Mais, en vérité, tu n'es donc pas femme ?

— Si fait, répondit la jeune fille avec un accent d'adorable mélancolie. Mais pourquoi désirer ce qui ne peut nous appartenir ?

Le roi, la tête penchée en avant, écoutait ce que la jeune fille allait dire.

A peine la vibration de cette voix eut-elle frappé son oreille, qu'il se leva tout rayonnant, et, traversant tout le cercle pour aller de sa place à La Vallière :

— Mademoiselle, dit-il, vous vous trompez, vous êtes femme, et toute femme a droit à des bijoux de femme.

— Oh ! sire, dit La Vallière, Votre Majesté ne veut donc pas croire absolument à ma modestie ?

— Je crois que vous avez toutes les vertus, mademoiselle, la franchise comme les autres ; je vous adjure donc de dire franchement ce que vous pensez de ces bracelets.

— Qu'ils sont beaux, sire, et qu'ils ne peuvent être offerts qu'à une reine.

— Cela me ravit que votre opinion soit telle, mademoiselle ; les bracelets sont à vous, et le roi vous prie de les accepter.

Et comme, avec un mouvement qui ressemblait à de l'effroi, La Vallière tendait vivement l'écrin au roi, le roi repoussa doucement de sa main la main tremblante de La Vallière.

Un silence d'étonnement, plus funèbre qu'un silence de mort, régnait dans l'assemblée. Et cependant, on n'avait pas, du côté des reines, entendu ce qu'il avait dit, ni compris ce qu'il avait fait.

Une charitable amie se chargea de répandre la nouvelle.

Ce fut Tonnay-Charente, à qui Madame avait fait signe de s'approcher.

— Ah ! mon Dieu ! s'écria de Tonnay-Charente, est-elle heureuse, cette La Vallière ! le roi vient de lui donner les bracelets.

Madame se mordit les lèvres avec une telle force, que le sang apparut à la surface de la peau.

La jeune reine regarda alternativement La Vallière et Madame et se mit à rire.

Anne d'Autriche appuya son menton sur sa belle main blanche, et demeura longtemps absorbée par un soupçon qui lui mordait l'esprit et par une douleur atroce qui lui mordait le cœur.

De Guiche, en voyant pâlir Madame, en devinant ce qui la faisait pâlir, de Guiche quitta précipitamment l'assemblée et disparut. Malicorne put alors se glisser jusqu'à Montalais, et, à la faveur du tumulte général des conversations :

— Aure, lui dit-il, tu as près de toi notre fortune et notre avenir.

— Oui, répondit celle-ci.

Et elle embrassa tendrement La Vallière, qu'intérieurement elle était tentée d'étrangler.

CXL

MALAGA

Pendant tout ce long et violent débat des ambitions de cour contre les amours de cœur, un de nos personnages, le moins à négliger peut-être, était fort négligé, fort oublié, fort malheureux.

En effet, d'Artagnan, d'Artagnan, car il faut le nommer par son nom[1] pour qu'on se rappelle qu'il a existé, d'Artagnan n'avait absolument rien à faire dans ce monde brillant et léger. Après avoir suivi le roi pendant deux jours à Fontainebleau, et avoir regardé toutes les bergerades et tous les travestissements héroï-comiques de son souverain, le mousquetaire avait senti que cela ne suffisait point à remplir sa vie.

Accosté à chaque instant par des gens qui lui disaient : « Comment trouvez-vous que m'aille cet habit, monsieur d'Artagnan ? » il leur répondait de sa voix placide et railleuse : « Mais je trouve que vous êtes aussi bien habillé que le plus beau singe de la foire Saint-Laurent[2]. »

C'était un compliment comme les faisait d'Artagnan quand il n'en voulait pas faire d'autre : bon gré mal gré, il fallait donc s'en contenter.

Et, quand on lui demandait : « Monsieur d'Artagnan, comment vous habillez-vous ce soir ? » il répondait : « Je me déshabillerai. »

Ce qui faisait rire même les dames.

Mais, après deux jours passés ainsi, le mousquetaire voyant que rien de sérieux ne s'agitait là-dessous, et que le roi avait complètement oublié Paris, Saint-Mandé et Belle-Ile ;

Que M. Colbert rêvait lampions et feux d'artifice ;

Que les dames en avaient pour un mois au moins d'œillades à rendre et à donner ;

D'Artagnan demanda au roi un congé pour affaires de famille.

Au moment où d'Artagnan lui faisait cette demande, le roi se couchait, rompu d'avoir dansé.

— Vous voulez me quitter, monsieur d'Artagnan ? demanda-t-il d'un air étonné.

Louis XIV ne comprenait jamais que l'on se séparât de lui quand on pouvait avoir l'insigne honneur de demeurer près de lui.

— Sire, dit d'Artagnan, je vous quitte parce que je ne vous sers à

---

1. Dumas se souvient de ce vers de La Fontaine : « La peste (puisqu'il faut l'appeler par son nom) », « Les Animaux malades de la peste », *Fables*, livre VII, 1.

2. Située dans un enclos entouré de murs entre les rues du Faubourg-Saint-Denis, du Faubourg-Saint-Martin, Saint-Denis et Saint-Laurent, la foire durait du 1ᵉʳ juillet au 29 septembre, alors que primitivement elle n'avait lieu que le jour de la Saint-Laurent.

rien. Ah ! si je pouvais vous tenir le balancier, tandis que vous dansez, ce serait autre chose.

— Mais, mon cher monsieur d'Artagnan, répondit gravement le roi, on danse sans balancier.

— Ah ! tiens, dit le mousquetaire continuant son ironie insensible, tiens, je ne savais pas, moi !

— Vous ne m'avez donc pas vu danser ? demanda le roi.

— Oui ; mais j'ai cru que cela irait toujours de plus fort en plus fort. Je me suis trompé : raison de plus pour que je me retire. Sire, je le répète, vous n'avez pas besoin de moi ; d'ailleurs, si Votre Majesté en avait besoin, elle saurait où me trouver.

— C'est bien, dit le roi.

Et il accorda le congé.

Nous ne chercherons donc pas d'Artagnan à Fontainebleau, ce serait chose inutile ; mais, avec la permission de nos lecteurs, nous le retrouverons rue des Lombards, au Pilon-d'Or, chez notre vénérable ami Planchet.

Il est huit heures du soir, il fait chaud, une seule fenêtre est ouverte, c'est celle d'une chambre de l'entresol.

Un parfum d'épicerie, mêlé au parfum moins exotique, mais plus pénétrant, de la fange de la rue, monte aux narines du mousquetaire.

D'Artagnan, couché sur une immense chaise à dossier plat, les jambes, non pas allongées, mais posées sur un escabeau, forme l'angle le plus obtus qui se puisse voir.

L'œil, si fin et si mobile d'habitude, est fixe, presque voilé, et a pris pour but invariable le petit coin du ciel bleu que l'on aperçoit derrière la déchirure des cheminées ; il y a du bleu tout juste ce qu'il en faudrait pour mettre une pièce à l'un des sacs de lentilles ou de haricots qui forment le principal ameublement de la boutique du rez-de-chaussée.

Ainsi étendu, ainsi abruti dans son observation transfenestrale, d'Artagnan n'est plus un homme de guerre, d'Artagnan n'est plus un officier du palais, c'est un bourgeois croupissant entre le dîner et le souper, entre le souper et le coucher ; un de ces braves cerveaux ossifiés qui n'ont plus de place pour une seule idée, tant la matière guette avec férocité aux portes de l'intelligence, et surveille la contrebande qui pourrait se faire en introduisant dans le crâne un symptôme de pensée.

Nous avons dit qu'il faisait nuit ; les boutiques s'allumaient tandis que les fenêtres des appartements supérieurs se fermaient ; une patrouille de soldats du guet faisait entendre le bruit régulier de son pas.

D'Artagnan continuait à ne rien entendre et à ne rien regarder que le coin bleu de son ciel.

A deux pas de lui, tout à fait dans l'ombre, couché sur un sac de maïs, Planchet, le ventre sur ce sac, les deux bras sous son menton, regardait d'Artagnan penser, rêver ou dormir les yeux ouverts.

L'observation durait déjà depuis fort longtemps.

Planchet commença par faire :

— Hum ! hum !

D'Artagnan ne bougea point.

Planchet vit alors qu'il fallait recourir à quelque moyen plus efficace : après mûres réflexions, ce qu'il trouva de plus ingénieux dans les circonstances présentes, fut de se laisser rouler de son sac sur le parquet en murmurant contre lui-même le mot :

— Imbécile !

Mais, quel que fût le bruit produit par la chute de Planchet, d'Artagnan, qui, dans le cours de son existence, avait entendu bien d'autres bruits, ne parut pas faire le moindre cas de ce bruit-là.

D'ailleurs, une énorme charrette, chargée de pierres, débouchant de la rue Saint-Médéric, absorba dans le bruit de ses roues le bruit de la chute de Planchet.

Cependant Planchet crut, en signe d'approbation tacite, le voir imperceptiblement sourire au mot imbécile.

Ce qui, l'enhardissant, lui fit dire :

— Est-ce que vous dormez, monsieur d'Artagnan ?

— Non, Planchet, je ne dors *même* pas, répondit le mousquetaire.

— J'ai le désespoir, fit Planchet, d'avoir entendu le mot *même*.

— Eh bien ! quoi ? est-ce que ce mot n'est pas français, mons Planchet ?

— Si fait, monsieur d'Artagnan.

— Eh bien ?

— Eh bien ! ce mot m'afflige.

— Développe-moi ton affliction, Planchet, dit d'Artagnan.

— Si vous dites que vous ne dormez même pas, c'est comme si vous disiez que vous n'avez même pas la consolation de dormir. Ou mieux, c'est comme si vous disiez en d'autres termes : Planchet, je m'ennuie à crever.

— Planchet, tu sais que je ne m'ennuie jamais.

— Excepté aujourd'hui et avant-hier.

— Bah !

— Monsieur d'Artagnan, voilà huit jours que vous êtes revenu de Fontainebleau ; voilà huit jours que vous n'avez plus ni vos ordres à donner, ni votre compagnie à faire manœuvrer. Le bruit des mousquets, des tambours et de toute la royauté vous manque ; d'ailleurs, moi qui ai porté le mousquet, je conçois cela.

— Planchet, répondit d'Artagnan, je t'assure que je ne m'ennuie pas le moins du monde.

— Que faites-vous, en ce cas, couché là comme un mort ?

— Mon ami Planchet, il y avait au siège de La Rochelle quand j'y étais, quand tu y étais, quand nous y étions enfin, il y avait au siège de La Rochelle un Arabe qu'on renommait pour sa façon de pointer les couleuvrines. C'était un garçon d'esprit, quoiqu'il fût d'une singulière couleur, couleur de tes olives. Eh bien ! cet Arabe, quand il avait mangé ou travaillé, se couchait comme je suis couché en ce moment, et fumait je ne sais quelles feuilles magiques dans un grand tube à bout d'ambre[1] ; et, si quelque chef, venant à passer, lui reprochait de toujours dormir, il répondait tranquillement : « Mieux vaut être assis que debout, couché qu'assis, mort que couché. »

— C'était un Arabe lugubre et par sa couleur et par ses sentences, dit Planchet. Je me le rappelle parfaitement. Il coupait les têtes des protestants avec beaucoup de satisfaction.

— Précisément, et il les embaumait quand elles en valaient la peine.

— Oui, et quand il travaillait à cet embaumement avec toutes ses herbes et toutes ses grandes plantes, il avait l'air d'un vannier qui fait des corbeilles.

— Oui, Planchet, oui, c'est bien cela.

— Oh ! moi aussi, j'ai de la mémoire.

— Je n'en doute pas ; mais que dis-tu de son raisonnement ?

— Monsieur, je le trouve parfait d'une part, mais stupide de l'autre.

— Devise, Planchet, devise.

— Eh bien ! monsieur, en effet, mieux vaut être assis que debout, c'est constant surtout lorsqu'on est fatigué. Dans certaines circonstances — et Planchet sourit d'un air coquin — mieux vaut être couché qu'assis. Mais, quant à la dernière proposition : mieux vaut être mort que couché, je déclare que je la trouve absurde ; que ma préférence incontestable est pour le lit, et que, si vous n'êtes point de mon avis, c'est que, comme j'ai l'honneur de vous le dire, vous vous ennuyez à crever.

— Planchet, tu connais M. La Fontaine ?

— Le pharmacien du coin de la rue Saint-Martin[2] ?

— Non, le fabuliste.

— Ah ! maître corbeau[3] ?

— Justement ; eh bien ! je suis comme son lièvre.

— Il a donc un lièvre aussi ?

— Il a toutes sortes d'animaux.

— Eh bien ! que fait-il, son lièvre ?

— Il songe.

— Ah ! ah !

---

1. Le thème du haschisch est plus développé dans *Le Comte de Monte-Cristo*, chap. XXXI (« Italie. — Simbad le marin »).

2. Texte : « Saint-Médéric ». Nous ne retrouvons pas cette rue dans le Paris du XVIIᵉ siècle, aussi effectuons-nous une correction vraisemblable.

3. La Fontaine, « Le Corbeau et le Renard », *Fables*, livre I, II. Sur la publication des *Fables choisies*, voir tome I de la présente édition, chap. CXX, p. 778, note 1.

— Planchet, je suis comme le lièvre de M. La Fontaine, je songe[1].

— Vous songez ? fit Planchet inquiet.

— Oui ; ton logis, Planchet, est assez triste pour pousser à la méditation ; tu conviendras de cela, je l'espère.

— Cependant, monsieur, vous avez vue sur la rue.

— Pardieu ! voilà qui est récréatif, hein ?

— Il n'en est pas moins vrai, monsieur, que, si vous logiez sur le derrière, vous vous ennuieriez... Non, je veux dire que vous songeriez encore plus.

— Ma foi ! je ne sais pas, Planchet.

— Encore, fit l'épicier, si vos songeries étaient du genre de celle qui vous a conduit à la restauration du roi Charles II.

Et Planchet fit entendre un petit rire qui n'était pas sans signification.

— Ah ! Planchet, mon ami, dit d'Artagnan, vous devenez ambitieux.

— Est-ce qu'il n'y aurait pas quelque autre roi à restaurer, monsieur d'Artagnan, quelque autre Monck à mettre en boîte ?

— Non, mon cher Planchet, tous les rois sont sur leurs trônes... moins bien peut-être que je ne suis sur cette chaise ; mais enfin ils y sont.

Et d'Artagnan poussa un soupir.

— Monsieur d'Artagnan, fit Planchet, vous me faites de la peine.

— Tu es bien bon, Planchet.

— J'ai un soupçon, Dieu me pardonne.

— Lequel ?

— Monsieur d'Artagnan, vous maigrissez.

— Oh ! fit d'Artagnan frappant sur son thorax, qui résonna comme une cuirasse vide, c'est impossible, Planchet.

— Ah ! voyez-vous, dit Planchet avec effusion, c'est que si vous maigrissiez chez moi...

— Eh bien !

— Eh bien ! je ferais un malheur.

— Allons, bon !

— Oui.

— Que ferais-tu ? Voyons.

— Je trouverais celui qui cause votre chagrin.

— Voilà que j'ai un chagrin, maintenant.

— Oui, vous en avez un.

— Non, Planchet, non.

— Je vous dis que si, moi ; vous avez un chagrin, et vous maigrissez.

— Je maigris, tu es sûr ?

— A vue d'œil... Malaga ! si vous maigrissez encore, je prends ma rapière, et je m'en vais tout droit couper la gorge à M. d'Herblay.

---

1. La Fontaine, « Le Lièvre et les Grenouilles », *Fables*, livre II, XIV : « Un lièvre en son gîte songeait / (Car que faire en un gîte, à moins que l'on ne songe ?) »

— Hein ! fit d'Artagnan en bondissant sur sa chaise, que dites-vous là, Planchet ? et que fait le nom de M. d'Herblay dans votre épicerie ?

— Bon ! bon ! fâchez-vous si vous voulez, injuriez-moi si vous voulez ; mais, morbleu ! je sais ce que je sais.

D'Artagnan s'était, pendant cette seconde sortie de Planchet, placé de manière à ne pas perdre un seul de ses regards, c'est-à-dire qu'il s'était assis, les deux mains appuyées sur ses deux genoux, le cou tendu vers le digne épicier.

— Voyons, explique-toi, dit-il, et dis-moi comment tu as pu proférer un blasphème de cette force. M. d'Herblay, ton ancien chef, mon ami, un homme d'Église, un mousquetaire devenu évêque, tu lèverais l'épée sur lui, Planchet ?

— Je lèverais l'épée sur mon père quand je vous vois dans ces états-là.

— M. d'Herblay, un gentilhomme !

— Cela m'est bien égal, à moi, qu'il soit gentilhomme. Il vous fait rêver noir, voilà ce que je sais. Et, de rêver noir, on maigrit. Malaga ! Je ne veux pas que M. d'Artagnan sorte de chez moi plus maigre qu'il n'y est entré.

— Comment me fait-il rêver noir ? Voyons, explique, explique.

— Voilà trois nuits que vous avez le cauchemar.

— Moi ?

— Oui, vous, et que, dans votre cauchemar, vous répétez : « Aramis ! sournois d'Aramis ! »

— Ah ! j'ai dit cela ? fit d'Artagnan inquiet.

— Vous l'avez dit, foi de Planchet !

— Et bien, après ? Tu sais le proverbe, mon ami : « Tout songe est mensonge. »

— Non pas ; car, chaque fois que, depuis trois jours, vous êtes sorti, vous n'avez pas manqué de me demander au retour : « As-tu vu M. d'Herblay ? » Ou bien encore : « As-tu reçu pour moi des lettres de M. d'Herblay ? »

— Mais il me semble qu'il est bien naturel que je m'intéresse à ce cher ami ? dit d'Artagnan.

— D'accord, mais pas au point d'en diminuer.

— Planchet, j'engraisserai, je t'en donne ma parole d'honneur.

— Bien ! monsieur, je l'accepte ; car je sais que, lorsque vous donnez votre parole d'honneur, c'est sacré...

— Je ne rêverai plus d'Aramis.

— Très bien !

— Je ne te demanderai plus s'il y a des lettres de M. d'Herblay.

— Parfaitement.

— Mais tu m'expliqueras une chose.

— Parlez, monsieur.

— Je suis observateur...

— Je le sais bien...

— Et tout à l'heure tu as dit un juron singulier...

— Oui.

— Dont tu n'as pas l'habitude.

— « Malaga ! » vous voulez dire ?

— Justement.

— C'est mon juron depuis que je suis épicier.

— C'est juste, c'est un nom de raisin sec.

— C'est mon juron de férocité ; quand une fois j'ai dit « Malaga ! »
je ne suis plus un homme.

— Mais enfin je ne te connaissais pas ce juron-là.

— C'est juste, monsieur, on me l'a donné.

Et Planchet, en prononçant ces paroles, cligna de l'œil avec un petit
air de finesse qui appela toute l'attention de d'Artagnan.

— Eh ! eh ! fit-il.

Planchet répéta :

— Eh ! eh !

— Tiens ! tiens ! monsieur Planchet.

— Dame ! monsieur, dit Planchet, je ne suis pas comme vous, moi,
je ne passe pas ma vie à songer.

— Tu as tort.

— Je veux dire à m'ennuyer, monsieur ; nous n'avons qu'un faible
temps à vivre, pourquoi ne pas en profiter ?

— Tu es philosophe épicurien, à ce qu'il paraît, Planchet ?

— Pourquoi pas ? La main est bonne, on écrit et l'on pèse du sucre
et des épices ; le pied est sûr, on danse ou l'on se promène ; l'estomac
a des dents, on dévore et l'on digère ; le cœur n'est pas trop racorni ;
eh bien ! monsieur...

— Eh bien ! quoi, Planchet ?

— Ah ! voilà !... fit l'épicier en se frottant les mains.

D'Artagnan croisa une jambe sur l'autre.

— Planchet, mon ami, dit-il, vous m'abrutissez de surprise.

— Pourquoi ?

— Parce que vous vous révélez à moi sous un jour absolument
nouveau.

Planchet, flatté au dernier point, continua de se frotter les mains à
s'enlever l'épiderme.

— Ah ! ah ! dit-il, parce que je ne suis qu'une bête, vous croyez que
je serai un imbécile ?

— Bien ! Planchet, voilà un raisonnement.

— Suivez bien mon idée, monsieur. Je me suis dit, continua Planchet,
sans plaisir, il n'est pas de bonheur sur la terre.

— Oh ! que c'est bien vrai, ce que tu dis là, Planchet ! interrompit
d'Artagnan.

— Or, prenons, sinon du plaisir, le plaisir n'est pas chose si commune, du moins, des consolations.

— Et tu te consoles ?

— Justement.

— Explique-moi ta manière de te consoler.

— Je mets un bouclier pour aller combattre l'ennui. Je règle mon temps de patience, et, à la veille juste du jour où je sens que je vais m'ennuyer, je m'amuse.

— Ce n'est pas plus difficile que cela ?

— Non.

— Et tu as trouvé cela tout seul ?

— Tout seul.

— C'est miraculeux.

— Qu'en dites-vous ?

— Je dis que ta philosophie n'a pas sa pareille au monde.

— Eh bien ! alors, suivez mon exemple.

— C'est tentant.

— Faites comme moi.

— Je ne demanderais pas mieux ; mais toutes les âmes n'ont pas la même trempe, et peut-être que, s'il fallait que je m'amusasse comme toi, je m'ennuierais horriblement...

— Bah ! essayez d'abord.

— Que fais-tu ? Voyons.

— Avez-vous remarqué que je m'absente ?

— Oui.

— D'une certaine façon ?

— Périodiquement.

— C'est cela, ma foi ! Vous l'avez remarqué ?

— Mon cher Planchet, tu comprends que, lorsqu'on se voit à peu près tous les jours, quand l'un s'absente, celui-là manque à l'autre ? Est-ce que je ne te manque pas, à toi, quand je suis en campagne ?

— Immensément ! c'est-à-dire que je suis comme un corps sans âme.

— Ceci convenu, continuons.

— A quelle époque est-ce que je m'absente ?

— Le 15 et le 30 de chaque mois.

— Et je reste dehors ?

— Tantôt deux, tantôt trois, tantôt quatre jours.

— Qu'avez-vous cru que j'allais faire ?

— Les recettes.

— Et, en revenant, vous m'avez trouvé le visage ?...

— Fort satisfait.

— Vous voyez, vous le dites vous-même, toujours satisfait. Et vous avez attribué cette satisfaction ?...

— A ce que ton commerce allait bien ; à ce que les achats de riz, de pruneaux, de cassonade, de poires tapées et de mélasse allaient à merveille. Tu as toujours été fort pittoresque de caractère, Planchet ; aussi n'ai-je pas été surpris un instant de te voir opter pour l'épicerie, qui est un des commerces les plus variés et les plus doux au caractère, en ce qu'on y manie presque toutes choses naturelles et parfumées.

— C'est bien dit, monsieur ; mais quelle erreur est la vôtre !

— Comment, j'erre ?

— Quand vous croyez que je vais comme cela tous les quinze jours en recettes ou en achats. Oh ! oh ! monsieur, comment diable avez-vous pu croire une pareille chose ? Oh ! oh ! oh !

Et Planchet se mit à rire de façon à inspirer à d'Artagnan les doutes les plus injurieux sur sa propre intelligence.

— J'avoue, dit le mousquetaire, que je ne suis pas à ta hauteur.

— Monsieur, c'est vrai.

— Comment, c'est vrai ?

— Il faut bien que ce soit vrai puisque vous le dites ; mais remarquez bien que cela ne vous fait rien perdre dans mon esprit.

— Ah ! c'est bien heureux !

— Non, vous êtes un homme de génie, vous ; et, quand il s'agit de guerre, de surprises, de tactique et de coups de main, dame ! les rois sont bien peu de chose à côté de vous ; mais, pour le repos de l'âme, les soins du corps, les confitures de la vie, si cela peut se dire, ah ! monsieur, ne me parlez pas des hommes de génie, ils sont leurs propres bourreaux.

— Bon ! Planchet, dit d'Artagnan pétillant de curiosité, voilà que tu m'intéresses au plus haut point.

— Vous vous ennuyez déjà moins que tout à l'heure, n'est-ce pas ?

— Je ne m'ennuyais pas ; cependant, depuis que tu me parles, je m'amuse davantage.

— Allons donc ! bon commencement ! Je vous guérirai.

— Je ne demande pas mieux.

— Voulez-vous que j'essaie ?

— A l'instant.

— Soit ! Avez-vous ici des chevaux ?

— Oui : dix, vingt, trente.

— Il n'en est pas besoin de tant que cela ; deux, voilà tout.

— Ils sont à ta disposition, Planchet.

— Bon ! je vous emmène.

— Quand cela ?

— Demain.

— Où ?

— Ah ! vous en demandez trop.

— Cependant tu m'avoueras qu'il est important que je sache où je vais.

— Aimez-vous la campagne ?

— Médiocrement, Planchet.

— Alors vous aimez la ville ?

— C'est selon.

— Eh bien ! je vous mène dans un endroit moitié ville, moitié campagne.

— Bon !

— Dans un endroit où vous vous amuserez, j'en suis sûr.

— A merveille !

— Et, miracle, dans un endroit d'où vous revenez pour vous y être ennuyé.

— Moi ?

— Mortellement !

— C'est donc à Fontainebleau que tu vas ?

— A Fontainebleau, juste !

— Tu vas à Fontainebleau, toi ?

— J'y vais.

— Et que vas-tu faire à Fontainebleau, bon Dieu ?

Planchet répondit à d'Artagnan par un clignement d'yeux plein de malice.

— Tu as quelque terre par là, scélérat !

— Oh ! une misère, une bicoque.

— Je t'y prends.

— Mais c'est gentil, parole d'honneur !

— Je vais à la campagne de Planchet ! s'écria d'Artagnan.

— Quand vous voudrez.

— N'avons-nous pas dit demain ?

— Demain, soit ; et puis, d'ailleurs, demain, c'est le 14, c'est-à-dire la veille du jour où j'ai peur de m'ennuyer ; ainsi donc, c'est convenu.

— Convenu.

— Vous me prêtez un de vos chevaux ?

— Le meilleur.

— Non, je préfère le plus doux ; je n'ai jamais été excellent cavalier, vous le savez, et, dans l'épicerie, je me suis encore rouillé ; et puis...

— Et puis quoi ?

— Et puis, ajouta Planchet avec un autre clin d'œil, et puis je ne veux pas me fatiguer.

— Et pourquoi ? se hasarda à demander d'Artagnan.

— Parce que je ne m'amuserais plus, répondit Planchet.

Et là-dessus il se leva de dessus son sac de maïs en s'étirant et en faisant craquer tous ses os, les uns après les autres, avec une sorte d'harmonie.

— Planchet ! Planchet ! s'écria d'Artagnan, je déclare qu'il n'est point sur la terre de sybarite qui puisse vous être comparé. Ah ! Planchet, on voit bien que nous n'avons pas encore mangé l'un près de l'autre un tonneau de sel.

— Et pourquoi cela, monsieur ?

— Parce que je ne te connaissais pas encore, dit d'Artagnan, et que, décidément, j'en reviens à croire définitivement ce que j'avais pensé un instant le jour où, à Boulogne[1], tu as étranglé, ou peu s'en faut, Lubin, le valet de M. de Wardes ; Planchet, c'est que tu es un homme de ressource.

Planchet se mit à rire d'un rire plein de fatuité, donna le bonsoir au mousquetaire, et descendit dans son arrière-boutique, qui lui servait de chambre à coucher.

D'Artagnan reprit sa première position sur sa chaise, et son front, déridé un instant, devint plus pensif que jamais.

Il avait déjà oublié les folies et les rêves de Planchet.

« Oui, se dit-il en ressaisissant le fil de ses pensées, interrompues par cet agréable colloque auquel nous venons de faire participer le public ; oui, tout est là :

« 1° savoir ce que Baisemeaux voulait à Aramis ;

« 2° savoir pourquoi Aramis ne me donne point de ses nouvelles ;

« 3° savoir où est Porthos.

« Sous ces trois points gît le mystère.

« Or, continua d'Artagnan, puisque nos amis ne nous avouent rien, ayons recours à notre pauvre intelligence. On fait ce qu'on peut, mordioux ! ou malaga ! comme dit Planchet. »

CXLI

LA LETTRE DE M. DE BAISEMEAUX

D'Artagnan, fidèle à son plan, alla dès le lendemain matin rendre visite à M. de Baisemeaux.

C'était jour de propreté à la Bastille : les canons étaient brossés, fourbis, les escaliers grattés ; les porte-clefs semblaient occupés du soin de polir leurs clefs elles-mêmes.

Quant aux soldats de la garnison, ils se promenaient dans leurs cours, sous prétexte qu'ils étaient assez propres.

Le commandant Baisemeaux reçut d'Artagnan d'une façon plus que

---

1. Voir *Les Trois Mousquetaires*, chap. XX, mais la scène est à Calais : trouble de la mémoire de d'Artagnan dont la responsabilité incombe probablement à Dumas.

polie ; mais il fut avec lui d'une réserve tellement serrée, que toute la finesse de d'Artagnan ne lui tira pas une syllabe.

Plus il se retenait dans ses limites, plus la défiance de d'Artagnan croissait.

Ce dernier crut même remarquer que le commandant agissait en vertu d'une recommandation récente.

Baisemeaux n'avait pas été au Palais-Royal, avec d'Artagnan, l'homme froid et impénétrable que celui-ci trouva dans le Baisemeaux de la Bastille.

Quand d'Artagnan voulut le faire parler sur les affaires si pressantes d'argent qui avaient amené Baisemeaux à la recherche d'Aramis et le rendaient expansif malgré tout ce soir-là, Baisemeaux prétexta des ordres à donner dans la prison même, et laissa d'Artagnan se morfondre si longtemps à l'attendre, que notre mousquetaire, certain de ne point obtenir un mot de plus, partit de la Bastille sans que Baisemeaux fût revenu de son inspection.

Mais il avait un soupçon, d'Artagnan, et, une fois le soupçon éveillé, l'esprit de d'Artagnan ne dormait plus.

Il était aux hommes ce que le chat est aux quadrupèdes, l'emblème de l'inquiétude à la fois et de l'impatience.

Un chat inquiet ne demeure pas plus en place que le flocon de soie qui se balance à tout souffle d'air. Un chat qui guette est mort devant son poste d'observation, et ni la faim ni la soif ne savent le tirer de sa méditation.

D'Artagnan, qui brûlait d'impatience, secoua tout à coup ce sentiment comme un manteau trop lourd. Il se dit que la chose qu'on lui cachait était précisément celle qu'il importait de savoir.

En conséquence, il réfléchit que Baisemeaux ne manquerait pas de faire prévenir Aramis, si Aramis lui avait donné une recommandation quelconque. C'est ce qui arriva.

Baisemeaux avait à peine eu le temps matériel de revenir du donjon, que d'Artagnan s'était mis en embuscade près de la rue du Petit-Musc, de façon à voir tous ceux qui sortiraient de la Bastille.

Après une heure de station à la Herse-d'Or[1], sous l'auvent où l'on prenait un peu d'ombre, d'Artagnan vit sortir un soldat de garde.

Or, c'était le meilleur indice qu'il pût désirer. Tout gardien ou porte-clefs a ses jours de sortie et même ses heures à la Bastille, puisque tous sont astreints à n'avoir ni femme ni logement dans le château ; ils peuvent donc sortir sans exciter la curiosité.

Mais un soldat caserné est renfermé pour vingt-quatre heures lorsqu'il

---

1. L'auberge du XVIᵉ siècle, située à l'emplacement de l'actuel n° 35, était fameuse par ses écuries souterraines, dont la voûte était soutenue par des piliers carrés. (Nous avons déjà rencontré une autre *Herse-d'Or*, mais à Arras.)

est de garde, on le sait bien, et d'Artagnan le savait mieux que personne. Ce soldat ne devait donc sortir en tenue de service que pour un ordre exprès et pressé.

Le soldat, disons-nous, partit de la Bastille, et lentement, lentement, comme un heureux mortel à qui, au lieu d'une faction devant un insipide corps de garde, ou sur un bastion non moins ennuyeux, arrive la bonne aubaine d'une liberté jointe à une promenade, ces deux plaisirs comptant comme service. Il se dirigea vers le faubourg Saint-Antoine, humant l'air, le soleil, et regardant les femmes.

D'Artagnan le suivit de loin. Il n'avait pas encore fixé ses idées là-dessus.

« Il faut tout d'abord, pensa-t-il, que je voie la figure de ce drôle. Un homme vu est un homme jugé. »

D'Artagnan doubla le pas, et, ce qui n'était pas bien difficile, devança le soldat.

Non seulement il vit sa figure, qui était assez intelligente et résolue, mais encore il vit son nez, qui était un peu rouge.

« Le drôle aime l'eau-de-vie », se dit-il.

En même temps qu'il voyait le nez rouge, il voyait dans la ceinture du soldat un papier blanc.

« Bon ! il a une lettre, ajouta d'Artagnan. Or, un soldat se trouve trop joyeux d'être choisi par M. de Baisemeaux pour estafette, il ne vend pas le message. »

Comme d'Artagnan se rongeait les poings, le soldat avançait toujours dans le faubourg Saint-Antoine.

« Il va certainement à Saint-Mandé, se dit-il, et je ne saurai pas ce qu'il y a dans la lettre... »

C'était à en perdre la tête.

« Si j'étais en uniforme, se dit d'Artagnan, je ferais prendre le drôle et sa lettre avec lui. Le premier corps de garde me prêterait la main. Mais du diable si je dis mon nom pour un fait de ce genre. Le faire boire, il se défiera et puis il me grisera... Mordioux ! je n'ai plus d'esprit, et c'en est fait de moi. Attaquer ce malheureux, le faire dégainer, le tuer pour sa lettre. Bon, s'il s'agissait d'une lettre de reine à un lord, ou d'une lettre de cardinal à une reine. Mais, mon Dieu, quelles piètres intrigues que celles de MM. Aramis et Fouquet avec M. Colbert ! La vie d'un homme pour cela, oh ! non, pas même dix écus. »

Comme il philosophait de la sorte en mangeant ses ongles et moustaches, il aperçut un petit groupe d'archers et un commissaire.

Ces gens emmenaient un homme de belle mine qui se débattait du meilleur cœur.

Les archers lui avaient déchiré ses habits, et on le traînait. Il demandait qu'on le conduisît avec égards, se prétendant gentilhomme et soldat.

Il vit notre soldat marcher dans la rue, et cria :

— Soldat, à moi !

Le soldat marcha du même pas vers celui qui l'interpellait, et la foule le suivit.

Une idée vint alors à d'Artagnan.

C'était la première : on verra qu'elle n'était pas mauvaise.

Tandis que le gentilhomme racontait au soldat qu'il venait d'être pris dans une maison comme voleur, tandis qu'il n'était qu'un amant, le soldat le plaignait et lui donnait des consolations et des conseils avec cette gravité que le soldat français met au service de son amour-propre et de l'esprit de corps. D'Artagnan se glissa derrière le soldat pressé par la foule, et lui tira nettement et promptement le papier de la ceinture.

Comme, à ce moment, le gentilhomme déchiré tiraillait ce soldat, comme le commissaire tiraillait le gentilhomme, d'Artagnan put opérer sa capture sans le moindre inconvénient.

Il se mit à dix pas derrière un pilier de maison, et lut sur l'adresse :

A M. du Vallon, chez M. Fouquet, à Saint-Mandé.

— Bon, dit-il.

Et il décacheta sans déchirer, puis il tira le papier plié en quatre, qui contenait seulement ces mots :

Cher monsieur du Vallon, veuillez faire dire à M. d'Herblay qu'il est venu à la Bastille et qu'il a questionné.

Votre dévoué,

DE BAISEMEAUX

— Eh bien ! à la bonne heure, s'écria d'Artagnan, voilà qui est parfaitement limpide. Porthos en est.

Sûr de ce qu'il voulait savoir : « Mordioux ! pensa le mousquetaire, voilà un pauvre diable de soldat à qui cet enragé sournois de Baisemeaux va faire payer cher ma supercherie… S'il rentre sans lettre… que lui fera-t-on ? Au fait, je n'ai pas besoin de cette lettre, quand l'œuf est avalé, à quoi bon les coquilles ? »

D'Artagnan vit que le commissaire et les archers avaient convaincu le soldat et continuaient d'emmener leur prisonnier.

Celui-ci restait environné de la foule et continuait ses doléances.

D'Artagnan vint au milieu de tous et laissa tomber la lettre sans que personne ne le vît, puis il s'éloigna rapidement. Le soldat reprenait sa route vers Saint-Mandé, pensant beaucoup à ce gentilhomme qui avait imploré sa protection.

Tout à coup il pensa un peu à sa lettre, et, regardant sa ceinture, il la vit dépouillée. Son cri d'effroi fit plaisir à d'Artagnan.

Ce pauvre soldat jeta les yeux tout autour de lui avec angoisse, et enfin, derrière lui, à vingt pas, il aperçut la bienheureuse enveloppe. Il fondit dessus comme un faucon sur sa proie.

L'enveloppe était bien un peu poudreuse, un peu froissée, mais enfin la lettre était retrouvée.

D'Artagnan vit que le cachet brisé occupait beaucoup le soldat. Le brave homme finit cependant par se consoler, il remit le papier dans sa ceinture.

« Va, dit d'Artagnan, j'ai le temps désormais ; précède-moi. Il paraît qu'Aramis n'est pas à Paris, puisque Baisemeaux écrit à Porthos. Ce cher Porthos, quelle joie de le revoir... et de causer avec lui ! » dit le Gascon.

Et, réglant son pas sur celui du soldat, il se promit d'arriver un quart d'heure après lui chez M. Fouquet.

CXLII

OÙ LE LECTEUR VERRA AVEC PLAISIR
QUE PORTHOS N'A RIEN PERDU DE SA FORCE

D'Artagnan avait, selon son habitude, calculé que chaque heure vaut soixante minutes et chaque minute soixante secondes.

Grâce à ce calcul parfaitement exact de minutes et de secondes, il arriva devant la porte du surintendant au moment même où le soldat en sortait la ceinture vide.

D'Artagnan se présenta à la porte, qu'un concierge, brodé sur toutes les coutures, lui tint entrouverte.

D'Artagnan aurait bien voulu entrer sans se nommer, mais il n'y avait pas moyen. Il se nomma.

Malgré cette concession, qui devait lever toute difficulté, d'Artagnan le pensait du moins, le concierge hésita ; cependant, à ce titre répété pour la seconde fois, capitaine des gardes du roi[1], le concierge, sans livrer tout à fait passage, cessa de le barrer complètement.

D'Artagnan comprit qu'une formidable consigne avait été donnée.

Il se décida donc à mentir, ce qui, d'ailleurs, ne lui coûtait point par trop, quand il voyait par-delà le mensonge le salut de l'État, ou même purement et simplement son intérêt personnel.

Il ajouta donc, aux déclarations déjà faites par lui, que le soldat qui venait d'apporter une lettre à M. du Vallon n'était autre que son messager, et que cette lettre avait pour but d'annoncer son arrivée, à lui.

Dès lors, nul ne s'opposa plus à l'entrée de d'Artagnan, et d'Artagnan entra.

---

1. D'Artagnan est capitaine des mousquetaires, non des gardes.

Un valet voulut l'accompagner, mais il répondit qu'il était inutile de prendre cette peine à son endroit, attendu qu'il savait parfaitement où se tenait M. du Vallon.

Il n'y avait rien à répondre à un homme si complètement instruit. On laissa faire d'Artagnan.

Perrons, salons, jardins, tout fut passé en revue par le mousquetaire. Il marcha un quart d'heure dans cette maison plus que royale, qui comptait autant de merveilles que de meubles, autant de serviteurs que de colonnes et de portes.

« Décidément, se dit-il, cette maison n'a d'autres limites que les limites de la terre. Est-ce que Porthos aurait eu la fantaisie de s'en retourner à Pierrefonds, sans sortir de chez M. Fouquet ? »

Enfin, il arriva dans une partie reculée du château, ceinte d'un mur de pierres de taille sur lesquelles grimpait une profusion de plantes grasses ruisselantes de fleurs, grosses et solides comme des fruits.

De distance en distance, sur le mur d'enceinte, s'élevaient des statues dans des poses timides ou mystérieuses. C'étaient des vestales cachées sous le péplum aux grands plis ; des veilleurs agiles enfermés dans leurs voiles de marbre et couvant le palais de leurs furtifs regards.

Un Hermès, le doigt sur la bouche[1], une Iris aux ailes éployées, une Nuit tout arrosée de pavots, dominaient les jardins et les bâtiments qu'on entrevoyait derrière les arbres ; toutes ces statues se profilaient en blanc sur les hauts cyprès, qui dardaient leurs cimes noires vers le ciel.

Autour de ces cyprès s'étaient enroulés des rosiers séculaires, qui attachaient leurs anneaux fleuris à chaque fourche des branches et semaient sur les ramures inférieures et sur les statues des pluies de fleurs embaumées.

Ces enchantements parurent au mousquetaire l'effort suprême de l'esprit humain. Il était dans une disposition d'esprit à poétiser. L'idée que Porthos habitait un pareil éden lui donna de Porthos une idée plus haute, tant il est vrai que les esprits les plus élevés ne sont point exempts de l'influence de l'entourage.

D'Artagnan trouva la porte ; à la porte, une espèce de ressort qu'il découvrit et qu'il fit jouer. La porte s'ouvrit.

D'Artagnan entra, referma la porte et pénétra dans un pavillon bâti en rotonde, et dans lequel on n'entendait d'autre bruit que celui des cascades et des chants d'oiseaux.

A la porte du pavillon, il rencontra un laquais.

— C'est ici, dit sans hésitation d'Artagnan, que demeure M. le baron du Vallon, n'est-ce pas ?

---

1. La statue semble plutôt être, avec son doigt sur la bouche, celle d'Harpocrate, le dieu du silence.

— Oui, monsieur, répondit le laquais.

— Prévenez-le que M. le chevalier d'Artagnan, capitaine aux mousquetaires de Sa Majesté, l'attend.

D'Artagnan fut introduit dans un salon.

D'Artagnan ne demeura pas longtemps dans l'attente ; un pas bien connu ébranla le parquet de la salle voisine, une porte s'ouvrit ou plutôt s'enfonça, et Porthos vint se jeter dans les bras de son ami avec une sorte d'embarras qui ne lui allait pas mal.

— Vous ici ? s'écria-t-il.

— Et vous ? répliqua d'Artagnan. Ah ! sournois !

— Oui, dit Porthos en souriant d'un sourire embarrassé, oui, vous me trouvez chez M. Fouquet, et cela vous étonne un peu, n'est-ce pas ?

— Non pas ; pourquoi ne seriez-vous pas des amis de M. Fouquet ? M. Fouquet a bon nombre d'amis, surtout parmi les hommes d'esprit.

Porthos eut la modestie de ne pas prendre le compliment pour lui.

— Puis, ajouta-t-il, vous m'avez vu à Belle-Ile.

— Raison de plus pour que je sois porté à croire que vous êtes des amis de M. Fouquet.

— Le fait est que je le connais, dit Porthos avec un certain embarras.

— Ah ! mon ami, dit d'Artagnan, que vous êtes coupable envers moi !

— Comment cela ? s'écria Porthos.

— Comment ! vous accomplissez un ouvrage aussi admirable que celui des fortifications de Belle-Ile, et vous ne m'en avertissez pas.

Porthos rougit.

— Il y a plus, continua d'Artagnan, vous me voyez là-bas ; vous savez que je suis au roi, et vous ne devinez pas que le roi, jaloux de connaître quel est l'homme de mérite qui accomplit une œuvre dont on lui fait les plus magnifiques récits, vous ne devinez pas que le roi m'a envoyé pour savoir quel était cet homme ?

— Comment ! le roi vous avait envoyé pour savoir...

— Pardieu ! Mais ne parlons plus de cela.

— Corne de bœuf ! dit Porthos, au contraire, parlons-en ; ainsi, le roi savait que l'on fortifiait Belle-Ile ?

— Bon ! est-ce que le roi ne sait pas tout ?

— Mais il ne savait pas qui le fortifiait ?

— Non ; seulement, il se doutait, d'après ce qu'on lui avait dit des travaux, que c'était un illustre homme de guerre.

— Diable ! dit Porthos, si j'avais su cela.

— Vous ne vous seriez pas sauvé de Vannes, n'est-ce pas ?

— Non. Qu'avez-vous dit quand vous ne m'avez plus trouvé ?

— Mon cher, j'ai réfléchi.

— Ah ! oui, vous réfléchissez, vous... Et à quoi cela vous a-t-il mené de réfléchir ?

— A deviner toute la vérité.

— Ah ! vous avez deviné ?

— Oui.

— Qu'avez-vous deviné ? Voyons, dit Porthos en s'accommodant dans un fauteuil et prenant des airs de sphinx.

— J'ai deviné, d'abord, que vous fortifiiez Belle-Ile.

— Ah ! cela n'était pas bien difficile, vous m'avez vu à l'œuvre.

— Attendez donc ; mais j'ai deviné encore quelque chose, c'est que vous fortifiiez Belle-Ile par ordre de M. Fouquet.

— C'est vrai.

— Ce n'est pas le tout. Quand je suis en train de deviner, je ne m'arrête pas en route.

— Ce cher d'Artagnan !

— J'ai deviné que M. Fouquet voulait garder le secret le plus profond sur ces fortifications.

— C'était son intention, en effet, à ce que je crois, dit Porthos.

— Oui ; mais savez-vous pourquoi il voulait garder ce secret ?

— Dame ! pour que la chose ne fût pas sue, dit Porthos.

— D'abord. Mais ce désir était soumis à l'idée d'une galanterie...

— En effet, dit Porthos, j'ai entendu dire que M. Fouquet était fort galant.

— A l'idée d'une galanterie qu'il voulait faire au roi.

— Oh ! oh !

— Cela vous étonne ?

— Oui.

— Vous ne saviez pas cela ?

— Non.

— Eh bien ! je le sais, moi.

— Vous êtes donc sorcier.

— Pas le moins du monde.

— Comment le savez-vous, alors ?

— Ah ! voilà ! par un moyen bien simple ! j'ai entendu M. Fouquet le dire lui-même au roi.

— Lui dire quoi ?

— Qu'il avait fait fortifier Belle-Ile à son intention, et qu'il lui faisait cadeau de Belle-Ile.

— Ah ! vous avez entendu M. Fouquet dire cela au roi ?

— En toutes lettres. Il a même ajouté : « Belle-Ile a été fortifiée par un ingénieur de mes amis, homme de beaucoup de mérite, que je demanderai la permission de présenter au roi. » « Son nom ? » » a demandé le roi. « Le baron du Vallon », a répondu M. Fouquet. « C'est bien, a répondu le roi, vous me le présenterez. »

— Le roi a répondu cela ?

— Foi de d'Artagnan !

— Oh ! oh ! fit Porthos. Mais pourquoi ne m'a-t-on pas présenté, alors ?

— Ne vous a-t-on point parlé de cette présentation ?

— Si fait, mais je l'attends toujours.

— Soyez tranquille, elle viendra.

— Hum ! hum ! grogna Porthos.

D'Artagnan fit semblant de ne pas entendre, et, changeant la conversation :

— Mais vous habitez un lieu bien solitaire, cher ami, ce me semble ? demanda-t-il.

— J'ai toujours aimé l'isolement. Je suis mélancolique, répondit Porthos avec un soupir.

— Tiens ! c'est étrange, fit d'Artagnan, je n'avais pas remarqué cela.

— C'est depuis que je me livre à l'étude, dit Porthos d'un air soucieux.

— Mais les travaux de l'esprit n'ont pas nui à la santé du corps, j'espère ?

— Oh ! nullement.

— Les forces vont toujours bien ?

— Trop bien, mon ami, trop bien.

— C'est que j'avais entendu dire que, dans les premiers jours de votre arrivée...

— Oui, je ne pouvais plus remuer, n'est-ce pas ?

— Comment, fit d'Artagnan avec un sourire, et à propos de quoi ne pouviez-vous plus remuer ?

Porthos comprit qu'il avait dit une bêtise et voulut se reprendre.

— Oui, je suis venu de Belle-Ile ici sur de mauvais chevaux, dit-il, et cela m'avait fatigué.

— Cela ne m'étonne plus, que, moi qui venais derrière vous, j'en aie trouvé sept ou huit de crevés sur la route.

— Je suis lourd, voyez-vous, dit Porthos.

— De sorte que vous étiez moulu ?

— La graisse m'a fondu, et cette fonte m'a rendu malade.

— Ah ! pauvre Porthos !... Et Aramis, comment a-t-il été pour vous dans tout cela ?

— Très bien... Il m'a fait soigner par le propre médecin de M. Fouquet. Mais figurez-vous qu'au bout de huit jours je ne respirais plus.

— Comment cela ?

— La chambre était trop petite : j'absorbais trop d'air.

— Vraiment ?

— A ce que l'on m'a dit, du moins... Et l'on m'a transporté dans un autre logement.

— Où vous respiriez, cette fois ?

— Plus librement, oui ; mais pas d'exercice, rien à faire. Le médecin prétendait que je ne devais pas bouger ; moi, au contraire, je me sentais plus fort que jamais. Cela donna naissance à un grave accident.

— A quel accident ?

— Imaginez-vous, cher ami, que je me révoltai contre les ordonnances de cet imbécile de médecin et que je résolus de sortir, que cela lui convînt ou ne lui convînt pas. En conséquence, j'ordonnai au valet qui me servait d'apporter mes habits.

— Vous étiez donc tout nu, mon pauvre Porthos ?

— Non pas, j'avais une magnifique robe de chambre, au contraire. Le laquais obéit ; je me revêtis de mes habits, qui étaient devenus trop larges ; mais, chose étrange, mes pieds étaient devenus trop larges, eux.

— Oui, j'entends bien.

— Et mes bottes étaient devenues trop étroites.

— Vos pieds étaient restés enflés.

— Tiens ! vous avez deviné.

— Parbleu ! Et c'est là l'accident dont vous me vouliez entretenir ?

— Ah bien ! oui ! Je ne fis pas la même réflexion que vous. Je me dis : « Puisque mes pieds ont entré dix fois dans mes bottes, il n'y a aucune raison pour qu'ils n'y entrent pas une onzième. »

— Cette fois, mon cher Porthos, permettez-moi de vous le dire, vous manquiez de logique.

— Bref, j'étais donc placé en face d'une cloison ; j'essayais de mettre ma botte droite ; je tirais avec les mains, je poussais avec le jarret, faisant des efforts inouïs, quand, tout à coup, les deux oreilles de mes bottes demeurèrent dans mes mains ; mon pied partit comme une catapulte.

— Catapulte ! Come vous êtes fort sur les fortifications, cher Porthos !

— Mon pied partit donc comme une catapulte et rencontra la cloison, qu'il effondra. Mon ami, je crus que, comme Samson, j'avais démoli le temple[1]. Ce qui tomba du coup de tableaux, de porcelaines, de vases de fleurs, de tapisseries, de bâtons de rideaux, c'est inouï !

— Vraiment !

— Sans compter que de l'autre côté de la cloison était une étagère chargée de porcelaines.

— Que vous renversâtes ?

— Que je lançai à l'autre bout de l'autre chambre.

Porthos se mit à rire.

— En vérité, comme vous dites, c'est inouï !

Et d'Artagnan se mit à rire comme Porthos.

Porthos, aussitôt, se mit à rire plus fort que d'Artagnan.

— Je cassai, dit Porthos d'une voix entrecoupée par cette hilarité croissante, pour plus de trois mille francs de porcelaines, oh ! oh ! oh !...

— Bon ! dit d'Artagnan.

---

1. Juges, XVI, 22-31.

— J'écrasai pour plus de quatre mille francs de glaces, oh ! oh ! oh !...

— Excellent !

— Sans compter un lustre qui me tomba juste sur la tête et qui fut brisé en mille morceaux, oh ! oh ! oh !...

— Sur la tête ? dit d'Artagnan, qui se tenait les côtes.

— En plein !

— Mais vous eûtes la tête cassée ?

— Non, puisque je vous dis, au contraire, que c'est le lustre qui se brisa comme verre qu'il était.

— Ah ! le lustre était de verre ?

— De verre de Venise ; une curiosité, mon cher, un morceau qui n'avait pas son pareil, une pièce qui pesait deux cents livres.

— Et qui vous tomba sur la tête ?

— Sur... la... tête !... Figurez-vous un globe de cristal tout doré, tout incrusté en bas, des parfums qui brûlaient en haut, des becs qui jetaient de la flamme lorsqu'ils étaient allumés.

— Bien entendu ; mais ils ne l'étaient pas ?

— Heureusement, j'eusse été incendié.

— Et vous n'avez été qu'aplati ?

— Non.

— Comment, non.

— Non, le lustre m'est tombé sur le crâne. Nous avons là, à ce qu'il paraît, sur le sommet de la tête, une croûte excessivement solide.

— Qui vous a dit cela, Porthos ?

— Le médecin. Une manière de dôme qui supporterait Notre-Dame de Paris.

— Bah !

— Oui, il paraît que nous avons le crâne ainsi fait.

— Parlez pour vous, cher ami ; c'est votre crâne à vous qui est fait ainsi et non celui des autres.

— C'est possible, dit Porthos avec fatuité ; tant il y a que, lors de la chute du lustre sur ce dôme que nous avons au sommet de la tête, ce fut un bruit pareil à la détonation d'un canon ; le cristal fut brisé et je tombai tout inondé.

— De sang, pauvre Porthos !

— Non, de parfums qui sentaient comme des crèmes ; c'était excellent, mais cela sentait trop bon, je fus comme étourdi de cette bonne odeur ; vous avez éprouvé cela quelquefois, n'est-ce pas, d'Artagnan ?

— Oui, en respirant du muguet ; de sorte, mon pauvre ami, que vous fûtes renversé du choc et abasourdi de l'odeur.

— Mais ce qu'il y a de particulier, et le médecin m'a affirmé, sur son honneur, qu'il n'avait jamais rien vu de pareil...

— Vous eûtes au moins une bosse ? interrompit d'Artagnan.

— J'en eus cinq.

— Pourquoi cinq ?

— Attendez : le lustre avait, à son extrémité inférieure, cinq ornements dorés extrêmement aigus.

— Aïe !

— Ces cinq ornements pénétrèrent dans mes cheveux, que je porte fort épais, comme vous voyez.

— Heureusement.

— Et s'imprimèrent dans ma peau. Mais, voyez la singularité, ces choses-là n'arrivent qu'à moi ! Au lieu de faire des creux, ils firent des bosses. Le médecin n'a jamais pu m'expliquer cela d'une manière satisfaisante.

— Eh bien ! je vais vous l'expliquer, moi.

— Vous me rendrez service, dit Porthos en clignant des yeux, ce qui était chez lui le signe de l'attention portée au plus haut degré.

— Depuis que vous faites fonctionner votre cerveau à de hautes études, à des calculs importants, la tête a profité ; de sorte que vous avez maintenant une tête trop pleine de science.

— Vous croyez ?

— J'en suis sûr. Il en résulte qu'au lieu de rien laisser pénétrer d'étranger dans l'intérieur de la tête, votre boîte osseuse, qui est déjà trop pleine, profite des ouvertures qui s'y font pour laisser échapper ce trop-plein.

— Ah ! fit Porthos, à qui cette explication paraissait plus claire que celle du médecin.

— Les cinq protubérances causées par les cinq ornements du lustre furent certainement des amas scientifiques, amenés extérieurement par la force des choses.

— En effet, dit Porthos, et la preuve, c'est que cela me faisait plus de mal dehors que dedans. Je vous avouerai même que, quand je mettais mon chapeau sur ma tête, en l'enfonçant du poing avec cette énergie gracieuse que nous possédons, nous autres gentilshommes d'épée, eh bien ! si mon coup de poing n'était pas parfaitement mesuré, je ressentais des douleurs extrêmes.

— Porthos, je vous crois.

— Aussi, mon bon ami, dit le géant, M. Fouquet se décida-t-il, voyant le peu de solidité de la maison, à me donner un autre logis. On me mit en conséquence ici.

— C'est le parc réservé, n'est-ce pas ?

— Oui.

— Celui des rendez-vous ? celui qui est si célèbre dans les histoires mystérieuses du surintendant ?

— Je ne sais pas : je n'y ai eu ni rendez-vous ni histoires mystérieuses ; mais on m'autorise à y exercer mes muscles, et je profite de la permission en déracinant des arbres.

— Pour quoi faire ?

— Pour m'entretenir la main, et puis pour y prendre des nids d'oiseaux : je trouve cela plus commode que de monter dessus.

— Vous êtes pastoral comme Tircis, mon cher Porthos.

— Oui, j'aime les petits œufs ; je les aime infiniment plus que les gros. Vous n'avez point idée comme c'est délicat, une omelette de quatre ou cinq cents œufs de verdier, de pinson, de sansonnet, de merle et de grive.

— Mais cinq cents œufs, c'est monstrueux !

— Cela tient dans un saladier, dit Porthos.

D'Artagnan admira cinq minutes Porthos, comme s'il le voyait pour la première fois.

Quant à Porthos, il s'épanouit joyeusement sous le regard de son ami.

Ils demeurèrent quelques instants ainsi, d'Artagnan regardant, Porthos s'épanouissant.

D'Artagnan cherchait évidemment à donner un nouveau tour à la conversation.

— Vous divertissez-vous beaucoup ici, Porthos ? demanda-t-il enfin, sans doute lorsqu'il eut trouvé ce qu'il cherchait.

— Pas toujours.

— Je conçois cela ; mais, quand vous vous ennuierez par trop, que ferez-vous ?

— Oh ! je ne suis pas ici pour longtemps. Aramis attend que ma dernière bosse ait disparu pour me présenter au roi, qui ne peut pas souffrir les bosses, à ce qu'on m'a dit.

— Aramis est donc toujours à Paris ?

— Non.

— Et où est-il ?

— A Fontainebleau.

— Seul ?

— Avec M. Fouquet.

— Très bien. Mais savez-vous une chose ?

— Non. Dites-la-moi et je la saurai.

— C'est que je crois qu'Aramis vous oublie.

— Vous croyez ?

— Là-bas, voyez-vous, on rit, on danse, on festoie, on fait sauter les vins de M. de Mazarin. Savez-vous qu'il y a ballet tous les soirs, là-bas ?

— Diable ! diable !

— Je vous déclare donc que votre cher Aramis vous oublie.

— Cela se pourrait bien et je l'ai pensé parfois.

— A moins qu'il ne vous trahisse, le sournois !

— Oh !

— Vous le savez, c'est un fin renard, qu'Aramis.

— Oui, mais me trahir...

— Écoutez ; d'abord, il vous séquestre.

— Comment, il me séquestre ! Je suis séquestré, moi ?

— Pardieu !

— Je voudrais bien que vous me prouvassiez cela ?

— Rien de plus facile. Sortez-vous ?

— Jamais.

— Montez-vous à cheval ?

— Jamais.

— Laisse-t-on parvenir vos amis jusqu'à vous ?

— Jamais.

— Eh bien ! mon ami, ne sortir jamais, ne jamais monter à cheval, ne jamais voir ses amis, cela s'appelle être séquestré.

— Et pourquoi Aramis me séquestrerait-il ? demanda Porthos.

— Voyons, dit d'Artagnan, soyez franc, Porthos.

— Comme l'or.

— C'est Aramis qui a fait le plan des fortifications de Belle-Ile, n'est-ce pas ?

Porthos rougit.

— Oui, dit-il, mais voilà tout ce qu'il a fait.

— Justement, et mon avis est que ce n'est pas une très grande affaire.

— C'est le mien aussi.

— Bien ; je suis enchanté que nous soyons du même avis.

— Il n'est même jamais venu à Belle-Ile, dit Porthos.

— Vous voyez bien.

— C'est moi qui allais à Vannes, comme vous avez pu le voir.

— Dites comme je l'ai vu. Eh bien ! voilà justement l'affaire, mon cher Porthos, Aramis, qui n'a fait que les plans, voudrait passer pour l'ingénieur ; tandis que, vous qui avez bâti pierre à pierre la muraille, la citadelle et les bastions, il voudrait vous reléguer au rang de constructeur.

— De constructeur, c'est-à-dire de maçon ?

— De maçon, c'est cela.

— De gâcheur de mortier ?

— Justement.

— De manœuvre ?

— Vous y êtes.

— Oh ! oh ! cher Aramis, vous vous croyez toujours vingt-cinq ans, à ce qu'il paraît ?

— Ce n'est pas le tout : il vous en croit cinquante.

— J'aurais bien voulu le voir à la besogne.

— Oui.

— Un gaillard qui a la goutte.

— Oui.

— La gravelle.

— Oui.

— A qui il manque trois dents.

— Quatre.

— Tandis que moi, regardez !

Et Porthos, écartant ses grosses lèvres, exhiba deux rangées de dents un peu moins blanches que la neige, mais aussi nettes, aussi dures et aussi saines que l'ivoire.

— Vous ne vous figurez pas, Porthos, dit d'Artagnan, combien le roi tient aux dents. Les vôtres me décident ; je vous présenterai au roi.

— Vous ?

— Pourquoi pas ? Croyez-vous que je sois plus mal en cour qu'Aramis ?

— Oh ! non.

— Croyez-vous que j'aie la moindre prétention sur les fortifications de Belle-Ile ?

— Oh ! certes non.

— C'est donc votre intérêt seul qui peut me faire agir.

— Je n'en doute pas.

— Eh bien ! je suis intime ami du roi, et la preuve, c'est que, lorsqu'il y a quelque chose de désagréable à lui dire, c'est moi qui m'en charge.

— Mais, cher ami, si vous me présentez...

— Après ?

— Aramis se fâchera.

— Contre moi ?

— Non, contre moi.

— Bah ! que ce soit lui ou que ce soit moi qui vous présente, puisque vous deviez être présenté, c'est la même chose.

— On devait me faire faire des habits.

— Les vôtres sont splendides.

— Oh ! ceux que j'avais commandés étaient bien plus beaux.

— Prenez garde, le roi aime la simplicité.

— Alors je serai simple. Mais que dira M. Fouquet de me savoir parti ?

— Êtes-vous donc prisonnier sur parole ?

— Non, pas tout à fait. Mais je lui avais promis de ne pas m'éloigner sans le prévenir.

— Attendez, nous allons revenir à cela. Avez-vous quelque chose à faire ici ?

— Moi ? Rien de bien important, du moins.

— A moins cependant que vous ne soyez l'intermédiaire d'Aramis pour quelque chose de grave.

— Ma foi, non.

— Ce que je vous en dis, vous comprenez, c'est par intérêt pour vous.

Je suppose, par exemple, que vous êtes chargé d'envoyer à Aramis des messages, des lettres.

— Ah ! des lettres, oui. Je lui envoie de certaines lettres.

— Où cela ?

— A Fontainebleau.

— Et avez-vous de ces lettres ?

— Mais...

— Laissez-moi dire. Et avez-vous de ces lettres ?

— Je viens justement d'en recevoir une.

— Intéressante ?

— Je le suppose.

— Vous ne les lisez donc pas ?

— Je ne suis pas curieux.

Et Porthos tira de sa poche la lettre du soldat que Porthos n'avait pas lue, mais que d'Artagnan avait lue, lui.

— Savez-vous ce qu'il faut faire ? dit d'Artagnan.

— Parbleu ! ce que je fais toujours, l'envoyer.

— Non pas.

— Comment cela, la garder ?

— Non, pas encore. Ne vous a-t-on pas dit que cette lettre était importante.

— Très importante.

— Eh bien ! il faut la porter vous-même à Fontainebleau.

— A Aramis.

— Oui.

— C'est juste.

— Et puisque le roi y est...

— Vous profiterez de cela ?...

— Je profiterai de cela pour vous présenter au roi.

— Ah ! corne de bœuf ! d'Artagnan, il n'y a en vérité que vous pour trouver des expédients.

— Donc, au lieu d'envoyer à notre ami des messagers plus ou moins fidèles, c'est nous-mêmes qui lui portons la lettre.

— Je n'y avais même pas songé, c'est bien simple cependant.

— C'est pourquoi il est urgent, mon cher Porthos, que nous partions tout de suite.

— En effet, dit Porthos, plus tôt nous partirons, moins la lettre d'Aramis éprouvera de retard.

— Porthos, vous raisonnez toujours puissamment, et chez vous la logique seconde l'imagination.

— Vous trouvez ? dit Porthos.

— C'est le résultat des études solides, répondit d'Artagnan. Allons, venez.

— Mais, dit Porthos, ma promesse à M. Fouquet ?

— Laquelle ?

— De ne point quitter Saint-Mandé sans le prévenir ?

— Ah ! mon cher Porthos, dit d'Artagnan, que vous êtes jeune !

— Comment cela !

— Vous arrivez à Fontainebleau, n'est-ce pas ?

— Oui.

— Vous y trouverez M. Fouquet ?

— Oui.

— Chez le roi probablement ?

— Chez le roi, répéta majestueusement Porthos.

— Et vous l'abordez en lui disant : « Monsieur Fouquet, j'ai l'honneur de vous prévenir que je viens de quitter Saint-Mandé. »

— Et, dit Porthos avec la même majesté, me voyant à Fontainebleau chez le roi, M. Fouquet ne pourra pas dire que je mens.

— Mon cher Porthos, j'ouvrais la bouche pour vous le dire ; vous me devancez en tout. Oh ! Porthos ! quelle heureuse nature vous êtes ! l'âge n'a pas mordu sur vous.

— Pas trop.

— Alors tout est dit.

— Je crois que oui.

— Vous n'avez plus de scrupules ?

— Je crois que non.

— Alors je vous emmène.

— Parfaitement ; je vais faire seller mes chevaux.

— Vous avez des chevaux ici ?

— J'en ai cinq.

— Que vous avez fait venir de Pierrefonds ?

— Que M. Fouquet m'a donnés.

— Mon cher Porthos, nous n'avons pas besoin de cinq chevaux pour deux ; d'ailleurs, j'en ai déjà trois à Paris, cela ferait huit ; ce serait trop.

— Ce ne serait pas trop si j'avais mes gens ici ; mais, hélas ! je ne les ai pas.

— Vous regrettez vos gens ?

— Je regrette Mousqueton, Mousqueton me manque.

— Excellent cœur ! dit d'Artagnan ; mais, croyez-moi, laissez vos chevaux ici comme vous avez laissé Mousqueton là-bas.

— Pourquoi cela ?

— Parce que, plus tard...

— Eh bien ?

— Eh bien ! plus tard, peut-être sera-t-il bien que M. Fouquet ne vous ait rien donné du tout.

— Je ne comprends pas, dit Porthos.

— Il est inutile que vous compreniez.

— Cependant...

— Je vous expliquerai cela plus tard, Porthos.

— C'est de la politique, je parie.

— Et de la plus subtile.

Porthos baissa la tête sur ce mot de politique ; puis, après un moment de rêverie, il ajouta :

— Je vous avouerai, d'Artagnan, que je ne suis pas politique.

— Je le sais, pardieu ! bien.

— Oh ! nul ne sait cela ; vous me l'avez dit vous-même, vous, le brave des braves.

— Que vous ai-je dit, Porthos ?

— Que l'on avait ses jours. Vous me l'avez dit et je l'ai éprouvé. Il y a des jours où l'on éprouve moins de plaisir que dans d'autres à recevoir des coups d'épée.

— C'est ma pensée.

— C'est la mienne aussi, quoique je ne croie guère aux coups qui tuent.

— Diable ! vous avez tué, cependant ?

— Oui, mais je n'ai jamais été tué.

— La raison est bonne.

— Donc, je ne crois pas mourir jamais de la lame d'une épée ou de la balle d'un fusil.

— Alors, vous n'avez peur de rien ?... Ah ! de l'eau, peut-être ?

— Non, je nage comme une loutre.

— De la fièvre quartaine ?

— Je ne l'ai jamais eue, et ne crois point l'avoir jamais ; mais je vous avouerai une chose...

Et Porthos baissa la voix.

— Laquelle ? demanda d'Artagnan en se mettant au diapason de Porthos.

— Je vous avouerai, répéta Porthos, que j'ai une horrible peur de la politique.

— Ah ! bah ! s'écria d'Artagnan.

— Tout beau ! dit Porthos d'une voix de stentor. J'ai vu Son Éminence M. le cardinal de Richelieu et Son Éminence M. le cardinal de Mazarin ; l'un avait une politique rouge, l'autre une politique noire. Je n'ai jamais été beaucoup plus content de l'une que de l'autre : la première a fait couper le cou à M. de Marillac, à M. de Thou, à M. de Cinq-Mars, à M. de Chalais, à M. de Boutteville, à M. de Montmorency ; la seconde a fait écharper une foule de frondeurs, dont nous étions, mon cher.

— Dont, au contraire, nous n'étions pas, dit d'Artagnan.

— Oh ! si fait ; car si je dégainais pour le cardinal, moi, je frappais pour le roi.

— Cher Porthos !

— J'achève. Ma peur de la politique est donc telle, que, s'il y a de la politique là-dessous, j'aime mieux retourner à Pierrefonds.

— Vous auriez raison, si cela était ; mais avec moi, cher Porthos, jamais de politique, c'est net. Vous avez travaillé à fortifier Belle-Ile ; le roi a voulu savoir le nom de l'habile ingénieur qui avait fait les travaux ; vous êtes timide comme tous les hommes d'un vrai mérite ; peut-être Aramis veut-il vous mettre sous le boisseau. Moi, je vous prends ; moi, je vous déclare ; moi, je vous produis ; le roi vous récompense et voilà toute ma politique.

— C'est la mienne, morbleu ! dit Porthos en tendant la main à d'Artagnan.

Mais d'Artagnan connaissait la main de Porthos ; il savait qu'une fois emprisonnée entre les cinq doigts du baron, une main ordinaire n'en sortait pas sans foulure. Il tendit donc, non pas la main, mais le poing à son ami. Porthos ne s'en aperçut même pas. Après quoi ils sortirent tous deux de Saint-Mandé.

Les gardiens chuchotèrent bien un peu et se dirent à l'oreille quelques paroles que d'Artagnan comprit, mais qu'il se garda bien de faire comprendre à Porthos.

« Notre ami, dit-il, était bel et bien prisonnier d'Aramis. Voyons ce qu'il va résulter de la mise en liberté de ce conspirateur. »

CXLIII

LE RAT ET LE FROMAGE

D'Artagnan et Porthos revinrent à pied comme d'Artagnan était venu.

Lorsque d'Artagnan, entrant le premier dans la boutique du Pilon-d'Or, eut annoncé à Planchet que M. du Vallon serait un des voyageurs privilégiés ; lorsque Porthos, en entrant dans la boutique, eut fait cliqueter avec son plumet les chandelles de bois suspendues à l'auvent, quelque chose comme un pressentiment douloureux troubla la joie que Planchet se promettait pour le lendemain.

Mais c'était un cœur d'or que notre épicier, relique précieuse du bon temps, qui est toujours et a toujours été pour ceux qui vieillissent le temps de leur jeunesse, et pour ceux qui sont jeunes la vieillesse de leurs ancêtres.

Planchet, malgré ce frémissement intérieur aussitôt réprimé que ressenti, accueillit donc Porthos avec un respect de tendre cordialité.

Porthos, un peu roide d'abord, à cause de la distance sociale qui existait à cette époque entre un baron et un épicier, Porthos finit par s'humaniser en voyant chez Planchet tant de bon vouloir et de prévenances.

Il fut surtout sensible à la liberté qui lui fut donnée, ou plutôt offerte, de plonger ses larges mains dans les caisses de fruits secs et confits, dans les sacs d'amandes et de noisettes, dans les tiroirs pleins de sucrerie.

Aussi, malgré les invitations que lui fit Planchet de monter à l'entresol, choisit-il pour habitation favorite, pendant la soirée qu'il avait à passer chez Planchet, la boutique, où ses doigts rencontraient toujours ce que son nez avait senti et vu.

Les belles figues de Provence, les avelines du Forest[1], les prunes de la Touraine, devinrent pour Porthos l'objet d'une distraction qu'il savoura pendant cinq heures sans interruption.

Sous ses dents, comme sous des meules, se broyaient les noyaux, dont les débris jonchaient le plancher et criaient sous les semelles de ceux qui allaient et venaient ; Porthos égrenait dans ses lèvres, d'un seul coup, les riches grappes de muscat sec, aux violettes couleurs, dont une demi-livre passait ainsi d'un seul coup de sa bouche dans son estomac.

Dans un coin du magasin, les garçons, tapis avec épouvante, s'entre-regardaient sans oser se parler.

Ils ignoraient Porthos, ils ne l'avaient jamais vu. La race de ces Titans qui avaient porté les dernières cuirasses d'Hugues Capet, de Philippe Auguste et de François Ier commençait à disparaître. Ils se demandaient donc mentalement si ce n'était point là l'ogre des contes de fées, qui allait faire disparaître dans son insatiable estomac le magasin tout entier de Planchet, et cela sans opérer le moindre déménagement des tonnes et des caisses.

Croquant, mâchant, cassant, grignotant, suçant et avalant, Porthos disait de temps en temps à l'épicier :

— Vous avez là un joli commerce, ami Planchet.

— Il n'en aura bientôt plus si cela continue, grommela le premier garçon, qui avait parole de Planchet pour lui succéder.

Et, dans son désespoir, il s'approcha de Porthos, qui tenait toute la place du passage qui conduisait de l'arrière-boutique à la boutique. Il espérait que Porthos se lèverait, et que ce mouvement le distrairait de ses idées dévorantes.

— Que désirez-vous, mon ami ? demanda Porthos d'un air affable.

— Je désirerais passer, monsieur, si cela ne vous gênait pas trop.

— C'est trop juste, dit Porthos, et cela ne me gêne pas du tout.

Et en même temps il prit le garçon par la ceinture, l'enleva de terre, et le posa doucement de l'autre côté.

Le tout en souriant toujours avec le même air affable.

Les jambes manquèrent au garçon épouvanté au moment où Porthos le posait à terre, si bien qu'il tomba le derrière sur des lièges.

---

1. « Forest : (mal écrit *Forez*) pour la prononciation : car l'*e* est très ouvert dans ce mot », abbé Expilly, *Dictionnaire géographique, historique et politique de la Gaule et de la France.*

Cependant, voyant la douceur de ce géant, il se hasarda de nouveau.

— Ah ! monsieur, dit-il, prenez garde.

— A quoi, mon ami ? demanda Porthos.

— Vous allez vous mettre le feu dans le corps.

— Comment cela, mon bon ami ? fit Porthos.

— Ce sont tous aliments qui échauffent, monsieur.

— Lesquels ?

— Les raisins, les noisettes, les amandes.

— Oui, mais, si les amandes, les noisettes et les raisins échauffent...

— C'est incontestable, monsieur.

— Le miel rafraîchit.

Et allongeant la main vers un petit baril de miel ouvert, dans lequel plongeait la spatule à l'aide de laquelle on le sert aux pratiques, Porthos en avala une bonne demi-livre.

— Mon ami, dit Porthos, je vous demanderai de l'eau maintenant.

— Dans un seau, monsieur ? demanda naïvement le garçon.

— Non, dans une carafe ; une carafe suffira, répondit Porthos avec bonhomie.

Et, portant la carafe à sa bouche, comme un sonneur fait de sa trompe, il vida la carafe d'un seul coup.

— Planchet tressaillait dans tous les sentiments qui correspondent aux fibres de la propriété et de l'amour-propre.

Cependant, hôte digne de l'hospitalité antique, il feignait de causer très attentivement avec d'Artagnan, et lui répétait sans cesse :

— Ah ! monsieur, quelle joie !... ah ! monsieur, quel honneur !

— A quelle heure souperons-nous, Planchet ? demanda Porthos ; j'ai appétit.

Le premier garçon joignit les mains.

Les deux autres se coulèrent sous les comptoirs, craignant que Porthos ne sentît la chair fraîche.

— Nous prendrons seulement ici un léger goûter, dit d'Artagnan, et, une fois à la campagne de Planchet, nous souperons.

— Ah ! c'est à votre campagne que nous allons, Planchet ? dit Porthos. Tant mieux.

— Vous me comblez, monsieur le baron.

Monsieur le baron fit grand effet sur les garçons, qui virent un homme de la plus haute qualité dans un appétit de cette espèce.

D'ailleurs, ce titre les rassura. Jamais ils n'avaient entendu dire qu'un ogre eût été appelé *monsieur le baron*.

— Je prendrai quelques biscuits pour ma route, dit nonchalamment Porthos.

Et, ce disant, il vida tout un bocal de biscuits anisés dans la vaste poche de son pourpoint.

— Ma boutique est sauvée, s'écria Planchet.

— Oui, comme le fromage, dit le premier garçon.

— Quel fromage ?

— Ce fromage de Hollande dans lequel était entré un rat et dont nous ne trouvâmes plus que la croûte[1].

Planchet regarda sa boutique, et, à la vue de ce qui avait échappé à la dent de Porthos, il trouva la comparaison exagérée.

Le premier garçon s'aperçut de ce qui se passait dans l'esprit de son maître.

— Gare au retour ! lui dit-il.

— Vous avez des fruits chez vous ? dit Porthos en montant l'entresol, où l'on venait d'annoncer que la collation était servie.

« Hélas ! » pensa l'épicier en adressant à d'Artagnan un regard plein de prières, que celui-ci comprit à moitié.

Après la collation, on se mit en route.

Il était tard lorsque les trois cavaliers, partis de Paris vers six heures, arrivèrent sur le pavé de Fontainebleau.

La route s'était faite gaiement. Porthos prenait goût à la société de Planchet, parce que celui-ci lui témoignait beaucoup de respect et l'entretenait avec amour de ses prés, de ses bois et de ses garennes.

Porthos avait les goûts et l'orgueil du propriétaire.

D'Artagnan, lorsqu'il eut vu aux prises les deux compagnons, prit les bas-côtés de la route, et, laissant la bride flotter sur le cou de sa monture, il s'isola du monde entier comme de Porthos et de Planchet.

La lune glissait doucement à travers le feuillage bleuâtre de la forêt. Les senteurs de la plaine montaient, embaumées, aux narines des chevaux, qui soufflaient avec de grands bonds de joie.

Porthos et Planchet se mirent à parler foins.

Planchet avoua à Porthos que, dans l'âge mûr de sa vie, il avait, en effet, négligé l'agriculture pour le commerce, mais que son enfance s'était écoulée en Picardie, dans les belles luzernes qui lui montaient jusqu'aux genoux et sous les pommiers verts aux pommes rouges ; aussi s'était-il juré, aussitôt sa fortune faite, de retourner à la nature, et de finir ses jours comme il les avait commencés, le plus près possible de la terre, où tous les hommes s'en vont.

— Eh ! eh ! dit Porthos, alors, mon cher monsieur Planchet, votre retraite est proche ?

— Comment cela ?

— Oui, vous me paraissez en train de faire une petite fortune.

— Mais oui, répondit Planchet, on boulotte[2].

---

1. « ... un certain rat, las des soins d'ici-bas, / Dans un fromage de Hollande / Loin du monde se retira », La Fontaine, « Le Rat qui s'est retiré du monde », *Fables*, livre VII, III.

2. *Boulotter* : vivre d'une petite vie bien tranquille.

— Voyons, combien ambitionnez-vous et à quel chiffre comptez-vous vous retirer ?

— Monsieur, dit Planchet sans répondre à la question, si intéressante qu'elle fût, monsieur, une chose me fait beaucoup de peine.

— Quelle chose ? demanda Porthos en regardant derrière lui comme pour chercher cette chose qui inquiétait Planchet et l'en délivrer.

— Autrefois, dit l'épicier, vous m'appeliez Planchet tout court et vous m'eussiez dit : « Combien ambitionnes-tu, Planchet, et à quel chiffre comptes-tu te retirer ? »

— Certainement, certainement, autrefois j'eusse dit cela, répliqua l'honnête Porthos avec un embarras plein de délicatesse ; mais autrefois...

— Autrefois, j'étais le laquais de M. d'Artagnan, n'est-ce pas cela que vous voulez dire ?

— Oui.

— Eh bien ! si je ne suis plus tout à fait son laquais, je suis encore son serviteur ; et, de plus, depuis ce temps-là...

— Eh bien ! Planchet ?

— Depuis ce temps-là, j'ai eu l'honneur d'être son associé.

— Oh ! oh ! fit Porthos. Quoi ! d'Artagnan s'est mis dans l'épicerie ?

— Non, non, dit d'Artagnan, que ces paroles tirèrent de sa rêverie et qui mit son esprit à la conversation avec l'habileté et la rapidité qui distinguaient chaque opération de son esprit et de son corps. Ce n'est pas d'Artagnan qui s'est mis dans l'épicerie, c'est Planchet qui s'est mis dans la politique. Voilà !

— Oui, dit Planchet avec orgueil et satisfaction à la fois, nous avons fait ensemble une petite opération qui m'a rapporté, à moi, cent mille livres, à M. d'Artagnan deux cent mille.

— Oh ! oh ! fit Porthos avec admiration.

— En sorte, monsieur le baron, continua l'épicier, que je vous prie de nouveau de m'appeler Planchet comme par le passé et de me tutoyer toujours. Vous ne sauriez croire le plaisir que cela me procurera.

— Je le veux, s'il en est ainsi, mon cher Planchet, répliqua Porthos.

Et, comme il se trouvait près de Planchet, il leva la main pour lui frapper sur l'épaule en signe de cordiale amitié.

Mais un mouvement providentiel du cheval dérangea le geste du cavalier, de sorte que sa main tomba sur la croupe du cheval de Planchet.

L'animal plia les reins.

D'Artagnan se mit à rire et à penser tout haut.

— Prends garde, Planchet ; car, si Porthos t'aime trop, il te caressera ; et, s'il te caresse, il t'aplatira : Porthos est toujours très fort, vois-tu.

— Oh ! dit Planchet, Mousqueton n'en est pas mort, et cependant M. le baron l'aime bien.

— Certainement, dit Porthos avec un soupir qui fit simultanément cabrer les trois chevaux, et je disais encore ce matin à d'Artagnan combien je le regrettais : mais, dis-moi, Planchet ?

— Merci, monsieur le baron, merci.

— Brave garçon, va ! Combien as-tu d'arpents de parc, toi ?

— De parc ?

— Oui. Nous compterons les prés ensuite, puis les bois après.

— Où cela, monsieur.

— A ton château.

— Mais, monsieur le baron, je n'ai ni château, ni parc, ni prés, ni bois.

— Qu'as-tu donc, demanda Porthos, et pourquoi nommes-tu cela une campagne, alors ?

— Je n'ai point dit une campagne, monsieur le baron, répliqua Planchet un peu humilié, mais un simple pied-à-terre.

— Ah ! ah ! fit Porthos, je comprends ; tu te réserves.

— Non, monsieur le baron, je dis la bonne vérité : j'ai deux chambres d'amis, voilà tout.

— Mais alors, dans quoi se promènent-ils, tes amis ?

— D'abord, dans la forêt du roi, qui est fort belle.

— Le fait est que la forêt est belle, dit Porthos, presque aussi belle que ma forêt du Berri.

Planchet ouvrit de grands yeux.

— Vous avez une forêt dans le genre de la forêt de Fontainebleau, monsieur le baron ? balbutia-t-il.

— Oui, j'en ai même deux ; mais celle du Berri est ma favorite.

— Pourquoi cela ? demanda gracieusement Planchet.

— Mais, d'abord, parce que je n'en connais pas la fin ; et, ensuite, parce qu'elle est pleine de braconniers.

— Et comment cette profusion de braconniers peut-elle vous rendre cette forêt si agréable ?

— En ce qu'ils chassent mon gibier et que, moi, je les chasse, ce qui, en temps de paix, est en petit, pour moi, une image de la guerre.

On en était à ce moment de la conversation, lorsque Planchet, levant le nez, aperçut les premières maisons de Fontainebleau qui se dessinaient en vigueur sur le ciel, tandis qu'au-dessus de la masse compacte et informe s'élançaient les toits aigus du château, dont les ardoises reluisaient à la lune comme les écailles d'un immense poisson.

— Messieurs, dit Planchet, j'ai l'honneur de vous annoncer que nous sommes arrivés à Fontainebleau.

CXLIV

LA CAMPAGNE DE PLANCHET

Les cavaliers levèrent la tête et virent que l'honnête Planchet disait l'exacte vérité.

Dix minutes après, ils étaient dans la rue de Lyon, de l'autre côté de l'auberge du Beau-Paon.

Une grande haie de sureaux touffus, d'aubépines et de houblons formaient une clôture impénétrable et noire, derrière laquelle s'élevait une maison blanche à large toit de tuiles.

Deux fenêtres de cette maison donnaient sur la rue.

Toutes deux étaient sombres.

Entre les deux, une petite porte surmontée d'un auvent soutenu par des pilastres y donnait entrée.

On arrivait à cette porte par un seuil élevé.

Planchet mit pied à terre comme s'il allait frapper à cette porte ; puis, se ravisant, il prit son cheval par la bride et marcha environ trente pas encore.

Ses deux compagnons le suivirent.

Alors il arriva devant une porte charretière à claire-voie située trente pas plus loin, et, levant un loquet de bois, seule clôture de cette porte, il poussa l'un des battants.

Alors il entra le premier, tira son cheval par la bride, dans une petite cour entourée de fumier, dont la bonne odeur décelait une étable toute voisine.

— Il sent bon, dit bruyamment Porthos en mettant à son tour pied à terre, et je me croirais, en vérité dans mes vacheries de Pierre-fonds.

— Je n'ai qu'une vache, se hâta de dire modestement Planchet.

— Et moi, j'en ai trente, dit Porthos, ou plutôt je ne sais pas le nombre de mes vaches.

Les deux cavaliers étaient entrés, Planchet referma la porte derrière eux.

Pendant ce temps, d'Artagnan, qui avait mis pied à terre avec sa légèreté habituelle, humait le bon air, et, joyeux comme un Parisien qui voit de la verdure, il arrachait un brin de chèvrefeuille d'une main, une églantine de l'autre.

Porthos avait mis ses mains sur des pois qui montaient le long des perches et mangeait ou plutôt broutait cosses et fruits.

Planchet s'occupa aussitôt de réveiller, dans ses appentis, une manière de paysan, vieux et cassé, qui couchait sur des mousses couvertes d'une souquenille.

Ce paysan, reconnaissant Planchet, l'appela *notre maître*, à la grande satisfaction de l'épicier.

— Mettez les chevaux au râtelier, mon vieux, et bonne pitance, dit Planchet.

— Oh! oui-da! les belles bêtes, dit le paysan; oh! il faut qu'elles en crèvent!

— Doucement, doucement, l'ami, dit d'Artagnan; peste! comme nous y allons: l'avoine et la botte de paille, rien de plus.

— Et de l'eau blanche pour ma monture à moi, dit Porthos, car elle a bien chaud, ce me semble.

— Oh! ne craignez rien, messieurs, répondit Planchet, le père Célestin est un vieux gendarme d'Ivry[1]. Il connaît l'écurie; venez à la maison, venez.

Il attira les deux amis par une allée fort couverte qui traversait un potager, puis une petite luzerne, et qui, enfin, aboutissait à un petit jardin derrière lequel s'élevait la maison, dont on avait déjà vu la principale façade du côté de la rue.

A mesure que l'on approchait, on pouvait distinguer, par deux fenêtres ouvertes au rez-de-chaussée et qui donnaient accès à la chambre, l'intérieur, le *pénétral*[2] de Planchet.

Cette chambre, doucement éclairée par une lampe placée sur la table, apparaissait au fond du jardin comme une riante image de la tranquillité, de l'aisance et du bonheur.

Partout où tombait la paillette de lumière détachée du centre lumineux sur une faïence ancienne, sur un meuble luisant de propreté, sur une arme pendue à la tapisserie, la pure clarté trouvait un pur reflet, et la goutte de feu venait dormir sur la chose agréable à l'œil.

Cette lampe, qui éclairait la chambre, tandis que le feuillage des jasmins et des aristoloches tombait de l'encadrement des fenêtres, illuminait splendidement une nappe damassée blanche comme un quartier de neige.

Deux couverts étaient mis sur cette nappe. Un vin jauni roulait ses rubis dans le cristal à facettes de la longue bouteille, et un grand pot de faïence bleue, à couvercle d'argent, contenait un cidre écumeux.

Près de la table, dans un fauteuil à large dossier, dormait une femme de trente ans, au visage épanoui par la santé et la fraîcheur.

Et, sur les genoux de cette fraîche créature, un gros chat doux, pelotonnant son corps sur ses pattes pliées, faisait entendre le ronflement

---

1. Célestin aurait-il participé à la bataille d'Ivry?
2. *Pénétral*: du latin, lieu retiré, sanctuaire, pénates.

caractéristique qui, avec les yeux demi-clos, signifie, dans les mœurs félines : « Je suis parfaitement heureux. »

Les deux amis s'arrêtèrent devant cette fenêtre, tout ébahis de surprise. Planchet, en voyant leur étonnement, fut ému d'une douce joie.

— Ah ! coquin de Planchet ! dit d'Artagnan, je comprends tes absences.

— Oh ! oh ! voilà du linge bien blanc, dit à son tour Porthos d'une voix de tonnerre.

Au bruit de cette voix, le chat s'enfuit, la ménagère se réveilla en sursaut, et Planchet, prenant un air gracieux, introduisit les deux compagnons dans la chambre où était dressé le couvert.

— Permettez-moi, dit-il, ma chère, de vous présenter M. le chevalier d'Artagnan, mon protecteur.

D'Artagnan prit la main de la dame en homme de cour et avec les mêmes manières chevaleresques qu'il eût pris celle de Madame.

— M. le baron du Vallon de Bracieux de Pierrefonds, ajouta Planchet.

Porthos fit un salut dont Anne d'Autriche se fût déclarée satisfaite, sous peine d'être bien exigeante.

Alors, ce fut au tour de Planchet.

Il embrassa bien franchement la dame, après toutefois avoir fait un signe qui semblait demander la permission à d'Artagnan et à Porthos.

Permission qui lui fut accordée, bien entendu.

D'Artagnan fit un compliment à Planchet.

— Voilà, dit-il, un homme qui sait arranger sa vie.

— Monsieur, répondit Planchet en riant, la vie est un capital que l'homme doit placer le plus ingénieusement qu'il lui est possible...

— Et tu en retires de gros intérêts, dit Porthos en riant comme un tonnerre.

Planchet revint à sa ménagère.

— Ma chère amie, dit-il, vous voyez là les deux hommes qui ont conduit une partie de mon existence. Je vous les ai nommés bien des fois tous les deux.

— Et deux autres encore, dit la dame avec un accent flamand des plus prononcés.

— Madame est hollandaise ? demanda d'Artagnan.

Porthos frisa sa moustache, ce que remarqua d'Artagnan, qui remarquait tout.

— Je suis anversoise, répondit la dame.

— Et elle s'appelle dame Gechter, dit Planchet.

— Vous n'appelez point ainsi madame, dit d'Artagnan.

— Pourquoi cela ? demanda Planchet.

— Parce que ce serait la vieillir chaque fois que vous l'appelleriez.

— Non, je l'appelle Trüchen.

— Charmant nom, dit Porthos.

— Trüchen, dit Planchet, m'est arrivée de Flandre avec sa vertu et deux mille florins. Elle fuyait un mari fâcheux qui la battait. En ma qualité de Picard, j'ai toujours aimé les Artésiennes. De l'Artois à la Flandre, il n'y a qu'un pas. Elle vint pleurer chez son parrain, mon prédécesseur de la rue des Lombards ; elle plaça chez moi ses deux mille florins que j'ai fait fructifier, et qui lui en rapportent dix mille.

— Bravo, Planchet !

— Elle est libre, elle est riche ; elle a une vache, elle commande à une servante et au père Célestin ; elle me file toutes mes chemises, elle me tricote tous mes bas d'hiver, elle ne me voit que tous les quinze jours, et elle veut bien se trouver heureuse.

— Heureuse che suis effectivement... dit Trüchen avec abandon.

Porthos frisa l'autre hémisphère de sa moustache.

« Diable ! diable ! pensa d'Artagnan, est-ce que Porthos aurait des intentions ?... »

En attendant, Trüchen, comprenant de quoi il était question, avait excité sa cuisinière, ajouté deux couverts, et chargé la table de mets exquis, qui font d'un souper un repas, et d'un repas un festin.

Beurre frais, bœuf salé, anchois et thon, toute l'épicerie de Planchet.

Poulets, légumes, salade, poisson d'étang, poisson de rivière, gibier de forêt, toutes les ressources de la province.

De plus, Planchet revenait du cellier, chargé de dix bouteilles dont le verre disparaissait sous une épaisse couche de poudre grise.

Cet aspect réjouit le cœur de Porthos.

— J'ai faim, dit-il.

Et il s'assit près de dame Trüchen avec un regard assassin.

D'Artagnan s'assit de l'autre côté.

Planchet, discrètement et joyeusement, se plaça en face.

— Ne vous ennuyez pas, dit-il, si, pendant le souper, Trüchen quitte souvent la table ; elle surveille vos chambres à coucher.

En effet, la ménagère faisait de nombreux voyages, et l'on entendait au premier étage gémir les bois de lit et crier des roulettes sur le carreau.

Pendant ce temps, les trois hommes mangeaient et buvaient, Porthos surtout.

C'était merveille que de les voir.

Les dix bouteilles étaient dix ombres lorsque Trüchen redescendit avec du fromage.

D'Artagnan avait conservé toute sa dignité.

Porthos, au contraire, avait perdu une partie de la sienne.

On chantait bataille, on parla chansons.

D'Artagnan conseilla un nouveau voyage à la cave, et, comme Planchet ne marchait pas avec toute la régularité du *sçavant fantassin*, le capitaine des mousquetaires proposa de l'accompagner.

Ils partirent donc en fredonnant des chansons à faire peur aux diables les plus flamands.

Trüchen demeura à table près de Porthos.

Tandis que les deux gourmets choisissaient derrière les falourdes[1], on entendit ce bruit sec et sonore que produisent, en faisant le vide, deux lèvres sur une joue.

« Porthos se sera cru à La Rochelle », pensa d'Artagnan

Ils remontèrent chargés de bouteilles.

Planchet n'y voyait plus, tant il chantait.

D'Artagnan, qui y voyait toujours, remarqua combien la joue gauche de Trüchen était plus rouge que la droite.

Or, Porthos souriait à la gauche de Trüchen, et frisait, de ses deux mains, les deux côtés de ses moustaches à la fois.

Trüchen souriait aussi au magnifique seigneur.

Le vin pétillant d'Anjou fit des trois hommes trois diables d'abord, trois soliveaux ensuite.

D'Artagnan n'eut que la force de prendre un bougeoir pour éclairer à Planchet son propre escalier.

Planchet traîna Porthos, que poussait Trüchen, fort joviale aussi de son côté.

Ce fut d'Artagnan qui trouva les chambres et découvrit les lits. Porthos se plongea dans le sien, déshabillé par son ami le mousquetaire.

D'Artagnan se jeta sur le sien en disant :

— Mordioux ! j'avais cependant juré de ne plus toucher à ce vin jaune qui sent la pierre à fusil. Fi ! si les mousquetaires voyaient leur capitaine dans un pareil état !

Et, tirant les rideaux du lit :

— Heureusement qu'ils ne me verront pas, ajouta-t-il.

Planchet fut enlevé dans les bras de Trüchen, qui le déshabilla et ferma rideaux et portes.

— C'est divertissant, la campagne, dit Porthos en allongeant ses jambes qui passèrent à travers le bois du lit, ce qui produisit un écroulement énorme auquel nul ne prit garde, tant on s'était diverti à la campagne de Planchet.

Tout le monde ronflait à deux heures de l'après-minuit.

---

1. *Falourdes* : fagots.

CXLV

CE QUE L'ON VOIT DE LA MAISON DE PLANCHET

Le lendemain trouva les trois héros dormant du meilleur cœur.

Trüchen avait fermé les volets en femme qui craint, pour des yeux alourdis, la première visite du soleil levant.

Aussi faisait-il nuit noire sous les rideaux de Porthos et sous le baldaquin de Planchet, quand d'Artagnan, réveillé le premier, par un rayon indiscret qui perçait les fenêtres, sauta à bas du lit, comme pour arriver le premier à l'assaut.

Il prit d'assaut la chambre de Porthos, voisine de la sienne.

Ce digne Porthos dormait comme un tonnerre gronde ; il étalait fièrement dans l'obscurité son torse gigantesque, et son poing gonflé pendait hors du lit sur le tapis de pieds.

D'Artagnan réveilla Porthos, qui frotta ses yeux d'assez bonne grâce.

Pendant ce temps, Planchet s'habillait et venait recevoir, aux portes de leurs chambres, ses deux hôtes vacillants encore de la veille.

Bien qu'il fût encore matin, toute la maison était déjà sur pied. La cuisinière massacrait sans pitié dans la basse-cour, et le père Célestin cueillait des cerises dans le jardin.

Porthos, tout guilleret, tendit une main à Planchet, et d'Artagnan demanda la permission d'embrasser Mme Trüchen.

Celle-ci, qui ne gardait pas rancune aux vaincus, s'approcha de Porthos, auquel la même faveur fut accordée.

Porthos embrassa Mme Trüchen avec un gros soupir.

Alors Planchet prit les deux amis par la main.

— Je vais vous montrer la maison, dit-il ; hier au soir, nous sommes entrés ici comme dans un four, et nous n'avons rien pu voir ; mais au jour, tout change d'aspect et vous serez contents.

— Commençons par la vue, dit d'Artagnan, la vue me charme avant toutes choses ; j'ai toujours habité des maisons royales, et les princes ne savent pas trop mal choisir leurs points de vue.

— Moi, dit Porthos, j'ai toujours tenu à la vue. Dans mon château de Pierrefonds, j'ai fait percer quatre allées qui aboutissent à une perspective variée.

— Vous allez voir ma perspective, dit Planchet.

Et il conduisit les deux hôtes à une fenêtre.

— Ah ! oui, c'est la rue de Lyon, dit d'Artagnan.

— Oui. J'ai deux fenêtres par ici, vue insignifiante ; on aperçoit cette auberge, toujours remuante et bruyante ; c'est un voisinage désagréable. J'avais quatre fenêtres par ici, je n'en ai conservé que deux.

— Passons, dit d'Artagnan.

Ils rentrèrent dans un corridor conduisant aux chambres, et Planchet poussa les volets.

— Tiens, tiens ! dit Porthos, qu'est-ce que cela, là-bas ?

— La forêt, dit Planchet. C'est l'horizon, toujours une ligne épaisse, qui est jaunâtre au printemps, verte l'été, rouge l'automne et blanche l'hiver.

— Très bien ; mais c'est un rideau qui empêche de voir plus loin.

— Oui, dit Planchet ; mais, d'ici là, on voit...

— Ah ! ce grand champ !... dit Porthos. Tiens !... qu'est-ce que j'y remarque ?... Des croix, des pierres.

— Ah çà ! mais c'est le cimetière ! s'écria d'Artagnan.

— Justement, dit Planchet ; je vous assure que c'est très curieux. Il ne se passe pas de jour qu'on n'enterre ici quelqu'un. Fontainebleau est assez fort. Tantôt ce sont des jeunes filles vêtues de blanc avec des bannières, tantôt des échevins ou des bourgeois riches avec les chantres et la fabrique de la paroisse, quelquefois des officiers de la maison du roi.

— Moi, je n'aime pas cela, dit Porthos.

— C'est peu divertissant, dit d'Artagnan.

— Je vous assure que cela donne des pensées saintes, répliqua Planchet.

— Ah ! je ne dis pas.

— Mais, continua Planchet, nous devons mourir un jour, et il y a quelque part une maxime que j'ai retenue, celle-ci : « C'est une salutaire pensée que la pensée de la mort. »

— Je ne vous dis pas le contraire, fit Porthos.

— Mais, objecta d'Artagnan, c'est aussi une pensée salutaire que celle de la verdure, des fleurs, des rivières, des horizons bleus, des larges plaines sans fin...

— Si je les avais, je ne les repousserais pas, dit Planchet, mais, n'ayant que ce petit cimetière, fleuri aussi, moussu, ombreux et calme, je m'en contente, et je pense aux gens de la ville qui demeurent rue des Lombards, par exemple, et qui entendent rouler deux mille chariots par jour, et piétiner dans la boue cent cinquante mille personnes.

— Mais vivantes, dit Porthos, vivantes !

— Voilà justement pourquoi, dit Planchet timidement, cela me repose, de voir un peu des morts.

— Ce diable de Planchet, fit d'Artagnan, il était né pour être poète comme pour être épicier.

— Monsieur, dit Planchet, j'étais une de ces bonnes pâtes d'homme que Dieu a faites pour s'animer durant un certain temps et pour trouver bonnes toutes choses qui accompagnent leur séjour sur terre.

D'Artagnan s'assit alors près de la fenêtre, et, cette philosophie de Planchet lui ayant paru solide, il y rêva.

— Pardieu ! s'écria Porthos, voilà que justement on nous donne la comédie. Est-ce que je n'entends pas un peu chanter ?

— Mais oui, l'on chante, dit d'Artagnan.

— Oh ! c'est un enterrement de dernier ordre, dit Planchet dédaigneusement. Il n'y a là que le prêtre officiant, le bedeau et l'enfant de chœur. Vous voyez, messieurs, que le défunt ou la défunte n'était pas un prince.

— Non, personne ne suit son convoi.

— Si fait, dit Porthos, je vois un homme.

— Oui, c'est vrai, un homme enveloppé d'un manteau, dit d'Artagnan.

— Cela ne vaut pas la peine d'être vu, dit Planchet.

— Cela m'intéresse, dit vivement d'Artagnan en s'accoudant sur la fenêtre.

— Allons, allons, vous y mordez, dit joyeusement Planchet ; c'est comme moi : les premiers jours, j'étais triste de faire des signes de croix toute la journée, et les chants m'allaient entrer comme des clous dans le cerveau ; depuis, je me berce avec les chants, et je n'ai jamais vu d'aussi jolis oiseaux que ceux du cimetière.

— Moi, fit Porthos, je ne m'amuse plus ; j'aime mieux descendre.

Planchet ne fit qu'un bond ; il offrit sa main à Porthos pour le conduire dans le jardin.

— Quoi ! vous restez là ? dit Porthos à d'Artagnan en se retournant.

— Oui, mon ami, oui ; je vous rejoindrai.

— Eh ! eh ! M. d'Artagnan n'a pas tort, dit Planchet ; enterre-t-on déjà ?

— Pas encore.

— Ah ! oui, le fossoyeur attend que les cordes soient nouées autour de la bière... Tiens ! il entre une femme à l'autre extrémité du cimetière.

— Oui, oui, cher Planchet, dit vivement d'Artagnan ; mais laisse-moi, laisse-moi ; je commence à entrer dans les méditations salutaires, ne me trouble pas.

Planchet parti, d'Artagnan dévora des yeux, derrière le volet demi-clos, ce qui se passait en face.

Les deux porteurs du cadavre avaient détaché les bretelles de leur civière et laissèrent glisser leur fardeau dans la fosse.

A quelques pas, l'homme au manteau, seul spectateur de la scène lugubre, s'adossait à un grand cyprès, et dérobait entièrement sa figure aux fossoyeurs et aux prêtres. Le corps du défunt fut enseveli en cinq minutes.

La fosse comblée, les prêtres s'en retournèrent. Le fossoyeur leur adressa quelques mots et partit derrière eux.

L'homme au manteau les salua au passage et mit une pièce de monnaie dans la main du fossoyeur.

— Mordioux ! murmura d'Artagnan, mais c'est Aramis, cet homme-là !

Aramis, en effet, demeura seul, de ce côté du moins ; car, à peine avait-il tourné la tête, que le pas d'une femme et le frôlement d'une robe bruirent dans le chemin près de lui.

Il se retourna aussitôt et ôta son chapeau avec un grand respect de courtisan ; il conduisit la dame sous un couvert de marronniers et de tilleuls qui ombrageaient une tombe fastueuse.

— Ah ! par exemple, dit d'Artagnan, l'évêque de Vannes donnant des rendez-vous ! C'est toujours l'abbé Aramis, muguetant à Noisy-le-Sec. Oui, ajouta le mousquetaire ; mais, dans un cimetière, c'est un rendez-vous sacré.

Et il se mit à rire.

La conversation dura une grosse demi-heure.

D'Artagnan ne pouvait pas voir le visage de la dame, car elle lui tournait le dos ; mais il voyait parfaitement à la roideur des deux interlocuteurs, à la symétrie de leurs gestes, à la façon compassée, industrieuse, dont ils se lançaient les regards comme attaque ou comme défense, il voyait qu'on ne parlait pas d'amour.

A la fin de la conversation, la dame se leva, et ce fut elle qui s'inclina profondément devant Aramis.

— Oh ! oh ! dit d'Artagnan, mais cela finit comme un rendez-vous d'amour !... Le cavalier s'agenouille au commencement ; la demoiselle est domptée ensuite, et c'est elle qui supplie... Quelle est cette demoiselle ? Je donnerais un ongle pour la voir.

Mais ce fut impossible. Aramis s'en alla le premier ; la dame s'enfonça sous ses coiffes et partit ensuite.

D'Artagnan n'y tint plus : il courut à la fenêtre de la rue de Lyon. Aramis venait d'entrer dans l'auberge.

La dame se dirigeait en sens inverse. Elle allait rejoindre vraisemblablement un équipage de deux chevaux de main et d'un carrosse qu'on voyait à la lisière du bois.

Elle marchait lentement, tête baissée, absorbée dans une profonde rêverie.

— Mordioux ! mordioux ! il faut que je connaisse cette femme, dit encore le mousquetaire.

Et, sans plus délibérer, il se mit à la poursuivre.

Chemin faisant, il se demandait par quel moyen il la forcerait à lever son voile.

— Elle n'est pas jeune, dit-il ; c'est une femme du grand monde. Je connais, ou le diable m'emporte ! cette tournure-là.

Comme il courait, le bruit de ses éperons et de ses bottes sur le sol battu de la rue faisait un cliquetis étrange ; un bonheur lui arriva sur lequel il ne comptait pas.

Ce bruit inquiéta la dame ; elle crut être suivie ou poursuivie, ce qui était vrai, et elle se retourna.

D'Artagnan sauta comme s'il eût reçu dans les mollets une charge de plomb à moineaux ; puis, faisant un crochet pour revenir sur ses pas :

— Mme de Chevreuse ! murmura-t-il.

D'Artagnan ne voulut pas rentrer sans tout savoir.

Il demanda au père Célestin de s'informer près du fossoyeur quel était le mort qu'on avait enseveli le matin même.

— Un pauvre mendiant franciscain, répliqua celui-ci, qui n'avait même pas un chien pour l'aimer en ce monde et l'escorter à sa dernière demeure.

« S'il en était ainsi, pensa d'Artagnan, Aramis n'eût pas assisté à son convoi. Ce n'est pas un chien, pour le dévouement, que M. l'évêque de Vannes ; pour le flair, je ne dis pas ! »

CXLVI

COMMENT PORTHOS, TRÜCHEN ET PLANCHET SE QUITTÈRENT AMIS, GRÂCE A D'ARTAGNAN

On fit grosse chère dans la maison de Planchet.

Porthos brisa une échelle et deux cerisiers, dépouilla les framboisiers, mais ne put arriver jusqu'aux fraises, à cause, disait-il, de son ceinturon.

Trüchen, qui s'était déjà apprivoisée avec le géant, lui répondit :

— Ce n'est pas le ceinturon, c'est le fendre.

Et Porthos, ravi de joie, embrassa Trüchen, qui lui cueillait plein sa main de fraises et lui fit manger dans sa main. D'Artagnan, qui arriva sur ces entrefaites, gourmanda Porthos sur sa paresse et plaignit tout bas Planchet.

Porthos déjeuna bien ; quand il eut fini :

— Je me plairais ici, dit-il en regardant Trüchen.

Trüchen sourit.

Planchet en fit autant, non sans un peu de gêne.

Alors d'Artagnan dit à Porthos :

— Il ne faut pas, mon ami, que les délices de Capoue vous fassent oublier le but réel de notre voyage à Fontainebleau.

— Ma présentation au roi ?

— Précisément, je veux aller faire un tour en ville pour préparer cela. Ne sortez pas d'ici, je vous prie.

— Oh ! non, s'écria Porthos.

Planchet regarda d'Artagnan avec crainte.

— Est-ce que vous serez absent longtemps ? dit-il.

— Non, mon ami, et, dès ce soir, je te débarrasse de deux hôtes un peu lourds pour toi.

— Oh ! monsieur d'Artagnan, pouvez-vous dire.

— Non ; vois-tu, ton cœur est excellent, mais ta maison est petite. Tel n'a que deux arpents, qui peut loger un roi et le rendre très heureux ; mais tu n'es pas né grand seigneur, toi.

— M. Porthos non plus, murmura Planchet.

— Il l'est devenu, mon cher ; il est suzerain de cent mille livres de rente depuis vingt ans, et, depuis cinquante, il est suzerain de deux poings et d'une échine qui n'ont jamais eu de rivaux dans ce beau royaume de France. Porthos est un très grand seigneur à côté de toi, mon fils, et... Je ne t'en dis pas davantage ; je te sais intelligent.

— Mais non, mais non, monsieur ; expliquez-moi...

— Regarde ton verger dépouillé, ton garde-manger vide, ton lit cassé, ta cave à sec, regarde... Mme Trüchen...

— Ah ! mon Dieu ! dit Planchet.

— Porthos, vois-tu, est seigneur de trente villages qui renferment trois cents vassales fort égrillardes, et c'est un bien bel homme que Porthos !

— Ah ! mon Dieu ! répéta Planchet.

— Mme Trüchen est une excellente personne, continua d'Artagnan ; conserve-la pour toi, entends-tu.

Et il lui frappa sur l'épaule.

A ce moment, l'épicier aperçut Trüchen et Porthos éloignés sous une tonnelle.

Trüchen, avec une grâce toute flamande, faisait à Porthos des boucles d'oreilles avec des doubles cerises, et Porthos riait amoureusement, comme Samson devant Dalila[1].

Planchet serra la main de d'Artagnan et courut vers la tonnelle.

Rendons à Porthos cette justice qu'il ne se dérangea pas... Sans doute il ne croyait pas mal faire.

Trüchen non plus ne se dérangea pas, ce qui indisposa Planchet ; mais il avait vu assez de beau monde dans sa boutique pour faire bonne contenance devant un désagrément.

Planchet prit le bras de Porthos et lui proposa d'aller voir les chevaux.

Porthos dit qu'il était fatigué.

Planchet proposa au baron du Vallon de goûter d'un noyau qu'il faisait lui-même et qui n'avait pas son pareil.

Le baron accepta.

1. Juges, XVI, 4-21.

C'est ainsi que, toute la journée, Planchet sut occuper son ennemi. Il sacrifia son buffet à son amour-propre.

D'Artagnan revint deux heures après.

— Tout est disposé, dit-il ; j'ai vu Sa Majesté un moment au départ pour la chasse : le roi nous attend ce soir.

— Le roi m'attend ! cria Porthos en se redressant.

Et, il faut bien l'avouer, car c'est une onde mobile que le cœur de l'homme, à partir de ce moment, Porthos ne regarda plus Mme Trüchen avec cette grâce touchante qui avait amolli le cœur de l'Anversoise.

Planchet chauffa de son mieux ces dispositions ambitieuses. Il raconta ou plutôt repassa toutes les splendeurs du dernier règne ; les batailles, les sièges, les cérémonies. Il dit le luxe des Anglais, les aubaines conquises par les trois braves compagnons, dont d'Artagnan, le plus humble au début, avait fini par devenir le chef.

Il enthousiasma Porthos en lui montrant sa jeunesse évanouie ; il vanta comme il put la chasteté de ce grand seigneur et sa religion à respecter l'amitié ; il fut éloquent, il fut adroit. Il charma Porthos, fit trembler Trüchen et fit rêver d'Artagnan.

A six heures, le mousquetaire ordonna de préparer les chevaux et fit habiller Porthos.

Il remercia Planchet de sa bonne hospitalité, lui glissa quelques mots vagues d'un emploi qu'on pourrait lui trouver à la cour, ce qui grandit immédiatement Planchet dans l'esprit de Trüchen, où le pauvre épicier, si bon, si généreux, si dévoué avait baissé depuis l'apparition et le parallèle de deux grands seigneurs.

Car les femmes sont ainsi faites : elles ambitionnent ce qu'elles n'ont pas ; elles dédaignent ce qu'elles ambitionnaient, quand elles l'ont.

Après avoir rendu ce service à son ami Planchet, d'Artagnan dit à Porthos tout bas :

— Vous avez, mon ami, une bague assez jolie à votre doigt.

— Trois cents pistoles, dit Porthos.

— Mme Trüchen gardera bien mieux votre souvenir si vous lui laissez cette bague-là, répliqua d'Artagnan.

Porthos hésita.

— Vous trouvez qu'elle n'est pas assez belle ? dit le mousquetaire. Je vous comprends ; un grand seigneur comme vous ne va pas loger chez un ancien serviteur sans payer grassement l'hospitalité ; mais, croyez-moi, Planchet a un si bon cœur, qu'il ne remarquera pas que vous avez cent mille livres de rente.

— J'ai bien envie, dit Porthos gonflé par ce discours, de donner à Mme Trüchen ma petite métairie de Bracieux ; c'est aussi une jolie bague au doigt... douze arpents.

— C'est trop, mon bon Porthos, trop pour le moment... Gardez cela pour plus tard.

Il lui ôta le diamant du doigt, et, s'approchant de Trüchen :

— Madame, dit-il, M. le baron ne sait comment vous prier d'accepter, pour l'amour de lui, cette petite bague. M. du Vallon est un des hommes les plus généreux et les plus discrets que je connaisse. Il voulait vous offrir une métairie qu'il possède à Bracieux ; je l'en ai dissuadé.

— Oh ! fit Trüchen dévorant le diamant du regard.

— Monsieur le baron ! s'écria Planchet attendri.

— Mon bon ami ! balbutia Porthos, charmé d'avoir été si bien traduit par d'Artagnan.

Toutes ces exclamations, se croisant, firent un dénouement pathétique à la journée, qui pouvait se terminer d'une façon grotesque.

Mais d'Artagnan était là, et partout, lorsque d'Artagnan avait commandé, les choses n'avaient fini que selon son goût et son désir.

On s'embrassa. Trüchen, rendue à elle-même par la magnificence du baron, se sentit à sa place, et n'offrit qu'un front timide et rougissant au grand seigneur avec lequel elle se familiarisait si bien la veille.

Planchet lui-même fut pénétré d'humilité.

En veine de générosité, le baron Porthos aurait volontiers vidé ses poches dans les mains de la cuisinière et de Célestin.

Mais d'Artagnan l'arrêta.

— A mon tour, dit-il.

Et il donna une pistole à la femme et deux à l'homme.

Ce furent des bénédictions à réjouir le cœur d'Harpagon[1] et à le rendre prodige.

D'Artagnan se fit conduire par Planchet jusqu'au château et introduisit Porthos dans son appartement de capitaine, où il pénétra sans avoir été aperçu de ceux qu'il redoutait de rencontrer.

CXLVII

LA PRÉSENTATION DE PORTHOS

Le soir même, à sept heures, le roi donnait audience à un ambassadeur des Provinces-Unies dans le grand salon.

L'audience dura un quart d'heure.

Après quoi, il reçut les nouveaux présentés et quelques dames qui passèrent les premières.

Dans un coin du salon, derrière la colonne, Porthos et d'Artagnan s'entretenaient en attendant leur tour.

---

1. Molière fait jouer *L'Avare* le 9 septembre 1668.

— Savez-vous la nouvelle ? dit le mousquetaire à son ami.

— Non.

— Eh bien ! regardez-le.

Porthos se haussa sur la pointe des pieds et vit M. Fouquet en habit de cérémonie qui conduisait Aramis au roi.

— Aramis ! dit Porthos.

— Présenté au roi par M. Fouquet.

— Ah ! fit Porthos.

— Pour avoir fortifié Belle-Ile, continua d'Artagnan.

— Et moi ?

— Vous ? Vous, comme j'avais l'honneur de vous le dire, vous êtes le bon Porthos, la bonté du bon Dieu ; aussi vous prie-t-on de garder un peu Saint-Mandé.

— Ah ! répéta Porthos.

— Mais je suis là heureusement, dit d'Artagnan, et ce sera mon tour tout à l'heure.

En ce moment, Fouquet s'adressait au roi :

— Sire, dit-il, j'ai une faveur à demander à Votre Majesté. M. d'Herblay n'est pas ambitieux, mais il sait qu'il peut être utile. Votre Majesté a besoin d'avoir un agent à Rome et de l'avoir puissant ; nous pouvons avoir un chapeau pour M. d'Herblay.

Le roi fit un mouvement.

— Je ne demande pas souvent à Votre Majesté, dit Fouquet.

— C'est un cas, répondit le roi, qui traduisait toujours ainsi ses hésitations.

A ce mot, nul n'avait rien à répondre.

Fouquet et Aramis se regardèrent.

Le roi reprit :

— M. d'Herblay peut aussi nous servir en France : un archevêché[1], par exemple.

— Sire, objecta Fouquet avec une grâce qui lui était particulière, Votre Majesté comble M. d'Herblay : l'archevêché peut être dans les bonnes grâces du roi le complément du chapeau ; l'un n'exclut pas l'autre.

Le roi admira la présence d'esprit et sourit.

— D'Artagnan n'eût pas mieux répondu, dit-il.

Il n'eut pas plutôt prononcé ce nom, que d'Artagnan parut.

— Votre Majesté m'appelle ? dit-il.

Aramis et Fouquet firent un pas pour s'éloigner.

— Permettez, sire, dit vivement d'Artagnan, qui démasqua Porthos, permettez que je présente à Votre Majesté M. le baron du Vallon, l'un des plus braves gentilshommes de France.

---

1. Texte : « ... un *archevêque*... » ; la bonne leçon semble être « archevêché ».

Aramis, à l'aspect de Porthos, devint pâle ; Fouquet crispa ses poings sous ses manchettes.

D'Artagnan leur sourit à tous deux, tandis que Porthos s'inclinait, visiblement ému, devant la majesté royale.

— Porthos ici ! murmura Fouquet à l'oreille d'Aramis.

— Chut ! c'est une trahison, répliqua celui-ci.

— Sire, dit d'Artagnan, voilà six ans que je devrais avoir présenté M. du Vallon à Votre Majesté ; mais certains hommes ressemblent aux étoiles ; ils ne vont pas sans le cortège de leurs amis. La pléiade ne se désunit pas, voilà pourquoi j'ai choisi, pour vous présenter M. du Vallon, le moment où vous verriez à côté de lui M. d'Herblay.

Aramis faillit perdre contenance. Il regarda d'Artagnan d'un air superbe, comme pour accepter le défi que celui-ci semblait lui jeter.

— Ah ! ces messieurs sont bons amis ? dit le roi.

— Excellents, sire, et l'un répond de l'autre. Demandez à M. de Vannes comment a été fortifiée Belle-Ile ?

Fouquet s'éloigna d'un pas.

— Belle-Ile, dit froidement Aramis, a été fortifiée par Monsieur.

Et il montra Porthos, qui salua une seconde fois.

Louis admirait et se défiait.

— Oui, dit d'Artagnan ; mais demandez à M. le baron qui l'a aidé dans ses travaux ?

— Aramis, dit Porthos franchement.

Et il désigna l'évêque.

« Que diable signifie tout cela, pensa l'évêque, et quel dénouement aura cette comédie ? »

— Quoi ! dit le roi, M. le cardinal... je veux dire l'évêque... s'appelle Aramis ?

— Nom de guerre, dit d'Artagnan.

— Nom d'amitié, dit Aramis.

— Pas de modestie, s'écria d'Artagnan : sous ce prêtre, sire, se cache le plus brillant officier, le plus intrépide gentilhomme, le plus savant théologien de votre royaume.

Louis leva la tête.

— Et un ingénieur ! dit-il en admirant la physionomie, réellement admirable alors, d'Aramis.

— Ingénieur par occasion, sire, dit celui-ci.

— Mon compagnon aux mousquetaires, sire, dit avec chaleur d'Artagnan, l'homme dont les conseils ont aidé plus de cent fois les desseins des ministres de votre père... M. d'Herblay, en un mot, qui, avec M. du Vallon, moi et M. le comte de La Fère, connu de Votre Majesté... formait ce quadrille dont plusieurs ont parlé sous le feu roi et pendant votre minorité.

— Et qui a fortifié Belle-Ile, répéta le roi avec un accent profond.

Aramis s'avança.

— Pour servir le fils, dit-il, comme j'ai servi le père.

D'Artagnan regarda bien Aramis, tandis qu'il proférait ces paroles. Il y démêla tant de respect vrai, tant de chaleureux dévouement, tant de conviction incontestable, que lui, lui, d'Artagnan, l'éternel douteur, lui, l'infaillible, il y fut pris.

— On n'a pas un tel accent lorsqu'on ment, dit-il.

Louis fut pénétré.

— En ce cas, dit-il à Fouquet, qui attendait avec anxiété le résultat de cette épreuve, le chapeau est accordé. Monsieur d'Herblay, je vous donne ma parole pour la première promotion. Remerciez M. Fouquet.

Ces mots furent entendus par Colbert, dont ils déchirèrent le cœur. Il sortit précipitamment de la salle.

— Vous, monsieur du Vallon, dit le roi, demandez... J'aime à récompenser les serviteurs de mon père.

— Sire, dit Porthos...

Et il ne put aller plus loin.

— Sire, s'écria d'Artagnan, ce digne gentilhomme est interdit par la majesté de votre personne, lui qui a soutenu fièrement le regard et le feu de mille ennemis. Mais je sais ce qu'il pense, et moi, plus habitué à regarder le soleil... je vais vous dire sa pensée : il n'a besoin de rien, il ne désire que le bonheur de contempler Votre Majesté pendant un quart d'heure.

— Vous soupez avec moi ce soir, dit le roi en saluant Porthos avec un gracieux sourire.

Porthos devint cramoisi de joie et d'orgueil.

Le roi le congédia, et d'Artagnan le poussa dans la salle après l'avoir embrassé.

— Mettez-vous près de moi à table, dit Porthos à son oreille.

— Oui, mon ami.

— Aramis me boude, n'est-ce pas ?

— Aramis ne vous a jamais tant aimé. Songez donc que je viens de lui faire avoir le chapeau de cardinal.

— C'est vrai, dit Porthos. A propos, le roi aime-t-il qu'on mange beaucoup à sa table ?

— C'est le flatter, dit d'Artagnan, car il possède un royal appétit.

— Vous m'enchantez, dit Porthos.

CXLVIII

EXPLICATIONS

Aramis avait fait habilement une conversion pour aller trouver d'Artagnan et Porthos.

Il arriva près de ce dernier derrière la colonne, et, lui serrant la main :

— Vous vous êtes échappé de ma prison ? lui dit-il.

— Ne le grondez pas, dit d'Artagnan ; c'est moi, cher Aramis, qui lui ai donné la clef des champs.

— Ah ! mon ami, répliqua Aramis en regardant Porthos, est-ce que vous auriez attendu avec moins de patience ?

D'Artagnan vint au secours de Porthos, qui soufflait déjà.

— Vous autres, gens d'Église, dit-il à Aramis, vous êtes de grands politiques. Nous autres gens d'épée, nous allons au but. Voici le fait. J'étais allé visiter ce cher Baisemeaux.

Aramis dressa l'oreille.

— Tiens ! dit Porthos, vous me faites souvenir que j'ai une lettre de Baisemeaux pour vous, Aramis.

Et Porthos tendit à l'évêque la lettre que nous connaissons.

Aramis demanda la permission de la lire, et la lut, sans que d'Artagnan parût un moment gêné par cette circonstance qu'il avait prévue tout entière.

Du reste, Aramis lui-même fit si bonne contenance que d'Artagnan l'admira plus que jamais.

La lettre lue, Aramis la mit dans sa poche d'un air parfaitement calme.

— Vous disiez donc, cher capitaine ? dit-il.

— Je disais, continua le mousquetaire, que j'étais allé rendre visite à Baisemeaux pour le service.

— Pour le service ? dit Aramis.

— Oui, fit d'Artagnan. Et naturellement, nous parlâmes de vous et de nos amis. Je dois dire que Baisemeaux me reçut froidement. Je pris congé. Or, comme je revenais, un soldat m'aborda et me dit (il me reconnaissait sans doute malgré mon habit de ville) : « Capitaine, voulez-vous m'obliger en me lisant le nom écrit sur cette enveloppe ? » Et je lus : *A M. du Vallon, à Saint-Mandé, chez M. Fouquet.* « Pardieu ! me dis-je, Porthos n'est pas retourné, comme je le pensais, à Pierrefonds ou à Belle-Ile, Porthos est à Saint-Mandé chez M. Fouquet. M. Fouquet n'est pas à Saint-Mandé. Porthos est donc seul, ou avec Aramis, allons voir Porthos. » Et j'allai voir Porthos.

— Très bien ! dit Aramis rêveur.

— Vous ne m'aviez pas conté cela, fit Porthos.

— Je n'en ai pas eu le temps, mon ami.

— Et vous emmenâtes Porthos à Fontainebleau ?

— Chez Planchet.

— Planchet demeure à Fontainebleau ? dit Aramis.

— Oui, près du cimetière ! s'écria Porthos étourdiment.

— Comment, près du cimetière ? fit Aramis soupçonneux.

« Allons, bon ! pensa le mousquetaire, profitons de la bagarre, puisqu'il y a bagarre. »

— Oui, du cimetière, dit Porthos. Planchet, certainement, est un excellent garçon qui fait d'excellentes confitures, mais il a des fenêtres qui donnent sur le cimetière. C'est attristant ! Ainsi ce matin...

— Ce matin ?... dit Aramis de plus en plus agité.

D'Artagnan tourna le dos et alla tambouriner sur la vitre un petit air de marche.

— Ce matin, continua Porthos, nous avons vu enterrer un chrétien.

— Ah ! ah !

— C'est attristant ! Je ne vivrais pas, moi, dans une maison d'où l'on voit continuellement des morts. Au contraire, d'Artagnan paraît aimer beaucoup cela.

— Ah ! d'Artagnan a vu ?

— Il n'a pas vu, il a dévoré des yeux.

Aramis tressaillit et se retourna pour regarder le mousquetaire ; mais celui-ci était déjà en grande conversation avec de Saint-Aignan.

Aramis continua d'interroger Porthos ; puis, quand il eut exprimé tout le jus de ce citron gigantesque, il en jeta l'écorce[1].

Il retourna vers son ami d'Artagnan et, lui frappant sur l'épaule :

— Ami, dit-il, quand de Saint-Aignan se fut éloigné, car le souper du roi était annoncé.

— Cher ami, répliqua d'Artagnan.

— Nous ne soupons point avec le roi, nous autres.

— Si fait ; moi, je soupe.

— Pouvez-vous causer dix minutes avec moi ?

— Vingt. Il en faut tout autant pour que Sa Majesté se mette à table.

— Où voulez-vous que nous causions ?

— Mais ici, sur ces bancs : le roi parti, l'on peut s'asseoir, et la salle est vide.

— Asseyons-nous donc.

Ils s'assirent. Aramis prit une des mains de d'Artagnan.

— Avouez-moi, cher ami, dit-il, que vous avez engagé Porthos à se défier un peu de moi ?

— Je l'avoue, mais non pas comme vous l'entendez. J'ai vu Porthos

_____

1. Reprise du mot cynique de Frédéric II touchant Voltaire.

s'ennuyer à la mort, et j'ai voulu, en le présentant au roi, faire pour lui et pour vous ce que jamais vous ne ferez vous-même.

— Quoi?

— Votre éloge.

— Vous l'avez fait noblement, merci!

— Et je vous ai approché le chapeau qui se reculait.

— Ah! je l'avoue, dit Aramis avec un singulier sourire; en vérité, vous êtes un homme unique pour faire la fortune de vos amis.

— Vous voyez donc que je n'ai agi que pour faire celle de Porthos.

— Oh! je m'en chargeais de mon côté; mais vous avez le bras plus long que nous.

Ce fut au tour de d'Artagnan de sourire.

— Voyons, dit Aramis, nous nous devons la vérité: m'aimez-vous toujours, mon cher d'Artagnan?

— Toujours comme autrefois, répliqua d'Artagnan sans trop se compromettre par cette réponse.

— Alors, merci, et franchise entière, dit Aramis; vous veniez à Belle-Ile pour le roi?

— Pardieu.

— Vous vouliez donc nous enlever le plaisir d'offrir Belle-Ile toute fortifiée au roi?

— Mais, mon ami, pour vous ôter le plaisir, il eût fallu d'abord que je fusse instruit de votre intention.

— Vous veniez à Belle-Ile sans rien savoir?

— De vous, oui! Comment diable voulez-vous que je me figure Aramis devenu ingénieur au point de fortifier comme Polybe ou Archimède?

— C'est pourtant vrai. Cependant vous m'avez deviné là-bas?

— Oh! oui.

— Et Porthos aussi?

— Très cher, je n'ai pas deviné qu'Aramis fût ingénieur. Je n'ai pu deviner que Porthos le fût devenu. Il y a un Latin qui a dit: « On devient orateur, on naît poète[1]. » Mais il n'a jamais dit: « On naît Porthos, et l'on devient ingénieur. »

— Vous avez toujours un charmant esprit, dit froidement Aramis. Je poursuis.

— Poursuivez.

— Quand vous avez tenu notre secret, vous vous êtes hâté de le venir dire au roi?

— J'ai d'autant plus couru, mon bon ami, que je vous ai vus courir plus fort. Lorsqu'un homme pesant deux cent cinquante-huit livres,

---

1. « Nascuntur poetae, fiunt oratores », axiome anonyme parodié par Brillat-Savarin dans sa Physiologie du goût : « On devient cuisinier, mais on naît rôtisseur. »

comme Porthos, court la poste, quand un prélat goutteux (pardon, c'est vous qui me l'avez dit), quand un prélat brûle le chemin, je suppose, moi, que ces deux amis, qui n'ont pas voulu me prévenir, avaient des choses de la dernière conséquence à me cacher, et, ma foi ! je cours... je cours aussi vite que ma maigreur et l'absence de goutte me le permettent.

— Cher ami, n'avez-vous pas réfléchi que vous pouviez me rendre, à moi et à Porthos, un triste service ?

— Je l'ai bien pensé ; mais vous m'aviez fait jouer, Porthos et vous, un triste rôle à Belle-Ile.

— Pardonnez-moi, dit Aramis.

— Excusez-moi, dit d'Artagnan.

— En sorte, poursuivit Aramis, que vous savez tout maintenant ?

— Ma foi, non.

— Vous savez que j'ai dû faire prévenir tout de suite M. Fouquet, pour qu'il vous prévînt près du roi ?

— C'est là l'obscur.

— Mais non. M. Fouquet a des ennemis, vous le reconnaissez ?

— Oh ! oui.

— Il en a un surtout.

— Dangereux ?

— Mortel ! Eh bien ! pour combattre l'influence de cet ennemi, M. Fouquet a dû faire preuve, devant le roi, d'un grand dévouement et de grands sacrifices. Il a fait une surprise à Sa Majesté en lui offrant Belle-Ile. Vous, arrivant le premier à Paris, la surprise était détruite. Nous avions l'air de céder à la crainte.

— Je comprends.

— Voilà tout le mystère, dit Aramis, satisfait d'avoir convaincu le mousquetaire.

— Seulement, dit celui-ci, plus simple était de me tirer à quartier à Belle-Ile pour me dire : « Cher ami, nous fortifions Belle-Ile-en-Mer pour l'offrir au roi. Rendez-nous le service de nous dire pour qui vous agissez. Êtes-vous l'ami de M. Colbert ou celui de M. Fouquet ? » Peut-être n'eussé-je rien répondu ; mais vous eussiez ajouté : « Êtes-vous mon ami ? » J'aurais dit : « Oui. »

Aramis pencha la tête.

— De cette façon, continua d'Artagnan, vous me paralysiez, et je venais dire au roi : « Sire, M. Fouquet fortifie Belle-Ile, et très bien ; mais voici un mot que M. le gouverneur de Belle-Ile m'a donné pour Votre Majesté. » Ou bien : « Voici une visite de M. Fouquet à l'endroit de ses intentions. » Je ne jouais pas un sot rôle ; vous aviez votre surprise, et nous n'avions pas besoin de loucher en nous regardant.

— Tandis, répliqua Aramis, qu'aujourd'hui vous avez agi tout à fait en ami de M. Colbert. Vous êtes donc son ami ?

— Ma foi, non ! s'écria le capitaine. M. Colbert est un cuistre, et je le hais comme je haïssais Mazarin, mais sans le craindre.

— Eh bien ! moi, dit Aramis, j'aime M. Fouquet, et je suis à lui. Vous connaissez ma position... Je n'ai pas de bien... M. Fouquet m'a fait avoir des bénéfices, un évêché ; M. Fouquet m'a obligé comme un galant homme, et je me souviens assez du monde pour apprécier les bons procédés. Donc, M. Fouquet m'a gagné le cœur, et je me suis mis à son service.

— Rien de mieux. Vous avez là un bon maître.

Aramis se pinça les lèvres.

— Le meilleur, je crois, de tous ceux qu'on pourrait avoir.

Puis il fit une pause.

D'Artagnan se garda bien de l'interrompre.

— Vous savez sans doute de Porthos comment il s'est trouvé mêlé à tout ceci ?

— Non, dit d'Artagnan ; je suis curieux, c'est vrai, mais je ne questionne jamais un ami quand il veut me cacher son véritable secret.

— Je m'en vais vous le dire.

— Ce n'est pas la peine si la confidence m'engage.

— Oh ! ne craignez rien ; Porthos est l'homme que j'ai aimé le plus, parce qu'il est simple et bon ; Porthos est un esprit droit. Depuis que je suis évêque, je recherche les natures simples, qui me font aimer la vérité, haïr l'intrigue.

D'Artagnan se caressa la moustache.

— J'ai vu et recherché Porthos ; il était oisif, sa présence me rappelait mes beaux jours d'autrefois, sans m'engager à mal faire au présent. J'ai appelé Porthos à Vannes. M. Fouquet, qui m'aime, ayant su que Porthos m'aimait, lui a promis l'ordre à la première promotion ; voilà tout le secret.

— Je n'en abuserai pas, dit d'Artagnan.

— Je le sais bien, cher ami ; nul n'a plus que vous de réel honneur.

— Je m'en flatte, Aramis.

— Maintenant...

Et le prélat regarda son ami jusqu'au fond de l'âme.

— Maintenant, causons de nous pour nous. Voulez-vous devenir un des amis de M. Fouquet ? Ne m'interrompez pas avant de savoir ce que cela veut dire.

— J'écoute.

— Voulez-vous devenir maréchal de France, pair, duc, et posséder un duché d'un million ?

— Mais, mon ami, répliqua d'Artagnan, pour obtenir tout cela, que faut-il faire ?

— Être l'homme de M. Fouquet.

— Moi, je suis l'homme du roi, cher ami.

— Pas exclusivement, je suppose ?

— Oh ! d'Artagnan n'est qu'un.

— Vous avez, je le présume, une ambition, comme un grand cœur que vous êtes.

— Mais, oui.

— Eh bien ?

— Eh bien ! je désire être maréchal de France ; mais le roi me fera maréchal, duc, pair ; le roi me donnera tout cela.

Aramis attacha sur d'Artagnan son limpide regard.

— Est-ce que le roi n'est pas le maître ? dit d'Artagnan.

— Nul ne le conteste ; mais Louis XIII était aussi le maître.

— Oh ! mais, cher ami, entre Richelieu et Louis XIII il n'y avait pas un M. d'Artagnan, dit tranquillement le mousquetaire.

— Autour du roi, fit Aramis, il est bien des pierres d'achoppement.

— Pas pour le roi ?

— Sans doute ; mais...

— Tenez, Aramis, je vois que tout le monde pense à soi et jamais à ce petit prince ; moi, je me soutiendrai en le soutenant.

— Et l'ingratitude ?

— Les faibles en ont peur !

— Vous êtes bien sûr de vous.

— Je crois que oui.

— Mais le roi peut n'avoir plus besoin de vous.

— Au contraire, je crois qu'il en aura plus besoin que jamais ; et, tenez, mon cher, s'il fallait arrêter un nouveau Condé, qui l'arrêterait ? Ceci... ceci seul en France.

Et d'Artagnan frappa son épée.

— Vous avez raison, dit Aramis en pâlissant.

Et il se leva et serra la main de d'Artagnan.

— Voici le dernier appel du souper, dit le capitaine des mousquetaires ; vous permettez...

Aramis passa son bras au cou du mousquetaire, et lui dit :

— Un ami comme vous est le plus beau joyau de la couronne royale.

Puis ils se séparèrent.

« Je le disais bien, pensa d'Artagnan, qu'il y avait quelque chose. »

« Il faut se hâter de mettre le feu aux poudres, dit Aramis ; d'Artagnan a éventé la mèche. »

CXLIX

MADAME ET DE GUICHE

Nous avons vu que le comte de Guiche était sorti de la salle le jour où Louis XIV avait offert avec tant de galanterie à La Vallière les merveilleux bracelets gagnés à la loterie.

Le comte se promena quelque temps hors du palais, l'esprit dévoré par mille soupçons et mille inquiétudes.

Puis on le vit guettant sur la terrasse, en face des quinconces, le départ de Madame.

Une grosse demi-heure s'écoula. Seul, à ce moment, le comte ne pouvait avoir de bien divertissantes idées.

Il tira ses tablettes de sa poche, et se décida, après mille hésitations, à écrire ces mots :

Madame, je vous supplie de m'accorder un moment d'entretien. Ne vous alarmez pas de cette demande qui n'a rien d'étranger au profond respect avec lequel je suis, etc.

Il signait cette singulière supplique pliée en billet d'amour, quand il vit sortir du château plusieurs femmes, puis des hommes, presque tout le cercle de la reine, enfin.

Il vit La Vallière elle-même, puis Montalais causant avec Malicorne.

Il vit jusqu'au dernier des conviés qui tout à l'heure peuplaient le cabinet de la reine mère.

Madame n'était point passée ; il fallait cependant qu'elle traversât cette cour pour rentrer chez elle, et, de la terrasse, de Guiche plongeait dans cette cour.

Enfin, il vit Madame sortir avec deux pages qui portaient des flambeaux. Elle marchait vite, et, arrivée à sa porte, elle cria :

— Pages, qu'on aille s'informer de M. le comte de Guiche. Il doit me rendre compte d'une commission. S'il est libre, qu'on le prie de passer chez moi.

De Guiche demeura muet et caché dans son ombre ; mais, sitôt que Madame fut rentrée, il s'élança de la terrasse en bas les degrés ; il prit l'air le plus indifférent pour se faire rencontrer par les pages, qui couraient déjà vers son logement.

« Ah ! Madame me fait chercher ! » se dit-il tout ému.

Et il serra son billet, désormais inutile.

— Comte, dit un des pages en l'apercevant, nous sommes heureux de vous rencontrer.

— Qu'y a-t-il, messieurs ?

— Un ordre de Madame.

— Un ordre de Madame ? fit de Guiche d'un air surpris.

— Oui, comte, Son Altesse Royale vous demande ; vous lui devez, nous a-t-elle dit, compte d'une commission. Êtes-vous libre ?

— Je suis tout entier aux ordres de Son Altesse Royale.

— Veuillez donc nous suivre.

Monté chez la princesse, de Guiche la trouva pâle et agitée.

A la porte se tenait Montalais, un peu inquiète de ce qui se passait dans l'esprit de sa maîtresse.

De Guiche parut.

— Ah ! c'est vous, monsieur de Guiche, dit Madame ; entrez, je vous prie... Mademoiselle de Montalais, votre service est fini.

Montalais, encore plus intriguée, salua et sortit.

Les deux interlocuteurs restèrent seuls.

Le comte avait tout l'avantage : c'était Madame qui l'avait appelé à un rendez-vous. Mais, cet avantage, comment était-il possible au comte d'en user ? C'était une personne si fantasque que Madame ! c'était un caractère si mobile que celui de Son Altesse Royale !

Elle le fit bien voir ; car abordant soudain la conversation :

— Eh bien ! dit-elle, n'avez-vous rien à me dire ?

Il crut qu'elle avait deviné sa pensée ; il crut ; ceux qui aiment sont ainsi faits ; ils sont crédules et aveugles comme des poètes ou des prophètes ; il crut qu'elle savait le désir qu'il avait de la voir, et le sujet de ce désir.

— Oui, bien, madame, dit-il, et je trouve cela fort étrange.

— L'affaire des bracelets, s'écria-t-elle vivement, n'est-ce pas ?

— Oui, madame.

— Vous croyez le roi amoureux ? Dites.

De Guiche la regarda longuement ; elle baissa les yeux sous ce regard qui allait jusqu'au cœur.

— Je crois, dit-il, que le roi peut avoir eu le dessein de tourmenter quelqu'un ici ; le roi, sans cela, ne se montrerait pas empressé comme il est ; il ne risquerait pas de compromettre de gaieté de cœur une jeune fille jusqu'alors inattaquable.

— Bon ! cette effrontée ? dit hautement la princesse.

— Je puis affirmer à Votre Altesse Royale, dit de Guiche avec une fermeté respectueuse, que Mlle de La Vallière est aimée d'un homme qu'il convient de respecter, car c'est un galant homme.

— Oh ! Bragelonne, peut-être ?

— Mon ami. Oui, madame.

— Eh bien ! quand il serait votre ami, qu'importe au roi ?

— Le roi sait que Bragelonne est fiancé à Mlle de La Vallière ; et, comme Raoul a servi le roi bravement, le roi n'ira pas causer un malheur irréparable.

Madame se mit à rire avec des éclats qui firent sur de Guiche une douloureuse impression.

— Je vous répète, madame, que je ne crois pas le roi amoureux de La Vallière, et la preuve que je ne le crois pas, c'est que je voulais vous demander de qui Sa Majesté peut chercher à piquer l'amour-propre dans cette circonstance. Vous qui connaissez toute la cour, vous m'aiderez à trouver d'autant plus assurément, que, dit-on partout, Votre Altesse Royale est fort intime avec le roi.

Madame se mordit les lèvres, et, faute de bonnes raisons, elle détourna la conversation.

— Prouvez-moi, dit-elle en attachant sur lui un de ces regards dans lesquels l'âme semble passer tout entière, prouvez-moi que vous cherchiez à m'interroger, moi qui vous ai appelé.

De Guiche tira gravement de ses tablettes ce qu'il avait écrit, et le montra.

— Sympathie, dit-elle.

— Oui, fit le comte avec une insurmontable tendresse, oui, sympathie ; mais, moi, je vous ai expliqué comment et pourquoi je vous cherchais ; vous, madame, vous êtes encore à me dire pourquoi vous me mandiez près de vous.

— C'est vrai.

Et elle hésita.

— Ces bracelets me feront perdre la tête, dit-elle tout à coup.

— Vous vous attendiez à ce que le roi dût vous les offrir ? répliqua de Guiche.

— Pourquoi pas ?

— Mais avant vous, madame, avant vous sa belle-sœur, le roi n'avait-il pas la reine ?

— Avant La Vallière, s'écria la princesse, ulcérée, n'avait-il pas moi ? n'avait-il pas toute la cour ?

— Je vous assure, madame, dit respectueusement le comte, que si l'on vous entendait parler ainsi, que si l'on voyait vos yeux rouges, et, Dieu me pardonne ! cette larme qui monte à vos cils ; oh ! oui ! tout le monde dirait que Votre Altesse Royale est jalouse.

— Jalouse ! dit la princesse avec hauteur ; jalouse de La Vallière ?

Elle s'attendait à faire plier de Guiche avec ce geste hautain et ce ton superbe.

— Jalouse de La Vallière, oui, madame, répéta-t-il bravement.

— Je crois, monsieur, balbutia-t-elle, que vous vous permettez de m'insulter ?

— Je ne le crois pas, madame, répliqua le comte un peu agité, mais résolu à dompter cette fougueuse colère.

— Sortez ! dit la princesse au comble de l'exaspération, tant le sang-froid et le respect muet de de Guiche lui tournaient à fiel et à rage.

De Guiche recula d'un pas, fit sa révérence avec lenteur, se releva blanc comme ses manchettes, et, d'une voix légèrement altérée :

— Ce n'était pas la peine que je m'empressasse, dit-il, pour subir cette injuste disgrâce.

Et il tourna le dos sans précipitation.

Il n'avait pas fait cinq pas, que Madame s'élança comme une tigresse après lui, le saisit par la manche, et, le retournant :

— Ce que vous affectez de respect, dit-elle en tremblant de fureur, est plus insultant que l'insulte. Voyons, insultez-moi, mais au moins parlez !

— Et vous, madame, dit le comte doucement en tirant son épée, percez-moi le cœur, mais ne me faites pas mourir à petit feu.

Au regard qu'il arrêta sur elle, regard empreint d'amour, de résolution, de désespoir même, elle comprit qu'un homme, si calme en apparence, se passerait l'épée dans la poitrine si elle ajoutait un mot.

Elle lui arracha le fer d'entre les mains, et, serrant son bras avec un délire qui pouvait passer pour de la tendresse :

— Comte, dit-elle, ménagez-moi. Vous voyez que je souffre, et vous n'avez aucune pitié.

Les larmes, dernière crise de cet accès, étouffèrent sa voix. De Guiche, la voyant pleurer, la prit dans ses bras et la porta jusqu'à son fauteuil ; un moment encore, elle suffoquait.

— Pourquoi, murmura-t-il à ses genoux, ne m'avouez-vous pas vos peines ? Aimez-vous quelqu'un ? Dites-le-moi ? J'en mourrai, mais après que je vous aurai soulagée, consolée, servie même.

— Oh ! vous m'aimez ainsi ! répliqua-t-elle vaincue.

— Je vous aime à ce point, oui, madame.

Et elle lui donna ses deux mains.

— J'aime, en effet, murmura-t-elle si bas que nul n'eût pu l'entendre. Lui l'entendit.

— Le roi ? dit-il.

Elle secoua doucement la tête, et son sourire fut comme ces éclaircies de nuages par lesquelles, après la tempête, on croit voir le paradis s'ouvrir.

— Mais, ajouta-t-elle, il y a d'autres passions dans un cœur bien né. L'amour, c'est la poésie ; mais la vie de ce cœur, c'est l'orgueil. Comte, je suis née sur le trône, je suis fière et jalouse de mon rang. Pourquoi le roi rapproche-t-il de lui des indignités ?

— Encore ! fit le comte ; voilà que vous maltraitez cette pauvre fille qui sera la femme de mon ami.

— Vous êtes assez simple pour croire cela, vous ?

— Si je ne le croyais pas, dit-il fort pâle, Bragelonne serait prévenu demain ; oui, si je supposais que cette pauvre La Vallière eût oublié les serments qu'elle a faits à Raoul. Mais non, ce serait une lâcheté de trahir le secret d'une femme ; ce serait un crime de troubler le repos d'un ami.

— Vous croyez, dit la princesse avec un sauvage éclat de rire, que l'ignorance est du bonheur ?

— Je le crois, répliqua-t-il.

— Prouvez ! prouvez donc ! dit-elle vivement.

— C'est facile : madame, on dit dans toute la cour que le roi vous aimait et que vous aimiez le roi.

— Eh bien ? fit-elle en respirant péniblement.

— Eh bien ! admettez que Raoul, mon ami, fût venu me dire : « Oui, le roi aime Madame ; oui, le roi a touché le cœur de Madame », j'eusse peut-être tué Raoul !

— Il eût fallu, dit la princesse avec cette obstination des femmes qui se sentent imprenables, que M. de Bragelonne eût eu des preuves pour vous parler ainsi.

— Toujours est-il, répondit de Guiche en soupirant, que, n'ayant pas été averti, je n'ai rien approfondi, et qu'aujourd'hui mon ignorance m'a sauvé la vie.

— Vous pousseriez jusqu'à l'égoïsme et la froideur, dit Madame, que vous laisseriez ce malheureux jeune homme continuer d'aimer La Vallière ?

— Jusqu'au jour où La Vallière me sera révélée coupable, oui, madame.

— Mais les bracelets ?

— Eh ! madame, puisque vous vous attendiez à les recevoir du roi, qu'eussé-je pu dire ?

L'argument était vigoureux ; la princesse en fut écrasée. Elle ne se releva plus dès ce moment.

Mais, comme elle avait l'âme pleine de noblesse, comme elle avait l'esprit ardent d'intelligence, elle comprit toute la délicatesse de de Guiche.

Elle lut clairement dans son cœur qu'il soupçonnait le roi d'aimer La Vallière, et ne voulait pas user de cet expédient vulgaire, qui consiste à ruiner un rival dans l'esprit d'une femme, en donnant à celle-ci l'assurance, la certitude que ce rival courtise une autre femme.

Elle devina qu'il soupçonnait La Vallière, et que, pour lui laisser le temps de se convertir, pour ne pas la faire perdre à jamais, il se réservait une démarche directe ou quelques observations plus nettes.

Elle lut en un mot tant de grandeur réelle, tant de générosité dans le cœur de son amant, qu'elle sentit s'embraser le sien au contact d'une flamme aussi pure.

De Guiche, en restant, malgré la crainte de déplaire, un homme de conséquence et de dévouement, grandissait à l'état de héros, et la réduisait à l'état de femme jalouse et mesquine.

Elle l'en aima si tendrement, qu'elle ne put s'empêcher de lui en donner un témoignage.

— Voilà bien des paroles perdues, dit-elle, en lui prenant la main. Soupçons, inquiétudes, défiances, douleurs, je crois que nous avons prononcé tous ces noms.

— Hélas ! oui, madame.

— Effacez-les de votre cœur comme je les chasse du mien. Comte, que cette La Vallière aime le roi ou ne l'aime pas, que le roi aime ou n'aime pas La Vallière, faisons, à partir de ce moment, une distinction dans nos deux rôles. Vous ouvrez de grands yeux ; je gage que vous ne me comprenez pas ?

— Vous êtes si vive, madame, que je tremble toujours de vous déplaire.

— Voyez comme il tremble, le bel effrayé ! dit-elle avec un enjouement plein de charme. Oui, monsieur, j'ai deux rôles à jouer. Je suis la sœur du roi, la belle-sœur de sa femme. A ce titre, ne faut-il pas que je m'occupe des intrigues du ménage ? Votre avis ?

— Le moins possible, madame.

— D'accord, mais c'est une question de dignité ; ensuite je suis la femme de Monsieur.

De Guiche soupira.

— Ce qui, dit-elle tendrement, doit vous exhorter à me parler toujours avec le plus souverain respect.

— Oh ! s'écria-t-il en tombant à ses pieds, qu'il baisa comme ceux d'une divinité.

— Vraiment, murmura-t-elle, je crois que j'ai encore un autre rôle. Je l'oubliais.

— Lequel ? lequel ?

— Je suis femme, dit-elle plus bas encore. J'aime.

Il se releva. Elle lui ouvrit ses bras ; leurs lèvres se touchèrent.

Un pas retentit derrière la tapisserie. Montalais heurta.

— Qu'y a-t-il, mademoiselle ? dit Madame.

— On cherche M. de Guiche, répondit Montalais, qui eut tout le temps de voir le désordre des acteurs de ces quatre rôles, car constamment de Guiche avait héroïquement aussi joué le sien.

CL

MONTALAIS ET MALICORNE

Montalais avait raison. M. de Guiche, appelé partout, était fort exposé, par la multiplication même des affaires, à ne répondre nulle part.

Aussi, telle est la force des situations faibles, que Madame, malgré son orgueil blessé, malgré sa colère intérieure, ne put rien reprocher, momentanément, du moins, à Montalais, qui venait de violer si audacieusement la consigne quasi royale qui l'avait éloignée.

De Guiche aussi perdit la tête, ou, plutôt, disons-le, de Guiche avait perdu la tête avant l'arrivée de Montalais ; car à peine eut-il entendu la voix de la jeune fille, que, sans prendre congé de Madame, comme la plus simple politesse l'exigeait même entre égaux, il s'enfuit le cœur brûlant, la tête folle, laissant la princesse une main levée et lui faisant un geste d'adieu. C'est que de Guiche pouvait dire, comme le dit Chérubin cent ans plus tard, qu'il emportait aux lèvres du bonheur pour une éternité[1].

Montalais trouva donc les deux amants fort en désordre : il y avait désordre chez celui qui s'enfuyait, désordre chez celle qui restait.

Aussi la jeune fille murmura, tout en jetant un regard interrogateur autour d'elle :

— Je crois que, cette fois, j'en sais autant que la femme la plus curieuse peut désirer en savoir.

Madame fut tellement embarrassée de ce regard inquisiteur, que, comme si elle eût entendu l'aparté de Montalais, elle ne dit pas un seul mot à sa fille d'honneur, et, baissant les yeux, rentra dans sa chambre à coucher.

Ce que voyant, Montalais écouta.

Alors elle entendit Madame qui fermait les verrous de sa chambre.

De ce moment, elle comprit qu'elle avait sa nuit à elle, et, faisant du côté de cette porte qui venait de se fermer un geste assez irrespectueux, lequel voulait dire : « Bonne nuit, princesse ! » elle descendit retrouver Malicorne, fort occupé pour le moment à suivre de l'œil un courrier tout poudreux qui sortait de chez le comte de Guiche.

Montalais comprit que Malicorne accomplissait quelque œuvre

---

1. « J'emporte sur mon front du bonheur pour plus de cent années de prison », *Le Mariage de Figaro*, acte IV, scène VII.

d'importance ; elle le laissa tendre les yeux, allonger le cou, et, quand Malicorne en fut revenu à sa position naturelle, elle lui frappa seulement sur l'épaule.

— Eh bien ! dit Montalais, quoi de nouveau ?

— M. de Guiche aime Madame, dit Malicorne.

— Belle nouvelle ! Je sais quelque chose de plus frais, moi.

— Et que savez-vous ?

— C'est que Madame aime M. de Guiche.

— L'un était la conséquence de l'autre.

— Pas toujours, mon beau monsieur.

— Cet axiome serait-il à mon adresse ?

— Les personnes présentes sont toujours exceptées.

— Merci, fit Malicorne. Et de l'autre côté ? continua-t-il en interrogeant.

— Le roi a voulu ce soir, après la loterie, voir Mlle de La Vallière.

— Eh bien ! il l'a vue ?

— Non pas.

— Comment, non pas ?

— La porte était fermée.

— De sorte que ?...

— De sorte que le roi s'en est retourné tout penaud comme un simple voleur qui a oublié ses outils.

— Bien.

— Et du troisième côté ? demanda Montalais.

— Le courrier qui arrive à M. de Guiche est envoyé par M. de Bragelonne.

— Bon ! fit Montalais en frappant dans ses mains.

— Pourquoi, bon ?

— Parce que voilà de l'occupation. Si nous nous ennuyons maintenant, nous aurons du malheur.

— Il importe de se diviser la besogne, fit Malicorne, afin de ne point faire confusion.

— Rien de plus simple, répliqua Montalais. Trois intrigues un peu bien chauffées, un peu bien menées, donnent, l'une dans l'autre, et au bas chiffre, trois billets par jour[1].

— Oh ! s'écria Malicorne en haussant les épaules, vous n'y pensez pas, ma chère, trois billets en un jour, c'est bon pour des sentiments bourgeois. Un mousquetaire en service, une petite fille au couvent,

---

1. « La jeunesse de Madame, l'agrément du comte Guiche, mais surtout les soins de Montalais engagèrent cette princesse dans une galanterie qui ne lui a donné que des chagrins considérables [...]. [Guiche] lui écrivait trois ou quatre fois par jour. Madame ne lisait pas ses lettres la plupart du temps et les laissait toutes à Montalais, sans lui demander même ce qu'elle en faisait. Montalais n'osait les garder dans sa chambre ; elle les remettait entre les mains d'un amant qu'elle avait alors, nommé Malicorne », Mme de La Fayette, *op. cit.*

échangeant le billet quotidiennement par le haut de l'échelle ou par le trou fait au mur. En un billet tient toute la poésie de ces pauvres petits cœurs-là. Mais chez nous... Oh ! que vous connaissez peu le Tendre royal, ma chère.

— Voyons, concluez, dit Montalais impatientée. On peut venir.

— Conclure ! Je n'en suis qu'à la narration[1]. J'ai encore trois points.

— En vérité, il me fera mourir, avec son flegme de Flamand ! s'écria Montalais.

— Et vous, vous me ferez perdre la tête avec vos vivacités d'Italienne. Je vous disais donc que nos amoureux s'écriront des volumes, mais où voulez-vous en venir ?

— A ceci, qu'aucune de nos dames ne peut garder les lettres qu'elle recevra.

— Sans aucun doute.

— Que M. de Guiche n'osera pas garder les siennes non plus.

— C'est probable.

— Eh bien ! je garderai tout cela, moi.

— Voilà justement ce qui est impossible, dit Malicorne.

— Et pourquoi cela ?

— Parce que vous n'êtes pas chez vous ; que votre chambre est commune à La Vallière et à vous ; que l'on pratique assez volontiers des visites et des fouilles dans une chambre de fille d'honneur ; que je crains fort la reine, jalouse comme une Espagnole, la reine mère, jalouse comme deux Espagnoles, et, enfin, Madame, jalouse comme dix Espagnoles.

— Vous oubliez quelqu'un.

— Qui ?

— Monsieur.

— Je ne parlais que pour les femmes. Numérotons donc. Monsieur, n° 1.

— N° 2, de Guiche.

— N° 3, le vicomte de Bragelonne.

— N° 4, et le roi.

— Le roi ?

— Certainement, le roi, qui sera non seulement plus jaloux, mais encore plus puissant que tout le monde. Ah ! ma chère !

— Après ?

— Dans quel guêpier vous êtes-vous fourrée !

— Pas encore assez avant, si vous voulez m'y suivre.

— Certainement que je vous y suivrai. Cependant...

— Cependant ?...

---

1. La narration, en rhétorique, exposé des faits, précède la confirmation.

— Tandis qu'il en est temps encore, je crois qu'il serait prudent de retourner en arrière.

— Et moi, au contraire, je crois que le plus prudent est de nous mettre du premier coup à la tête de toutes ces intrigues-là.

— Vous n'y suffirez pas.

— Avec vous, j'en mènerais dix. C'est mon élément, voyez-vous. J'étais faite pour vivre à la cour, comme la salamandre est faite pour vivre dans les flammes.

— Votre comparaison ne me rassure pas le moins du monde, chère amie. J'ai entendu dire à des savants fort savants, d'abord qu'il n'y a pas de salamandres, et qu'y en eût-il, elles seraient parfaitement grillées, elles seraient parfaitement rôties en sortant du feu.

— Vos savants peuvent être fort savants en affaires de salamandres. Or, vos savants ne vous diront point ceci, que je vous dis, moi : Aure de Montalais est appelée à être, avant un mois, le premier diplomate de la cour de France !

— Soit, mais à la condition que j'en serai le deuxième.

— C'est dit : alliance offensive et défensive, bien entendu.

— Seulement, défiez-vous des lettres.

— Je vous les remettrai au fur et à mesure qu'on me les remettra.

— Que dirons-nous au roi, de Madame ?

— Que Madame aime toujours le roi.

— Que dirons-nous à Madame, du roi ?

— Qu'elle aurait le plus grand tort de ne pas le ménager.

— Que dirons-nous à La Vallière, de Madame ?

— Tout ce que nous voudrons : La Vallière est à nous.

— A nous ?

— Doublement.

— Comment cela ?

— Par le vicomte de Bragelonne, d'abord.

— Expliquez-vous.

— Vous n'oubliez pas, je l'espère, que M. de Bragelonne a écrit beaucoup de lettres à Mlle de La Vallière ?

— Je n'oublie rien.

— Ces lettres, c'est moi qui les recevais, c'est moi qui les cachais.

— Et, par conséquent, c'est vous qui les avez ?

— Toujours.

— Où cela ? ici ?

— Oh ! que non pas. Je les ai à Blois, dans la petite chambre que vous savez.

— Petite chambre chérie, petite chambre amoureuse, antichambre du palais que je vous ferai habiter un jour. Mais, pardon, vous dites que toutes ces lettres sont dans cette petite chambre ?

— Oui.

— Ne les mettiez-vous pas dans un coffret ?

— Sans doute, dans le même coffret où je mettais les lettres que je recevais de vous, et où je déposais les miennes quand vos affaires ou vos plaisirs vous empêchaient de venir au rendez-vous.

— Ah ! fort bien, dit Malicorne.

— Pourquoi cette satisfaction ?

— Parce que je vois la possibilité de ne pas courir à Blois après les lettres. Je les ai ici.

— Vous avez rapporté le coffret ?

— Il m'était cher, venant de vous.

— Prenez-y garde, au moins ; le coffret contient des originaux qui auront un grand prix plus tard.

— Je le sais parbleu bien ! et voilà justement pourquoi je ris, et de tout mon cœur même.

— Maintenant, un dernier mot.

— Pourquoi donc un dernier ?

— Avons-nous besoin d'auxiliaires ?

— D'aucun.

— Valets, servantes ?

— Mauvais, détestable ! Vous donnerez les lettres, vous les recevrez. Oh ! pas de fierté ; sans quoi, M. Malicorne et Mlle Aure, ne faisant pas leurs affaires eux-mêmes, devront se résoudre à les voir faire par d'autres.

— Vous avez raison ; mais que se passe-t-il chez M. de Guiche ?

— Rien ; il ouvre sa fenêtre.

— Disparaissons.

Et tous deux disparurent ; la conjuration était nouée.

La fenêtre qui venait de s'ouvrir était, en effet, celle du comte de Guiche.

Mais, comme eussent pu le penser les ignorants, ce n'était pas seulement pour tâcher de voir l'ombre de Madame à travers ses rideaux qu'il se mettait à cette fenêtre, et sa préoccupation n'était pas tout amoureuse.

Il venait, comme nous l'avons dit, de recevoir un courrier ; ce courrier lui avait été envoyé par de Bragelonne. De Bragelonne avait écrit à de Guiche.

Celui-ci avait lu et relu la lettre, laquelle lui avait fait une profonde impression.

— Étrange ! étrange ! murmurait-il. Par quels moyens puissants la destinée entraîne-t-elle donc les gens à leur but ?

Et, quittant la fenêtre pour se rapprocher de la lumière, il relut une troisième fois cette lettre, dont les lignes brûlaient à la fois son esprit et ses yeux.

Calais

Mon cher comte,

J'ai trouvé à Calais M. de Wardes, qui a été blessé grièvement dans une affaire avec M. de Buckingham.

C'est un homme brave, comme vous savez, que de Wardes, mais haineux et méchant.

Il m'a entretenu de vous, pour qui, dit-il, son cœur a beaucoup de penchant ; de Madame, qu'il trouve belle et aimable.

Il a deviné votre amour pour la personne que vous savez.

Il m'a aussi entretenu d'une personne que j'aime, et m'a témoigné le plus vif intérêt en me plaignant fort, le tout avec des obscurités qui m'ont effrayé d'abord, mais que j'ai fini par prendre pour les résultats de ses habitudes de mystère.

Voici le fait :

Il aurait reçu des nouvelles de la cour. Vous comprenez que ce n'est que par M. de Lorraine.

On s'entretient, disent ses nouvelles, *d'un changement survenu dans l'affection du roi.*

Vous savez qui cela regarde.

Ensuite, disaient encore ses nouvelles, *on parle d'une fille d'honneur qui donne sujet à la médisance.*

Ces phrases vagues ne m'ont point permis de dormir. J'ai déploré depuis hier que mon caractère droit et faible, malgré une certaine obstination, m'ait laissé sans réplique à ces insinuations.

En un mot, M. de Wardes partait pour Paris ; je n'ai point retardé son départ avec des explications ; et puis il me paraissait dur, je l'avoue, de mettre à la question un homme dont les blessures sont à peine fermées.

Bref, il est parti à petites journées, parti pour assister, dit-il, au curieux spectacle que la cour ne peut manquer d'offrir sous peu de temps.

Il a ajouté à ces paroles certaines félicitations, puis certaines condoléances. Je n'ai pas plus compris les unes que les autres. J'étais étourdi par mes pensées et par une défiance envers cet homme, défiance, vous le savez mieux que personne, que je n'ai jamais pu surmonter.

Mais, lui parti, mon esprit s'est ouvert.

Il est impossible qu'un caractère comme celui de de Wardes n'ait pas infiltré quelque peu de sa méchanceté dans les rapports que nous avons eus ensemble.

Il est donc impossible que, dans toutes les paroles mystérieuses que M. de Wardes m'a dites, il n'y ait point un sens mystérieux dont je puisse me faire l'application à moi ou à qui vous savez.

Forcé que j'étais de partir promptement pour obéir au roi, je n'ai point eu l'idée de courir après M. de Wardes pour obtenir l'explication de ses réticences ; mais je vous expédie un courrier et vous écris cette lettre, qui vous exposera tous mes doutes. Vous, c'est moi : j'ai pensé, vous agirez.

M. de Wardes arrivera sous peu ; sachez ce qu'il a voulu dire, si déjà vous ne le savez.

Au reste, M. de Wardes a prétendu que M. de Buckingham avait quitté Paris, comblé par Madame ; c'est une affaire qui m'eût immédiatement mis l'épée à la main sans la nécessité où je crois me trouver de faire passer le service du roi avant toute querelle.

Brûlez cette lettre, que vous remet Olivain.

Qui dit Olivain, dit la sûreté même.

Veuillez, je vous prie, mon cher comte, me rappeler au souvenir de Mlle de La Vallière, dont je baise respectueusement les mains.

Vous, je vous embrasse.

VICOMTE DE BRAGELONNE

P.-S. Si quelque chose de grave survenait, tout doit se prévoir, cher ami, expédiez-moi un courrier avec ce seul mot : « Venez », et je serai à Paris, trente-six heures après votre lettre reçue.

De Guiche soupira, replia la lettre une troisième fois, et, au lieu de la brûler, comme le lui avait recommandé Raoul, il la remit dans sa poche.

Il avait besoin de la lire et de la relire encore.

— Quel trouble et quelle confiance à la fois, murmura le comte ; toute l'âme de Raoul est dans cette lettre ; il y oublie le comte de La Fère, et il y parle de son respect pour Louise ! Il m'avertit pour moi, il me supplie pour lui. Ah ! continua de Guiche avec un geste menaçant, vous vous mêlez de mes affaires, monsieur de Wardes ? Eh bien ! je vais m'occuper des vôtres. Quant à toi, mon pauvre Raoul, ton cœur me laisse un dépôt ; je veillerai sur lui, ne crains rien.

Cette promesse faite, de Guiche fit prier Malicorne de passer chez lui sans retard, s'il était possible.

Malicorne se rendit à l'invitation avec une vivacité qui était le premier résultat de sa conversation avec Montalais.

Plus de Guiche, qui se croyait couvert, questionna Malicorne, plus celui-ci, qui travaillait à l'ombre, devina son interrogateur.

Il s'ensuivit que, après un quart d'heure de conversation, pendant lequel de Guiche crut découvrir toute la vérité sur La Vallière et sur le roi, il n'apprit absolument rien que ce qu'il avait vu de ses yeux ; tandis que Malicorne apprit ou devina, comme on voudra, que Raoul avait de la défiance à distance et que de Guiche allait veiller sur le trésor des Hespérides[1].

Malicorne accepta d'être le dragon.

De Guiche crut avoir tout fait pour son ami et ne s'occupa plus que de soi.

On annonça le lendemain au soir le retour de de Wardes, et sa première apparition chez le roi.

Après sa visite, le convalescent devait se rendre chez Monsieur.

De Guiche se rendit chez Monsieur avant l'heure.

---

1. Voir Dictionnaire. Antiquité.

CLI

COMMENT DE WARDES FUT REÇU A LA COUR

Monsieur avait accueilli de Wardes avec cette faveur insigne que le rafraîchissement de l'esprit conseille à tout caractère léger pour la nouveauté qui arrive.

De Wardes, qu'en effet on n'avait pas vu depuis un mois, était du fruit nouveau. Le caresser, c'était d'abord une infidélité à faire aux anciens, et une infidélité a toujours son charme ; c'était, de plus, une réparation à lui faire, à lui. Monsieur le traita donc on ne peut plus favorablement.

M. le chevalier de Lorraine, qui craignait fort ce rival, mais qui respectait cette seconde nature, en tout semblable à la sienne, plus le courage, M. le chevalier de Lorraine eut pour de Wardes des caresses plus douces encore que n'en avait eu Monsieur.

De Guiche était là, comme nous l'avons dit, mais se tenait un peu à l'écart, attendant patiemment que toutes ces embrassades fussent terminées.

De Wardes, tout en parlant aux autres, et même à Monsieur, n'avait pas perdu de Guiche de vue ; son instinct lui disait qu'il était là pour lui.

Aussi alla-t-il à de Guiche aussitôt qu'il en eut fini avec les autres.

Tous deux échangèrent les compliments les plus courtois ; après quoi, de Wardes revint à Monsieur et aux autres gentilshommes.

Au milieu de toutes ces félicitations de bon retour, on annonça Madame.

Madame avait appris l'arrivée de de Wardes. Elle savait tous les détails de son voyage et de son duel avec Buckingham. Elle n'était pas fâchée d'être là aux premières paroles qui devaient être prononcées par celui qu'elle savait son ennemi.

Elle avait deux ou trois dames d'honneur avec elle.

De Wardes fit à Madame les plus gracieux saluts, et annonça tout d'abord, pour commencer les hostilités, qu'il était prêt à donner des nouvelles de M. de Buckingham à ses amis.

C'était une réponse directe à la froideur avec laquelle Madame l'avait accueilli.

L'attaque était vive, Madame sentit le coup sans paraître l'avoir reçu. Elle jeta rapidement les yeux sur Monsieur et sur de Guiche.

Monsieur rougit, de Guiche pâlit.

Madame seule ne changea point de physionomie ; mais, comprenant combien cet ennemi pouvait lui susciter de désagréments près des deux personnes qui l'écoutaient, elle se pencha en souriant du côté du voyageur.

Le voyageur parlait d'autre chose.

Madame était brave, imprudente même : toute retraite la jetait en avant. Après le premier serrement de cœur, elle revint au feu.

— Avez-vous beaucoup souffert de vos blessures, monsieur de Wardes ? demanda-t-elle ; car nous avons appris que vous aviez eu la mauvaise chance d'être blessé.

Ce fut au tour de de Wardes de tressaillir ; il se pinça les lèvres.

— Non, madame, dit-il, presque pas.

— Cependant, par cette horrible chaleur...

— L'air de la mer est frais, madame, et puis j'avais une consolation.

— Oh ! tant mieux !... Laquelle ?

— Celle de savoir que mon adversaire souffrait plus que moi.

— Ah ! il a été blessé plus grièvement que vous ? J'ignorais cela, dit la princesse avec une complète insensibilité.

— Oh ! madame, vous vous trompez, ou plutôt vous faites semblant de vous tromper à mes paroles. Je ne dis pas que son corps ait plus souffert que moi ; mais son cœur était atteint.

De Guiche comprit où tendait la lutte ; il hasarda un signe à Madame ; ce signe la suppliait d'abandonner la partie.

Mais elle, sans répondre à de Guiche, sans faire semblant de le voir, et toujours souriante :

— Eh ! quoi ! demanda-t-elle, M. de Buckingham avait-il donc été touché au cœur ? Je ne croyais pas, moi, jusqu'à présent, qu'une blessure au cœur se pût guérir.

— Hélas ! madame, répondit gracieusement de Wardes, les femmes croient toutes cela, et c'est ce qui leur donne sur nous la supériorité de la confiance.

— Ma mie, vous comprenez mal, fit le prince impatient. M. de Wardes veut dire que le duc de Buckingham avait été touché au cœur par autre chose que par une épée.

— Ah ! bien ! bien ! s'écria Madame. Ah ! c'est une plaisanterie de M. de Wardes ; fort bien ; seulement je voudrais savoir si M. de Buckingham goûterait cette plaisanterie. En vérité, c'est bien dommage qu'il ne soit point là, monsieur de Wardes.

Un éclair passa dans les yeux du jeune homme.

— Oh ! dit-il les dents serrées, je le voudrais aussi, moi.

De Guiche ne bougea pas.

Madame semblait attendre qu'il vînt à son secours.

Monsieur hésitait.

Le chevalier de Lorraine s'avança et prit la parole.

— Madame, dit-il, de Wardes sait bien que, pour un Buckingham, être touché au cœur n'est pas chose nouvelle, et que ce qu'il a dit s'est vu déjà.

— Au lieu d'un allié, deux ennemis, murmura Madame, deux ennemis ligués, acharnés !

Et elle changea la conversation.

Changer de conversation est, on le sait, un droit des princes, que l'étiquette ordonne de respecter.

Le reste de l'entretien fut donc modéré ; les principaux acteurs avaient fini leurs rôles.

Madame se retira de bonne heure, et Monsieur, qui voulait l'interroger, lui donna la main.

Le chevalier craignait trop que la bonne intelligence ne s'établît entre les deux époux pour les laisser tranquillement ensemble.

Il s'achemina donc vers l'appartement de Monsieur pour le surprendre à son retour, et détruire avec trois mots toutes les bonnes impressions que Madame aurait pu semer dans son cœur. De Guiche fit un pas vers de Wardes, que beaucoup de gens entouraient.

Il lui indiquait ainsi le désir de causer avec lui. De Wardes lui fit, des yeux et de la tête, signe qu'il le comprenait.

Ce signe, pour les étrangers, n'avait rien que d'amical.

Alors de Guiche put se retourner et attendre.

Il n'attendit pas longtemps. De Wardes, débarrassé de ses interlocuteurs, s'approcha de de Guiche, et tous deux, après un nouveau salut, se mirent à marcher côte à côte.

— Vous avez fait un bon retour, mon cher de Wardes ? dit le comte.

— Excellent, comme vous voyez.

— Et vous avez toujours l'esprit très gai ?

— Plus que jamais.

— C'est un grand bonheur.

— Que voulez-vous ! tout est si bouffon dans ce monde, tout est si grotesque autour de nous !

— Vous avez raison.

— Ah ! vous êtes donc de mon avis ?

— Parbleu ! Et vous nous apportez des nouvelles de là-bas ?

— Non, ma foi ! j'en viens chercher ici.

— Parlez. Vous avez cependant vu du monde à Boulogne[1], un de nos amis, et il n'y a pas si longtemps de cela.

— Du monde... de... de nos amis ?...

— Vous avez la mémoire courte.

— Ah ! c'est vrai : Bragelonne ?

— Justement.

---

1. A Calais, d'après la lettre de Raoul (voir chapitre précédent).

— Qui allait en mission près du roi Charles ?

— C'est cela. Eh bien ! ne vous a-t-il pas dit, ou ne lui avez-vous pas dit ?...

— Je ne sais trop ce que je lui ai dit, je vous l'avoue ; mais ce que je ne lui ai pas dit, je le sais.

De Wardes était la finesse même. Il sentait parfaitement, à l'attitude de de Guiche, attitude pleine de froideur, de dignité, que la conversation prenait une mauvaise tournure. Il résolut de se laisser aller à la conversation et de se tenir sur ses gardes.

— Qu'est-ce donc, s'il vous plaît, que cette chose que vous ne lui avez pas dite ? demanda de Guiche.

— Eh bien ! la chose concernant La Vallière.

— La Vallière... Qu'est-ce que cela ? et quelle est cette chose si étrange que vous l'avez sue là-bas, vous, tandis que Bragelonne, qui était ici, ne l'a pas sue, lui ?

— Est-ce sérieusement que vous me faites cette question ?

— On ne peut plus sérieusement.

— Quoi ! vous, homme de cour, vous, vivant chez Madame, vous, le commensal de la maison, vous, l'ami de Monsieur, vous, le favori de notre belle princesse ?

De Guiche rougit de colère.

— De quelle princesse parlez-vous ? demanda-t-il.

— Mais je n'en connais qu'une, mon cher. Je parle de Madame. Est-ce que vous avez une autre princesse au cœur ? Voyons.

De Guiche allait se lancer ; mais il vit la feinte.

Une querelle était imminente entre les deux jeunes gens. De Wardes voulait seulement la querelle au nom de Madame, tandis que de Guiche ne l'acceptait qu'au nom de La Vallière. C'était, à partir de ce moment, un jeu de feintes, et qui devait durer jusqu'à ce que l'un d'eux fût touché.

De Guiche reprit donc tout son sang-froid.

— Il n'est pas le moins du monde question de Madame dans tout ceci, mon cher de Wardes, dit de Guiche, mais de ce que vous disiez là, à l'instant même.

— Et que disais-je ?

— Que vous aviez caché à Bragelonne certaines choses.

— Que vous savez aussi bien que moi, répliqua de Wardes.

— Non, d'honneur !

— Allons donc !

— Si vous me le dites, je le saurai ; mais non autrement, je vous jure !

— Comment ! j'arrive de là-bas, de soixante lieues ; vous n'avez pas bougé d'ici ; vous avez vu de vos yeux, vous, ce que la renommée m'a rapporté là-bas, elle, et je vous entends me dire sérieusement que vous ne savez pas ? Oh ! comte, vous n'êtes pas charitable.

— Ce sera comme il vous plaira, de Wardes ; mais, je vous le répète, je ne sais rien.

— Vous faites le discret, c'est prudent.

— Ainsi, vous ne me direz rien, pas plus à moi qu'à Bragelonne ?

— Vous faites la sourde oreille, je suis bien convaincu que Madame ne serait pas si maîtresse d'elle-même que vous.

« Ah ! double hypocrite, murmura de Guiche, te voilà revenu sur ton terrain. »

— Eh bien ! alors, continua de Wardes, puisqu'il nous est si difficile de nous entendre sur La Vallière et Bragelonne, causons de vos affaires personnelles.

— Mais, dit de Guiche, je n'ai point d'affaires personnelles, moi. Vous n'avez rien dit de moi, je suppose, à Bragelonne, que vous ne puissiez me redire, à moi ?

— Non. Mais, comprenez-vous, de Guiche ? c'est qu'autant je suis ignorant sur certaines choses, autant je suis ferré sur d'autres. S'il s'agissait, par exemple, de vous parler des relations de M. de Buckingham à Paris, comme j'ai fait le voyage avec le duc, je pourrais vous dire les choses les plus intéressantes. Voulez-vous que je vous les dise ?

De Guiche passa sa main sur son front moite de sueur.

— Mais, non, dit-il, cent fois non, je n'ai point de curiosité pour ce qui ne me regarde pas. M. de Buckingham n'est pour moi qu'une simple connaissance, tandis que Raoul est un ami intime. Je n'ai donc aucune curiosité de savoir ce qui est arrivé à M. de Buckingham, tandis que j'ai tout intérêt à savoir ce qui est arrivé à Raoul.

— A Paris ?

— Oui, à Paris ou à Boulogne. Vous comprenez, moi, je suis présent : si quelque événement advient, je suis là pour y faire face ; tandis que Raoul est absent et n'a que moi pour le représenter ; donc, les affaires de Raoul avant les miennes.

— Mais Raoul reviendra.

— Oui, après sa mission. En attendant, vous comprenez, il ne peut courir de mauvais bruits sur lui sans que je les examine.

— D'autant plus qu'il y restera quelque temps, à Londres, dit de Wardes en ricanant.

— Vous croyez ? demanda naïvement de Guiche.

— Parbleu ! croyez-vous qu'on l'a envoyé à Londres pour qu'il ne fasse qu'y aller et en revenir ? Non pas ; on l'a envoyé à Londres pour qu'il y reste.

— Ah ! comte, dit de Guiche en saisissant avec force la main de de Wardes, voici un soupçon bien fâcheux pour Bragelonne, et qui justifie à merveille ce qu'il m'a écrit de Boulogne.

De Wardes redevint froid ; l'amour de la raillerie l'avait poussé en avant, et il avait, par son imprudence, donné prise sur lui.

— Eh bien ! voyons, qu'a-t-il écrit ? demanda-t-il.

— Que vous lui aviez glissé quelques insinuations perfides contre La Vallière et que vous aviez paru rire de sa grande confiance dans cette jeune fille.

— Oui, j'ai fait tout cela, dit de Wardes, et j'étais prêt, en le faisant, à m'entendre dire par le vicomte de Bragelonne ce que dit un homme à un autre homme lorsque ce dernier le mécontente. Ainsi, par exemple, si je vous cherchais une querelle, à vous, je vous dirais que Madame, après avoir distingué M. de Buckingham, passe en ce moment pour n'avoir renvoyé le beau duc qu'à votre profit.

— Oh ! cela ne me blesserait pas le moins du monde, cher de Wardes, dit de Guiche en souriant malgré le frisson qui courait dans ses veines comme une injection de feu. Peste ! une telle faveur, c'est du miel.

— D'accord ; mais, si je voulais absolument une querelle avec vous, je chercherais un démenti, et je vous parlerais de certain bosquet où vous vous rencontrâtes avec cette illustre princesse, de certaines génuflexions, de certains baisemains, et vous qui êtes un homme secret, vous, vif et pointilleux...

— Eh bien ! non, je vous jure, dit de Guiche en l'interrompant avec le sourire sur les lèvres, quoiqu'il fût porté à croire qu'il allait mourir, non, je vous jure que cela ne me toucherait pas, que je ne vous donnerais aucun démenti. Que voulez-vous, très cher comte, je suis ainsi fait ; pour les choses qui me regardent, je suis de glace. Ah ! c'est bien autre chose lorsqu'il s'agit d'un ami absent, d'un ami qui, en partant, nous a confié ses intérêts ; oh ! pour cet ami, voyez-vous, de Wardes, je suis tout de feu !

— Je vous comprends, monsieur de Guiche ; mais, vous avez beau dire, il ne peut être question entre nous, à cette heure, ni de Bragelonne, ni de cette jeune fille sans importance qu'on appelle La Vallière.

En ce moment, quelques jeunes gens de la cour traversaient le salon, et, ayant déjà entendu les paroles qui venaient d'être prononcées, étaient à même d'entendre celles qui allaient suivre.

De Wardes s'en aperçut et continua tout haut :

— Oh ! si La Vallière était une coquette comme Madame, dont les agaceries, très innocentes, je le veux bien, ont d'abord fait renvoyer M. de Buckingham en Angleterre, et ensuite vous ont fait exiler, vous, car, enfin, vous vous y êtes laissé prendre à ses agaceries, n'est-ce pas, monsieur ?

Les gentilshommes s'approchèrent, de Saint-Aignan en tête, Manicamp après.

— Eh ! mon cher, que voulez-vous ? dit de Guiche en riant, je suis un fat, moi, tout le monde sait cela. J'ai pris au sérieux une plaisanterie, et je me suis fait exiler. Mais j'ai vu mon erreur, j'ai courbé ma vanité aux pieds de qui de droit, et j'ai obtenu mon rappel en faisant amende honorable et en me promettant à moi-même de me guérir de ce défaut, et, vous le voyez, j'en suis si bien guéri, que je ris maintenant de ce qui, il y a quatre jours, me brisait le cœur. Mais, lui, Raoul, il est aimé ; il ne rit pas des bruits qui peuvent troubler son bonheur, des bruits dont vous vous êtes fait l'interprète quand vous saviez cependant, comte, comme moi, comme ces messieurs, comme tout le monde, que ces bruits n'étaient qu'une calomnie.

— Une calomnie ! s'écria de Wardes, furieux de se voir poussé dans le piège par le sang-froid de de Guiche.

— Mais oui, une calomnie. Dame ! voici sa lettre, dans laquelle il me dit que vous avez mal parlé de Mlle de La Vallière, et où il me demande si ce que vous avez dit de cette jeune fille est vrai. Voulez-vous que je fasse juges ces messieurs, de Wardes ?

Et, avec le plus grand sang-froid, de Guiche lut tout haut le paragraphe de la lettre qui concernait La Vallière.

— Et, maintenant, continua de Guiche, il est bien constaté pour moi que vous avez voulu blesser le repos de ce cher Bragelonne, et que vos propos étaient malicieux.

De Wardes regarda autour de lui pour savoir s'il aurait appui quelque part ; mais, à cette idée que de Wardes avait insulté, soit directement, soit indirectement, celle qui était l'idole du jour, chacun secoua la tête, et de Wardes ne vit que des hommes prêts à lui donner tort.

— Messieurs, dit de Guiche devinant d'instinct le sentiment général, notre discussion avec M. de Wardes porte sur un sujet si délicat, qu'il est important que personne n'en entende plus que vous n'en avez entendu. Gardez donc les portes, je vous prie, et laissez-nous achever cette conversation entre nous, comme il convient à deux gentilshommes dont l'un a donné à l'autre un démenti.

— Messieurs ! messieurs ! s'écrièrent les assistants.

— Trouvez-vous que j'avais tort de défendre Mlle de La Vallière ? dit de Guiche. En ce cas, je passe condamnation et je retire les paroles blessantes que j'ai pu dire contre M. de Wardes.

— Peste ! dit de Saint-Aignan, non pas !... Mlle de La Vallière est un ange.

— La vertu, la pureté en personne, dit Manicamp.

— Vous voyez, monsieur de Wardes, dit de Guiche, je ne suis point le seul qui prenne la défense de la pauvre enfant. Messieurs, une seconde fois, je vous supplie de nous laisser. Vous voyez qu'il est impossible d'être plus calme que nous ne le sommes.

Les courtisans ne demandaient pas mieux que de s'éloigner ; les uns allèrent à une porte, les autres à l'autre.

Les deux jeunes gens restèrent seuls.

— Bien joué, dit de Wardes au comte.

— N'est-ce pas ? répondit celui-ci.

— Que voulez-vous ? je me suis rouillé en province, mon cher, tandis que vous, ce que vous avez gagné de puissance sur vous-même me confond, comte ; on acquiert toujours quelque chose dans la société des femmes ; acceptez donc tous mes compliments.

— Je les accepte.

— Et je les retournerai à Madame.

— Oh ! maintenant, mon cher monsieur de Wardes, parlons-en aussi haut qu'il vous plaira.

— Ne m'en défiez pas.

— Oh ! je vous en défie ! Vous êtes connu pour un méchant homme ; si vous faites cela, vous passerez pour un lâche, et Monsieur vous fera pendre ce soir à l'espagnolette de sa fenêtre. Parlez, mon cher de Wardes, parlez.

— Je suis battu.

— Oui, mais pas encore autant qu'il convient.

— Je vois que vous ne seriez pas fâché de me battre à plate couture.

— Non, mieux encore.

— Diable ! c'est que, pour le moment, mon cher comte, vous tombez mal ; après celle que je viens de jouer, une partie ne peut me convenir. J'ai perdu trop de sang à Boulogne : au moindre effort mes blessures se rouvriraient, et, en vérité, vous auriez de moi trop bon marché.

— C'est vrai, dit de Guiche, et cependant, vous avez, en arrivant, fait montre de votre belle mine et de vos bons bras.

— Oui, les bras vont encore, c'est vrai ; mais les jambes sont faibles, et puis je n'ai pas tenu le fleuret depuis ce diable de duel ; et vous, j'en réponds, vous vous escrimez tous les jours pour mettre à bonne fin votre petit guet-apens.

— Sur l'honneur, monsieur, répondit de Guiche, voici une demi-année que je n'ai fait d'exercice.

— Non, voyez-vous, comte, toute réflexion faite, je ne me battrai pas, pas avec vous, du moins. J'attendrai Bragelonne, puisque vous dites que c'est Bragelonne qui m'en veut.

— Oh ! que non pas, vous n'attendrez pas Bragelonne, s'écria de Guiche hors de lui ; car, vous l'avez dit, Bragelonne peut tarder à revenir, et, en attendant, votre méchant esprit fera son œuvre.

— Cependant, j'aurai une excuse. Prenez garde !

— Je vous donne huit jours pour achever de vous rétablir.

— C'est déjà mieux. Dans huit jours, nous verrons.

— Oui, oui, je comprends : en huit jours, on peut échapper à l'ennemi. Non, non, pas un.

— Vous êtes fou, monsieur, dit de Wardes en faisant un pas de retraite.

— Et vous, vous êtes un misérable. Si vous ne vous battez pas de bonne grâce...

— Eh bien ?

— Je vous dénonce au roi comme ayant refusé de vous battre après avoir insulté La Vallière.

— Ah ! fit de Wardes, vous êtes dangereusement perfide, monsieur l'honnête homme.

— Rien de plus dangereux que la perfidie de celui qui marche toujours loyalement.

— Rendez-moi mes jambes, alors, ou faites-vous saigner à blanc pour égaliser nos chances.

— Non pas, j'ai mieux que cela.

— Dites.

— Nous monterons à cheval tous deux et nous échangerons trois coups de pistolet. Vous tirez de première force. Je vous ai vu abattre des hirondelles, à balle et au galop. Ne dites pas non, je vous ai vu.

— Je crois que vous avez raison, dit de Wardes ; et, comme cela, il est possible que je vous tue.

— En vérité, vous me rendriez service.

— Je ferai de mon mieux.

— Est-ce dit ?

— Votre main.

— La voici... A une condition, pourtant.

— Laquelle ?

— Vous me jurez de ne rien dire ou faire dire au roi ?

— Rien, je vous le jure.

— Je vais chercher mon cheval.

— Et moi le mien.

— Où irons-nous ?

— Dans la plaine ; je sais un endroit excellent.

— Partons-nous ensemble ?

— Pourquoi pas ?

Et tous deux, s'acheminant vers les écuries, passèrent sous les fenêtres de Madame, doucement éclairées ; une ombre grandissait derrière les rideaux de dentelle.

— Voilà pourtant une femme, dit de Wardes en souriant, qui ne se doute pas que nous allons à la mort pour elle.

CLII

LE COMBAT

De Wardes choisit son cheval, et de Guiche le sien.

Puis chacun le sella lui-même avec une selle à fontes.

De Wardes n'avait point de pistolets. De Guiche en avait deux paires. Il les alla chercher chez lui, les chargea, et donna le choix à de Wardes.

De Wardes choisit des pistolets dont il s'était vingt fois servi, les mêmes avec lesquels de Guiche lui avait vu tuer les hirondelles au vol.

— Vous ne vous étonnerez point, dit-il, que je prenne toutes mes précautions. Vos armes vous sont connues. Je ne fais, par conséquent, qu'égaliser les chances.

— L'observation était inutile, répondit de Guiche, et vous êtes dans votre droit.

— Maintenant, dit de Wardes, je vous prie de vouloir bien m'aider à monter à cheval, car j'y éprouve encore une certaine difficulté.

— Alors, il fallait prendre le parti à pied.

— Non, une fois en selle, je vaux mon homme.

— C'est bien, n'en parlons plus.

Et de Guiche aida de Wardes à monter à cheval.

— Maintenant, continua le jeune homme, dans notre ardeur à nous exterminer, nous n'avons pas pris garde à une chose.

— A laquelle ?

— C'est qu'il fait nuit, et qu'il faudra nous tuer à tâtons.

— Soit, ce sera toujours le même résultat.

— Cependant, il faut prendre garde à une autre circonstance, qui est que les honnêtes gens ne se vont point battre sans compagnons.

— Oh ! s'écria de Guiche, vous êtes aussi désireux que moi de bien faire les choses.

— Oui ; mais je ne veux point que l'on puisse dire que vous m'avez assassiné, pas plus que, dans le cas où je vous tuerais, je ne veux être accusé d'un crime.

— A-t-on dit pareille chose de votre duel avec M. de Buckingham ? dit de Guiche. Il s'est cependant accompli dans les mêmes conditions où le nôtre va s'accomplir.

— Bon ! Il faisait encore jour et nous étions dans l'eau jusqu'aux cuisses ; d'ailleurs, bon nombre de spectateurs étaient rangés sur le rivage et nous regardaient.

De Guiche réfléchit un instant ; mais cette pensée qui s'était déjà présentée à son esprit s'y raffermit, que de Wardes voulait avoir des témoins pour ramener la conversation sur Madame et donner un tour nouveau au combat.

Il ne répliqua donc rien, et, comme de Wardes l'interrogea une dernière fois du regard, il lui répondit par un signe de tête qui voulait dire que le mieux était de s'en tenir où l'on en était.

Les deux adversaires se mirent, en conséquence, en chemin et sortirent du château par cette porte que nous connaissons pour avoir vu tout près d'elle Montalais et Malicorne.

La nuit, comme pour combattre la chaleur de la journée, avait amassé tous les nuages qu'elle poussait silencieusement et lourdement de l'ouest à l'est. Ce dôme, sans éclaircies et sans tonnerres apparents, pesait de tout son poids sur la terre et commençait à se trouer sous les efforts du vent, comme une immense toile détachée d'un lambris.

Les gouttes d'eau tombaient tièdes et larges sur la terre, où elles aggloméraient la poussière en globules roulants.

En même temps, des haies qui aspiraient l'orage, des fleurs altérées, des arbres échevelés, s'exhalaient mille odeurs aromatiques qui ramenaient au cerveau les souvenirs doux, les idées de jeunesse, de vie éternelle, de bonheur et d'amour.

— La terre sent bien bon, dit de Wardes ; c'est une coquetterie de sa part pour nous attirer à elle.

— A propos, répliqua de Guiche, il m'est venu plusieurs idées et je veux vous les soumettre.

— Relatives ?

— Relatives à notre combat.

— En effet, il est temps, ce me semble, que nous nous en occupions.

— Sera-ce un combat ordinaire et réglé selon la coutume ?

— Voyons notre coutume ?

— Nous mettrons pied à terre dans une bonne plaine, nous attacherons nos chevaux au premier objet venu, nous nous joindrons sans armes, puis nous nous éloignerons de cent cinquante pas chacun pour revenir l'un sur l'autre.

— Bon ! c'est ainsi que je tuai le pauvre Follivent, voici trois semaines, à la Saint-Denis[1].

— Pardon, vous oubliez un détail.

— Lequel ?

— Dans votre duel avec Follivent, vous marchâtes à pied l'un sur l'autre, l'épée aux dents et le pistolet au poing.

— C'est vrai.

---

1. Il ne semble pas s'agir d'une indication chronologique puisque saint Denis est fêté le 9 octobre, alors que l'action se déroule au cœur de l'été. Faut-il comprendre : à la plaine Saint-Denis ?

— Cette fois, au contraire, comme je ne puis pas marcher, vous l'avouez vous-même, nous remontons à cheval et nous nous choquons, le premier qui veut tirer tire.

— C'est ce qu'il y a de mieux, sans doute, mais il fait nuit ; il faut compter plus de coups perdus qu'il n'y en aurait dans le jour.

— Soit ! Chacun pourra tirer trois coups, les deux qui seront tout chargés, et un troisième de recharge.

— A merveille ! Où notre combat aura-t-il lieu ?

— Avez-vous quelque préférence ?

— Non.

— Vous voyez ce petit bois qui s'étend devant nous ?

— Le bois des Rochers[1] ? Parfaitement.

— Vous le connaissez ?

— A merveille.

— Vous savez, alors, qu'il a une clairière à son centre ?

— Oui.

— Gagnons cette clairière.

— Soit !

— C'est une espèce de champ clos naturel, avec toutes sortes de chemins, de faux fuyants, de sentiers, de fossés, de tournants, d'allées ; nous serons là à merveille.

— Je le veux, si vous le voulez. Nous sommes arrivés, je crois ?

— Oui. Voyez le bel espace dans le rond-point. Le peu de clarté qui tombe des étoiles, comme dit Corneille[2], se concentre en cette place ; les limites naturelles sont le bois qui circuite avec ses barrières.

— Soit ! Faites comme vous dites.

— Terminons les conditions, alors.

— Voici les miennes ; si vous avez quelque chose contre, vous le direz.

— J'écoute.

— Cheval tué oblige son maître à combattre à pied.

— C'est incontestable, puisque nous n'avons pas de chevaux de rechange.

— Mais n'oblige pas l'adversaire à descendre de son cheval.

— L'adversaire sera libre d'agir comme bon lui semblera.

— Les adversaires, s'étant joints une fois, peuvent ne se plus quitter, et, par conséquent, tirer l'un sur l'autre à bout portant.

— Accepté.

— Trois charges sans plus, n'est-ce pas ?

— C'est suffisant, je crois. Voici de la poudre et des balles pour vos

---

1. Texte : « bois Rochin ». Ce toponyme ne figure pas dans le *Dictionnaire historique et artistique de la forêt de Fontainebleau* ; nos adoptons la leçon des éditions illustrées : « bois des Rochers ».

2. « Cette obscure clarté qui tombe des étoiles », *Le Cid*, acte IV, scène III.

pistolets ; mesurez trois charges, prenez trois balles ; j'en ferai autant, puis nous répandrons le reste de la poudre et nous jetterons le reste des balles.

— Et nous jurons sur le Christ, n'est-ce pas, ajouta de Wardes, que nous n'avons plus sur nous ni poudre ni balles ?

— C'est convenu ; moi, je le jure.

De Guiche étendit la main vers le ciel.

De Wardes l'imita.

— Et maintenant, mon cher comte, dit-il, laissez-moi vous dire que je ne suis dupe de rien. Vous êtes, ou vous serez l'amant de Madame. J'ai pénétré le secret, vous avez peur que je ne l'ébruite ; vous voulez me tuer pour vous assurer le silence, c'est tout simple, et, à votre place, j'en ferais autant.

De Guiche baissa la tête.

— Seulement, continua de Wardes triomphant, était-ce bien la peine, dites-moi, de me jeter encore dans les bras cette mauvaise affaire de Bragelonne ? Prenez garde, mon cher ami, en acculant le sanglier, on l'enrage ; en forçant le renard, on lui donne la férocité du jaguar. Il en résulte que, mis aux abois par vous, je me défends jusqu'à la mort.

— C'est votre droit.

— Oui, mais, prenez garde, je ferai bien du mal ; ainsi, pour commencer, vous devinez bien, n'est-ce pas, que je n'ai point fait la sottise de cadenasser mon secret, ou plutôt votre secret dans mon cœur ? Il y a un ami, un ami spirituel, vous le connaissez, qui est entré en participation de mon secret ; ainsi, comprenez bien que, si vous me tuez, ma mort n'aura pas servi à grand-chose ; tandis qu'au contraire, si je vous tue, dame ! tout est possible, vous comprenez.

De Guiche frissonna.

— Si je vous tue, continua de Wardes, vous aurez attaché à Madame deux ennemis qui travailleront à qui mieux mieux à la ruiner.

— Oh ! monsieur, s'écria de Guiche furieux, ne comptez pas ainsi sur ma mort ; de ces deux ennemis, j'espère bien tuer l'un tout de suite, et l'autre à la première occasion.

De Wardes ne répondit que par un éclat de rire tellement diabolique, qu'un homme superstitieux s'en fût effrayé.

Mais de Guiche n'était point impressionnable à ce point.

— Je crois, dit-il, que tout est réglé, monsieur de Wardes ; ainsi, prenez du champ, je vous prie, à moins que vous ne préfériez que ce soit moi.

— Non pas, dit de Wardes, enchanté de vous épargner une peine.

Et, mettant son cheval au galop, il traversa la clairière dans toute son étendue, et alla prendre son poste au point de la circonférence du carrefour qui faisait face à celui où de Guiche s'était arrêté.

De Guiche demeura immobile.

A la distance de cent pas à peu près, les deux adversaires étaient absolument invisibles l'un à l'autre, perdus qu'ils étaient dans l'ombre épaisse des ormes et des châtaigniers.

Une minute s'écoula au milieu du plus profond silence.

Au bout de cette minute, chacun, au sein de l'ombre où il était caché, entendit le double cliquetis du chien résonnant dans la batterie.

De Guiche, suivant la tactique ordinaire, mit son cheval au galop, persuadé qu'il trouverait une double garantie de sûreté dans l'ondulation du mouvement et dans la vitesse de la course.

Cette course se dirigea en droite ligne sur le point qu'à son avis devait occuper son adversaire.

A la moitié du chemin, il s'attendait à rencontrer de Wardes : il se trompait.

Il continua sa course, présumant que de Wardes l'attendait immobile.

Mais aux deux tiers de la clairière, il vit le carrefour s'illuminer tout à coup, et une balle coupa en sifflant la plume qui s'arrondissait sur son chapeau.

Presque en même temps, et comme si le feu du premier coup eût servi à éclairer l'autre, un second coup retentit, et une seconde balle vint trouver la tête du cheval de de Guiche, un peu au-dessous de l'oreille.

L'animal tomba.

Ces deux coups, venant d'une direction tout opposée à celle dans laquelle il s'attendait à trouver de Wardes, frappèrent de Guiche de surprise ; mais, comme c'était un homme d'un grand sang-froid, il calcula sa chute, mais non pas si bien, cependant, que le bout de sa botte ne se trouvât pris sous son cheval.

Heureusement, dans son agonie, l'animal fit un mouvement, et de Guiche put dégager sa jambe moins pressée.

De Guiche se releva, se tâta ; il n'était point blessé.

Du moment où il avait senti le cheval faiblir, il avait placé ses deux pistolets dans les fontes, de peur que la chute ne fît partir un des deux coups et même tous les deux, ce qui l'eût désarmé inutilement.

Une fois debout, il reprit ses pistolets dans ses fontes, et s'avança vers l'endroit où, à la lueur de la flamme, il avait vu apparaître de Wardes. De Guiche s'était, après le premier coup, rendu compte de la manœuvre de son adversaire, qui était on ne peut plus simple.

Au lieu de courir sur de Guiche ou de rester à sa place à l'attendre, de Wardes avait, pendant une quinzaine de pas à peu près, suivi le cercle d'ombre qui le dérobait à la vue de son adversaire, et, au moment où celui-ci lui présentait le flanc dans sa course, il l'avait tiré de sa place, ajustant à l'aise, et servi au lieu d'être gêné par le galop du cheval.

On a vu que, malgré l'obscurité, la première balle avait passé à un pouce à peine de la tête de de Guiche.

De Wardes était si sûr de son coup, qu'il avait cru voir tomber de

Guiche. Son étonnement fut grand lorsque, au contraire, le cavalier demeura en selle.

Il se pressa pour tirer le second coup, fit un écart de main et tua le cheval.

C'était une heureuse maladresse, si de Guiche demeurait engagé sous l'animal. Avant qu'il eût pu se dégager, de Wardes rechargeait son troisième coup et tenait de Guiche à sa merci.

Mais, tout au contraire, de Guiche était debout et avait trois coups à tirer.

De Guiche comprit la position... Il s'agissait de gagner de Wardes de vitesse. Il prit sa course, afin de le joindre avant qu'il eût fini de recharger son pistolet.

De Wardes le voyait arriver comme une tempête. La balle était juste et résistait à la baguette. Mal charger était s'exposer à perdre un dernier coup. Bien charger était perdre son temps, ou plutôt c'était perdre la vie.

Il fit faire un écart à son cheval.

De Guiche pivota sur lui-même, et, au moment où le cheval retombait, le coup partit, enlevant le chapeau de de Wardes.

De Wardes comprit qu'il avait un instant à lui; il en profita pour achever de charger son pistolet.

De Guiche, ne voyant pas tomber son adversaire, jeta le premier pistolet devenu inutile, et marcha sur de Wardes en levant le second.

Mais, au troisième pas qu'il fit, de Wardes le prit tout marchant et le coup partit.

Un rugissement de colère y répondit; le bras du comte se crispa et s'abattit. Le pistolet tomba.

De Wardes vit le comte se baisser, ramasser le pistolet de la main gauche, et faire un nouveau pas en avant.

Le moment était suprême.

— Je suis perdu, murmura de Wardes, il n'est point blessé à mort.

Mais au moment où de Guiche levait son pistolet sur de Wardes, la tête, les épaules et les jarrets du comte fléchirent à la fois. Il poussa un soupir douloureux et vint rouler aux pieds du cheval de de Wardes.

— Allons donc! murmura celui-ci.

Et, rassemblant les rênes, il piqua des deux.

Le cheval franchit le corps inerte et emporta rapidement de Wardes au château.

Arrivé là, de Wardes demeura un quart d'heure à tenir conseil.

Dans son impatience à quitter le champ de bataille, il avait négligé de s'assurer que de Guiche fût mort.

Une double hypothèse se présentait à l'esprit agité de de Wardes.

Ou de Guiche était tué, ou de Guiche était seulement blessé.

— Si de Guiche était tué, fallait-il laisser ainsi son corps aux loups?

C'était une cruauté inutile, puisque, si de Guiche était tué, il ne parlerait certes pas.

S'il n'était pas tué, pourquoi, en ne lui portant pas secours, se faire passer pour un sauvage incapable de générosité ?

Cette dernière considération l'emporta.

De Wardes s'informa de Manicamp.

Il apprit que Manicamp s'était informé de de Guiche, et, ne sachant point où le joindre, s'était allé coucher.

De Wardes alla réveiller le dormeur et lui conta l'affaire, que Manicamp écouta sans dire un mot, mais avec une expression d'énergie croissante dont on aurait cru sa physionomie incapable.

Seulement, lorsque de Wardes eut fini, Manicamp prononça un seul mot :

— Allons !

Tout en marchant, Manicamp se montait l'imagination, et, au fur et à mesure que de Wardes lui racontait l'événement, il s'assombrissait davantage.

— Ainsi, dit-il lorsque de Wardes eut fini, vous le croyez mort ?

— Hélas ! oui.

— Et vous vous êtes battus comme cela sans témoins ?

— Il l'a voulu.

— C'est singulier !

— Comment, c'est singulier ?

— Oui, le caractère de M. de Guiche ressemble bien peu à cela.

— Vous ne doutez pas de ma parole, je suppose ?

— Hé ! hé !

— Vous en doutez ?

— Un peu... Mais j'en douterai bien plus encore, je vous en préviens, si je vois le pauvre garçon mort.

— Monsieur Manicamp !

— Monsieur de Wardes !

— Il me semble que vous m'insultez !

— Ce sera comme vous voudrez. Que voulez-vous ? moi, je n'ai jamais aimé les gens qui viennent vous dire : « J'ai tué M. Untel dans un coin ; c'est un bien grand malheur, mais je l'ai tué loyalement. » Il fait nuit bien noire pour cet adverbe-là, monsieur de Wardes !

— Silence, nous sommes arrivés.

En effet, on commençait à apercevoir la petite clairière, et, dans l'espace vide, la masse immobile du cheval mort.

A droite du cheval, sur l'herbe noire, gisait, la face contre terre, le pauvre comte baigné dans son sang.

Il était demeuré à la même place et ne paraissait même pas avoir fait un mouvement.

Manicamp se jeta à genoux, souleva le comte, et le trouva froid et trempé de sang.

Il le laissa retomber.

Puis, s'allongeant près de lui, il chercha jusqu'à ce qu'il eût trouvé le pistolet de de Guiche.

— Morbleu ! dit-il alors en se relevant, pâle comme un spectre et le pistolet au poing ; morbleu ! vous ne vous trompiez pas, il est bien mort !

— Mort ? répéta de Wardes.

— Oui, et son pistolet est chargé, ajouta Manicamp en interrogeant du doigt le bassinet.

— Mais ne vous ai-je pas dit que je l'avais pris dans la marche et que j'avais tiré sur lui au moment où il visait sur moi ?

— Êtes-vous bien sûr de vous être battu contre lui, monsieur de Wardes ? Moi, je l'avoue, j'ai bien peur que vous ne l'ayez assassiné. Oh ! ne criez pas ! vous avez tiré vos trois coups, et son pistolet est chargé ! Vous avez tué son cheval, et lui, lui, de Guiche, un des meilleurs tireurs de France, n'a touché ni vous ni votre cheval ! Tenez, monsieur de Wardes, vous avez du malheur de m'avoir amené ici ; tout ce sang m'a monté à la tête ; je suis un peu ivre, et je crois, sur l'honneur ! puisque l'occasion s'en présente, que je vais vous faire sauter la cervelle. Monsieur de Wardes, recommandez votre âme à Dieu !

— Monsieur de Manicamp, vous n'y songez point ?

— Si fait, au contraire, j'y songe trop.

— Vous m'assassineriez ?

— Sans remords, pour le moment, du moins.

— Êtes-vous gentilhomme ?

— On a été page ; donc on a fait ses preuves.

— Laissez-moi défendre ma vie, alors.

— Bon ! pour que vous me fassiez à moi, ce que vous avez fait au pauvre de Guiche.

Et Manicamp, soulevant son pistolet, l'arrêta, le bras tendu et le sourcil froncé, à la hauteur de la poitrine de de Wardes.

De Wardes n'essaya pas même de fuir, il était terrifié.

Alors, dans cet effroyable silence d'un instant, qui parut un siècle à de Wardes, un soupir se fit entendre.

— Oh ! s'écria de Wardes ! il vit ! il vit ! A moi, monsieur de Guiche, on veut m'assassiner !

Manicamp se recula, et, entre les deux jeunes gens, on vit le comte se soulever péniblement sur une main.

Manicamp jeta le pistolet à dix pas, et courut à son ami en poussant un cri de joie.

De Wardes essuya son front inondé d'une sueur glacée.

— Il était temps ! murmura-t-il.

— Qu'avez-vous ? demanda Manicamp à de Guiche, et de quelle façon êtes-vous blessé ?

De Guiche montra sa main mutilée et sa poitrine sanglante.

— Comte ! s'écria de Wardes, on m'accuse de vous avoir assassiné ; parlez, je vous en conjure, dites que j'ai loyalement combattu !

— C'est vrai, dit le blessé, M. de Wardes a combattu loyalement, et quiconque dirait le contraire se ferait de moi un ennemi.

— Eh ! monsieur, dit Manicamp, aidez-moi d'abord à transporter ce pauvre garçon, et, après, je vous donnerai toutes les satisfactions qu'il vous plaira, ou, si vous êtes par trop pressé, faisons mieux : pansons le comte avec votre mouchoir et le mien, et puisqu'il reste deux balles à tirer, tirons-les.

— Merci, dit de Wardes. Deux fois en une heure j'ai vu la mort de trop près : c'est trop laid, la mort, et je préfère vos excuses.

Manicamp se mit à rire, et de Guiche aussi, malgré ses souffrances.

Les deux jeunes gens voulurent le porter, mais il déclara qu'il se sentait assez fort pour marcher seul. La balle lui avait brisé l'annulaire et le petit doigt, mais avait été glisser sur une côte sans pénétrer dans la poitrine. C'était donc plutôt la douleur que la gravité de la blessure qui avait foudroyé de Guiche.

Manicamp lui passa un bras sous une épaule, de Wardes un bras sous l'autre, et ils l'amenèrent ainsi à Fontainebleau, chez le médecin qui avait assisté à son lit de mort le franciscain prédécesseur d'Aramis.

CLIII

LE SOUPER DU ROI

Le roi s'était mis à table pendant ce temps, et la suite peu nombreuse des invités du jour avait pris place à ses côtés après le geste habituel qui prescrivait de s'asseoir.

Dès cette époque, bien que l'étiquette ne fût pas encore réglée comme elle le fut plus tard, la Cour de France avait entièrement rompu avec les traditions de bonhomie et de patriarcale affabilité qu'on retrouvait encore chez Henri IV, et que l'esprit soupçonneux de Louis XIII avait peu à peu effacées, pour les remplacer par des habitudes fastueuses de grandeur, qu'il était désespéré de ne pouvoir atteindre.

Le roi dînait donc à une petite table séparée qui dominait, comme le bureau d'un président, les tables voisines ; petite table, avons-nous dit : hâtons-nous cependant d'ajouter que cette petite table était encore la plus grande de toutes.

En outre, c'était celle sur laquelle s'entassaient un plus prodigieux nombre de mets variés, poissons, gibiers, viandes domestiques, fruits, légumes et conserves.

Le roi, jeune et vigoureux, grand chasseur, adonné à tous les exercices violents, avait, en outre, cette chaleur naturelle du sang, commune à tous les Bourbons, qui cuit rapidement les digestions et renouvelle les appétits.

Louis XIV était un redoutable convive ; il aimait à critiquer ses cuisiniers ; mais, lorsqu'il leur faisait honneur, cet honneur était gigantesque.

Le roi commençait par manger plusieurs potages, soit ensemble, dans une espèce de macédoine, soit séparément ; il entremêlait ou plutôt il séparait chacun de ces potages d'un verre de vin vieux.

Il mangeait vite et assez avidement.

Porthos, qui dès l'abord avait par respect attendu un coup de coude de d'Artagnan, voyant le roi s'escrimer de la sorte, se retourna vers le mousquetaire, et dit à demi-voix :

— Il me semble qu'on peut aller, dit-il, Sa Majesté encourage. Voyez donc.

— Le roi mange, dit d'Artagnan, mais il cause en même temps ; arrangez-vous de façon que si, par hasard, il vous adressait la parole, il ne vous prenne pas la bouche pleine, ce qui serait disgracieux.

— Le bon moyen alors, dit Porthos, c'est de ne point souper. Cependant j'ai faim, je l'avoue, et tout cela sent des odeurs appétissantes, et qui sollicitent à la fois mon odorat et mon appétit.

— N'allez pas vous aviser de ne point manger, dit d'Artagnan, vous fâcheriez Sa Majesté. Le roi a pour habitude de dire que celui-là travaille bien qui mange bien, et il n'aime pas qu'on fasse petite bouche à sa table.

— Alors, comment éviter d'avoir la bouche pleine si on mange ? dit Porthos.

— Il s'agit simplement, répondit le capitaine des mousquetaires, d'avaler lorsque le roi vous fera l'honneur de vous adresser la parole.

— Très bien.

Et, à partir de ce moment, Porthos se mit à manger avec un enthousiasme poli.

Le roi, de temps en temps, levait les yeux sur le groupe, et, en connaisseur, appréciait les dispositions de son convive.

— Monsieur du Vallon ! dit-il.

Porthos en était à un salmis de lièvre, et en engloutissait un demi-râble. Son nom, prononcé ainsi, le fit tressaillir, et, d'un vigoureux élan du gosier, il absorba la bouchée entière.

— Sire, dit Porthos d'une voix étouffée, mais suffisamment intelligible néanmoins.

— Que l'on passe à M. du Vallon ces filets d'agneau, dit le roi. Aimez-vous les viandes jaunes, monsieur du Vallon ?

— Sire, j'aime tout, répliqua Porthos.

Et d'Artagnan lui souffla :

— Tout ce que m'envoie Votre Majesté.

Porthos répéta :

— Tout ce que m'envoie Votre Majesté.

Le roi fit, avec la tête, un signe de satisfaction.

— On mange bien quand on travaille bien, repartit le roi, enchanté d'avoir en tête à tête un mangeur de la force de Porthos.

Porthos reçut le plat d'agneau et en fit glisser une partie sur son assiette.

— Eh bien ? dit le roi.

— Exquis ! fit tranquillement Porthos.

— A-t-on d'aussi fins moutons dans votre province, monsieur du Vallon ? continua le roi.

— Sire, dit Porthos, je crois qu'en ma province, comme partout, ce qu'il y a de meilleur est d'abord au roi ; mais, ensuite, je ne mange pas le mouton de la même façon que le mange Votre Majesté.

— Ah ! ah ! Et comment le mangez-vous ?

— D'ordinaire, je me fais accommoder un agneau tout entier.

— Tout entier ?

— Oui, sire.

— Et de quelle façon ?

— Voici : mon cuisinier, le drôle est allemand, sire ; mon cuisinier bourre l'agneau en question de petites saucisses qu'il fait venir de Strasbourg ; d'andouillettes, qu'il fait venir de Troyes ; de mauviettes, qu'il fait venir de Pithiviers ; par je ne sais quel moyen, il désosse le mouton, comme il ferait d'une volaille, tout en lui laissant la peau, qui fait autour de l'animal une croûte rissolée ; lorsqu'on le coupe par belles tranches, comme on ferait d'un énorme saucisson, il en sort un jus tout rosé qui est à la fois agréable à l'œil et exquis au palais.

Et Porthos fit clapper sa langue.

Le roi ouvrit de grands yeux charmés, et, tout en attaquant du faisan en daube qu'on lui présentait :

— Voilà, monsieur du Vallon, un manger que je convoiterais, dit-il. Quoi ! le mouton entier ?

— Entier, oui, sire.

— Passez donc ces faisans à M. du Vallon ; je vois que c'est un amateur.

L'ordre fut exécuté.

Puis, revenant au mouton :

— Et cela n'est pas trop gras ?

— Non, sire ; les graisses tombent en même temps que le jus et surnagent ; alors mon écuyer tranchant les enlève avec une cuiller d'argent, que j'ai fait faire exprès.

— Et vous demeurez ? demanda le roi.

— A Pierrefonds, sire.

— A Pierrefonds ; où est cela, monsieur du Vallon ? du côté de Belle-Ile ?

— Oh ! non pas, sire, Pierrefonds est dans le Soissonnais.

— Je croyais que vous me parliez de ces moutons à cause des prés salés.

— Non, sire, j'ai des prés qui ne sont pas salés, c'est vrai, mais qui n'en valent pas moins.

Le roi passa aux entremets, mais sans perdre de vue Porthos, qui continuait d'officier de son mieux.

— Vous avez un bel appétit, monsieur du Vallon, dit-il, et vous faites un bon convive.

— Ah ! ma foi ! sire, si Votre Majesté venait jamais à Pierrefonds, nous mangerions bien notre mouton à nous deux, car vous ne manquez pas d'appétit non plus, vous.

D'Artagnan poussa un bon coup de pied à Porthos sous la table. Porthos rougit.

— A l'âge heureux de Votre Majesté, dit Porthos pour se rattraper, j'étais aux mousquetaires, et nul ne pouvait me rassasier. Votre Majesté a bel appétit, comme j'avais l'honneur de le lui dire, mais elle choisit avec trop de délicatesse pour être appelée un grand mangeur.

Le roi parut charmé de la politesse de son antagoniste.

— Tâterez-vous de ces crèmes ? dit-il à Porthos.

— Sire, Votre Majesté me traite trop bien pour que je ne lui dise pas la vérité tout entière.

— Dites, monsieur du Vallon, dites.

— Eh bien ! sire, en fait de sucreries, je ne connais que les pâtes, et encore il faut qu'elles soient bien compactes ; toutes ces mousses m'enflent l'estomac, et tiennent une place qui me paraît trop précieuse pour la si mal occuper.

— Ah ! messieurs, dit le roi en montrant Porthos, voilà un véritable modèle de gastronomie. Ainsi mangeaient nos pères, qui savaient si bien manger, ajouta Sa Majesté, tandis que nous, nous picorons.

Et, en disant ces mots, il prit une assiette de blanc de volaille mêlée de jambon.

Porthos, de son côté, entama une terrine de perdreaux et de râles.

L'échanson remplit joyeusement le verre de Sa Majesté.

— Donnez de mon vin à M. du Vallon, dit le roi.

C'était un des grands honneurs de la table royale.

D'Artagnan pressa le genou de son ami.

— Si vous pouvez avaler seulement la moitié de cette hure de sanglier que je vois là, dit-il à Porthos, je vous juge duc et pair dans un an.

— Tout à l'heure, dit flegmatiquement Porthos, je m'y mettrai.

Le tour de la hure ne tarda pas à venir en effet, car le roi prenait plaisir à pousser ce beau convive, il ne fit point passer de mets à Porthos, qu'il ne les eût dégustés lui-même : il goûta donc la hure. Porthos se montra beau joueur, au lieu d'en manger la moitié, comme avait dit d'Artagnan, il en mangea les trois quarts.

— Il est impossible, dit le roi à demi-voix, qu'un gentilhomme qui soupe si bien tous les jours, et avec de si belles dents, ne soit pas le plus honnête homme de mon royaume.

— Entendez-vous ? dit d'Artagnan à l'oreille de son ami.

— Oui, je crois que j'ai un peu de faveur, dit Porthos en se balançant sur sa chaise.

— Oh ! vous avez le vent en poupe. Oui ! oui ! oui !

Le roi et Porthos continuèrent de manger ainsi à la grande satisfaction des conviés, dont quelques-uns, par émulation, avaient essayé de les suivre, mais avaient dû renoncer en chemin.

Le roi rougissait, et la réaction du sang à son visage annonçait le commencement de la plénitude.

C'est alors que Louis XIV, au lieu de prendre de la gaieté, comme tous les buveurs, s'assombrissait et devenait taciturne.

Porthos, au contraire, devenait guilleret et expansif.

Le pied de d'Artagnan dut lui rappeler plus d'une fois cette particularité.

Le dessert parut.

Le roi ne songeait plus à Porthos ; il tournait ses yeux vers la porte d'entrée, et on l'entendit demander parfois pourquoi M. de Saint-Aignan tardait tant à venir.

Enfin, au moment où Sa Majesté terminait un pot de confitures de prunes avec un grand soupir, M. de Saint-Aignan parut.

Les yeux du roi, qui s'étaient éteints peu à peu, brillèrent aussitôt.

Le comte se dirigea vers la table du roi, et, à son approche, Louis XIV se leva.

Tout le monde se leva, Porthos même, qui achevait un nougat capable de coller l'une à l'autre les deux mâchoires d'un crocodile. Le souper était fini.

CLIV

APRÈS SOUPER

Le roi prit le bras de Saint-Aignan et passa dans la chambre voisine.

— Que vous avez tardé, comte ! dit le roi.

— J'apportais la réponse, sire, répondit le comte.

— C'est donc bien long pour elle de répondre à ce que je lui écrivais ?

— Sire, Votre Majesté avait daigné faire des vers ; Mlle de La Vallière a voulu payer le roi de la même monnaie, c'est-à-dire en or.

— Des vers, de Saint-Aignan !... s'écria le roi ravi. Donne, donne.

Et Louis rompit le cachet d'une petite lettre qui renfermait effectivement des vers que l'histoire nous a conservés, et qui sont meilleurs d'intention que de facture[1].

Tels qu'ils étaient, cependant, ils enchantèrent le roi, qui témoigna sa joie par des transports non équivoques ; mais le silence général avertit Louis, si chatouilleux sur les bienséances, que sa joie pouvait donner matière à des interprétations.

Il se retourna et mit le billet dans sa poche ; puis, faisant un pas qui le ramena sur le seuil de la porte auprès de ses hôtes :

— Monsieur du Vallon, dit-il, je vous ai vu avec le plus vif plaisir, et je vous reverrai avec un plaisir nouveau.

Porthos s'inclina, comme eût fait le colosse de Rhodes, et sortit à reculons.

— Monsieur d'Artagnan, continua le roi, vous attendrez mes ordres dans la galerie ; je vous suis obligé de m'avoir fait connaître M. du Vallon. Messieurs, je retourne demain à Paris, pour le départ des ambassadeurs d'Espagne et de Hollande. A demain donc.

La salle se vida aussitôt.

Le roi prit le bras de Saint-Aignan, et lui fit relire encore les vers de La Vallière.

— Comment les trouves-tu ? dit-il.

— Sire... charmants !

— Ils me charment, en effet, et s'ils étaient connus...

— Oh ! les poètes en seraient jaloux ; mais ils ne les connaîtront pas.

---

1. Dans *Louis XIV et son siècle*, chap. XXXV, Dumas reproduit les madrigaux des amants de La Vallière : « Je ressens un plaisir extrême / De penser à vous nuit et jour ; / Je vis plus en vous qu'en moi-même, / Mon seul soin est de vous faire ma cour : / Les plaisirs, sans ce que l'on aime, / Sont autant de larcins que l'on fait à l'amour. »

— Lui avez-vous donné les miens[1]?

— Oh! sire, elle les a dévorés.

— Ils étaient faibles, j'en ai peur.

— Ce n'est pas ce que Mlle de La Vallière en a dit.

— Vous croyez qu'elle les a trouvés de son goût?

— J'en suis sûr, sire...

— Il me faudrait répondre, alors.

— Oh! sire... tout de suite... après souper... Votre Majesté se fatiguera.

— Je crois que vous avez raison : l'étude après le repas est nuisible.

— Le travail du poète surtout ; et puis, en ce moment, il y aurait préoccupation chez Mlle de La Vallière.

— Quelle préoccupation?

— Ah! sire, comme chez toutes ces dames.

— Pourquoi?

— A cause de l'accident de ce pauvre de Guiche.

— Ah! mon Dieu! est-il arrivé un malheur à de Guiche?

— Oui, sire, il a toute une main emportée, il a un trou à la poitrine, il se meurt.

— Bon Dieu! et qui vous a dit cela?

— Manicamp l'a rapporté tout à l'heure chez un médecin de Fontainebleau, et le bruit s'en est répandu ici.

— Rapporté? Pauvre de Guiche! et comment cela lui est-il arrivé?

— Ah! voilà, sire! comment cela lui est-il arrivé?

— Vous me dites cela d'un air tout à fait singulier, de Saint-Aignan. Donnez-moi des détails... Que dit-il?

— Lui, ne dit rien, sire, mais les autres.

— Quels autres?

— Ceux qui l'ont rapporté, sire.

— Qui sont-ils, ceux-là?

— Je ne sais, sire ; mais M. de Manicamp le sait, M. de Manicamp est de ses amis.

— Comme tout le monde, dit le roi.

— Oh! non, reprit de Saint-Aignan, vous vous trompez, sire ; tout le monde n'est pas précisément des amis de M. de Guiche.

— Comment le savez-vous?

— Est-ce que le roi veut que je m'explique?

— Sans doute, je le veux.

---

1. Madrigaux royaux : « Allez voir cet objet si charmant et si doux, / Allez, petites fleurs, mourir pour cette belle ; / Mille amants voudraient bien en faire autant pour elle, / Qui n'en auront jamais le plaisir comme vous. » Et : « Avez-vous ressenti l'absence, / Êtes-vous sensible au retour / De celui que votre présence / Comble de plaisir et d'amour, / Et qui se meurt d'impatience / Alors que sans vous voir il doit passer un jour? »

— Eh bien ! sire, je crois avoir ouï parler d'une querelle entre deux gentilshommes.

— Quand ?

— Ce soir même, avant le souper de Votre Majesté.

— Cela ne prouve guère. J'ai fait des ordonnances si sévères à l'égard des duels, que nul, je suppose, n'osera y contrevenir.

— Aussi Dieu me préserve d'accuser personne ! s'écria de Saint-Aignan. Votre Majesté m'a ordonné de parler, je parle.

— Dites donc alors comment le comte de Guiche a été blessé.

— Sire, on dit à l'affût.

— Ce soir ?

— Ce soir.

— Une main emportée ! un trou à la poitrine ! Qui était à l'affût avec M. de Guiche ?

— Je ne sais, sire... Mais M. de Manicamp sait ou doit savoir.

— Vous me cachez quelque chose, de Saint-Aignan.

— Rien, sire, rien.

— Alors expliquez-moi l'accident ; est-ce un mousquet qui a crevé ?

— Peut-être bien. Mais, en y réfléchissant, non, sire, car on a trouvé près de de Guiche son pistolet encore chargé.

— Son pistolet ? Mais, on ne va pas à l'affût avec un pistolet, ce me semble.

— Sire, on ajoute que le cheval de de Guiche a été tué, et que le cadavre du cheval est encore dans la clairière.

— Son cheval ? De Guiche va à l'affût à cheval ? de Saint-Aignan, je ne comprends rien à ce que vous me dites. Où la chose s'est-elle passée ?

— Sire, au bois Rochin, dans le rond-point.

— Bien. Appelez M. d'Artagnan.

De Saint-Aignan obéit. Le mousquetaire entra.

— Monsieur d'Artagnan, dit le roi, vous allez sortir par la petite porte du degré particulier.

— Oui, sire.

— Vous monterez à cheval.

— Oui, sire.

— Et vous irez au rond-point du bois Rochin. Connaissez-vous l'endroit ?

— Sire, je m'y suis battu deux fois.

— Comment ! s'écria le roi, étourdi de la réponse.

— Sire, sous les édits de M. le cardinal de Richelieu, repartit d'Artagnan avec son flegme ordinaire.

— C'est différent, monsieur. Vous irez donc là, et vous examinerez soigneusement les localités. Un homme y a été blessé, et vous y trouverez un cheval mort. Vous me direz ce que vous pensez sur cet événement.

— Bien, sire.

— Il va sans dire que c'est votre opinion à vous, et non celle d'un autre que je veux avoir.

— Vous l'aurez dans une heure, sire.

— Je vous défends de communiquer avec qui que ce soit.

— Excepté avec celui qui me donnera une lanterne, dit d'Artagnan.

— Oui, bien entendu, dit le roi en riant de cette liberté, qu'il ne tolérait que chez son capitaine des mousquetaires.

D'Artagnan sortit par le petit degré.

— Maintenant, qu'on appelle mon médecin, ajouta Louis.

Dix minutes après, le médecin du roi arrivait essoufflé.

— Monsieur, vous allez, lui dit le roi, vous transporter avec M. de Saint-Aignan où il vous conduira, et me rendrez compte de l'état du malade que vous verrez dans la maison où je vous prie d'aller.

Le médecin obéit sans observation, comme on commençait dès cette époque à obéir à Louis XIV, et sortit précédant de Saint-Aignan.

— Vous, de Saint-Aignan, envoyez-moi Manicamp, avant que le médecin ait pu lui parler.

De Saint-Aignan sortit à son tour.

CLV

COMMENT D'ARTAGNAN ACCOMPLIT LA MISSION DONT LE ROI L'AVAIT CHARGÉ

Pendant que le roi prenait ces dernières dispositions pour arriver à la vérité, d'Artagnan, sans perdre une seconde, courait à l'écurie, décrochait la lanterne, sellait son cheval lui-même, et se dirigeait vers l'endroit désigné par Sa Majesté.

Il n'avait, suivant sa promesse, vu ni rencontré personne, et, comme nous l'avons dit, il avait poussé le scrupule jusqu'à faire, sans l'intervention des valets d'écurie et des palefreniers, ce qu'il avait à faire.

D'Artagnan était de ceux qui se piquent, dans les moments difficiles, de doubler leur propre valeur.

En cinq minutes de galop, il fut au bois, attacha son cheval au premier arbre qu'il rencontra, et pénétra à pied jusqu'à la clairière.

Alors il commença de parcourir à pied, et sa lanterne à la main, toute la surface du rond-point, vint, revint, mesura, examina, et, après une demi-heure d'exploration, il reprit silencieusement son cheval, et s'en revint réfléchissant et au pas à Fontainebleau.

Louis attendait dans son cabinet : il était seul et crayonnait sur un papier des lignes qu'au premier coup d'œil d'Artagnan reconnut inégales et fort raturées.

Il en conclut que ce devaient être des vers.

Il leva la tête et aperçut d'Artagnan.

— Eh bien ! monsieur, dit-il, m'apportez-vous des nouvelles ?

— Oui, sire.

— Qu'avez-vous vu ?

— Voici la probabilité, sire, dit d'Artagnan.

— C'était une certitude que je vous avais demandée.

— Je m'en rapprocherai autant que je pourrai ; le temps était commode pour les investigations dans le genre de celles que je viens de faire : il a plu ce soir et les chemins étaient détrempés...

— Au fait, monsieur d'Artagnan.

— Sire, Votre Majesté m'avait dit qu'il y avait un cheval mort au carrefour du bois Rochin ; j'ai donc commencé par étudier les chemins.

« Je dis les chemins, attendu qu'on arrive au centre du carrefour par quatre chemins.

« Celui que j'avais suivi moi-même présentait seul des traces fraîches. Deux chevaux l'avaient suivi côte à côte : leurs huit pieds étaient marqués bien distinctement dans la glaise.

« L'un des cavaliers était plus pressé que l'autre. Les pas de l'un sont toujours en avant de l'autre d'une demi-longueur de cheval.

— Alors vous êtes sûr qu'ils sont venus à deux ? dit le roi.

— Oui, sire. Les chevaux sont deux grandes bêtes d'un pas égal, des chevaux habitués à la manœuvre, car ils ont tourné en parfaite oblique la barrière du rond-point.

— Après, monsieur ?

— Là, les cavaliers sont restés un instant à régler sans doute les conditions du combat ; les chevaux s'impatientaient. L'un des cavaliers parlait, l'autre écoutait et se contentait de répondre. Son cheval grattait la terre du pied, ce qui prouve que, dans sa préoccupation à écouter, il lui lâchait la bride.

— Alors il y a eu combat ?

— Sans conteste.

— Continuez ; vous êtes un habile observateur.

— L'un des deux cavaliers est resté en place, celui qui écoutait ; l'autre a traversé la clairière, et a d'abord été se mettre en face de son adversaire. Alors celui qui était resté en place a franchi le rond-point au galop jusqu'aux deux tiers de sa longueur, croyant marcher sur son ennemi ; mais celui-ci avait suivi la circonférence du bois.

— Vous ignorez les noms, n'est-ce pas ?

— Tout à fait, sire. Seulement, celui-ci qui avait suivi la circonférence du bois montait un cheval noir.

— Comment savez-vous cela ?

— Quelques crins de sa queue sont restés aux ronces qui garnissent le bord du fossé.

— Continuez.

— Quant à l'autre cheval, je n'ai pas eu de peine à en faire le signalement, puisqu'il est resté mort sur le champ de bataille.

— Et de quoi ce cheval est-il mort ?

— D'une balle qui lui a troué la tempe.

— Cette balle était celle d'un pistolet ou d'un fusil ?

— D'un pistolet, sire. Au reste, la blessure du cheval m'a indiqué la tactique de celui qui l'avait tué. Il avait suivi la circonférence du bois pour avoir son adversaire en flanc. J'ai, d'ailleurs, suivi ses pas sur l'herbe.

— Les pas du cheval noir ?

— Oui, sire.

— Allez, monsieur d'Artagnan.

— Maintenant que Votre Majesté voit la position des deux adversaires, il faut que je quitte le cavalier stationnaire pour le cavalier qui passe au galop.

— Faites.

— Le cheval du cavalier qui chargeait fut tué sur le coup.

— Comment savez-vous cela ?

— Le cavalier n'a pas eu le temps de mettre pied à terre et est tombé avec lui. J'ai vu la trace de sa jambe, qu'il avait tirée avec effort de dessous le cheval. L'éperon, pressé par le poids de l'animal, avait labouré la terre.

— Bien. Et qu'a-t-il dit en se relevant ?

— Il a marché droit sur son adversaire.

— Toujours placé sur la lisière du bois ?

— Oui, sire. Puis, arrivé à une belle portée, il s'est arrêté solidement, ses deux talons sont marqués l'un près de l'autre, il a tiré et a manqué son adversaire.

— Comment savez-vous cela, qu'il l'a manqué ?

— J'ai trouvé le chapeau troué d'une balle.

— Ah ! une preuve, s'écria le roi.

— Insuffisante, sire, répondit froidement d'Artagnan : c'est un chapeau sans lettres, sans armes ; une plume rouge comme à tous les chapeaux ; le galon même n'a rien de particulier.

— Et l'homme au chapeau troué a-t-il tiré son second coup ?

— Oh ! sire, ses deux coups étaient déjà tirés.

— Comment avez-vous su cela ?

— J'ai retrouvé les bourres du pistolet.

— Et la balle qui n'a pas tué le cheval, qu'est-elle devenue ?

— Elle a coupé la plume du chapeau de celui sur qui elle était dirigée, et a été briser un petit bouleau de l'autre côté de la clairière.

— Alors, l'homme au cheval noir était désarmé, tandis que son adversaire avait encore un coup à tirer.

— Sire, pendant que le cavalier démonté se relevait, l'autre rechargeait son arme. Seulement, il était fort troublé en la rechargeant, la main lui tremblait.

— Comment savez-vous cela ?

— La moitié de la charge est tombée à terre, et il a jeté la baguette, ne prenant pas le temps de la remettre au pistolet.

— Monsieur d'Artagnan, ce que vous dites là est merveilleux !

— Ce n'est que de l'observation, sire, et le moindre batteur d'estrade en ferait autant.

— On voit la scène rien qu'à vous entendre.

— Je l'ai, en effet, reconstruite dans mon esprit, à peu de changements près.

— Maintenant, revenons au cavalier démonté. Vous disiez qu'il avait marché sur son adversaire tandis que celui-ci rechargeait son pistolet ?

— Oui ; mais au moment où il visait lui-même, l'autre tira.

— Oh ! fit le roi, et le coup ?

— Le coup fut terrible, sire ; le cavalier démonté tomba sur la face après avoir fait trois pas mal assurés.

— Où avait-il été frappé ?

— A deux endroits : à la main droite d'abord, puis, du même coup, à la poitrine.

— Mais comment pouvez-vous deviner cela ? demanda le roi plein d'admiration.

— Oh ! c'est bien simple : la crosse du pistolet était tout ensanglantée, et l'on y voyait la trace de la balle avec les fragments d'une bague brisée. Le blessé a donc eu, selon toute probabilité, l'annulaire et le petit doigt emportés.

— Voilà pour la main, j'en conviens ; mais la poitrine ?

— Sire, il y avait deux flaques de sang à la distance de deux pieds et demi l'une de l'autre. A l'une de ces flaques, l'herbe était arrachée par la main crispée ; à l'autre, l'herbe était affaissée seulement par le poids du corps.

— Pauvre de Guiche ! s'écria le roi.

— Ah ! c'était M. de Guiche ? dit tranquillement le mousquetaire. Je m'en étais douté ; mais je n'osais en parler à Votre Majesté.

— Et comment vous en doutiez-vous ?

— J'avais reconnu les armes des Grammont sur les fontes du cheval mort.

— Et vous le croyez blessé grièvement ?

— Très grièvement, puisqu'il est tombé sur le coup et qu'il est resté longtemps à la même place ; cependant il a pu marcher, en s'en allant, soutenu par deux amis.

— Vous l'avez donc rencontré, revenant ?

— Non ; mais j'ai relevé les pas des trois hommes : l'homme de droite et l'homme de gauche marchaient librement, facilement ; mais celui du milieu avait le pas lourd. D'ailleurs, des traces de sang accompagnaient ce pas.

— Maintenant, monsieur, que vous avez si bien vu le combat qu'aucun détail ne vous en a échappé, dites-moi deux mots de l'adversaire de de Guiche.

— Oh ! sire, je ne le connais pas.

— Vous qui voyez tout si bien, cependant.

— Oui, sire, dit d'Artagnan, je vois tout ; mais je ne dis pas tout ce que je vois, et, puisque le pauvre diable a échappé, que Votre Majesté me permette de lui dire que ce n'est pas moi qui le dénoncerai.

— C'est cependant un coupable, monsieur, que celui qui se bat en duel.

— Pas pour moi, sire, dit froidement d'Artagnan.

— Monsieur, s'écria le roi, savez-vous bien ce que vous dites ?

— Parfaitement, sire ; mais, à mes yeux, voyez-vous, un homme qui se bat bien est un brave homme. Voilà mon opinion. Vous pouvez en avoir une autre ; c'est naturel, vous êtes le maître.

— Monsieur d'Artagnan, j'ai ordonné cependant…

D'Artagnan interrompit le roi avec un geste respectueux.

— Vous m'avez ordonné d'aller chercher des renseignements sur un combat, sire ; vous les avez. M'ordonnez-vous d'arrêter l'adversaire de M. de Guiche, j'obéirai ; mais ne m'ordonnez point de vous le dénoncer, car, cette fois, je n'obéirai pas.

— Eh bien ! arrêtez-le.

— Nommez-le moi, sire.

Louis frappa du pied.

Puis, après un instant de réflexion :

— Vous avez dix fois, vingt fois, cent fois raison, dit-il.

— C'est mon avis, sire ; je suis heureux que ce soit en même temps celui de Votre Majesté.

— Encore un mot… Qui a porté secours à de Guiche ?

— Je l'ignore.

— Mais vous parlez de deux hommes… Il y avait donc un témoin ?

— Il n'y avait pas de témoin. Il y a plus… M. de Guiche une fois tombé, son adversaire s'est enfui sans même lui porter secours.

— Le misérable !

— Dame ! sire, c'est l'effet de vos ordonnances. On s'est bien battu, on a échappé à une première mort, on veut échapper à une seconde. On se souvient de M. de Boutteville[1]… Peste !

— Et, alors on devient lâche.

1. Voir Dictionnaire. Contemporains.

— Non, l'on devient prudent.

— Donc, il s'est enfui ?

— Oui, et aussi vite que son cheval a pu l'emporter même.

— Et dans quelle direction ?

— Dans celle du château.

— Après ?

— Après, j'ai eu l'honneur de le dire à Votre Majesté, deux hommes, à pied, sont venus qui ont emmené M. de Guiche.

— Quelle preuve avez-vous que ces hommes soient venus après le combat ?

— Ah ! une preuve manifeste ; au moment du combat, la pluie venait de cesser, le terrain n'avait pas eu le temps de l'absorber et était devenu humide : les pas enfoncent ; mais après le combat, mais pendant le temps que M. de Guiche est resté évanoui, la terre s'est consolidée et les pas s'imprégnaient moins profondément.

— Monsieur d'Artagnan, dit-il, vous êtes, en vérité, le plus habile homme de mon royaume.

— C'est ce que pensait M. de Richelieu, c'est ce que disait M. de Mazarin, sire.

— Maintenant, il nous reste à voir si votre sagacité est en défaut.

— Oh ! sire, l'homme se trompe : *Errare humanum est*[1], dit philosophiquement le mousquetaire.

— Alors vous n'appartenez pas à l'humanité, monsieur d'Artagnan, car je crois que vous ne vous trompez jamais.

— Votre Majesté disait que nous allions voir.

— Oui.

— Comment cela, s'il lui plaît ?

— J'ai envoyé chercher M. de Manicamp, et M. de Manicamp va venir.

— Et M. de Manicamp sait le secret ?

— De Guiche n'a pas de secrets pour M. de Manicamp.

— Nul n'assistait au combat, je le répète, et, à moins que M. de Manicamp ne soit un de ces deux hommes qui l'ont ramené...

— Chut ! dit le roi, voici qu'il vient : demeurez là et prêtez l'oreille.

— Très bien, sire, dit le mousquetaire.

A la même minute, Manicamp et de Saint-Aignan paraissaient au seuil de la porte.

---

1. « L'erreur est humaine. »

CLVI

L'AFFÛT

Le roi fit un signe au mousquetaire, l'autre à de Saint-Aignan.

Le signe était impérieux et signifiait : « Sur votre vie, taisez-vous ! »

D'Artagnan se retira, comme un soldat, dans l'angle du cabinet.

De Saint-Aignan, comme un favori, s'appuya sur le dossier du fauteuil du roi.

Manicamp, la jambe droite en avant, le sourire aux lèvres, les mains blanches et gracieuses, s'avança pour faire sa révérence au roi.

Le roi rendit le salut avec la tête.

— Bonsoir, monsieur de Manicamp, dit-il.

— Votre Majesté m'a fait l'honneur de me mander auprès d'elle, dit Manicamp.

— Oui, pour apprendre de vous tous les détails du malheureux accident arrivé au comte de Guiche.

— Oh ! sire, c'est douloureux.

— Vous étiez là ?

— Pas précisément, sire.

— Mais vous arrivâtes sur le théâtre de l'accident quelques instants après cet accident accompli ?

— C'est cela, oui, sire, une demi-heure à peu près.

— Et où cet accident a-t-il eu lieu ?

— Je crois, sire, que l'endroit s'appelle le rond-point du bois Rochin.

— Oui, rendez-vous de chasse.

— C'est cela même, sire.

— Eh bien ! contez-moi ce que vous savez de détails sur ce malheur, monsieur de Manicamp. Contez.

— C'est que Votre Majesté est peut-être instruite, et je craindrais de la fatiguer par des répétitions.

— Non, ne craignez pas.

Manicamp regarda tout autour de lui ; il ne vit que d'Artagnan adossé aux boiseries, d'Artagnan calme, bienveillant, bonhomme, et de Saint-Aignan avec lequel il était venu, et qui se tenait toujours adossé au fauteuil du roi avec une figure également gracieuse.

Il se décida donc à parler.

— Votre Majesté n'ignore pas, dit-il, que les accidents sont communs à la chasse ?

— A la chasse ?

— Oui, sire, je veux dire à l'affût.

— Ah ! ah ! dit le roi, c'est à l'affût que l'accident est arrivé ?

— Mais oui, sire, hasarda Manicamp ; est-ce que Votre Majesté l'ignorait ?

— Mais à peu près, dit le roi fort vite, car toujours Louis XIV répugna à mentir ; c'est donc à l'affût, dites-vous, que l'accident est arrivé ?

— Hélas ! oui, malheureusement, sire.

Le roi fit une pause.

— A l'affût de quel animal ? demanda-t-il.

— Du sanglier, sire.

— Et quelle idée a donc eue de Guiche de s'en aller comme cela, tout seul, à l'affût du sanglier ? C'est un exercice de campagnard, cela, et bon, tout au plus, pour celui qui n'a pas, comme le maréchal de Grammont, chiens et piqueurs pour chasser en gentilhomme.

Manicamp plia les épaules.

— La jeunesse est téméraire, dit-il sentencieusement.

— Enfin !… continuez, dit le roi.

— Tant il y a, continua Manicamp, n'osant s'aventurer et posant un mot après l'autre, comme fait de ses pieds un paludier[1] dans un marais, tant il y a, sire, que le pauvre de Guiche s'en alla tout seul à l'affût.

— Tout seul, voire ! le beau chasseur ! Eh ! M. de Guiche ne sait-il pas que le sanglier revient sur le coup ?

— Voilà justement ce qui est arrivé, sire.

— Il avait donc eu connaissance de la bête ?

— Oui, sire. Des paysans l'avaient vue dans leurs pommes de terre[2].

— Et quel animal était-ce ?

— Un ragot[3].

— Il fallait donc me prévenir, monsieur, que de Guiche avait des idées de suicide ; car, enfin, je l'ai vu chasser, c'est un veneur très expert. Quand il tire sur l'animal acculé et tenant aux chiens, il prend toutes ses précautions, et cependant il tire avec une carabine, et, cette fois, il s'en va affronter le sanglier avec de simples pistolets !

Manicamp tressaillit.

— Des pistolets de luxe, excellents pour se battre en duel avec un homme et non avec un sanglier, que diable !

— Sire, il y a des choses qui ne s'expliquent pas bien.

— Vous avez raison, et l'événement qui nous occupe est une de ces choses-là. Continuez.

Pendant ce récit, de Saint-Aignan, qui eût peut-être fait signe à Manicamp de ne pas s'enferrer, était couché en joue par le regard obstiné du roi.

---

1. *Paludier* : ouvrier des marais salants.
2. Sur cet anachronisme, voir Correspondance, note de Maquet, lettre 17.
3. *Ragot* : sanglier de deux ans accomplis.

Il y avait donc, entre lui et Manicamp, impossibilité de communiquer. Quant à d'Artagnan, la statue du Silence, à Athènes, était plus bruyante et plus expressive que lui.

Manicamp continua donc, lancé dans la voie qu'il avait prise, à s'enfoncer dans le panneau.

— Sire, dit-il, voici probablement comment la chose s'est passée. De Guiche attendait le sanglier.

— A cheval ou à pied ? demanda le roi.

— A cheval. Il tira sur la bête, la manqua.

— Le maladroit !

— La bête fonça sur lui.

— Et le cheval fut tué ?

— Ah ! Votre Majesté sait cela ?

— On m'a dit qu'un cheval avait été trouvé mort au carrefour du bois Rochin. J'ai présumé que c'était le cheval de de Guiche.

— C'était lui, effectivement, sire.

— Voilà pour le cheval, c'est bien ; mais pour de Guiche ?

— De Guiche, une fois à terre, fut fouillé par le sanglier et blessé à la main et à la poitrine.

— C'est un horrible accident ; mais, il faut le dire, c'est la faute de de Guiche. Comment va-t-on à l'affût d'un pareil animal avec des pistolets ! Il avait donc oublié la fable d'Adonis[1] ?

Manicamp se gratta l'oreille.

— C'est vrai, dit-il, grande imprudence.

— Vous expliquez-vous cela, monsieur de Manicamp ?

— Sire, ce qui est écrit est écrit.

— Ah ! vous êtes fataliste !

Manicamp s'agitait, fort mal à son aise.

— Je vous en veux, monsieur de Manicamp, continua le roi.

— A moi, sire.

— Oui ! Comment ! vous êtes l'ami de Guiche, vous savez qu'il est sujet à de pareilles folies, et vous ne l'arrêtez pas ?

Manicamp ne savait à quoi s'en tenir ; le ton du roi n'était plus précisément celui d'un homme crédule.

D'un autre côté, ce ton n'avait ni la sévérité du drame, ni l'insistance de l'interrogatoire.

Il y avait plus de raillerie que de menace.

— Et vous dites donc, continua le roi, que c'est bien le cheval de Guiche que l'on a retrouvé mort ?

— Oh ! mon Dieu, oui, lui-même.

— Cela vous a-t-il étonné ?

---

1. Voir Dictionnaire. Antiquité.

— Non, sire. A la dernière chasse, M. de Saint-Maure, Votre Majesté se le rappelle, a eu un cheval tué sous lui, et de la même façon.

— Oui, mais éventré.

— Sans doute, sire.

— Le cheval de Guiche eût été éventré comme celui de M. de Saint-Maure que cela ne m'étonnerait point, pardieu !

Manicamp ouvrit de grands yeux.

— Mais ce qui m'étonne, continua le roi, c'est que le cheval de Guiche, au lieu d'avoir le ventre ouvert, ait la tête cassée.

Manicamp se troubla.

— Est-ce que je me trompe ? reprit le roi, est-ce que ce n'est point à la tempe que le cheval de Guiche a été frappé ? Avouez, monsieur de Manicamp, que voilà un coup singulier.

— Sire, vous savez que le cheval est un animal très intelligent, il aura essayé de se défendre.

— Mais un cheval se défend avec les pieds de derrière, et non avec la tête.

— Alors, le cheval, effrayé, se sera abattu, dit Manicamp, et le sanglier, vous comprenez, sire, le sanglier…

— Oui, je comprends pour le cheval ; mais pour le cavalier ?

— Eh bien ! c'est tout simple : le sanglier est revenu du cheval au cavalier, et, comme j'ai déjà eu l'honneur de le dire à Votre Majesté, a écrasé la main de de Guiche au moment où il allait tirer sur lui son second coup de pistolet ; puis, d'un coup de boutoir, il lui a troué la poitrine.

— Cela est on ne peut plus vraisemblable, en vérité, monsieur de Manicamp ; vous avez tort de vous défier de votre éloquence, et vous contez à merveille.

— Le roi est bien bon, dit Manicamp en faisant un salut des plus embarrassés.

— A partir d'aujourd'hui seulement, je défendrai à mes gentilshommes d'aller à l'affût. Peste ! autant vaudrait leur permettre le duel.

Manicamp tressaillit et fit un mouvement pour se retirer.

— Le roi est satisfait ? demanda-t-il.

— Enchanté ; mais ne vous retirez point encore, monsieur de Manicamp, dit Louis, j'ai affaire de vous.

« Allons, allons, pensa d'Artagnan, encore un qui n'est pas de notre force. »

Et il poussa un soupir qui pouvait signifier : « Oh ! les hommes de notre force, où sont-ils maintenant ? »

En ce moment, un huissier souleva la portière et annonça le médecin du roi.

— Ah ! s'écria Louis, voilà justement M. Valot qui vient de visiter M. de Guiche. Nous allons avoir des nouvelles du blessé.

Manicamp se sentit plus mal à l'aise que jamais.

— De cette façon, au moins, ajouta le roi, nous aurons la conscience nette.

Et il regarda d'Artagnan, qui ne sourcilla point.

CLVII

LE MÉDECIN

M. Valot entra.

La mise en scène était la même : le roi assis, de Saint-Aignan toujours accoudé à son fauteuil, d'Artagnan toujours adossé à la muraille, Manicamp toujours debout.

— Eh bien ! monsieur Valot, fit le roi, m'avez-vous obéi ?

— Avec empressement, sire.

— Vous vous êtes rendu chez votre confrère de Fontainebleau ?

— Oui, sire.

— Et vous y avez trouvé M. de Guiche ?

— J'y ai trouvé M. de Guiche.

— En quel état ? Dites franchement.

— En très piteux état, sire.

— Cependant, voyons, le sanglier ne l'a pas dévoré ?

— Dévoré qui ?

— Guiche.

— Quel sanglier ?

— Le sanglier qui l'a blessé.

— M. de Guiche a été blessé par un sanglier ?

— On le dit, du moins.

— Quelque braconnier plutôt...

— Comment, quelque braconnier ?...

— Quelque mari jaloux, quelque amant maltraité, lequel, pour se venger, aura tiré sur lui.

— Mais que dites-vous donc là, monsieur Valot ? Les blessures de M. de Guiche ne sont-elles pas produites par la défense d'un sanglier ?

— Les blessures de M. de Guiche sont produites par une balle de pistolet qui lui a écrasé l'annulaire et le petit doigt de la main droite, après quoi, elle a été se loger dans les muscles intercostaux de la poitrine.

— Une balle ! Vous êtes sûr que M. de Guiche a été blessé par une balle ?... s'écria le roi jouant l'homme surpris.

— Ma foi, dit Valot, si sûr que la voilà, sire.

Et il présenta au roi une balle à moitié aplatie.

Le roi la regarda sans y toucher.

— Il avait cela dans la poitrine, le pauvre garçon ? demanda-t-il.

— Pas précisément. La balle n'avait pas pénétré, elle s'était aplatie, comme vous voyez, ou sous la sous-garde du pistolet ou sur le côté droit du sternum.

— Bon Dieu ! fit le roi sérieusement, vous ne me disiez rien de tout cela, monsieur de Manicamp ?

— Sire...

— Qu'est-ce donc, voyons, que cette invention de sanglier, d'affût, de chasse de nuit ? Voyons, parlez.

— Ah ! sire...

— Il me paraît que vous avez raison, dit le roi en se tournant vers son capitaine des mousquetaires, et qu'il y a eu combat.

Le roi avait, plus que tout autre, cette faculté donnée aux grands de compromettre et de diviser les inférieurs.

Manicamp lança au mousquetaire un regard plein de reproches.

D'Artagnan comprit ce regard, et ne voulut pas rester sous le poids de l'accusation.

Il fit un pas.

— Sire, dit-il, Votre Majesté m'a commandé d'aller explorer le carrefour du bois Rochin, et de lui dire, d'après mon estime, ce qui s'y était passé. Je lui ai fait part de mes observations, mais sans dénoncer personne. C'est Sa Majesté elle-même qui, la première, a nommé M. le comte de Guiche.

— Bien ! bien ! monsieur, dit le roi avec hauteur ; vous avez fait votre devoir, et je suis content de vous, cela doit vous suffire. Mais vous, monsieur de Manicamp, vous n'avez pas fait le vôtre, car vous m'avez menti.

— Menti, sire ! Le mot est dur.

— Trouvez-en un autre.

— Sire, je n'en chercherai pas. J'ai déjà eu le malheur de déplaire à Sa Majesté, et, ce que je trouve de mieux, c'est d'accepter humblement les reproches qu'elle jugera à propos de m'adresser.

— Vous avez raison, monsieur, on me déplaît toujours en me cachant la vérité.

— Quelquefois, sire, on ignore.

— Ne mentez plus, ou je double la peine.

Manicamp s'inclina en pâlissant.

D'Artagnan fit encore un pas en avant, décidé à intervenir, si la colère toujours grandissante du roi atteignait certaines limites.

— Monsieur, continua le roi, vous voyez qu'il est inutile de nier la chose plus longtemps. M. de Guiche s'est battu.

— Je ne dis pas non, sire, et Votre Majesté eût été généreuse en ne forçant pas un gentilhomme au mensonge.

— Forcé ! Qui vous forçait ?

— Sire, M. de Guiche est mon ami. Votre Majesté a défendu les duels sous peine de mort. Un mensonge sauve mon ami. Je mens.

— Bien, murmura d'Artagnan, voilà un joli garçon, mordioux !

— Monsieur, reprit le roi, au lieu de mentir, il fallait l'empêcher de se battre.

— Oh ! sire, Votre Majesté, qui est le gentilhomme le plus accompli de France, sait bien que, nous autres, gens d'épée, nous n'avons jamais regardé M. de Boutteville comme déshonoré pour être mort en Grève. Ce qui déshonore, c'est d'éviter son ennemi, et non de rencontrer le bourreau.

— Eh bien ! soit, dit Louis XIV, je veux bien vous ouvrir un moyen de tout réparer.

— S'il est de ceux qui conviennent à un gentilhomme, je le saisirai avec empressement, sire.

— Le nom de l'adversaire de M. de Guiche ?

— Oh ! oh ! murmura d'Artagnan, est-ce que nous allons continuer Louis XIII ?...

— Sire !... fit Manicamp avec un accent de reproche.

— Vous ne voulez pas le nommer, à ce qu'il paraît ? dit le roi.

— Sire, je ne le connais pas.

— Bravo ! dit d'Artagnan.

— Monsieur de Manicamp, remettez votre épée au capitaine.

Manicamp s'inclina gracieusement, détacha son épée en souriant et la tendit au mousquetaire.

Mais de Saint-Aignan s'avança vivement entre d'Artagnan et lui.

— Sire, dit-il, avec la permission de Votre Majesté.

— Faites, dit le roi, enchanté peut-être au fond du cœur que quelqu'un se plaçât entre lui et la colère à laquelle il s'était laissé emporter.

— Manicamp, vous êtes un brave, et le roi appréciera votre conduite ; mais vouloir trop bien servir ses amis, c'est leur nuire. Manicamp, vous savez le nom que Sa Majesté vous demande ?

— C'est vrai, je le sais.

— Alors vous le direz.

— Si j'eusse dû le dire, ce serait déjà fait.

— Alors, je le dirai, moi, qui ne suis pas, comme vous, intéressé à cette prud'homie.

— Vous, vous êtes libre ; mais il me semble cependant...

— Oh ! trève de magnanimité ; je ne vous laisserai point aller à la Bastille comme cela. Parlez, ou je parle.

Manicamp était homme d'esprit, et comprit qu'il avait fait assez pour donner de lui une parfaite opinion ; maintenant, il ne s'agissait plus que d'y persévérer en reconquérant les bonnes grâces du roi.

— Parlez, monsieur, dit-il à de Saint-Aignan. J'ai fait pour mon compte tout ce que ma conscience me disait de faire, et il fallait que ma conscience ordonnât bien haut, ajouta-t-il en se retournant vers le roi, puisqu'elle l'a emporté sur les commandements de Sa Majesté ; mais Sa Majesté me pardonnera, je l'espère, quand elle saura que j'avais à garder l'honneur d'une dame.

— D'une dame ? demanda le roi inquiet.

— Oui, sire.

— Une dame fut la cause de ce combat ?

Manicamp s'inclina.

Le roi se leva et s'approcha de Manicamp.

— Si la personne est considérable, dit-il, je ne me plaindrai pas que vous ayez pris des ménagements, au contraire.

— Sire, tout ce qui touche à la maison du roi, ou à la maison de son frère, est considérable à mes yeux.

— A la maison de mon frère ? répéta Louis XIV avec une sorte d'hésitation... La cause de ce combat est une dame de la maison de mon frère ?

— Ou de Madame.

— Ah ! de Madame ?

— Oui, sire.

— Ainsi, cette dame ?...

— Est une des filles d'honneur de la maison de Son Altesse Royale Mme la duchesse d'Orléans.

— Pour qui M. de Guiche s'est battu, dites-vous ?

— Oui, et, cette fois, je ne mens plus.

Louis fit un mouvement plein de trouble.

— Messieurs, dit-il en se retournant vers les spectateurs de cette scène, veuillez vous éloigner un instant, j'ai besoin de demeurer seul avec M. de Manicamp. Je sais qu'il a des choses précieuses à me dire pour sa justification, et qu'il n'ose le faire devant témoins... Remettez votre épée, monsieur de Manicamp.

Manicamp remit son épée au ceinturon.

— Le drôle est, décidément, plein de présence d'esprit, murmura le mousquetaire en prenant le bras de Saint-Aignan et en se retirant avec lui.

— Il s'en tirera, fit ce dernier à l'oreille de d'Artagnan.

— Et avec honneur, comte.

Manicamp adressa à de Saint-Aignan et au capitaine un regard de remerciement qui passa inaperçu du roi.

— Allons, allons, dit d'Artagnan en franchissant le seuil de la porte, j'avais mauvaise opinion de la génération nouvelle. Eh bien ! je me trompais, et ces petits jeunes gens ont du bon.

Valot précédait le favori et le capitaine.

Le roi et Manicamp restèrent seuls dans le cabinet.

CLVIII

OÙ D'ARTAGNAN RECONNAIT QU'IL S'ÉTAIT TROMPÉ, ET QUE C'ÉTAIT MANICAMP QUI AVAIT RAISON

Le roi s'assura par lui-même, en allant jusqu'à la porte, que personne n'écoutait, et revint se placer précipitamment en face de son interlocuteur.

— Çà ! dit-il, maintenant que nous sommes seuls, monsieur de Manicamp, expliquez-vous.

— Avec la plus grande franchise, sire, répondit le jeune homme.

— Et tout d'abord, ajouta le roi, sachez que rien ne me tient tant au cœur que l'honneur des dames.

— Voilà justement pourquoi je ménageais votre délicatesse, sire.

— Oui, je comprends tout maintenant. Vous dites donc qu'il s'agissait d'une fille de ma belle-sœur, et que la personne en question, l'adversaire de Guiche, l'homme enfin que vous ne voulez pas nommer...

— Mais que M. de Saint-Aignan vous nommera, sire.

— Oui. Vous dites donc que cet homme a offensé quelqu'un de chez Madame.

— Mlle de La Vallière, oui, sire.

— Ah ! fit le roi, comme s'il s'y fût attendu, et comme si cependant ce coup lui avait percé le cœur ; ah ! c'est Mlle de La Vallière que l'on outrageait ?

— Je ne dis point précisément qu'on l'outrageât, sire.

— Mais enfin...

— Je dis qu'on parlait d'elle en termes peu convenables.

— En termes peu convenables de Mlle de La Vallière ! Et vous refusez de me dire quel était l'insolent ?...

— Sire, je croyais que c'était chose convenue, et que Votre Majesté avait renoncé à faire de moi un dénonciateur.

— C'est juste, vous avez raison, reprit le roi en se modérant ; d'ailleurs, je saurai toujours assez tôt le nom de celui qu'il me faudra punir.

Manicamp vit bien que la question était retournée.

Quant au roi, il s'aperçut qu'il venait de se laisser entraîner un peu loin.

Aussi se reprit-il :

— Et je punirai, non point parce qu'il s'agit de Mlle de La Vallière, bien que je l'estime particulièrement ; mais parce que l'objet de la querelle est une femme. Or, je prétends qu'à ma cour on respecte les femmes, et qu'on ne se querelle pas.

Manicamp s'inclina.

— Maintenant, voyons, monsieur de Manicamp, continua le roi, que disait-on de Mlle de La Vallière ?

— Mais Votre Majesté ne devine-t-elle pas ?

— Moi ?

— Votre Majesté sait bien quelle sorte de plaisanterie peuvent se permettre les jeunes gens.

— On disait sans doute qu'elle aimait quelqu'un, hasarda le roi.

— C'est probable.

— Mais Mlle de La Vallière a le droit d'aimer qui bon lui semble, dit le roi.

— C'est justement ce que soutenait de Guiche.

— Et c'est pour cela qu'il s'est battu ?

— Oui, sire, pour cette seule cause.

Le roi rougit.

— Et, dit-il, vous n'en savez pas davantage ?

— Sur quel chapitre, sire ?

— Mais sur le chapitre fort intéressant que vous racontez à cette heure.

— Et quelle chose le roi veut-il que je sache ?

— Eh bien ! par exemple, le nom de l'homme que La Vallière aime et que l'adversaire de de Guiche lui contestait le droit d'aimer ?

— Sire, je ne sais rien, je n'ai rien entendu, rien surpris ; mais je tiens de Guiche pour un grand cœur, et, s'il s'est momentanément substitué au protecteur de La Vallière, c'est que ce protecteur était trop haut placé pour prendre lui-même sa défense.

Ces mots étaient plus que transparents ; aussi firent-ils rougir le roi, mais, cette fois, de plaisir.

Il frappa doucement sur l'épaule de Manicamp.

— Allons, allons, vous êtes non seulement un spirituel garçon, monsieur de Manicamp, mais encore un brave gentilhomme, et je trouve votre ami de Guiche un paladin tout à fait de mon goût ; vous le lui témoignerez, n'est-ce pas ?

— Ainsi donc, sire, Votre Majesté me pardonne ?

— Tout à fait.

— Et je suis libre ?

Le roi sourit et tendit la main à Manicamp.

Manicamp saisit cette main et la baisa.

— Et puis, ajouta le roi, vous contez à merveille.

— Moi, sire ?

— Vous m'avez fait un récit excellent de cet accident arrivé à de Guiche. Je vois le sanglier sortant du bois, je vois le cheval s'abattant, je vois l'animal allant du cheval au cavalier. Vous ne racontez pas, monsieur, vous peignez.

— Sire, je crois que Votre Majesté daigne se railler de moi, dit Manicamp.

— Au contraire, fit Louis XIV, sérieusement, je ris si peu, monsieur de Manicamp, que je veux que vous racontiez à tout le monde cette aventure.

— L'aventure de l'affût ?

— Oui, telle que vous me l'avez contée, à moi, sans en changer un seul mot, vous comprenez ?

— Parfaitement, sire.

— Et vous la raconterez ?

— Sans perdre une minute.

— Eh bien ! maintenant, rappelez-vous même M. d'Artagnan ; j'espère que vous n'en avez plus peur.

— Oh ! sire, dès que je suis sûr des bontés de Votre Majesté pour moi, je ne crains plus rien.

— Appelez donc, dit le roi.

Manicamp ouvrit la porte.

— Messieurs, dit-il, le roi vous appelle.

D'Artagnan, Saint-Aignan et Valot rentrèrent.

— Messieurs, dit le roi, je vous fais rappeler pour vous dire que l'explication de M. de Manicamp m'a entièrement satisfait.

D'Artagnan jeta à Valot d'un côté, et à Saint-Aignan de l'autre, un regard qui signifiait : « Eh bien ! que vous disais-je ? »

Le roi entraîna Manicamp du côté de la porte, puis tout bas :

— Que M. de Guiche se soigne, lui dit-il, et surtout qu'il se guérisse vite ; je veux me hâter de le remercier au nom de toutes les dames, mais surtout qu'il ne recommence jamais.

— Dût-il mourir cent fois, sire, il recommencera cent fois s'il s'agit de l'honneur de Votre Majesté.

C'était direct. Mais nous l'avons dit, le roi Louis XIV aimait l'encens, et, pourvu qu'on lui en donnât, il n'était pas très exigeant sur la qualité.

— C'est bien, c'est bien, dit-il en congédiant Manicamp, je verrai de Guiche moi-même et je lui ferai entendre raison.

Alors le roi, se retournant vers les trois spectateurs de cette scène :

— Monsieur d'Artagnan ? dit-il.

— Sire.

— Dites-moi donc, comment se fait-il que vous ayez la vue si trouble, vous qui d'ordinaire avez de si bons yeux ?

— J'ai la vue trouble, moi, sire ?

— Sans doute.

— Cela doit être certainement, puisque Votre Majesté le dit. Mais en quoi trouble, s'il vous plaît ?

— Mais à propos de cet événement du bois Rochin.

— Ah ! ah !

— Sans doute. Vous avez vu les traces de deux chevaux, les pas de deux hommes, vous avez relevé les détails d'un combat. Rien de tout cela n'a existé ; illusion pure !

— Ah ! ah ! fit encore d'Artagnan.

— C'est comme ces piétinements du cheval, c'est comme ces indices de lutte. Lutte de de Guiche contre le sanglier, pas autre chose ; seulement, la lutte a été longue et terrible, à ce qu'il paraît.

— Ah ! ah ! continua d'Artagnan.

— Et quand je pense que j'ai un instant ajouté foi à une pareille erreur ; mais aussi vous parliez avec un tel aplomb.

— En effet, sire, il faut que j'aie eu la berlue, dit d'Artagnan avec une belle humeur qui charma le roi.

— Vous en convenez, alors ?

— Pardieu ! sire, si j'en conviens !

— De sorte que, maintenant, vous voyez la chose ?...

— Tout autrement que je ne la voyais il y a une demi-heure.

— Et vous attribuez cette différence dans votre opinion ?

— Oh ! à une chose bien simple, sire ; il y a une demi-heure, je revenais du bois Rochin, où je n'avais pour m'éclairer qu'une méchante lanterne d'écurie...

— Tandis qu'à cette heure ?...

— A cette heure, j'ai tous les flambeaux de votre cabinet, et, de plus, les deux yeux du roi, qui éclairent comme des soleils.

Le roi se mit à rire, et de Saint-Aignan à éclater.

— C'est comme M. Valot, dit d'Artagnan reprenant la parole aux lèvres du roi, il s'est figuré que non seulement M. de Guiche avait été blessé par une balle, mais encore qu'il avait retiré une balle de sa poitrine.

— Ma foi ! dit Valot, j'avoue...

— N'est-ce pas que vous l'avez cru ? reprit d'Artagnan.

— C'est-à-dire, dit Valot, que non seulement je l'ai cru, mais qu'à cette heure encore j'en jurerais.

— Eh bien ! mon cher docteur, vous avez rêvé cela.

— J'avais rêvé ?

— La blessure de M. de Guiche, rêve ! la balle, rêve !... Ainsi, croyez-moi, n'en parlez plus.

— Bien dit, fit le roi ; le conseil que vous donne d'Artagnan est bon. Ne parlez plus de votre rêve à personne, monsieur Valot, et, foi de gentilhomme ! vous ne vous en repentirez point. Bonsoir, messieurs. Oh ! la triste chose qu'un affût au sanglier !

— La triste chose, répéta d'Artagnan à pleine voix qu'un affût au sanglier !

Et il répéta encore ce mot par toutes les chambres où il passa.

Et il sortit du château, emmenant Valot avec lui.

— Maintenant que nous sommes seuls, dit le roi à de Saint-Aignan, comment se nomme l'adversaire de de Guiche ?

De Saint-Aignan regarda le roi.

— Oh ! n'hésite pas, dit le roi, tu sais bien que je dois pardonner.

— De Wardes, dit de Saint-Aignan.

— Bien.

Puis, rentrant chez lui vivement :

— Pardonner n'est pas oublier, dit Louis XIV.

CLIX

COMMENT IL EST BON D'AVOIR DEUX CORDES A SON ARC

Manicamp sortait de chez le roi, tout heureux d'avoir si bien réussi, quand, en arrivant au bas de l'escalier et passant devant une portière, il se sentit tout à coup tirer par une manche.

Il se retourna et reconnut Montalais qui l'attendait au passage, et qui, mystérieusement, le corps penché en avant et la voix basse, lui dit :

— Monsieur, venez vite, je vous prie.

— Et où cela, mademoiselle ? demanda Manicamp.

— D'abord, un véritable chevalier ne m'eût point fait cette question, il m'eût suivie sans avoir besoin d'explication aucune.

— Eh bien ! mademoiselle, dit Manicamp, je suis prêt à me conduire en vrai chevalier.

— Non, il est trop tard, et vous n'en avez pas le mérite. Nous allons chez Madame ; venez.

— Ah ! ah ! fit Manicamp. Allons chez Madame.

Et il suivit Montalais, qui courait devant lui légère comme Galatée[1].

« Cette fois, se disait Manicamp tout en suivant son guide, je ne crois pas que les histoires de chasse soient de mise. Nous essaierons cependant, et, au besoin... ma foi ! au besoin, nous trouverons autre chose. »

Montalais courait toujours.

« Comme c'est fatigant, pensa Manicamp, d'avoir à la fois besoin de son esprit et de ses jambes ! »

Enfin on arriva.

Madame avait achevé sa toilette de nuit ; elle était en déshabillé élégant ;

---

1. « *Et fugit ad salices, et se cupit ante videri* » (« [Galatée] s'enfuit vers les saules, mais elle souhaite qu'on la voie auparavant »), Virgile, *Bucoliques*, chant III.

mais on comprenait que cette toilette était faite avant qu'elle eût à subir les émotions qui l'agitaient.

Elle attendait avec une impatience visible.

Aussi Montalais et Manicamp la trouvèrent-ils debout près de la porte.

Au bruit de leurs pas, Madame était venue au-devant d'eux.

— Ah ! dit-elle, enfin !

— Voici M. de Manicamp, répondit Montalais.

Manicamp s'inclina respectueusement.

Madame fit signe à Montalais de se retirer. La jeune fille obéit.

Madame la suivit des yeux en silence, jusqu'à ce que la porte se fût refermée derrière elle ; puis, se retournant vers Manicamp :

— Qu'y a-t-il donc et que m'apprend-on, monsieur de Manicamp ? dit-elle ; il y a quelqu'un de blessé au château ?

— Oui, madame, malheureusement... M. de Guiche.

— Oui, M. de Guiche, répéta la princesse. En effet, je l'avais entendu dire, mais non affirmer. Ainsi, bien véritablement, c'est à M. de Guiche qu'est arrivée cette infortune ?

— A lui-même, madame.

— Savez-vous bien, monsieur de Manicamp, dit vivement la princesse, que les duels sont antipathiques au roi ?

— Certes, madame ; mais un duel avec une bête fauve n'est pas justiciable de Sa Majesté.

— Oh ! vous ne me ferez pas l'injure de croire que j'ajouterai foi à cette fable absurde répandue je ne sais trop dans quel but, et prétendant que M. de Guiche a été blessé par un sanglier. Non, non, monsieur ; la vérité est connue, et, dans ce moment, outre le désagrément de sa blessure, M. de Guiche court le risque de sa liberté.

— Hélas ! madame, dit Manicamp, je le sais bien ; mais qu'y faire ?

— Vous avez vu Sa Majesté ?

— Oui, madame.

— Que lui avez-vous dit ?

— Je lui ai raconté comment M. de Guiche avait été à l'affût, comment un sanglier était sorti du bois Rochin, comment M. de Guiche avait tiré sur lui, et comment enfin l'animal furieux était revenu sur le tireur, avait tué son cheval et l'avait lui-même grièvement blessé.

— Et le roi a cru tout cela ?

— Parfaitement.

— Oh ! vous me surprenez, monsieur de Manicamp, vous me surprenez beaucoup.

Et Madame se promena de long en large en jetant de temps en temps un coup d'œil interrogateur sur Manicamp, qui demeurait impassible et sans mouvement à la place qu'il avait adoptée en entrant. Enfin, elle s'arrêta.

— Cependant, dit-elle, tout le monde s'accorde ici à donner une autre cause à cette blessure.

— Et quelle cause, madame ? fit Manicamp ; puis-je, sans indiscrétion, adresser cette question à Votre Altesse ?

— Vous demandez cela, vous, l'ami intime de M. de Guiche ? vous, son confident ?

— Oh ! madame, l'ami intime, oui ; son confident, non. De Guiche est un de ces hommes qui peuvent avoir des secrets, qui en ont même, certainement, mais qui ne les disent pas. De Guiche est discret, madame.

— Eh bien ! alors, ces secrets que M. de Guiche renferme en lui, c'est donc moi qui aurai le plaisir de vous les apprendre, dit la princesse avec dépit ; car, en vérité, le roi pourrait vous interroger une seconde fois, et si, cette seconde fois, vous lui faisiez le même conte qu'à la première, il pourrait bien ne pas s'en contenter.

— Mais, madame, je crois que Votre Altesse est dans l'erreur à l'égard du roi. Sa Majesté a été fort satisfaite de moi, je vous jure.

— Alors, permettez-moi de vous dire, monsieur de Manicamp, que cela prouve une seule chose, c'est que Sa Majesté est très facile à satisfaire.

— Je crois que Votre Altesse a tort de s'arrêter à cette opinion. Sa Majesté est connue pour ne se payer que de bonnes raisons.

— Et croyez-vous qu'elle vous saura gré de votre officieux mensonge, quand demain elle apprendra que M. de Guiche a eu pour M. de Bragelonne, son ami, une querelle qui a dégénéré en rencontre ?

— Une querelle pour M. de Bragelonne ? dit Manicamp de l'air le plus naïf qu'il y ait au monde ; que me fait donc l'honneur de me dire Votre Altesse ?

— Qu'y a-t-il d'étonnant ? M. de Guiche est susceptible, irritable, il s'emporte facilement.

— Je tiens, au contraire, madame, M. de Guiche pour très patient, et n'être jamais susceptible et irritable qu'avec les plus justes motifs.

— Mais n'est-ce pas un juste motif que l'amitié ? dit la princesse.

— Oh ! certes, madame, et surtout pour un cœur comme le sien.

— Eh bien ! M. de Bragelonne est un ami de M. de Guiche ; vous ne nierez pas ce fait ?

— Un très grand ami.

— Eh bien ! M. de Guiche a pris le parti de M. de Bragelonne, et comme M. de Bragelonne était absent et ne pouvait se battre, il s'est battu pour lui.

Manicamp se mit à sourire, et fit deux ou trois mouvements de tête et d'épaules qui signifiaient : « Dame ! si vous le voulez absolument... »

— Mais enfin, dit la princesse impatientée, parlez !

— Moi ?

— Sans doute ; il est évident que vous n'êtes pas de mon avis, et que vous avez quelque chose à dire.

— Je n'ai à dire, madame, qu'une seule chose.

— Dites-la !

— C'est que je ne comprends pas un mot de ce que vous me faites l'honneur de me raconter.

— Comment ! vous ne comprenez pas un mot à cette querelle de M. de Guiche avec M. de Wardes ? s'écria la princesse presque irritée. Manicamp se tut.

— Querelle, continua-t-elle, née d'un propos plus ou moins malveillant ou plus ou moins fondé sur la vertu de certaine dame ?

— Ah ! de certaine dame ? Ceci est autre chose, dit Manicamp.

— Vous commencez à comprendre, n'est-ce pas ?

— Votre Altesse m'excusera, mais je n'ose...

— Vous n'osez pas ? dit Madame exaspérée. Eh bien ! attendez, je vais oser, moi.

— Madame, madame ! s'écria Manicamp, comme s'il était effrayé, faites attention à ce que vous allez dire.

— Ah ! il paraît que, si j'étais un homme, vous vous battriez avec moi, malgré les édits de Sa Majesté, comme M. de Guiche s'est battu avec M. de Wardes, et cela pour la vertu de Mlle de La Vallière.

— De Mlle de La Vallière ! s'écria Manicamp en faisant un soubresaut subit comme s'il était à cent lieues de s'attendre à entendre prononcer ce nom.

— Oh ! qu'avez-vous donc, monsieur de Manicamp, pour bondir ainsi ? dit Madame avec ironie ; auriez-vous l'impertinence de douter, vous, de cette vertu ?

— Mais il ne s'agit pas le moins du monde, en tout cela, de la vertu de Mlle de La Vallière, madame.

— Comment ! lorsque deux hommes se sont brûlé la cervelle pour une femme, vous dites qu'elle n'a rien à faire dans tout cela et qu'il n'est point question d'elle ? Ah ! je ne vous croyais pas si bon courtisan, monsieur de Manicamp.

— Pardon, pardon, madame, dit le jeune homme, mais nous voilà bien loin de compte. Vous me faites l'honneur de me parler une langue, et moi, à ce qu'il paraît, j'en parle une autre.

— Plaît-il ?

— Pardon, j'ai cru comprendre que Votre Altesse me voulait dire que MM. de Guiche et de Wardes s'étaient battus pour Mlle de La Vallière.

— Mais oui.

— Pour Mlle de La Vallière, n'est-ce pas ? répéta Manicamp.

— Eh ! mon Dieu, je ne dis pas que M. de Guiche s'occupât en personne de Mlle de La Vallière ; mais qu'il s'en est occupé par procuration.

— Par procuration !

— Voyons, ne faites donc pas toujours l'homme effaré. Ne sait-on pas ici que M. de Bragelonne est fiancé à Mlle de La Vallière, et qu'en partant pour la mission que le roi lui a confiée à Londres, il a chargé son ami, M. de Guiche, de veiller sur cette intéressante personne ?

— Ah ! je ne dis plus rien, Votre Altesse est instruite.

— De tout, je vous en préviens.

Manicamp se mit à rire, action qui faillit exaspérer la princesse, laquelle n'était pas, comme on le sait, d'une humeur bien endurante.

— Madame, reprit le discret Manicamp en saluant la princesse, enterrons toute cette affaire, qui ne sera jamais bien éclaircie.

— Oh ! quant à cela, il n'y a plus rien à faire, et les éclaircissements sont complets. Le roi saura que de Guiche a pris parti pour cette petite aventurière qui se donne des airs de grande dame ; il saura que M. de Bragelonne ayant nommé pour son gardien ordinaire du jardin des Hespérides son ami M. de Guiche, celui-ci a donné le coup de dent requis au marquis de Wardes, qui osait porter la main sur la pomme d'or. Or, vous n'êtes pas sans savoir, monsieur de Manicamp, vous qui savez si bien toutes choses, que le roi convoite de son côté le fameux trésor, et que peut-être saura-t-il mauvais gré à M. de Guiche de s'en constituer le défenseur. Êtes-vous assez renseigné maintenant, et vous faut-il un autre avis ? Parlez, demandez.

— Non, madame, non je ne veux rien savoir de plus.

— Sachez cependant, car il faut que vous sachiez cela, monsieur de Manicamp, sachez que l'indignation de Sa Majesté sera suivie d'effets terribles. Chez les princes d'un caractère comme l'est celui du roi, la colère amoureuse est un ouragan.

— Que vous apaisez, vous, madame.

— Moi ! s'écria la princesse avec un geste de violente ironie ; moi ! et à quel titre ?

— Parce que vous n'aimez pas les injustices, madame.

— Et ce serait une injustice, selon vous, que d'empêcher le roi de faire ses affaires d'amour ?

— Vous intercéderez cependant en faveur de M. de Guiche.

— Eh ! cette fois vous devenez fou, monsieur, dit la princesse d'un ton plein de hauteur.

— Au contraire, madame, je suis dans mon meilleur sens, et, je le répète, vous défendrez M. de Guiche auprès du roi.

— Moi ?

— Oui.

— Et comment cela ?

— Parce que la cause de M. de Guiche, c'est la vôtre, madame, dit tout bas avec ardeur Manicamp, dont les yeux venaient de s'allumer.

— Que voulez-vous dire ?

— Je dis, madame, que, dans le nom de La Vallière, à propos de cette défense prise par M. de Guiche pour M. de Bragelonne absent, je m'étonne que Votre Altesse n'ait pas deviné un prétexte.

— Un prétexte ?

— Oui.

— Mais un prétexte à quoi ? répéta en balbutiant la princesse que venaient d'instruire les regards de Manicamp.

— Maintenant, madame, dit le jeune homme, j'en ai dit assez, je présume, pour engager Votre Altesse à ne pas charger, devant le roi, ce pauvre de Guiche, sur qui vont tomber toutes les inimitiés fomentées par un certain parti très opposé au vôtre.

— Vous voulez dire, au contraire, ce me semble, que tous ceux qui n'aiment point Mlle de La Vallière, et même peut-être quelques-uns de ceux qui l'aiment, en voudront au comte ?

— Oh ! Madame, poussez-vous aussi loin l'obstination, et n'ouvrirez-vous point l'oreille aux paroles d'un ami dévoué ? Faut-il que je m'expose à vous déplaire, faut-il que je vous nomme, malgré moi, la personne qui fut la véritable cause de la querelle ?

— La personne ! fit Madame en rougissant.

— Faut-il, continua Manicamp, que je vous montre le pauvre de Guiche irrité, furieux, exaspéré de tous ces bruits qui courent sur cette personne ? Faut-il, si vous vous obstinez à ne pas la reconnaître, et si, moi, le respect continue de m'empêcher de la nommer, faut-il que je vous rappelle les scènes de Monsieur avec milord de Buckingham, les insinuations lancées à propos de cet exil du duc ? Faut-il que je vous retrace les soins du comte à plaire, à observer, à protéger cette personne pour laquelle seule il vit, pour laquelle seule il respire ? Eh bien ! je le ferai, et quand je vous aurai rappelé tout cela, peut-être comprendrez-vous que le comte, à bout de patience, harcelé depuis longtemps par de Wardes, au premier mot désobligeant que celui-ci aura prononcé sur cette personne, aura pris feu et respiré la vengeance.

La princesse cacha son visage dans ses mains.

— Monsieur ! monsieur ! s'écria-t-elle, savez-vous bien ce que vous dites là et à qui vous le dites ?

— Alors, madame, poursuivit Manicamp comme s'il n'eût point entendu les exclamations de la princesse, rien ne vous étonnera plus, ni l'ardeur du comte à chercher cette querelle, ni son adresse merveilleuse à la transporter sur un terrain étranger à vos intérêts. Cela surtout est prodigieux d'habileté et de sang-froid ; et, si la personne pour laquelle le comte de Guiche s'est battu et a versé son sang, en réalité, doit quelque reconnaissance au pauvre blessé, ce n'est vraiment pas pour le sang qu'il a perdu, pour la douleur qu'il a soufferte, mais pour sa démarche à l'endroit d'un honneur qui lui est plus précieux que le sien.

— Oh ! s'écria Madame comme si elle eût été seule ; oh ! ce serait véritablement à cause de moi ?

Manicamp put respirer ; il avait bravement gagné le temps du repos : il respira.

Madame, de son côté, demeura quelque temps plongée dans une rêverie douloureuse. On devinait son agitation aux mouvements précipités de son sein, à la langueur de ses yeux, aux pressions fréquentes de sa main sur son cœur.

Mais, chez elle, la coquetterie n'était pas une passion inerte ; c'était, au contraire, un feu qui cherchait des aliments et qui les trouvait.

— Alors, dit-elle, le comte aura obligé deux personnes à la fois, car M. de Bragelonne aussi doit à M. de Guiche une grande reconnaissance ; d'autant plus grande, que, partout et toujours, Mlle de La Vallière passera pour avoir été défendue par ce généreux champion.

Manicamp comprit qu'il demeurait un reste de doute dans le cœur de la princesse, et son esprit s'échauffa par la résistance.

— Beau service, en vérité, dit-il, que celui qu'il a rendu à Mlle de La Vallière ! beau service que celui qu'il a rendu à M. de Bragelonne ! Le duel a fait un éclat qui déshonore à moitié cette jeune fille, un éclat qui la brouille nécessairement avec le vicomte. Il en résulte que le coup de pistolet de M. de Wardes a eu trois résultats au lieu d'un : il tue à la fois l'honneur d'une femme, le bonheur d'un homme, et peut-être, en même temps, a-t-il blessé à mort un des meilleurs gentilshommes de France ! Ah ! madame ! votre logique est bien froide : elle condamne toujours, elle n'absout jamais.

Les derniers mots de Manicamp battirent en brèche le dernier doute demeuré non pas dans le cœur, mais dans l'esprit de Madame. Ce n'était plus ni une princesse avec ses scrupules ni une femme avec ses soupçonneux retours, c'était un cœur qui venait de sentir le froid profond d'une blessure.

— Blessé à mort ! murmura-t-elle d'une voix haletante ; oh ! monsieur de Manicamp, n'avez-vous pas dit blessé à mort ?

Manicamp ne répondit que par un profond soupir.

— Ainsi donc, vous dites que le comte est dangereusement blessé ? continua la princesse.

— Eh ! madame, il a une main brisée et une balle dans la poitrine.

— Mon Dieu ! mon Dieu ! reprit la princesse avec l'excitation de la fièvre, c'est affreux, monsieur de Manicamp ! Une main brisée, dites-vous ? une balle dans la poitrine, mon Dieu ! Et c'est ce lâche, ce misérable, c'est cet assassin de de Wardes qui a fait cela ! Décidément, le Ciel n'est pas juste.

Manicamp paraissait en proie à une violente émotion. Il avait, en effet, déployé beaucoup d'énergie dans la dernière partie de son plaidoyer.

Quant à Madame, elle n'en était plus à calculer les convenances ; lorsque chez elle la passion parlait, colère ou sympathie, rien n'en arrêtait plus l'élan.

Madame s'approcha de Manicamp, qui venait de se laisser tomber sur un siège, comme si la douleur était une assez puissante excuse à commettre une infraction aux lois de l'étiquette.

— Monsieur, dit-elle en lui prenant la main, soyez franc.

Manicamp releva la tête.

— M. de Guiche, continua Madame, est-il en danger de mort ?

— Deux fois, madame, dit-il : d'abord, à cause de l'hémorragie qui s'est déclarée, une artère ayant été offensée à la main ; ensuite, à cause de la blessure de la poitrine qui aurait, le médecin le craignait du moins, offensé quelque organe essentiel.

— Alors il peut mourir ?

— Mourir, oui, madame, et sans même avoir la consolation de savoir que vous avez connu son dévouement.

— Vous le lui direz.

— Moi ?

— Oui ; n'êtes-vous pas son ami ?

— Moi ? Oh ! non, madame, je ne dirai à M. de Guiche, si le malheureux est encore en état de m'entendre, je ne lui dirai que ce que j'ai vu, c'est-à-dire votre cruauté pour lui.

— Monsieur, oh ! vous ne commettrez pas cette barbarie.

— Oh ! si fait, madame, je dirai cette vérité, car, enfin, la nature est puissante chez un homme de son âge. Les médecins sont savants, et si, par hasard, le pauvre comte survivait à sa blessure, je ne voudrais pas qu'il restât exposé à mourir de la blessure du cœur après avoir échappé à celle du corps.

Sur ces mots, Manicamp se leva, et, avec un profond respect, parut vouloir prendre congé.

— Au moins, monsieur, dit Madame en l'arrêtant d'un air presque suppliant, vous voudrez bien me dire en quel état se trouve le malade ; quel est le médecin qui le soigne ?

— Il est fort mal, madame, voilà pour son état. Quant à son médecin, c'est le médecin de Sa Majesté elle-même, M. Valot. Celui-ci est, en outre, assisté du confrère chez lequel M. de Guiche a été transporté.

— Comment ! il n'est pas au château ? fit Madame.

— Hélas ! madame, le pauvre garçon était si mal, qu'il n'a pu être amené jusqu'ici.

— Donnez-moi l'adresse, monsieur, dit vivement la princesse : j'enverrai quérir de ses nouvelles.

— Rue du Ferrare[1], une maison de briques avec des volets blancs. Le nom du médecin est inscrit sur la porte.

— Vous retournez près du blessé, monsieur de Manicamp ?

— Oui, madame.

— Alors il convient que vous me rendiez un service.

— Je suis aux ordres de Votre Altesse.

— Faites ce que vous vouliez faire : retournez près de M. de Guiche, éloignez tous les assistants ; veuillez vous éloigner vous-même.

— Madame...

— Ne perdons pas de temps en explications inutiles. Voilà le fait ; n'y voyez pas autre chose que ce qui s'y trouve, ne demandez pas autre chose que ce que je vous dis. Je vais envoyer une de mes femmes, deux peut-être, à cause de l'heure avancée ; je ne voudrais pas qu'elles vous vissent, ou plus franchement, je ne voudrais pas que vous les vissiez : ce sont des scrupules que vous devez comprendre, vous surtout, monsieur de Manicamp, qui devinez tout.

— Oh ! madame, parfaitement ; je puis même faire mieux, je marcherai devant vos messagères ; ce sera à la fois un moyen de leur indiquer sûrement la route et de les protéger si le hasard faisait qu'elles eussent, contre toute probabilité, besoin de protection.

— Et puis, par ce moyen surtout, elles entreront sans difficulté aucune, n'est-ce pas ?

— Certes, madame ; car, passant le premier, j'aplanirais ces diffi-cultés, si le hasard faisait qu'elles existassent.

— Eh bien ! allez, allez, monsieur de Manicamp, et attendez au bas de l'escalier.

— J'y vais, madame.

— Attendez.

Manicamp s'arrêta.

— Quand vous entendrez descendre deux femmes, sortez et suivez, sans vous retourner, la route qui conduit chez le pauvre comte.

— Mais, si le hasard faisait descendre deux autres personnes que je m'y trompasse ?

— On frappera trois fois doucement dans les mains.

— Oui, madame.

— Allez, allez.

Manicamp se retourna, salua une dernière fois, et sortit la joie dans le cœur. Il n'ignorait pas, en effet, que la présence de Madame était le meilleur baume à appliquer sur les plaies du blessé.

Un quart d'heure ne s'était pas écoulé que le bruit d'une porte qu'on ouvrait et qu'on refermait avec précaution parvint jusqu'à lui. Puis il

---

1. Texte : « Feurre » ; mauvaise lecture probable pour Ferrare, elle débouchait au raccordement des rues de la Charité Royale (que Dumas appelle rue de Paris) et de Nemours.

entendit les pas légers glissant le long de la rampe, puis les trois coups frappés dans les mains, c'est-à-dire le signal convenu.

Il sortit aussitôt, et, fidèle à sa parole, se dirigea, sans retourner la tête, à travers les rues de Fontainebleau, vers la demeure du médecin.

CLX

M. MALICORNE,
ARCHIVISTE DU ROYAUME DE FRANCE

Deux femmes, ensevelies dans leurs mantes et le visage couvert d'un demi-masque de velours noir, suivaient timidement les pas de Manicamp.

Au premier étage, derrière les rideaux de damas rouge, brillait la douce lueur d'une lampe posée sur un dressoir.

A l'autre extrémité de la même chambre, dans un lit à colonnes torses, fermé de rideaux pareils à ceux qui éteignaient le feu de la lampe, reposait de Guiche, la tête élevée sur un double oreiller, les yeux noyés dans un brouillard épais ; de longs cheveux noirs, bouclés, éparpillés sur le lit, paraient de leur désordre les tempes sèches et pâles du jeune homme.

On sentait que la fièvre était la principale hôtesse de cette chambre.

De Guiche rêvait. Son esprit suivait, à travers les ténèbres, un de ces rêves du délire comme Dieu en envoie sur la route de la mort à ceux qui vont tomber dans l'univers de l'éternité.

Deux ou trois taches de sang encore liquide maculaient le parquet.

Manicamp monta les degrés avec précipitation ; seulement, au seuil, il s'arrêta, poussa doucement la porte, passa la tête dans la chambre, et, voyant que tout était tranquille, il s'approcha, sur la pointe du pied, du grand fauteuil de cuir, échantillon mobilier du règne de Henri IV, et, voyant que la garde-malade s'y était naturellement endormie, il la réveilla et la pria de passer dans la pièce voisine.

Puis, debout près du lit, il demeura un instant à se demander s'il fallait réveiller de Guiche pour lui apprendre la bonne nouvelle.

Mais, comme derrière la portière il commençait à entendre le frémissement soyeux des robes et la respiration haletante de ses compagnes de route, comme il voyait déjà cette portière impatiente se soulever, il s'effaça le long du lit et suivit la garde-malade dans la chambre voisine.

Alors, au moment même où il disparaissait, la draperie se souleva et les deux femmes entrèrent dans la chambre qu'il venait de quitter.

Celle qui était entrée la première fit à sa compagne un geste impérieux qui la cloua sur un escabeau près de la porte.

Puis elle s'avança résolument vers le lit, fit glisser les rideaux sur la tringle de fer et rejeta leurs plis flottants derrière le chevet.

Elle vit alors la figure pâlie du comte ; elle vit sa main droite, enveloppée d'un linge éblouissant de blancheur, se dessiner sur la courtepointe à ramages sombres qui couvrait une partie de ce lit de douleur.

Elle frissonna en voyant une goutte de sang qui allait s'élargissant sur ce linge.

La poitrine blanche du jeune homme était découverte, comme si le frais de la nuit eût dû aider sa respiration. Une petite bandelette attachait l'appareil de la blessure, autour de laquelle s'élargissait un cercle bleuâtre de sang extravasé.

Un soupir profond s'exhala de la bouche de la jeune femme. Elle s'appuya contre la colonne du lit, et regarda par les trous de son masque ce douloureux spectacle.

Un souffle rauque et strident passait comme le râle de la mort par les dents serrées du comte.

La dame masquée saisit la main gauche du blessé.

Cette main brûlait comme un charbon ardent.

Mais, au moment où se posa dessus la main glacée de la dame, l'action de ce froid fut telle, que de Guiche ouvrit les yeux et tâcha de rentrer dans la vie en animant son regard.

La première chose qu'il aperçut, fut le fantôme dressé devant la colonne de son lit.

A cette vue, ses yeux se dilatèrent, mais sans que l'intelligence y allumât sa pure étincelle.

Alors la dame fit un signe à sa compagne, qui était demeurée près de la porte ; sans doute celle-ci avait sa leçon faite, car, d'une voix clairement accentuée, et sans hésitation aucune, elle prononça ces mots :

— Monsieur le comte, Son Altesse Royale Madame a voulu savoir comment vous supportiez les douleurs de cette blessure et vous témoigner par ma bouche tout le regret qu'elle éprouve de vous voir souffrir.

Au mot *Madame*, de Guiche fit un mouvement ; il n'avait point encore remarqué la personne à laquelle appartenait cette voix.

Il se retourna donc naturellement vers le point d'où venait cette voix.

Mais, comme la main glacée ne l'avait point abandonné, il en revint à regarder ce fantôme immobile.

— Est-ce vous qui me parlez, madame, demanda-t-il d'une voix affaiblie, ou y avait-il avec vous une autre personne dans cette chambre ?

— Oui, répondit le fantôme d'une voix presque inintelligible et en baissant la tête.

— Eh bien ! fit le blessé avec effort, merci. Dites à Madame que je ne regrette plus de mourir, puisqu'elle s'est souvenue de moi.

A ce mot *mourir*, prononcé par un mourant, la dame masquée ne put retenir ses larmes, qui coulèrent sous son masque et apparurent sur ses joues à l'endroit où le masque cessait de les couvrir.

De Guiche, s'il eût été plus maître de ses sens, les eût vues rouler en perles brillantes et tomber sur son lit.

La dame, oubliant qu'elle avait un masque, porta la main à ses yeux pour les essuyer, et, rencontrant sous sa main le velours agaçant et froid, elle arracha le masque avec colère et le jeta sur le parquet.

A cette apparition inattendue, qui semblait pour lui sortir d'un nuage, de Guiche poussa un cri et tendit les bras.

Mais toute parole expira sur ses lèvres, comme toute force dans ses veines.

Sa main droite, qui avait suivi l'impulsion de la volonté sans calculer son degré de puissance, sa main droite retomba sur le lit, et, tout aussitôt, ce linge si blanc fut rougi d'une tache plus large.

Et, pendant ce temps, les yeux du jeune homme se couvraient et se fermaient comme s'il eût commencé d'entrer en lutte avec l'ange indomptable de la mort.

Puis, après quelques mouvements sans volonté, la tête se retrouva immobile sur l'oreiller.

Seulement, de pâle, elle était devenue livide.

La dame eut peur ; mais, cette fois, contrairement à l'habitude, la peur fut attractive.

Elle se pencha vers le jeune homme, dévorant de son souffle ce visage froid et décoloré, qu'elle toucha presque ; puis elle déposa un rapide baiser sur la main gauche de de Guiche, qui, secoué comme par une décharge électrique, se réveilla une seconde fois, ouvrit de grands yeux sans pensée, et retomba dans un évanouissement profond.

— Allons, dit-elle à sa compagne, allons, nous ne pouvons demeurer plus longtemps ici ; j'y ferais quelque folie.

— Madame ! madame ! Votre Altesse oublie son masque, dit la vigilante compagne.

— Ramassez-le, répondit sa maîtresse en se glissant éperdue par l'escalier.

Et, comme la porte de la rue était restée entrouverte, les deux oiseaux légers passèrent par cette ouverture, et, d'une course légère, regagnèrent le palais.

L'une des deux dames monta jusqu'aux appartements de Madame, où elle disparut.

L'autre entra dans l'appartement des filles d'honneur, c'est-à-dire à l'entresol.

Arrivée à sa chambre, elle s'assit devant une table, et, sans se donner le temps de respirer, elle se mit à écrire le billet suivant :

Ce soir, Madame a été voir M. de Guiche.

Tout va à merveille de ce côté.

Allez du vôtre, et surtout brûlez ce papier.

Puis, elle plia la lettre en lui donnant une forme longue, et, sortant de chez elle avec précaution, elle traversa un corridor qui conduisait au service des gentilshommes de Monsieur.

Là, elle s'arrêta devant une porte, sous laquelle, ayant heurté deux coups secs, elle glissa le papier et s'enfuit.

Alors, revenant chez elle, elle fit disparaître toute trace de sa sortie et de l'écriture du billet.

Au milieu des investigations auxquelles elle se livrait, dans le but que nous venons de dire, elle aperçut sur la table le masque de Madame qu'elle avait rapporté suivant l'ordre de sa maîtresse, mais qu'elle avait oublié de lui remettre.

— Oh ! oh ! dit-elle, n'oublions pas de faire demain ce que j'ai oublié de faire aujourd'hui.

Et elle prit le masque par sa joue de velours, et, sentant son pouce humide, elle regarda son pouce.

Il était non seulement humide, mais rougi.

Le masque était tombé sur une de ces taches de sang qui, nous l'avons dit, maculaient le parquet, et, de l'extérieur noir, qui avait été mis par le hasard en contact avec lui, le sang avait passé à l'intérieur et tachait la batiste blanche.

— Oh ! oh ! dit Montalais, car nos lecteurs l'ont sans doute déjà reconnue à toutes les manœuvres que nous avons décrites, oh ! oh ! je ne lui rendrai plus ce masque, il est trop précieux maintenant.

Et, se levant, elle courut à un coffret de bois d'érable qui renfermait plusieurs objets de toilette et de parfumerie.

— Non, pas encore ici, dit-elle, un pareil dépôt n'est pas de ceux que l'on abandonne à l'aventure.

Puis, après un moment de silence et avec un sourire qui n'appartenait qu'à elle :

— Beau masque, ajouta Montalais, teint du sang de ce brave chevalier, tu iras rejoindre au magasin des merveilles les lettres de La Vallière, celles de Raoul, toute cette amoureuse collection enfin qui fera un jour l'histoire de France et l'histoire de la royauté. Tu iras chez M. Malicorne, continua la folle en riant, tandis qu'elle commençait à se déshabiller ; chez ce digne M. Malicorne, dit-elle en soufflant sa bougie, qui croit n'être que maître des appartements de Monsieur, et que je fais, moi, archiviste et historiographe de la maison de Bourbon et des meilleures maisons du royaume. Qu'il se plaigne, maintenant, ce bourru de Malicorne !

Et elle tira ses rideaux et s'endormit.

CLXI

LE VOYAGE

Le lendemain, jour indiqué pour le départ, le roi, à onze heures sonnantes, descendit, avec les reines et Madame, le grand degré pour aller prendre son carrosse, attelé de six chevaux piaffant au bas de l'escalier.

Toute la cour attendait dans le Fer-à-Cheval[1] en habits de voyage ; et c'était un brillant spectacle que cette quantité de chevaux sellés, de carrosses attelés, d'hommes et de femmes entourés de leurs officiers, de leurs valets et de leurs pages.

Le roi monta dans son carrosse accompagné des deux reines.

Madame en fit autant avec Monsieur.

Les filles d'honneur imitèrent cet exemple et prirent place, deux par deux, dans les carrosses qui leur étaient destinés.

Le carrosse du roi prit la tête, puis vint celui de Madame, puis les autres suivirent, selon l'étiquette.

Le temps était chaud ; un léger souffle d'air, qu'on avait pu croire assez fort le matin pour rafraîchir l'atmosphère, fut bientôt embrasé par le soleil caché sous les nuages, et ne s'infiltra plus, à travers cette chaude vapeur qui s'élevait du sol, que comme un vent brûlant qui soulevait une fine poussière et frappait au visage les voyageurs pressés d'arriver.

Madame fut la première qui se plaignit de la chaleur.

Monsieur lui répondit en se renversant dans le carrosse comme un homme qui va s'évanouir, et il s'inonda de sels et d'eaux de senteur, tout en poussant de profonds soupirs.

Alors Madame lui dit de son air le plus aimable :

— En vérité, monsieur, je croyais que vous eussiez été assez galant, par la chaleur qu'il fait, pour me laisser mon carrosse à moi toute seule et faire la route à cheval.

— A cheval ! s'écria le prince avec un accent d'effroi qui fit voir combien il était loin d'adhérer à cet étrange projet ; à cheval ! Mais vous n'y pensez pas, madame, toute ma peau s'en irait par pièces au contact de ce vent de feu.

Madame se mit à rire.

---

1. L'escalier du Fer-à-Cheval, construit par Jean Du Cerceau sous Louis XIII, descend du bâtiment central dans la cour du Cheval-Blanc qui devait son nom à une statue équestre en plâtre de Marc Aurèle placée par Charles IX.

— Vous prendrez mon parasol, dit-elle.

— Et la peine de le tenir ? répondit Monsieur avec le plus grand sang-froid. D'ailleurs, je n'ai pas de cheval.

— Comment ! pas de cheval ? répliqua la princesse, qui, si elle ne gagnait pas l'isolement gagnait du moins la taquinerie ; pas de cheval ? Vous faites erreur, monsieur, car je vois là-bas votre bai favori.

— Mon cheval bai ? s'écria le prince en essayant d'exécuter vers la portière un mouvement qui lui causa tant de gêne, qu'il ne l'accomplit qu'à moitié, et qu'il se hâta de reprendre son immobilité.

— Oui, dit Madame, votre cheval, conduit en main par M. de Malicorne.

— Paubre bête ! répliqua le prince, comme il va avoir chaud !

Et, sur ces paroles, il ferma les yeux, pareil à un mourant qui expire.

Madame, de son côté, s'étendit paresseusement dans l'autre coin de la calèche et ferma les yeux aussi, non pas pour dormir, mais pour songer tout à son aise.

Cependant le roi, assis sur le devant de la voiture, dont il avait cédé le fond aux deux reines, éprouvait cette vive contrariété des amants inquiets qui, toujours, sans jamais assouvir cette soif ardente, désirent la vue de l'objet aimé, puis s'éloignent à demi contents sans s'apercevoir qu'ils ont amassé une soif plus ardente encore.

Le roi, marchant en tête comme nous avons dit, ne pouvait, de sa place, apercevoir les carrosses des dames et des filles d'honneur, qui venaient les derniers.

Il lui fallait, d'ailleurs, répondre aux éternelles interpellations de la jeune reine, qui, tout heureuse de posséder *son cher mari*, comme elle disait dans son oubli de l'étiquette royale, l'investissait de tout son amour, le garrottait de tous ses soins, de peur qu'on ne vînt le lui prendre ou qu'il ne lui prît l'envie de la quitter.

Anne d'Autriche, que rien n'occupait alors que les élancements sourds que, de temps en temps, elle éprouvait dans le sein, Anne d'Autriche faisait joyeuse contenance, et, bien qu'elle devinât l'impatience du roi, elle prolongeait malicieusement son supplice par des reprises inattendues de conversation, au moment où le roi, retombé en lui-même, commençait à y caresser ses secrètes amours.

Tout cela, petits soins de la part de la reine, taquinerie de la part d'Anne d'Autriche, tout cela finit par sembler insupportable au roi, qui ne savait pas commander aux mouvements de son cœur.

Il se plaignit d'abord de la chaleur ; c'était un acheminement à d'autres plaintes.

Mais ce fut avec assez d'adresse pour que Marie-Thérèse ne devinât point son but.

Prenant donc ce que disait le roi au pied de la lettre, elle éventa Louis de ses plumes d'autruche.

Mais, la chaleur passée, le roi se plaignit de crampes et d'impatiences dans les jambes, et comme, justement, le carrosse s'arrêtait pour relayer :

— Voulez-vous que je descende avec vous ? demanda la reine. Moi aussi, j'ai les jambes inquiètes. Nous ferons quelques pas à pied, puis les carrosses nous rejoindront et nous y reprendrons notre place.

Le roi fronça le sourcil ; c'est une rude épreuve que fait subir à son infidèle la femme jalouse qui, quoique en proie à la jalousie, s'observe avec assez de puissance pour ne pas donner de prétexte à la colère.

Néanmoins, le roi ne pouvait refuser : il accepta donc, descendit, donna le bras à la reine, et fit avec elle plusieurs pas, tandis que l'on changeait de chevaux.

Tout en marchant, il jetait un coup d'œil envieux sur les courtisans qui avaient le bonheur de faire la route à cheval.

La reine s'aperçut bientôt que la promenade à pied ne plaisait pas plus au roi que le voyage en voiture. Elle demanda donc à remonter en carrosse.

Le roi la conduisit jusqu'au marchepied, mais ne remonta point avec elle. Il fit trois pas en arrière et chercha, dans la file des carrosses, à reconnaître celui qui l'intéressait si vivement.

A la portière du sixième, apparaissait la blanche figure de La Vallière.

Comme le roi, immobile à sa place, se perdait en rêveries sans voir que tout était prêt et que l'on n'attendait plus que lui, il entendit, à trois pas, une voix qui l'interpellait respectueusement. C'était M. de Malicorne, en costume complet d'écuyer, tenant sous son bras gauche la bride de deux chevaux.

— Votre Majesté a demandé un cheval ? dit-il.

— Un cheval ! Vous auriez un de mes chevaux ? demanda le roi, qui essayait de reconnaître ce gentilhomme, dont la figure ne lui était pas encore familière.

— Sire, répondit Malicorne, j'ai au moins un cheval au service de Votre Majesté.

Et Malicorne indiqua le cheval bai de Monsieur, qu'avait remarqué Madame.

L'animal était superbe et royalement caparaçonné.

— Mais ce n'est pas un de mes chevaux, monsieur ? dit le roi.

— Sire, c'est un cheval des écuries de Son Altesse Royale. Mais Son Altesse Royale ne monte pas à cheval quand il fait si chaud.

Le roi ne répondit rien, mais s'approcha vivement de ce cheval, qui creusait la terre avec son pied.

Malicorne fit un mouvement pour tenir l'étrier ; Sa Majesté était déjà en selle.

Rendu à la gaieté par cette bonne chance, le roi courut tout souriant au carrosse des reines qui l'attendaient, et malgré l'air effaré de Marie-Thérèse :

— Ah ! ma foi ! dit-il, j'ai trouvé ce cheval et j'en profite. J'étouffais dans le carrosse. Au revoir, mesdames.

Puis, s'inclinant gracieusement sur le col arrondi de sa monture, il disparut en une seconde.

Anne d'Autriche se pencha pour le suivre des yeux ; il n'allait pas bien loin, car, parvenu au sixième carrosse, il fit plier les jarrets de son cheval et ôta son chapeau.

Il saluait La Vallière, qui, à sa vue, poussa un petit cri de surprise, en même temps qu'elle rougissait de plaisir.

Montalais, qui occupait l'autre coin du carrosse, rendit au roi un profond salut. Puis, en femme d'esprit, elle feignit d'être très occupée du paysage, et se retira dans le coin à gauche.

La conversation du roi et de La Vallière commença comme toutes les conversations d'amants, par d'éloquents regards et par quelques mots d'abord vides de sens. Le roi expliqua comment il avait eu chaud dans son carrosse, à tel point qu'un cheval lui avait paru un bienfait.

— Et, ajouta-t-il, le bienfaiteur est un homme tout à fait intelligent, car il m'a deviné. Maintenant, il me reste un désir, c'est de savoir quel est le gentilhomme qui a servi si adroitement son roi, et l'a sauvé du cruel ennui où il était.

Montalais, pendant ce colloque qui, dès les premiers mots, l'avait réveillée, Montalais s'était approchée et s'était arrangée de façon à rencontrer le regard du roi vers la fin de sa phrase.

Il en résulta que, comme le roi regardait autant elle que La Vallière en interrogeant, elle put croire que c'était elle que l'on interrogeait, et, par conséquent, elle pouvait répondre.

Elle répondit donc :

— Sire, le cheval que monte Votre Majesté est un des chevaux de Monsieur, que conduisait en main un des gentilshommes de Son Altesse Royale.

— Et comment s'appelle ce gentilhomme, s'il vous plaît, mademoiselle ?

— M. de Malicorne, sire.

Le nom fit son effet ordinaire.

— Malicorne ? répéta le roi en souriant.

— Oui, sire, répliqua Aure. Tenez, c'est ce cavalier qui galope ici à ma gauche.

Et elle indiqua, en effet, notre Malicorne, qui, d'un air béat, galopait à la portière de gauche, sachant bien qu'on parlait de lui en ce moment même, mais ne bougeant pas plus sur la selle qu'un sourd et muet.

— Oui, c'est ce cavalier, dit le roi ; je me rappelle sa figure et je me rappellerai son nom.

Et le roi regarda tendrement La Vallière.

Aure n'avait plus rien à faire ; elle avait laissé tomber le nom de

Malicorne ; le terrain était bon ; il n'y avait maintenant qu'à laisser le nom pousser et l'événement porter ses fruits.

En conséquence, elle se rejeta dans son coin avec le droit de faire à M. de Malicorne autant de signes agréables qu'elle voudrait, puisque M. de Malicorne avait eu le bonheur de plaire au roi. Comme on comprend bien, Montalais ne s'en fit pas faute. Et Malicorne, avec sa fine oreille et son œil sournois, empocha les mots :

— Tout va bien.

Le tout accompagné d'une pantomime qui renfermait un semblant de baiser.

— Hélas ! mademoiselle, dit enfin le roi, voilà que la liberté de la campagne va cesser ; votre service chez Madame sera plus rigoureux, et nous ne vous verrons plus.

— Votre Majesté aime trop Madame, répondit Louise, pour ne pas venir chez elle souvent ; et quand Votre Majesté traversera la chambre...

— Ah ! dit le roi d'une voix tendre et qui baissait par degrés, s'apercevoir n'est point se voir, et cependant il semble que ce soit assez pour vous.

Louise ne répondit rien ; un soupir gonflait son cœur, mais elle étouffa ce soupir.

— Vous avez sur vous-même une grande puissance, dit le roi.

La Vallière sourit avec mélancolie.

— Employez cette force à aimer, continua-t-il, et je bénirai Dieu de vous l'avoir donnée.

La Vallière garda le silence, mais leva sur le roi un œil chargé d'amour.

Alors, comme s'il eût été dévoré par ce brûlant regard, Louis passa la main sur son front, et, pressant son cheval des genoux, lui fit faire quelques pas en avant.

Elle, renversée en arrière, l'œil demi-clos, couvait du regard ce beau cavalier, dont les plumes ondoyaient au vent : elle aimait ses bras arrondis avec grâce ; sa jambe, fine et nerveuse, serrant les flancs du cheval ; cette coupe arrondie de profil, que dessinaient de beaux cheveux bouclés, se relevant parfois pour découvrir une oreille rose et charmante.

Enfin, elle aimait, la pauvre enfant, et elle s'enivrait de son amour. Après un instant, le roi revint près d'elle.

— Oh ! fit-il, vous ne voyez donc pas que votre silence me perce le cœur ! Oh ! mademoiselle, que vous devez être impitoyable lorsque vous êtes résolue à quelque rupture ; puis je vous crois changeante... Enfin, enfin, je crains cet amour profond qui me vient de vous.

— Oh ! sire, vous vous trompez, dit La Vallière, quand j'aimerai, ce sera pour toute la vie.

— Quand vous aimerez ! s'écria le roi avec hauteur. Quoi ! vous n'aimez donc pas ?

Elle cacha son visage dans ses mains.

— Voyez-vous, voyez-vous, dit le roi, que j'ai raison de vous accuser ; voyez-vous que vous êtes changeante, capricieuse, coquette, peut-être ; voyez-vous ! Oh ! mon Dieu ! mon Dieu !

— Oh ! non, dit-elle. Rassurez-vous, sire, non, non, non !

— Promettez-moi donc alors que vous serez toujours la même pour moi ?

— Oh ! toujours, sire.

— Que vous n'aurez point de ces duretés qui brisent le cœur, point de ces changements soudains qui me donneraient la mort ?

— Non ! oh ! non.

— Eh bien, tenez, j'aime les promesses, j'aime à mettre sous la garantie du serment, c'est-à-dire sous la sauvegarde de Dieu, tout ce qui intéresse mon cœur et mon amour. Promettez-moi, ou plutôt jurez-moi, jurez-moi que, si dans cette vie que nous allons commencer, vie toute de sacrifices, de mystères, de douleurs, vie toute de contretemps et de malentendus ; jurez-moi que, si nous nous sommes trompés, que, si nous nous sommes mal compris, que, si nous nous sommes fait un tort, et c'est un crime en amour, jurez-moi, Louise !...

Elle tressaillit jusqu'au fond de l'âme ; c'était la première fois qu'elle entendait son nom prononcé ainsi par son royal amant.

Quant à Louis, ôtant son gant, il étendit la main jusque dans le carrosse.

— Jurez-moi, continua-t-il, que, dans toutes nos querelles, jamais, une fois loin l'un de l'autre, jamais nous ne laisserons passer la nuit sur une brouille sans qu'une visite, ou tout au moins un message de l'un de nous aille porter à l'autre la consolation et le repos.

La Vallière prit dans ses deux mains froides la main brûlante de son amant, et la serra doucement, jusqu'à ce qu'un mouvement du cheval, effrayé par la rotation et la proximité de la roue, l'arrachât à ce bonheur.

Elle avait juré.

— Retournez, sire, dit-elle, retournez près des reines ; je sens un orage là-bas, un orage qui menace mon cœur.

Louis obéit, salua Mlle de Montalais et partit au galop pour rejoindre le carrosse des reines.

En passant, il vit Monsieur qui dormait.

Madame ne dormait pas, elle.

Elle dit au roi, à son passage :

— Quel bon cheval, sire !... N'est-ce pas le cheval bai de Monsieur ?

Quant à la jeune reine, elle ne dit rien que ces mots :

— Êtes-vous mieux, mon cher sire ?

CLXII

TRIUM-FÉMINAT[1]

Le roi, une fois à Paris, se rendit au Conseil et travailla une partie de la journée. La reine demeura chez elle avec la reine mère, et fondit en larmes après avoir fait son adieu au roi.

— Ah ! ma mère, dit-elle, le roi ne m'aime plus. Que deviendrai-je, mon Dieu ?

— Un mari aime toujours une femme telle que vous, répondit Anne d'Autriche.

— Le moment peut venir, ma mère, où il aimera une autre femme que moi.

— Qu'appelez-vous aimer ?

— Oh ! toujours penser à quelqu'un, toujours rechercher cette personne.

— Est-ce que vous avez remarqué, dit Anne d'Autriche, que le roi fît de ces sortes de choses ?

— Non, madame, dit la jeune reine en hésitant.

— Vous voyez bien, Marie !

— Et cependant, ma mère, avouez que le roi me délaisse ?

— Le roi, ma fille, appartient à tout son royaume.

— Et voilà pourquoi il ne m'appartient plus, à moi ; voilà pourquoi je me verrai, comme se sont vues tant de reines, délaissée, oubliée, tandis que l'amour, la gloire et les honneurs seront pour les autres. Oh ! ma mère, le roi est si beau ! Combien lui diront qu'elles l'aiment, combien devront l'aimer !

— Il est rare que les femmes aiment un homme dans le roi. Mais cela dût-il arriver, j'en doute, souhaitez plutôt, Marie, que ces femmes aiment réellement votre mari. D'abord, l'amour dévoué de la maîtresse est un élément de dissolution rapide pour l'amour de l'amant ; et puis, à force d'aimer, la maîtresse perd tout empire sur l'amant, dont elle ne désire ni la puissance ni la richesse, mais l'amour. Souhaitez donc que le roi n'aime guère, et que sa maîtresse aime beaucoup !

— Oh ! ma mère, quelle puissance que celle d'un amour profond !

— Et vous dites que vous êtes abandonnée.

— C'est vrai, c'est vrai, je déraisonne... Il est un supplice pourtant, ma mère, auquel je ne saurais résister.

---

1. Néologisme forgé sur triumvirat, association de Pompée, César et Crassus, puis d'Octave, Antoine et Lépide, qui assura le gouvernement de l'Empire romain.

— Lequel ?

— Celui d'un heureux choix, celui d'un ménage qu'il se ferait à côté du nôtre ; celui d'une famille qu'il trouverait chez une autre femme. Oh ! si je voyais jamais des enfants au roi... j'en mourrais !

— Marie ! Marie ! répliqua la reine mère avec un sourire, et elle prit la main de la jeune reine : rappelez-vous ce mot que je vais vous dire, et qu'à jamais il vous serve de consolation : le roi ne peut avoir de dauphin sans vous, et vous pouvez en avoir sans lui.

A ces paroles, qu'elle accompagna d'un expressif éclat de rire, la reine mère quitta sa bru pour aller au-devant de Madame, dont un page venait d'annoncer la venue dans le grand cabinet.

Madame avait pris à peine le temps de se déshabiller. Elle arrivait avec une de ces physionomies agitées qui décèlent un plan dont l'exécution occupe et dont le résultat inquiète.

— Je venais voir, dit-elle, si Vos Majestés avaient quelque fatigue de notre petit voyage ?

— Aucune, dit la reine mère.

— Un peu, répliqua Marie-Thérèse.

— Moi, mesdames, j'ai surtout souffert de la contrariété.

— Quelle contrariété ? demanda Anne d'Autriche.

— Cette fatigue que devait prendre le roi à courir ainsi à cheval.

— Bon ! cela fait du bien au roi.

— Et je le lui ai conseillé moi-même, dit Marie-Thérèse en pâlissant.

Madame ne répondit rien à cela, seulement, un de ces sourires qui n'appartenaient qu'à elle se dessina sur ses lèvres, sans passer sur le reste de sa physionomie ; puis, changeant aussitôt la tournure de la conversation :

— Nous retrouvons Paris tout semblable au Paris que nous avons quitté : toujours des intrigues, toujours des trames, toujours des coquetteries.

— Intrigues !... Quelles intrigues ? demanda la reine mère.

— On parle beaucoup de M. Fouquet et de Mme Plessis-Bellière.

— Qui s'inscrit ainsi au numéro dix mille ? répliqua la reine mère. Mais les trames, s'il vous plaît ?

— Nous avons, à ce qu'il paraît, des démêlés avec la Hollande[1].

— Comment cela ?

— Monsieur me racontait cette histoire des médailles.

— Ah ! s'écria la jeune reine, ces médailles frappées en Hollande... où l'on voit un nuage passer sur le soleil du roi. Vous avez tort d'appeler cela de la trame, c'est de l'injure.

— Si méprisable que le roi la méprisera, répondit la reine mère. Mais,

---

1. Voici ci-dessous, chap. CLXVII, p. 205, note 1.

que disiez-vous des coquetteries ? Est-ce que vous voudriez parler de Mme d'Olonne[1] ?

— Non pas, non pas ; je chercherai plus près de nous.

— *Casa de usted*[2], murmura la reine mère, sans remuer les lèvres, à l'oreille de sa bru.

Madame n'entendit rien et continua :

— Vous savez l'affreuse nouvelle ?

— Oh ! oui, cette blessure de M. de Guiche.

— Et vous l'attribuez, comme tout le monde, à un accident de chasse ?

— Mais oui, firent les deux reines, cette fois intéressées.

Madame se rapprocha.

— Un duel, dit-elle tout bas.

— Ah ! fit sévèrement Anne d'Autriche, aux oreilles de qui sonnait mal ce mot *duel*, proscrit en France depuis qu'elle y régnait.

— Un déplorable duel, qui a failli coûter, à Monsieur, deux de ses meilleurs amis ; au roi, deux bons serviteurs.

— Pourquoi ce duel ? demanda la jeune reine animée d'un instinct secret.

— Coquetteries, répéta triomphalement Madame. Ces messieurs ont disserté sur la vertu d'une dame : l'un a trouvé que Pallas était peu de chose à côté d'elle ; l'autre a prétendu que cette dame imitait Vénus agaçant Mars, et, ma foi ! ces messieurs ont combattu comme Hector et Achille[3].

— Vénus agaçant Mars ? se dit tout bas la jeune reine, sans oser approfondir l'allégorie.

— Qui est cette dame ? demanda nettement Anne d'Autriche. Vous avez dit, je crois, une dame d'honneur ?

— L'ai-je dit ? fit Madame.

— Oui. Je croyais même vous avoir entendue la nommer.

— Savez-vous qu'une femme de cette espèce est funeste dans une maison royale ?

— C'est Mlle de La Vallière ? dit la reine mère.

— Mon Dieu, oui, c'est cette petite laide.

— Je la croyais fiancée à un gentilhomme qui n'est ni M. de Guiche ni M. de Wardes, je suppose ?

— C'est possible, madame.

La jeune reine prit une tapisserie, qu'elle défit avec une affectation de tranquillité, démentie par le tremblement de ses doigts.

— Que parliez-vous de Vénus et de Mars ? poursuivit la reine mère ; est-ce qu'il y a un *Mars* ?

---

1. Sur Mme d'Olonne, voir Dictionnaire des personnages.
2. « Votre maison. »
3. *L'Iliade*, chant XXII.

— Elle s'en vante.

— Vous venez de dire qu'elle s'en vante ?

— Ç'a été la cause du combat.

— Et M. de Guiche a soutenu la cause de Mars ?

— Oui, certes, en bon serviteur.

— En bon serviteur ! s'écria la jeune reine oubliant toute réserve pour laisser échapper sa jalousie ; serviteur de qui ?

— Mars, répliqua Madame, ne pouvant être défendu qu'aux dépens de cette Vénus, M. de Guiche a soutenu l'innocence absolue de Mars, et affirmé sans doute que Vénus s'en vantait.

— Et M. de Wardes, dit tranquillement Anne d'Autriche, propageait le bruit que Vénus avait raison.

« Ah ! de Wardes, pensa Madame, vous paierez cher cette blessure faite au plus noble des hommes. »

Et elle se mit à charger de Wardes avec tout l'acharnement possible, payant ainsi la dette du blessé et la sienne avec la certitude qu'elle faisait pour l'avenir la ruine de son ennemi. Elle en dit tant, que Manicamp, s'il se fût trouvé là, eût regretté d'avoir si bien servi son ami, puisqu'il en résultait la ruine de ce malheureux ennemi.

— Dans tout cela, dit Anne d'Autriche, je ne voix qu'une peste, qui est cette La Vallière.

La jeune reine reprit son ouvrage avec une froideur absolue.

Madame écouta.

— Est-ce que tel n'est pas votre avis ? lui dit Anne d'Autriche. Est-ce que vous ne faites pas remonter à elle la cause de cette querelle et du combat ?

Madame répondit par un geste qui n'était pas plus une affirmation qu'une négation.

— Je ne comprends pas trop alors ce que vous m'avez dit touchant le danger de la coquetterie, reprit Anne d'Autriche.

— Il est vrai, se hâta de dire Madame, que, si la jeune personne n'avait pas été coquette, Mars ne se serait pas occupé d'elle.

Ce mot de *Mars* ramena une fugitive rougeur sur les joues de la jeune reine ; mais elle ne continua pas moins son ouvrage commencé.

— Je ne veux pas qu'à ma cour on arme ainsi les hommes les uns contre les autres, dit flegmatiquement Anne d'Autriche. Ces mœurs furent peut-être utiles dans un temps où la noblesse, divisée, n'avait d'autre point de ralliement que la galanterie. Alors les femmes, régnant seules, avaient le privilège d'entretenir la valeur des gentilshommes par des essais fréquents. Mais aujourd'hui, Dieu soit loué ! il n'y a qu'un seul maître en France. A ce maître est dû le concours de toute force et de toute pensée. Je ne souffrirai pas qu'on enlève à mon fils un de ses serviteurs.

Elle se tourna vers la jeune reine.

— Que faire à cette La Vallière ? dit-elle.

— La Vallière ? fit la reine paraissant surprise. Je ne connais pas ce nom.

Et cette réponse fut accompagnée d'un de ces sourires glacés qui vont seulement aux bouches royales.

Madame était elle-même une grande princesse, grande par l'esprit, la naissance et l'orgueil ; toutefois, le poids de cette réponse l'écrasa ; elle fut obligée d'attendre un moment pour se remettre.

— C'est une de mes filles d'honneur, répliqua-t-elle avec un salut.

— Alors, répliqua Marie-Thérèse du même ton, c'est votre affaire, ma sœur... non la nôtre.

— Pardon, reprit Anne d'Autriche, c'est mon affaire, à moi. Et je comprends fort bien, poursuivit-elle en adressant à Madame un regard d'intelligence, je comprends pourquoi Madame m'a dit ce qu'elle vient de me dire.

— Vous, ce qui émane de vous, madame, dit la princesse anglaise, sort de la bouche de la Sagesse.

— En renvoyant cette fille dans son pays, dit Marie-Thérèse avec douceur, on lui ferait une pension.

— Sur ma cassette ! s'écria vivement Madame.

— Non, non, madame, interrompit Anne d'Autriche, pas d'éclat, s'il vous plaît. Le roi n'aime pas qu'on fasse parler mal des dames. Que tout ceci, s'il vous plaît, s'achève en famille.

« Madame, vous aurez l'obligeance de faire mander ici cette fille.

« Vous, ma fille, vous serez assez bonne pour rentrer un moment chez vous.

Les prières de la vieille reine étaient des ordres. Marie-Thérèse se leva pour rentrer dans son appartement, et Madame pour faire appeler La Vallière par un page.

CLXIII

PREMIÈRE QUERELLE

La Vallière entra chez la reine mère, sans se douter le moins du monde qu'il se fût tramé contre elle un complot dangereux.

Elle croyait qu'il s'agissait du service, et jamais la reine mère n'avait été mauvaise pour elle en pareille circonstance. D'ailleurs, ne ressortissant pas immédiatement à l'autorité d'Anne d'Autriche, elle ne pouvait avoir avec elle que des rapports officiels, auxquels sa propre complaisance et le rang de l'auguste princesse lui faisaient un devoir de donner toute la bonne grâce possible.

Elle s'avança donc vers la reine mère avec ce sourire placide et doux qui faisait sa principale beauté.

Comme elle ne s'approchait pas assez, Anne d'Autriche lui fit signe de venir jusqu'à sa chaise.

Alors Madame rentra, et, d'un air parfaitement tranquille, s'assit près de sa belle-mère, en reprenant l'ouvrage commencé par Marie-Thérèse.

La Vallière, au lieu de l'ordre qu'elle s'attendait à recevoir sur-le-champ, s'aperçut de ces préambules, et interrogea curieusement, sinon avec inquiétude, le visage des deux princesses.

Anne réfléchissait.

Madame conservait une affectation d'indifférence qui eût alarmé de moins timides.

— Mademoiselle, fit soudain la reine mère sans songer à modérer son accent espagnol, ce qu'elle ne manquait jamais de faire à moins qu'elle ne fût en colère, venez un peu, que nous causions de vous, puisque tout le monde en cause.

— De moi ? s'écria La Vallière en pâlissant.

— Feignez de l'ignorer, belle ; savez-vous le duel de M. de Guiche et de M. de Wardes ?

— Mon Dieu ! madame, le bruit en est venu hier jusqu'à moi, répliqua La Vallière en joignant les mains.

— Et vous ne l'aviez pas senti d'avance, ce bruit ?

— Pourquoi l'eussé-je senti, madame ?

— Parce que deux hommes ne se battent jamais sans motif, et que vous deviez connaître les motifs de l'animosité des deux adversaires.

— Je l'ignorais absolument, madame.

— C'est un système de défense un peu banal que la négation persévérante, et, vous qui êtes un bel esprit, mademoiselle, vous devez fuir les banalités. Autre chose.

— Mon Dieu ! madame, Votre Majesté m'épouvante avec cet air glacé. Aurais-je eu le malheur d'encourir sa disgrâce ?

Madame se mit à rire. La Vallière la regarda d'un air stupéfait.

Anne reprit :

— Ma disgrâce !... Encourir ma disgrâce ! Vous n'y pensez pas, mademoiselle de La Vallière, il faut que je pense aux gens pour les prendre en disgrâce. Je ne pense à vous que parce qu'on parle de vous un peu trop, et je n'aime point qu'on parle des filles de ma cour.

— Votre Majesté me fait l'honneur de me le dire, répliqua La Vallière effrayée ; mais je ne comprends pas en quoi l'on peut s'occuper de moi.

— Je m'en vais donc vous le dire. M. de Guiche aurait eu à vous défendre.

— Moi ?

— Vous-même. C'est d'un chevalier, et les belles aventurières aiment que les chevaliers lèvent la lance pour elles. Moi, je hais les champs, alors je hais surtout les aventures et... faites-en votre profit.

La Vallière se plia aux pieds de la reine, qui lui tourna le dos. Elle tendit les mains à Madame, qui lui rit au nez.

Un sentiment d'orgueil la releva.

— Mesdames, dit-elle, j'ai demandé quel est mon crime ; Votre Majesté doit me le dire, et je remarque que Votre Majesté me condamne avant de m'avoir admise à me justifier.

— Eh ! s'écria Anne d'Autriche, voyez donc les belles phrases, madame, voyez donc les beaux sentiments ; c'est une infante que cette fille, c'est une des aspirantes du grand Cyrus[1]... c'est un puits de tendresse et de formules héroïques. On voit bien, ma toute belle, que nous entretenons notre esprit dans le commerce des têtes couronnées.

La Vallière se sentit mordre au cœur ; elle devint non plus pâle, mais blanche comme un lis, et toute sa force l'abandonna.

— Je voulais vous dire, interrompit dédaigneusement la reine, que, si vous continuez à nourrir des sentiments pareils, vous nous humilierez, nous femmes, à tel point que nous aurons honte de figurer près de vous. Devenez simple, mademoiselle. A propos, que me disait-on ? vous êtes fiancée, je crois ?

La Vallière comprima son cœur, qu'une souffrance nouvelle venait de déchirer.

— Répondez donc quand on vous parle !

— Oui, madame.

— A un gentilhomme ?

— Oui, madame.

— Qui s'appelle ?

— M. le vicomte de Bragelonne.

— Savez-vous que c'est un sort bien heureux pour vous, mademoiselle, et que, sans fortune, sans position... sans grands avantages personnels, vous devriez bénir le Ciel qui vous fait un avenir comme celui-là.

La Vallière ne répliqua rien.

— Où est-il ce vicomte de Bragelonne ? poursuivit la reine.

— En Angleterre, dit Madame, où le bruit des succès de Mademoiselle ne manquera pas de lui parvenir.

— O Ciel ! murmura La Vallière éperdue.

— Eh bien ! mademoiselle, dit Anne d'Autriche, on fera revenir ce garçon-là, et on vous expédiera quelque part avec lui. Si vous êtes d'un avis différent, les filles ont des visées bizarres, fiez-vous à moi, je vous remettrai dans le bon chemin : je l'ai fait pour des filles qui ne vous valaient pas.

---

1. Voir *Vingt Ans après*, chap. XXIII, p. 744, note 1.

La Vallière n'entendait plus. L'impitoyable reine ajouta :

— Je vous enverrai seule quelque part où vous réfléchirez mûrement. La réflexion calme les ardeurs du sang ; elle dévore toutes les illusions de la jeunesse. Je suppose que vous m'avez comprise ?

— Madame ! Madame !

— Pas un mot.

— Madame, je suis innocente de tout ce que Votre Majesté peut supposer. Madame, voyez mon désespoir. J'aime, je respecte tant Votre Majesté !

— Il vaudrait mieux que vous ne me respectassiez pas, dit la reine avec une froide ironie. Il vaudrait mieux que vous ne fussiez pas innocente. Vous figurez-vous, par hasard, que je me contenterais de m'en aller, si vous aviez commis la faute ?

— Oh ! mais, madame, vous me tuez ?

— Pas de comédie, s'il vous plaît, ou je me charge du dénouement. Allez, rentrez chez vous, et que ma leçon vous profite.

— Madame, dit La Vallière à la duchesse d'Orléans, dont elle saisit les mains, priez pour moi, vous qui êtes si bonne !

— Moi ! répliqua celle-ci avec une joie insultante, moi bonne ?... Ah ! mademoiselle, vous n'en pensez pas un mot !

Et, brusquement, elle repoussa la main de la jeune fille.

Celle-ci, au lieu de fléchir, comme les deux princesses pouvaient l'attendre de sa pâleur et de ses larmes, reprit tout à coup son calme et sa dignité ; elle fit une révérence profonde et sortit.

— Eh bien ! dit Anne d'Autriche à Madame, croyez-vous qu'elle recommencera ?

— Je me défie des caractères doux et patients, répliqua Madame. Rien n'est plus courageux qu'un cœur patient, rien n'est plus sûr de soi qu'un esprit doux.

— Je vous réponds qu'elle pensera plus d'une fois avant de regarder le dieu Mars.

— A moins qu'elle ne se serve de son bouclier, riposta Madame.

Un fier regard de la reine mère répondit à cette objection, qui ne manquait pas de finesse, et les deux dames, à peu près sûres de leur victoire, allèrent retrouver Marie-Thérèse, qui les attendait en déguisant son impatience.

Il était alors six heures et demie du soir, et le roi venait de prendre son goûter. Il ne perdit pas de temps ; le repas fini, les affaires terminées, il prit de Saint-Aignan par le bras et lui ordonna de le conduire à l'appartement de La Vallière. Le courtisan fit une grosse exclamation.

— Eh bien ! quoi ? répliqua le roi ; c'est une habitude à prendre, et, pour prendre une habitude, il faut qu'on commence par quelques fois.

— Mais, sire, l'appartement des filles, ici, c'est une lanterne : tout le monde voit ceux qui entrent et ceux qui sortent. Il me semble qu'un prétexte... Celui-ci, par exemple...

— Voyons.

— Si Votre Majesté voulait attendre que Madame fût chez elle.

— Plus de prétextes ! plus d'attentes ! Assez de ces contretemps, de ces mystères ; je ne vois pas en quoi le roi de France se déshonore à entretenir une fille d'esprit. Honni soit qui mal y pense !

— Sire, sire, Votre Majesté me pardonnera un excès de zèle...

— Parle.

— Et la reine ?

— C'est vrai ! c'est vrai ! Je veux que la reine soit toujours respectée. Eh bien ! encore ce soir, j'irai chez Mlle de La Vallière, et puis, ce jour passé, je prendrai tous les prétextes que tu voudras. Demain, nous chercherons : ce soir, je n'ai pas le temps.

De Saint-Aignan ne répliqua pas ; il descendit le degré devant le roi et traversa les cours avec une honte que n'effaçait point cet insigne honneur de servir d'appui au roi.

C'est que de Saint-Aignan voulait se conserver tout confit dans l'esprit de Madame et des deux reines. C'est qu'il ne voulait pas non plus déplaire à Mlle de La Vallière, et que pour faire tant de belles choses, il était difficile de ne pas se heurter à quelques difficultés.

Or, les fenêtres de la jeune reine, celles de la reine mère, celles de Madame elle-même donnaient sur la cour des filles. Être vu conduisant le roi, c'était rompre avec trois grandes princesses, avec trois femmes d'un crédit inamovible, pour le faible appât d'un éphémère crédit de maîtresse.

Ce malheureux de Saint-Aignan, qui avait tant de courage pour protéger La Vallière sous les quinconces ou dans le parc de Fontainebleau, ne se sentait plus brave à la grande lumière : il trouvait mille défauts à cette fille et brûlait d'en faire part au roi.

Mais son supplice finit ; les cours furent traversées. Pas un rideau ne se souleva, pas une fenêtre ne s'ouvrit. Le roi marchait vite : d'abord à cause de son impatience, puis à cause des longues jambes de de Saint-Aignan, qui le précédait.

A la porte, de Saint-Aignan voulut s'éclipser ; le roi le retint.

C'était une délicatesse dont le courtisan se fût bien passé.

Il dut suivre Louis chez La Vallière.

A l'arrivée du monarque, la jeune fille achevait d'essuyer ses yeux ; elle le fit si précipitamment, que le roi s'en aperçut. Il la questionna comme un amant intéressé ; il la pressa.

— Je n'ai rien, dit-elle, sire.

— Mais, enfin, vous pleuriez.

— Oh ! non pas, sire.

— Regardez, de Saint-Aignan, est-ce que je me trompe ?

De Saint-Aignan dut répondre ; mais il était bien embarrassé.

— Enfin, vous avez les yeux rouges, mademoiselle, dit le roi.

— La poussière du chemin, sire.

— Mais non, mais non, vous n'avez pas cet air de satisfaction qui vous rend si belle et si attrayante. Vous ne me regardez pas.

— Sire !

— Que dis-je ! vous évitez mes regards.

Elle se détournait en effet.

— Mais, au nom du Ciel, qu'y a-t-il ? demanda Louis, dont le sang bouillait.

— Rien, encore une fois, sire ; et je suis prête à montrer à Votre Majesté que mon esprit est aussi libre qu'elle le désire.

— Votre esprit libre, quand je vous vois embarrassée de tout, même de votre geste ! Est-ce que l'on vous aurait blessée, fâchée ?

— Non, non, sire.

— Oh ! c'est qu'il faudrait me le déclarer ! dit le jeune prince avec des yeux étincelants.

— Mais personne, sire, personne ne m'a offensée.

— Alors, voyons, reprenez cette rêveuse gaieté ou cette joyeuse mélancolie que j'aimais en vous ce matin ; voyons... de grâce !

— Oui, sire, oui !

Le roi frappa du pied.

— Voilà qui est inexplicable, dit-il, un changement pareil !

Et il regarda de Saint-Aignan, qui, lui aussi, s'apercevait bien de cette morne langueur de La Vallière, comme aussi de l'impatience du roi.

Louis eut beau prier, il eut beau s'ingénier à combattre cette disposition fatale, la jeune fille était brisée ; l'aspect même de la mort ne l'eût pas réveillée de sa torpeur.

Le roi vit dans cette négative facilité un mystère désobligeant ; il se mit à regarder autour de lui d'un air soupçonneux.

Justement il y avait dans la chambre de La Vallière un portrait en miniature d'Athos.

Le roi vit ce portrait qui ressemblait beaucoup à Bragelonne ; car il avait été fait pendant la jeunesse du comte.

Il attacha sur cette peinture des regards menaçants.

La Vallière, dans l'état d'oppression où elle se trouvait et à cent lieues, d'ailleurs, de penser à cette peinture, ne put deviner la préoccupation du roi.

Et cependant le roi s'était jeté dans un souvenir terrible qui, plus d'une fois, avait préoccupé son esprit. mais qu'il avait toujours écarté.

Il se rappelait cette intimité des deux jeunes gens depuis leur naissance.

Il se rappelait les fiançailles qui en avaient été la suite.

Il se rappelait qu'Athos était venu lui demander la main de La Vallière pour Raoul.

Il se figura qu'à son retour à Paris, La Vallière avait trouvé certaines nouvelles de Londres, et que ces nouvelles avaient contrebalancé l'influence que, lui, avait pu prendre sur elle.

Presque aussitôt il se sentit piqué aux tempes par le taon farouche qu'on appelle la jalousie.

Il interrogea de nouveau avec amertume.

La Vallière ne pouvait répondre : il lui fallait tout dire, il lui fallait accuser la reine, il lui fallait accuser Madame.

C'était une lutte ouverte à soutenir avec deux grandes et puissantes princesses.

Il lui semblait d'abord que, ne faisant rien pour cacher ce qui se passait en elle au roi, le roi devait lire dans son cœur à travers son silence.

Que, s'il l'aimait réellement, il devait tout comprendre, tout deviner.

Qu'était-ce donc que la sympathie, sinon la flamme divine qui devait éclairer le cœur, et dispenser les vrais amants de la parole ?

Elle se tut donc, se contentant de soupirer, de pleurer, de cacher sa tête dans ses mains.

Ces soupirs, ces pleurs, qui avaient d'abord attendri, puis effrayé Louis XIV, l'irritaient maintenant.

Il ne pouvait supporter l'opposition, pas plus l'opposition des soupirs et des larmes que toute autre opposition.

Toutes ses paroles devinrent aigres, pressantes, agressives.

C'était une nouvelle douleur jointe aux douleurs de la jeune fille.

Elle puisa, dans ce qu'elle regardait comme une injustice de la part de son amant, la force de résister non seulement aux autres, mais encore à celle-là.

Le roi commença à accuser directement.

La Vallière ne tenta même pas de se défendre ; elle supporta toutes ces accusations sans répondre autrement qu'en secouant la tête, sans prononcer d'autres paroles que ces deux mots qui s'échappent des cœurs profondément affligés :

— Mon Dieu ! mon Dieu !

Mais, au lieu de calmer l'irritation du roi, ce cri de douleur l'augmentait : c'était un appel à une puissance supérieure à la sienne, à un être qui pouvait défendre La Vallière contre lui.

D'ailleurs, il se voyait secondé par de Saint-Aignan. De Saint-Aignan, comme nous l'avons dit, voyait l'orage grossir ; il ne connaissait pas le degré d'amour que Louis XIV pouvait éprouver ; il sentait venir tous les coups des trois princesses, la ruine de la pauvre La Vallière, et il n'était pas assez chevalier pour ne pas craindre d'être entraîné dans cette ruine.

De Saint-Aignan ne répondait donc aux interpellations du roi que par des mots prononcés à demi-voix ou par des gestes saccadés, qui avaient pour but d'envenimer les choses et d'amener une brouille dont le résultat devait le délivrer du souci de traverser les cours en plein jour, pour suivre son illustre compagnon chez La Vallière.

Pendant ce temps, le roi s'exaltait de plus en plus.

Il fit trois pas pour sortir et revint.

La jeune fille n'avait pas levé la tête, quoique le bruit des pas eût dû l'avertir que son amant s'éloignait.

Il s'arrêta un instant devant elle, les bras croisés.

— Une dernière fois, mademoiselle, dit-il, voulez-vous parler ? Voulez-vous donner une cause à ce changement, à cette versatilité, à ce caprice ?

— Que voulez-vous que je vous dise, mon Dieu ? murmura La Vallière. Vous voyez bien, sire, que je suis écrasée en ce moment ! vous voyez bien que je n'ai ni la volonté, ni la pensée, ni la parole !

— Est-ce donc si difficile de dire la vérité ? En moins de mots que vous ne venez d'en proférer, vous l'eussiez dite !

— Mais, la vérité, sur quoi ?

— Sur tout.

La vérité monta, en effet, du cœur aux lèvres de La Vallière. Ses bras firent un mouvement pour s'ouvrir, mais sa bouche resta muette, ses bras retombèrent. La pauvre enfant n'avait pas encore été assez malheureuse pour risquer une pareille révélation.

— Je ne sais rien, balbutia-t-elle.

— Oh ! c'est plus que de la coquetterie, s'écria le roi ; c'est plus que du caprice : c'est de la trahison !

Et, cette fois, sans que rien l'arrêtât, sans que les tiraillements de son cœur pussent le faire retourner en arrière, il s'élança hors de la chambre avec un geste désespéré[1].

De Saint-Aignan le suivit, ne demandant pas mieux que de partir.

Louis XIV ne s'arrêta que dans l'escalier, et, se cramponnant à la rampe :

— Vois-tu, dit-il, j'ai été indignement dupé.

— Comment cela, sire ? demanda le favori.

— De Guiche s'est battu pour le vicomte de Bragelonne. Et ce Bragelonne !...

— Eh bien ?

— Eh bien ! elle l'aime toujours ! Et, en vérité, de Saint-Aignan, je mourrais de honte si, dans trois jours, il me restait encore un atome de cet amour dans le cœur.

Et Louis XIV reprit sa course vers son appartement à lui.

---

1. « [La Vallière] se troubla et fit connaître [au roi] qu'elle lui cachait des choses considérables. Le roi se mit dans une colère épouvantable ; elle ne lui avoua point ce que c'était ; le roi se retira au désespoir contre elle », Mme de La Fayette, *op. cit.*

— Ah ! je l'avais bien dit à Votre Majesté, murmura de Saint-Aignan en continuant de suivre le roi et en guettant timidement à toutes les fenêtres.

Malheureusement, il n'en fut pas à la sortie comme il en avait été à l'arrivée.

Un rideau se souleva ; derrière était Madame.

Madame avait vu le roi sortir de l'appartement des filles d'honneur.

Elle se leva lorsque le roi fut passé, et sortit précipitamment de chez elle ; elle monta, deux par deux, les marches de l'escalier qui conduisait à cette chambre d'où venait de sortir le roi.

CLXIV

DÉSESPOIR

Après le départ du roi, La Vallière s'était soulevée, les bras étendus, comme pour le suivre, comme pour l'arrêter ; puis, lorsque, les portes refermées par lui, le bruit de ses pas s'était perdu dans l'éloignement, elle n'avait plus eu que tout juste assez de force pour aller tomber aux pieds de son crucifix.

Elle demeura là, brisée, écrasée, engloutie dans sa douleur, sans se rendre compte d'autre chose que de sa douleur même, douleur qu'elle ne comprenait, d'ailleurs, que par l'instinct et la sensation.

Au milieu de ce tumulte de ses pensées, La Vallière entendit rouvrir sa porte ; elle tressaillit. Elle se retourna, croyant que c'était le roi qui revenait.

Elle se trompait, c'était Madame.

Que lui importait Madame ! Elle retomba, la tête sur son prie-Dieu. C'était Madame, émue, irritée, menaçante. Mais qu'était-ce que cela ?

— Mademoiselle, dit la princesse s'arrêtant devant La Vallière, c'est fort beau, j'en conviens, de s'agenouiller, de prier, de jouer la religion ; mais, si soumise que vous soyez au roi du ciel, il convient que vous fassiez un peu la volonté des princes de la terre.

La Vallière souleva péniblement sa tête en signe de respect.

— Tout à l'heure, continua Madame, il vous a été fait une recommandation, ce me semble ?

L'œil à la fois fixe et égaré de La Vallière montra son ignorance et son oubli.

— La reine vous a recommandé, continua Madame, de vous ménager assez pour que nul ne pût répandre de bruits sur votre compte.

Le regard de La Vallière devint interrogateur.

— Eh bien ! continua Madame, il sort de chez vous quelqu'un dont la présence est une accusation.

La Vallière resta muette.

— Il ne faut pas, continua Madame, que ma maison, qui est celle de la première princesse du sang, donne un mauvais exemple à la cour ; vous seriez la cause de ce mauvais exemple. Je vous déclare donc, mademoiselle, hors de la présence de tout témoin, car je ne veux pas vous humilier, je vous déclare donc que vous êtes libre de partir de ce moment, et que vous pouvez retourner chez madame votre mère, à Blois.

La Vallière ne pouvait tomber plus bas ; La Vallière ne pouvait souffrir plus qu'elle n'avait souffert.

Sa contenance ne changea point ; ses mains demeurèrent jointes sur ses genoux comme celles de la divine Madeleine[1].

— Vous m'avez entendue ? dit Madame.

Un simple frissonnement qui parcourut tout le corps de La Vallière répondit pour elle.

Et, comme la victime ne donnait pas d'autre signe d'existence, Madame sortit.

Alors, à son cœur suspendu, à son sang figé en quelque sorte dans ses veines, La Vallière sentit peu à peu se succéder des pulsations plus rapides aux poignets, au cou et aux tempes. Ces pulsations, en s'augmentant progressivement, se changèrent bientôt en une fièvre vertigineuse, dans le délire de laquelle elle vit tourbillonner toutes les figures de ses amis luttant contre ses ennemis.

Elle entendait s'entrechoquer à la fois dans ses oreilles assourdies des mots menaçants et des mots d'amour ; elle ne se souvenait plus d'être elle-même ; elle était soulevée hors de sa première existence comme par les ailes d'une puissante tempête, et, à l'horizon du chemin dans lequel le vertige la poussait, elle voyait la pierre du tombeau se soulevant et lui montrant l'intérieur formidable et sombre de l'éternelle nuit.

Mais cette douloureuse obsession de rêves finit par se calmer, pour faire place à la résignation habituelle de son caractère.

Un rayon d'espoir se glissa dans son cœur comme un rayon de jour dans le cachot d'un pauvre prisonnier.

Elle se reporta sur la route de Fontainebleau, elle vit le roi à cheval à la portière de son carrosse, lui disant qu'il l'aimait, lui demandant son amour, lui faisant jurer et jurant que jamais une soirée ne passerait sur une brouille sans qu'une visite, une lettre, un signe vînt substituer le repos de la nuit au trouble du soir. C'était le roi qui avait trouvé cela, qui avait fait jurer cela, qui lui-même avait juré cela. Il était donc impossible que le roi manquât à la promesse qu'il avait lui-même exigée,

---

1. Allusion à la *Madeleine* de Rubens, mentionnée dans les romans révolutionnaires.

à moins que le roi ne fût un despote qui commandât l'amour comme il commandait l'obéissance, à moins que le roi ne fût un indifférent que le premier obstacle suffit pour arrêter en chemin.

Le roi, ce doux protecteur, qui, d'un mot, d'un seul mot, pouvait faire cesser toutes ses peines, le roi se joignait donc à ses persécuteurs.

Oh ! sa colère ne pouvait durer. Maintenant qu'il était seul, il devait souffrir tout ce qu'elle souffrait elle-même. Mais lui, lui n'était pas enchaîné comme elle ; lui pouvait agir, se mouvoir, venir ; elle, elle, elle ne pouvait rien qu'attendre.

Et elle attendait de toute son âme, la pauvre enfant ; car il était impossible que le roi ne vînt pas.

Il était dix heures et demie à peine.

Il allait ou venir, ou lui écrire, ou lui faire dire une bonne parole par M. de Saint-Aignan.

S'il venait, oh ! comme elle allait s'élancer au-devant de lui ! comme elle allait repousser cette délicatesse qu'elle trouvait maintenant mal entendue ! comme elle allait lui dire : « Ce n'est pas moi qui ne vous aime pas ; ce sont elles qui ne veulent pas que je vous aime. »

Et alors, il faut le dire, en y réfléchissant, et au fur et à mesure qu'elle y réfléchissait, elle trouvait Louis moins coupable. En effet, il ignorait tout. Qu'avait-il dû penser de son obstination à garder le silence ? Impatient, irritable, comme on connaissait le roi, il était extraordinaire qu'il eût même conservé si longtemps son sang-froid. Oh ! sans doute elle n'eût pas agi ainsi, elle : elle eût tout compris, tout deviné. Mais elle était une pauvre fille et non pas un grand roi.

Oh ! s'il venait ! s'il venait !... comme elle lui pardonnerait tout ce qu'il venait de lui faire souffrir ! comme elle l'aimerait davantage pour avoir souffert !

Et sa tête tendue vers la porte, ses lèvres entrouvertes, attendaient, Dieu lui pardonne cette idée profane ! le baiser que les lèvres du roi distillaient si suavement le matin quand il prononçait le mot amour.

Si le roi ne venait pas, au moins écrirait-il ; c'était la seconde chance, chance moins douce, moins heureuse que l'autre, mais qui prouverait tout autant d'amour, et seulement un amour plus craintif. Oh ! comme elle dévorerait cette lettre ! comme elle se hâterait d'y répondre ! comme, une fois le messager parti, elle baiserait, relirait, presserait sur son cœur le bienheureux papier qui devait lui apporter le repos, la tranquillité, le bonheur !

Enfin, le roi ne venait pas ; si le roi n'écrivait pas, il était au moins impossible qu'il n'envoyât pas de Saint-Aignan ou que de Saint-Aignan ne vînt pas de lui-même. A un tiers, comme elle dirait tout ! La majesté royale ne serait plus là pour glacer ses paroles sur ses lèvres, et alors aucun doute ne pourrait demeurer dans le cœur du roi.

Tout, chez La Vallière, cœur et regard, matière et esprit, se tourna donc vers l'attente.

Elle se dit qu'elle avait encore une heure d'espoir ; que, jusqu'à minuit, le roi pouvait venir, écrire ou envoyer ; qu'à minuit seulement, toute attente serait inutile, tout espoir serait perdu.

Tant qu'il y eut quelque bruit dans le palais, la pauvre enfant crut être la cause de ce bruit ; tant qu'il passa des gens dans la cour, elle crut que ces gens étaient des messagers du roi venant chez elle.

Onze heures sonnèrent ; puis onze heures un quart ; puis onze heures et demie.

Les minutes coulaient lentement dans cette anxiété, et pourtant elles fuyaient encore trop vite.

Les trois quarts sonnèrent.

Minuit ! minuit ! la dernière, la suprême espérance vint à son tour.

Avec le dernier tintement de l'horloge, la dernière lumière s'éteignit ; avec la dernière lumière, le dernier espoir.

Ainsi, le roi lui-même l'avait trompée ; le premier, il mentait au serment qu'il avait fait le jour même ; douze heures entre le serment et le parjure ! Ce n'était pas avoir gardé longtemps l'illusion.

Donc, non seulement le roi n'aimait pas, mais encore il méprisait celle que tout le monde accablait ; il la méprisait au point de l'abandonner à la honte d'une expulsion qui équivalait à une sentence ignominieuse ; et cependant, c'était lui, lui, le roi, qui était la cause première de cette ignominie.

Un sourire amer, le seul symptôme de colère qui, pendant cette longue lutte, eût passé sur la figure angélique de la victime, un sourire amer apparut sur ses lèvres.

En effet, pour elle, que restait-il sur la terre après le roi ? Rien. Seulement, Dieu restait au ciel.

Elle pensa à Dieu.

— Mon Dieu ! dit-elle, vous me dicterez vous-même ce que j'ai à faire. C'est de vous que j'attends tout, de vous que je dois tout attendre.

Et elle regarda son crucifix, dont elle baisa les pieds avec amour.

— Voilà, dit-elle, un maître qui n'oublie et n'abandonne jamais ceux qui ne l'abandonnent et qui ne l'oublient pas ; c'est à celui-là seul qu'il faut se sacrifier.

Alors, il eût été visible, si quelqu'un eût pu plonger son regard dans cette chambre, il eût été visible, disons-nous, que la pauvre désespérée prenait une résolution dernière, arrêtait un plan suprême dans son esprit, montait enfin cette grande échelle de Jacob qui conduit les âmes de la terre au ciel[1].

---

1. Genèse, XXVIII, 12 : « Il eut un songe : voilà qu'une échelle était plantée en terre et que son sommet atteignait le ciel et des anges de Dieu y montaient et y descendaient ! »

Alors, et comme ses genoux n'avaient plus la force de la soutenir, elle se laissa peu à peu aller sur les marches du prie-Dieu, la tête adossée au bois de la croix, et, l'œil fixe, la respiration haletante, elle guetta sur les vitres les premières heures du jour.

Deux heures du matin la trouvèrent dans cet égarement ou, plutôt, dans cette extase. Elle ne s'appartenait déjà plus.

Aussi, lorsqu'elle vit la teinte violette du matin descendre sur les toits du palais et dessiner vaguement les contours du christ d'ivoire qu'elle tenait embrassé, elle se leva avec une certaine force, baisa les pieds du divin martyr, descendit l'escalier de sa chambre, et s'enveloppa la tête d'une mante tout en descendant.

Elle arriva au guichet juste au moment où la ronde de mousquetaires en ouvrait la porte pour admettre le premier poste des Suisses.

Alors, se glissant derrière les hommes de garde, elle gagna la rue avant que le chef de la patrouille eût même songé à se demander quelle était cette jeune femme qui s'échappait si matin du palais[1].

CLXV

LA FUITE

La Vallière sortit derrière la patrouille.

La patrouille se dirigea à droite par la rue Saint-Honoré, machinalement La Vallière tourna à gauche.

Sa résolution était prise, son dessein arrêté ; elle voulait se rendre aux Carmélites de Chaillot[2], dont la supérieure avait une réputation de sévérité qui faisait frémir les mondaines de la cour.

La Vallière n'avait jamais vu Paris, elle n'était jamais sortie à pied, elle n'eût pas trouvé son chemin, même dans une disposition d'esprit

---

1. « Ils étaient convenus plusieurs fois que, quelques brouilleries qu'ils eussent ensemble, ils ne s'endormiraient jamais sans se raccommoder et sans s'écrire. La nuit se passa sans qu'elle eût de nouvelles du roi ; et, se croyant perdue, la tête lui tourna. Elle sortit le matin des Tuileries [et non du Palais-Royal] et s'en alla comme une insensée dans un petit couvent obscur qui était à Chaillot [le couvent de Sainte-Périne] », Mme de La Fayette, *op. cit.* La fuite de La Vallière peut être datée le 24 février 1662 : Dumas pratique une fois encore la concentration.

2. Dumas pense probablement au couvent de la Visitation-Sainte-Marie que Henriette d'Angleterre avait fondé en 1651 (actuellement au 54, avenue de New-York), dont la mère supérieure était alors Louise-Angélique de La Fayette (1618-1665) que Louis XIII avait aimée : le couvent appartenait à l'ordre des visitandines. En fait, La Vallière se réfugia au couvent Sainte-Périne-de-Chaillot, monastère de religieuses chanoinesses de l'ordre de Saint-Augustin fondé à Nanterre en 1639 et transféré à Chaillot (actuels n° 26 à 50 de la rue de Bassano) en 1659.

plus calme. Cela explique comment elle remontait la rue Saint-Honoré au lieu de la descendre.

Elle avait hâte de s'éloigner du Palais-Royal, et elle s'en éloignait.

Elle avait ouï dire seulement que Chaillot regardait la Seine ; elle se dirigeait donc vers la Seine.

Elle prit la rue du Coq[1], et, ne pouvant traverser le Louvre, appuya vers l'église Saint-Germain-l'Auxerrois, longeant l'emplacement où Perrault bâtit depuis sa colonnade[2].

Bientôt elle atteignit les quais.

Sa marche était rapide et agitée. A peine sentait-elle cette faiblesse qui, de temps en temps, lui rappelait, en la forçant de boiter légèrement, cette entorse qu'elle s'était donnée dans sa jeunesse.

A une autre heure de la journée, sa contenance eût appelé les soupçons des gens les moins clairvoyants, attiré les regards des passants les moins curieux.

Mais, à deux heures et demie du matin, les rues de Paris sont désertes ou à peu près, et il ne s'y trouve guère que les artisans laborieux qui vont gagner le pain du jour, ou bien les oisifs dangereux qui regagnent leur domicile après une nuit d'agitation et de débauches.

Pour les premiers, le jour commence, pour les autres, le jour finit.

La Vallière eut peur de tous ces visages sur lesquels son ignorance des types parisiens ne lui permettait pas de distinguer le type de la probité de celui du cynisme. Pour elle, la misère était un épouvantail ; et tous ces gens qu'elle rencontrait semblaient être des misérables.

Sa toilette, qui était celle de la veille, était recherchée, même dans sa négligence, car c'était la même avec laquelle elle s'était rendue chez la reine mère ; en outre, sous sa mante relevée pour qu'elle pût voir à se conduire, sa pâleur et ses beaux yeux parlaient un langage inconnu à ces hommes du peuple, et, sans le savoir, la pauvre fugitive sollicitait la brutalité des uns, la pitié des autres.

La Vallière marcha ainsi d'une seule course, haletante, précipitée, jusqu'à la hauteur de la place de Grève.

De temps en temps, elle s'arrêtait, appuyait sa main sur son cœur, s'adossait à une maison, reprenait haleine et continuait sa course plus rapidement qu'auparavant.

Arrivée à la place de Grève, La Vallière se trouva en face d'un groupe de trois hommes débraillés, chancelants, avinés, qui sortaient d'un bateau amarré sur le port.

Ce bateau était chargé de vins, et l'on voyait qu'ils avaient fait honneur à la marchandise.

---

1. Voir *Vingt Ans après*, chap. XCVII, p. 1271, note 1.
2. La construction, commencée en 1667, arrêtée en 1678, ne fut achevée qu'en 1807-1811. La Vallière emprunte la rue du Petit-Bourbon.

Ils chantaient leurs exploits bachiques sur trois tons différents, quand, en arrivant à l'extrémité de la rampe donnant sur le quai, ils se trouvèrent faire tout à coup obstacle à la marche de la jeune fille.

La Vallière s'arrêta.

Eux, de leur côté, à l'aspect de cette femme aux vêtements de cour, firent une halte, et, d'un commun accord, se prirent par les mains et entourèrent La Vallière en lui chantant :

> *Vous qui vous ennuyez seulette,*
> *Venez, venez rire avec nous.*

La Vallière comprit alors que ces hommes s'adressaient à elle et voulaient l'empêcher de passer ; elle tenta plusieurs efforts pour fuir, mais ils furent inutiles.

Ses jambes faillirent, elle comprit qu'elle allait tomber, et poussa un cri de terreur.

Mais, au même instant, le cercle qui l'entourait s'ouvrit sous l'effort d'une puissante pression.

L'un des insulteurs fut culbuté à gauche, l'autre alla rouler à droite jusqu'au bord de l'eau, le troisième vacilla sur ses jambes.

Un officier de mousquetaires se trouva en face de la jeune fille le sourcil froncé, la menace à la bouche, la main levée pour continuer la menace.

Les ivrognes s'esquivèrent à la vue de l'uniforme, et surtout devant la preuve de force que venait de donner celui qui le portait.

— Mordioux ! s'écria l'officier, mais c'est Mlle de La Vallière !

La Vallière, étourdie de ce qui venait de se passer, stupéfaite d'entendre prononcer son nom, La Vallière leva les yeux et reconnut d'Artagnan.

— Oui, monsieur, dit-elle, c'est moi, c'est bien moi.

Et, en même temps, elle se soutenait à son bras.

— Vous me protégerez, n'est-ce pas, monsieur d'Artagnan ? ajouta-t-elle d'une voix suppliante.

— Certainement que je vous protégerai ; mais où allez-vous, mon Dieu, à cette heure ?

— Je vais à Chaillot.

— Vous allez à Chaillot par la Rapée[1] ? Mais, en vérité, mademoiselle, vous lui tournez le dos.

— Alors, monsieur, soyez assez bon pour me remettre dans mon chemin et pour me conduire pendant quelques pas.

— Oh ! volontiers.

— Mais comment se fait-il donc que je vous trouve là ? Par quelle faveur du Ciel étiez-vous à portée de venir à mon secours ? Il me semble, en vérité, que je rêve ; il me semble que je deviens folle.

---

1. L'hôtel de la Rapée, du XVe siècle, s'étendait entre la Seine et les actuels rues de Nuits, de Bercy et de Barsac : c'était la première maison de plaisance sur le chemin le long de la rivière menant de Paris à Charenton. Il donna plus tard son nom à l'actuel quai de la Rapée.

— Je me trouvais là, mademoiselle, parce que j'ai une maison place de Grève, à l'Image-de-Notre-Dame ; que j'ai été toucher les loyers hier, et que j'y ai passé la nuit. Aussi désirai-je être de bonne heure au palais pour y inspecter mes postes.

— Merci ! dit La Vallière.

« Voilà ce que je faisais, oui, se dit d'Artagnan, mais elle, que faisait-elle, et pourquoi va-t-elle à Chaillot à une pareille heure ? »

Et il lui offrit son bras.

La Vallière le prit et se mit à marcher avec précipitation.

Cependant cette précipitation cachait une grande faiblesse. D'Artagnan le sentit, il proposa à La Vallière de se reposer ; elle refusa.

— C'est que vous ignorez sans doute où est Chaillot ? demanda d'Artagnan.

— Oui, je l'ignore.

— C'est très loin.

— Peu importe !

— Il y a une lieue au moins.

— Je ferai cette lieue.

D'Artagnan ne répliqua point ; il connaissait, au simple accent, les résolutions réelles.

Il porta plutôt qu'il n'accompagna La Vallière.

Enfin ils aperçurent les hauteurs.

— Dans quelle maison vous rendez-vous, mademoiselle ? demanda d'Artagnan.

— Aux Carmélites, monsieur.

— Aux Carmélites ! répéta d'Artagnan étonné.

— Oui ; et, puisque Dieu vous a envoyé vers moi pour me soutenir dans ma route, recevez et mes remerciements et mes adieux.

— Aux Carmélites ! vos adieux ! Mais vous entrez donc en religion ? s'écria d'Artagnan.

— Oui, monsieur.

— Vous !!!

Il y avait dans ce *vous*, que nous avons accompagné de trois points d'exclamation pour le rendre aussi expressif que possible, il y avait dans ce *vous* tout un poème ; il rappelait à La Vallière et ses souvenirs anciens de Blois et ses nouveaux souvenirs de Fontainebleau ; il lui disait : « *Vous* qui pourriez être heureuse avec Raoul, *vous* qui pourriez être puissante avec Louis, vous allez entrer en religion, *vous* ! »

— Oui, monsieur, dit-elle, moi. Je me rends la servante du Seigneur ; je renonce à tout ce monde.

— Mais ne vous trompez-vous pas à votre vocation ? ne vous trompez-vous pas à la volonté de Dieu ?

— Non, puisque c'est Dieu qui a permis que je vous rencontrasse. Sans vous, je succombais certainement à la fatigue, et, puisque Dieu vous envoyait sur ma route, c'est qu'il voulait que je pusse en atteindre le but.

— Oh ! fit d'Artagnan avec doute, cela me semble un peu bien subtil.

— Quoi qu'il en soit, reprit la jeune fille, vous voilà instruit de ma démarche et de ma résolution. Maintenant, j'ai une dernière grâce à vous demander, tout en vous adressant les remerciements.

— Dites, mademoiselle.

— Le roi ignore ma fuite du Palais-Royal.

D'Artagnan fit un mouvement.

— Le roi, continua La Vallière, ignore ce que je vais faire.

— Le roi ignore ?... s'écria d'Artagnan. Mais, mademoiselle, prenez garde ; vous ne calculez pas la portée de votre action. Nul ne doit rien faire que le roi ignore, surtout les personnes de la cour.

— Je ne suis plus de la cour, monsieur.

D'Artagnan regarda la jeune fille avec un étonnement croissant.

— Oh ! ne vous inquiétez pas, monsieur, continua-t-elle, tout est calculé, et, tout ne le fût-il pas, il serait trop tard maintenant pour revenir sur ma résolution ; l'action est accomplie.

— Et bien ! voyons, mademoiselle, que désirez-vous ?

— Monsieur, par la pitié que l'on doit au malheur, par la générosité de votre âme, par votre foi de gentilhomme, je vous adjure de me faire un serment.

— Un serment ?

— Oui.

— Lequel ?

— Jurez-moi, monsieur d'Artagnan, que vous ne direz pas au roi que vous m'avez vue et que je suis aux Carmélites.

D'Artagnan secoua la tête.

— Je ne jurerai point cela, dit-il.

— Et pourquoi ?

— Parce que je connais le roi, parce que je vous connais, parce que je me connais moi-même, parce que je connais tout le genre humain ; non, je ne jurerai point cela.

— Alors, s'écria La Vallière avec une énergie dont on l'eût crue incapable, au lieu des bénédictions dont je vous eusse comblé jusqu'à la fin de mes jours, soyez maudit ! car vous me rendez la plus misérable de toutes les créatures !

Nous avons dit que d'Artagnan connaissait tous les accents qui venaient du cœur, il ne put résister à celui-là.

Il vit la dégradation de ces traits ; il vit le tremblement de ces membres ; il vit chanceler tout ce corps frêle et délicat ébranlé par secousses ; il comprit qu'une résistance la tuerait.

— Qu'il soit donc fait comme vous le voulez, dit-il. Soyez tranquille, mademoiselle, je ne dirai rien au roi.

— Oh ! merci, merci ! s'écria La Vallière ; vous êtes le plus généreux des hommes.

Et, dans le transport de sa joie, elle saisit les mains de d'Artagnan et les serra entre les siennes.

Celui-ci se sentait attendri.

— Mordioux ! dit-il, en voilà une qui commence par où les autres finissent : c'est touchant.

Alors La Vallière, qui, au moment du paroxysme de sa douleur, était tombée assise sur une pierre, se leva et marcha vers le couvent des Carmélites, que l'on voyait se dresser dans la lumière naissante. D'Artagnan la suivait de loin.

La porte du parloir était entrouverte ; elle s'y glissa comme une ombre pâle, et, remerciant d'Artagnan d'un seul signe de la main, elle disparut à ses yeux.

Quand d'Artagnan se trouva tout à fait seul, il réfléchit profondément à ce qui venait de se passer.

— Voilà, par ma foi ! dit-il, ce qu'on appelle une fausse position... Conserver un secret pareil, c'est garder dans sa poche un charbon ardent et espérer qu'il ne brûlera pas l'étoffe. Ne pas garder le secret, quand on a juré qu'on le garderait, c'est d'un homme sans honneur. Ordinairement, les bonnes idées me viennent en courant ; mais, cette fois, ou je me trompe fort, ou il faut que je coure beaucoup pour trouver la solution de cette affaire... Où courir ?... Ma foi ! au bout du compte, du côté de Paris ; c'est le bon côté... Seulement, courons vite... Mais pour courir vite, mieux valent quatre jambes que deux. Malheureusement, pour le moment, je n'ai que mes deux jambes... Un cheval ! comme j'ai entendu dire au théâtre de Londres ; ma couronne pour un cheval[1] !... J'y songe, cela ne me coûtera point aussi cher que cela... Il y a un poste de mousquetaires à la barrière de la Conférence, et, pour un cheval qu'il me faut, j'en trouverai dix.

En vertu de cette résolution, prise avec sa rapidité habituelle, d'Artagnan descendit soudain les hauteurs, gagna le poste, y prit le meilleur coursier qu'il y put trouver, et fut rendu au palais en dix minutes.

Cinq heures sonnaient à l'horloge du Palais-Royal.

D'Artagnan s'informa du roi.

Le roi s'était couché à son heure ordinaire, après avoir travaillé avec M. Colbert, et dormait encore, selon toute probabilité.

— Allons, dit-il, elle m'avait dit vrai, le roi ignore tout ; s'il savait seulement la moitié de ce qui s'est passé, le Palais-Royal serait, à cette heure, sens dessus dessous.

---

1. Shakespeare, *Richard III (The Tragedy of King Richard the Third)*, acte V, scène IV. La pièce avait été représentée pour la première fois en 1592 ou 1593.

CLXVI

COMMENT LOUIS AVAIT, DE SON CÔTÉ,
PASSÉ LE TEMPS DE DIX HEURES ET DEMIE A MINUIT

Le roi, au sortir de la chambre des filles d'honneur, avait trouvé chez lui Colbert qui l'attendait pour prendre ses ordres à l'occasion de la cérémonie du lendemain.

Il s'agissait, comme nous l'avons dit, d'une réception d'ambassadeurs hollandais et espagnols.

Louis XIV avait de graves sujets de mécontentement contre la Hollande ; les États avaient tergiversé déjà plusieurs fois dans leurs relations avec la France, et, sans s'apercevoir ou sans s'inquiéter d'une rupture, ils laissaient encore une fois l'alliance avec le Roi Très Chrétien, pour nouer toutes sortes d'intrigues avec l'Espagne.

Louis XIV, à son avènement, c'est-à-dire à la mort de Mazarin, avait trouvé cette question politique ébauchée.

Elle était d'une solution difficile pour un jeune homme ; mais comme, alors, toute la nation était le roi, tout ce que résolvait la tête, le corps se trouvait prêt à l'exécuter. Un peu de colère, la réaction d'un sang jeune et vivace au cerveau, c'était assez pour changer une ancienne ligne politique et créer un autre système.

Le rôle des diplomates de l'époque se réduisait à arranger entre eux les coups d'État dont leurs souverains pouvaient avoir besoin.

Louis n'était pas dans une disposition d'esprit capable de lui dicter une politique savante. Encore ému de la querelle qu'il venait d'avoir avec La Vallière, il errait dans son cabinet, fort désireux de trouver une occasion de faire un éclat, après s'être retenu si longtemps.

Colbert, en voyant le roi, jugea d'un coup d'œil la situation, et comprit les intentions du monarque. Il louvoya.

Quand le maître demanda compte de ce qu'il fallait dire le lendemain, le sous-intendant commença par trouver étrange que Sa Majesté n'eût pas été mise au courant par M. Fouquet.

— M. Fouquet, dit-il, sait toute cette affaire de la Hollande : il reçoit directement toutes les correspondances.

Le roi, accoutumé à entendre M. Colbert piller M. Fouquet, laissa passer cette boutade sans répliquer ; seulement il écouta.

Colbert vit l'effet produit et se hâta de revenir sur ses pas en disant que M. Fouquet n'était pas toutefois aussi coupable qu'il paraissait l'être au premier abord, attendu qu'il avait dans ce moment de grandes préoccupations. Le roi leva la tête.

— Quelles préoccupations ? dit-il.

— Sire, les hommes ne sont que des hommes, et M. Fouquet a ses défauts avec ses grandes qualités.

— Ah ! des défauts, qui n'en a pas, monsieur Colbert ?...

— Votre Majesté en a bien, dit hardiment Colbert, qui savait lancer une sourde flatterie dans un léger blâme, comme la flèche qui fend l'air malgré son poids, grâce à de faibles plumes qui la soutiennent.

Le roi sourit.

— Quel défaut a donc M. Fouquet ? dit-il.

— Toujours le même, sire ; on le dit amoureux.

— Amoureux, de qui ?

— Je ne sais trop, sire ; je me mêle peu de galanterie, comme on dit.

— Mais, enfin, vous savez, puisque vous parlez ?

— J'ai ouï prononcer...

— Quoi ?

— Un nom.

— Lequel ?

— Mais je ne m'en souviens plus.

— Dites toujours.

— Je crois que c'est celui d'une des filles de Madame.

Le roi tressaillit.

— Vous en savez plus que vous ne voulez dire, monsieur Colbert, murmura-t-il.

— Oh ! sire, je vous assure que non.

— Mais, enfin, on les connaît, ces demoiselles de Madame ; et, en vous disant leurs noms, vous rencontreriez peut-être celui que vous cherchez.

— Non, sire.

— Essayez.

— Ce serait inutile, sire. Quand il s'agit d'un nom de dame compromise, ma mémoire est un coffre d'airain dont j'ai perdu la clef.

Un nuage passa dans l'esprit et sur le front du roi ; puis, voulant paraître maître de lui-même et secouant la tête :

— Voyons cette affaire de Hollande, dit-il.

— Et d'abord, sire, à quelle heure Votre Majesté veut-elle recevoir les ambassadeurs ?

— De bon matin.

— Onze heures ?

— C'est trop tard... Neuf heures.

— C'est bien tôt.

— Pour des amis, cela n'a pas d'importance ; on fait tout ce qu'on veut avec des amis ; mais pour des ennemis, alors rien de mieux, s'ils se blessent. Je ne serais pas fâché, je l'avoue, d'en finir avec tous ces oiseaux de marais qui me fatiguent de leurs cris.

— Sire, il sera fait comme Votre Majesté voudra... A neuf heures donc... Je donnerai des ordres en conséquence. Est-ce audience solennelle ?

— Non. Je veux m'expliquer avec eux et ne pas envenimer les choses, comme il arrive toujours en présence de beaucoup de gens ; mais, en même temps, je veux les tirer au clair, pour n'avoir pas à recommencer.

— Votre Majesté désignera les personnes qui assisteront à cette réception.

— J'en ferai la liste... Parlons de ces ambassadeurs : que veulent-ils ?

— Alliés à l'Espagne, ils ne gagnent rien ; alliés avec la France, ils perdent beaucoup.

— Comment cela ?

— Alliés avec l'Espagne, ils se voient bordés et protégés par les possessions de leur allié ; ils n'y peuvent mordre malgré leur envie. D'Anvers à Rotterdam, il n'y a qu'un pas par l'Escaut et la Meuse. S'ils veulent mordre au gâteau espagnol, vous, sire, le gendre du roi d'Espagne, vous pouvez, en deux jours, aller de chez vous à Bruxelles avec de la cavalerie. Il s'agit donc de se brouiller assez avec vous et de vous faire assez suspecter l'Espagne pour que vous ne vous mêliez pas de ses affaires.

— Il est bien plus simple alors, répondit le roi, de faire avec moi une solide alliance à laquelle je gagnerais quelque chose, tandis qu'ils y gagneraient tout ?

— Non pas ; car, s'ils arrivaient, par hasard, à vous avoir pour limitrophe, Votre Majesté n'est pas un voisin commode ; jeune, ardent, belliqueux, le roi de France peut porter de rudes coups à la Hollande, surtout s'il s'approche d'elle.

— Je comprends parfaitement, monsieur Colbert, et c'est bien expliqué. Mais la conclusion, s'il vous plaît ?

— Jamais la sagesse ne manque aux décisions de Votre Majesté.

— Que me diront ces ambassadeurs ?

— Ils diront à Votre Majesté qu'ils désirent fortement son alliance, et ce sera un mensonge ; ils diront aux Espagnols que les trois puissances doivent s'unir contre la prospérité de l'Angleterre, et ce sera un mensonge ; car l'alliée naturelle de Votre Majesté, aujourd'hui, c'est l'Angleterre, qui a des vaisseaux quand vous n'en avez pas ; c'est l'Angleterre, qui peut balancer la puissance des Hollandais dans l'Inde : c'est l'Angleterre, enfin, pays monarchique, où Votre Majesté a des alliances de consanguinité.

— Bien ; mais que répondriez-vous ?

— Je répondrais, sire, avec une modération sans égale, que la Hollande n'est pas parfaitement disposée pour le roi de France, que les symptômes de l'esprit public, chez les Hollandais, sont alarmants pour Votre Majesté ; que certaines médailles ont été frappées avec des devises injurieuses.

— Pour moi ? s'écria le jeune roi exalté.

— Oh ! non pas, sire, non ; injurieuses n'est pas le mot, et je me suis trompé. Je voulais dire flatteuses outre mesure pour les Bataves.

— Oh ! s'il en est ainsi, peu importe l'orgueil des Bataves, dit le roi en soupirant.

— Votre Majesté a mille fois raison. Cependant, ce n'est jamais un mal politique, le roi le sait mieux que moi, d'être injuste pour obtenir une concession. Votre Majesté, se plaignant avec susceptibilité des Bataves, leur paraîtra bien plus considérable.

— Qu'est-ce que ces médailles ? demanda Louis ; car, si j'en parle, il faut que je sache quoi dire.

— Ma foi ! sire, je ne sais trop... quelque devise outrecuidante... Voilà tout le sens, les mots ne font rien à la chose.

— Bien, j'articulerai le mot médaille, et ils comprendront s'ils veulent.

— Oh ! ils comprendront. Votre Majesté pourra aussi glisser quelques mots de certains pamphlets qui courent.

— Jamais ! Les pamphlets salissent ceux qui les écrivent, bien plus que ceux contre lesquels on les a écrits. Monsieur Colbert, je vous remercie, vous pouvez vous retirer.

— Sire !

— Adieu ! N'oubliez pas l'heure et soyez là.

— Sire, j'attends la liste de Votre Majesté.

— C'est vrai.

Le roi se mit à rêver ; il ne pensait pas du tout à cette liste. La pendule sonnait onze heures et demie.

On voyait sur le visage du prince le combat terrible de l'orgueil et de l'amour.

La conversation politique avait éteint beaucoup d'irritation chez Louis, et le visage pâle, altéré de La Vallière parlait à son imagination un bien autre langage que les médailles hollandaises ou les pamphlets bataves.

Il demeura dix minutes à se demander s'il fallait ou s'il ne fallait pas retourner chez La Vallière ; mais, Colbert ayant insisté respectueusement pour avoir la liste, le roi rougit de penser à l'amour quand les affaires commandaient. Il dicta donc :

— La reine mère... la reine... Madame... Mme de Motteville... Mme de Châtillon[1]... Mme de Navailles. Et en hommes : Monsieur... M. le prince... M. de Grammont... M. de Manicamp... M. de Saint-Aignan... et les officiers de service.

— Les ministres ? dit Colbert.

— Cela va sans dire, et les secrétaires.

— Sire, je vais tout préparer : les ordres seront à domicile demain.

— Dites aujourd'hui, répliqua tristement Louis.

---

1. Texte : « Mlle de Châtillon ». Voir tome I de la présente édition, chap. LXXXIX, p. 558, note 2.

Minuit sonnait.

C'était l'heure où se mourait de chagrin, de souffrances, la pauvre La Vallière.

Le service du roi entra pour son coucher. La reine attendait depuis une heure.

Louis passa chez elle avec un soupir ; mais, tout en soupirant, il se félicitait de son courage. Il s'applaudissait d'être ferme en amour comme en politique.

CLXVII

LES AMBASSADEURS[1]

D'Artagnan, à peu de chose près, avait appris tout ce que nous venons de raconter ; car il avait, parmi ses amis, tous les gens utiles de la maison, serviteurs officieux, fiers d'être salués par le capitaine des mousquetaires, car le capitaine était une puissance ; puis, en dehors de l'ambition, fiers d'être comptés pour quelque chose par un homme aussi brave que l'était d'Artagnan.

D'Artagnan se faisait instruire ainsi tous les matins de ce qu'il n'avait pu voir ou savoir la veille, n'étant pas ubiquiste, de sorte que, de ce qu'il avait su par lui-même chaque jour, et de ce qu'il avait appris par les autres, il faisait un faisceau qu'il dénouait au besoin pour y prendre telle arme qu'il jugeait nécessaire.

De cette façon, les deux yeux de d'Artagnan lui rendaient le même office que les cent yeux d'Argus[2].

Secrets politiques, secrets de ruelles, propos échappés aux courtisans à l'issue de l'antichambre ; ainsi, d'Artagnan savait tout et renfermait tout dans le vaste et impénétrable tombeau de sa mémoire, à côté des secrets royaux si chèrement achetés, gardés si fidèlement.

Il sut donc l'entrevue avec Colbert ; il sut donc le rendez-vous donné aux ambassadeurs pour le matin ; il sut donc qu'il y serait question de médailles ; et, tout en reconstruisant la conversation sur ces quelques

---

1. Dans *Louis XIV et son siècle*, chap. XXXVIII, Dumas rapporte plus historiquement les démêlés de la France et des Provinces-Unies en 1669 : « Le traité d'Aix-la-Chapelle [2 mai 1668] avait rapproché la France de la Hollande, et la Hollande n'avait pas vu sans inquiétude les progrès d'un si dangereux voisin que l'était Louis XIV [...]. Les presses [des Hollandais] mettaient au jour cinq ou six pamphlets par mois, dont deux ou trois pour le moins étaient dirigés contre la France. On frappait publiquement des médailles où la majesté du roi de France n'était pas toujours respectée. Un de ces pamphlets disait que c'était aux Hollandais que l'Europe devait la paix et que Louis XIV aurait été vaincu si la Hollande ne fût venue à son aide en provoquant la signature immédiate du traité. Une médaille représentait le soleil pâli et effacé avec cette exergue : *In conspectu meo stetit sol* [le soleil s'est arrêté devant moi]. »

2. Voir Dictionnaire. Antiquité.

mots venus jusqu'à lui, il regagna son poste dans les appartements pour être là au moment où le roi se réveillerait.

Le roi se réveilla de fort bonne heure ; ce qui prouvait que, lui aussi, de son côté, avait assez mal dormi. Vers sept heures, il entrouvrit doucement sa porte.

D'Artagnan était à son poste.

Sa Majesté était pâle et paraissait fatiguée ; au reste, sa toilette n'était point achevée.

— Faites appeler M. de Saint-Aignan, dit-il.

De Saint-Aignan s'attendait sans doute à être appelé ; car lorsqu'on se présenta chez lui, il était tout habillé.

De Saint-Aignan se hâta d'obéir et passa chez le roi.

Un instant après, le roi et de Saint-Aignan passèrent ; le roi marchait le premier.

D'Artagnan était à la fenêtre donnant sur les cours ; il n'eut pas besoin de se déranger pour suivre le roi des yeux. On eût dit qu'il avait d'avance deviné où irait le roi.

Le roi allait chez les filles d'honneur.

Cela n'étonna point d'Artagnan. Il se doutait bien, quoique La Vallière ne lui en eût rien dit, que Sa Majesté avait des torts à réparer.

De Saint-Aignan le suivait comme la veille, un peu moins inquiet, un peu moins agité cependant ; car il espérait qu'à sept heures du matin il n'y avait encore que lui et le roi d'éveillés, parmi les augustes hôtes du château.

D'Artagnan était à sa fenêtre, insouciant et calme. On eût juré qu'il ne voyait rien et qu'il ignorait complètement quels étaient ces deux coureurs d'aventures, qui traversaient les cours enveloppés de leurs manteaux. Et cependant d'Artagnan, tout en ayant l'air de ne les point regarder, ne les perdait point de vue, et, tout en sifflotant cette vieille marche des mousquetaires qu'il ne se rappelait que dans les grandes occasions, devinait et calculait d'avance toute cette tempête de cris et de colères qui allait s'élever au retour.

En effet, le roi entrant chez La Vallière, et trouvant la chambre vide, et le lit intact, le roi commença de s'effrayer et appela Montalais[1].

Montalais accourut ; mais son étonnement fut égal à celui du roi.

Tout ce qu'elle put dire à Sa Majesté, c'est qu'il lui avait semblé entendre pleurer La Vallière une partie de la nuit ; mais, sachant que Sa Majesté était revenue, elle n'avait osé s'informer.

— Mais, demanda le roi, où croyez-vous qu'elle soit allée ?

---

1. « Le matin on alla avertir le roi qu'on ne savait pas où était La Vallière. Le roi, qui l'aimait passionnément, fut extrêmement troublé ; il vint aux Tuileries pour savoir de Madame où elle était ; Madame n'en savait rien et ne savait pas même ce qui l'avait fait partir », Mme de La Fayette, *op. cit.*

— Sire, répondit Montalais, Louise est une personne fort sentimentale, et souvent je l'ai vue se lever avant le jour et aller au jardin ; peut-être y sera-t-elle ce matin ?

La chose parut probable au roi, qui descendit aussitôt pour se mettre à la recherche de la fugitive.

D'Artagnan le vit paraître, pâle et causant vivement avec son compagnon.

Il se dirigea vers les jardins.

De Saint-Aignan le suivait tout essoufflé.

D'Artagnan ne bougeait pas de sa fenêtre, sifflotant toujours, ne paraissant rien voir et voyant tout.

— Allons, allons, murmura-t-il quand le roi eut disparu, la passion de Sa Majesté est plus forte que je ne le croyais ; il fait là, ce me semble, des choses qu'il n'a pas faites pour Mlle de Mancini.

Le roi reparut un quart d'heure après. Il avait cherché partout. Il était hors d'haleine.

Il va sans dire que le roi n'avait rien trouvé.

De Saint-Aignan le suivait, s'éventant avec son chapeau, et demandant, d'une voix altérée, des renseignements aux premiers serviteurs venus, à tous ceux qu'il rencontrait.

Manicamp se trouva sur sa route. Manicamp arrivait de Fontainebleau à petites journées ; où les autres avaient mis six heures, il en avait mis, lui, vingt-quatre.

— Avez-vous vu Mlle de La Vallière ? lui demanda de Saint-Aignan.

Ce à quoi Manicamp, toujours rêveur et distrait, répondit, croyant qu'on lui parlait de Guiche :

— Merci, le comte va un peu mieux.

Et il continua sa route jusqu'à l'antichambre, où il trouva d'Artagnan, à qui il demanda des explications sur cet air effaré qu'il avait cru voir au roi.

D'Artagnan lui répondit qu'il s'était trompé ; que le roi, au contraire, était d'une gaieté folle.

Huit heures sonnèrent sur ces entrefaites.

Le roi, d'ordinaire, prenait son déjeuner à ce moment.

Il était arrêté, par le code de l'étiquette, que le roi aurait toujours faim à huit heures. Il se fit servir sur une petite table, dans sa chambre à coucher, et mangea vite.

De Saint-Aignan, dont il ne voulait pas se séparer, lui tint la serviette. Puis il expédia quelques audiences militaires.

Pendant ces audiences, il envoya de Saint-Aignan aux découvertes.

Puis, toujours occupé, toujours anxieux, toujours guettant le retour de Saint-Aignan, qui avait mis son monde en campagne et qui s'y était mis lui-même, le roi atteignit neuf heures.

A neuf heures sonnantes, il passa dans son cabinet.

Les ambassadeurs entraient eux-mêmes, au premier coup de ces neuf heures.

Au dernier coup, les reines et Madame parurent.

Les ambassadeurs étaient trois pour la Hollande, deux pour l'Espagne.

Le roi jeta sur eux un coup d'œil, et salua.

En ce moment aussi, de Saint-Aignan entrait.

C'était pour le roi une entrée bien autrement importante que celle des ambassadeurs, en quelque nombre qu'ils fussent et de quelque pays qu'ils vinssent.

Aussi, avant toutes choses, le roi fit-il à de Saint-Aignan un signe interrogatif, auquel celui-ci répondit par une négation décisive.

Le roi faillit perdre tout courage ; mais, comme les reines, les grands et les ambassadeurs avaient les yeux fixés sur lui, il fit un violent effort et invita les derniers à parler.

Alors un des députés espagnols fit un long discours, dans lequel il vantait les avantages de l'alliance espagnole.

Le roi l'interrompit en lui disant :

— Monsieur, j'espère que ce qui est bien pour la France doit être très bien pour l'Espagne.

Ce mot, et surtout la façon péremptoire dont il fut prononcé, fit pâlir l'ambassadeur et rougir les deux reines, qui, espagnoles l'une et l'autre, se sentirent, par cette réponse, blessées dans leur orgueil de parenté et de nationalité.

L'ambassadeur hollandais prit la parole à son tour, et se plaignit des préventions que le roi témoignait contre le gouvernement de son pays.

Le roi l'interrompit :

— Monsieur, dit-il, il est étrange que vous veniez vous plaindre, lorsque c'est moi qui ai sujet de me plaindre ; et cependant, vous le voyez, je ne le fais pas.

— Vous plaindre, sire, demanda le Hollandais, et de quelle offense ?

Le roi sourit avec amertume.

— Me blâmerez-vous, par hasard, monsieur, dit-il, d'avoir des préventions contre un gouvernement qui autorise et protège les insulteurs publics ?

— Sire !...

— Je vous dis, reprit le roi en s'irritant de ses propres chagrins, bien plus que de la question politique, je vous dis que la Hollande est une terre d'asile pour quiconque me hait, et surtout pour quiconque m'injurie.

— Oh ! sire !...

— Ah ! des preuves, n'est-ce pas ? Eh bien ! on en aura facilement, des preuves. D'où naissent ces pamphlets insolents qui me représentent comme un monarque sans gloire et sans autorité ? Vos presses en gémissent. Si j'avais là mes secrétaires, je vous citerais les titres des ouvrages avec les noms d'imprimeurs.

— Sire, répondit l'ambassadeur, un pamphlet ne peut être l'œuvre d'une nation. Est-il équitable qu'un grand roi, tel que l'est Votre Majesté, rende un grand peuple responsable du crime de quelques forcenés qui meurent de faim ?

— Soit, je vous accorde cela, monsieur. Mais, quand la monnaie d'Amsterdam frappe des médailles à ma honte, est-ce aussi le crime de quelques forcenés ?

— Des médailles ? balbutia l'ambassadeur.

— Des médailles, répéta le roi en regardant Colbert.

— Il faudrait, hasarda le Hollandais, que Votre Majesté fût bien sûre...

Le roi regardait toujours Colbert, mais Colbert avait l'air de ne pas comprendre, et se taisait, malgré les provocations du roi.

Alors d'Artagnan s'approcha, et, tirant de sa poche une pièce de monnaie qu'il mit entre les mains du roi :

— Voilà la médaille que Votre Majesté cherche, dit-il.

Le roi la prit.

Alors il put voir de cet œil qui, depuis qu'il était véritablement le maître, n'avait fait que planer, alors il put voir, disons-nous, une image insolente représentant la Hollande qui, comme Josué, arrêtait le soleil[1], avec cette légende : *In conspectu meo, stetit sol.*

— En ma présence, le soleil s'est arrêté, s'écria le roi furieux. Ah ! vous ne nierez plus, je l'espère.

— Et le soleil, dit d'Artagnan, c'est celui-ci.

Et il montra, sur tous les panneaux du cabinet, le soleil, emblème multiplié et resplendissant, qui étalait partout sa superbe devise : *Nec pluribus impar*[2].

La colère de Louis, alimentée par les élancements de sa douleur particulière, n'avait pas besoin de cet aliment pour tout dévorer. On voyait dans ses yeux l'ardeur d'une vive querelle toute prête à éclater.

Un regard de Colbert enchaîna l'orage.

L'ambassadeur hasarda des excuses.

Il dit que la vanité des peuples ne tirait pas à conséquence ; que la Hollande était fière d'avoir, avec si peu de ressources, soutenu son rang de grande nation, même contre de grands rois, et que, si un peu de fumée avait enivré ses compatriotes, le roi était prié d'excuser cette ivresse.

Le roi sembla chercher conseil. Il regarda Colbert, qui resta impassible.

Puis d'Artagnan.

D'Artagnan haussa les épaules.

---

1. Josué, X, 12-13.
2. « Non inégal à plusieurs. »

Ce mouvement fut une écluse levée par laquelle se déchaîna la colère du roi, contenue depuis trop longtemps.

Chacun ne sachant pas où cette colère emportait, tous gardaient un morne silence.

Le deuxième ambassadeur en profita pour commencer aussi ses excuses.

Tandis qu'il parlait et que le roi, retombé peu à peu dans sa rêverie personnelle, écoutait cette voix pleine de trouble comme un homme distrait écoute le murmure d'une cascade, d'Artagnan, qui avait à sa gauche de Saint-Aignan, s'approcha de lui, et, d'une voix parfaitement calculée pour qu'elle allât frapper le roi :

— Savez-vous la nouvelle, comte ? dit-il.

— Quelle nouvelle ? fit de Saint-Aignan.

— Mais la nouvelle de La Vallière.

Le roi tressaillit et fit involontairement un pas de côté vers les deux causeurs.

— Qu'est-il donc arrivé à La Vallière ? demanda de Saint-Aignan d'un ton qu'on peut facilement imaginer.

— Eh ! pauvre enfant ! dit d'Artagnan, elle est entrée en religion.

— En religion ? s'écria de Saint-Aignan.

— En religion ? s'écria le roi au milieu du discours de l'ambassadeur.

Puis, sous l'empire de l'étiquette, il se remit, mais écoutant toujours.

— Quelle religion ? demanda de Saint-Aignan.

— Les Carmélites de Chaillot.

— De qui diable savez-vous cela ?

— D'elle-même.

— Vous l'avez vue ?

— C'est moi qui l'ai conduite aux Carmélites.

Le roi ne perdait pas un mot ; il bouillait au-dedans et commençait à rugir.

— Mais pourquoi cette fuite ? demanda de Saint-Aignan.

— Parce que la pauvre fille a été hier chassée de la cour, dit d'Artagnan.

Il n'eut pas plutôt lâché ce mot, que le roi fit un geste d'autorité.

— Assez, monsieur, dit-il à l'ambassadeur, assez !

Puis, s'avançant vers le capitaine :

— Qui dit cela, s'écria-t-il, que La Vallière est en religion ?

— M. d'Artagnan, dit le favori.

— Et c'est vrai, ce que vous dites là ? fit le roi se retournant vers le mousquetaire.

— Vrai comme la vérité.

Le roi ferma les poings et pâlit.

— Vous avez encore ajouté quelque chose, monsieur d'Artagnan, dit-il.

— Je ne sais plus, sire.

— Vous avez ajouté que Mlle de La Vallière avait été chassée de la cour.

— Oui, sire.

— Et c'est encore vrai, cela ?

— Informez-vous, sire.

— Et par qui ?

— Oh ! fit d'Artagnan en homme qui se récuse.

Le roi bondit, laissant de côté ambassadeurs, ministres, courtisans et politiques.

La reine mère se leva : elle avait tout entendu, ou ce qu'elle n'avait pas entendu, elle l'avait deviné.

Madame, défaillante de colère et de peur, essaya de se lever aussi comme la reine mère ; mais elle retomba sur son fauteuil, que, par un mouvement instinctif, elle fit rouler en arrière.

— Messieurs, dit le roi, l'audience est finie ; je ferai savoir ma réponse, ou plutôt ma volonté, à l'Espagne et à la Hollande.

Et, d'un geste impérieux, il congédia les ambassadeurs.

— Prenez garde, mon fils, dit la reine mère avec indignation, prenez garde ; vous n'êtes guère maître de vous, ce me semble.

— Ah ! madame, rugit le jeune lion avec un geste effrayant, si je ne suis pas maître de moi, je le serai, je vous en réponds, de ceux qui m'outragent. Venez avec moi, monsieur d'Artagnan, venez.

Et il quitta la salle au milieu de la stupéfaction et de la terreur de tous.

Le roi descendit l'escalier et s'apprêta à traverser la cour.

— Sire, dit d'Artagnan, Votre Majesté se trompe de chemin.

— Non, je vais aux écuries.

— Inutile, sire, j'ai des chevaux tout prêts pour Votre Majesté.

Le roi ne répondit à son serviteur que par un regard ; mais ce regard promettait plus que l'ambition de trois d'Artagnan n'eût osé espérer.

CLXVIII

CHAILLOT

Quoiqu'on ne les eût point appelés, Manicamp et Malicorne avaient suivi le roi et d'Artagnan.

C'étaient deux hommes fort intelligents ; seulement, Malicorne arrivait souvent trop tôt par ambition ; Manicamp arrivait souvent trop tard par paresse.

Cette fois, ils arrivèrent juste.

Cinq chevaux étaient préparés.

Deux furent accaparés par le roi et d'Artagnan ; deux par Manicamp et Malicorne. Un page des écuries monta le cinquième. Toute la cavalcade partit au galop.

D'Artagnan avait bien réellement choisi les chevaux lui-même ; de véritables chevaux d'amants en peine ; des chevaux qui ne couraient pas, qui volaient.

Dix minutes après le départ, la cavalcade, sous la forme d'un tourbillon de poussière, arrivait à Chaillot.

Le roi se jeta littéralement à bas de son cheval. Mais, si rapidement qu'il accomplît cette manœuvre, il trouva d'Artagnan à la bride de sa monture.

Le roi fit au mousquetaire un signe de remerciement, et jeta la bride au bras du page.

Puis il s'élança dans le vestibule, et, poussant violemment la porte, il entra dans le parloir.

Manicamp, Malicorne et le page demeurèrent dehors ; d'Artagnan suivit son maître.

En entrant dans le parloir[1], le premier objet qui frappa le roi fut Louise, non pas à genoux, mais couchée au pied d'un grand crucifix de pierre.

La jeune fille était étendue sur la dalle humide, et à peine visible, dans l'ombre de cette salle, qui ne recevait le jour que par une étroite fenêtre grillée et toute voilée par des plantes grimpantes.

Elle était seule, inanimée, froide comme la pierre sur laquelle reposait son corps.

En l'apercevant ainsi, le roi la crut morte, et poussa un cri terrible qui fit accourir d'Artagnan.

Le roi avait déjà passé un bras autour de son corps. D'Artagnan aida le roi à soulever la pauvre femme, que l'engourdissement de la mort avait déjà saisie.

Le roi la prit entièrement dans ses bras, réchauffa de ses baisers ses mains et ses tempes glacées.

D'Artagnan se pendit à la cloche du tour.

Alors accoururent les sœurs carmélites.

---

1. « Le roi fit si bien qu'il sut où était La Vallière » ; il y alla à toute bride, lui quatrième ; il la trouva dans le parloir du dehors de ce couvent ; on ne l'avait pas voulu recevoir au dedans. Elle était couchée à terre, éplorée et hors d'elle-même. Le roi demeura seul avec elle ; et, dans une longue conversation, elle lui avoua tout ce qu'elle lui avait caché. Cet aveu n'obtint pas son pardon. Le roi lui dit seulement tout ce qu'il fallait dire pour l'obliger à revenir, et envoya chercher un carrosse pour la ramener », Mme de La Fayette, *op. cit.*

Les saintes filles poussèrent des cris de scandale à la vue de ces hommes tenant une femme dans leurs bras.

La supérieure accourut aussi.

Mais, femme plus mondaine que les femmes de la cour, malgré toute son austérité, du premier coup d'œil, elle reconnut le roi au respect que lui témoignaient les assistants, comme aussi à l'air de maître avec lequel il bouleversait toute la communauté.

A la vue du roi, elle s'était retirée chez elle ; ce qui était un moyen de ne pas compromettre sa dignité.

Mais elle envoya par les religieuses toutes sortes de cordiaux, d'eaux de la reine de Hongrie, de mélisse, etc., etc., ordonnant, en outre, que les portes fussent fermées.

Il était temps : la douleur du roi devenait bruyante et désespérée.

Le roi paraissait décidé à envoyer chercher son médecin, lorsque La Vallière revint à la vie.

En rouvrant les yeux, la première chose qu'elle aperçut fut le roi, à ses pieds. Sans doute elle ne le reconnut point, car elle poussa un douloureux soupir.

Louis la couvait d'un regard avide.

Enfin, ses yeux errants se fixèrent sur le roi. Elle le reconnut, et fit un effort pour s'arracher de ses bras.

— Eh quoi ! murmura-t-elle, le sacrifice n'est donc pas encore accompli ?

— Oh ! non, non ! s'écria le roi, et il ne s'accomplira pas, c'est moi qui vous le jure.

Elle se releva faible et toute brisée qu'elle était.

— Il le faut cependant, dit-elle ; il le faut, ne m'arrêtez plus.

— Je vous laisserais vous sacrifier, moi ? s'écria Louis. Jamais ! jamais !

— Bon ! murmura d'Artagnan, il est temps de sortir. Du moment qu'ils commencent à parler, épargnons-leur les oreilles.

D'Artagnan sortit, les deux amants demeurèrent seuls.

— Sire, continua La Vallière, pas un mot de plus, je vous en supplie. Ne perdez pas le seul avenir que j'espère, c'est-à-dire mon salut ; tout le vôtre, c'est-à-dire votre gloire, pour un caprice.

— Un caprice ? s'écria le roi.

— Oh ! maintenant, dit La Vallière, maintenant, sire, je vois clair dans votre cœur.

— Vous, Louise ?

— Oh ! oui, moi !

— Expliquez-vous.

— Un entraînement incompréhensible, déraisonnable, peut vous paraître momentanément une excuse suffisante ; mais vous avez des devoirs qui sont incompatibles avec votre amour pour une pauvre fille. Oubliez-moi.

— Moi, vous oublier ?

— C'est déjà fait.

— Plutôt mourir !

— Sire, vous ne pouvez aimer celle que vous avez consenti à tuer cette nuit aussi cruellement que vous l'avez fait.

— Que me dites-vous ? Voyons, expliquez-vous.

— Que m'avez-vous demandé hier au matin, dites, de vous aimer ? Que m'avez-vous promis en échange. De ne jamais passer minuit sans m'offrir une réconciliation, quand vous auriez eu de la colère contre moi.

— Oh ! pardonnez-moi, pardonnez-moi, Louise ! J'étais fou de jalousie.

— Sire, la jalousie est une mauvaise pensée, qui venait comme l'ivraie quand on l'a coupée. Vous serez encore jaloux, et vous achèverez de me tuer. Ayez la pitié de me laisser mourir.

— Encore un mot comme celui-là, mademoiselle, et vous me verrez expirer à vos pieds.

— Non, non, sire, je sais mieux ce que je vaux. Croyez-moi, et vous ne vous perdrez pas pour une malheureuse que tout le monde méprise.

— Oh ! nommez-moi donc ceux-là que vous accusez, nommez-les-moi !

— Je n'ai de plaintes à faire contre personne, sire ; je n'accuse que moi. Adieu, sire ! Vous vous compromettez en me parlant ainsi.

— Prenez garde, Louise ; en me parlant ainsi, vous me réduisez au désespoir ; prenez garde !

— Oh ! sire ! sire ! laissez-moi avec Dieu, je vous en supplie !

— Je vous arracherai à Dieu même !

— Mais, auparavant, s'écria la pauvre enfant, arrachez-moi donc à ces ennemis féroces qui en veulent à ma vie et à mon honneur. Si vous avez assez de force pour aimer, ayez donc assez de pouvoir pour me défendre ; mais non, celle que vous dites aimer, on l'insulte, on la raille, on la chasse.

Et l'inoffensive enfant, forcée par sa douleur d'accuser, se tordait les bras avec des sanglots.

— On vous a chassée ! s'écria le roi. Voilà la seconde fois que j'entends ce mot.

— Ignominieusement, sire. Vous le voyez bien, je n'ai plus d'autre protecteur que Dieu, d'autre consolation que la prière, d'autre asile que le cloître.

— Vous aurez mon palais, vous aurez ma cour. Oh ! ne craignez plus rien, Louise ; ceux-là ou plutôt celles-là qui vous ont chassée hier trembleront demain devant vous ; que dis-je, demain ? ce matin j'ai déjà grondé, menacé. Je puis laisser échapper la foudre que je retiens encore.

Louise ! Louise ! vous serez cruellement vengée. Des larmes de sang paieront vos larmes. Nommez-moi seulement vos ennemis.

— Jamais ! jamais !

— Comment voulez-vous que je frappe alors ?

— Sire, ceux qu'il faudrait frapper feraient reculer votre main.

— Oh ! vous ne me connaissez point ! s'écria Louis exaspéré. Plutôt que de reculer, je brûlerais mon royaume et je maudirais ma famille. Oui, je frapperais jusqu'à ce bras, si ce bras était assez lâche pour ne pas anéantir tout ce qui s'est fait l'ennemi de la plus douce des créatures.

Et, en effet, en disant ces mots, Louis frappa violemment du poing sur la cloison de chêne, qui rendit un lugubre murmure.

La Vallière s'épouvanta. La colère de ce jeune homme tout-puissant avait quelque chose d'imposant et de sinistre, parce que, comme celle de la tempête, elle pouvait être mortelle.

Elle, dont la douleur croyait n'avoir pas d'égale, fut vaincue par cette douleur qui se faisait jour par la menace et par la violence.

— Sire, dit-elle, une dernière fois, éloignez-vous, je vous en supplie ; déjà le calme de cette retraite m'a fortifiée : je me sens plus calme sous la main de Dieu. Dieu est un protecteur devant qui tombent toutes les petites méchancetés humaines. Sire, encore une fois, laissez-moi avec Dieu.

— Alors, s'écria Louis, dites franchement que vous ne m'avez jamais aimé, dites que mon humilité, dites que mon repentir flattent votre orgueil, mais que vous ne vous affligez pas de ma douleur. Dites que le roi de France n'est plus pour vous un amant dont la tendresse pouvait faire votre bonheur, mais un despote dont le caprice a brisé dans votre cœur jusqu'à la dernière fibre de la sensibilité. Ne dites pas que vous cherchez Dieu, dites que vous fuyez le roi. Non, Dieu n'est pas complice des résolutions inflexibles. Dieu admet la pénitence et le remords : il pardonne, il veut qu'on aime.

Louise se tordait de souffrance en entendant ces paroles, qui faisaient couler la flamme jusqu'au plus profond de ses veines.

— Mais vous n'avez donc pas entendu ? dit-elle.

— Quoi ?

— Vous n'avez donc pas entendu que je suis chassée, méprisée, méprisable ?

— Je vous ferai la plus respectée, la plus adorée, la plus enviée de ma cour.

— Prouvez-moi que vous n'avez pas cessé de m'aimer.

— Comment cela ?

— Fuyez-moi.

— Je vous le prouverai en ne vous quittant plus.

— Mais croyez-vous donc que je souffrirai cela, sire ? Croyez-vous que je vous laisserai déclarer la guerre à toute votre famille ? Croyez-vous que je vous laisserai repousser pour moi mère, femme et sœur ?

— Ah ! vous les avez donc nommées, enfin ; ce sont donc elles qui ont fait le mal ? Par le Dieu tout-puissant ! je les punirai !

— Et moi, voilà pourquoi l'avenir m'effraie, voilà pourquoi je refuse tout, voilà pourquoi je ne veux pas que vous me vengiez. Assez de larmes, mon Dieu ! assez de douleurs, assez de plaintes comme cela. Oh ! jamais, je ne coûterai plaintes, douleurs, ni larmes à qui que ce soit. J'ai trop gémi, j'ai trop pleuré, j'ai trop souffert !

— Et mes larmes à moi, mes douleurs à moi, mes plaintes à moi, les comptez-vous donc pour rien ?

— Ne me parlez pas ainsi, sire, au nom du Ciel ! Au nom du Ciel ! ne me parlez pas ainsi. J'ai besoin de tout mon courage pour accomplir le sacrifice.

— Louise, Louise, je t'en supplie ! Commande, ordonne, venge-toi ou pardonne, mais ne m'abandonne pas !

— Hélas ! il faut que nous nous séparions, sire.

— Mais tu ne m'aimes donc point ?

— Oh ! Dieu le sait !

— Mensonge ! Mensonge !

— Oh ! si je ne vous aimais pas, sire, mais je vous laisserais faire, je me laisserais venger, j'accepterais, en échange de l'insulte que l'on m'a faite, ce doux triomphe de l'orgueil que vous me proposez ! Tandis que, vous le voyez bien, je ne veux pas même de la douce compensation de votre amour, de votre amour qui est ma vie, cependant, puisque j'ai voulu mourir, croyant que vous ne m'aimiez plus.

— Eh bien ! oui, oui, je le sais maintenant, je le reconnais à cette heure : vous êtes la plus sainte, la plus vénérable des femmes. Nulle n'est digne, comme vous, non seulement de mon amour et de mon respect, mais encore de l'amour et du respect de tous ; aussi, nulle ne sera aimée comme vous, Louise ! nulle n'aura sur moi l'empire que vous avez. Oui, je vous le jure, je briserais en ce moment le monde comme du verre, si le monde me gênait. Vous m'ordonnez de me calmer, de pardonner ? Soit, je me calmerai. Vous voulez régner par la douceur et par la clémence ? Je serai clément et doux. Dictez-moi seulement ma conduite, j'obéirai.

— Ah ! mon Dieu ! que suis-je, moi, pauvre fille, pour dicter une syllabe à un roi tel que vous ?

— Vous êtes ma vie et mon âme ! N'est-ce pas l'âme qui régit le corps ?

— Oh ! vous m'aimez donc, mon cher sire ?

— A deux genoux, les mains jointes, de toutes les forces que Dieu a mises en moi. Je vous aime assez pour vous donner ma vie en souriant si vous dites un mot !

— Vous m'aimez ?

— Oh ! oui.

— Alors, je n'ai plus rien à désirer au monde... Votre main, sire, et disons-nous adieu ! J'ai eu dans cette vie tout le bonheur qui m'était échu.

— Oh ! non, ne dis pas que ta vie commence ! Ton bonheur, ce n'est pas hier, c'est aujourd'hui, c'est demain, c'est toujours ! A toi l'avenir ! à toi tout ce qui est à moi ! Plus de ces idées de séparation, plus de ces désespoirs sombres : l'amour est notre Dieu, c'est le besoin de nos âmes. Tu vivras pour moi, comme je vivrai pour toi.

Et, se prosternant devant elle, il baisa ses genoux avec des transports inexprimables de joie et de reconnaissance.

— Oh ! sire ! sire ! tout cela est un rêve.

— Pourquoi un rêve ?

— Parce que je ne puis revenir à la cour. Exilée, comment vous revoir ? Ne vaut-il pas mieux prendre le cloître pour y enterrer, dans le baume de votre amour, les derniers élans de votre cœur et votre dernier aveu ?

— Exilée, vous ? s'écria Louis XIV. Et qui donc exile quand je rappelle ?

— Oh ! sire, quelque chose qui règne au-dessus des rois : le monde et l'opinion. Réfléchissez-y, vous ne pouvez aimer une femme chassée ; celle que votre mère a tachée d'un soupçon, celle que votre sœur a flétrie d'un châtiment, celle-là est indigne de vous.

— Indigne, celle qui m'appartient ?

— Oui, c'est justement cela, sire ; du moment qu'elle vous appartient, votre maîtresse est indigne.

— Ah ! vous avez raison, Louise, et toutes les délicatesses sont en vous. Eh bien ! vous ne serez pas exilée.

— Oh ! vous n'avez pas entendu Madame, on le voit bien.

— J'en appellerai à ma mère.

— Oh ! vous n'avez pas vu votre mère !

— Elle aussi ? Pauvre Louise ! Tout le monde était donc contre vous ?

— Oui, oui, pauvre Louise, qui pliait déjà sous l'orage lorsque vous êtes venu, lorsque vous avez achevé de la briser.

— Oh ! pardon.

— Donc, vous ne fléchirez ni l'une ni l'autre ; croyez-moi, le mal est sans remède, car je ne vous permettrai jamais ni la violence ni l'autorité.

— Eh bien ! Louise, pour vous prouver combien je vous aime, je veux faire une chose : j'irai trouver Madame.

— Vous ?

— Je lui ferai révoquer la sentence : je la forcerai.

— Forcer ? Oh ! non, non !

— C'est vrai : je la fléchirai.

Louise secoua la tête.

— Je prierai, s'il le faut, dit Louis. Croirez-vous à mon amour après cela ?

Louise releva la tête.

— Oh ! jamais pour moi, jamais ne vous humiliez ; laissez-moi bien plutôt mourir.

Louis réfléchit, ses traits prirent une teinte sombre.

— J'aimerai autant que vous avez aimé, dit-il ; je souffrirai autant que vous avez souffert ; ce sera mon expiation à vos yeux. Allons, mademoiselle, laissons là ces mesquines considérations ; soyons grands comme notre douleur, soyons forts comme notre amour !

Et, en disant ces paroles, il la prit dans ses bras et lui fit une ceinture de ses deux mains.

— Mon seul bien ! ma vie ! suivez-moi, dit-il.

Elle fit un dernier effort dans lequel elle concentra non plus toute sa volonté, sa volonté était déjà vaincue, mais toutes ses forces.

— Non ! répliqua-t-elle faiblement, non, non ! je mourrais de honte !

— Non ! vous rentrerez en reine. Nul ne sait votre sortie... D'Artagnan seul...

— Il m'a donc trahie, lui aussi ?

— Comment cela ?

— Il avait juré...

— J'avais juré de ne rien dire au roi, dit d'Artagnan passant sa tête fine à travers la porte entrouverte, j'ai tenu ma parole. J'ai parlé à M. de Saint-Aignan : ce n'est point ma faute si le roi a entendu, n'est-ce pas, sire ?

— C'est vrai, pardonnez-lui, dit le roi.

La Vallière sourit et tendit au mousquetaire sa main frêle et blanche.

— Monsieur d'Artagnan, dit le roi ravi, faites donc chercher un carrosse pour Mademoiselle.

— Sire, répondit le capitaine, le carrosse attend.

— Oh ! j'ai là le modèle des serviteurs ! s'écria le roi.

— Tu as mis le temps à t'en apercevoir, murmura d'Artagnan, flatté, toutefois, de la louange.

La Vallière était vaincue : après quelques hésitations, elle se laissa entraîner, défaillante, par son royal amant.

Mais, à la porte du parloir, au moment de le quitter, elle s'arracha des bras du roi et revint au crucifix de pierre qu'elle baisa en disant :

— Mon Dieu ! vous m'aviez attirée ; mon Dieu ! vous m'avez repoussée ; mais votre grâce est infinie. Seulement, quand je reviendrai, oubliez que je m'en suis éloignée ; car, lorsque je reviendrai à vous, ce sera pour ne plus vous quitter.

Le roi laissa échapper un sanglot.

D'Artagnan essuya une larme.

Louis entraîna la jeune femme, la souleva jusque dans le carrosse et mit d'Artagnan auprès d'elle.

Et lui-même, montant à cheval, piqua vers le Palais-Royal, où, dès son arrivée, il fit prévenir Madame qu'elle eût à lui accorder un moment d'audience.

CLXIX

CHEZ MADAME[1]

A la façon dont le roi avait quitté les ambassadeurs, les moins clairvoyants avaient deviné une guerre.

Les ambassadeurs eux-mêmes, peu instruits de la chronique intime, avaient interprété contre eux ce mot célèbre : « Si je ne suis pas maître de moi, je le serai de ceux qui m'outragent. »

Heureusement pour les destinées de la France et de la Hollande, Colbert les avait suivis pour leur donner quelques explications ; mais les reines et Madame, fort intelligentes de tout ce qui se faisait dans leurs maisons, ayant entendu ce mot plein de menaces, s'en étaient allées avec beaucoup de crainte et de dépit.

Madame, surtout, sentait que la colère royale tomberait sur elle, et, comme elle était brave, haute à l'excès, au lieu de chercher appui chez la reine mère, elle s'était retirée chez elle, sinon sans inquiétude, du moins sans intention d'éviter le combat. De temps en temps, Anne d'Autriche envoyait des messagers pour s'informer si le roi était revenu.

Le silence que gardait le château sur cette affaire et la disparition de Louise étaient le présage d'une quantité de malheurs pour qui savait l'humeur fière et irritable du roi.

Mais Madame, tenant ferme contre tous ces bruits, se renferma dans son appartement, appela Montalais près d'elle, et, de sa voix la moins émue, fit causer cette fille sur l'événement. Au moment où l'éloquente Montalais concluait avec toutes sortes de précautions oratoires et recommandait à Madame la tolérance sous bénéfice de réciprocité,

---

1. « Cependant [le roi] vint à Paris pour obliger Monsieur à recevoir [La Vallière] ; il avait déclaré tout haut qu'il était bien aise qu'elle fût hors de chez lui, et qu'il ne la reprendrait point. Le roi entra par un petit degré aux Tuileries et alla dans un petit cabinet où il fit venir Madame, ne voulant pas se laisser voir, parce qu'il avait pleuré. Là, il pria Madame de reprendre La Vallière [...]. Madame en fut étonnée, comme on le peut s'imaginer ; mais elle ne put rien nier. Elle promit au roi de rompre avec le comte de Guiche et consentit à recevoir La Vallière. Le roi eut assez de peine à l'obtenir de Madame ; mais il la pria tant, les larmes aux yeux, qu'enfin il en vint à bout », Mme de La Fayette, *op. cit.*

M. Malicorne parut chez Madame pour demander une audience à cette princesse.

Le digne ami de Montalais portait sur son visage tous les signes de l'émotion la plus vive. Il était impossible de s'y méprendre : l'entrevue demandée par le roi devait être un des chapitres les plus intéressants de cette histoire du cœur des rois et des hommes.

Madame fut troublée par cette arrivée de son beau-frère ; elle ne l'attendait pas si tôt ; elle ne s'attendait pas, surtout, à une démarche directe de Louis.

Or, les femmes, qui font si bien la guerre indirectement, sont toujours moins habiles et moins fortes quand il s'agit d'accepter une bataille en face.

Madame, avons-nous dit, n'était pas de ceux qui reculent, elle avait le défaut ou la qualité contraire.

Elle exagérait la vaillance ; aussi, cette dépêche du roi apportée par Malicorne, lui fit-elle l'effet de la trompette qui sonne les hostilités. Elle releva fièrement le gant.

Cinq minutes après, le roi montait l'escalier.

Il était rouge d'avoir couru à cheval. Ses habits poudreux et en désordre contrastaient avec la toilette si fraîche et si ajustée de Madame, qui, elle, pâlissait sous son rouge.

Louis ne fit pas de préambule ; il s'assit, Montalais disparut.

Madame s'assit en face du roi.

— Ma sœur, dit Louis, vous savez que Mlle de La Vallière s'est enfuie de chez elle ce matin, et qu'elle a été porter sa douleur, son désespoir dans un cloître ?

En prononçant ces mots, la voix du roi était singulièrement émue.

— C'est Votre Majesté qui me l'apprend, répliqua Madame.

— J'aurais cru que vous l'aviez appris ce matin, lors de la réception des ambassadeurs, dit le roi.

— A votre émotion, oui, sire, j'ai deviné qu'il se passait quelque chose d'extraordinaire, mais sans préciser.

Le roi était franc et allait au but :

— Ma sœur, dit-il, pourquoi avez-vous renvoyé Mlle de La Vallière ?

— Parce que son service me déplaisait, répliqua sèchement Madame.

Le roi devint pourpre, et ses yeux amassèrent un feu que tout le courage de Madame eut peine à soutenir.

Il se contint pourtant et ajouta :

— Il faut une raison bien forte, ma sœur, à une femme bonne comme vous, pour expulser et déshonorer non seulement une jeune fille, mais toute la famille de cette fille. Vous savez que la ville a les yeux ouverts sur la conduite des femmes de la cour. Renvoyer une fille d'honneur, c'est lui attribuer un crime, une faute tout au moins. Quel est donc le crime, quelle est donc la faute de Mlle de La Vallière ?

— Puisque vous vous faites le protecteur de Mlle de La Vallière, répliqua froidement Madame, je vais vous donner des explications que j'aurais le droit de ne donner à personne.

— Pas même au roi ? s'écria Louis en se couvrant par un geste de colère.

— Vous m'avez appelée votre sœur, dit Madame, et je suis chez moi.

— N'importe ! fit le jeune monarque honteux d'avoir été emporté, vous ne pouvez dire, madame, et nul ne peut dire dans ce royaume qu'il a le droit de ne pas s'expliquer devant moi.

— Puisque vous le prenez ainsi, dit Madame avec une sombre colère, il me reste à m'incliner devant Votre Majesté et à me taire.

— Non, n'équivoquons point.

— La protection dont vous couvrez Mlle de La Vallière m'impose le respect.

— N'équivoquons point, vous dis-je ; vous savez bien que, chef de la noblesse de France, je dois compte à tous de l'honneur des familles. Vous chassez Mlle de La Vallière ou toute autre...

Mouvement d'épaules de Madame.

— Ou toute autre, je le répète, continua le roi, et, comme vous déshonorez cette personne en agissant ainsi, je vous demande une explication, afin de confirmer ou de combattre cette sentence.

— Combattre ma sentence ? s'écria Madame avec hauteur. Quoi ? quand j'ai chassé de chez moi une de mes suivantes, vous m'ordonneriez de la reprendre ?

Le roi se tut.

— Ce ne serait plus de l'excès de pouvoir, sire, ce serait de l'inconvenance.

— Madame !

— Oh ! je me révolterais, en qualité de femme, contre un abus hors de toute dignité ; je ne serais plus une princesse de votre sang, une fille de roi ; je serais la dernière des créatures, je serais plus humble que la servante renvoyée.

Le roi bondit de fureur.

— Ce n'est pas un cœur, s'écria-t-il, qui bat dans votre poitrine ; si vous en agissez ainsi avec moi, laissez-moi agir avec la même rigueur.

Quelquefois une balle égarée porte dans une bataille. Ce mot, que le roi ne disait pas avec intention, frappa Madame et l'ébranla un moment : elle pouvait, un jour ou l'autre, craindre des représailles.

— Enfin, dit-elle, sire, expliquez-vous.

— Je vous demande, madame, ce qu'a fait contre vous Mlle de La Vallière ?

— Elle est le plus artificieux entremetteur d'intrigues que je connaisse ; elle a fait battre deux amis, elle a fait parler d'elle en termes si honteux, que toute la cour fronce le sourcil au seul bruit de son nom.

— Elle ? elle ? dit le roi.

— Sous cette enveloppe si douce et si hypocrite, continua Madame, elle cache un esprit plein de ruse et de noirceur.

— Elle ?

— Vous pouvez vous y tromper, sire ; mais, moi, je la connais : elle est capable d'exciter à la guerre les meilleurs parents et les plus intimes amis. Voyez déjà ce qu'elle sème de discorde entre nous.

— Je vous proteste... dit le roi.

— Sire, examinez bien ceci : nous vivions en bonne intelligence, et, par ses rapports, ses plaintes artificieuses, elle a indisposé Votre Majesté contre moi.

— Je jure, dit le roi, que jamais une parole amère n'est sortie de ses lèvres ; je jure que, même dans mes emportements, elle ne m'a laissé menacer personne ; je jure que vous n'avez pas d'amie plus dévouée, plus respectueuse.

— D'amie ? dit Madame avec une expression de dédain suprême.

— Prenez garde, madame, dit le roi, vous oubliez que vous m'avez compris, et que, dès ce moment, tout s'égalise. Mlle de La Vallière sera ce que je voudrai qu'elle soit, et demain, si je l'entends ainsi, elle sera prête à s'asseoir sur un trône.

— Elle n'y sera pas née, du moins, et vous ne pourrez faire que pour l'avenir, mais rien pour le passé.

— Madame, j'ai été pour vous plein de complaisance et de civilité : ne me faites pas souvenir que je suis le maître.

— Sire, vous me l'avez déjà répété deux fois. J'ai eu l'honneur de vous dire que je m'inclinais.

— Alors, voulez-vous m'accorder que Mlle de La Vallière rentre chez vous ?

— A quoi bon, sire, puisque vous avez un trône à lui donner ? Je suis trop peu pour protéger une telle puissance.

— Trêve de cet esprit méchant et dédaigneux. Accordez-moi sa grâce.

— Jamais !

— Vous me poussez à la guerre dans ma famille ?

— J'ai ma famille aussi, où je me réfugierai.

— Est-ce une menace, et vous oublierez-vous à ce point ? Croyez-vous que, si vous poussiez jusque-là l'offense, vos parents vous soutiendraient ?

— J'espère, sire, que vous ne me forcerez à rien qui soit indigne de mon rang.

— J'espérais que vous vous souviendriez de notre amitié, que vous me traiteriez en frère.

— Ce n'est pas vous méconnaître pour mon frère, dit-elle, que de refuser une injustice à Votre Majesté.

— Une injustice ?

— Oh ! sire, si j'apprenais à tout le monde la conduite de La Vallière, si les reines savaient...

— Allons, allons, Henriette, laissez parler votre cœur, souvenez-vous que vous m'avez aimé, souvenez-vous que le cœur des humains doit être aussi miséricordieux que le cœur du souverain Maître. N'ayez point d'inflexibilité pour les autres ; pardonnez à La Vallière.

— Je ne puis ; elle m'a offensée.

— Mais, moi, moi ?

— Sire, pour vous je ferai tout au monde, excepté cela.

— Alors, vous me conseillez le désespoir... Vous me rejetez dans cette dernière ressource des gens faibles ; alors vous me conseillez la colère et l'éclat ?

— Sire, je vous conseille la raison.

— La raison ?... Ma sœur, je n'ai plus de raison.

— Sire, par grâce !

— Ma sœur ! par pitié, c'est la première fois que je supplie ; ma sœur, je n'ai plus d'espoir qu'en vous.

— Oh ! sire, vous pleurez ?

— De rage, oui, d'humiliation. Avoir été obligé de m'abaisser aux prières, moi ! le roi ! Toute ma vie, je détesterai ce moment. Ma sœur, vous m'avez fait endurer en une seconde plus de maux que je n'en avais prévu dans les plus dures extrémités de cette vie.

Et le roi, se levant, donna un libre essor à ses larmes, qui, effectivement, étaient des pleurs de colère et de honte.

Madame fut, non pas touchée, car les femmes les meilleures n'ont pas de pitié dans l'orgueil, mais elle eut peur que ces larmes n'entraînassent avec elles tout ce qu'il y avait d'humain dans le cœur du roi.

— Ordonnez, sire, dit-elle ; et, puisque vous préférez mon humiliation à la vôtre, bien que la mienne soit publique et que la vôtre n'ait que moi pour témoin, parlez, j'obéirai au roi.

— Non, non, Henriette ! s'écria Louis transporté de reconnaissance, vous aurez cédé au frère !

— Je n'ai plus de frère, puisque j'obéis.

— Voulez-vous tout mon royaume pour remerciement ?

— Comme vous aimez ! dit-elle, quand vous aimez !

Il ne répondit pas. Il avait pris la main de Madame et la couvrait de baisers.

— Ainsi, dit-il, vous recevrez cette pauvre fille, vous lui pardonnerez, vous reconnaîtrez la douceur, la droiture de son cœur ?

— Je la maintiendrai dans ma maison.

— Non, vous lui rendrez votre amitié, ma chère sœur.

— Je ne l'ai jamais aimée.

— Eh bien ! pour l'amour de moi, vous la traiterez bien, n'est-ce pas, Henriette ?

— Soit ! je la traiterai comme une fille à vous !

Le roi se releva. Par ce mot échappé si funestement, Madame avait détruit tout le mérite de son sacrifice. Le roi ne lui devait plus rien.

Ulcéré, mortellement atteint, il répliqua :

— Merci, madame, je me souviendrai éternellement du service que vous m'avez rendu.

Et saluant avec une affectation de cérémonie, il prit congé.

En passant devant une glace, il vit ses yeux rouges et frappa du pied avec colère.

— Mais il était trop tard : Malicorne et d'Artagnan, placés à la porte, avaient vu ses yeux.

« Le roi a pleuré », pensa Malicorne.

D'Artagnan s'approcha respectueusement du roi.

— Sire, dit-il tout bas, il vous faut prendre le petit degré pour rentrer chez vous.

— Pourquoi ?

— Parce que la poussière du chemin a laissé des traces sur votre visage, dit d'Artagnan. Allez, sire, allez !

« Mordioux ! pensa-t-il, quand le roi eut cédé comme un enfant, gare à ceux qui feront pleurer celle qui fait pleurer le roi. »

CLXX

LE MOUCHOIR DE MLLE DE LA VALLIÈRE

Madame n'était pas méchante : elle n'était qu'emportée.

Le roi n'était pas imprudent : il n'était qu'amoureux.

A peine tous deux eurent-ils fait cette sorte de pacte, qui aboutissait au rappel de La Vallière, que l'un et l'autre cherchèrent à gagner sur le marché.

Le roi voulut voir La Vallière à chaque instant du jour.

Madame, qui sentait le dépit du roi depuis la scène des supplications, ne voulait pas abandonner La Vallière sans combattre.

Elle semait donc les difficultés sous les pas du roi.

En effet, le roi, pour obtenir la présence de sa maîtresse, devait être forcé de faire la cour à sa belle-sœur.

De ce plan dérivait toute la politique de Madame.

Comme elle avait choisi quelqu'un pour la seconder, et que ce quelqu'un était Montalais, le roi se trouva cerné chaque fois qu'il venait chez Madame. On l'entourait, et on ne le quittait pas. Madame déployait dans ses entretiens une grâce et un esprit qui éclipsaient tout.

Montalais lui succédait. Elle ne tarda pas à devenir insupportable au roi.

C'est ce qu'elle attendait.

Alors elle lança Malicorne ; celui-ci trouva le moyen de dire au roi qu'il y avait une jeune personne bien malheureuse à la cour.

Le roi demanda qui était cette personne.

Malicorne répondit que c'était Mlle de Montalais.

Alors le roi déclara que c'était bien fait qu'une personne fût malheureuse quand elle rendait la pareille aux autres.

Malicorne s'expliqua, Mlle de Montalais avait donné ses ordres.

Le roi ouvrit les yeux ; il remarqua que Madame, sitôt que Sa Majesté paraissait, paraissait aussi ; qu'elle était dans les corridors jusqu'après le départ du roi ; qu'elle le reconduisait de peur qu'il ne parlât dans les antichambres à quelqu'une des filles.

Un soir, elle alla plus loin.

Le roi était assis au milieu des dames, et il tenait dans sa main, sous sa manchette, un billet qu'il voulait glisser dans les mains de La Vallière.

Madame devina cette intention et ce billet. Il était bien difficile d'empêcher le roi d'aller où bon lui semblait.

Cependant il fallait l'empêcher d'aller à La Vallière, de lui dire bonjour, et de laisser tomber le billet sur ses genoux, derrière son éventail ou dans son mouchoir.

Le roi, qui observait aussi, se douta qu'on lui tendait un piège.

Il se leva et transporta son fauteuil sans affectation près de Mme de Châtillon, avec laquelle il badina.

On faisait des bouts rimés ; de Mme de Châtillon, il alla vers Montalais, puis vers Mlle de Tonnay-Charente.

Alors, par cette manœuvre habile, il se trouva assis devant La Vallière, qu'il masquait entièrement.

Madame feignait une grande occupation : elle rectifiait un dessin de fleurs sur un canevas de tapisserie.

Le roi montra le bout du billet blanc à La Vallière, et celle-ci allongea son mouchoir, avec un regard qui voulait dire : « Mettez le billet dedans. »

Puis, comme le roi avait posé son mouchoir à lui sur son fauteuil, il fut assez adroit pour le jeter par terre.

De sorte que La Vallière glissa son mouchoir à elle sur le fauteuil.

Le roi le prit sans rien faire paraître, il y mit le billet et replaça le mouchoir sur le fauteuil.

Restait à La Vallière le temps juste d'allonger la main pour prendre le mouchoir avec son précieux dépôt.

Mais Madame avait tout vu.

Elle dit à Châtillon :

— Châtillon, ramassez donc le mouchoir du roi, s'il vous plaît, sur le tapis.

Et la jeune fille ayant obéi précipitamment, le roi s'étant dérangé, La Vallière s'étant troublée, on vit l'autre mouchoir sur le fauteuil.

— Ah ! pardon ! Votre Majesté a deux mouchoirs, dit-elle.

Et force fut au roi de renfermer dans sa poche le mouchoir de La Vallière avec le sien. Il y gagnait ce souvenir de l'amante, mais l'amante y perdait un quatrain qui avait coûté dix heures au roi, qui valait peut-être à lui seul un long poème[1].

D'où la colère du roi et le désespoir de La Vallière.

Ce serait chose impossible à décrire.

Mais alors il se passa un événement incroyable.

Quand le roi partit pour retourner chez lui, Malicorne, prévenu on ne sait comment, se trouvait dans l'antichambre.

Les antichambres du Palais-Royal sont obscures naturellement, et, le soir, on y mettait peu de cérémonie chez Madame ; elles étaient mal éclairées.

Le roi aimait ce petit jour. Règle générale, l'amour, dont l'esprit et le cœur flamboient constamment, n'aime pas la lumière autre part que dans l'esprit et dans le cœur.

Donc, l'antichambre était obscure ; un seul page portait le flambeau devant Sa Majesté.

Le roi marchait d'un pas lent et dévorait sa colère.

Malicorne passa très près du roi, le heurta presque, et lui demanda pardon avec une humilité parfaite ; mais le roi, de fort mauvaise humeur, traita fort mal Malicorne, qui s'esquiva sans bruit.

Louis se coucha, ayant eu, ce soir-là, quelque petite querelle avec la reine, et le lendemain, au moment où il passait dans son cabinet, le désir lui vint de baiser le mouchoir de La Vallière.

Il appela son valet de chambre.

— Apportez-moi, dit-il, l'habit que je portais hier ; mais ayez bien soin de ne toucher à rien de ce qu'il pourrait contenir.

L'ordre fut exécuté, le roi fouilla lui-même dans la poche de son habit.

Il n'y trouva qu'un seul mouchoir, le sien ; celui de La Vallière avait disparu.

Comme il se perdait en conjectures et en soupçons, une lettre de La Vallière lui fut apportée. Elle était conçue en ces termes.

Qu'il est aimable à vous, mon cher seigneur, de m'avoir envoyé ces beaux vers ! que votre amour est ingénieux et persévérant ! Comment ne seriez-vous pas aimé ?

— Qu'est-ce que cela signifie, pensa le roi, il y a méprise. Cherchez

---

1. Allusion au vers de Boileau, voir tome I de la présente édition, chap. XLVIII, p. 286, note 3.

bien, dit-il au valet de chambre, un mouchoir qui devait être dans ma poche, et si vous ne le trouvez pas, et si vous y avez touché...

Il se ravisa. Faire une affaire d'État de la perte de ce mouchoir, c'était ouvrir toute une chronique, il ajouta :

— J'avais dans ce mouchoir une note importante qui s'était glissée dans les plis.

— Mais, sire, dit le valet de chambre, Votre Majesté n'avait qu'un mouchoir, et le voici.

— C'est vrai, répliqua le roi en grinçant des dents, c'est vrai. O pauvreté, que je t'envie ! Heureux celui qui prend lui-même et ôte de sa poche les mouchoirs et les billets.

Il relut la lettre de La Vallière en cherchant par quel hasard le quatrain pouvait être arrivé à son adresse. Il y avait un post-scriptum à cette lettre :

Je vous renvoie par votre messager cette réponse si peu digne de l'envoi.

— A la bonne heure ! Je vais savoir quelque chose, dit-il avec joie. Qui est là, dit-il, et qui m'apporte ce billet ?

— M. Malicorne, répliqua timidement le valet de chambre.

— Qu'il entre.

Malicorne entra.

— Vous venez de chez Mlle de La Vallière ? dit le roi avec un soupir.

— Oui, sire.

— Et vous avez porté à Mlle de La Vallière quelque chose de ma part ?

— Moi, sire ?

— Oui, vous.

— Non pas, sire, non pas.

— Mlle de La Vallière le dit formellement.

— Oh ! sire, Mlle de La Vallière se trompe.

Le roi fronça le sourcil.

— Quel est ce jeu ? dit-il. Expliquez-vous ; pourquoi Mlle de La Vallière vous appelle-t-elle mon messager ?... Qu'avez-vous porté à cette dame ? Parlez vite, monsieur.

— Sire, j'ai porté à Mlle de La Vallière un mouchoir, et voilà tout.

— Un mouchoir... Quel mouchoir ?

— Sire, au moment où j'eus la douleur, hier, de me heurter contre la personne de Votre Majesté, malheur que je déplorerai toute ma vie, surtout après le mécontentement que vous me témoignâtes ; à ce moment, sire, je demeurai immobile de désespoir, Votre Majesté était trop loin pour entendre mes excuses, et je vis par terre quelque chose de blanc.

— Ah ! fit le roi.

— Je me baissai, c'était un mouchoir. J'eus un instant l'idée qu'en heurtant Votre Majesté, j'avais aidé à ce que ce mouchoir sortît de sa poche ; mais, en le palpant respectueusement, je sentis un chiffre que je regardai, c'était le chiffre de Mlle de La Vallière ; je présumai qu'en arrivant cette demoiselle avait laissé tomber son mouchoir, je me hâtai de le lui rendre à la sortie, et voilà tout ce que j'ai remis à Mlle de La Vallière ; je supplie Votre Majesté de le croire.

Malicorne était si naïf, si désolé, si humble, que le roi prit un excessif plaisir à l'entendre.

Il lui sut gré de ce hasard comme du plus grand service rendu.

— Voilà déjà deux heureuses rencontres que j'ai avec vous, monsieur, dit-il : vous pouvez compter sur mon amitié.

Le fait est que, purement et simplement, Malicorne avait volé le mouchoir dans la poche du roi aussi galamment que l'eût pu faire un des tire-laine de la bonne ville de Paris.

Madame ignora toujours cette histoire. Mais Montalais la fit soupçonner à La Vallière, et La Vallière la conta plus tard au roi, qui en rit excessivement et proclama Malicorne un grand politique.

Louis XIV avait raison, et l'on sait qu'il se connaissait en hommes.

CLXXI

OÙ IL EST TRAITÉ DES JARDINIERS, DES ÉCHELLES ET DES FILLES D'HONNEUR

Malheureusement, les miracles ne pouvaient toujours durer, tandis que la mauvaise humeur de Madame durait toujours.

Au bout de huit jours, le roi en était venu à ne plus pouvoir regarder La Vallière sans qu'un regard de soupçon croisât le sien.

Lorsqu'une partie de promenade était proposée, pour éviter que la scène de la pluie ou du chêne royal ne se renouvelât, Madame avait des indispositions toutes prêtes : grâce à ces indispositions, elle ne sortait pas, et ses filles d'honneur restaient à la maison.

De visite nocturne, pas la moindre ; il n'y avait pas moyen.

C'est que, sous ce rapport, dès les premiers jours, le roi avait éprouvé un douloureux échec.

Comme à Fontainebleau, il avait pris de Saint-Aignan avec lui et avait voulu se rendre chez La Vallière. Mais il n'avait trouvé que Mlle de Tonnay-Charente, qui s'était mise à crier au feu et au voleur ; de telle sorte qu'une légion de femmes de chambre, de surveillantes et de pages étaient accourus, et que de Saint-Aignan, resté seul pour sauver l'honneur de son maître enfui, avait encouru, de la part de la reine mère et de Madame, une mercuriale sévère.

En outre, le lendemain, il avait reçu deux cartels de la famille de Mortemart.

Il avait fallu que le roi intervînt.

Cette méprise était venue de ce que Madame avait subitement ordonné un changement de logis à ses filles, et que La Vallière et Montalais avaient été appelées à coucher dans le cabinet même de leur maîtresse.

Rien n'était donc plus possible, pas même les lettres : écrire sous les yeux d'un argus aussi féroce, d'une douceur aussi inégale que celle de Madame, c'était s'exposer aux plus grands dangers.

On peut juger dans quel état d'irritation continue et de colère croissante toutes ces piqûres d'aiguille mettaient le lion.

Le roi se décomposait le sang à chercher des moyens, et, comme il ne s'ouvrait ni à Malicorne ni à d'Artagnan, les moyens ne se trouvaient pas.

Malicorne eut bien çà et là quelques éclairs héroïques pour encourager le roi à une entière confidence.

Mais, soit honte, soit défiance, le roi commençait d'abord à mordre, puis bientôt abandonnait l'hameçon.

Ainsi, par exemple, un soir que le roi traversait le jardin et regardait tristement les fenêtres de Madame, Malicorne heurta une échelle sous une bordure de buis, et dit à Manicamp, qui marchait avec lui derrière le roi, et qui n'avait rien heurté ni rien vu :

— Est-ce que vous n'avez pas vu que je viens de heurter une échelle et que j'ai manqué de tomber ?

— Non, dit Manicamp, distrait comme d'habitude ; mais vous n'êtes pas tombé, à ce qu'il paraît ?

— N'importe ! il n'en est pas moins dangereux de laisser ainsi traîner les échelles.

— Oui, l'on peut se faire mal, surtout quand on est distrait.

— Ce n'est pas cela : je veux dire qu'il est dangereux de laisser traîner ainsi les échelles sous les fenêtres des filles d'honneur.

Louis tressaillit imperceptiblement.

— Comment cela ? demanda Manicamp.

— Parlez plus haut, lui souffla Malicorne en lui poussant le bras.

— Comment cela ? dit plus haut Manicamp.

Le roi prêta l'oreille.

— Voilà, par exemple, dit Malicorne, une échelle qui a dix-neuf pieds[1], juste la hauteur de la corniche des fenêtres.

Manicamp, au lieu de répondre, rêvassait.

— Demandez-moi donc de quelles fenêtres, lui souffla Malicorne.

— Mais de quelles fenêtres entendez-vous donc parler ? lui demanda tout haut Manicamp.

— De celles de Madame.

— Eh !

---

1. Le pied mesurant 32,4 cm, l'échelle a donc une longueur de plus de 6 m.

— Oh ! je ne dis pas que l'on ose jamais monter chez Madame ; mais dans le cabinet de Madame, séparé par une simple cloison, couchent Mlles de La Vallière et de Montalais, qui sont deux jolies personnes.

— Par une simple cloison ? dit Manicamp.

— Tenez, voici la lumière assez éclatante des appartements de Madame : voyez-vous ces deux fenêtres ?

— Oui.

— Et cette fenêtre voisine des autres, éclairée d'une façon moins vive, la voyez-vous ?

— A merveille.

— C'est celle des filles d'honneur. Tenez, il fait chaud, voilà justement Mlle de La Vallière qui ouvre sa fenêtre ; ah ! qu'un amoureux hardi pourrait lui dire de choses, s'il soupçonnait là cette échelle de dix-neuf pieds qui atteint juste la corniche !

— Mais elle n'est pas seule, avez-vous dit ? elle est avec Mlle de Montalais ?

— Mlle de Montalais ne compte pas ; c'est une amie d'enfance, entièrement dévouée, un véritable puits où l'on peut jeter tous les secrets qu'on veut perdre.

Pas un mot de l'entretien n'avait échappé au roi.

Malicorne avait même remarqué que le roi avait ralenti le pas pour lui donner le temps de finir.

Aussi, arrivé à la porte, il congédia tout le monde, à l'exception de Malicorne.

Cela n'étonna personne, on savait le roi amoureux et on le soupçonnait de faire des vers au clair de la lune.

Bien qu'il n'y eût pas de lune ce soir-là, le roi néanmoins pouvait avoir des vers à faire.

Tout le monde partit.

Alors le roi se retourna vers Malicorne, qui attendait respectueusement que le roi lui adressât la parole.

— Que parliez-vous tout à l'heure d'échelle, monsieur Malicorne ? demanda-t-il.

— Moi, sire, je parlais d'échelle ?

Et Malicorne leva les yeux au ciel comme pour rattraper ses paroles envolées.

— Oui, d'une échelle de dix-neuf pieds.

— Ah ! oui, sire, c'est vrai, mais je parlais à M. de Manicamp, et je me fusse tu si j'eusse su que Votre Majesté pût nous entendre.

— Et pourquoi vous fussiez-vous tu ?

— Parce que je n'eusse pas voulu faire gronder le jardinier qui l'a oubliée... pauvre diable !

— Ne craignez rien... Voyons, qu'est-ce que cette échelle ?

— Votre Majesté veut-elle la voir ?

— Oui.

— Rien de plus facile, elle est là, sire.

— Dans le buis ?

— Justement.

— Montrez-la-moi.

Malicorne revint sur ses pas et conduisit le roi à l'échelle.

— La voilà, sire, dit-il.

— Tirez-la donc un peu.

Malicorne mit l'échelle dans l'allée.

Le roi marcha longitudinalement dans le sens de l'échelle.

— Hum ! fit-il... Vous dites qu'elle a dix-neuf pieds ?

— Oui, sire.

— Dix-neuf pieds, c'est beaucoup : je ne la crois pas si longue, moi.

— On voit mal comme cela, sire. Si l'échelle était debout contre un arbre ou contre un mur, par exemple, on verrait mieux, attendu que la comparaison aiderait beaucoup.

— Oh ! n'importe, monsieur Malicorne, j'ai peine à croire que l'échelle ait dix-neuf pieds.

— Je sais combien Votre Majesté a le coup d'œil sûr, et cependant je gagerais.

Le roi secoua la tête.

— Il y a un moyen infaillible de vérification, dit Malicorne.

— Lequel ?

— Chacun sait, sire, que le rez-de-chaussée du palais a dix-huit pieds.

— C'est vrai, on peut le savoir.

— Eh bien ! en appliquant l'échelle le long du mur, on jugerait.

— C'est vrai.

Malicorne enleva l'échelle comme une plume et la dressa contre la muraille.

Il choisit, ou plutôt le hasard choisit la fenêtre même du cabinet de La Vallière pour faire son expérience.

L'échelle arriva juste à l'arête de la corniche, c'est-à-dire presque à l'appui de la fenêtre, de sorte qu'un homme placé sur l'avant-dernier échelon, un homme de taille moyenne, comme était le roi, par exemple, pouvait facilement communiquer avec les habitants ou plutôt les habitantes de la chambre.

A peine l'échelle fut-elle posée, que le roi, laissant là l'espèce de comédie qu'il jouait, commença à gravir les échelons, tandis que Malicorne tenait l'échelle. Mais à peine était-il à moitié de sa route aérienne, qu'une patrouille de Suisses parut dans le jardin et s'avança droit à l'échelle.

Le roi descendit précipitamment et se cacha dans un massif.

Malicorne comprit qu'il fallait se sacrifier. S'il se cachait de son côté, on chercherait jusqu'à ce que l'on trouvât ou lui ou le roi, et peut-être tous deux.

Mieux valait qu'il fût trouvé tout seul.

En conséquence, Malicorne se cacha si maladroitement, qu'il fut arrêté tout seul. Une fois arrêté, Malicorne fut conduit au poste ; une fois au poste, il se nomma ; une fois nommé, il fut reconnu.

Pendant ce temps, de massif en massif, le roi regagnait la petite porte de son appartement, fort humilié et surtout fort désappointé.

D'autant plus que le bruit de l'arrestation avait attiré La Vallière et la Montalais à leur fenêtre, et que Madame elle-même avait paru à la sienne entre deux bougies, demandant de quoi il s'agissait.

Pendant ce temps, Malicorne se réclamait de d'Artagnan. D'Artagnan accourut à l'appel de Malicorne.

Mais en vain essaya-t-il de lui faire comprendre ses raisons, mais en vain d'Artagnan les comprit-il, mais en vain encore ces deux esprits si fins et si inventifs donnèrent-ils un tour à l'aventure ; il n'y eut pour Malicorne d'autre ressource que de passer pour avoir voulu entrer chez Mlle de Montalais, comme M. de Saint-Aignan avait passé pour avoir voulu forcer la porte de Mlle de Tonnay-Charente.

Madame était inflexible, pour cette double raison que, si en effet M. Malicorne avait voulu entrer nuitamment chez elle par la fenêtre et à l'aide d'une échelle pour voir Montalais, c'était de la part de Malicorne un essai punissable et qu'il fallait punir.

Et, par cette autre raison que, si Malicorne, au lieu d'agir en son propre nom, avait agi comme intermédiaire entre La Vallière et une personne qu'elle ne voulait pas nommer, son crime était bien plus grand encore, puisque la passion, qui excuse tout, n'était point là pour l'excuser.

Madame jeta donc les hauts cris et fit chasser Malicorne de la maison de Monsieur, sans réfléchir, la pauvre aveugle, que Malicorne et Montalais la tenaient dans leurs serres par la visite à M. de Guiche et par bien d'autres endroits tout aussi délicats.

Montalais, furieuse, voulut se venger tout de suite, Malicorne lui démontra que l'appui du roi valait toutes les disgrâces du monde et qu'il était beau de souffrir pour le roi.

Malicorne avait raison. Aussi, quoiqu'elle fût femme, et plutôt dix fois qu'une, ramena-t-il Montalais à son avis.

Puis, de son côté, hâtons-nous de le dire, le roi aida aux consolations.

D'abord, il fit compter à Malicorne cinquante mille livres en dédommagement de sa charge perdue.

Ensuite, il le plaça dans sa propre maison, heureux de se venger ainsi sur Madame de tout ce qu'elle avait fait endurer à lui et à La Vallière.

Mais, n'ayant plus Malicorne pour lui voler ses mouchoirs et lui mesurer ses échelles, le pauvre amant était dénué.

Plus d'espoir de se rapprocher jamais de La Vallière, tant qu'elle resterait au Palais-Royal.

Toutes les dignités et toutes les sommes du monde ne pouvaient remédier à cela.

Heureusement, Malicorne veillait.

Il fit si bien qu'il rencontra Montalais. Il est vrai que, de son côté, Montalais faisait de son mieux pour rencontrer Malicorne.

— Que faites-vous la nuit, chez Madame ? demanda-t-il à la jeune fille.

— Mais, la nuit, je dors, répliqua-t-elle.

— Comment, vous dormez ?

— Sans doute.

— Mais cela est fort mal de dormir ; il ne convient pas qu'avec une douleur comme celle que vous éprouvez une fille dorme.

— Et quelle douleur est-ce donc que j'éprouve ?

— N'êtes-vous pas au désespoir de mon absence ?

— Mais non, puisque vous avez reçu cinquante mille livres et une charge chez le roi.

— N'importe, vous êtes très affligée de ne plus me voir comme vous me voyiez auparavant ; vous êtes au désespoir surtout de ce que j'ai perdu la confiance de Madame ; est-ce vrai, cela ? Voyons.

— Oh ! c'est très vrai.

— Eh bien ! cette affliction vous empêche de dormir, la nuit, et alors vous sanglotez, vous soupirez, vous vous mouchez bruyamment, et cela dix fois par minute.

— Mais, mon cher Malicorne, Madame ne supporte pas le moindre bruit chez elle.

— Je le sais pardieu bien, qu'elle ne peut rien supporter ; aussi vous dis-je qu'elle s'empressera, voyant une douleur si profonde, de vous mettre à la porte de chez elle.

— Je comprends.

— C'est heureux.

— Mais qu'arrivera-t-il alors ?

— Il arrivera que La Vallière, se voyant séparée de vous, poussera la nuit de tels gémissements et de telles lamentations, qu'elle fera du désespoir pour deux.

— Alors on la mettra dans une autre chambre.

— Oui, mais laquelle ?

— Laquelle ? Vous voilà embarrassé, monsieur des Inventions.

— Nullement ; quelle que soit cette chambre, elle vaudra toujours mieux que celle de Madame.

— C'est vrai.

— Eh bien ! commencez-moi un peu vos jérémiades cette nuit.

— Je n'y manquerai pas.

— Et donnez-moi le mot à La Vallière.

— Ne craignez rien, elle pleure assez tout bas.

— Eh bien ! qu'elle pleure tout haut.

Et ils se séparèrent.

CLXXII

OÙ IL EST TRAITÉ DE MENUISERIE ET OÙ IL EST DONNÉ QUELQUES DÉTAILS SUR LA FAÇON DE PERCER LES ESCALIERS

Le conseil donné à Montalais fut communiqué à La Vallière, qui reconnut qu'il manquait de sagesse, et qui, après quelque résistance venant plutôt de sa timidité que de sa froideur, résolut de le mettre à exécution.

Cette histoire, des deux femmes pleurant et emplissant de bruits lamentables la chambre à coucher de Madame, fut le chef-d'œuvre de Malicorne.

Comme rien n'est aussi vrai que l'invraisemblable, aussi naturel que le romanesque, cette espèce de conte des *Mille et Une Nuits* réussit parfaitement auprès de Madame.

Elle éloigna d'abord Montalais.

Puis, trois jours, ou plutôt trois nuits après avoir éloigné Montalais, elle éloigna La Vallière.

On donna une chambre à cette dernière dans les petits appartements mansardés situés au-dessus des appartements des gentilshommes.

Un étage, c'est-à-dire un plancher, séparait les demoiselles des officiers et des gentilshommes.

Un escalier particulier, placé sous la surveillance de Mme de Navailles, conduisait chez elles.

Pour plus grande sûreté, Mme de Navailles, qui avait entendu parler des tentatives antérieures de Sa Majesté, avait fait griller les fenêtres des chambres et les ouvertures des cheminées.

Il y avait donc toute sûreté pour l'honneur de Mlle de La Vallière, dont la chambre ressemblait plus à une cage qu'à tout autre chose.

Mlle de La Vallière, lorsqu'elle était chez elle, et elle y était souvent, Madame n'utilisant guère ses services depuis qu'elle la savait en sûreté sous le regard de Mme de Navailles, Mlle de La Vallière n'avait donc d'autre distraction que de regarder à travers les grilles de sa fenêtre. Or, un matin qu'elle regardait comme d'habitude, elle aperçut Malicorne à une fenêtre parallèle à la sienne.

Il tenait en main un aplomb de charpentier, lorgnait les bâtiments, et additionnait des formules algébriques sur du papier. Il ne ressemblait pas mal ainsi à ces ingénieurs qui, du coin d'une tranchée, relèvent les angles d'un bastion ou prennent la hauteur des murs d'une forteresse.

La Vallière reconnut Malicorne et le salua.

Malicorne, à son tour, répondit par un grand salut et disparut de la fenêtre.

Elle s'étonna de cette espèce de froideur, peu habituelle au caractère toujours égal de Malicorne ; mais elle se souvint que le pauvre garçon avait perdu son emploi pour elle, et qu'il ne devait pas être dans d'excellentes dispositions à son égard, puisque, selon toute probabilité, elle ne serait jamais en position de lui rendre ce qu'il avait perdu.

Elle savait pardonner les offenses, à plus forte raison compatir au malheur.

La Vallière eût demandé conseil à Montalais, si Montalais eût été là ; mais Montalais était absente.

C'était l'heure où Montalais faisait sa correspondance.

Tout à coup, La Vallière vit un objet lancé de la fenêtre où avait apparu Malicorne traverser l'espace, passer à travers ses barreaux et rouler sur son parquet.

Elle alla curieusement vers cet objet et le ramassa. C'était une de ces bobines sur lesquelles on dévide la soie.

Seulement, au lieu de soie, un petit papier s'enroulait sur la bobine.

La Vallière le déroula et lut :

Mademoiselle,

Je suis inquiet de savoir deux choses :

La première, de savoir si le parquet de votre appartement est de bois ou de briques.

La seconde, de savoir encore à quelle distance de la fenêtre est placé votre lit.

Excusez mon importunité, et veuillez me faire réponse par la même voie qui vous a apporté ma lettre, c'est-à-dire par la voie de la bobine.

Seulement, au lieu de la jeter dans ma chambre comme je l'ai jetée dans la vôtre, ce qui vous serait plus difficile qu'à moi, ayez tout simplement l'obligeance de la laisser tomber.

Croyez-moi surtout, Mademoiselle, votre bien humble et bien respectueux serviteur,

MALICORNE

Écrivez la réponse, s'il vous plaît, sur la lettre même.

— Ah ! le pauvre garçon, s'écria La Vallière, il faut qu'il soit devenu fou.

Et elle dirigea du côté de son correspondant, que l'on entrevoyait dans la pénombre de la chambre, un regard plein d'affectueuse compassion.

Malicorne comprit, et secoua la tête comme pour lui répondre :

« Non, non, je ne suis point fou, soyez tranquille. »

Elle sourit d'un air de doute.

« Non, non, reprit-il du geste, la tête est bonne. »

Et il montra sa tête.

Puis, agitant la main comme un homme qui écrit rapidement :

« Allons, écrivez », mima-t-il avec une sorte de prière.

La Vallière, fût-il fou, ne vit point d'inconvénient à faire ce que Malicorne lui demandait ; elle prit un crayon et écrivit : « Bois. »

Puis elle compta dix pas de la fenêtre à son lit, et écrivit encore : « Dix pas. »

Ce qu'ayant fait, elle regarda du côté de Malicorne, lequel la salua et lui fit signe qu'il descendait.

La Vallière comprit que c'était pour recevoir la bobine.

Elle s'approcha de la fenêtre, et, conformément aux instructions de Malicorne, elle la laissa tomber.

Le rouleau courait encore sur les dalles quand Malicorne s'élança, l'atteignit, le ramassa, se mit à l'éplucher comme fait un singe d'une noix, et courut d'abord vers la demeure de M. de Saint-Aignan.

De Saint-Aignan avait choisi ou plutôt sollicité son logement le plus près possible du roi, pareil à ces plantes qui recherchent les rayons du soleil pour se développer plus fructueusement.

Son logement se composait de deux pièces, dans le corps de logis même occupé par Louis XIV.

M. de Saint-Aignan était fier de cette proximité, qui lui donnait l'accès facile chez Sa Majesté, et, de plus, la faveur de quelques rencontres inattendues.

Il s'occupait, au moment où nous parlons de lui, à faire tapisser magnifiquement ces deux pièces, comptant sur l'honneur de quelques visites du roi, car Sa Majesté, depuis la passion qu'elle avait pour La Vallière, avait choisi de Saint-Aignan pour confident, et ne pouvait se passer de lui ni la nuit ni le jour.

Malicorne se fit introduire chez le comte et ne rencontra point de difficultés, parce qu'il était bien vu du roi et que le crédit de l'un est toujours une amorce pour l'autre.

De Saint-Aignan demanda au visiteur s'il était riche de quelque nouvelle.

— D'une grande, répondit celui-ci.

— Ah ! ah ! fit de Saint-Aignan, curieux comme un favori ; laquelle ?

— Mlle de La Vallière a déménagé.

— Comment cela ? dit de Saint-Aignan en ouvrant de grands yeux.

— Oui.

— Elle logeait chez Madame.

— Précisément. Mais Madame s'est ennuyée du voisinage et l'a installée dans une chambre qui se trouve précisément au-dessus de votre futur appartement.

— Comment, *là-haut* ? s'écria de Saint-Aignan avec surprise et en désignant du doigt l'étage supérieur.

— Non, dit Malicorne, *là-bas*.

Et il lui montra le corps de bâtiment situé en face.

— Pourquoi dites-vous alors que sa chambre est au-dessus de mon appartement ?

— Parce que je suis certain que votre appartement doit tout naturellement être sous la chambre de La Vallière.

De Saint-Aignan, à ces mots, envoya à l'adresse du pauvre Malicorne un de ces regards comme La Vallière lui en avait déjà envoyé un, un quart d'heure auparavant. C'est-à-dire qu'il le crut fou.

— Monsieur, lui dit Malicorne, je demande à répondre à votre pensée.

— Comment ! à ma pensée ?...

— Sans doute ; vous n'avez pas compris, ce me semble, parfaitement ce que je voulais dire.

— Je l'avoue.

— Eh bien ! vous n'ignorez pas qu'au-dessous des filles d'honneur de Madame sont logés les gentilshommes du roi et de Monsieur.

— Oui, puisque Manicamp, de Wardes et autres y logent.

— Précisément. Eh bien ! monsieur, admirez la singularité de la rencontre : les deux chambres destinées à M. de Guiche sont juste les deux chambres situées au-dessous de celles qu'occupent Mlle de Montalais et Mlle de La Vallière.

— Eh bien ! après ?

— Eh bien ! après... ces deux chambres sont libres, puisque M. de Guiche, blessé, est malade à Fontainebleau.

— Je vous jure, mon cher monsieur, que je ne devine pas.

— Ah ! si j'avais le bonheur de m'appeler de Saint-Aignan, je devinerais tout de suite, moi.

— Et que feriez-vous ?

— Je troquerais immédiatement les chambres que j'occupe ici contre celles que M. de Guiche n'occupe point là-bas.

— Y pensez-vous ? fit de Saint-Aignan avec dédain ; abandonner le premier poste d'honneur, le voisinage du roi, un privilège accordé seulement aux princes de sang, aux ducs et pairs ?... Mais, mon cher monsieur de Malicorne, permettez-moi de vous dire que vous êtes fou.

— Monsieur, répondit gravement le jeune homme, vous commettez deux erreurs... Je m'appelle Malicorne tout court, et je ne suis pas fou.

Puis, tirant un papier de sa poche :

— Écoutez ceci, dit-il ; après quoi, je vous montrerai cela.

— J'écoute, dit de Saint-Aignan.

— Vous savez que Madame veille sur La Vallière comme Argus veillait sur la nymphe Io.

— Je le sais.

— Vous savez que le roi a voulu, mais en vain, parler à la prisonnière, et que ni vous ni moi n'avons réussi à lui procurer cette fortune.

— Vous en savez surtout quelque chose, vous, mon pauvre Malicorne.

— Eh bien ! que supposez-vous qu'il arriverait à celui dont l'imagination rapprocherait les deux amants ?

— Oh ! le roi ne bornerait pas à peu de chose sa reconnaissance.

— Monsieur de Saint-Aignan !...

— Après ?

— Ne seriez-vous pas curieux de tâter un peu de la reconnaissance royale ?

— Certes, répondit de Saint-Aignan, une faveur de mon maître, quand j'aurais fait mon devoir, ne saurait que m'être précieuse.

— Alors, regardez ce papier, monsieur le comte.

— Qu'est-ce que ce papier ? un plan ?

— Celui des deux chambres de M. de Guiche, qui, selon toute probabilité, vont devenir vos deux chambres.

— Oh ! non, quoi qu'il arrive.

— Pourquoi cela ?

— Parce que mes deux chambres, à moi, sont convoitées par trop de gentilshommes à qui je ne les abandonnerais certes pas : par M. de Roquelaure, par M. de La Ferté, par M. Dangeau.

— Alors, je vous quitte, monsieur le comte, et je vais offrir à l'un de ces messieurs le plan que je vous présentais et les avantages y annexés.

— Mais que ne les gardez-vous pour vous ? demanda de Saint-Aignan avec défiance.

— Parce que le roi ne me fera jamais l'honneur de venir ostensiblement chez moi, tandis qu'il ira à merveille chez l'un de ces messieurs.

— Quoi ! le roi ira chez l'un de ces messieurs ?

— Pardieu ! s'il ira ? dix fois pour une. Comment ! vous me demandez si le roi ira dans un appartement qui le rapprochera de Mlle de La Vallière !

— Beau rapprochement... avec tout un étage entre soi.

Malicorne déplia le petit papier de la bobine.

— Monsieur le comte, dit-il, remarquez, je vous prie, que le plancher de la chambre de Mlle de La Vallière est un simple parquet de bois.

— Eh bien ?

— Eh ! bien, vous prendrez un ouvrier charpentier qui, enfermé chez vous sans savoir où on le mène, ouvrira votre plafond et, par conséquent, le parquet de Mlle de La Vallière.

— Ah ! mon Dieu ! s'écria de Saint-Aignan comme ébloui.

— Plaît-il ? fit Malicorne.

— Je dis que voilà une idée bien audacieuse, monsieur.

— Elle paraîtra bien mesquine au roi, je vous assure.

— Les amoureux ne réfléchissent point au danger.

— Quel danger craignez-vous, monsieur le comte ?

— Mais un percement pareil, c'est un bruit effroyable, tout le château en retentira ?

— Oh ! monsieur le comte, je suis sûr, moi, que l'ouvrier que je vous désignerai ne fera pas le moindre bruit. Il sciera un quadrilatère de six pieds avec une scie garnie d'étoupe, et nul, même des plus voisins, ne s'apercevra qu'il travaille.

— Ah ! mon cher monsieur Malicorne, vous m'étourdissez, vous me bouleversez.

— Je continue, répondit tranquillement Malicorne : dans la chambre dont vous avez percé le plafond, vous entendez bien, n'est-ce pas ?

— Oui.

— Vous dresserez un escalier qui permette, soit à Mlle de La Vallière de descendre chez vous, soit au roi de monter chez Mlle de La Vallière.

— Mais cet escalier, on le verra ?

— Non, car, de votre côté, il sera caché par une cloison sur laquelle vous étendrez une tapisserie pareille à celle qui garnira le reste de l'appartement ; chez Mlle de La Vallière, il disparaîtra sous une trappe qui sera le parquet même, et qui s'ouvrira sous le lit.

— En effet, dit de Saint-Aignan, dont les yeux commencèrent à étinceler.

— Maintenant, monsieur le comte, je n'ai pas besoin de vous faire avouer que le roi viendra souvent dans la chambre où sera établi un pareil escalier. Je crois que M. Dangeau, particulièrement, sera frappé de mon idée, et je vais la lui développer.

— Ah ! cher monsieur Malicorne ! s'écria de Saint-Aignan, vous oubliez que c'est à moi que vous en avez parlé le premier, et que, par conséquent, j'ai les droits de la priorité.

— Voulez-vous donc la préférence ?

— Si je la veux ! je crois bien !

— Le fait est, monsieur de Saint-Aignan, que c'est un cordon pour la première promotion que je vous donne là, et peut-être même quelque bon duché.

— C'est, du moins, répondit de Saint-Aignan rouge de plaisir, une occasion de montrer au roi qu'il n'a pas tort de m'appeler quelquefois son ami, occasion, cher monsieur Malicorne, que je vous devrai.

— Vous ne l'oublierez pas un peu ? demanda Malicorne en souriant.

— Je m'en ferai gloire, monsieur.

— Moi, monsieur, je ne suis pas l'ami du roi, je suis son serviteur.

— Oui, et, si vous pensez qu'il y a un cordon bleu pour moi dans cet escalier, je pense qu'il y aura bien pour vous un rouleau de lettres de noblesse.

Malicorne s'inclina.

— Il ne s'agit plus, maintenant, que de déménager, dit de Saint-Aignan.

— Je ne vois pas que le roi s'y oppose ; demandez-lui-en la permission.

— A l'instant même je cours chez lui.

— Et moi, je vais me procurer l'ouvrier dont nous avons besoin.

— Quand l'aurai-je ?

— Ce soir.

— N'oubliez pas les précautions.

— Je vous l'amène les yeux bandés.

— Et moi, je vous envoie un de mes carrosses.

— Sans armoiries.

— Avec un de mes laquais sans livrée, c'est convenu.

— Très bien, monsieur le comte.

— Mais La Vallière.

— Eh bien ?

— Que dira-t-elle en voyant l'opération ?

— Je vous assure que cela l'intéressera beaucoup.

— Je le crois.

— Je suis même sûr que, si le roi n'a pas l'audace de monter chez elle, elle aura la curiosité de descendre.

— Espérons, dit de Saint-Aignan.

— Oui, espérons, répéta Malicorne.

— Je m'en vais chez le roi, alors.

— Et vous faites à merveille.

— A quelle heure ce soir mon ouvrier ?

— A huit heures.

— Et combien de temps estimez-vous qu'il lui faudra pour scier son quadrilatère ?

— Mais deux heures, à peu près ; seulement, ensuite, il lui faudra le temps d'achever ce qu'on appelle les raccords. Une nuit et une partie de la journée du lendemain : c'est deux jours qu'il faut compter avec l'escalier.

— Deux jours, c'est bien long.

— Dame ! quand on se mêle d'ouvrir une porte sur le paradis, faut-il, au moins, que cette porte soit décente.

— Vous avez raison ; à tantôt, cher monsieur Malicorne. Mon déménagement sera prêt pour après-demain au soir.

CLXXIII

LA PROMENADE AUX FLAMBEAUX

De Saint-Aignan, ravi de ce qu'il venait d'entendre, enchanté de ce qu'il entrevoyait, prit sa course vers les deux chambres de de Guiche.

Lui qui, un quart d'heure auparavant, n'eût pas donné ses deux chambres pour un million, il était prêt à acheter, pour un million, si on le lui eût demandé, les deux bienheureuses chambres qu'il convoitait maintenant.

Mais il n'y rencontra pas tant d'exigences. M. de Guiche ne savait pas encore où il devait loger, et, d'ailleurs, était trop souffrant toujours pour s'occuper de son logement.

De Saint-Aignan eut donc les deux chambres de de Guiche. De son côté, M. Dangeau eut les deux chambres de de Saint-Aignan, moyennant un pot-de-vin de six mille livres à l'intendant du comte, et crut avoir fait une affaire d'or.

Les deux chambres de Dangeau devinrent le futur logement de de Guiche.

Le tout, sans que nous puissions affirmer bien sûrement que, dans ce déménagement général, ce sont ces deux chambres que de Guiche habitera.

Quant à M. Dangeau, il était si transporté de joie, qu'il ne se donna même pas la peine de supposer que de Saint-Aignan avait un intérêt supérieur à déménager.

Une heure après cette nouvelle résolution prise par de Saint-Aignan, de Saint-Aignan était donc en possession des deux chambres. Dix minutes après que de Saint-Aignan était en possession des deux chambres, Malicorne entrait chez de Saint-Aignan escorté des tapissiers.

Pendant ce temps le roi demandait de Saint-Aignan ; on courait chez de Saint-Aignan, et l'on trouvait Dangeau ; Dangeau renvoyait chez de Guiche, et l'on trouvait enfin de Saint-Aignan.

Mais il y avait retard, de sorte que le roi avait déjà donné deux ou trois mouvements d'impatience lorsque de Saint-Aignan entra tout essoufflé chez son maître.

— Tu m'abandonnes donc aussi, toi ? lui dit Louis XIV, de ce ton lamentable dont César avait dû, dix-huit cents ans auparavant, dire le *Tu quoque*[1].

---

1. « Toi aussi », Suétone, *Vies des douze Césars*, I, *César*, LXXXII.

— Sire, dit de Saint-Aignan, je n'abandonne pas le roi, tout au contraire ; seulement, je m'occupe de mon déménagement.

— De quel déménagement ? Je croyais ton déménagement terminé depuis trois jours.

— Oui, sire. Mais je me trouve mal où je suis, et je passe dans le corps de logis en face.

— Quand je te disais que, toi aussi, tu m'abandonnais ! s'écria le roi. Oh ! mais cela passe les bornes. Ainsi je n'avais qu'une femme dont mon cœur se souciât, toute ma famille se ligue pour me l'arracher. J'avais un ami à qui je confiais mes peines et qui m'aidait à en supporter le poids, cet ami se lasse de mes plaintes et me quitte sans même me demander congé.

De Saint-Aignan se mit à rire.

Le roi devina qu'il y avait quelque mystère dans ce manque de respect.

— Qu'y a-t-il ? s'écria le roi plein d'espoir.

— Il y a, sire, que cet ami, que le roi calomnie, va essayer de rendre à son roi le bonheur qu'il a perdu.

— Tu vas me faire voir La Vallière ? fit Louis XIV.

— Sire, je n'en réponds pas encore, mais...

— Mais ?...

— Mais je l'espère.

— Oh ! comment ? comment ? Dis-moi cela, de Saint-Aignan. Je veux connaître ton projet, je veux t'y aider de tout mon pouvoir.

— Sire, répondit de Saint-Aignan, je ne sais pas encore bien moi-même comment je vais m'y prendre pour arriver à ce but ; mais j'ai tout lieu de croire que, dès demain...

— Demain, dis-tu ?

— Oui, sire.

— Oh ! quel bonheur ! Mais pourquoi déménages-tu ?

— Pour vous servir mieux.

— Et en quoi, étant déménagé, me peux-tu mieux servir ?

— Savez-vous où sont situées les deux chambres que l'on destinait au comte de Guiche.

— Oui.

— Alors, vous savez où je vais.

— Sans doute ; mais cela ne m'avance à rien.

— Comment ! vous ne comprenez pas, sire, qu'au-dessus de ce logement sont deux chambres ?

— Lesquelles ?

— L'une, celle de Mlle de Montalais, et l'autre...

— L'autre, c'est celle de La Vallière, de Saint-Aignan ?

— Allons donc, sire.

— Oh ! de Saint-Aignan, c'est vrai, oui, c'est vrai. De Saint-Aignan, c'est une heureuse idée, une idée d'ami, de poète ; en me rapprochant d'elle, lorsque l'univers m'en sépare, tu vaux mieux pour moi que Pylade pour Oreste, que Patrocle pour Achille.

— Sire, dit de Saint-Aignan avec un sourire, je doute que, si Votre Majesté connaissait mes projets dans toute leur étendue, elle continuât à me donner des qualifications si pompeuses. Ah ! sire, j'en connais de plus triviales que certains puritains de la cour ne manqueront pas de m'appliquer quand ils sauront ce que je compte faire pour Votre Majesté[1].

— De Saint-Aignan, je meurs d'impatience ; de Saint-Aignan, je dessèche ; de Saint-Aignan, je n'attendrai jamais jusqu'à demain... Demain ! mais, demain, c'est une éternité.

— Et cependant, sire, s'il vous plaît, vous allez sortir tout à l'heure et distraire cette impatience par une bonne promenade.

— Avec toi, soit : nous causerons de tes projets, nous parlerons d'elle.

— Non pas, sire, je reste.

— Avec qui sortirai-je, alors ?

— Avec les dames.

— Ah ! ma foi, non, de Saint-Aignan.

— Sire, il le faut.

— Non, non ! mille fois non ! Non, je ne m'exposerai plus à ce supplice horrible d'être à deux pas d'elle, de la voir, d'effleurer sa robe en passant et de ne rien lui dire. Non, je renonce à ce supplice que tu crois un bonheur et qui n'est qu'une torture qui brûle mes yeux, qui dévore mes mains, qui broie mon cœur ; la voir en présence de tous les étrangers et ne pas lui dire que je l'aime, quand tout mon être lui révèle cet amour et me trahit devant tous. Non, je me suis juré à moi-même que je ne le ferais plus, et je tiendrai mon serment.

— Cependant, sire, écoutez bien ceci.

— Je n'écoute rien, de Saint-Aignan.

— En ce cas, je continue. Il est urgent, sire, comprenez-vous bien, urgent, de toute urgence, que Madame et ses filles d'honneur soient absentes deux heures de votre domicile.

— Tu me confonds, de Saint-Aignan.

— Il est dur pour moi de commander à mon roi ; mais dans cette circonstance, je commande, sire : il me faut une chasse ou une promenade.

— Mais cette promenade, cette chasse, ce serait un caprice, une bizarrerie ! En manifestant de pareilles impatiences, je découvre à toute ma cour un cœur qui ne s'appartient plus à lui-même. Ne dit-on pas déjà trop que je rêve la conquête du monde, mais qu'auparavant je devrais commencer par faire la conquête de moi-même ?

— Ceux qui disent cela, sire, sont des impertinents et des factieux ;

---

1. La cour le surnomma duc de Mercure, Mercure étant le patron des entremetteurs.

mais, quels qu'ils soient, si Votre Majesté préfère les écouter, je n'ai plus rien à dire. Alors, le jour de demain se recule à des époques indéterminées.

— De Saint-Aignan, je sortirai ce soir... Ce soir, j'irai coucher à Saint-Germain aux flambeaux ; j'y déjeunerai demain et serai de retour à Paris vers les trois heures. Est-ce cela ?

— Tout à fait.

— Alors je partirai ce soir pour huit heures.

— Votre Majesté a deviné la minute.

— Et tu ne veux rien me dire ?

— C'est-à-dire que je ne puis rien vous dire. L'industrie est pour quelque chose dans ce monde, sire ; cependant le hasard y joue un si grand rôle, que j'ai l'habitude de lui laisser toujours la part la plus étroite, certain qu'il s'arrangera de manière à prendre toujours la plus large.

— Allons, je m'abandonne à toi.

— Et vous avez raison.

Réconforté de la sorte, le roi s'en alla tout droit chez Madame, où il annonça la promenade projetée.

Madame crut à l'instant même voir, dans cette partie improvisée, un complot du roi pour entretenir La Vallière, soit sur la route, à la faveur de l'obscurité, soit autrement ; mais elle se garda bien de rien manifester à son beau-frère, et accepta l'invitation le sourire sur les lèvres.

Elle donna, tout haut, des ordres pour que ses filles d'honneur la suivissent, se réservant de faire le soir ce qui lui paraîtrait le plus propre à contrarier les amours de Sa Majesté.

Puis, lorsqu'elle fut seule et que le pauvre amant qui avait donné cet ordre pût croire que Mlle de La Vallière serait de la promenade, au moment peut-être où il se repaissait en idée de ce triste bonheur des amants persécutés, qui est de réaliser, par la seule vue, toutes les joies de la possession interdite, en ce moment même, Madame, au milieu de ses filles d'honneur, disait :

— J'aurai assez de deux demoiselles ce soir : Mlle de Tonnay-Charente et Mlle de Montalais.

La Vallière avait prévu le coup, et, par conséquent, s'y attendait ; mais la persécution l'avait rendue forte. Elle ne donna point à Madame la joie de voir sur son visage l'impression du coup qu'elle recevait au cœur.

Au contraire, souriant avec cette ineffable douceur qui donnait un caractère angélique à sa physionomie :

— Ainsi, madame, me voilà libre ce soir ? dit-elle.

— Oui, sans doute.

— J'en profiterai pour avancer cette tapisserie que Son Altesse a bien voulu remarquer, et que, d'avance, j'ai eu l'honneur de lui offrir.

Et, ayant fait une respectueuse révérence, elle se retira chez elle.

Mlles de Montalais et de Tonnay-Charente en firent autant.

Le bruit de la promenade sortit avec elles de la chambre de Madame et se répandit par tout le château. Dix minutes après, Malicorne savait la résolution de Madame, et faisait passer sous la porte de Montalais un billet conçu en ces termes :

Il faut que L. V. passe la nuit avec Madame.

Montalais, selon les conventions faites, commença par brûler le papier, puis se mit à réfléchir.

Montalais était une fille de ressources, et elle eut bientôt arrêté son plan.

A l'heure où elle devait se rendre chez Madame, c'est-à-dire vers cinq heures, elle traversa le préau tout courant, et, arrivée à dix pas d'un groupe d'officiers, poussa un cri, tomba gracieusement sur un genou, se releva et continua son chemin, mais en boitant.

Les gentilshommes accoururent à elle pour la soutenir. Montalais s'était donné une entorse.

Elle n'en voulut pas moins, fidèle à son devoir, continuer son ascension chez Madame.

— Qu'y a-t-il, et pourquoi boitez-vous ? lui demanda celle-ci ; je vous prenais pour La Vallière.

Montalais raconta comment, en courant pour venir plus vite, elle s'était tordu le pied.

Madame parut la plaindre et voulut faire venir, à l'instant même, un chirurgien.

Mais elle, assurant que l'accident n'avait rien de grave :

— Madame, dit-elle, je m'afflige seulement de manquer à mon service, et j'eusse voulu prier Mlle de La Vallière de me remplacer près de Votre Altesse...

Madame fronça le sourcil.

— Mais je n'en ai rien fait, continua Montalais.

— Et pourquoi n'en avez-vous rien fait ? demanda Madame.

— Parce que la pauvre La Vallière paraissait si heureuse d'avoir sa liberté pour un soir et pour une nuit, que je ne me suis pas senti le courage de la mettre en service à ma place.

— Comment, elle est joyeuse à ce point ? demanda Madame frappée de ces paroles.

— C'est-à-dire qu'elle en est folle ; elle chantait, elle toujours si mélancolique. Au reste, Votre Altesse sait qu'elle déteste le monde, et que son caractère contient un grain de sauvagerie.

« Oh ! oh ! pensa Madame, cette grande gaieté ne me paraît pas naturelle, à moi. »

— Elle a déjà fait ses préparatifs, continua Montalais, pour dîner chez elle, en tête à tête avec un de ses livres chéris. Et puis, d'ailleurs, Votre Altesse a six autres demoiselles qui seront bien heureuses de l'accompagner ; aussi n'ai-je pas même fait ma proposition à Mlle de La Vallière.

Madame se tut.

— Ai-je bien fait ? continua Montalais avec un léger serrement de cœur, en voyant si mal réussir cette ruse de guerre sur laquelle elle avait si complètement compté, qu'elle n'avait pas cru nécessaire d'en chercher une autre. Madame m'approuve ? continua-t-elle.

Madame pensait que, pendant la nuit, le roi pourrait bien quitter Saint-Germain, et que, comme on ne comptait que quatre lieues et demie de Paris à Saint-Germain, il pourrait bien être en une heure à Paris.

— Dites-moi, fit-elle, en vous sachant blessée, La Vallière vous a au moins offert sa compagnie ?

— Oh ! elle ne connaît pas encore mon accident ; mais, le connût-elle, je ne lui demanderai certes rien qui la dérange de ses projets. Je crois qu'elle veut réaliser seule, ce soir, la partie de plaisir du feu roi, quand il disait à M. de Cinq-Mars[1] : « Ennuyons-nous, monsieur de Cinq-Mars, ennuyons-nous bien. »

Madame était convaincue que quelque mystère amoureux était caché sous cette soif de solitude. Ce mystère devait être le retour nocturne de Louis. Il n'y avait plus à en douter, La Vallière était prévenue de ce retour, de là cette joie de rester au Palais-Royal.

C'était tout un plan combiné d'avance.

— Je ne serai pas leur dupe, dit Madame.

Et elle prit un parti décisif.

— Mademoiselle de Montalais, dit-elle, veuillez prévenir votre amie, Mlle de La Vallière, que je suis au désespoir de troubler ses projets de solitude ; mais, au lieu de s'ennuyer seule chez elle, comme elle le désirait, elle viendra s'ennuyer avec nous à Saint-Germain.

— Ah ! pauvre La Vallière, fit Montalais d'un air dolent, mais avec l'allégresse dans le cœur. Oh ! madame, est-ce qu'il n'y aurait pas moyen que Votre Altesse...

— Assez, dit Madame, je le veux ! Je préfère la société de Mlle La Baume Le Blanc à toutes les autres sociétés. Allez, envoyez-la-moi et soignez votre jambe.

Montalais ne se fit pas répéter l'ordre. Elle rentra, écrivit sa réponse à Malicorne, et la glissa sous le tapis. « On ira », disait cette réponse. Une Spartiate n'eût pas écrit plus laconiquement.

« De cette façon, pensait Madame, pendant la route, je la surveille, pendant la nuit, elle couche près de moi, et bien adroite est Sa Majesté si elle échange un seul mot avec Mlle de La Vallière. »

---

1. Texte : « Saint-Mars ». Nous unifions en « Cinq-Mars », graphie que nous retrouvons dans les autres occurrences.

La Vallière reçut l'ordre de partir avec la même douceur indifférente qu'elle avait reçu l'ordre de rester.

Seulement, intérieurement, sa joie fut vive, et elle regarda ce changement de résolution de la princesse comme une consolation que lui envoyait la Providence.

Moins pénétrante que Madame, elle mettait tout sur le compte du hasard.

Tandis que tout le monde, à l'exception des disgraciés, des malades et des gens ayant des entorses, se dirigeait vers Saint-Germain, Malicorne faisait entrer son ouvrier dans un carrosse de M. de Saint-Aignan et le conduisait dans la chambre correspondant à la chambre de La Vallière.

Cet homme se mit à l'œuvre, alléché par la splendide récompense qui lui avait été promise.

Comme on avait fait prendre chez les ingénieurs de la maison du roi tous les outils les plus excellents, entre autres une de ces scies aux morsures invincibles qui vont tailler dans l'eau les madriers de chêne durs comme du fer, l'ouvrage avança rapidement, et un morceau carré du plafond, choisi entre deux solives, tomba dans les bras de Saint-Aignan, de Malicorne, de l'ouvrier et d'un valet de confiance, personnage mis au monde pour tout voir, tout entendre et ne rien répéter.

Seulement, en vertu d'un nouveau plan indiqué par Malicorne, l'ouverture fut pratiquée dans l'angle.

Voici pourquoi.

Comme il n'y avait pas de cabinet de toilette dans la chambre de La Vallière, La Vallière avait demandé et obtenu, le matin même, un grand paravent destiné à remplacer une cloison.

Le paravent avait été accordé.

Il suffisait parfaitement pour cacher l'ouverture, qui, d'ailleurs, serait dissimulée par tous les artifices de l'ébénisterie.

Le trou pratiqué, l'ouvrier se glissa entre les solives et se trouva dans la chambre de La Vallière.

Arrivé là, il scia carrément le plancher, et, avec les feuilles mêmes du parquet, il confectionna une trappe s'adaptant si parfaitement à l'ouverture, que l'œil le plus exercé n'y pouvait voir que les interstices obligés d'une soudure de parquet.

Malicorne avait tout prévu. Une poignée et deux charnières, achetées d'avance, furent posées à cette feuille de bois.

Un de ces petits escaliers tournants, comme on commençait à en poser dans les entresols, fut acheté tout fait par l'industrieux Malicorne, et payé deux mille livres.

Il était plus haut qu'il n'était besoin ; mais le charpentier en supprima des degrés, et il se trouva d'exacte mesure.

Cet escalier, destiné à recevoir un si illustre poids, fut accroché au mur par deux crampons seulement.

Quant à sa base, elle fut arrêtée dans le parquet même du comte par deux fiches vissées : le roi et tout son conseil eussent pu monter et descendre cet escalier sans aucune crainte.

Tout marteau frappait sur un coussinet d'étoupes, toute lime mordait, le manche enveloppé de laine, la lame trempée d'huile.

D'ailleurs, le travail le plus bruyant avait été fait pendant la nuit et pendant la matinée, c'est-à-dire en l'absence de La Vallière et de Madame.

Quand, vers deux heures, la cour rentra au Palais-Royal, et que La Vallière remonta dans sa chambre, tout était en place, et pas la moindre parcelle de sciure, pas le plus petit copeau ne venaient attester la violation de domicile.

Seulement, de Saint-Aignan, qui avait voulu aider de son mieux dans ce travail, avait déchiré ses doigts et sa chemise, et dépensé beaucoup de sueur au service de son roi.

La paume de ses mains, surtout, était toute garnie d'ampoules.

Ces ampoules venaient de ce qu'il avait tenu l'échelle à Malicorne.

Il avait, en outre, apporté un à un les cinq morceaux de l'escalier, formés chacun de deux marches.

Enfin, nous pouvons le dire, le roi, s'il l'eût vu si ardent à l'œuvre, le roi lui eût juré reconnaissance éternelle.

Comme l'avait prévu Malicorne, l'homme des mesures exactes, l'ouvrier eut terminé toutes ses opérations en vingt-quatre heures.

Il reçut vingt-quatre louis et partit comblé de joie ; c'était autant qu'il gagnait d'ordinaire en six mois.

Nul n'avait le plus petit soupçon de ce qui s'était passé sous l'appartement de Mlle de La Vallière.

Mais, le soir du second jour, au moment où La Vallière venait de quitter le cercle de Madame et rentrait chez elle, un léger craquement retentit au fond de la chambre.

Étonnée, elle regarda d'où venait le bruit. Le bruit recommença.

— Qui est là ? demanda-t-elle avec un accent d'effroi.

— Moi, répondit la voix si connue du roi.

— Vous !... vous ! s'écria la jeune fille qui se crut un instant sous l'empire d'un songe. Mais où cela, vous ?... vous, sire ?

— Ici, répliqua le roi en dépliant une des feuilles du paravent, et en apparaissant comme une ombre au fond de l'appartement.

La Vallière poussa un cri et tomba toute frissonnante sur un fauteuil.

CLXXIV

L'APPARITION

La Vallière se remit promptement de sa surprise ; à force d'être respectueux, le roi lui rendait par sa présence plus de confiance que son apparition ne lui en avait ôté.

Mais, comme il vit surtout que ce qui inquiétait La Vallière, c'était la façon dont il avait pénétré chez elle, il lui expliqua le système de l'escalier caché par le paravent, se défendant surtout d'être une apparition surnaturelle.

— Oh ! sire, lui dit La Vallière en secouant sa blonde tête avec un charmant sourire, présent ou absent, vous n'apparaissez pas moins à mon esprit dans un moment que dans l'autre.

— Ce qui veut dire, Louise ?

— Oh ! ce que vous savez bien, sire : c'est qu'il n'est pas un instant où la pauvre fille dont vous avez surpris le secret à Fontainebleau, et que vous êtes venu reprendre au pied de la croix, ne pense à vous.

— Louise, vous me comblez de joie et de bonheur.

La Vallière sourit tristement et continua :

— Mais, sire, avez-vous réfléchi que votre ingénieuse invention ne pouvait nous être d'aucune utilité ?

— Et pourquoi cela ? Dites, j'attends.

— Parce que cette chambre où je loge, sire, n'est point à l'abri des recherches, il s'en faut ; Madame peut y venir par hasard ; à chaque instant du jour, mes compagnes y viennent ; fermer ma porte en dedans, c'est me dénoncer aussi clairement que si j'écrivais dessus : « N'entrez pas, le roi est ici ! » Et, tenez, sire, en ce moment même, rien n'empêche que la porte ne s'ouvre, et que Votre Majesté, surprise, ne soit vue près de moi.

— C'est alors, dit en riant le roi, que je serais véritablement pris pour un fantôme, car nul ne peut dire par où je suis venu ici. Or, il n'y a que les fantômes qui passent à travers les murs ou à travers les plafonds.

— Oh ! sire, quelle aventure ! songez-y bien, sire, quel scandale ! Jamais rien de pareil n'aurait été dit sur les filles d'honneur, pauvres créatures que la méchanceté n'épargne guère, cependant.

— Et vous concluez de tout cela, ma chère Louise ?... Voyons, dites, expliquez-vous !

— Qu'il faut, hélas ! pardonnez-moi, c'est un mot bien dur...

Louis sourit.

— Voyons, dit-il.

— Qu'il faut que Votre Majesté supprime l'escalier, machinations et surprises ; car le mal d'être pris ici, songez-y, sire, serait plus grand que le bonheur de s'y voir.

— Eh bien ! chère Louise, répondit le roi avec amour, au lieu de supprimer cet escalier par lequel je monte, il est un moyen plus simple auquel vous n'avez point pensé.

— Un moyen… encore ?…

— Oui, encore. Oh ! vous ne m'aimez pas comme je vous aime, Louise, puisque je suis plus inventif que vous.

Elle le regarda. Louis lui tendit la main, qu'elle serra doucement.

— Vous dites, continua le roi, que je serai surpris en venant où chacun peut entrer à son aise ?

— Tenez, sire, au moment même où vous en parlez, j'en tremble.

— Soit, mais vous ne seriez pas surprise, vous, en descendant cet escalier pour venir dans les chambres qui sont au-dessous.

— Sire, sire, que dites-vous là ? s'écria La Vallière effrayée.

— Vous me comprenez mal, Louise, puisque, à mon premier mot, vous prenez cette grande colère ; d'abord, savez-vous à qui appartiennent ces chambres ?

— Mais à M. le comte de Guiche.

— Non pas, à M. de Saint-Aignan.

— Vrai ! s'écria La Vallière.

Et ce mot, échappé du cœur joyeux de la jeune fille, fit luire comme un éclair de doux présage dans le cœur épanoui du roi.

— Oui, à de Saint-Aignan, à notre ami, dit-il.

— Mais, sire, reprit La Vallière, je ne puis pas plus aller chez M. de Saint-Aignan que chez M. le comte de Guiche, hasarda l'ange redevenu femme.

— Pourquoi donc ne le pouvez-vous pas, Louise ?

— Impossible ! impossible !

— Il me semble, Louise, que, sous la sauvegarde du roi, l'on peut tout.

— Sous la sauvegarde du roi ? dit-elle avec un regard chargé d'amour.

— Oh ! vous croyez à ma parole, n'est-ce pas ?

— J'y crois lorsque vous n'y êtes pas, sire ; mais, lorsque vous y êtes, lorsque vous me parlez, lorsque je vous vois, je ne crois plus à rien.

— Que vous faut-il pour vous rassurer, mon Dieu ?

— C'est peu respectueux, je le sais, de douter ainsi du roi ; mais vous n'êtes pas le roi, pour moi.

— Oh ! Dieu merci, je l'espère bien ; vous voyez comme je cherche. Écoutez : la présence d'un tiers vous rassurera-t-elle ?

— La présence de M. de Saint-Aignan ? Oui.

— En vérité, Louise, vous me percez le cœur avec de pareils soupçons.

La Vallière ne répondit rien, elle regarda seulement Louis de ce clair regard qui pénétrait jusqu'au fond des cœurs, et dit tout bas :

— Hélas ! hélas ! ce n'est pas de vous que je me défie, ce n'est pas sur vous que portent mes soupçons.

— J'accepte donc, dit le roi en soupirant, et M. de Saint-Aignan, qui a l'heureux privilège de vous rassurer, sera toujours présent à notre entretien, je vous le promets.

— Bien vrai, sire ?

— Foi de gentilhomme ! Et vous, de votre côté ?...

— Attendez, oh ! ce n'est pas tout.

— Encore quelque chose, Louise ?

— Oh ! certainement ; ne vous lassez pas si vite, car nous ne sommes pas au bout, sire.

— Allons, achevez de me percer le cœur.

— Vous comprenez bien, sire, que ces entretiens doivent au moins avoir, près de M. de Saint-Aignan lui-même, une sorte de motif raisonnable.

— De motif raisonnable ! reprit le roi d'un ton de doux reproche.

— Sans doute. Réfléchissez, sire.

— Oh ! vous avez toutes les délicatesses, et, croyez-le, mon seul désir est de vous égaler sur ce point. Eh bien ! Louise, il sera fait comme vous désirez. Nos entretiens auront un objet raisonnable, et j'ai déjà trouvé cet objet.

— De sorte, sire ?... dit La Vallière en souriant.

— Que dès demain, si vous voulez...

— Demain ?

— Vous voulez dire que c'est trop tard ? s'écria le roi en serrant entre ses deux mains la main brûlante de La Vallière.

En ce moment, des pas se firent entendre dans le corridor.

— Sire, sire, s'écria La Vallière, quelqu'un s'approche, quelqu'un vient, entendez-vous ? Sire, sire, fuyez, je vous en supplie !

Le roi ne fit qu'un bond de sa chaise derrière le paravent.

Il était temps ; comme le roi tirait un des feuillets sur lui, le bouton de la porte tourna, et Montalais parut sur le seuil.

Il va sans dire qu'elle entra tout naturellement et sans faire aucune cérémonie.

Elle savait bien, la rusée, que frapper discrètement à cette porte au lieu de la pousser, c'était montrer à La Vallière une défiance désobligeante.

Elle entra donc, et après un rapide coup d'œil qui lui montra deux chaises fort près l'une de l'autre, elle employa tant de temps à refermer la porte qui se rebellait on ne sait comment, que le roi eut celui de lever la trappe et de redescendre chez de Saint-Aignan.

Un bruit imperceptible pour toute oreille moins fine que la sienne avertit Montalais de la disparition du prince ; elle réussit alors à fermer la porte rebelle, et s'approcha de La Vallière.

— Causons, Louise, lui dit-elle, causons sérieusement, vous le voulez bien.

Louise, toute à son émotion, n'entendit pas sans une secrète terreur ce *sérieusement*, sur lequel Montalais avait appuyé à dessein.

— Mon Dieu ! ma chère Aure, murmura-t-elle, qu'y a-t-il donc encore ?

— Il y a, chère amie, que Madame se doute de tout.

— De tout quoi ?

— Avons-nous besoin de nous expliquer, et ne comprends-tu pas ce que je veux dire ? Voyons : tu as dû voir les fluctuations de Madame depuis plusieurs jours ; tu as dû voir comme elle t'a prise auprès d'elle, puis congédiée, puis reprise.

— C'est étrange, en effet ; mais je suis habituée à ses bizarreries.

— Attends encore. Tu as remarqué ensuite que Madame, après t'avoir exclue de la promenade, hier, t'a fait donner ordre d'assister à cette promenade.

— Si je l'ai remarqué ! sans doute.

— Eh bien ! il paraît que Madame a maintenant des renseignements suffisants, car elle a été droit au but, n'ayant plus rien à opposer en France à ce torrent qui brise tous les obstacles ; tu sais ce que je veux dire par le torrent ?

La Vallière cacha son visage entre ses mains.

— Je veux dire, poursuivit Montalais impitoyablement, ce torrent qui a enfoncé la porte des Carmélites de Chaillot, et renversé tous les préjugés de cour, tant à Fontainebleau qu'à Paris.

— Hélas ! hélas ! murmura La Vallière, toujours voilée par ses doigts, entre lesquels roulaient ses larmes.

— Oh ! ne t'afflige pas ainsi, lorsque tu n'es qu'à la moitié de tes peines.

— Mon Dieu ! s'écria la jeune fille avec anxiété, qu'y a-t-il donc encore ?

— Eh bien ! voici le fait. Madame, dénuée d'auxiliaires en France, car elle a usé successivement les deux reines, Monsieur et toute la cour, Madame s'est souvenue d'une certaine personne qui a sur toi de prétendus droits.

La Vallière devint blanche comme une statue de cire.

— Cette personne, continua Montalais, n'est point à Paris en ce moment.

— Oh ! mon Dieu ! murmura Louise.

— Cette personne, si je ne me trompe, est en Angleterre.

— Oui, oui, soupira La Vallière à demi brisée.

— N'est-ce pas à la cour du roi Charles II que se trouve cette personne ? Dis.

— Oui.

— Eh bien ! ce soir, une lettre est partie du cabinet de Madame pour Saint-James, avec ordre pour le courrier de pousser d'une traite jusqu'à Hampton Court, qui est, à ce qu'il paraît, une maison royale située à douze milles de Londres !

— Oui, après ?

— Or, comme Madame écrit régulièrement à Londres tous les quinze jours, et que le courrier ordinaire avait été expédié à Londres il y a trois jours seulement, j'ai pensé qu'une circonstance grave pouvait seule lui mettre la plume à la main. Madame est paresseuse pour écrire, comme tu sais.

— Oh ! oui.

— Cette lettre a donc été écrite, quelque chose me le dit, pour toi.

— Pour moi ? répéta la malheureuse jeune fille avec la docilité d'un automate.

— Et moi qui la vis, cette lettre, sur le bureau de Madame avant qu'elle fût cachetée, j'ai cru y lire...

— Tu as cru y lire ?...

— Peut-être me suis-je trompée.

— Quoi ?... Voyons.

— Le nom de Bragelonne.

La Vallière se leva, en proie à la plus douloureuse agitation.

— Montalais, dit-elle avec une voix pleine de sanglots, déjà se sont enfuis tous les rêves riants de la jeunesse et de l'innocence. Je n'ai plus rien à te cacher, à toi ni à personne. Ma vie est à découvert, et s'ouvre comme un livre où tout le monde peut lire, depuis le roi jusqu'au premier passant. Aure, ma chère Aure, que faire ? Que devenir ?

Montalais se rapprocha.

— Dame, consulte-toi, dit-elle.

— Eh bien ! je n'aime pas M. de Bragelonne ; quand je dis que je ne l'aime pas, comprends-moi : je l'aime comme la plus tendre sœur peut aimer un bon frère ; mais ce n'est point cela qu'il me demande, ce n'est point cela que je lui ai promis.

— Enfin, tu aimes le roi, dit Montalais, et c'est une assez bonne excuse.

— Oui, j'aime le roi, murmura sourdement la jeune fille, et j'ai payé assez cher le droit de prononcer ces mots. Eh bien ! parle, Montalais ; que peux-tu pour moi ou contre moi dans la position où je me trouve ?

— Parle-moi plus clairement.

— Que te dirai-je ?

— Ainsi, rien de plus particulier ?

— Non, fit Louise avec étonnement.

— Bien ! Alors, c'est un simple conseil que tu me demandes ?

— Oui.

— Relativement à M. Raoul ?

— Pas autre chose.

— C'est délicat, répliqua Montalais.

— Non, rien n'est délicat là-dedans. Faut-il que je l'épouse pour lui tenir la promesse faite ? faut-il que je continue d'écouter le roi ?

— Sais-tu bien que tu me mets dans une position difficile ? dit Montalais en souriant. Tu me demandes si tu dois épouser Raoul, dont je suis l'amie, et à qui je fais un mortel déplaisir en me prononçant contre lui. Tu me parles ensuite de ne plus écouter le roi, le roi, dont je suis la sujette, et que j'offenserais en te conseillant d'une certaine façon. Ah ! Louise, Louise, tu fais bon marché d'une bien difficile position.

— Vous ne m'avez pas comprise, Aure, dit La Vallière blessée du ton légèrement railleur qu'avait pris Montalais : si je parle d'épouser M. de Bragelonne, c'est que je puis l'épouser sans lui faire aucun déplaisir ; mais, par la même raison, si j'écoute le roi, faut-il le faire usurpateur d'un bien fort médiocre, c'est vrai, mais auquel l'amour prête une certaine apparence de valeur ? Ce que je te demande donc, c'est de m'enseigner un moyen de me dégager honorablement, soit d'un côté, soit de l'autre, ou plutôt je te demande de quel côté je puis me dégager le plus honorablement.

— Ma chère Louise, répondit Montalais après un silence, je ne suis pas un des sept sages de la Grèce et je n'ai point de règles de conduite parfaitement invariables ; mais, en échange, j'ai quelque expérience, et je puis te dire que jamais une femme ne demande un conseil du genre de celui que tu me demandes sans être fortement embarrassée. Or, tu as fait une promesse solennelle, tu as de l'honneur ; si donc tu es embarrassée, ayant pris un tel engagement, ce n'est pas le conseil d'une étrangère, tout est étranger pour un cœur plein d'amour, ce n'est pas, dis-je, mon conseil qui te tirera d'embarras. Je ne te le donnerai donc point, d'autant plus qu'à ta place je serais encore plus embarrassée après le conseil qu'auparavant. Tout ce que je puis faire, c'est de te répéter ce que je t'ai déjà dit : veux-tu que je t'aide ?

— Oh ! oui.

— Eh bien ! c'est tout... Dis-moi en quoi tu veux que je t'aide ; dis-moi pour qui et contre qui. De cette façon nous ne ferons point d'école.

— Mais, d'abord, toi, dit La Vallière en pressant la main de sa compagne, pour qui ou contre qui te déclares-tu ?

— Pour toi, si tu es véritablement mon amie...

— N'es-tu pas la confidente de Madame ?

— Raison de plus pour t'être utile ; si je ne savais rien de ce côté-là, je ne pourrais pas t'aider, et tu ne tirerais, par conséquent, aucun profit de ma connaissance. Les amitiés vivent de ces sortes de bénéfices mutuels.

— Il en résulte que tu resteras en même temps l'amie de Madame ?

— Évidemment. T'en plains-tu ?

— Non, dit La Vallière rêveuse, car cette franchise cynique lui paraissait une offense faite à la femme et un tort fait à l'amie.

— A la bonne heure, dit Montalais ; car, en ce cas, tu serais bien sotte.

— Donc, tu me serviras ?

— Avec dévouement, surtout si tu me sers de même.

— On dirait que tu ne connais pas mon cœur, dit La Vallière en regardant Montalais avec de grands yeux étonnés.

— Dame ! c'est que, depuis que nous sommes à la cour, ma chère Louise, nous sommes bien changées.

— Comment, cela !

— C'est bien simple : étais-tu la seconde reine de France, là-bas, à Blois ?

La Vallière baissa la tête et se mit à pleurer.

Montalais la regarda d'une façon indéfinissable et on l'entendit murmurer ces mots :

— Pauvre fille !

Puis, se reprenant :

— Pauvre roi ! dit-elle.

Elle baisa Louise au front et regagna son appartement, où l'attendait Malicorne.

CLXXV

LE PORTRAIT

Dans cette maladie qu'on appelle l'*amour*, les accès se suivent à des intervalles toujours plus rapprochés dès que le mal débute.

Plus tard, les accès s'éloignent les uns des autres, au fur et à mesure que la guérison arrive.

Cela posé, comme axiome en général et comme tête de chapitre en particulier, continuons notre récit.

Le lendemain, jour fixé par le roi pour le premier entretien chez de Saint-Aignan[1], La Vallière, en ouvrant son paravent, trouva sur le parquet un billet écrit de la main du roi.

Ce billet avait passé de l'étage inférieur au supérieur par la fente du

---

1. « L'on a cru que ce fut là [à Vaux] qu'il la vit pour la première fois en particulier ; mais il y avait déjà quelque temps qu'il la voyait dans la chambre du comte de Saint-Aignan, qui était le confident de cette intrigue », Mme de La Fayette, *op. cit.*

parquet. Nulle main indiscrète, nul regard curieux ne pouvait monter où montait ce simple papier.

C'était une des idées de Malicorne. Voyant combien de Saint-Aignan allait devenir utile au roi par son logement, il n'avait pas voulu que le courtisan devînt encore indispensable comme messager, et il s'était, de son autorité privée, réservé ce dernier poste.

La Vallière lut avidement ce billet qui lui fixait deux heures de l'après-midi pour le moment du rendez-vous, et qui lui indiquait le moyen de lever la plaque parquetée.

— Faites-vous belle, ajoutait le post-scriptum de la lettre.

Ces derniers mots étonnèrent la jeune fille, mais en même temps ils la rassurèrent.

L'heure marchait lentement. Elle finit cependant par arriver.

Aussi ponctuelle que la prêtresse Héro, Louise leva la trappe au dernier coup de deux heures, et trouva sur les premiers degrés le roi, qui l'attendait respectueusement pour lui donner la main.

Cette délicate déférence la toucha sensiblement.

Au bas de l'escalier, les deux amants trouvèrent le comte qui, avec un sourire et une révérence du meilleur goût, fit à La Vallière ses remerciements sur l'honneur qu'il recevait d'elle.

Puis, se tournant vers le roi :

— Sire, dit-il, notre homme est arrivé.

La Vallière, inquiète, regarda Louis.

— Mademoiselle, dit le roi, si je vous ai priée de me faire l'honneur de descendre ici, c'est par intérêt. J'ai fait demander un excellent peintre qui saisit parfaitement les ressemblances, et je désire que vous l'autorisiez à vous peindre[1]. D'ailleurs, si vous l'exigiez absolument, le portrait resterait chez vous.

La Vallière rougit.

— Vous le voyez, lui dit le roi, nous ne serons plus trois seulement : nous voilà quatre. Eh ! mon Dieu ! du moment que nous ne serons pas seuls, nous serons tant que vous voudrez.

La Vallière serra doucement le bout des doigts de son royal amant.

— Passons dans la chambre voisine, s'il plaît à Votre Majesté, dit de Saint-Aignan.

Il ouvrit la porte et fit passer ses hôtes.

Le roi marchait derrière La Vallière et dévorait des yeux son cou blanc comme de la nacre, sur lequel s'enroulaient les anneaux serrés et crépus des cheveux argentés de la jeune fille.

La Vallière était vêtue d'une étoffe de soie épaisse de couleur gris perle glacée de rose ; une parure de jais faisait valoir la blancheur de sa peau ;

---

1. Brienne évoque la présence à Fontainebleau de deux peintres : Lefèvre de Venise, à qui il demande un portrait de La Vallière en Madeleine, et Nanteuil.

ses mains fines et diaphanes froissaient un bouquet de pensées, de roses du Bengale, et de clématites au feuillage finement découpé, au-dessus desquelles s'élevait, comme une coupe à verser des parfums, une tulipe de Harlem aux tons gris et violets, pure et merveilleuse espèce, qui avait coûté cinq ans de combinaisons au jardinier et cinq mille livres au roi.

Ce bouquet, Louis l'avait mis dans la main de La Vallière en la saluant.

Dans cette chambre, dont de Saint-Aignan venait d'ouvrir la porte, se tenait un jeune homme vêtu d'un habit de velours léger avec de beaux yeux noirs et de grands cheveux bruns.

C'était le peintre.

Sa toile était toute prête, sa palette faite.

Il s'inclina devant Mlle de La Vallière avec cette grave curiosité de l'artiste qui étudie son modèle, salua le roi discrètement, comme s'il ne le connaissait pas, et comme il eût, par conséquent, salué un autre gentilhomme.

Puis, conduisant Mlle de La Vallière jusqu'au siège préparé pour elle, il l'invita à s'asseoir.

La jeune fille se posa gracieusement et avec abandon, les mains occupées, les jambes étendues sur des coussins, et, pour que ses regards n'eussent rien de vague ou rien d'affecté, le peintre la pria de se choisir une occupation.

Alors Louis XIV, en souriant, vint s'asseoir sur les coussins aux pieds de sa maîtresse.

De sorte qu'elle, penchée en arrière, adossée au fauteuil, ses fleurs à la main, de sorte que lui, les yeux levés vers elle et la dévorant du regard, ils formaient un groupe charmant que l'artiste contempla plusieurs minutes avec satisfaction, tandis que, de son côté, de Saint-Aignan le contemplait avec envie.

Le peintre esquissa rapidement ; puis, sous les premiers coups du pinceau, on vit sortir du fond gris cette molle et poétique figure aux yeux doux, aux joues roses encadrées dans des cheveux d'un pur argent.

Cependant les deux amants parlaient peu et se regardaient beaucoup ; parfois leurs yeux devenaient si languissants, que le peintre était forcé d'interrompre son ouvrage pour ne pas représenter une Érycine au lieu d'une La Vallière.

C'est alors que de Saint-Aignan revenait à la rescousse ; il récitait des vers ou disait quelques-unes de ces historiettes comme Patru les racontait, comme Tallemant des Réaux les écrivait[1] si bien.

Ou bien La Vallière était fatiguée, et l'on se reposait.

Aussitôt un plateau de porcelaine de Chine, chargé des plus beaux fruits que l'on avait pu trouver, aussitôt le vin de Xérès, distillant ses

_____
1. Texte : « racontait ».

topazes dans l'argent ciselé, servaient d'accessoires à ce tableau, dont le peintre ne devait retracer que la plus éphémère figure.

Louis s'enivrait d'amour ; La Vallière, de bonheur ; de Saint-Aignan, d'ambition.

Le peintre se composait des souvenirs pour sa vieillesse.

Deux heures s'écoulèrent ainsi ; puis, quatre heures ayant sonné, La Vallière se leva, et fit un signe au roi.

Louis se leva, s'approcha du tableau, et adressa quelques compliments flatteurs à l'artiste.

De Saint-Aignan vantait la ressemblance, déjà assurée, à ce qu'il prétendait.

La Vallière, à son tour, remercia le peintre en rougissant, et passa dans la chambre voisine, où le roi la suivit, après avoir appelé de Saint-Aignan.

— A demain, n'est-ce pas ? dit-il à La Vallière.

— Mais, sire, songez-vous que l'on viendra certainement chez moi, qu'on ne m'y trouvera pas ?

— Eh bien ?

— Alors, que deviendrai-je ?

— Vous êtes bien craintive, Louise !

— Mais, enfin, si Madame me faisait demander ?

— Oh ! répliqua le roi, est-ce qu'un jour n'arrivera pas où vous me direz vous-même de tout braver pour ne plus vous quitter ?

— Ce jour-là, sire, je serais une insensée et vous ne devriez pas me croire.

— A demain, Louise.

La Vallière poussa un soupir ; puis, sans force contre la demande royale :

— Puisque vous le voulez, sire, à demain, répéta-t-elle.

Et, à ces mots, elle monta légèrement les degrés et disparut aux yeux de son amant.

— Eh bien ! sire ?... demanda de Saint-Aignan lorsqu'elle fut partie.

— Eh bien ! de Saint-Aignan, hier, je me croyais le plus heureux des hommes.

— Et Votre Majesté, aujourd'hui, dit en souriant le comte, s'en croirait-elle par hasard le plus malheureux ?

— Non, mais cet amour est une soif inextinguible ; en vain je vois, en vain je dévore les gouttes d'eau que ton industrie me procure : plus je bois, plus j'ai soif.

— Sire, c'est un peu votre faute, et Votre Majesté s'est fait la position telle qu'elle est.

— Tu as raison.

— Donc, en pareil cas, sire, le moyen d'être heureux, c'est de se croire satisfait et d'attendre.

— Attendre ! Tu connais donc ce mot-là, toi, attendre ?

— Là, sire, là ! ne vous désolez point. J'ai déjà cherché, je chercherai encore.

Le roi secoua la tête d'un air désespéré.

— Et quoi ! sire, vous n'êtes plus content déjà ?

— Eh ! si fait, mon cher de Saint-Aignan ; mais trouve, mon Dieu ! trouve.

— Sire, je m'engage à chercher, voilà tout ce que je puis dire.

Le roi voulut revoir encore le portrait, ne pouvant revoir l'original. Il indiqua quelques changements au peintre, et sortit.

Derrière lui, de Saint-Aignan congédia l'artiste.

Chevalets, couleurs et peintre n'étaient pas disparus, que Malicorne montra sa tête entre les deux portières.

De Saint-Aignan le reçut à bras ouverts, et cependant avec une certaine tristesse. Le nuage qui avait passé sur le soleil royal voilait, à son tour, le satellite fidèle.

Malicorne vit, du premier coup d'œil, ce crêpe étendu sur le visage de de Saint-Aignan.

— Oh ! monsieur le comte, dit-il, comme vous voilà noir !

— J'en ai bien le sujet, ma foi ! mon cher monsieur Malicorne ; croiriez-vous que le roi n'est pas content ?

— Pas content de son escalier ?

— Oh ! non, au contraire, l'escalier a plu beaucoup.

— C'est donc la décoration des chambres qui n'est pas selon son goût ?

— Oh ! pour cela, il n'y a pas seulement songé. Non, ce qui a déplu au roi...

— Je vais vous le dire, monsieur le comte : c'est d'être venu, lui quatrième, à un rendez-vous d'amour. Comment, monsieur le comte, vous n'avez pas deviné cela, vous ?

— Mais comment l'eussé-je deviné, cher monsieur Malicorne, quand je n'ai fait que suivre à la lettre les instructions du roi ?

— En vérité, Sa Majesté a voulu, à toute force, vous voir près d'elle ?

— Positivement.

— Et Sa Majesté a voulu avoir, en outre, monsieur le peintre que j'ai rencontré en bas ?

— Exigé, monsieur Malicorne, exigé !

— Alors, je le comprends, pardieu ! bien, que Sa Majesté ait été mécontente.

— Mécontente de ce que l'on a ponctuellement obéi à ses ordres ? Je ne vous comprends plus.

Malicorne se gratta l'oreille.

— A quelle heure, demanda-t-il, le roi avait-il dit qu'il se rendrait chez vous ?

— A deux heures.

— Et vous étiez chez vous à attendre le roi ?

— Dès une heure et demie.

— Ah ! vraiment !

— Peste ! il eût fait beau me voir inexact devant le roi.

Malicorne, malgré le respect qu'il portait à de Saint-Aignan, ne put s'empêcher de hausser les épaules.

— Et ce peintre, fit-il, le roi l'avait-il demandé aussi pour deux heures ?

— Non, mais moi, je le tenais ici dès midi. Mieux vaut, vous comprenez, qu'un peintre attende deux heures, que le roi une minute.

Malicorne se mit à rire silencieusement.

— Voyons, cher monsieur Malicorne, dit Saint-Aignan, riez moins de moi et parlez davantage.

— Vous l'exigez ?

— Je vous en supplie.

— Eh bien ! monsieur le comte, si vous voulez que le roi soit un peu plus content la première fois qu'il viendra...

— Il vient demain.

— Eh bien ! si vous voulez que le roi soit un peu plus content demain...

— Ventre-saint-gris ! comme disait son aïeul, si je le veux ! je le crois bien !

— Eh bien ! demain, au moment où arrivera le roi, ayez affaire dehors, mais pour une chose qui ne peut se remettre, pour une chose indispensable.

— Oh ! oh !

— Pendant vingt minutes.

— Laisser le roi seul pendant vingt minutes ? s'écria de Saint-Aignan effrayé.

— Allons, mettons que je n'ai rien dit, fit Malicorne, tirant vers la porte.

— Si fait, si fait, cher monsieur Malicorne ; au contraire, achevez, je commence à comprendre. Et le peintre, le peintre ?

— Oh ! le peintre, lui, il faut qu'il soit en retard d'une demi-heure.

— Une demi-heure, vous croyez ?

— Oui, je crois.

— Mon cher monsieur, je ferai comme vous dites.

— Et je crois que vous vous en trouverez bien ; me permettez-vous de venir m'informer un peu demain ?

— Certes.

— J'ai bien l'honneur d'être votre serviteur respectueux, monsieur de Saint-Aignan.

Et Malicorne sortit à reculons.

« Décidément ce garçon-là a plus d'esprit que moi », se dit de Saint-Aignan entraîné par sa conviction.

CLXXVI

HAMPTON COURT[1]

Cette révélation que nous venons de voir Montalais faire à La Vallière, à la fin de notre avant-dernier chapitre, nous ramène tout naturellement au principal héros de cette histoire, pauvre chevalier errant au souffle du caprice d'un roi.

Si notre lecteur veut bien nous suivre, nous passerons donc avec lui ce détroit plus orageux que l'Euripe[2] qui sépare Calais de Douvres; nous traverserons cette verte et plantureuse campagne aux mille ruisseaux qui ceint Charing, Maidstone[3] et dix autres villes plus pittoresques les unes que les autres, et nous arriverons enfin à Londres.

De là, comme des limiers qui suivent une piste, lorsque nous aurons reconnu que Raoul a fait un premier séjour à White Hall, un second à Saint-James; quand nous saurons qu'il a été reçu par Monck et introduit dans les meilleures sociétés de la cour de Charles II, nous courrons après lui jusqu'à l'une des maisons d'été de Charles II, près de la ville de Kingston[4], à Hampton Court, que baigne la Tamise.

Le fleuve n'est pas encore, à cet endroit, l'orgueilleuse voie qui charrie chaque jour un demi-million de voyageurs, et tourmente ses eaux noires comme celles du Cocyte[5], en disant : « Moi aussi, je suis la mer. »

Non, ce n'est encore qu'une douce et verte rivière aux margelles moussues, aux larges miroirs reflétant les saules et les hêtres, avec quelque barque de bois desséché qui dort çà et là au milieu des roseaux, dans une anse d'aulnes et de myosotis.

Les paysages s'étendent alentour calmes et riches; la maison de briques perce de ses cheminées, aux fumées bleues, une épaisse cuirasse de houx flaves[6] et verts; l'enfant vêtu d'un sarrau rouge paraît et disparaît dans les grandes herbes comme un coquelicot qui se courbe sous le souffle du vent.

Les gros moutons blancs ruminent en fermant les yeux sous l'ombre des petits trembles trapus, et, de loin en loin, le martin-pêcheur, aux flancs d'émeraude et d'or, court comme une balle magique à la surface

---

1. Hampton Court est situé dans le comté de Middlesex, sur la Tamise.
2. Canal très resserré séparant l'ancienne Eubée (actuelle île de Nègrepont) de la Béotie : des renversements de courant rendent le canal imprévisible.
3. Chef-lieu du Kent, au confluent du Lea et du Medwey, à 43 km de Douvres.
4. Sur Kingston, voir *Vingt Ans après*, chap. XL, p. 869, note 1.
5. Affluent de l'Achéron en Épire, dont les eaux communiquaient avec les enfers ; sur ses rives erraient les âmes des morts privés de sépulture.
6. *Flave* : d'un blond ardent.

de l'eau et frise étourdiment la ligne de son confrère, l'homme pêcheur, qui guette, assis sur son batelet, la tanche et l'alose.

Au-dessus de ce paradis, fait d'ombre noire et de douce lumière, se lève le manoir d'Hampton Court, bâti par Wolsey, séjour que l'orgueilleux cardinal avait créé désirable même pour un roi, et qu'il fut forcé, en courtisan timide, de donner à son maître Henri VIII, lequel avait froncé le sourcil d'envie et de cupidité au seul aspect du château neuf.

Hampton Court, aux murailles de briques, aux grandes fenêtres, aux belles grilles de fer ; Hampton Court, avec ses mille tourillons, ses clochetons bizarres, ses discrets promenoirs et ses fontaines intérieures pareilles à celles de l'Alhambra ; Hampton Court, c'est le berceau des roses, du jasmin et des clématites. C'est la joie des yeux et de l'odorat, c'est la bordure la plus charmante de ce tableau d'amour que déroula Charles II, parmi les voluptueuses peintures du Titien, du Pordenone, de Van Dyck, lui qui avait dans sa galerie le portrait de Charles Ier, roi martyr[1], et sur ses boiseries les trous des balles puritaines lancées par les soldats de Cromwell, le 24 août 1648, alors qu'ils avaient amené Charles Ier prisonnier à Hampton Court.

C'est là que tenait sa cour ce roi toujours ivre de plaisir ; ce roi poète par le désir ; ce malheureux d'autrefois qui se payait, par un jour de volupté, chaque minute écoulée naguère dans l'angoisse et la misère.

Ce n'était pas le doux gazon d'Hampton Court, si doux que l'on croit fouler le velours ; ce n'était pas le carré de fleurs touffues qui ceint le pied de chaque arbre et fait un lit aux rosiers de vingt pieds qui s'épanouissent en plein ciel comme des gerbes d'artifice ; ce n'étaient pas les grands tilleuls dont les rameaux tombent jusqu'à terre comme des saules, et voilent tout amour ou toute rêverie sous leur ombre ou plutôt sous leur chevelure ; ce n'était pas tout cela que Charles II aimait dans son beau palais d'Hampton Court.

Peut-être était-ce alors cette belle eau rousse pareille aux eaux de la mer Caspienne, cette eau immense, ridée par un vent frais, comme les ondulations de la chevelure de Cléopâtre, ces eaux tapissées de cressons, de nénuphars blancs aux bulbes vigoureuses qui s'entrouvrent pour laisser voir comme l'œuf le germe d'or rutilant au fond de l'enveloppe laiteuse, ces eaux mystérieuses et pleines de murmures, sur lesquelles naviguent les cygnes noirs et les petits canards avides, frêle couvée au duvet de soie, qui poursuivent la mouche verte sur les glaïeuls et la grenouille dans ses repaires de mousse.

C'étaient peut-être les houx énormes au feuillage bicolore, les ponts

---

1. On sait l'importance de ce tableau, prémonitoire, dans les romans de la Révolution (*Joseph Balsamo*, *Le Collier de la reine*, *Ange Pitou*, *La Comtesse de Charny*, *Le Chevalier de Maison-Rouge*, Éditions Robert Laffont, collection « Bouquins », 1990, 3 volumes).

riants jetés sur les canaux, les biches qui brament dans les allées sans fin, et les bergeronnettes qui piétinent en voletant dans les bordures de buis et de trèfle.

Car il y a de tout cela dans Hampton Court ; il y a, en outre, les espaliers de roses blanches qui grimpent le long des hauts treillages pour laisser retomber sur le sol leur neige odorante ; il y a dans le parc les vieux sycomores aux troncs verdissants qui baignent leurs pieds dans une poétique et luxuriante moisissure.

Non, ce que Charles II aimait dans Hampton Court, c'étaient les ombres charmantes qui couraient après midi sur ses terrasses, lorsque, comme Louis XIV, il avait fait peindre leurs beautés dans son grand cabinet par un des pinceaux intelligents de son époque, pinceaux qui savaient attacher sur la toile un rayon échappé de tant de beaux yeux qui lançaient l'amour.

Le jour où nous arrivons à Hampton Court, le ciel est presque doux et clair comme en un jour de France, l'air est d'une tiédeur humide, les géraniums, les pois de senteur énormes, les seringats et les héliotropes, jetés par millions dans le parterre, exhalent leurs arômes enivrants.

Il est une heure. Le roi, revenu de la chasse, a dîné, rendu visite à la duchesse de Castelmaine, la maîtresse en titre, et, après cette preuve de fidélité, il peut à l'aise se permettre des infidélités jusqu'au soir.

Toute la cour folâtre et aime. C'est le temps où les dames demandent sérieusement aux gentilshommes leur sentiment sur tel ou tel pied plus ou moins charmant, selon qu'il est chaussé d'un bas de soie rose ou d'un bas de soie verte.

C'est le temps où Charles II déclare qu'il n'y a pas de salut pour une femme sans le bas de soie verte, parce que Mlle Lucy Stewart les porte de cette couleur.

Tandis que le roi cherche à communiquer ses préférences, nous verrons, dans l'allée des hêtres qui faisait face à la terrasse, une jeune dame en habit de couleur sévère marchant auprès d'un autre habit de couleur lilas et bleu sombre.

Elles traversèrent le parterre de gazon, au milieu duquel s'élevait une belle fontaine aux sirènes de bronze, et s'en allèrent en causant sur la terrasse, le long de laquelle, de la clôture de briques, sortaient dans le parc plusieurs cabinets variés de forme ; mais, comme ces cabinets étaient pour la plupart occupés, ces jeunes femmes passèrent : l'une rougissait, l'autre rêvait.

Enfin, elles vinrent au bout de cette terrasse qui dominait toute la Tamise, et, trouvant un frais abri, s'assirent côte à côte.

— Où allons-nous, Stewart ? dit la plus jeune des deux femmes à sa compagne.

— Ma chère Graffton, nous allons, tu le vois bien, où tu nous mènes.

— Moi ?

— Sans doute, toi ! à l'extrémité du palais, vers ce banc où le jeune Français attend et soupire.

Miss Mary Graffton s'arrêta court.

— Non, non, dit-elle, je ne vais pas là.

— Pourquoi ?

— Retournons, Stewart.

— Avançons, au contraire, et expliquons-nous.

— Sur quoi ?

— Sur ce que le vicomte de Bragelonne est de toutes les promenades que tu fais, comme tu es de toutes les promenades qu'il fait.

— Et tu en conclus qu'il m'aime ou que je l'aime ?

— Pourquoi pas ? C'est un charmant gentilhomme. Personne ne m'entend, je l'espère, dit miss Lucy Stewart en se retournant avec un sourire qui indiquait, au reste, que son inquiétude n'était pas grande.

— Non, non, dit Mary, le roi est dans son cabinet ovale avec M. de Buckingham.

— A propos de M. de Buckingham, Mary...

— Quoi ?

— Il me semble qu'il s'est déclaré ton chevalier depuis le retour de France ; comment va ton cœur de ce côté ?

Mary Graffton haussa les épaules.

— Bon ! bon ! je demanderai cela au beau Bragelonne, dit Stewart en riant ; allons le retrouver bien vite.

— Pour quoi faire ?

— J'ai à lui parler, moi.

— Pas encore ; un mot auparavant. Voyons, toi, Stewart, qui sais les petits secrets du roi.

— Tu crois cela ?

— Dame ! tu dois les savoir, ou personne ne les saura ; dis, pourquoi M. de Bragelonne est-il en Angleterre, et qu'y fait-il ?

— Ce que fait tout gentilhomme envoyé par son roi vers un autre roi.

— Soit ; mais, sérieusement, quoique la politique ne soit pas notre fort, nous en savons assez pour comprendre que M. de Bragelonne n'a point ici de mission sérieuse.

— Écoute, dit Stewart avec une gravité affectée, je veux bien pour toi trahir un secret d'État. Veux-tu que je te récite la lettre de crédit donnée par le roi Louis XIV à M. de Bragelonne, et adressée à Sa Majesté le roi Charles II ?

— Oui, sans doute.

— La voici : « Mon frère, je vous envoie un gentilhomme de ma cour, fils de quelqu'un que vous aimez. Traitez-le bien, je vous en prie, et faites-lui aimer l'Angleterre. »

— Il y avait cela ?

— Tout net… ou l'équivalent. Je ne réponds pas de la forme, mais je réponds du fond.

— Eh bien ! qu'en as-tu déduit, ou plutôt qu'en a déduit le roi ?

— Que Sa Majesté française avait ses raisons pour éloigner M. de Bragelonne, et le marier… autre part qu'en France.

— De sorte qu'en vertu de cette lettre ?…

— Le roi Charles II a reçu M. de Bragelonne comme tu sais, splendidement et amicalement ; il lui a donné la plus belle chambre de White Hall, et, comme tu es la plus précieuse personne de sa cour, attendu que tu as refusé son cœur… allons, ne rougis pas… il a voulu te donner du goût pour le Français et lui faire ce beau présent. Voilà pourquoi, toi, héritière de trois cent mille livres, toi, future duchesse, toi, belle et bonne, il t'a mise de toutes les promenades dont M. de Bragelonne faisait partie. Enfin, c'était un complot, une espèce de conspiration. Vois si tu veux y mettre le feu, je t'en livre la mèche.

Miss Mary sourit avec une expression charmante qui lui était familière, et serrant le bras de sa compagne :

— Remercie le roi, dit-elle.

— Oui, oui, mais M. de Buckingham est jaloux. Prends garde ! répliqua Stewart.

Ces mots étaient à peine prononcés, que M. de Buckingham sortait de l'un des pavillons de la terrasse, et, s'approchant des deux femmes avec un sourire :

— Vous vous trompez, miss Lucy, dit-il, non, je ne suis pas jaloux, et la preuve, miss Mary, c'est que voici là-bas celui qui devrait être la cause de ma jalousie, le vicomte de Bragelonne, qui rêve tout seul. Pauvre garçon ! Permettez donc que je lui abandonne votre gracieuse compagnie pendant quelques minutes, attendu que j'ai besoin de causer pendant ces quelques minutes avec miss Lucy Stewart.

Alors, s'inclinant du côté de Lucy :

— Me ferez-vous, dit-il, l'honneur de prendre ma main pour aller saluer le roi, qui nous attend ?

Et, à ces mots, Buckingham, toujours riant, prit la main de miss Lucy Stewart et l'emmena.

Restée seule, Mary Graffton, la tête inclinée sur l'épaule avec cette mollesse gracieuse particulière aux jeunes Anglaises, demeura un instant immobile, les yeux fixés sur Raoul, mais comme indécise de ce qu'elle devait faire. Enfin, après que ses joues, en pâlissant et en rougissant tour à tour, eurent révélé le combat qui se passait dans son cœur, elle parut prendre une résolution et s'avança d'un pas assez ferme vers le banc où Raoul était assis, et rêvait comme on l'avait bien dit.

Le bruit des pas de miss Mary, si léger qu'il fût sur la pelouse verte, réveilla Raoul ; il détourna la tête, aperçut la jeune fille et marcha au-devant de la compagne que son heureux destin lui amenait.

— On m'envoie à vous, monsieur, dit Mary Graffton ; m'acceptez-vous ?

— Et à qui dois-je être reconnaissant d'un pareil bonheur, made-moiselle, demanda Raoul.

— A M. de Buckingham, répliqua Mary en affectant la gaieté.

— A M. de Buckingham, qui recherche si passionnément votre précieuse compagnie ! Mademoiselle, dois-je vous croire ?

— En effet, monsieur, vous le voyez, tout conspire à ce que nous passions la meilleure ou plutôt la plus longue part de nos journées ensemble. Hier, c'était le roi qui m'ordonnait de vous faire asseoir près de moi, à table ; aujourd'hui, c'est M. de Buckingham qui me prie de venir m'asseoir près de vous, sur ce banc.

— Et il s'est éloigné pour me laisser la place libre ? demanda Raoul, avec embarras.

— Regardez là-bas, au détour de l'allée, il va disparaître avec miss Stewart. A-t-on de ces complaisances-là en France, monsieur le vicomte ?

— Mademoiselle, je ne pourrais trop dire ce qui se fait en France, car à peine si je suis français. J'ai vécu dans plusieurs pays et presque toujours en soldat ; puis j'ai passé beaucoup de temps à la campagne ; je suis un sauvage.

— Vous ne vous plaisez point en Angleterre, n'est-ce pas ?

— Je ne sais, dit Raoul distraitement et en poussant un soupir.

— Comment, vous ne savez ?...

— Pardon, fit Raoul en secouant la tête et en rappelant à lui ses pensées. Pardon, je n'entendais pas.

— Oh ! dit la jeune femme en soupirant à son tour, comme le duc de Buckingham a eu tort de m'envoyer ici !

— Tort ? dit vivement Raoul. Vous avez raison : ma compagnie est maussade, et vous vous ennuyez avec moi. M. de Buckingham a eu tort de vous envoyer ici.

— C'est justement, répliqua la jeune femme avec sa voix sérieuse et vibrante, c'est justement parce que je ne m'ennuie pas avec vous que M. de Buckingham a eu tort de m'envoyer près de vous.

Raoul rougit à son tour.

— Mais, reprit-il, comment M. de Buckingham vous envoie-t-il près de moi, et comment y venez-vous vous-même ? M. de Buckingham vous aime, et vous l'aimez...

— Non, répondit gravement Mary, non ! M. de Buckingham ne m'aime point, puisqu'il aime Mme la duchesse d'Orléans ; et, quant à moi, je n'ai aucun amour pour le duc.

Raoul regarda la jeune femme avec étonnement.

— Êtes-vous l'ami de M. de Buckingham, vicomte ? demanda-t-elle.

— M. le duc me fait l'honneur de m'appeler son ami, depuis que nous nous sommes vus en France.

— Vous êtes de simples connaissances, alors ?

— Non, car M. le duc de Buckingham est l'ami très intime d'un gentilhomme que j'aime comme un frère.

— De M. le comte de Guiche.

— Oui, mademoiselle.

— Lequel aime Mme la duchesse d'Orléans ?

— Oh ! que dites-vous là ?

— Et qui en est aimé, continua tranquillement la jeune femme.

Raoul baissa la tête ; miss Mary Graffton continua en soupirant :

— Ils sont bien heureux !... Tenez, quittez-moi, monsieur de Bragelonne, car M. de Buckingham vous a donné une fâcheuse commission en m'offrant à vous comme compagne de promenade. Votre cœur est ailleurs, et à peine si vous me faites l'aumône de votre esprit. Avouez, avouez... Ce serait mal à vous, vicomte, de ne pas avouer.

— Madame, je l'avoue.

Elle le regarda.

Il était si simple et si beau, son œil avait tant de limpidité, de douce franchise et de résolution, qu'il ne pouvait venir à l'idée d'une femme, aussi distinguée que l'était miss Mary, que le jeune homme fût un discourtois ou un niais.

Elle vit seulement qu'il aimait une autre femme qu'elle dans toute la sincérité de son cœur.

— Oui, je comprends, dit-elle ; vous êtes amoureux en France.

Raoul s'inclina.

— Le duc connaît-il cet amour ?

— Nul ne le sait, répondit Raoul.

— Et pourquoi me le dites-vous, à moi ?

— Mademoiselle...

— Allons, parlez.

— Je ne puis.

— C'est donc à moi d'aller au-devant de l'explication ; vous ne voulez rien me dire, à moi, parce que vous êtes convaincu maintenant que je n'aime point le duc, parce que vous voyez que je vous eusse aimé peut-être, parce que vous êtes un gentilhomme plein de cœur et de délicatesse, et qu'au lieu de prendre, ne fût-ce que pour vous distraire un moment, une main que l'on approchait de la vôtre, qu'au lieu de sourire à ma bouche qui vous souriait, vous avez préféré, vous qui êtes jeune, me dire, à moi qui suis belle : « J'aime en France ! » Eh bien ! merci monsieur de Bragelonne, vous êtes un noble gentilhomme, et je vous en aime davantage... d'amitié. A présent, ne parlons plus de moi, parlons de vous. Oubliez que miss Graffton vous a parlé d'elle ; dites-moi pourquoi vous êtes triste, pourquoi vous l'êtes davantage encore depuis quelques jours ?

Raoul fut ému jusqu'au fond du cœur à l'accent doux et triste de cette voix ; il ne put trouver un mot de réponse ; la jeune fille vint encore à son secours.

— Plaignez-moi, dit-elle. Ma mère était française. Je puis donc dire que je suis française par le sang et l'âme. Mais sur cette ardeur planent sans cesse le brouillard et la tristesse de l'Angleterre. Parfois je rêve d'or et de magnifiques félicités ; mais soudain la brume arrive et s'étend sur mon rêve qu'elle éteint. Cette fois encore, il en a été ainsi. Pardon, assez là-dessus ; donnez-moi votre main et contez vos chagrins à une amie.

— Vous êtes française, avez-vous dit, française d'âme et de sang !

— Oui, non seulement, je le répète, ma mère était française, mais encore, comme mon père, ami du roi Charles Iᵉʳ, s'était exilé en France, et pendant le procès du prince, et pendant la vie du Protecteur, j'ai été élevée à Paris ; à la restauration du roi Charles II, mon père est revenu en Angleterre pour y mourir presque aussitôt, pauvre père ! Alors, le roi Charles m'a faite duchesse et a complété mon douaire.

— Avez-vous encore quelque parent en France ? demanda Raoul avec un profond intérêt.

— J'ai une sœur, mon aînée de sept ou huit ans, mariée en France et déjà veuve ; elle s'appelle Mme de Bellière[1].

Raoul fit un mouvement.

— Vous la connaissez ?

— J'ai entendu prononcer son nom.

— Elle aime aussi, et ses dernières lettres m'annoncent qu'elle est heureuse ; donc elle est aimée. Moi, je vous le disais, monsieur de Bragelonne, j'ai la moitié de son âme, mais je n'ai point la moitié de son bonheur. Mais parlons de vous. Qui aimez-vous en France ?

— Une jeune fille douce et blanche comme un lis.

— Mais, si elle vous aime, pourquoi êtes-vous triste ?

— On m'a dit qu'elle ne m'aimait plus.

— Vous ne le croyez pas, j'espère ?

— Celui qui m'écrit n'a point signé sa lettre.

— Une dénonciation anonyme ! Oh ! c'est quelque trahison, dit miss Graffton.

— Tenez, dit Raoul en montrant à la jeune fille un billet qu'il avait lu cent fois.

Mary Graffton prit le billet et lut :

Vicomte, *disait cette lettre*, vous avez bien raison de vous divertir là-bas avec les belles dames du roi Charles II ; car, à la cour du roi Louis XIV, on vous assiège dans le château de vos amours. Restez donc à jamais à Londres, pauvre vicomte, ou revenez vite à Paris.

---

1. Généalogie toute fictive.

— Pas de signature ? dit Miss Mary.

— Non.

— Donc, n'y croyez pas.

— Oui ; mais voici une seconde lettre.

— De qui ?

— De M. de Guiche.

— Oh ! c'est autre chose ! Et cette lettre vous dit ?...

— Lisez.

Mon ami, je suis blessé, malade. Revenez, Raoul ; revenez !

DE GUICHE

— Et qu'allez-vous faire ? demanda la jeune fille avec un serrement de cœur.

— Mon intention, en recevant cette lettre, a été de prendre à l'instant même congé du roi.

— Et vous la reçûtes ?...

— Avant-hier.

— Elle est datée de Fontainebleau.

— C'est étrange, n'est-ce pas ? la cour est à Paris. Enfin, je fusse parti. Mais, quand je parlai au roi de mon départ, il se mit à rire et me dit : « Monsieur l'ambassadeur, d'où vient que vous partez ? Est-ce que votre maître vous rappelle ? » Je rougis, je fus décontenancé ; car, en effet, le roi m'a envoyé ici, et je n'ai point reçu d'ordre de retour.

Mary fronça un sourcil pensif.

— Et vous restez ? demanda-t-elle.

— Il le faut, mademoiselle.

— Et celle que vous aimez ?...

— Eh bien ?...

— Vous écrit-elle ?

— Jamais.

— Jamais ! Oh ! elle ne vous aime donc pas ?

— Au moins, elle ne m'a point écrit depuis mon départ.

— Vous écrivait-elle, auparavant ?

— Quelquefois... Oh ! j'espère qu'elle aura eu un empêchement.

— Voici le duc : silence.

En effet, Buckingham reparaissait au bout de l'allée seul et souriant ; il vint lentement et tendit la main aux deux causeurs.

— Vous êtes-vous entendus ? dit-il.

— Sur quoi ? demanda Mary Graffton.

— Sur ce qui peut vous rendre heureuse, chère Mary, et rendre Raoul moins malheureux ?

— Je ne vous comprends point, milord, dit Raoul.

— Voilà mon sentiment, miss Mary. Voulez-vous que je vous le dise devant Monsieur ?

Et il souriait.

— Si vous voulez dire, répondit la jeune fille avec fierté, que j'étais disposée à aimer M. de Bragelonne, c'est inutile, car je le lui ai dit.

Buckingham réfléchit, et sans se décontenancer, comme elle s'y attendait :

— C'est, dit-il, parce que je vous connais un délicat esprit et surtout une âme loyale, que je vous laissais avec M. de Bragelonne, dont le cœur malade peut se guérir entre les mains d'un médecin comme vous.

— Mais, milord, avant de me parler du cœur de M. de Bragelonne, vous me parliez du vôtre. Voulez-vous donc que je guérisse deux cœurs à la fois ?

— Il est vrai, miss Mary ; mais vous me rendrez cette justice, que j'ai bientôt cessé une poursuite inutile, reconnaissant que ma blessure, à moi, était incurable.

Mary se recueillit un instant.

— Milord, dit-elle, M. de Bragelonne est heureux. Il aime, on l'aime. Il n'a donc pas besoin d'un médecin tel que moi.

— M. de Bragelonne, dit Buckingham, est à la veille de faire une grave maladie, et il a besoin, plus que jamais, que l'on soigne son cœur.

— Expliquez-vous, milord ? demanda vivement Raoul.

— Non, peu à peu je m'expliquerais ; mais, si vous le désirez, je puis dire à miss Mary ce que vous ne pouvez entendre.

— Milord, vous me mettez à la torture : milord, vous savez quelque chose.

— Je sais que miss Mary Graffton est le plus charmant objet qu'un cœur malade puisse rencontrer sur son chemin.

— Milord, je vous ai déjà dit que le vicomte de Bragelonne aimait ailleurs, fit la jeune fille.

— Il a tort.

— Vous le savez donc, monsieur le duc ? vous savez donc que j'ai tort ?

— Oui.

— Mais qui aime-t-il donc ? s'écria la jeune fille.

— Il aime une femme indigne de lui, dit tranquillement Buckingham, avec ce flegme qu'un Anglais seul puise dans sa tête et dans son cœur.

Miss Mary Graffton fit un cri qui, non moins que les paroles prononcées par Buckingham, appela sur les joues de Bragelonne la pâleur du saisissement et le frissonnement de la terreur.

— Duc, s'écria-t-il, vous venez de prononcer de telles paroles que, sans tarder d'une seconde, j'en vais chercher l'explication à Paris.

— Vous resterez ici, dit Buckingham.

— Moi ?

— Oui, vous.

— Et comment cela ?

— Parce que vous n'avez pas le droit de partir, et qu'on ne quitte pas le service d'un roi pour celui d'une femme, fût-elle digne d'être aimée comme l'est Mary Graffton.

— Alors, instruisez-moi.

— Je le veux bien. Mais resterez-vous ?

— Oui, si vous me parlez franchement.

Ils en étaient là, et sans doute Buckingham allait dire, non pas tout ce qui était, mais tout ce qu'il savait, lorsqu'un valet de pied du roi parut à l'extrémité de la terrasse et s'avança vers le cabinet où était le roi avec miss Lucy Stewart.

Cet homme précédait un courrier poudreux qui paraissait avoir mis pied à terre il y avait quelques instants à peine.

— Le courrier de France ! le courrier de Madame ! s'écria Raoul reconnaissant la livrée de la duchesse.

L'homme et le courrier firent prévenir le roi tandis que le duc et miss Graffton échangeaient un regard d'intelligence.

CLXXVII

LE COURRIER DE MADAME

Charles II était en train de prouver ou d'essayer de prouver à miss Stewart qu'il ne s'occupait que d'elle ; en conséquence, il lui promettait un amour pareil à celui que son aïeul Henri IV avait eu pour Gabrielle.

Malheureusement pour Charles II, il était tombé sur un mauvais jour, sur un jour où miss Stewart s'était mis en tête de le rendre jaloux.

Aussi, à cette promesse, au lieu de s'attendrir comme l'espérait Charles II, se mit-elle à éclater de rire.

— Oh ! sire, sire, s'écria-t-elle tout en riant, si j'avais le malheur de vous demander une preuve de cet amour, combien serait-il facile de voir que vous mentez.

— Écoutez, lui dit Charles, vous connaissez mes cartons de Raphaël ; vous savez si j'y tiens ; le monde me les envie, vous savez encore cela : mon père les fit acheter par Van Dyck[1]. Voulez-vous que je les fasse porter aujourd'hui même chez vous ?

— Oh ! non, répondit la jeune fille ; gardez-vous-en bien, sire, je suis trop à l'étroit pour loger de pareils hôtes.

— Alors je vous donnerai Hampton Court pour mettre les cartons.

— Soyez moins généreux, sire, et aimez plus longtemps, voilà tout ce que je vous demande.

---

1. Ils sont actuellement conservés au musée de South-Kensington.

— Je vous aimerai toujours ; n'est-ce pas assez ?

— Vous riez, sire.

— Voulez-vous donc que je pleure ?

— Non, mais je voudrais vous voir un peu plus mélancolique.

— Merci Dieu ! ma belle, je l'ai été assez longtemps : quatorze ans d'exil, de pauvreté, de misère ; il me semblait que c'était une dette payée ; et puis la mélancolie enlaidit.

— Non pas, voyez plutôt le jeune Français.

— Oh ! le vicomte de Bragelonne, vous aussi ! Dieu me damne ! elles en deviendront toutes folles les unes après les autres ; d'ailleurs, lui, il a raison d'être mélancolique.

— Et pourquoi cela ?

— Ah bien ! il faut que je vous livre les secrets d'État.

— Il le faut si je le veux, puisque vous avez dit que vous étiez prêt à faire tout ce que je voudrais.

— Eh bien ! il s'ennuie dans ce pays, là ! Êtes-vous contente ?

— Il s'ennuie ?

— Oui, preuve qu'il est un niais.

— Comment, un niais ?

— Sans doute. Comprenez-vous cela ? Je lui permets d'aimer miss Mary Graffton, et il s'ennuie !

— Bon ! il paraît que, si vous n'étiez pas aimé de miss Lucy Stewart, vous vous consoleriez, vous, en aimant miss Mary Graffton ?

— Je ne dis pas cela : d'abord, vous savez bien que Mary Graffton ne m'aime pas ; or, on ne se console d'un amour perdu que par un amour trouvé. Mais, encore une fois, ce n'est pas de moi qu'il est question, c'est de ce jeune homme. Ne dirait-on pas que celle qu'il laisse derrière lui est une Hélène, une Hélène avant Pâris, bien entendu.

— Mais il laisse donc quelqu'un, ce gentilhomme ?

— C'est-à-dire qu'on le laisse.

— Pauvre garçon ! Au fait, tant pis !

— Comment, tant pis !

— Oui, pourquoi s'en va-t-il ?

— Croyez-vous que ce soit de son gré qu'il s'en aille ?

— Il est donc forcé ?

— Par ordre, ma chère Stewart, il a quitté Paris par ordre.

— Et par quel ordre ?

— Devinez.

— Du roi ?

— Juste.

— Ah ! vous m'ouvrez les yeux.

— N'en dites rien, au moins.

— Vous savez bien que, pour la discrétion, je vaux un homme. Ainsi le roi le renvoie ?

— Oui.

— Et, pendant son absence, il lui prend sa maîtresse.

— Oui, et, comprenez-vous, le pauvre enfant, au lieu de remercier le roi, il se lamente !

— Remercier le roi de ce qu'il lui enlève sa maîtresse ? Ah çà ! mais ce n'est pas galant le moins du monde, pour les femmes en général et pour les maîtresses en particulier, ce que vous dites là, sire.

— Mais comprenez donc, parbleu ! Si celle que le roi lui enlève était une miss Graffton ou une miss Stewart, je serais de son avis, et je ne le trouverais même pas assez désespéré ; mais c'est une petite fille maigre et boiteuse... Au diable soit de la fidélité ! comme on dit en France. Refuser celle qui est riche pour celle qui est pauvre, celle qui l'aime pour celle qui le trompe, a-t-on jamais vu cela ?

— Croyez-vous que Mary ait sérieusement envie de plaire au vicomte, sire ?

— Oui, je le crois.

— Eh bien ! le vicomte s'habituera à l'Angleterre. Mary a bonne tête, et, quand elle veut, elle veut bien.

— Ma chère miss Stewart, prenez garde, si le vicomte s'acclimate à notre pays : il n'y a pas longtemps, avant-hier encore, il m'est venu demander la permission de le quitter.

— Et vous la lui avez refusée ?

— Je le crois bien ! le roi mon frère a trop à cœur qu'il soit absent, et, quant à moi, j'y mets de l'amour-propre : il ne sera pas dit que j'aurai tendu à ce *youngman* le plus noble et le plus doux appât de l'Angleterre...

— Vous êtes galant, sire, dit miss Stewart avec une charmante moue.

— Je ne compte pas miss Stewart, dit le roi, celle-là est un appât royal, et, puisque je m'y suis pris, un autre, j'espère, ne s'y prendra point ; je dis donc, enfin, que je n'aurai pas fait inutilement les doux yeux à ce jeune homme ; il restera chez nous, il se mariera chez nous, ou, Dieu me damne !...

— Et j'espère bien qu'une fois marié, au lieu d'en vouloir à Votre Majesté, il lui en sera reconnaissant ; car tout le monde s'empresse à lui plaire, jusqu'à M. de Buckingham qui, chose incroyable, s'efface devant lui.

— Et jusqu'à miss Stewart, qui l'appelle un charmant cavalier.

— Écoutez, sire, vous m'avez assez vanté miss Graffton, passez-moi à mon tour un peu de Bragelonne. Mais, à propos, sire, vous êtes depuis quelque temps d'une bonté qui me surprend ; vous songez aux absents, vous pardonnez les offenses, vous êtes presque parfait. D'où vient ?...

Charles II se mit à rire.

— C'est parce que vous vous laissez aimer, dit-il.

— Oh ! il doit y avoir une autre raison.

— Dame ! j'oblige mon frère Louis XIV.

— Donnez-m'en une autre encore.

— Eh bien ! le vrai motif, c'est que Buckingham m'a recommandé ce jeune homme, et m'a dit : « Sire, je commence par renoncer, en faveur du vicomte de Bragelonne, à miss Graffton ; faites comme moi. »

— Oh ! c'est un digne gentilhomme, en vérité, que le duc.

— Allons, bien ; échauffez-vous maintenant la tête pour Buckingham. Il paraît que vous voulez me faire damner aujourd'hui.

En ce moment, on gratta à la porte.

— Qui se permet de nous déranger ? s'écria Charles avec impatience.

— En vérité, sire, dit Stewart, voilà un *qui se permet* de la plus suprême fatuité, et, pour vous en punir...

Elle alla elle-même ouvrir la porte.

— Ah ! c'est un messager de France, dit miss Stewart.

— Un messager de France ! s'écria Charles ; de ma sœur, peut-être ?

— Oui, sire, dit l'huissier, et messager extraordinaire.

— Entrez, entrez, dit Charles.

Le courrier entra.

— Vous avez une lettre de Mme la duchesse d'Orléans ? demanda le roi.

— Oui, sire, répondit le courrier, et tellement pressée, que j'ai mis vingt-six heures seulement pour l'apporter à Votre Majesté, et encore ai-je perdu trois quarts d'heure à Calais.

— On reconnaîtra ce zèle, dit le roi.

Et il ouvrit la lettre.

Puis, se prenant à rire aux éclats :

— En vérité, s'écria-t-il, je n'y comprends plus rien.

Et il relut la lettre une seconde fois.

Miss Stewart affectait un maintien plein de réserve, et contenait son ardente curiosité.

— Francis, dit le roi à son valet, que l'on fasse rafraîchir et coucher ce brave garçon, et que, demain, en se réveillant, il trouve à son chevet un petit sac de cinquante louis.

— Sire !

— Va, mon ami, va ! Ma sœur avait bien raison de te recommander la diligence ; c'est pressé.

Et il se remit à rire plus fort que jamais.

Le messager, le valet de chambre et miss Stewart elle-même ne savaient quelle contenance garder.

— Ah ! fit le roi en se renversant sur son fauteuil, et quand je pense que tu as crevé... combien de chevaux ?

— Deux.

— Deux chevaux pour apporter cette nouvelle ! C'est bien ; va, mon ami, va.

Le courrier sortit avec le valet de chambre.

Charles II alla à la fenêtre qu'il ouvrit, et, se penchant au-dehors :

— Duc ! cria-t-il, duc de Buckingham, mon cher Buckingham, venez !

Le duc se hâta d'accourir ; mais, arrivé au seuil de la porte, et apercevant miss Stewart, il hésita à entrer.

— Viens donc, et ferme la porte, duc.

Le duc obéit, et, voyant le roi de si joyeuse humeur, s'approcha en souriant.

— Eh bien ! mon cher duc, où en es-tu avec ton Français ?

— Mais j'en suis, de son côté, au plus pur désespoir, sire.

— Et pourquoi ?

— Parce que cette adorable miss Graffton veut l'épouser, et qu'il ne veut pas.

— Mais ce Français n'est donc qu'un béotien ! s'écria miss Stewart ; qu'il dise oui, ou qu'il dise non, et que cela finisse.

— Mais, dit gravement Buckingham, vous savez, ou vous devez savoir, madame, que M. de Bragelonne aime ailleurs.

— Alors, dit le roi venant au secours de miss Stewart, rien de plus simple ; qu'il dise non.

— Oh ! c'est que je lui ai prouvé qu'il avait tort de ne pas dire oui !

— Tu lui as donc avoué que sa La Vallière le trompait ?

— Ma foi ! oui, tout net.

— Et qu'a-t-il fait ?

— Il a fait un bond comme pour franchir le détroit.

— Enfin, dit miss Stewart, il a fait quelque chose : c'est ma foi ! bien heureux.

— Mais, continua Buckingham, je l'ai arrêté : je l'ai mis aux prises avec miss Mary, et j'espère bien que, maintenant, il ne partira point, comme il en avait manifesté l'intention.

— Il manifestait l'intention de partir ? s'écria le roi.

— Un instant, j'ai douté qu'aucune puissance humaine fût capable de l'arrêter ; mais les yeux de miss Mary sont braqués sur lui : il restera.

— Eh bien ! voilà ce qui te trompe, Buckingham, dit le roi en éclatant de rire ; ce malheureux est prédestiné.

— Prédestiné à quoi ?

— A être trompé, ce qui n'est rien ; mais à le voir, ce qui est beaucoup.

— A distance, et avec l'aide de miss Graffton, le coup sera paré.

— Eh bien ! pas du tout ; il n'y aura ni distance, ni aide de miss Graffton. Bragelonne partira pour Paris dans une heure.

Buckingham tressaillit, miss Stewart ouvrit de grands yeux.

— Mais, sire, Votre Majesté sait bien que c'est impossible, dit le duc.

— C'est-à-dire, mon cher Buckingham, qu'il est impossible, maintenant, que le contraire arrive.

— Sire, figurez-vous que ce jeune homme est un lion.

— Je le veux bien, Villiers.

— Et que sa colère est terrible.

— Je ne dis pas non, cher ami.

— S'il voit son malheur de près, tant pis pour l'auteur de son malheur.

— Soit ; mais que veux-tu que j'y fasse ?

— Fût-ce le roi, s'écria Buckingham, je ne répondrais pas de lui !

— Oh ! le roi a des mousquetaires pour le garder, dit Charles tranquillement ; je sais cela, moi, qui ai fait antichambre chez lui à Blois. Il a M. d'Artagnan. Peste ! voilà un gardien ! Je m'accommoderais, vois-tu, de vingt colères comme celles de ton Bragelonne, si j'avais quatre gardiens comme M. d'Artagnan.

— Oh ! mais que Votre Majesté, qui est si bonne, réfléchisse, dit Buckingham.

— Tiens, dit Charles II en présentant la lettre au duc, lis, et réponds toi-même. A ma place, que ferais-tu ?

Buckingham prit lentement la lettre de Madame, et lut ces mots en tremblant d'émotion :

Pour vous, pour moi, pour l'honneur et le salut de tous, renvoyez immédiatement en France M. de Bragelonne.

Votre sœur dévouée,

HENRIETTE

— Qu'en dis-tu, Villiers ?

— Ma foi ! sire, je n'en dis rien, répondit le duc stupéfait.

— Est-ce toi, voyons, dit le roi avec affectation, qui me conseillerais de ne pas obéir à ma sœur quand elle me parle avec cette insistance ?

— Oh ! non, non, sire, et cependant...

— Tu n'as pas lu le post-scriptum, Villiers ; il est sous le pli, et m'avait échappé d'abord à moi-même : lis.

Le duc leva, en effet, un pli qui cachait cette ligne.

Mille souvenirs à ceux qui m'aiment.

Le front pâlissant du duc s'abaissa vers la terre ; la feuille trembla dans ses doigts, comme si le papier se fût changé en un plomb épais.

Le roi attendit un instant, et, voyant que Buckingham restait muet :

— Qu'il suive donc sa destinée, comme nous la nôtre, continua le roi ; chacun souffre sa passion en ce monde : j'ai eu la mienne, j'ai eu celle des miens, j'ai porté double croix. Au diable les soucis, maintenant ! Va, Villiers, va me quérir ce gentilhomme.

Le duc ouvrit la porte treillissée du cabinet, et, montrant au roi Raoul et Mary qui marchaient à côté l'un de l'autre :

— Oh ! sire, dit-il, quelle cruauté pour cette pauvre miss Grafton !

— Allons, allons, appelle, dit Charles II en fronçant ses sourcils noirs ; tout le monde est donc sentimental ici ? Bon : voilà miss Stewart qui s'essuie les yeux, à présent. Maudit Français, va !

Le duc appela Raoul, et, allant prendre la main de miss Graffton, il l'amena devant le cabinet du roi.

— Monsieur de Bragelonne, dit Charles II, ne me demandiez-vous pas, avant-hier, la permission de retourner à Paris ?

— Oui, sire, répondit Raoul, que ce début étourdit tout d'abord.

— Eh bien ! mon cher vicomte, j'avais refusé, je crois ?

— Oui, sire.

— Et vous m'en avez voulu ?

— Non, sire ; car Votre Majesté refusait, certainement, pour d'excellents motifs ; Votre Majesté est trop sage et trop bonne pour ne pas bien faire tout ce qu'elle fait.

— Je vous alléguai, je crois, cette raison, que le roi de France ne vous avait pas rappelé ?

— Oui, sire, vous m'avez, en effet, répondu cela.

— Eh bien ! j'ai réfléchi, monsieur de Bragelonne ; si le roi, en effet, ne vous a pas fixé le retour, il m'a recommandé de vous rendre agréable le séjour de l'Angleterre ; or, puisque vous me demandiez à partir, c'est que le séjour de l'Angleterre ne vous était pas agréable ?

— Je n'ai pas dit cela, sire.

— Non ; mais votre demande signifiait au moins, dit le roi, qu'un autre séjour vous serait plus agréable que celui-ci.

En ce moment, Raoul se tourna vers la porte contre le chambranle de laquelle miss Graffton était appuyée pâle et défaite.

Son autre bras était posé sur le bras de Buckingham.

— Vous ne répondez pas, poursuivit Charles ; le proverbe français est positif : « Qui ne dit mot consent. » Eh bien ! monsieur de Bragelonne, je me vois en mesure de vous satisfaire ; vous pouvez, quand vous voudrez, partir pour la France, je vous y autorise.

— Sire !... s'écria Raoul.

— Oh ! murmura Mary en étreignant le bras de Buckingham.

— Vous pouvez être ce soir à Douvres, continua le roi ; la marée monte à deux heures du matin.

Raoul, stupéfait, balbutia quelques mots qui tenaient le milieu entre le remerciement et l'excuse.

— Je vous dis donc adieu, monsieur de Bragelonne, et vous souhaite toutes sortes de prospérités, dit le roi en se levant ; vous me ferez le plaisir de garder, en souvenir de moi, ce diamant, que je destinais à une corbeille de noces.

Miss Graffton semblait près de défaillir.

Raoul reçut le diamant ; en le recevant, il sentait ses genoux trembler.

Il adressa quelques compliments au roi, quelques compliments à miss Stewart, et chercha Buckingham pour lui dire adieu.

Le roi profita de ce moment pour disparaître.

Raoul trouva le duc occupé à relever le courage de miss Graffton.

— Dites-lui de rester, mademoiselle, je vous en supplie, murmurait Buckingham.

— Je lui dis de partir, répondit miss Grafton en se ranimant ; je ne suis pas de ces femmes qui ont plus d'orgueil que de cœur ; si on l'aime en France, qu'il retourne en France, et qu'il me bénisse, moi qui lui aurai conseillé d'aller trouver son bonheur. Si, au contraire, on ne l'aime plus, qu'il revienne, je l'aimerai encore, et son infortune ne l'aura point amoindri à mes yeux. Il y a dans les armes de ma maison ce que Dieu a gravé dans mon cœur : *Habenti parum, egenti cuncta*. « Aux riches peu, aux pauvres tout. »

— Je doute, ami, dit Buckingham, que vous trouviez là-bas l'équivalent de ce que vous laissez ici.

— Je crois ou du moins j'espère, dit Raoul d'un air sombre, que ce que j'aime est digne de moi ; mais, s'il est vrai que j'ai un indigne amour, comme vous avez essayé de me le faire entendre, monsieur le duc, je l'arracherai de mon cœur, dussé-je arracher mon cœur avec l'amour.

Mary Graffton leva les yeux sur lui avec une expression d'indéfinissable pitié.

Raoul sourit tristement.

— Mademoiselle, dit-il, le diamant que le roi me donne était destiné à vous, laissez-moi vous l'offrir ; si je me marie en France, vous me le renverrez ; si je ne me marie pas, gardez-le.

Et, saluant, il s'éloigna.

« Que veut-il dire ? » pensa Buckingham, tandis que Raoul serrait respectueusement la main glacée de miss Mary.

Miss Mary comprit le regard que Buckingham fixait sur elle.

— Si c'était une bague de fiançailles, dit-elle, je ne l'accepterais point.

— Vous lui offrez cependant de revenir à vous.

— Oh ! duc, s'écria la jeune fille avec des sanglots, une femme comme moi n'est jamais prise pour consolation par un homme comme lui.

— Alors, vous pensez qu'il ne reviendra pas.

— Jamais, dit miss Graffton d'une voix étranglée.

— Eh bien ! je vous dis, moi, qu'il trouvera là-bas son bonheur détruit, sa fiancée perdue... son honneur même entamé... Que lui restera-t-il donc qui vaille votre amour ? Oh ! dites, Mary, vous qui vous connaissez vous-même !

Miss Graffton posa sa blanche main sur le bras de Buckingham, et, tandis que Raoul fuyait dans l'allée des tilleuls avec une rapidité vertigineuse, elle chanta d'une voix mourante ces vers de *Roméo et Juliette* :

> *Il faut partir et vivre,*
> *Ou rester et mourir*[1].

---

1. Shakespeare, *Roméo et Juliette*, acte III, scène V : dans la bouche de Roméo.

Lorsqu'elle acheva le dernier mot, Raoul avait disparu.

Miss Graffton rentra chez elle, plus pâle et plus silencieuse qu'une ombre.

Buckingham profita du courrier qui était venu apporter la lettre au roi pour écrire à Madame et au comte de Guiche.

Le roi avait parlé juste. A deux heures du matin, la marée était haute, et Raoul s'embarquait pour la France.

CLXXVIII

SAINT-AIGNAN SUIT LE CONSEIL DE MALICORNE

Le roi surveillait ce portrait de La Vallière avec un soin qui venait autant du désir de la voir ressemblante que du dessein de faire durer ce portrait longtemps.

Il fallait le voir suivant le pinceau, attendre l'achèvement d'un plan ou le résultat d'une teinte, et conseiller au peintre diverses modifications auxquelles celui-ci consentait avec une félicité respectueuse.

Puis, quand le peintre, suivant le conseil de Malicorne, avait un peu tardé, quand Saint-Aignan avait une petite absence, il fallait voir, et personne ne les voyait, ces silences pleins d'expression, qui unissaient dans un soupir deux âmes fort disposées à se comprendre et fort désireuses du calme et de la méditation.

Alors les minutes s'écoulaient comme par magie. Le roi se rapprochait de sa maîtresse et venait la brûler du feu de son regard, du contact de son haleine.

Un bruit se faisait-il entendre dans l'antichambre, le peintre arrivait-il, Saint-Aignan revenait-il en s'excusant, le roi se mettait à parler, La Vallière à lui répondre précipitamment, et leurs yeux disaient à Saint-Aignan que, pendant son absence, ils avaient vécu un siècle.

En un mot, Malicorne, ce philosophe sans le vouloir, avait su donner au roi l'appétit dans l'abondance et le désir dans la certitude de la possession.

Ce que La Vallière redoutait n'arriva pas.

Nul ne devina que, dans la journée, elle sortait deux ou trois heures de chez elle. Elle feignait une santé irrégulière. Ceux qui se présentaient chez elle frappaient avant d'entrer. Malicorne, l'homme des inventions ingénieuses, avait imaginé un mécanisme acoustique par lequel La Vallière, dans l'appartement de Saint-Aignan, était prévenue des visites que l'on venait faire dans la chambre qu'elle habitait ordinairement.

Ainsi donc, sans sortir, sans avoir de confidentes, elle rentrait chez elle, déroutant par une apparition tardive peut-être, mais qui combattait victorieusement néanmoins tous les soupçons des sceptiques les plus acharnés.

Malicorne avait demandé à Saint-Aignan des nouvelles du lendemain. Saint-Aignan avait été forcé d'avouer que ce quart d'heure de liberté donnait au roi une humeur des plus joyeuses.

— Il faudra doubler la dose, répliqua Malicorne, mais insensiblement ; attendez qu'on le désire.

On le désira si bien, qu'un soir, le quatrième jour, au moment où le peintre pliait bagage sans que Saint-Aignan fût rentré, Saint-Aignan entra et vit sur le visage de La Vallière une ombre de contrariété qu'elle n'avait pu dissimuler. Le roi fut moins secret, il témoigna son dépit par un mouvement d'épaules très significatif. La Vallière rougit, alors.

« Bon ! s'écria Saint-Aignan dans sa pensée, M. Malicorne sera enchanté ce soir. »

En effet, Malicorne fut enchanté le soir.

— Il est bien évident, dit-il au comte, que Mlle de La Vallière espérait que vous tarderiez au moins de dix minutes.

— Et le roi une demi-heure, cher monsieur Malicorne.

— Vous seriez un mauvais serviteur du roi, répliqua celui-ci, si vous refusiez cette demi-heure de satisfaction à Sa Majesté.

— Mais le peintre ? objecta Saint-Aignan.

— Je m'en charge, dit Malicorne ; seulement, laissez-moi prendre conseil des visages et des circonstances ; ce sont mes opérations de magie, à moi, et, quand les sorciers prennent avec l'astrolabe la hauteur du soleil, de la lune et de leurs constellations, moi, je me contente de regarder si les yeux sont cerclés de noir, ou si la bouche décrit l'arc convexe ou l'arc concave.

— Observez donc !

— N'ayez pas peur.

Et le rusé Malicorne eut tout le loisir d'observer.

Car, le soir même, le roi alla chez Madame avec les reines, et fit une si grosse mine, poussa de si rudes soupirs, regarda La Vallière avec des yeux si fort mourants, que Malicorne dit à Montalais, le soir :

— A demain !

Et il alla trouver le peintre dans sa maison de la rue des Jardins-Saint-Paul[1], pour le prier de remettre la séance à deux jours.

Saint-Aignan n'était pas chez lui, quand La Vallière, déjà familiarisée avec l'étage inférieur, leva le parquet et descendit.

Le roi, comme d'habitude, l'attendait sur l'escalier, et tenait un bouquet à la main ; en la voyant, il la prit dans ses bras.

---

1. Ouverte sur des jardins de l'ex-hôtel Saint-Pol, elle longe une partie du rempart de Philippe Auguste. Le petit lycée Charlemagne où Maquet avait été professeur est tout près.

La Vallière, tout émue, regarda autour d'elle, et, ne voyant que le roi, ne se plaignit pas. Ils s'assirent.

Louis, couché près des coussins sur lesquels elle reposait, et la tête inclinée sur les genoux de sa maîtresse, placé là comme dans un asile d'où l'on ne pouvait le bannir, la regardait, et, comme si le moment fût venu où rien ne pouvait plus s'interposer entre ces deux âmes, elle, de son côté, se mit à le dévorer du regard.

Alors, de ses yeux si doux, si purs, se dégageait une flamme toujours jaillissante dont les rayons allaient chercher le cœur de son royal amant pour le réchauffer d'abord et le dévorer ensuite.

Embrasé par le contact des genoux tremblants, frémissant de bonheur lorsque la main de Louise descendait sur ses cheveux, le roi s'engourdissait dans cette félicité, et s'attendait toujours à voir entrer le peintre ou de Saint-Aignan.

Dans cette prévision douloureuse, il s'efforçait parfois de fuir la séduction qui s'infiltrait dans ses veines, il appelait le sommeil du cœur et des sens, il repoussait la réalité toute prête, pour courir après l'ombre.

Mais la porte ne s'ouvrit ni pour de Saint-Aignan, ni pour le peintre ; mais les tapisseries ne frissonnèrent même point. Un silence de mystère et de volupté engourdit jusqu'aux oiseaux dans leur cage dorée.

Le roi, vaincu, retourna sa tête et colla sa bouche brûlante dans les deux mains réunies de La Vallière ; elle perdit la raison, et serra sur les lèvres de son amant ses deux mains convulsives.

Louis se roula chancelant à genoux, et, comme La Vallière n'avait pas dérangé sa tête, le front du roi se trouva au niveau des lèvres de la jeune femme, qui, dans son extase, effleura d'un furtif et mourant baiser les cheveux parfumés qui lui caressaient les joues.

Le roi la saisit dans ses bras, et, sans qu'elle résistât, ils échangèrent ce premier baiser, ce baiser ardent qui change l'amour en un délire.

Ni le peintre ni de Saint-Aignan ne rentrèrent ce jour-là.

Une sorte d'ivresse pesante et douce, qui rafraîchit les sens et laisse circuler comme un lent poison le sommeil dans les veines, ce sommeil impalpable, languissant comme la vie heureuse, tomba, pareille à un nuage, entre la vie passée et la vie à venir des deux amants.

Au sein de ce sommeil plein de rêves, un bruit continu à l'étage supérieur inquiéta d'abord La Vallière, mais sans la réveiller tout à fait.

Cependant, comme ce bruit continuait, comme il se faisait comprendre, comme il rappelait la réalité à la jeune femme ivre de l'illusion, elle se releva tout effarée, belle de son désordre, en disant :

— Quelqu'un m'attend là-haut. Louis ! Louis, n'entendez-vous pas ?

— Eh ! n'êtes-vous pas celle que j'attends ? dit le roi avec tendresse. Que les autres désormais vous attendent.

Mais elle, secouant doucement la tête :

— Bonheur caché !... dit-elle avec deux grosses larmes, pouvoir caché... Mon orgueil doit se taire comme mon cœur.

Le bruit recommença.

— J'entends la voix de Montalais, dit-elle.

Et elle monta précipitamment l'escalier.

Le roi montait avec elle, ne pouvant se décider à la quitter et couvrant de baisers sa main et le bas de sa robe.

— Oui, oui, répéta La Vallière, la moitié du corps déjà passé à travers la trappe, oui, la voix de Montalais qui appelle ; il faut qu'il soit arrivé quelque chose d'important.

— Allez donc, cher amour, dit le roi, et revenez vite.

— Oh ! pas aujourd'hui. Adieu ! adieu !

Et elle s'abaissa encore une fois pour embrasser son amant, puis elle s'échappa.

Montalais attendait en effet, tout agitée, toute pâle.

— Vite, vite, dit-elle, il monte.

— Qui cela ? qui est-ce qui monte ?

— Lui ! Je l'avais bien prévu.

— Mais qui donc, lui ? tu me fais mourir !

— Raoul, murmura Montalais.

— Moi, oui, moi, dit une voix joyeuse dans les derniers degrés du grand escalier.

La Vallière poussa un cri terrible et se renversa en arrière.

— Me voici, me voici, chère Louise, dit Raoul en accourant. Oh ! je savais bien, moi, que vous m'aimiez toujours.

La Vallière fit un geste d'effroi, un autre geste de malédiction ; elle s'efforça de parler et ne put articuler qu'une seule parole :

— Non, non ! dit-elle.

Et elle tomba dans les bras de Montalais en murmurant :

— Ne m'approchez pas !

Montalais fit signe à Raoul, qui, pétrifié sur le seuil, ne chercha pas même à faire un pas de plus dans la chambre.

Puis jetant les yeux du côté du paravent :

— Oh ! dit-elle, l'imprudente ! la trappe n'est pas même fermée !

Et elle s'avança vers l'angle de la chambre pour refermer d'abord le paravent, et puis, derrière le paravent, la trappe.

Mais de cette trappe s'élança le roi, qui avait entendu le cri de La Vallière et qui venait à son secours.

Il s'agenouilla devant elle en accablant de questions Montalais qui commençait à perdre la tête.

Mais, au moment où le roi tombait à genoux, on entendit un cri de douleur sur le carré et le bruit d'un pas dans le corridor. Le roi voulut courir pour voir qui avait poussé ce cri, pour reconnaître qui faisait ce bruit de pas.

Montalais chercha à le retenir, mais ce fut vainement.

Le roi, quittant La Vallière, alla vers la porte ; mais Raoul était déjà loin, de sorte que le roi ne vit qu'une espèce d'ombre tournant l'angle du corridor.

CLXXIX

DEUX VIEUX AMIS

Tandis que chacun pensait à ses affaires à la cour, un homme se rendait mystérieusement derrière la place de Grève, dans une maison qui nous est déjà connue pour l'avoir vue assiégée, un jour d'émeute, par d'Artagnan.

Cette maison avait sa principale entrée par la place Baudoyer.

Assez grande, entourée de jardins, ceinte dans la rue Saint-Jean[1] par des boutiques de taillandiers[2] qui la garantissaient des regards curieux, elle était renfermée dans ce triple rempart de pierres, de bruit et de verdure, comme une momie parfumée dans sa triple boîte.

L'homme dont nous parlons marchait d'un pas assuré, bien qu'il ne fût pas de la première jeunesse. A voir son manteau couleur de muraille et sa longue épée, qui relevait ce manteau, nul n'eût pu reconnaître le chercheur d'aventures ; et si l'on eût bien consulté ce croc de moustaches relevé, cette peau fine et lisse qui apparaissait sous le sombrero, comment ne pas croire que les aventures dussent être galantes ?

En effet, à peine le cavalier fut-il entré dans la maison, que huit heures sonnèrent à Saint-Gervais.

Et, dix minutes après, une dame, suivie d'un laquais armé, vint frapper à la même porte, qu'une vieille suivante lui ouvrit aussitôt.

Cette dame leva son voile en entrant. Ce n'était plus une beauté, mais c'était encore une femme ; elle n'était plus jeune ; mais elle était encore alerte et d'une belle prestance. Elle dissimulait, sous une toilette riche et de bon goût, un âge que Ninon de Lenclos seule affronta en souriant[3].

A peine fut-elle dans le vestibule, que le cavalier, dont nous n'avons fait qu'esquisser les traits, vint à elle en lui tendant la main.

— Chère duchesse, dit-il. Bonjour.

— Bonjour, mon cher Aramis, répliqua la duchesse.

---

1. Le marché Saint-Jean, l'un des plus importants de Paris pour les fruits et légumes, se tenait sur la place du Vieux-Cimetière-Saint-Jean, qui prit ensuite le nom de place Baudoyer.

2. *Taillandier* : tailleur d'habits ou fabricant d'outils pour tailler, sens vraisemblable ici.

3. La duchesse de Chevreuse, née en 1599, a donc dépassé la soixantaine.

Il la conduisit à un salon élégamment meublé, dont les fenêtres hautes s'empourpraient des derniers feux du jour tamisés par les cimes noires de quelques sapins.

Tous deux s'assirent côte à côte.

Ils n'eurent ni l'un ni l'autre la pensée de demander de la lumière, et s'ensevelirent ainsi dans l'ombre comme ils eussent voulu s'ensevelir mutuellement dans l'oubli.

— Chevalier, dit la duchesse, vous ne m'avez plus donné signe d'existence depuis notre entrevue de Fontainebleau, et j'avoue que votre présence, le jour de la mort du franciscain, j'avoue que votre initiation à certains secrets m'ont donné le plus vif étonnement que j'aie eu de ma vie.

— Je puis vous expliquer ma présence, je puis vous expliquer mon initiation, dit Aramis.

— Mais, avant tout, répliqua vivement la duchesse, parlons un peu de nous. Voilà longtemps que nous sommes de bons amis.

— Oui, madame, et, s'il plaît à Dieu, nous le serons, sinon longtemps, du moins toujours.

— Cela est certain, chevalier, et ma visite en est un témoignage.

— Nous n'avons plus à présent, madame la duchesse, les mêmes intérêts qu'autrefois, dit Aramis en souriant sans crainte dans cette pénombre, car on n'y pouvait deviner que son sourire fût moins agréable et moins frais qu'autrefois.

— Aujourd'hui, chevalier, nous avons d'autres intérêts. Chaque âge apporte les siens, et comme nous nous comprenons aujourd'hui, en causant, aussi bien que nous le faisions autrefois sans parler, causons ; voulez-vous ?

— Duchesse, à vos ordres. Ah ! pardon, comment avez-vous donc retrouvé mon adresse ? Et pourquoi ?

— Pourquoi ? Je vous l'ai dit. La curiosité. Je voulais savoir ce que vous êtes à ce franciscain, avec lequel j'avais affaire, et qui est mort si étrangement. Vous savez qu'à notre entrevue à Fontainebleau, dans ce cimetière, au pied de cette tombe, récemment fermée, nous fûmes émus l'un et l'autre au point de ne nous rien confier l'un à l'autre.

— Oui, madame.

— Eh bien ! je ne vous eus pas plutôt quitté, que je me repentis. J'ai toujours été avide de m'instruire ; vous savez que Mme de Longueville est un peu comme moi, n'est-ce pas ?

— Je ne sais, dit Aramis discrètement.

— Je me rappelai donc, continua la duchesse, que nous n'avions rien dit dans ce cimetière, ni vous de ce que vous étiez à ce franciscain dont vous avez surveillé l'inhumation, ni moi de ce que je lui étais. Aussi, tout cela m'a paru indigne de deux bons amis comme nous, et j'ai cherché l'occasion de me rapprocher de vous pour vous donner la preuve que je vous suis acquise, et que Marie Michon, la pauvre morte, a laissé sur terre une ombre pleine de mémoire.

Aramis s'inclina sur la main de la duchesse et y déposa un galant baiser.

— Vous avez dû avoir quelque peine à me retrouver, dit-il.

— Oui, fit-elle, contrariée d'être ramenée à ce que voulait savoir Aramis ; mais je vous savais ami de M. Fouquet, j'ai cherché près de M. Fouquet.

— Ami ? Oh ! s'écria le chevalier, vous dites trop, madame. Un pauvre prêtre favorisé par ce généreux protecteur, un cœur plein de reconnaissance et de fidélité, voilà tout ce que je suis à M. Fouquet.

— Il vous a fait évêque ?

— Oui, duchesse.

— Mais, beau mousquetaire, c'est votre retraite.

« Comme à toi l'intrigue politique », pensa Aramis.

— Or, ajouta-t-il, vous vous enquîtes auprès de M. Fouquet ?

— Facilement. Vous aviez été à Fontainebleau avec lui, vous aviez fait un petit voyage à votre diocèse, qui est Belle-Ile-en-Mer, je crois ?

— Non pas, non pas, madame, dit Aramis. Mon diocèse est Vannes.

— C'est ce que je voulais dire. Je croyais seulement que Belle-Ile-en-Mer...

— Est une maison à M. Fouquet, voilà tout.

— Ah ! c'est qu'on m'avait dit que Belle-Ile-en-Mer était fortifiée ; or, je vous sais homme de guerre, mon ami.

— J'ai tout désappris depuis que je suis d'Église, dit Aramis piqué.

— Il suffit... J'ai donc su que vous étiez revenu de Vannes, et j'ai envoyé chez un ami, M. le comte de La Fère.

— Ah ! fit Aramis.

— Celui-là est discret : il m'a fait répondre qu'il ignorait votre adresse.

« Toujours Athos, pensa l'évêque : ce qui est bon est toujours bon. »

— Alors... vous savez que je ne puis me montrer ici, et que la reine mère a toujours contre moi quelque chose.

— Mais oui, et je m'en étonne.

— Oh ! cela tient à toutes sortes de raisons. Mais passons... Je suis forcée de me cacher ; j'ai donc, par bonheur, rencontré M. d'Artagnan, un de vos anciens amis, n'est-ce pas ?

— Un de mes amis présents, duchesse.

— Il m'a renseignée, lui ; il m'a envoyée à M. de Baisemeaux, le gouverneur de la Bastille.

Aramis frissonna, et ses yeux dégagèrent dans l'ombre une flamme qu'il ne put cacher à sa clairvoyante amie.

— M. de Baisemeaux ! dit-il ; et pourquoi d'Artagnan vous envoya-t-il à M. de Baisemeaux ?

— Ah ! je ne sais.

— Que veut dire ceci ? dit l'évêque en résumant ses forces intellectuelles pour soutenir dignement le combat.

— M. de Baisemeaux était votre obligé, m'a dit d'Artagnan.

— C'est vrai.

— Et l'on sait toujours l'adresse d'un créancier comme celle d'un débiteur.

— C'est encore vrai. Alors, Baisemeaux vous a indiqué ?

— Saint-Mandé, où je vous ai fait tenir une lettre.

— Que voici, et qui m'est précieuse, dit Aramis, puisque je lui dois le plaisir de vous voir.

La duchesse, satisfaite d'avoir ainsi effleuré sans malheur toutes les difficultés de cette exposition délicate, respira.

Aramis ne respira pas.

— Nous en étions, dit-il, à votre visite à Baisemeaux ?

— Non, dit-elle en riant, plus loin.

— Alors, c'est à votre rancune contre la reine mère ?

— Plus loin encore, reprit-elle, plus loin : nous en sommes aux rapports... C'est simple, reprit la duchesse en prenant son parti. Vous savez que je vis avec M. de Laigues ?

— Oui, madame.

— Un quasi-époux ?

— On le dit.

— A Bruxelles ?

— Oui.

— Vous savez que mes enfants m'ont ruinée et dépouillée ?

— Ah ! quelle misère, duchesse !

— C'est affreux ! il a fallu que je m'ingéniasse à vivre, et surtout à ne point végéter.

— Cela se conçoit.

— J'avais des haines à exploiter, des amitiés à servir ; je n'avais plus de crédit, plus de protecteurs.

— Vous qui avez protégé tant de gens, dit suavement Aramis.

— C'est toujours comme cela, chevalier. Je vis, en ce temps, le roi d'Espagne.

— Ah !

— Qui venait de nommer un général des jésuites, comme c'est l'usage.

— Ah ! c'est l'usage ?

— Vous l'ignoriez ?

— Pardon, j'étais distrait.

— En effet, vous devez savoir cela, vous qui étiez en si bonne intimité avec le franciscain.

— Avec le général des jésuites, vous voulez dire ?

— Précisément... Donc je vis le roi d'Espagne. Il me voulait du bien et ne pouvait m'en faire. Il me recommanda cependant, dans les Flandres, moi et Laigues, et me fit donner une pension sur les fonds de l'ordre.

— Des jésuites ?

— Oui. Le général, je veux dire le franciscain, me fut envoyé.

— Très bien.

— Et comme, pour régulariser la situation, d'après les statuts de l'ordre, je devais être censée rendre des services... Vous savez que c'est la règle ?

— Je l'ignorais.

Mme de Chevreuse s'arrêta pour regarder Aramis ; mais il faisait nuit sombre.

— Eh bien ! c'est la règle, reprit-elle. Je devais donc paraître avoir une utilité quelconque. Je proposai de voyager pour l'ordre, et l'on me rangea parmi les affiliés voyageurs. Vous comprenez que c'était une apparence et une formalité.

— A merveille.

— Ainsi touchai-je ma pension, qui était fort convenable.

— Mon Dieu ! duchesse, ce que vous me dites là est un coup de poignard pour moi. Vous, obligée de recevoir une pension des jésuites !

— Non, chevalier, de l'Espagne.

— Ah ! sauf le cas de conscience, duchesse, vous m'avouerez que c'est bien la même chose.

— Non, non, pas du tout.

— Mais enfin, de cette belle fortune, il reste bien...

— Il me reste Dampierre. Voilà tout.

— C'est encore très beau.

— Oui, mais Dampierre grevé, Dampierre hypothéqué, Dampierre un peu ruiné comme la propriétaire[1].

— Et la reine mère voit tout cela d'un œil sec ? dit Aramis avec un curieux regard qui ne rencontra que ténèbres.

— Oui, elle a tout oublié.

— Vous avez, ce me semble, duchesse, essayé de rentrer en grâce ?

— Oui ; mais, par une singularité qui n'a pas de nom, voilà-t-il pas que le petit roi hérite de l'antipathie que son cher père avait pour ma personne. Ah ! me direz-vous, je suis bien une de ces femmes que l'on hait, je ne suis plus de celles que l'on aime.

— Chère duchesse, arrivons vite, je vous prie, à ce qui vous amène, car je crois que nous pouvons nous être utiles l'un à l'autre.

— Je l'ai pensé. Je venais donc à Fontainebleau dans un double but. D'abord, j'y étais mandée par ce franciscain que vous connaissez... A

---

1. Dans son état actuel, le château de Dampierre est l'œuvre de Hardouin-Mansart qui le reconstruisit entre 1675 et 1683 pour le fils de la duchesse.

propos, comment le connaissez-vous ? car je vous ai raconté mon histoire, et vous ne m'avez pas conté la vôtre.

— Je le connus d'une façon bien naturelle, duchesse. J'ai étudié la théologie avec lui à Parme ; nous étions devenus amis, et tantôt les affaires, tantôt les voyages, tantôt la guerre nous avaient séparés.

— Vous saviez bien qu'il fût général des jésuites ?

— Je m'en doutais.

— Mais, enfin, par quel hasard étrange veniez-vous, vous aussi, à cette hôtellerie où se réunissaient les affiliés voyageurs ?

— Oh ! dit Aramis d'une voix calme, c'est un pur hasard. Moi, j'allais à Fontainebleau chez M. Fouquet pour avoir une audience du roi ; moi, je passais ; moi, j'étais inconnu ; je vis par le chemin ce pauvre moribond et je le reconnus. Vous savez le reste, il expira dans mes bras.

— Oui, mais en vous laissant dans le ciel et sur la terre une si grande puissance, que vous donnâtes en son nom des ordres souverains.

— Il me chargea effectivement de quelques commissions.

— Et pour moi ?

— Je vous l'ai dit. Une somme de douze mille livres à payer. Je crois vous avoir donné la signature nécessaire pour toucher. Ne touchâtes-vous pas ?

— Si fait, si fait. Oh ! mon cher prélat, vous donnez ces ordres, m'a-t-on dit, avec un tel mystère et une si auguste majesté, que l'on vous crut généralement le successeur du cher défunt.

Aramis rougit d'impatience. La duchesse continua :

— Je m'en suis informée, dit-elle, près du roi d'Espagne, et il éclaircit mes doutes sur ce point. Tout général des jésuites est, à sa nomination, et doit être espagnol d'après les statuts de l'ordre. Vous n'êtes pas espagnol et vous n'avez pas été nommé par le roi d'Espagne.

Aramis ne répliqua rien que ces mots :

— Vous voyez bien, duchesse, que vous étiez dans l'erreur, puisque le roi d'Espagne vous a dit cela.

— Oui, cher Aramis ; mais il y a autre chose que j'ai pensé, moi.

— Quoi donc ?

— Vous savez que je pense un peu à tout.

— Oh ! oui, duchesse.

— Vous savez l'espagnol ?

— Tout Français qui a fait sa Fronde sait l'espagnol.

— Vous avez vécu dans les Flandres ?

— Trois ans.

— Vous avez passé à Madrid ?

— Quinze mois.

— Vous êtes donc en mesure d'être naturalisé espagnol quand vous le voudrez.

— Vous croyez ? fit Aramis avec une bonhomie qui trompa la duchesse.

— Sans doute... Deux ans de séjour et la connaissance de la langue sont des règles indispensables. Vous avez trois ans et demi... quinze mois de trop.

— Où voulez-vous en venir, chère dame ?

— A ceci : je suis bien avec le roi d'Espagne.

« Je n'y suis pas mal », pensa Aramis.

— Voulez-vous, continua la duchesse, que je demande pour vous, au roi, la succession du franciscain ?

— Oh ! duchesse !

— Vous l'avez peut-être ? dit-elle.

— Non, sur ma parole !

— Eh bien ! je puis vous rendre ce service.

— Pourquoi ne l'avez-vous pas rendu à M. de Laigues, duchesse ? C'est un homme plein de talent et que vous aimez.

— Oui, certes ; mais cela ne s'est pas trouvé. Enfin, répondez, Laigues ou pas Laigues, voulez-vous ?

— Duchesse, non, merci !

« Il est nommé », pensa-t-elle.

— Si vous me refusez ainsi, reprit Mme de Chevreuse, ce n'est pas m'enhardir à vous demander pour moi.

— Oh ! demandez, demandez.

— Demander !... Je ne le puis, si vous n'avez pas le pouvoir de m'accorder.

— Si peu que je puisse, demandez toujours.

— J'ai besoin d'une somme d'argent pour faire réparer Dampierre.

— Ah ! répliqua Aramis froidement, de l'argent ?... Voyons, duchesse, combien serait-ce ?

— Oh ! une somme ronde.

— Tant pis ! Vous savez que je ne suis pas riche ?

— Vous, non ; mais l'ordre. Si vous eussiez été général...

— Vous savez que je ne suis pas général.

— Alors, vous avez un ami qui, lui, doit être riche : M. Fouquet.

— M. Fouquet ? madame, il est plus qu'à moitié ruiné.

— On le disait, et je ne voulais pas le croire.

— Pourquoi, duchesse ?

— Parce que j'ai du cardinal Mazarin quelques lettres, c'est-à-dire Laigues les a, qui établissent des comptes étranges.

— Quels comptes ?

— C'est à propos de rentes vendues, d'emprunts faits, je ne me souviens plus bien. Toujours est-il que le sous-intendant, d'après des lettres signées Mazarin, aurait puisé une trentaine de millions dans les coffres de l'État. Le cas est grave.

Aramis enfonça ses ongles dans sa main.

— Quoi ! dit-il, vous avez des lettres semblables et vous n'en avez pas fait part à M. Fouquet ?

— Ah ! répliqua la duchesse, ces sortes de choses sont des réserves que l'on garde. Le jour du besoin venu, on les tire de l'armoire.

— Et le jour du besoin est venu ? dit Aramis.

— Oui, mon cher.

— Et vous allez montrer ces lettres à M. Fouquet ?

— J'aime mieux vous en parler à vous.

— Il faut que vous ayez bien besoin d'argent, pauvre amie, pour penser à ces sortes de choses, vous qui teniez en si piètre estime la prose de M. de Mazarin.

— J'ai, en effet, besoin d'argent.

— Et puis, continua Aramis d'un ton froid, vous avez dû vous faire peine à vous-même en recourant à cette ressource. Elle est cruelle.

— Oh ! si j'eusse voulu faire le mal et non le bien, dit Mme de Chevreuse, au lieu de demander au général de l'ordre ou à M. Fouquet les cinq cent mille livres dont j'ai besoin...

— Cinq cent mille livres !

— Pas davantage. Trouvez-vous que ce soit beaucoup ? Il faut cela, au moins, pour réparer Dampierre.

— Oui, madame.

— Je dis donc qu'au lieu de demander cette somme, j'eusse été trouver mon ancienne amie, la reine mère ; les lettres de son époux, le signor Mazarini, m'eussent servi d'introduction, et je lui eusse demandé cette bagatelle, en lui disant : « Madame, je veux avoir l'honneur de recevoir Votre Majesté à Dampierre ; permettez-moi de mettre Dampierre en état[1]. »

Aramis ne répliqua pas un mot.

— Eh bien ! dit-elle, à quoi songez-vous ?

— Je fais des additions, dit Aramis.

— Et M. Fouquet fait des soustractions. Moi, j'essaie de multiplier. Les beaux calculateurs que nous sommes ! comme nous pourrions nous entendre !

— Voulez-vous me permettre de réfléchir ? dit Aramis.

— Non... Pour une semblable ouverture, entre gens comme nous, c'est oui ou non qu'il faut répondre, et cela tout de suite.

« C'est un piège, pensa l'évêque ; il est impossible qu'une pareille femme soit écoutée d'Anne d'Autriche. »

— Eh bien ? fit la duchesse.

---

1. « Madame de Chevreuse, qui avait toujours conservé quelque chose de ce grand crédit qu'elle avait eu sur la reine mère, entreprit de la porter à perdre M. Fouquet. M. de Laigues, marié en secret, à ce que l'on a cru, avec madame de Chevreuse, était mal content de ce surintendant ; il gouvernait madame de Chevreuse », Mme de La Fayette, *op. cit.*

— Eh bien ! madame, je serais fort surpris si M. Fouquet pouvait disposer de cinq cent mille livres à cette heure.

— Il n'en faut donc plus parler, dit la duchesse, et Dampierre se restaurera comme il pourra.

— Oh ! vous n'êtes pas, je suppose, embarrassée à ce point ?

— Non, je ne suis jamais embarrassée.

— Et la reine fera certainement pour vous, continua l'évêque, ce que le surintendant ne peut faire.

— Oh ! mais oui... Dites-moi, vous ne voulez pas, par exemple, que je parle moi-même à M. Fouquet de ces lettres ?

— Vous ferez, à cet égard, duchesse, tout ce qu'il vous plaira ; mais M. Fouquet se sent ou ne se sent pas coupable ; s'il l'est, je le sais assez fier pour ne pas l'avouer ; s'il ne l'est pas, il s'offensera fort de cette menace.

— Vous raisonnez toujours comme un ange.

Et la duchesse se leva.

— Ainsi, vous allez dénoncer M. Fouquet à la reine ? dit Aramis.

— Dénoncer ?... Oh ! le vilain mot. Je ne dénoncerai pas, mon cher ami ; vous savez trop bien la politique pour ignorer comment ces choses-là s'exécutent ; je prendrai parti contre M. Fouquet, voilà tout.

— C'est juste.

— Et, dans une guerre de parti, une arme est une arme.

— Sans doute.

— Une fois bien remise avec la reine mère, je puis être dangereuse.

— C'est votre droit, duchesse.

— J'en userai, mon cher ami.

— Vous n'ignorez pas que M. Fouquet est au mieux avec le roi d'Espagne, duchesse ?

— Oh ! je le suppose.

— M. Fouquet, si vous faites une guerre de parti comme vous dites, vous en fera une autre.

— Ah ! que voulez-vous !

— Ce sera son droit aussi, n'est-ce pas ?

— Certes.

— Et, comme il est bien avec l'Espagne, il se fera une arme de cette amitié.

— Vous voulez dire qu'il sera bien avec le général de l'ordre des jésuites, mon cher Aramis.

— Cela peut arriver, duchesse.

— Et qu'alors on me supprimera la pension que je touche par là.

— J'en ai bien peur.

— On se consolera. Eh ! mon cher, après Richelieu, après la Fronde, après l'exil, qu'y a-t-il à redouter pour Mme de Chevreuse ?

— La pension, vous le savez, est de quarante-huit mille livres.

— Hélas ! je le sais bien.

— De plus, quand on fait la guerre de parti, on frappe, vous ne l'ignorez pas, sur les amis de l'ennemi.

— Ah ! vous voulez dire qu'on tombera sur ce pauvre Laigues ?

— C'est presque inévitable, duchesse.

— Oh ! il ne touche que douze mille livres de pension.

— Oui ; mais le roi d'Espagne a du crédit ; consulté par M. Fouquet, il peut faire enfermer M. Laigues dans quelque forteresse.

— Je n'ai pas grand-peur de cela, mon bon ami, parce que, grâce à une réconciliation avec Anne d'Autriche, j'obtiendrai que la France demande la liberté de Laigues.

— C'est vrai. Alors, vous aurez autre chose à redouter.

— Quoi donc ? fit la duchesse en jouant la surprise et l'effroi.

— Vous saurez et vous savez qu'une fois affilié à l'ordre, on n'en sort pas sans difficultés. Les secrets qu'on a pu pénétrer sont malsains, ils portent avec eux des germes de malheur pour quiconque les révèle.

La duchesse réfléchit un moment.

— Voilà qui est plus sérieux, dit-elle ; j'y aviserai.

Et, malgré l'obscurité profonde, Aramis sentit un regard brûlant comme un fer rouge s'échapper des yeux de son amie pour venir plonger dans son cœur.

— Récapitulons, dit Aramis, qui se tint alors sur ses gardes et glissa sa main sous son pourpoint, où il avait un stylet caché.

— C'est cela, récapitulons : les bons comptes font les bons amis.

— La suppression de votre pension...

— Quarante-huit mille livres, et celle de Laigues douze, font soixante mille livres ; voilà ce que vous voulez dire, n'est-ce pas ?

— Précisément, et je cherche le contrepoids que vous trouvez à cela ?

— Cinq cent mille livres que j'aurai chez la reine.

— Ou que vous n'aurez pas.

— Je sais le moyen de les avoir, dit étourdiment la duchesse.

Ces mots firent dresser l'oreille au chevalier. A partir de cette faute de l'adversaire, son esprit fut tellement en garde, que lui profita toujours, et qu'elle, par conséquent, perdit l'avantage.

— J'admets que vous ayez cet argent, reprit-il, vous perdrez le double, ayant cent mille francs de pension à toucher au lieu de soixante mille, et cela pendant dix ans.

— Non, car je ne souffrirai cette diminution de revenu que pendant la durée du ministère de M. Fouquet ; or, cette durée, je l'évalue à deux mois.

— Ah ! fit Aramis.

— Je suis franche, comme vous voyez.

— Je vous remercie, duchesse ; mais vous auriez tort de supposer qu'après la disgrâce de M. Fouquet, l'ordre recommencerait à vous payer votre pension.

— Je sais le moyen de faire financer l'ordre, comme je sais le moyen de faire contribuer la reine mère.

— Alors, duchesse, nous sommes tous forcés de baisser pavillon devant vous. A vous la victoire ! à vous le triomphe ! Soyez clémente, je vous en prie. Sonnez, clairons !

— Comment est-il possible, reprit la duchesse, sans prendre garde à l'ironie, que vous reculiez devant cinq cent mille malheureuses livres, quand il s'agit de vous épargner, je veux dire à votre ami, pardon, à votre protecteur, un désagrément comme celui que cause une guerre de parti ?

— Duchesse, voici pourquoi : c'est qu'après les cinq cent mille livres, M. de Laigues demandera sa part, qui sera aussi de cinq cent mille livres, n'est- ce pas ? c'est qu'après la part de M. de Laigues et la vôtre viendront la part de vos enfants, celle de vos pauvres, de tout le monde, et que des lettres, si compromettantes qu'elles soient, ne valent pas trois à quatre millions. Vrai Dieu ! duchesse, les ferrets de la reine de France valaient mieux que ces chiffons signés Mazarin, et pourtant ils n'ont pas coûté le quart de ce que vous demandez pour vous.

— Ah ! c'est vrai, c'est vrai ; mais le marchand prise sa marchandise ce qu'il veut. C'est à l'acheteur d'acquérir ou de refuser.

— Tenez, duchesse, voulez-vous que je vous dise pourquoi je n'achèterai pas vos lettres ?

— Dites.

— Vos lettres de Mazarin sont fausses.

— Allons donc !

— Sans doute ; car il serait pour le moins étrange que, brouillée avec la reine par M. Mazarin, vous eussiez entretenu avec ce dernier un commerce intime ; cela sentirait la passion, l'espionnage, la... ma foi ! je ne veux pas dire le mot.

— Dites toujours.

— La complaisance.

— Tout cela est vrai ; mais, ce qui ne l'est pas moins, c'est ce qu'il y a dans la lettre.

— Je vous jure, duchesse, que vous ne pourrez pas vous en servir auprès de la reine.

— Oh ! que si fait, je puis me servir de tout auprès de la reine.

« Bon ! pensa Aramis. Chante donc, pie-grièche ! siffle donc, vipère ! »

Mais la duchesse en avait assez dit ; elle fit deux pas vers la porte. Aramis lui gardait une disgrâce... l'imprécation que fait entendre le vaincu derrière le char du triomphateur.

Il sonna.

Des lumières parurent dans le salon.

Alors l'évêque se trouva dans un cercle de lumières qui resplendissaient sur le visage défait de la duchesse.

Aramis attacha un long et ironique regard sur ses joues pâlies et desséchées, sur ces yeux dont l'étincelle s'échappait de deux paupières nues, sur cette bouche dont les lèvres enfermaient avec soin des dents noircies et rares.

Il affecta, lui, de poser gracieusement sa jambe pure et nerveuse, sa tête lumineuse et fière, il sourit pour laisser entrevoir ses dents, qui, à la lumière, avaient encore une sorte d'éclat. La coquette vieillie comprit le galant railleur ; elle était justement placée devant une grande glace où toute sa décrépitude, si soigneusement dissimulée, apparut manifeste par le contraste.

Alors, sans même saluer Aramis, qui s'inclinait souple et charmant comme le mousquetaire d'autrefois, elle partit d'un pas vacillant et alourdi par la précipitation.

Aramis glissa comme un zéphyr sur le parquet pour la conduire jusqu'à la porte.

Mme de Chevreuse fit un signe à son grand laquais, qui reprit le mousqueton[1], et elle quitta cette maison où deux amis si tendres ne s'étaient pas entendus pour s'être trop bien compris.

CLXXX

OÙ L'ON VOIT QU'UN MARCHÉ QUI NE PEUT PAS SE FAIRE AVEC L'UN PEUT SE FAIRE AVEC L'AUTRE

Aramis avait deviné juste : à peine sortie de la maison de la place Baudoyer, Mme la duchesse de Chevreuse se fit conduire chez elle.

Elle craignait d'être suivie sans doute, et cherchait à innocenter ainsi sa promenade ; mais, à peine rentrée à l'hôtel[2], à peine sûre que personne ne la suivrait pour l'inquiéter, elle fit ouvrir la porte du jardin qui donnait sur une autre rue, et se rendit rue Croix-des-Petits-Champs, où demeurait M. Colbert[3].

Nous avons dit que le soir était venu : c'est la nuit qu'il faudrait dire,

---

1. Le laquais est armé d'un court fusil.
2. Sur l'hôtel de Luynes, voir *Vingt Ans après*, chap. XXII, p. 725, note 1.
3. « M. Le Tellier et M. Colbert se joignirent à [Madame de Chevreuse et à M. de Laigues] », Mme de La Fayette, *op. cit.* Sur l'hôtel de Colbert, voir tome I de la présente édition, chap. LXIV, p. 385, note 1 : Dumas la situe alors rue Neuve-des-Petits-Champs, et non rue Croix-des-Petits-Champs.

et une nuit épaisse. Paris, redevenu calme, cachait dans son ombre indulgente la noble duchesse conduisant son intrigue politique, et la simple bourgeoise qui, attardée après un souper en ville, prenait au bras d'un amant le plus long chemin pour regagner le logis conjugal.

Mme de Chevreuse avait trop l'habitude de la politique nocturne pour ignorer qu'un ministre ne se cèle jamais, fût-ce chez lui, aux jeunes et belles dames qui craignent la poussière des bureaux, ou aux vieilles dames très savantes qui craignent l'écho indiscret des ministères.

Un valet reçut la duchesse sous le péristyle, et, disons-le, il la reçut assez mal. Cet homme lui expliqua même, après avoir vu son visage, que ce n'était pas à une pareille heure et à un pareil âge que l'on venait troubler le dernier travail de M. Colbert.

Mais Mme de Chevreuse, sans se fâcher, écrivit sur une feuille de ses tablettes son nom, nom bruyant, qui avait tant de fois tinté désagréablement aux oreilles de Louis XIII et du grand cardinal.

Elle écrivit ce nom avec la grande écriture ignorante des hauts seigneurs de cette époque, plia le papier d'une façon qui lui était particulière, et le remit au valet sans ajouter un mot, mais d'une mine si impérieuse, que le drôle, habitué à flairer son monde, sentit la princesse, baissa la tête et courut chez M. Colbert.

Il va sans dire que le ministre poussa un petit cri en ouvrant le papier, et que, ce cri instruisant suffisamment le valet de l'intérêt qu'il fallait prendre à la visite mystérieuse, le valet revint en courant chercher la duchesse.

Elle monta donc assez lourdement le premier étage de la belle maison neuve, se remit au palier pour ne pas entrer essoufflée, et parut devant M. Colbert, qui tenait lui-même les battants de sa porte.

La duchesse s'arrêta au seuil pour bien regarder celui avec lequel elle avait affaire.

Au premier abord, la tête ronde, lourde, épaisse, les gros sourcils, la moue disgracieuse de cette figure écrasée par une calotte pareille à celle des prêtres, cet ensemble, disons-nous, promit à la duchesse peu de difficultés dans les négociations, mais aussi peu d'intérêt dans le débat des articles.

Car il n'y avait pas d'apparence que cette grosse nature fût sensible aux charmes d'une vengeance raffinée ou d'une ambition altérée.

Mais, lorsque la duchesse vit de plus près les petits yeux noirs perçants, le pli longitudinal de ce front bombé, sévère, la crispation imperceptible de ces lèvres, sur lesquelles on observa très vulgairement de la bonhomie, Mme de Chevreuse changea d'idée et put se dire : « J'ai trouvé mon homme ! »

— Qui me procure l'honneur de votre visite, madame ? demanda l'intendant des finances.

— Le besoin que j'ai de vous, monsieur, reprit la duchesse, et celui que vous avez de moi.

— Heureux, madame, d'avoir entendu la première partie de votre phrase ; mais, quant à la seconde...

Mme de Chevreuse s'assit sur le fauteuil que Colbert lui avançait.

— Monsieur Colbert, vous êtes intendant des finances ?

— Oui, madame.

— Et vous aspirez à devenir surintendant ?...

— Madame !

— Ne niez pas ; cela ferait longueur dans notre conversation : c'est inutile.

— Cependant, madame, si plein de bonne volonté, de politesse même, que je sois envers une dame de votre mérite, rien ne me fera confesser que je cherche à supplanter mon supérieur.

— Je ne vous ai point parlé de supplanter, monsieur Colbert. Est-ce que, par hasard, j'aurais prononcé ce mot ? Je ne crois pas. Le mot remplacer est moins agressif et plus convenable grammaticalement, comme disait M. de Voiture. Je prétends donc que vous aspirez à remplacer M. Fouquet.

— La fortune de M. Fouquet, madame, est de celles qui résistent. M. le surintendant joue, dans ce siècle, le rôle du colosse de Rhodes : les vaisseaux passent au-dessous de lui et ne le renversent pas.

— Je me fusse servie précisément de cette comparaison. Oui, M. Fouquet joue le rôle du colosse de Rhodes ; mais je me souviens d'avoir ouï raconter à M. Conrart... un académicien, je crois... que, le colosse de Rhodes étant tombé, le marchand qui l'avait fait jeter bas... un simple marchand, monsieur Colbert... fit charger quatre cents chameaux de ses débris[1]. Un marchand ! c'est bien moins fort qu'un intendant des finances.

— Madame, je puis vous assurer que je ne renverserai jamais M. Fouquet.

— Eh bien ! monsieur Colbert, puisque vous vous obstinez à faire de la sensibilité avec moi, comme si vous ignoriez que je m'appelle Mme de Chevreuse, et que je suis vieille, c'est-à-dire que vous avez affaire à une femme qui a fait de la politique avec M. de Richelieu et qui n'a plus de temps à perdre, comme, dis-je, vous commettez cette imprudence, je m'en vais aller trouver des gens plus intelligents et plus pressés de faire fortune.

— En quoi, madame, en quoi ?

— Vous me donnez une pauvre idée des négociations d'aujourd'hui,

---

1. Bronze haut de 31 m, il était l'œuvre de Charès de Lindos qui mit douze ans à l'élever au fond du port de Rhodes (292 à 280 av. J.-C.) ; un tremblement de terre le renversa en 223 av. J.-C.

monsieur. Je vous jure bien que, si, de mon temps, une femme fût allée trouver M. de Cinq-Mars, qui pourtant n'était pas un grand esprit, je vous jure que, si elle lui eût dit sur le cardinal ce que je viens de vous dire sur M. Fouquet, M. de Cinq-Mars, à l'heure qu'il est, eût déjà mis les fers au feu.

— Allons, madame, allons, un peu d'indulgence.

— Ainsi, vous voulez bien consentir à remplacer M. Fouquet ?

— Si le roi congédie M. Fouquet, oui, certes.

— Encore une parole de trop ; il est bien évident que, si vous n'avez pas encore fait chasser M. Fouquet, c'est que vous n'avez pas pu le faire. Aussi, je ne serais qu'une sotte pécore, si, venant à vous, je ne vous apportais pas ce qui vous manque.

— Je suis désolé d'insister, madame, dit Colbert après un silence qui avait permis à la duchesse de sonder toute la profondeur de sa dissimulation ; mais je dois vous prévenir que, depuis six ans, dénonciations sur dénonciations se succèdent contre M. Fouquet, sans que jamais l'assiette de M. le surintendant ait été déplacée.

— Il y a temps pour tout, monsieur Colbert ; ceux qui ont fait ces dénonciations ne s'appelaient pas Mme de Chevreuse, et ils n'avaient pas de preuves équivalentes à six lettres de M. de Mazarin, établissant le délit dont il s'agit.

— Le délit ?

— Le crime, s'il vous plaît mieux.

— Un crime ! Commis par M. Fouquet ?

— Rien que cela... Tiens, c'est étrange, monsieur Colbert ; vous qui avez la figure froide et peu significative, je vous vois tout illuminé.

— Un crime ?

— Enchantée que cela vous fasse quelque effet.

— Oh ! c'est que le mot renferme tant de choses, madame !

— Il renferme un brevet de surintendant des finances pour vous, et une lettre d'exil ou de Bastille pour M. Fouquet.

— Pardonnez-moi, madame la duchesse, il est presque impossible que M. Fouquet soit exilé : emprisonné, disgracié, c'est déjà tant !

— Oh ! je sais ce que je dis, repartit froidement Mme de Chevreuse. Je ne vis pas tellement éloignée de Paris, que je ne sache ce qui s'y passe. Le roi n'aime pas M. Fouquet, et il perdra volontiers M. Fouquet, si on lui en donne l'occasion.

— Il faut que l'occasion soit bonne.

— Assez bonne. Aussi, c'est une occasion que j'évalue à cinq cent mille livres.

— Comment cela ? dit Colbert.

— Je veux dire, monsieur, que, tenant cette occasion dans mes mains, je ne la ferai passer dans les vôtres que moyennant un retour de cinq cent mille livres.

— Très bien, madame, je comprends. Mais, puisque vous venez de fixer un prix à la vente, voyons la valeur vendue.

— Oh ! la moindre chose : six lettres, je vous l'ai dit, de M. de Mazarin ; des autographes qui ne seraient pas trop chers, assurément, s'ils établissaient d'une façon irrécusable que M. Fouquet avait détourné de grosses sommes pour se les approprier.

— D'une façon irrécusable, dit Colbert les yeux brillants de joie.

— Irrécusable ! Voulez-vous lire les lettres ?

— De tout cœur ! La copie, bien entendu ?

— Bien entendu, oui.

Mme la duchesse tira de son sein une petite liasse aplatie par le corset de velours :

— Lisez, dit-elle.

Colbert se jeta avidement sur ces papiers et les dévora.

— A merveille ! dit-il.

— C'est assez net, n'est-ce pas ?

— Oui, madame, oui. M. de Mazarin aurait remis de l'argent à M. Fouquet, lequel aurait gardé cet argent, mais quel argent ?

— Ah ! voilà, quel argent ? Si nous traitons ensemble, je joindrai à ses lettres une septième, qui vous donnera les derniers renseignements.

Colbert réfléchit.

— Et les originaux des lettres ?

— Question inutile. C'est comme si je vous demandais : Monsieur Colbert, les sacs d'argent que vous me donnerez seront-ils pleins ou vides ?

— Très bien, madame.

— Est-ce conclu ?

— Non pas.

— Comment ?

— Il y a une chose à laquelle nous n'avons réfléchi ni l'un ni l'autre.

— Dites-la-moi.

— M. Fouquet ne peut être perdu en cette occurrence que par un procès.

— Oui.

— Un scandale public.

— Oui. Eh bien ?

— Eh bien ! on ne peut lui faire ni le procès ni le scandale.

— Parce que ?

— Parce qu'il est procureur général au Parlement, parce que tout, en France, administration, armée, justice, commerce, se relie mutuellement par une chaîne de bon vouloir qu'on appelle esprit de corps. Ainsi, madame, jamais le Parlement ne souffrira que son chef soit traîné devant un tribunal. Jamais, s'il y est traîné d'autorité royale, jamais il ne sera condamné.

— Ah ! ma foi ! monsieur Colbert, cela ne me regarde pas.

— Je le sais, madame, mais cela me regarde, moi, et diminue la valeur de votre apport. A quoi peut me servir une preuve de crime sans la possibilité de condamnation ?

— Soupçonné seulement, M. Fouquet perdra sa charge de surintendant.

— Voilà grand-chose ! s'écria Colbert, dont les traits sombres éclatèrent tout à coup, illuminés d'une expression de haine et de vengeance.

— Ah ! ah ! monsieur Colbert, dit la duchesse, excusez-moi, je ne vous savais pas si fort impressionnable. Bien, très bien ! Alors, puisqu'il vous faut plus que je n'ai, ne parlons plus de rien.

— Si fait, madame, parlons-en toujours. Seulement, vos valeurs ayant baissé, abaissez vos prétentions.

— Vous marchandez ?

— C'est une nécessité pour quiconque veut payer loyalement.

— Combien m'offrez-vous ?

— Deux cent mille livres.

La duchesse lui rit au nez ; puis, tout à coup :

— Attendez, dit-elle.

— Vous consentez ?

— Pas encore, j'ai une autre combinaison.

— Dites.

— Vous me donnez trois cent mille livres.

— Non pas ! non pas !

— Oh ! c'est à prendre ou à laisser... Et puis, ce n'est pas tout.

— Encore ?... Vous devenez impossible, madame la duchesse.

— Moins que vous ne le croyez, ce n'est plus de l'argent que je vous demande.

— Quoi donc, alors ?

— Un service. Vous savez que j'ai toujours aimé tendrement la reine.

— Eh bien ?

— Eh bien ! je veux avoir une entrevue avec Sa Majesté.

— Avec la reine ?

— Oui, monsieur Colbert, avec la reine, qui n'est plus mon amie, c'est vrai, et depuis longtemps, mais qui peut le devenir encore, si on en fournit l'occasion.

— Sa Majesté ne reçoit plus personne, madame. Elle souffre beaucoup. Vous n'ignorez pas que les accès de son mal se réitèrent plus fréquemment...

— Voilà précisément pourquoi je désire avoir une entrevue avec Sa Majesté. Figurez-vous que, dans la Flandre, nous avons beaucoup de ces sortes de maladies.

— Des cancers ? Maladie affreuse, incurable.

— Ne croyez donc pas cela, monsieur Colbert. Le paysan flamand est un peu l'homme de la nature : il n'a pas précisément une femme, il a une femelle.

— Eh bien ! madame ?

— Eh bien ! monsieur Colbert, tandis qu'il fume sa pipe, la femme travaille : elle tire l'eau du puits, elle charge le mulet ou l'âne, elle se charge elle-même. Se ménageant peu, elle se heurte çà et là, souvent même elle est battue. Un cancer vient d'une contusion.

— C'est vrai.

— Les Flamandes ne meurent pas pour cela. Elles vont, quand elles souffrent trop, à la recherche du remède. Et les béguines de Bruges sont d'admirables médecins pour toutes les maladies. Elles ont des eaux précieuses, des topiques, des spécifiques : elles donnent à la malade un flacon et un cierge, bénéficient sur le clergé et servent Dieu par l'exploitation de leurs deux marchandises. J'apporterai donc à la reine l'eau du béguinage de Bruges. Sa Majesté guérira, et brûlera autant de cierges qu'elle le jugera convenable. Vous voyez, monsieur Colbert, que, m'empêcher d'aller voir la reine, c'est presque un crime de régicide.

— Madame la duchesse, vous êtes une femme de trop d'esprit, vous me confondez ; toutefois, je devine bien que cette grande charité envers la reine couvre un petit intérêt personnel.

— Est-ce que je me donne la peine de le cacher, monsieur Colbert ? Vous avez dit, je crois, un petit intérêt personnel ? Apprenez donc que c'est un grand intérêt, et je vous le prouverai en me résumant. Si vous me faites entrer chez Sa Majesté, je me contente des trois cent mille livres réclamées ; sinon, je garde mes lettres, à moins que vous n'en donniez, séance tenante, cinq cent mille livres.

Et, se levant sur cette parole décisive, le vieille duchesse laissa M. Colbert dans une désagréable perplexité.

Marchander encore était devenu impossible ; ne plus marchander, c'était perdre infiniment trop.

— Madame, dit-il, je vais avoir le plaisir de vous compter cent mille écus.

— Oh ! fit la duchesse.

— Mais comment aurai-je les lettres véritables ?

— De la façon la plus simple, mon cher monsieur Colbert... A qui vous fiez-vous ?

Le grave financier se mit à rire silencieusement, de sorte que ses gros sourcils noirs montaient et descendaient comme deux ailes de chauve-souris sur la ligne profonde de son front jaune.

— A personne, dit-il.

— Oh ! vous ferez bien une exception en votre faveur, monsieur Colbert.

— Comment cela, madame la duchesse ?

— Je veux dire que, si vous preniez la peine de venir avec moi à l'endroit où sont les lettres, elles vous seraient remises à vous-même, et vous pourriez les vérifier, les contrôler.

— Il est vrai.

— Vous vous seriez muni de cent mille écus, parce que je ne me fie, moi non plus, à personne.

M. l'intendant Colbert rougit jusqu'aux sourcils. Il était, comme tous les hommes supérieurs dans l'art des chiffres, d'une probité insolente et mathématique.

— J'emporterai, dit-il, madame, la somme promise, en deux bons payables à ma caisse. Cela vous satisfera-t-il ?

— Que ne sont-ils de deux millions, vos bons de caisse, monsieur l'intendant !… Je vais donc avoir l'honneur de vous montrer le chemin.

— Permettez que je fasse atteler mes chevaux.

— J'ai un carrosse en bas, monsieur.

Colbert toussa comme un homme irrésolu. Il se figura un moment que la proposition de la duchesse était un piège ; que peut-être on attendait à la porte ; que cette dame, dont le secret venait de se vendre cent mille écus à Colbert, devait avoir proposé ce secret à M. Fouquet pour la même somme.

Comme il hésitait beaucoup, la duchesse le regarda dans les yeux.

— Vous aimez mieux votre carrosse ? dit-elle.

— Je l'avoue.

— Vous vous figurez que je vous conduis dans quelque traquenard ?

— Madame la duchesse, vous avez le caractère folâtre, et moi, revêtu d'un caractère aussi grave, je puis être compromis par une plaisanterie.

— Oui ; enfin, vous avez peur ? Eh bien ! prenez votre carrosse, autant de laquais que vous voudrez… Seulement, réfléchissez-y bien… ce que nous faisons à nous deux, nous le savons seuls ; ce qu'un tiers aura vu, nous l'apprenons à tout l'univers. Après tout, moi, je n'y tiens pas : mon carrosse suivra le vôtre, et je me tiens pour satisfaite de monter dans votre carrosse pour aller chez la reine.

— Chez la reine ?

— Vous l'aviez déjà oublié ? Quoi ! une clause de cette importance pour moi vous avait échappé ? Que c'était peu pour vous, mon Dieu ! Si j'avais su, je vous eusse demandé le double.

— J'ai réfléchi, madame la duchesse ; je ne vous accompagnerai pas.

— Vrai !… Pourquoi ?

— Parce que j'ai en vous une confiance sans bornes.

— Vous me comblez !… Mais, pour que je touche les cent mille écus ?…

— Les voici.

L'intendant griffonna quelques mots sur un papier qu'il remit à la duchesse.

— Vous êtes payée, dit-il.

— Le trait est beau, monsieur Colbert, et je vais vous en récompenser. En disant ces mots, elle se mit à rire.

Le rire de Mme de Chevreuse était un murmure sinistre ; tout homme qui sent la jeunesse, la foi, l'amour, la vie battre en son cœur, préfère des pleurs à ce rire lamentable.

La duchesse ouvrit le haut de son justaucorps et tira de son sein rougi une petite liasse de papiers noués d'un ruban couleur feu. Les agrafes avaient cédé sous la pression brutale de ses mains nerveuses. La peau, éraillée par l'extraction et le frottement des papiers, apparaissait sans pudeur aux yeux de l'intendant, fort intrigué de ces préliminaires étranges. Le duchesse riait toujours.

— Voilà, dit-elle, les véritables lettres de M. de Mazarin. Vous les avez, et, de plus, la duchesse de Chevreuse s'est déshabillée devant vous, comme si vous eussiez été... Je ne veux pas vous dire des noms qui vous donneraient de l'orgueil ou de la jalousie. Maintenant, monsieur Colbert, fit-elle en agrafant et en nouant avec rapidité le corps de sa robe, votre bonne fortune est finie ; accompagnez-moi chez la reine.

— Non pas, madame : si vous alliez encourir de nouveau la disgrâce de Sa Majesté, et que l'on sût au Palais-Royal que j'ai été votre introducteur, la reine ne me le pardonnerait de sa vie. Non. J'ai des gens dévoués au palais, ceux-là vous feront entrer sans me compromettre.

— Comme il vous plaira, pourvu que j'entre.

— Comment appelez-vous les dames religieuses de Bruges qui guérissent les malades ?

— Les béguines.

— Vous êtes une béguine.

— Soit, mais il faudra bien que je cesse de l'être.

— Cela vous regarde.

— Pardon ! pardon ! je ne veux pas être exposée à ce qu'on me refuse l'entrée.

— Cela vous regarde encore, madame. Je vais commander au premier valet de chambre du gentilhomme de service chez Sa Majesté de laisser entrer une béguine apportant un remède efficace pour soulager les douleurs de Sa Majesté. Vous portez ma lettre, vous vous chargez du remède et des explications. J'avoue la béguine, je nie Mme de Chevreuse.

— Qu'à cela ne tienne.

— Voici la lettre d'introduction, madame.

CLXXXI

LA PEAU DE L'OURS[1]

Colbert donna cette lettre à la duchesse, lui retira doucement le siège derrière lequel elle s'abritait.

Mme de Chevreuse salua très légèrement et sortit.

Colbert, qui avait reconnu l'écriture de Mazarin et compté les lettres, sonna son secrétaire et lui enjoignit d'aller chercher chez lui M. Vanel, conseiller au Parlement. Le secrétaire répliqua que M. le conseiller, fidèle à ses habitudes, venait d'entrer dans la maison pour rendre compte à l'intendant des principaux détails du travail accompli ce jour même dans la séance du Parlement.

Colbert s'approcha des lampes, relut les lettres du défunt cardinal, sourit plusieurs fois en reconnaissant toute la valeur des pièces que venait de lui livrer Mme de Chevreuse, et, en étayant pour plusieurs minutes sa grosse tête dans ses mains, il réfléchit profondément.

Pendant ces quelques minutes, un homme gros et grand, à la figure osseuse, aux yeux fixes, au nez crochu, avait fait son entrée dans le cabinet de Colbert avec une assurance modeste, qui décelait un caractère à la fois souple et décidé : souple envers le maître qui pouvait jeter la proie, ferme envers les chiens qui eussent pu lui disputer cette proie opime.

M. Vanel avait sous le bras un dossier volumineux ; il le posa sur le bureau même, où les deux coudes de Colbert étayaient sa tête.

— Bonjour, monsieur Vanel, dit celui-ci en se réveillant de sa méditation.

— Bonjour, monseigneur, dit naturellement Vanel.

— C'est *monsieur* qu'il faut dire, répliqua doucement Colbert.

— On appelle *monseigneur* les ministres, dit Vanel avec un sang-froid imperturbable ; vous êtes ministre !

— Pas encore !

— De fait, je vous appelle monseigneur ; d'ailleurs, vous êtes mon seigneur, à moi, cela me suffit ; s'il vous déplaît que je vous appelle ainsi devant le monde, laissez-moi vous appeler de ce nom dans le particulier.

Colbert leva la tête à la hauteur des lampes et lut ou chercha à lire sur le visage de Vanel pour combien la sincérité entrait dans cette protestation de dévouement.

Mais le conseiller savait soutenir le poids d'un regard, ce regard fût-il celui de Monseigneur.

---

1. Allusion à La Fontaine, « L'Ours et les Deux Compagnons », *Fables*, livre V, xx.

Colbert soupira. Il n'avait rien lu sur le visage de Vanel ; Vanel pouvait être honnête. Colbert songea que cet inférieur lui était supérieur, en cela qu'il avait une femme infidèle.

Au moment où il s'apitoyait sur le sort de cet homme, Vanel tira froidement de sa poche un billet parfumé, cacheté de cire d'Espagne, et le tendit à Monseigneur.

— Qu'est cela, Vanel ?

— Une lettre de ma femme, monseigneur.

Colbert toussa. Il prit la lettre, l'ouvrit, la lut et l'enferma dans sa poche, tandis que Vanel feuilletait impassiblement son volume de procédure.

— Vanel, dit tout à coup le protecteur à son protégé, vous êtes un homme de travail, vous ?

— Oui, monseigneur.

— Douze heures d'études ne vous effraient pas ?

— J'en fais quinze par jour.

— Impossible ! Un conseiller ne saurait travailler plus de trois heures pour le Parlement.

— Oh ! je fais des états pour un ami que j'ai aux comptes, et, comme il me reste du temps, j'étudie l'hébreu.

— Vous êtes fort considéré au Parlement, Vanel ?

— Je crois que oui, monseigneur.

— Il s'agirait de ne pas croupir sur le siège de conseiller.

— Que faire pour cela ?

— Acheter une charge.

— Laquelle ?

— Quelque chose de grand. Les petites ambitions sont les plus malaisées à satisfaire.

— Les petites bourses, monseigneur, sont les plus difficiles à remplir.

— Et puis, quelle charge voyez-vous ? fit Colbert.

— Je n'en vois pas, c'est vrai.

— Il y en a bien une, mais il faut être le roi pour l'acheter sans se gêner ; or, le roi ne se donnera pas, je crois, la fantaisie d'acheter une charge de procureur général.

En entendant ces mots, Vanel attacha sur Colbert son regard humble et terne à la fois.

Colbert se demanda s'il avait été deviné, ou seulement rencontré par la pensée de cet homme.

— Que me parlez-vous, monseigneur, dit Vanel, de la charge de procureur général au Parlement ? Je n'en sache pas d'autre que celle de M. Fouquet.

— Précisément, mon cher conseiller.

— Vous n'êtes pas dégoûté, monseigneur ; mais, avant que la marchandise soit achetée, ne faut-il pas qu'elle soit vendue ?

— Je crois, monsieur Vanel, que cette charge-là sera sous peu à vendre…[1].

— A vendre !… la charge de procureur de M. Fouquet ?

— On le dit.

— La charge qui le fait inviolable, à vendre ? Oh ! oh !

Et Vanel se mit à rire.

— En auriez-vous peur, de cette charge ? dit gravement Colbert.

— Peur ! non pas…

— Ni envie ?

— Monseigneur se moque de moi ! répliqua Vanel ; comment un conseiller du Parlement n'aurait-il pas envie de devenir procureur général ?

— Alors, monsieur Vanel… puisque je vous dis que la charge se présente à vendre.

— Monseigneur le dit.

— Le bruit en court.

— Je répète que c'est impossible ; jamais un homme ne jette le bouclier derrière lequel il abrite son honneur, sa fortune et sa vie.

— Parfois il est des fous qui se croient au-dessus de toutes les mauvaises chances, monsieur Vanel.

— Oui, monseigneur ; mais ces fous-là ne font pas leurs folies au profit des pauvres Vanels qu'il y a dans le monde.

— Pourquoi pas ?

— Parce que ces Vanels sont pauvres.

— Il est vrai que la charge de M. Fouquet peut coûter gros. Qu'y mettriez-vous, monsieur Vanel ?

— Tout ce que je possède, monseigneur.

— Ce qui veut dire ?

— Trois à quatre cent mille livres.

— Et la charge vaut ?

— Un million et demi, au plus bas. Je sais des gens qui en ont offert un million sept cent mille livres sans décider M. Fouquet. Or, si par hasard il arrivait que M. Fouquet voulût vendre, ce que je ne crois pas, malgré ce qu'on m'en a dit…

---

1. « Le roi était donc résolu de perdre Fouquet ; mais sa charge de procureur général du Parlement était un rempart à l'abri duquel il semblait être en sûreté. A peine sortait-il des guerres civiles, où la puissance de cette compagnie n'avait que trop éclaté […]. Il fallait donc persuader à Fouquet de vendre sa charge de procureur général ; et la chose n'était pas aisée […]. Cette négociation dura jusqu'au mois d'août ; et dès que Fouquet eut vendu sa charge à M. de Harlay, bon homme, homme de bien, mais qui n'en était pas fort capable […], Colbert ne le ménagea plus, et ne garda plus de mesures avec un homme qu'il voulait et qu'il croyait pouvoir pousser à vous », l'abbé de Choisy, *Mémoires pour servir à l'histoire de Louis XIV*, livre troisième. Voir également Gourville, *Mémoires*.

— Ah ! l'on vous en a dit quelque chose ! Qui cela ?

— M. de Gourville... M. Pélisson. Oh ! en l'air.

— Eh bien ! si M. Fouquet voulait vendre ?...

— Je ne pourrais encore acheter, attendu que M. le surintendant ne vendra que pour avoir de l'argent frais, et personne n'a un million et demi à jeter sur une table.

Colbert interrompit en cet endroit le conseiller par une pantomime impérieuse. Il avait recommencé à réfléchir.

Voyant l'attitude sérieuse du maître, voyant sa persévérance à mettre la conversation sur ce sujet, M. Vanel attendait une solution sans oser la provoquer.

— Expliquez-moi bien, dit alors Colbert, les privilèges de la charge de procureur général.

— Le droit de mise en accusation contre tout sujet français qui n'est pas prince du sang ; la mise à néant de toute accusation dirigée contre tout Français qui n'est pas roi ou prince. Un procureur général est le bras droit du roi pour frapper un coupable, il est son bras aussi pour éteindre le flambeau de la justice. Aussi M. Fouquet se soutiendra-t-il contre le roi lui-même en ameutant les parlements ; aussi le roi ménagera-t-il M. Fouquet malgré tout pour faire enregistrer ses édits sans conteste. Le procureur général peut être un instrument bien utile ou bien dangereux.

— Voulez-vous être procureur général, Vanel ? dit tout à coup Colbert en adoucissant son regard et sa voix.

— Moi ? s'écria celui-ci. Mais j'ai eu l'honneur de vous représenter qu'il manque au moins onze cent mille livres à ma caisse.

— Vous emprunterez cette somme à vos amis.

— Je n'ai pas d'amis plus riches que moi.

— Un honnête homme !

— Si tout le monde pensait comme vous, monseigneur.

— Je le pense, cela suffit, et, au besoin, je répondrai de vous.

— Prenez garde au proverbe, monseigneur.

— Lequel ?

— Qui répond paie.

— Qu'à cela ne tienne.

Vanel se leva, tout remué par cette offre si subitement, si inopinément faite par un homme que les plus frivoles prenaient au sérieux.

— Ne vous jouez pas de moi, monseigneur, dit-il.

— Voyons, faisons vite, monsieur Vanel. Vous dites que M. Gourville vous a parlé de la charge de M. Fouquet ?

— M. Pélisson aussi.

— Officiellement, ou officieusement ?

— Voici leurs paroles : « Ces gens du Parlement sont ambitieux et riches; ils devraient bien se cotiser pour faire deux ou trois millions à M. Fouquet, leur protecteur, leur lumière. »

— Et vous avez dit?

— J'ai dit que, pour ma part, je donnerais dix mille livres s'il le fallait.

— Ah! vous aimez donc M. Fouquet? s'écria M. Colbert avec un regard plein de haine.

— Non; mais M. Fouquet est notre procureur général; il s'endette, il se noie; nous devons sauver l'honneur du corps.

— Voilà qui m'explique pourquoi M. Fouquet sera toujours sain et sauf tant qu'il occupera sa charge, répliqua Colbert.

— Là-dessus, poursuivit Vanel, M. Gourville a ajouté: « Faire l'aumône à M. Fouquet, c'est toujours un procédé humiliant auquel il répondra par un refus; que le Parlement se cotise pour acheter dignement la charge de son procureur général, alors tout va bien, l'honneur du corps est sauf, et l'orgueil de M. Fouquet sauvé. »

— C'est une ouverture cela.

— Je l'ai considéré ainsi, monseigneur.

— Eh bien! monsieur Vanel, vous irez trouver immédiatement M. Gourville ou M. Pélisson; connaissez-vous quelque autre ami de M. Fouquet?

— Je connais beaucoup M. de La Fontaine.

— La Fontaine le rimeur?

— Précisément; il faisait des vers à ma femme, quand M. Fouquet était de nos amis.

— Adressez-vous donc à lui pour obtenir une entrevue de M. le surintendant.

— Volontiers; mais la somme?

— Au jour et à l'heure fixés, monsieur Vanel, vous serez nanti de la somme, ne vous inquiétez point.

— Monseigneur, une telle munificence! Vous effacez le roi, vous surpassez M. Fouquet.

— Un moment... ne faisons pas abus des mots. Je ne vous donne pas quatorze cent mille livres, monsieur Vanel: j'ai des enfants.

— Eh! monsieur, vous me les prêtez; cela suffit.

— Je vous les prête, oui.

— Demandez tel intérêt, telle garantie qu'il vous plaira, monseigneur, je suis prêt, et, vos désirs étant satisfaits, je répéterai encore que vous surpassez les rois et M. Fouquet en munificence. Vos conditions?

— Le remboursement en huit années.

— Oh! très bien.

— Hypothèque sur la charge elle-même.

— Parfaitement; est-ce tout?

— Attendez. Je me réserve le droit de vous racheter la charge à cent cinquante mille livres de bénéfice, si vous ne suiviez pas, dans la gestion de cette charge, une ligne conforme aux intérêts du roi et à mes desseins.

— Ah ! ah ! dit Vanel un peu ému.

— Cela renferme-t-il quelque chose qui vous puisse choquer, monsieur Vanel ? dit froidement Colbert.

— Non, non, répliqua vivement Vanel.

— Eh bien ! nous signerons cet acte quand il vous plaira. Courez chez les amis de M. Fouquet.

— J'y vole…

— Et obtenez du surintendant une entrevue.

— Oui, monseigneur.

— Soyez facile aux concessions.

— Oui.

— Et les arrangements une fois pris ?…

— Je me hâte de le faire signer.

— Gardez-vous-en bien !… Ne parlez jamais de signature avec M. Fouquet, ni de dédit, ni même de parole, entendez-vous ? vous perdriez tout !

— Eh bien ! alors, monseigneur, que faire ? C'est trop difficile…

— Tâchez seulement que M. Fouquet vous touche dans la main… Allez !

CLXXXII

CHEZ LA REINE MÈRE

La reine mère était dans sa chambre à coucher au Palais-Royal avec Mme de Motteville et la señora Molina. Le roi, attendu jusqu'au soir, n'avait pas paru ; la reine, tout impatiente, avait envoyé chercher souvent de ses nouvelles.

Le temps semblait être à l'orage. Les courtisans et les dames s'évitaient dans les antichambres et les corridors pour ne point se parler de sujets compromettants.

Monsieur avait joint le roi dès le matin pour une partie de chasse. Madame demeurait chez elle, boudant tout le monde.

Quant à la reine mère, après avoir fait ses prières en latin, elle causait ménage avec ses deux amies en pur castillan.

Mme de Motteville, qui comprenait admirablement cette langue, répondait en français.

Lorsque les trois dames eurent épuisé toutes les formules de la dissimulation et de la politesse pour en arriver à dire que la conduite du roi faisait mourir de chagrin la reine, la reine mère et toute sa parenté, lorsqu'on eut, en termes choisis, fulminé toutes les imprécations contre Mlle de La Vallière, la reine mère termina les récriminations par ces mots pleins de sa pensée et de son caractère :

— *Estos hijos !* dit-elle à Molina.

C'est-à-dire : « Ces enfants ! »

Mot profond dans la bouche d'une mère ; mot terrible dans la bouche d'une reine qui, comme Anne d'Autriche, celait de si singuliers secrets dans son âme assombrie.

— Oui, répliqua Molina, ces enfants ! à qui toute mère se sacrifie.

— A qui, répliqua la reine, une mère a tout sacrifié.

Et elle n'acheva pas sa phrase. Il lui sembla, quand elle leva les yeux vers le portrait en pied du pâle Louis XIII, que son époux laissait une fois encore la lumière monter à ses yeux ternes, le courroux gonfler ses narines de toile. Le portrait s'animait ; il ne parlait pas, il menaçait. Un profond silence succéda aux dernières paroles de la reine. La Molina se mit à fourrager les rubans et les dentelles d'une vaste corbeille. Mme de Motteville, surprise de cet éclair qui avait illuminé simultanément d'intelligence le regard de la confidente et celui de la maîtresse, Mme de Motteville, disons-nous, baissa les yeux en femme discrète, et, ne cherchant plus à voir, écouta de toutes ses oreilles. Elle ne surprit qu'un « hum ! » significatif de la duègne espagnole, image de la circonspection. Elle surprit aussi un soupir exhalé comme un souffle du sein de la reine.

Elle leva la tête aussitôt.

— Vous souffrez ? dit-elle.

— Non, Motteville, non ; pourquoi dis-tu cela ?

— Votre Majesté avait gémi.

— Tu as raison, en effet ; oui, je souffre un peu.

— M. Valot est près d'ici, chez Madame, je crois.

— Chez Madame, pourquoi ?

— Madame a ses nerfs.

— Belle maladie ! M. Valot a bien tort d'être chez Madame, quand un autre médecin guérirait Madame...

Mme de Motteville leva encore ses yeux surpris.

— Un médecin autre que M. Valot ? dit-elle ; qui donc ?

— Le travail, Motteville, le travail... Ah ! si quelqu'un est malade, c'est ma pauvre fille.

— C'est aussi Votre Majesté.

— Moins ce soir.

— Ne vous y fiez pas, madame !

Et, comme pour justifier cette menace de Mme de Motteville, une douleur aiguë mordit la reine au cœur, la fit pâlir et la renversa sur un fauteuil avec tous les symptômes d'une pâmoison soudaine.

— Mes gouttes ! murmura-t-elle.

— Prout ! prout ! répliqua la Molina, qui, sans hâter sa marche, alla tirer d'une armoire d'écaille dorée un grand flacon de cristal de roche et l'apporta ouvert à la reine.

Celle-ci respira frénétiquement, à plusieurs reprises, et murmura :

— C'est par là que le Seigneur me tuera. Soit faite par là sa volonté sainte !

— On ne meurt pas pour mal avoir, ajouta la Molina en replaçant le flacon dans l'armoire.

— Votre Majesté va bien, maintenant ? demanda Mme de Motteville.

— Mieux.

Et la reine posa son doigt sur ses lèvres pour commander la discrétion à sa favorite.

— C'est étrange ! dit, après un silence, Mme de Motteville.

— Qu'y a-t-il d'étrange ? demanda la reine.

— Votre Majesté se souvient-elle du jour où cette douleur apparut pour la première fois ?

— Je me souviens que c'était un jour bien triste, Motteville.

— Ce jour n'avait pas toujours été triste pour Votre Majesté.

— Pourquoi ?

— Parce que, vingt-trois ans auparavant, madame, Sa Majesté le roi régnant, votre glorieux fils, était né à la même heure[1].

La reine poussa un cri, pencha son front sur ses mains et s'abîma durant quelques secondes.

Était-ce souvenir ou réflexion ? était-ce encore la douleur ?

La Molina jeta sur Mme de Motteville un regard presque furieux, tant il ressemblait à un reproche, et la digne femme, n'y ayant rien compris, allait questionner pour l'acquit de sa conscience, lorsque soudain Anne d'Autriche se levant :

— Le 5 septembre ! dit-elle ; oui, ma douleur a paru le 5 septembre. Grande joie un jour, grande douleur un autre jour. Grande douleur, ajouta-t-elle tout bas, expiation d'une trop grande joie !

Et, à partir de ce moment, Anne d'Autriche, qui semblait avoir épuisé toute sa mémoire et toute sa raison, demeura impénétrable, l'œil morne, la pensée vague, les mains pendantes.

— Il faut nous mettre au lit, dit la Molina.

— Tout à l'heure, Molina.

— Laissons la reine, ajouta la tenace Espagnole.

Mme de Motteville se leva ; des larmes brillantes et grosses comme des larmes d'enfant coulaient lentement sur les joues blanches de la reine.

---

1. La Porte, en exil à Saumur, n'assistait pas à la naissance de Louis XIV.

Molina, s'en apercevant, darda sur Anne d'Autriche son œil noir et vigilant.

— Oui, oui, reprit soudain la reine. Laissez-nous, Motteville. Allez.

Ce mot *nous* sonna désagréablement à l'oreille de la favorite française. Il signifiait qu'un échange de secrets ou de souvenirs allait se faire. Il signifiait qu'une personne était de trop dans l'entretien à sa plus intéressante phase.

— Madame, Molina suffira-t-elle au service de Votre Majesté ? demanda la Française.

— Oui, répondit l'Espagnole.

Et Mme de Motteville s'inclina. Tout à coup une vieille femme de chambre, vêtue comme elle l'était à la cour d'Espagne en 1620, ouvrit les portières, et surprenant la reine dans ses larmes, Mme de Motteville dans sa retraite savante, la Molina dans sa diplomatie :

— Le remède ! le remède ! cria-t-elle joyeusement à la reine en s'approchant sans façon du groupe.

— Quel remède, *Chica*[1] ? dit Anne d'Autriche.

— Pour le mal de Votre Majesté, répondit celle-ci.

— Qui l'apporte ? demanda vivement Mme de Motteville ; M. Valot ?

— Non, une dame de Flandre.

— Une dame de Flandre ? Une Espagnole ? interrogea la reine.

— Je ne sais.

— Qui l'envoie ?

— M. Colbert.

— Son nom ?

— Elle ne l'a pas dit.

— Sa condition ?

— Elle le dira.

— Son visage ?

— Elle est masquée.

— Vois, Molina ! s'écria la reine.

— C'est inutile, répondit tout à coup une voix ferme et douce à la fois, partie de l'autre côté des tapisseries, voix qui fit tressaillir les autres dames et frissonner la reine.

En même temps, une femme masquée paraissait entre les rideaux. Avant que la reine eût parlé :

— Je suis une dame du béguinage de Bruges, dit la dame inconnue, et j'apporte, en effet, le remède qui doit guérir Votre Majesté.

Chacun se tut. La béguine ne fit point un pas.

— Parlez, dit la reine.

— Quand nous serons seules, ajouta la béguine.

---

1. Peut se traduire par : « Ma fille ».

Anne d'Autriche adressa un regard à ses compagnes, celles-ci se retirèrent.

La béguine fit alors trois pas vers la reine et s'inclina révérencieusement.

La reine regardait avec défiance cette femme qui la regardait aussi avec des yeux brillants par les trous de son masque.

— La reine de France est donc bien malade, dit Anne d'Autriche, que l'on sait, au béguinage de Bruges, qu'elle a besoin d'être guérie ?

— Votre Majesté, grâce à Dieu ! n'est pas malade sans ressource.

— Enfin, comment savez-vous que je souffre ?

— Votre Majesté a des amis en Flandre.

— Et ces amis vous ont envoyée ?

— Oui, madame.

— Nommez-les-moi.

— Impossible, madame, et inutile, puisque déjà la mémoire de Votre Majesté n'a pas été réveillée par son cœur.

Anne d'Autriche leva la tête, cherchant à découvrir sous l'ombre du masque et sous le mystère de la parole le nom de celle qui s'exprimait avec tant de familier abandon.

Puis, tout à coup, fatiguée d'une curiosité qui blessait toutes ses habitudes d'orgueil :

— Madame, dit-elle, vous ignorez qu'on ne parle pas aux personnes royales avec un masque sur le visage.

— Daignez m'excuser, madame, répliqua humblement la béguine.

— Je ne puis vous excuser, je puis vous pardonner si vous abandonnez votre masque.

— C'est un vœu que j'ai fait, madame, de venir en aide aux personnes affligées ou souffrantes, sans jamais leur laisser voir mon visage. J'aurais pu donner du soulagement à votre corps et à votre âme ; mais, puisque Votre Majesté me le défend, je me retire. Adieu, madame, adieu !

Ces mots furent prononcés avec un charme d'harmonie et de respect qui fit tomber la colère et la défiance de la reine sans diminuer sa curiosité.

— Vous avez raison, dit-elle, il ne sied pas aux gens qui souffrent de dédaigner les consolations que Dieu leur envoie. Parlez, madame, et puissiez-vous, comme vous venez de le dire, apporter du soulagement à mon corps... Hélas ! je crois que Dieu se prépare à l'éprouver cruellement.

— Parlons un peu de l'âme, s'il vous plaît, dit la béguine, de l'âme qui, j'en suis sûr, doit souffrir aussi.

— Mon âme ?

— Il y a des cancers dévorants dont la pulsation est invisible. Ceux-là, reine, laissent à la peau sa blancheur d'ivoire, ils ne marbrent point la chair de leurs bleuâtres vapeurs ; le médecin qui se penche sur la poitrine du malade n'entend pas grincer dans les muscles, sous le flot de sang, la dent insatiable de ces monstres ; jamais le fer, jamais le feu n'ont tué ou désarmé la rage de ces fléaux mortels ; ils habitent dans la pensée et la corrompent ; ils s'agrandissent dans le cœur et le font éclater : voilà, madame, d'autres cancers fatals aux reines ; ne souffrez-vous point de ces maux-là ?

Anne leva lentement son bras éclatant de blancheur et pur de formes comme il était au temps de sa jeunesse.

— Ces maux dont vous parlez, dit-elle, sont la condition de notre vie, à nous, grands de la terre, à qui Dieu donne charge d'âmes. Ces maux, quand ils sont trop lourds, le Seigneur nous en allège au tribunal de la pénitence. Là, nous déposons le fardeau et les secrets. Mais n'oubliez point que ce même souverain Seigneur mesure les épreuves aux forces de ses créatures, et mes forces, à moi, ne sont pas inférieures au fardeau : pour les secrets d'autrui, j'ai assez de la discrétion de Dieu ; pour mes secrets, à moi, j'ai trop peu de celle de mon confesseur.

— Je vous vois courageuse comme toujours contre vos ennemis, madame ; je ne vous sens pas confiante envers vos amis.

— Les reines n'ont pas d'amis ; si vous n'avez pas autre chose à me dire, si vous vous sentez inspirée de Dieu, comme une prophétesse, retirez-vous, car je crains l'avenir.

— J'aurais cru, dit résolument la béguine, que vous craigniez plutôt le passé.

Elle n'eut pas plutôt achevé cette parole, que la reine se redressant :

— Parlez ! s'écria-t-elle d'un ton bref et impérieux, parlez ! Expliquez-vous nettement, vivement, complètement, ou sinon...

— Ne menacez point, reine, dit la béguine avec douceur ; je suis venue à vous pleine de respect et de compassion, j'y suis venue de la part d'une amie.

— Prouvez-le donc ! Soulagez au lieu d'irriter.

— Facilement ; et Votre Majesté va voir si l'on est son amie.

— Voyons.

— Quel malheur est-il arrivé à Votre Majesté depuis vingt-trois ans ?...

— Mais, de grands malheurs : n'ai-je pas perdu le roi ?

— Je ne parle pas de ces sortes de malheurs. Je veux vous demander si, depuis... la naissance du roi... une indiscrétion d'amie a causé quelque douleur à Votre Majesté.

— Je ne vous comprends pas, répondit la reine en serrant les dents pour cacher son émotion.

— Je vais me faire comprendre. Votre Majesté se souvient que le roi est né le 3 septembre 1638, à onze heures un quart ?

— Oui, bégaya la reine.

— A midi et demi, continua la béguine, le dauphin, ondoyé déjà par

Mgr de Meaux[1] sous les yeux du roi, sous vos yeux, était reconnu héritier de la couronne de France. Le roi se rendit à la chapelle du vieux château de Saint-Germain pour entendre le *Te Deum*.

— Tout cela est exact, murmura la reine.

— L'accouchement de Votre Majesté s'était fait en présence de feu Monsieur, des princes, des dames de la cour. Le médecin du roi, Bouvard, et le chirurgien Honoré se tenaient dans l'antichambre. Votre Majesté s'endormit vers trois heures jusqu'à sept heures environ, n'est-ce pas ?

— Sans doute ; mais vous me récitez là ce que tout le monde sait comme vous et moi.

— J'arrive, madame, à ce que peu de personnes savent. Peu de personnes, disais-je ? hélas ! je pourrais dire deux personnes, car il y en avait cinq seulement autrefois, et, depuis quelques années, le secret s'est assuré par la mort des principaux participants. Le roi notre seigneur dort avec ses pères ; la sage-femme Péronne l'a suivi de près, La Porte est oublié déjà.

La reine ouvrit la bouche pour répondre ; elle trouva sous sa main glacée, dont elle caressait son visage, les gouttes pressées d'une sueur brûlante.

— Il était huit heures, poursuivit la béguine ; le roi soupait d'un grand cœur ; ce n'étaient autour de lui que joie, cris, rasades ; le peuple hurlait sous les balcons ; les Suisses, les mousquetaires et les gardes erraient par la ville, portés en triomphe par les étudiants ivres.

« Ces bruits formidables de l'allégresse publique faisaient gémir doucement dans les bras de Mme de Lansac, sa gouvernante, le dauphin, le futur roi de France, dont les yeux, lorsqu'ils s'ouvriraient, devaient apercevoir deux couronnes au fond de son berceau. Tout à coup Votre Majesté poussa un cri perçant, et dame Péronne reparut à son chevet.

« Les médecins dînaient dans une salle éloignée. Le palais, désert à force d'être envahi, n'avait plus ni consignes ni gardes. La sage-femme, après avoir examiné l'état de Votre Majesté, se récria, surprise, et, vous prenant en ses bras, éplorée, folle de douleur, envoya La Porte pour prévenir le roi que Sa Majesté la reine voulait le voir dans sa chambre. La Porte, vous le savez, madame, était un homme de sang-froid et d'esprit. Il n'approcha pas du roi en serviteur effrayé qui sent son importance, et veut effrayer aussi ; d'ailleurs, ce n'était pas une nouvelle effrayante que celle qu'attendait le roi. Toujours est-il que La Porte parut, le sourire sur les lèvres, près de la chaise du roi et lui dit : ''Sire, la reine est bien heureuse et le serait encore plus de voir Votre Majesté.''

« Ce jour-là, Louis XIII eût donné sa couronne à un pauvre pour un Dieu gard ! Gai, léger, vif, le roi sortit de table en disant, du ton que Henri IV eût pu prendre : ''Messieurs, je vais voir ma femme.''

---

1. L'évêque de Meaux était Dominique Séguier, frère du chancelier.

« Il arriva chez vous, madame, au moment où dame Péronne lui tendait un second prince, beau et fort comme le premier, en lui disant : "Sire, Dieu ne veut pas que le royaume de France tombe en quenouille."

« Le roi, dans son premier mouvement, sauta sur cet enfant et cria : "Merci, mon Dieu !"

La béguine s'arrêta en cet endroit, remarquant combien souffrait la reine. Anne d'Autriche, renversée dans son fauteuil, la tête penchée, les yeux fixes, écoutait sans entendre et ses lèvres s'agitaient convulsivement pour une prière à Dieu ou pour une imprécation contre cette femme.

— Ah ! ne croyez pas que, s'il n'y a qu'un dauphin en France, s'écria la béguine, ne croyez pas que, si la reine a laissé cet enfant végéter loin du trône, ne croyez pas qu'elle fût une mauvaise mère. Oh ! non... Il est des gens qui savent combien de larmes elle a versées ; il est des gens qui ont pu compter les ardents baisers qu'elle donnait à la pauvre créature en échange de cette vie de misère et d'ombre à laquelle la raison d'État condamnait le frère jumeau de Louis XIV.

— Mon Dieu ! mon Dieu ! murmura faiblement la reine.

— On sait, continua vivement la béguine, que le roi, se voyant deux fils, tous deux égaux en âge, en prétentions, trembla pour le salut de la France, pour la tranquillité de son État. On sait que M. le cardinal de Richelieu, mandé à cet effet par Louis XIII, réfléchit plus d'une heure dans le cabinet de Sa Majesté, et prononça cette sentence : « Il y a un roi né pour succéder à Sa Majesté. Dieu en a fait naître un autre pour succéder à ce premier roi ; mais, à présent, nous n'avons besoin que du premier-né ; cachons le second à la France comme Dieu l'avait caché à ses parents eux-mêmes. » Un prince, c'est pour l'État la paix et la sécurité ; deux compétiteurs, c'est la guerre civile et l'anarchie.

La reine se leva brusquement, pâle et les poings crispés.

— Vous en savez trop, dit-elle d'une voix sourde, puisque vous touchez aux secrets de l'État. Quant aux amis de qui vous tenez ce secret, ce sont des lâches, de faux amis. Vous êtes leur complice dans le crime qui s'accomplit aujourd'hui. Maintenant, à bas le masque, ou je vous fais arrêter par mon capitaine des gardes. Oh ! ce secret ne me fait pas peur ! Vous l'avez eu, vous me le rendrez ! Il se glacera dans votre sein ; ni ce secret ni votre vie ne vous appartiennent plus à partir de ce moment !

Anne d'Autriche, joignant le geste à la menace, fit deux pas vers la béguine.

— Apprenez, dit celle-ci, à connaître la fidélité, l'honneur, la discrétion de vos amis abandonnés.

Elle enleva soudain son masque.

— Mme de Chevreuse ! s'écria la reine.

— La seule confidente du secret, avec Votre Majesté.

— Ah ! murmura Anne d'Autriche, venez m'embrasser, duchesse. Hélas ! c'est tuer ses amis, que se jouer ainsi avec leurs chagrins mortels.

Et la reine, appuyant sa tête sur l'épaule de la vieille duchesse, laissa échapper de ses yeux une source de larmes amères.

— Que vous êtes jeune encore ! dit celle-ci d'une voix sourde. Vous pleurez !

CLXXXIII

DEUX AMIES

La reine regarda fièrement Mme de Chevreuse.

— Je crois, dit-elle, que vous avez prononcé le mot heureuse en parlant de moi. Jusqu'à présent, duchesse, j'avais cru impossible qu'une créature humaine pût se trouver moins heureuse que la reine de France.

— Madame, vous avez été, en effet, une mère de douleurs. Mais, à côté de ces misères illustres dont nous nous entretenions tout à l'heure, nous, vieilles amies, séparées par la méchanceté des hommes ; à côté, dis-je, de ces infortunes royales, vous avez les joies peu sensibles, c'est vrai, mais fort enviées de ce monde.

— Lesquelles ? dit amèrement Anne d'Autriche. Comment pouvez-vous prononcer le mot joie, duchesse, vous qui tout à l'heure reconnaissiez qu'il faut des remèdes à mon corps et à mon esprit ?

Mme de Chevreuse se recueillit un moment.

— Que les rois sont loin des autres hommes ! murmura-t-elle.

— Que voulez-vous dire ?

— Je veux dire qu'ils sont tellement éloignés du vulgaire, qu'ils oublient pour les autres toutes les nécessités de la vie. Comme l'habitant de la montagne africaine qui, du sein de ses plateaux verdoyants rafraîchis par les ruisseaux de neige, ne comprend pas que l'habitant de la plaine meure de soif et de faim au milieu des terres calcinées par le soleil.

La reine rougit légèrement ; elle venait de comprendre.

— Savez-vous, dit-elle, que c'est mal de nous avoir délaissée ?

— Oh ! madame, le roi a hérité, dit-on, la haine que me portait son père. Le roi me congédierait s'il me savait au Palais-Royal.

— Je ne dis pas que le roi soit bien disposé en votre faveur, duchesse, répliqua la reine ; mais, moi, je pourrais... secrètement.

La duchesse laissa percer un sourire dédaigneux qui inquiéta son interlocutrice.

— Du reste, se hâta d'ajouter la reine, vous avez très bien fait de venir ici.

— Merci, madame !

— Ne fût-ce que pour nous donner cette joie de démentir le bruit de votre mort.

— On avait dit effectivement que j'étais morte ?

— Partout.

— Mes enfants n'avaient pas pris le deuil, cependant.

— Ah ! vous savez, duchesse, la cour voyage souvent ; nous voyons peu MM. d'Albert de Luynes[1], et bien des choses échappent dans les préoccupations au milieu desquelles nous vivons constamment.

— Votre Majesté n'eût pas dû croire au bruit de ma mort.

— Pourquoi pas ? Hélas ! nous sommes mortels ; ne voyez-vous pas que moi, votre sœur cadette, comme nous disions autrefois, je penche déjà vers la sépulture ?

— Votre Majesté, si elle avait cru que j'étais morte, devait s'étonner alors de n'avoir pas reçu de mes nouvelles.

— La mort surprend parfois bien vite, duchesse.

— Oh ! Votre Majesté ! Les âmes chargées de secrets comme celui dont nous parlions tout à l'heure ont toujours un besoin d'épanchement qu'il faut satisfaire d'avance. Au nombre des relais préparés pour l'éternité, on compte la mise en ordre de ses papiers.

La reine tressaillit.

— Votre Majesté, dit la duchesse, saura d'une façon certaine le jour de ma mort.

— Comment cela ?

— Parce que Votre Majesté recevra le lendemain, sous une quadruple enveloppe, tout ce qui a échappé de nos petites correspondances si mystérieuses d'autrefois.

— Vous n'avez pas brûlé ? s'écria Anne avec effroi.

— Oh ! chère Majesté, répliqua la duchesse, les traîtres seuls brûlent une correspondance royale.

— Les traîtres ?

— Oui, sans doute ; ou plutôt ils font semblant de la brûler, la gardent ou la vendent.

— Mon Dieu !

— Les fidèles, au contraire, enfouissent précieusement de pareils trésors ; puis, un jour, ils viennent trouver leur reine, et lui disent : « Madame, je vieillis, je me sens malade ; il y a danger de mort pour moi, danger de révélation pour le secret de Votre Majesté ; prenez donc ce papier dangereux et brûlez-le vous-même. »

— Un papier dangereux ! Lequel ?

— Quant à moi, je n'en ai qu'un, c'est vrai, mais il est bien dangereux.

---

1. La duchesse n'avait eu du favori de Louis XIII qu'un fils : Louis-Charles d'Albert, duc de Luynes.

— Oh ! duchesse, dites, dites !

— C'est ce billet… daté du 2 août 1644, où vous me recommandiez d'aller à Noisy-le-Sec pour voir ce cher et malheureux enfant. Il y a cela de votre main, madame : « Cher malheureux enfant. »

Il se fit un silence profond à ce moment : la reine sondait l'abîme, Mme de Chevreuse tendait son piège.

— Oui, malheureux, bien malheureux ! murmura Anne d'Autriche ; quelle triste existence a-t-il menée, ce pauvre enfant, pour aboutir à une si cruelle fin !

— Il est mort ? s'écria vivement la duchesse avec une curiosité dont la reine saisit avidement l'accent sincère.

— Mort de consomption, mort oublié, flétri, mort comme ces pauvres fleurs données par un amant et que la maîtresse laisse expirer dans un tiroir pour les cacher à tout le monde.

— Mort ! répéta la duchesse avec un air de découragement qui eût bien réjoui la reine, s'il n'eût été tempéré par un mélange de doute. Mort à Noisy-le-Sec ?

— Mais oui, dans les bras de son gouverneur, pauvre serviteur honnête, qui n'a pas survécu longtemps.

— Cela se conçoit : c'est si lourd à porter un deuil et un secret pareils.

La reine ne se donna pas la peine de relever l'ironie de cette réflexion. Mme de Chevreuse continua.

— Eh bien ! madame, je m'informai, il y a quelques années, à Noisy-le-Sec même, du sort de cet enfant si malheureux. On m'apprit qu'il ne passait pas pour être mort, voilà pourquoi je ne m'étais pas affligée tout d'abord avec Votre Majesté. Oh ! certes, si je l'eusse cru, jamais une allusion à ce déplorable événement ne fût venue réveiller les bien légitimes douleurs de Votre Majesté.

— Vous dites que l'enfant ne passait pas pour être mort à Noisy ?

— Non, madame.

— Que disait-on de lui, alors ?

— On disait… On se trompait sans doute.

— Dites toujours.

— On disait qu'un soir, vers 1645, une dame belle et majestueuse, ce qui se remarqua malgré le masque et la mante qui la cachaient, une dame de haute qualité, de très haute qualité sans doute, était venue dans un carrosse à l'embranchement de la route, la même, vous savez, où j'attendais des nouvelles du jeune prince, quand Votre Majesté daignait m'y envoyer.

— Eh bien ?

— Et que le gouverneur avait mené l'enfant à cette dame.

— Après ?

— Le lendemain, gouverneur et enfant avaient quitté le pays.

— Vous voyez bien ! il y a du vrai là-dedans, puisque, effectivement, le pauvre enfant mourut d'un de ces coups de foudre qui font que, jusqu'à sept ans, au dire des médecins, la vie des enfants tient à un fil.

— Oh ! ce que dit Votre Majesté est la vérité ; nul ne le sait mieux que vous, madame ; nul ne le croit plus que moi. Mais admirez la bizarrerie...

« Qu'est-ce encore ? » pensa la reine.

— La personne qui m'avait rapporté ces détails, qui avait été s'informer de la santé de l'enfant, cette personne...

— Vous aviez confié un pareil soin à quelqu'un ? Oh ! duchesse !

— Quelqu'un de muet comme Votre Majesté, comme moi-même ; mettons que c'est moi-même, madame. Ce quelqu'un, dis-je, passant quelque temps après en Touraine...

— En Touraine ?

— ... reconnut le gouverneur et l'enfant, pardon ! crut les reconnaître, vivants tous deux, gais et heureux et florissants tous deux, l'un dans sa verte vieillesse, l'autre dans sa jeunesse en fleur ! Jugez, d'après cela, ce que c'est que les bruits qui courent, ayez donc foi, après cela, à quoi que ce soit de ce qui se passe en ce monde. Mais je fatigue Votre Majesté. Oh ! ce n'est pas mon intention, et je prendrai congé d'elle après lui avoir renouvelé l'assurance de mon respectueux dévouement.

— Arrêtez, duchesse ; causons un peu de vous.

— De moi ? Oh ! madame, n'abaissez pas vos regards jusque-là.

— Pourquoi donc ? N'êtes-vous pas ma plus ancienne amie ? Est-ce que vous m'en voulez, duchesse ?

— Moi ! mon Dieu, pour quel motif ? Serais-je venue auprès de Votre Majesté, si j'avais sujet de lui en vouloir ?

— Duchesse, les ans nous gagnent ; il faut nous serrer contre la mort qui menace.

— Madame, vous me comblez avec ces douces paroles.

— Nulle ne m'a jamais aimée, servie comme vous, duchesse.

— Votre Majesté s'en souvient ?

— Toujours... duchesse, une preuve d'amitié.

— Ah ! madame, tout mon être appartient à Votre Majesté.

— Cette preuve, voyons !

— Laquelle ?

— Demandez-moi quelque chose.

— Demander ?

— Oh ! je sais que vous êtes l'âme la plus désintéressée, la plus grande, la plus royale.

— Ne me louez pas trop, madame, dit la duchesse inquiète.

— Je ne vous louerai jamais autant que vous le méritez.

— Avec l'âge, avec les malheurs, on change beaucoup, madame.

— Dieu vous entende, duchesse !

— Comment cela ?

— Oui, la duchesse d'autrefois, la belle, la fière, l'adorée Chevreuse m'eût répondu ingratement : « Je ne veux rien de vous. » Bénis soient donc les malheurs, s'ils sont venus, puisqu'ils vous auront changée, et que peut-être vous me répondrez : « J'accepte. »

La duchesse adoucit son regard et son sourire ; elle était sous le charme et ne se cachait plus.

— Parlez, chère, dit la reine, que voulez-vous ?

— Il faut donc s'expliquer ?...

— Sans hésitation.

— Eh bien ! Votre Majesté peut me faire une joie indicible, une joie incomparable.

— Voyons, fit la reine, un peu refroidie par l'inquiétude. Mais, avant toute chose, ma bonne Chevreuse, souvenez-vous que je suis en puissance de fils comme j'étais autrefois en puissance de mari.

— Je vous ménagerai, chère reine.

— Appelez-moi Anne, comme autrefois ; ce sera un doux écho de la belle jeunesse.

— Soit. Eh bien ! ma vénérée maîtresse, Anne chérie...

— Sais-tu toujours l'espagnol ?

— Toujours.

— Demande-moi en espagnol alors.

— Voici : Faites-moi l'honneur de venir passer quelques jours à Dampierre[1].

— C'est tout ? s'écria la reine stupéfaite.

— Oui.

— Rien que cela ?

— Bon Dieu ! auriez-vous l'idée que je ne vous demande pas là le plus énorme bienfait ? S'il en est ainsi, vous ne me connaissez plus. Acceptez-vous ?

— Oui, de grand cœur.

— Oh ! merci !

— Et je serai heureuse, continua la reine avec défiance, si ma présence peut vous être utile à quelque chose.

— Utile ? s'écria la duchesse en riant. Oh ! non, non, agréable, douce, délicieuse, oui, mille fois oui. C'est donc promis ?

— C'est juré.

La duchesse se jeta sur la main si belle de la reine et la couvrit de baisers.

« C'est une bonne femme au fond, pensa la reine, et... généreuse d'esprit. »

---

1. « La reine mère fit un voyage à Dampierre, et là, la perte de M. Fouquet fut conclue », Mme de La Fayette, *op. cit.* Ce voyage eut lieu le 27 juin 1661, juste avant le séjour à Fontainebleau de la cour.

— Votre Majesté, reprit la duchesse, consentirait-elle à me donner quinze jours ?

— Oui, certes ! Pourquoi ?

— Parce que, dit la duchesse, me sachant en disgrâce, nul ne voulait me prêter les cent mille écus dont j'ai besoin pour réparer Dampierre. Mais, lorsqu'on va savoir que c'est pour y recevoir Votre Majesté, tous les fonds de Paris afflueront chez moi.

— Ah ! fit la reine en remuant doucement la tête avec intelligence, cent mille écus ! il faut cent mille écus pour réparer Dampierre ?

— Tout autant.

— Et personne ne veut vous les prêter ?

— Personne.

— Je les prêterai, moi, si vous voulez, duchesse.

— Oh ! je n'oserais.

— Vous auriez tort.

— Vrai ?

— Foi de reine !… Cent mille écus, ce n'est réellement pas beaucoup.

— N'est-ce pas ?

— Non. Oh ! je sais que vous n'avez jamais fait payer votre discrétion ce qu'elle vaut. Duchesse, avancez-moi cette table, que je vous fasse un bon sur M. Colbert ; non, sur M. Fouquet, qui est un bien plus galant homme.

— Paie-t-il ?

— S'il ne paie pas, je paierai ; mais ce serait la première fois qu'il me refuserait.

La reine écrivit, donna la cédule à la duchesse, et la congédia après l'avoir gaiement embrassée.

CLXXXIV

COMMENT JEAN DE LA FONTAINE FIT SON PREMIER CONTE

Toutes ces intrigues sont épuisées ; l'esprit humain, si multiple dans ses exhibitions, a pu se développer à l'aise dans les trois cadres que notre récit lui a fournis.

Peut-être s'agira-t-il encore de politique et d'intrigues dans le tableau que nous préparons, mais les ressorts en seront tellement cachés, que l'on ne verra que les fleurs et les peintures, absolument comme dans ces théâtres forains où paraît, sur la scène, un colosse qui marche, mû par les petites jambes et les bras grêles d'un enfant caché dans sa carcasse.

Nous retournons à Saint-Mandé, où le surintendant reçoit, selon son habitude, sa société choisie d'épicuriens.

Depuis quelque temps, le maître a été rudement éprouvé. Chacun se ressent au logis de la détresse du ministre. Plus de grandes et folles réunions. La finance a été un prétexte pour Fouquet, et jamais, comme le dit spirituellement Gourville[1], prétexte n'a été plus fallacieux ; de finances, pas l'ombre.

M. Vatel s'ingénie à soutenir la réputation de la maison. Cependant les jardiniers, qui alimentent les offices, se plaignent d'un retard ruineux. Les expéditionnaires de vins d'Espagne envoient fréquemment des mandats que nul ne paie. Les pêcheurs que le surintendant gage sur les côtes de Normandie supputent que, s'ils étaient remboursés, la rentrée de la somme leur permettrait de se retirer à terre. La marée, qui, plus tard, doit faire mourir Vatel, la marée n'arrive pas du tout.

Cependant, pour le jour de réception ordinaire, les amis de Fouquet se présentent plus nombreux que de coutume. Gourville et l'abbé Fouquet causent finances, c'est-à-dire que l'abbé emprunte quelques pistoles à Gourville. Pélisson, assis les jambes croisées, termine la péroraison d'un discours par lequel Fouquet doit rouvrir le Parlement.

Et ce discours est un chef-d'œuvre, parce que Pélisson le fait pour son ami, c'est-à-dire qu'il y met tout ce que, certainement, il n'irait pas chercher pour lui-même. Bientôt, se disputant sur les rimes faciles, arrivent du fond du jardin Loret et La Fontaine.

Les peintres et les musiciens se dirigent à leur tour du côté de la salle à manger. Lorsque huit heures sonneront, on soupera.

Le surintendant ne fait jamais attendre.

Il est sept heures et demie ; l'appétit s'annonce assez galamment.

Quand tous les convives sont réunis, Gourville va droit à Pélisson, le tire de sa rêverie et l'amène au milieu d'un salon dont il a fermé les portes.

— Eh bien ! dit-il, quoi de nouveau ?

Pélisson, levant sa tête intelligente et douce :

— J'ai emprunté, dit-il, vingt-cinq mille livres à ma tante. Les voici en bons de caisse.

— Bien, répondit Gourville, il ne manque plus que cent quatre-vingt-quinze mille livres pour le premier paiement.

— Le paiement de quoi ? demanda La Fontaine du ton qu'il mettait à dire : « Avez-vous lu Baruch[2] ? »

— Voilà encore mon distrait, dit Gourville. Quoi ! c'est vous qui nous avez appris que la petite terre de Corbeil allait être vendue par un créancier de M. Fouquet ; c'est vous qui avez proposé la cotisation de tous les

---

1. Voir Gourville, *Mémoires*.
2. Sur Baruch, voir Dictionnaire. Antiquité.

amis d'Épicure ; c'est vous qui avez dit que vous feriez vendre un coin de votre maison de Château-Thierry pour fournir votre contingent, et vous venez dire aujourd'hui : « Le paiement de quoi ? »

Un rire universel accueillit cette sortie et fit rougir La Fontaine.

— Pardon, pardon, dit-il, c'est vrai, je n'avais pas oublié. Oh ! non ; seulement...

— Seulement, tu ne te souvenais plus, répliqua Loret.

— Voilà la vérité. Le fait est qu'il a raison. Entre oublier et ne plus se souvenir, il y a une grande différence.

— Alors, ajouta Pélisson, vous apportez cette obole, prix du coin de terre vendu ?

— Vendu ? Non.

— Vous n'avez pas vendu votre clos ? demanda Gourville étonné, car il connaissait le désintéressement du poète.

— Ma femme n'a pas voulu, répondit ce dernier.

Nouveaux rires.

— Cependant, vous êtes allé à Château-Thierry pour cela ? lui fut-il répondu.

— Certes, et à cheval.

— Pauvre Jean !

— Huit chevaux différents : j'étais roué.

— Excellent ami !... Et là-bas vous vous êtes reposé ?

— Reposé ? Ah bien ! oui ! Là-bas, j'ai eu bien de la besogne.

— Comment cela ?

— Ma femme avait fait des coquetteries avec celui à qui je voulais vendre la terre. Cet homme s'est dédit ; je l'ai appelé en duel.

— Très bien ! dit le poète ; et vous vous êtes battus ?

— Il paraît que non.

— Vous n'en savez donc rien ?

— Non, ma femme et ses parents se sont mêlés de cela. J'ai eu un quart d'heure durant l'épée à la main ; mais je n'ai pas été blessé.

— Et l'adversaire ?

— L'adversaire non plus ; il n'était pas venu sur le terrain.

— C'est admirable ! s'écria-t-on de toutes parts ; vous avez dû vous courroucer ?

— Très fort ; j'avais gagné un rhume ; je suis rentré à la maison, et ma femme m'a querellé.

— Tout de bon ?

— Tout de bon. Elle m'a jeté un pain à la tête, un gros pain.

— Et vous ?

— Moi ? Je lui ai renversé toute la table sur le corps, et sur le corps de ses convives ; puis je suis remonté à cheval, et me voilà.

Nul n'eût su tenir son sérieux à l'exposé de cette héroïde comique. Quand l'ouragan des rires se fut un peu calmé :

— Voilà tout ce que vous avez rapporté ? dit-on à La Fontaine.

— Oh ! non pas, j'ai eu une excellente idée.

— Dites.

— Avez-vous remarqué qu'il se fait en France beaucoup de poésies badines ?

— Mais oui, répliqua l'assemblée.

— Et que, poursuivit La Fontaine, il ne s'en imprime que fort peu ?

— Les lois sont dures, c'est vrai.

— Eh bien ! marchandise rare est une marchandise chère, ai-je pensé. C'est pourquoi je me suis mis à composer un petit poème extrêmement licencieux.

— Oh ! oh ! cher poète.

— Extrêmement grivois.

— Oh ! oh !

— Extrêmement cynique.

— Diable ! diable !

— J'y ai mis, continua froidement le poète, tout ce que j'ai pu trouver de mots galants.

Chacun se tordait de rire, tandis que ce brave poète mettait ainsi l'enseigne à sa marchandise.

— Et, poursuivit-il, je m'appliquai à dépasser tout ce que Boccace, l'Arétin et autres maîtres ont fait dans ce genre.

— Bon Dieu ! s'écria Pélisson ; mais il sera damné !

— Vous croyez ? demanda naïvement La Fontaine ; je vous jure que je n'ai pas fait cela pour moi, mais uniquement pour M. Fouquet.

Cette conclusion mirifique mit le comble à la satisfaction des assistants.

— Et j'ai vendu cet opuscule huit cents livres la première édition[1], s'écria La Fontaine en se frottant les mains. Les livres de piété s'achètent moitié moins.

— Il eût mieux valu, dit Gourville en riant, faire deux livres de piété.

— C'est trop long et pas assez divertissant, répliqua tranquillement La Fontaine ; mes huit cents livres sont dans ce petit sac ; je les offre.

Et il mit, en effet, son offrande dans les mains du trésorier des épicuriens.

Puis ce fut au tour de Loret, qui donna cent cinquante livres ; les autres s'épuisèrent de même. Il y eut, compte fait, quarante mille livres dans l'escarcelle.

Jamais plus généreux deniers ne résonnèrent dans les balances divines où la charité pèse les bons cœurs et les bonnes intentions contre les pièces fausses des dévots hypocrites.

---

1. La Fontaine ne publie les deux premières parties de ses *Contes et Nouvelles en vers* qu'en 1664. Notons également qu'il s'était séparé de biens avec sa femme en 1658.

On faisait encore tinter les écus quand le surintendant entra ou plutôt se glissa dans la salle. Il avait tout entendu.

On vit cet homme, qui avait remué tant de milliards, ce riche qui avait épuisé tous les plaisirs et tous les honneurs, ce cœur immense, ce cerveau fécond qui avaient, comme deux creusets avides, dévoré la substance matérielle et morale du premier royaume du monde, on vit Fouquet dépasser le seuil avec les yeux pleins de larmes, tremper ses doigts blancs et fins dans l'or et l'argent.

— Pauvre aumône, dit-il d'une voix tendre et émue, tu disparaîtras dans le plus petit des plis de ma bourse vide ; mais tu as empli jusqu'au bord ce que nul n'épuisera jamais : mon cœur ! merci, mes amis, merci !

Et, comme il ne pouvait embrasser tous ceux qui se trouvaient là et qui pleuraient bien aussi un peu, tout philosophes qu'ils étaient, il embrassa La Fontaine en lui disant :

— Pauvre garçon qui s'est fait battre pour moi par sa femme, et damner par son confesseur !

— Bon ! ce n'est rien, répondit le poète ; que vos créanciers attendent deux ans, j'aurai fait cent autres contes qui, à deux éditions chacun, paieront la dette.

CLXXXV

LA FONTAINE NÉGOCIATEUR

Fouquet serra la main de La Fontaine avec une charmante effusion.

— Mon cher poète, lui dit-il, faites-nous cent autres contes, non seulement pour les quatre-vingts pistoles que chacun d'eux rapportera, mais encore pour enrichir notre langue de cent chefs-d'œuvre.

— Oh ! oh ! dit La Fontaine en se rengorgeant, il ne faut pas croire que j'aie seulement apporté cette idée et ces quatre-vingts pistoles à M. le surintendant.

— Oh ! mais, s'écria-t-on de toutes parts, M. de La Fontaine est en fonds aujourd'hui.

— Bénie soit l'idée, si elle m'apporte un ou deux millions, dit gaiement Fouquet.

— Précisément, répliqua La Fontaine.

— Vite, vite ! cria l'assemblée.

— Prenez garde, dit Pélisson à l'oreille de La Fontaine, vous avez eu grand succès jusqu'à présent, n'allez pas lancer la flèche au-delà du but.

— Nenni, monsieur Pélisson, et, vous qui êtes un homme de goût, vous m'approuverez tout le premier.

— Il s'agit de millions ? dit Gourville.

— J'ai là quinze cent mille livres, monsieur Gourville. Et il frappa sa poitrine.

— Au diable, le Gascon de Château-Thierry ! cria Loret.

— Ce n'est pas la poche qu'il fallait toucher, dit Fouquet, c'est la cervelle.

— Tenez, ajouta La Fontaine, monsieur le surintendant, vous n'êtes pas un procureur général, vous êtes un poète.

— C'est vrai ! s'écrièrent Loret, Conrart, et tout ce qu'il y avait là de gens de lettres.

— Vous êtes, dis-je, un poète et un peintre, un statuaire, un ami des arts et des sciences ; mais, avouez-le vous-même, vous n'êtes pas un homme de robe.

— Je l'avoue, répliqua en souriant M. Fouquet.

— On vous mettrait de l'Académie que vous refuseriez, n'est-ce pas ?

— Je crois que oui, n'en déplaise aux académiciens.

— Eh bien ! pourquoi, ne voulant pas faire partie de l'Académie, vous laissez-vous aller à faire partie du Parlement ?

— Oh ! oh ! dit Pélisson, nous parlons politique ?

— Je demande, poursuivit La Fontaine, si la robe sied ou ne sied pas à M. Fouquet.

— Ce n'est pas de la robe qu'il s'agit, riposta Pélisson, contrarié des rires de l'assemblée.

— Au contraire, c'est de la robe, dit Loret.

— Otez la robe au procureur général, dit Conrart, nous avons M. Fouquet, ce dont nous ne nous plaignons pas ; mais comme il n'est pas de procureur général sans robe, nous déclarons, d'après M. de La Fontaine, que certainement la robe est un épouvantail.

— *Fugiunt risus leporesque*[1], dit Loret.

— Les ris et les grâces, fit un savant.

— Moi, poursuivit Pélisson gravement, ce n'est pas comme cela que je traduis *lepores*.

— Et comment le traduisez-vous ? demanda La Fontaine.

— Je le traduis ainsi : « Les lièvres se sauvent en voyant M. Fouquet. » Éclats de rire, dont le surintendant prit sa part.

— Pourquoi les lièvres ? objecta Conrart piqué.

— Parce que le lièvre sera celui qui ne se réjouira point de voir M. Fouquet dans les attributs de sa force parlementaire.

— Oh ! oh ! murmurèrent les poètes.

---

1. Jeu de mots sur *lepos*, la grâce et *lepus*, le lièvre, qui ont le même nominatif pluriel : *lepores*.

— *Quo non ascendam*[1] ? dit Conrart, me paraît impossible avec une robe de procureur.

— Et à moi, sans cette robe, dit l'obstiné Pélisson. Qu'en pensez-vous, Gourville ?

— Je pense que la robe est bonne, répliqua celui-ci ; mais je pense également qu'un million et demi vaudrait mieux que la robe.

— Et je suis de l'avis de Gourville, s'écria Fouquet en coupant court à la discussion par son opinion, qui devait nécessairement dominer toutes les autres.

— Un million et demi ! grommela Pélisson ; pardieu ! je sais une fable indienne...

— Contez-la-moi, dit La Fontaine ; je dois la savoir aussi.

— La tortue avait une carapace, dit Pélisson ; elle se réfugiait là-dedans quand ses ennemis la menaçaient. Un jour, quelqu'un lui dit : « Vous avez bien chaud l'été dans cette maison-là, et vous êtes bien empêchée de montrer vos grâces. Voilà la couleuvre qui vous donnera un million et demi de votre écaille. »

— Bon ! fit le surintendant en riant.

— Après ? fit La Fontaine, intéressé par l'apologue bien plus que par la moralité.

— La tortue vendit sa carapace et resta nue. Un vautour la vit ; il avait faim ; il lui brisa les reins d'un coup de bec et la dévora[2].

— *O muthos déloi*[3] ?... dit Conrart.

— Que M. Fouquet fera bien de garder sa robe.

La Fontaine prit la moralité au sérieux.

— Vous oubliez Eschyle, dit-il à son adversaire.

— Qu'est-ce à dire ?

— Eschyle le Chauve.

— Après ?

— Eschyle, dont un vautour, votre vautour probablement, grand amateur de tortues, prit d'en haut le crâne pour une pierre, et lança sur ce crâne une tortue toute blottie dans sa carapace.

— Eh ! mon Dieu ! La Fontaine a raison, reprit Fouquet devenu pensif, tout vautour, quand il a faim de tortues, sait bien leur briser gratis l'écaille ; trop heureuses les tortues dont une couleuvre paie l'enveloppe un million et demi. Qu'on m'apporte une couleuvre géné-reuse comme celle de votre fable, Pélisson, et je lui donne ma carapace.

— *Rara avis in terris*[4] ! s'écria Conrart.

---

1. Voir tome I de la présente édition, chap. CXX, p. 775, note 2.
2. Aucune fable de La Fontaine ne s'inspire de cet apologue.
3. En grec : « Que montre la fable ? »
4. « Oiseau rare sur la terre », Juvénal, *Satires*, VI, vers 165.

— Et semblable à un cygne noir, n'est-ce pas ? ajouta La Fontaine. Eh bien ! oui, précisément, un oiseau tout noir et très rare ; je l'ai trouvé.

— Vous avez trouvé un acquéreur pour ma charge de procureur ? s'écria Fouquet.

— Oui, monsieur.

— Mais le surintendant n'a jamais dit qu'il dût vendre, reprit Pélisson.

— Pardonnez-moi : vous-même, vous en avez parlé, dit Conrart.

— J'en suis témoin, fit Gourville.

— Il tient aux beaux discours qu'il me fait, dit en riant Fouquet. Cet acquéreur, voyons, La Fontaine ?

— Un oiseau tout noir, un conseiller au Parlement, un brave homme.

— Qui s'appelle ?

— Vanel.

— Vanel ! s'écria Fouquet, Vanel ! le mari de ?...

— Précisément, son mari ; oui, monsieur.

— Ce cher homme ! dit Fouquet avec intérêt, il veut être procureur général ?

— Il veut être tout ce que vous êtes, monsieur, dit Gourville, et faire absolument ce que vous avez fait.

— Oh ! mais c'est bien réjouissant : contez-nous donc cela, La Fontaine.

— C'est tout simple. Je le vois de temps en temps. Tantôt je le rencontre : il flânait sur la place de la Bastille[1], précisément vers l'instant où j'allais prendre le petit carrosse de Saint-Mandé.

— Il devait guetter sa femme, bien sûr, interrompit Loret.

— Oh ! mon Dieu, non, dit simplement Fouquet ; il n'est pas jaloux.

— Il m'aborde donc, m'embrasse, me conduit au Cabaret de l'Image-Saint-Fiacre, et m'entretient de ses chagrins.

— Il a des chagrins ?

— Oui, sa femme lui donne de l'ambition.

— Et il vous dit ?...

— Qu'on lui a parlé d'une charge au Parlement ; que le nom de M. Fouquet a été prononcé, que, depuis ce temps Mme Vanel rêve de s'appeler Mme la procureuse générale, et qu'elle en meurt toutes les nuits qu'elle n'en rêve pas.

— Pauvre femme ! dit Fouquet.

— Attendez. Conrart me dit toujours que je ne sais pas faire les affaires : vous allez voir comment je menai celle-ci.

— Voyons !

— « Savez-vous, dis-je à Vanel, que c'est cher, une charge comme

---

1. Anachronisme : la place de la Bastille ne fut formée qu'après la destruction de la forteresse. L'auberge *Au Grand Saint Fiacre*, sise rue Saint-Martin (à l'actuel n° 212), devint le bureau central des fiacres après que Nicolas Sauvage eut mis en circulation ces voitures de place.

celle de M. Fouquet ? — Combien à peu près ? fit-il. — M. Fouquet
en a refusé dix-sept cent mille livres. — Ma femme, répliqua Vanel,
avait mis cela aux environs de quatorze cent mille. — Comptant ?
lui fis-je. — Oui ; elle a vendu un bien en Guienne, elle a réalisé. »

— C'est un joli lot à toucher d'un coup, dit sentencieusement l'abbé
Fouquet, qui n'avait pas encore parlé.

— Cette pauvre dame Vanel ! murmura Fouquet.

Pélisson haussa les épaules.

— Un démon ! dit-il bas à l'oreille de Fouquet.

— Précisément !... Il serait charmant d'employer l'argent de ce démon
à réparer le mal que s'est fait pour moi un ange.

Pélisson regarda d'un air surpris Fouquet, dont les pensées se fixaient,
à partir de ce moment, sur un nouveau but.

— Eh bien ! demanda La Fontaine, ma négociation ?

— Admirable ! cher poète.

— Oui, dit Gourville ; mais tel se vante d'avoir envie d'un cheval,
qui n'a pas seulement de quoi payer la bride.

— Le Vanel se dédirait si on le prenait au mot, continua l'abbé
Fouquet.

— Je ne crois pas, dit La Fontaine.

— Qu'en savez-vous ?

— C'est que vous ignorez le dénouement de mon histoire.

— Ah ! s'il y a un dénouement, dit Gourville, pourquoi flâner en
route ?

— *Semper ad adventum*[1], n'est-ce pas cela ? dit Fouquet du ton
d'un grand seigneur qui se fourvoie dans les barbarismes.

Les latinistes battirent des mains.

— Mon dénouement, s'écria La Fontaine, c'est que Vanel, ce tenace
oiseau, sachant que je venais à Saint-Mandé, m'a supplié de l'emmener.

— Oh ! oh !

— Et de le présenter, s'il était possible, à Monseigneur.

— En sorte ?...

— En sorte qu'il est là, sur la pelouse du Bel-Air.

— Comme un scarabée.

— Vous dites cela, Gourville, à cause des antennes, mauvais plaisant !

— Eh bien ! monsieur Fouquet ?

— Eh bien ! il ne convient pas que le mari de Mme Vanel s'enrhume
hors de chez moi ; envoyez-le quérir, La Fontaine, puisque vous savez
où il est.

— J'y cours moi-même.

— Je vous y accompagne, dit l'abbé Fouquet ; je porterai les sacs.

---

1. *Semper ad eventum festinat* (« Il se hâte toujours vers le dénouement »), Horace, *Art poétique*, III, vers 306.

— Pas de mauvaise plaisanterie, dit sévèrement Fouquet ; que l'affaire soit sérieuse, si affaire il y a. Tout d'abord, soyons hospitaliers. Excusez-moi bien, La Fontaine, auprès de ce galant homme, et dites-lui que je suis désespéré de l'avoir fait attendre, mais que j'ignorais qu'il fût là.

La Fontaine était déjà parti. Par bonheur, Gourville l'accompagnait ; car, tout entier à ses chiffres, le poète se trompait de route, et courait vers Saint-Maur.

Un quart d'heure après, M. Vanel fut introduit dans le cabinet du surintendant, ce même cabinet dont nous avons donné la description et les aboutissants au commencement de cette histoire[1]. Fouquet, le voyant entrer, appela Pélisson, et lui parla quelques minutes à l'oreille.

— Retenez bien ceci, lui dit-il : que toute l'argenterie, que toute la vaisselle, que tous les joyaux soient emballés dans le carrosse. Vous prendrez les chevaux noirs ; l'orfèvre vous accompagnera ; vous reculerez le souper jusqu'à l'arrivée de Mme de Bellière.

— Encore faut-il que Mme de Bellière soit prévenue, dit Pélisson.

— Inutile, je m'en charge.

— Très bien.

— Allez, mon ami.

Pélisson partit, devinant mal, mais confiant, comme sont tous les vrais amis, dans la volonté qu'il subissait. Là est la force des âmes d'élite. La défiance n'est faite que pour les natures inférieures.

Vanel s'inclina donc devant le surintendant. Il allait commencer une harangue.

— Asseyez-vous, monsieur, lui dit civilement Fouquet. Il me paraît que vous voulez acquérir ma charge ?

— Monseigneur...

— Combien pouvez-vous m'en donner ?

— C'est à vous, monseigneur, de fixer le chiffre. Je sais qu'on vous a fait des offres.

— Mme Vanel, m'a-t-on dit, l'estime quatorze cent mille livres.

— C'est tout ce que nous avons.

— Pouvez-vous donner la somme tout de suite ?

— Je ne l'ai pas sur moi, dit naïvement Vanel, effaré de cette simplicité, de cette grandeur, lui qui s'attendait à des luttes, à des finesses, à des marches d'échiquier.

— Quand l'aurez-vous ?

— Quand il plaira à Monseigneur.

Et il tremblait que Fouquet ne se jouât de lui.

— Si ce n'était la peine de retourner à Paris, je vous dirais tout de suite...

— Oh ! monseigneur...

---

1. Voir tome I de la présente édition, chap. LIV.

— Mais, interrompit le surintendant, mettons le solde et la signature à demain matin.

— Soit, répliqua Vanel glacé, abasourdi.

— Six heures, ajouta Fouquet.

— Six heures, répéta Vanel.

— Adieu, monsieur Vanel ! Dites à Mme Vanel que je lui baise les mains.

Et Fouquet se leva.

Alors Vanel, à qui le sang montait aux yeux et qui commençait à perdre la tête :

— Monseigneur, monseigneur, dit-il sérieusement, est-ce que vous me donnez parole ?

Fouquet tourna la tête.

— Pardieu ! dit-il ; et vous ?

Vanel hésita, frissonna et finit par avancer timidement sa main. Fouquet ouvrit et avança noblement la sienne. Cette main loyale s'imprégna une seconde de la moiteur d'une main hypocrite ; Vanel serra les doigts de Fouquet pour se mieux convaincre.

Le surintendant dégagea doucement sa main.

— Adieu ! dit-il.

Vanel courut à reculons vers la porte, se précipita par les vestibules et s'enfuit.

CLXXXVI

LA VAISSELLE ET LES DIAMANTS
DE MME DE BELLIÈRE

A peine Fouquet eut-il congédié Vanel, qu'il réfléchit un moment.

— On ne saurait trop faire, dit-il, pour la femme que l'on a aimée. Marguerite désire être procureuse, pourquoi ne lui pas faire ce plaisir ? Maintenant que la conscience la plus scrupuleuse ne saurait rien me reprocher, pensons à la femme qui m'aime. Mme de Bellière doit être là.

Il indiqua du doigt la porte secrète.

S'étant enfermé, il ouvrit le couloir souterrain et se dirigea rapidement vers la communication établie entre la maison de Vincennes et sa maison à lui.

Il avait négligé d'avertir son amie avec la sonnette, bien assuré qu'elle ne manquait jamais au rendez-vous.

En effet, la marquise était arrivée. Elle attendait. Le bruit que fit le surintendant l'avertit ; elle accourut pour recevoir par-dessous la porte le billet qu'il lui passa.

Venez, marquise, on vous attend pour souper.

Heureuse et active, Mme de Bellière gagna son carrosse dans l'avenue de Vincennes, et elle vint tendre sa main sur le perron à Gourville, qui, pour mieux plaire au maître, guettait son arrivée dans la cour.

Elle n'avait pas vu entrer, fumants et blancs d'écume, les chevaux noirs de Fouquet, qui ramenaient à Saint-Mandé Pélisson et l'orfèvre lui-même à qui Mme de Bellière avait vendu sa vaisselle et ses joyaux.

Pélisson introduisit cet homme dans le cabinet que Fouquet n'avait pas encore quitté.

Le surintendant remercia l'orfèvre d'avoir bien voulu lui garder comme un dépôt ces richesses qu'il avait le droit de vendre. Il jeta les yeux sur le total des comptes, qui s'élevait à treize cent mille livres.

Puis, se plaçant à son bureau, il écrivit un bon de quatorze cent mille livres, payables à vue à sa caisse, avant midi le lendemain.

— Cent mille livres de bénéfice ! s'écria l'orfèvre. Ah ! monseigneur, quelle générosité !

— Non pas, non pas, monsieur, dit Fouquet en lui touchant l'épaule, il est des politesses qui ne se paient jamais. Le bénéfice est à peu près celui que vous eussiez fait ; mais il reste l'intérêt de votre argent.

En disant ces mots, il détachait de sa manchette un bouton de diamants que ce même orfèvre avait bien souvent estimé trois mille pistoles.

— Prenez ceci en mémoire de moi, dit-il à l'orfèvre, et adieu ; vous êtes un honnête homme.

— Et vous, s'écria l'orfèvre, touché profondément, vous, monseigneur, vous êtes un brave seigneur.

Fouquet fit passer le digne orfèvre par une porte dérobée ; puis il alla recevoir Mme de Bellière, que tous les conviés entouraient déjà.

La marquise était belle toujours ; mais, ce jour-là, elle resplendissait.

— Ne trouvez-vous pas, messieurs, dit Fouquet, que Madame est d'une beauté incomparable ce soir ? Savez-vous pourquoi ?

— Parce que Madame est la plus belle des femmes, dit quelqu'un.

— Non, mais parce qu'elle en est la meilleure. Cependant...

— Cependant ? dit la marquise en souriant.

— Cependant, tous les joyaux que porte Madame ce soir sont des pierres fausses.

Elle rougit.

— Oh ! oh ! s'écrièrent tous les convives ; on peut dire cela sans crainte d'une femme qui a les plus beaux diamants de Paris.

— Eh bien ? dit tout bas Fouquet à Pélisson.

— Eh bien ! j'ai enfin compris, répliqua celui-ci, et vous avez bien fait.

— C'est heureux, fit en souriant le surintendant.

— Monseigneur est servi, cria majestueusement Vatel.

Le flot des convives se précipita moins lentement qu'il n'est d'usage dans les fêtes ministérielles vers la salle à manger, où les attendait un magnifique spectacle.

Sur les buffets, sur les dressoirs, sur la table, au milieu des fleurs et des lumières, brillait à éblouir la vaisselle d'or et d'argent la plus riche qu'on pût voir ; c'était un reste de ces vieilles magnificences que les artistes florentins, amenés par les Médicis, avaient sculptées, ciselées, fondues pour les dressoirs de fleurs, quand il y avait de l'or en France ; ces merveilles cachées, enfouies pendant les guerres civiles, avaient reparu timidement dans les intermittences de cette guerre de bon goût qu'on appelait la Fronde ; alors que seigneurs, se battant contre seigneurs, se tuaient mais ne se pillaient pas. Toute cette vaisselle était marquée aux armes de Mme de Bellière.

— Tiens, s'écria La Fontaine, un P. et un B.

Mais ce qu'il y avait de plus curieux, c'était le couvert de la marquise, à la place que lui avait assignée Fouquet ; près de lui s'élevait une pyramide de diamants, de saphirs, d'émeraudes, de camées antiques ; la sardoine gravée par les vieux Grecs de l'Asie Mineure avec ses montures d'or de Mysie[1], les curieuses mosaïques de la vieille Alexandrie montées en argent, les bracelets massifs de l'Égypte de Cléopâtre jonchaient un vaste plat de Palissy, supporté sur un trépied de bronze doré, sculpté par Benvenuto[2].

La marquise pâlit en voyant ce qu'elle ne comptait jamais revoir. Un profond silence, précurseur des émotions vives, occupait la salle engourdie et inquiète.

Fouquet ne fit pas même un signe pour chasser tous les valets chamarrés qui couraient, abeilles pressées, autour des vastes buffets et des tables d'office.

— Messieurs, dit-il, cette vaisselle que vous voyez appartenait à Mme de Bellière, qui, un jour, voyant un de ses amis dans la gêne, envoya tout cet or et tout cet argent chez l'orfèvre avec cette masse de joyaux qui se dressent là devant elle. Cette belle action d'une amie devait être comprise par des amis tels que vous. Heureux l'homme qui se voit aimé ainsi ! Buvons à la santé de Mme de Bellière.

Une immense acclamation couvrit ses paroles et fit tomber muette, pâmée sur son siège, la pauvre femme, qui venait de perdre ses sens, pareille aux oiseaux de la Grèce qui traversaient le ciel au-dessus de l'arène à Olympie.

— Et puis, ajouta Pélisson, que toute vertu touchait, que toute beauté charmait, buvons un peu aussi à celui qui inspira la belle action de Madame ; car un pareil homme doit être digne d'être aimé.

---

1. Contrée du nord-ouest de l'Asie Mineure, baignée par la Propontide, l'Hellespont et la mer Égée.

2. Sur Benvenuto Cellini, voir Dictionnaire. Temps modernes.

Ce fut le tour de la marquise. Elle se leva pâle et souriante, tendit son verre avec une main défaillante dont les doigts tremblants frottèrent les doigts de Fouquet, tandis que ses yeux mourants encore allaient chercher tout l'amour qui brûlait dans ce généreux cœur.

Commencé de cette héroïque façon, le souper devint promptement une fête ; nul ne s'occupa plus d'avoir de l'esprit, personne n'en manqua.

La Fontaine oublia son vin de Joigny[1], et permit à Vatel de le réconcilier avec les vins du Rhône et ceux d'Espagne.

L'abbé Fouquet devint si bon, que Gourville lui dit :

— Prenez garde, monsieur l'abbé ! si vous êtes aussi tendre, on vous mangera.

Les heures s'écoulèrent ainsi joyeuses et secouant des roses sur les convives. Contre son ordinaire, le surintendant ne quitta pas la table avant les dernières largesses du dessert.

Il souriait à la plupart de ses amis, ivre comme on l'est quand on a enivré le cœur avant la tête, et, pour la première fois, il venait de regarder l'horloge.

Soudain une voiture roula dans la cour, et on l'entendit, chose étrange ! au milieu du bruit et des chansons.

Fouquet dressa l'oreille, puis il tourna les yeux vers l'antichambre. Il lui sembla qu'un pas y retentissait, et que ce pas, au lieu de fouler le sol, pesait sur son cœur.

Instinctivement son pied quitta le pied que Mme de Bellière appuyait sur le sien depuis deux heures.

— M. d'Herblay, évêque de Vannes, cria l'huissier.

Et la figure sombre et pensive d'Aramis apparut sur le seuil, entre les débris de deux guirlandes dont une flamme de lampe venait de rompre les fils.

CLXXXVII

LA QUITTANCE DE M. DE MAZARIN

Fouquet eût poussé un cri de joie en apercevant un ami nouveau, si l'air glacé, le regard distrait d'Aramis ne lui eussent rendu toute sa réserve.

— Est-ce que vous nous aidez à prendre le dessert ? demanda-t-il cependant ; est-ce que vous ne vous effraierez pas un peu de tout ce bruit que font nos folies ?

— Monseigneur, répliqua respectueusement Aramis, je commencerai

---

1. Texte : « Gorgny », mais il s'agit du vin de Joigny (voir chap. LVI-LVII, tome I de la présente édition).

par m'excuser près de vous de troubler votre joyeuse réunion ; puis je vous demanderai, après le plaisir, un moment d'audience pour les affaires.

Comme ce mot *affaires* avait fait dresser l'oreille à quelques épicuriens, Fouquet se leva.

— Les affaires toujours, dit-il, monsieur d'Herblay ; trop heureux sommes-nous quand les affaires n'arrivent qu'à la fin du repas.

Et, ce disant, il prit la main de Mme de Bellière, qui le considérait avec une sorte d'inquiétude ; il la conduisit dans le plus voisin salon, après l'avoir confiée aux plus raisonnables de la compagnie.

Quant à lui, prenant Aramis par le bras, il se dirigea vers son cabinet. Aramis, une fois là, oublia le respect de l'étiquette. Il s'assit :

— Devinez, dit-il, qui j'ai vu ce soir ?

— Mon cher chevalier, toutes les fois que vous commencez de la sorte, je suis sûr de m'entendre annoncer quelque chose de désagréable.

— Cette fois encore, vous ne vous serez pas trompé, mon cher ami, répliqua Aramis.

— Ne me faites pas languir, ajouta flegmatiquement Fouquet.

— Eh bien ! j'ai vu Mme de Chevreuse.

— La vieille duchesse ?

— Oui.

— Ou son ombre ?

— Non pas. Une vieille louve.

— Sans dents ?

— C'est possible, mais non pas sans griffes.

— Eh bien ! pourquoi m'en voudrait-elle ? Je ne suis pas avare avec les femmes qui ne sont pas prudes. C'est là une qualité que prise toujours même la femme qui n'ose plus provoquer l'amour.

— Mme de Chevreuse le sait bien, que vous n'êtes pas avare, puisqu'elle veut vous arracher de l'argent.

— Bon ! sous quel prétexte ?

— Ah ! les prétextes ne lui manquent jamais. Voici le sien.

— J'écoute.

— Il paraîtrait que la duchesse possède plusieurs lettres de M. de Mazarin.

— Cela ne m'étonne pas, le prélat était galant.

— Oui ; mais ces lettres n'auraient pas de rapport avec les amours du prélat. Elles traitent, dit-on, d'affaires de finances.

— C'est moins intéressant.

— Vous ne soupçonnez pas un peu ce que je veux dire ?

— Pas du tout.

— N'auriez-vous jamais entendu parler d'une accusation de détournement de fonds ?

— Cent fois ! mille fois ! Depuis que je suis aux affaires, mon cher d'Herblay, je n'ai jamais entendu parler que de cela. C'est comme vous, évêque, lorsqu'on vous reproche votre impiété ; vous, mousquetaire, votre poltronnerie ; ce qu'on reproche perpétuellement au ministre des Finances, c'est de voler les finances.

— Bien ; mais précisons, car M. de Mazarin précise, à ce que dit la duchesse.

— Voyons ce qu'il précise.

— Quelque chose comme une somme de treize millions dont vous seriez fort empêché, vous, de préciser l'emploi.

— Treize millions ! dit le surintendant en s'allongeant dans son fauteuil pour mieux lever la tête vers le plafond. Treize millions... Ah ! dame ! je les cherche voyez-vous, parmi tous ceux qu'on m'accuse d'avoir volés.

— Ne riez pas, mon cher monsieur, c'est grave. Il est certain que la duchesse a les lettres, et que les lettres doivent être bonnes, attendu qu'elle voulait les vendre cinq cent mille livres.

— On peut avoir une fort jolie calomnie pour ce prix-là, répondit Fouquet. Eh ! mais je sais ce que vous voulez dire.

Fouquet se mit à rire de bon cœur.

— Tant mieux ! fit Aramis peu rassuré.

— L'histoire de ces treize millions me revient. Oui, c'est cela ; je les tiens.

— Vous me faites grand plaisir. Voyons un peu.

— Imaginez-vous, mon cher, que le signor Mazarin, Dieu ait son âme ! fit un jour ce bénéfice de treize millions sur une concession de terres en litige dans la Valteline[1] ; il les biffa sur le registre des recettes, me les fit envoyer, et se les fit donner par moi, pour frais de guerre.

— Bien. Alors la destination est justifiée.

— Non pas ; le cardinal les fit placer sous mon nom, et m'envoya une décharge.

— Vous avez cette décharge ?

— Parbleu ! dit Fouquet en se levant tranquillement pour aller aux tiroirs de son vaste bureau d'ébène incrusté de nacre et d'or.

— Ce que j'admire en vous, dit Aramis charmé, c'est votre mémoire d'abord, puis votre sang-froid, et enfin l'ordre parfait qui règne dans votre administration, à vous, le poëte par excellence.

— Oui, dit Fouquet, j'ai de l'ordre par esprit de paresse, pour m'épargner de chercher. Ainsi, je sais que le reçu de Mazarin est dans le troisième tiroir, lettre M ; j'ouvre ce tiroir et je mets immédiatement la main sur le papier qu'il me faut. La nuit, sans bougie, je le trouverais.

---

1. Vallée alpestre qui s'étend des gorges de la Serra au lac de Côme : pendant la guerre de Trente Ans, l'Espagne essaya de l'occuper, mais Richelieu s'opposa à son invasion. « On fit la trêve de la Valteline, pendant laquelle [Mazarin] acquit aisément la familiarité des généraux français et espagnols », abbé de Choisy, *op. cit.*

Et il palpa d'une main sûre la liasse de papiers entassés dans le tiroir ouvert.

— Il y a plus, continua-t-il, je me rappelle ce papier comme si je le voyais ; il est fort, un peu rugueux, doré sur tranche ; Mazarin avait fait un pâté d'encre sur le chiffre de la date. Eh bien ! fit-il, voilà le papier qui sent qu'on s'occupe de lui et qu'il est nécessaire, il se cache et se révolte.

Et le surintendant regarda dans le tiroir.

— C'est étrange, dit Fouquet.

— Votre mémoire vous fait défaut, mon cher monsieur, cherchez dans une autre liasse.

Fouquet prit la liasse et la parcourut encore une fois ; puis il pâlit.

— Ne vous obstinez pas à celle-ci, dit Aramis, cherchez ailleurs.

— Inutile, inutile, jamais je n'ai fait une erreur ; nul que moi n'arrange ces sortes de papiers ; nul n'ouvre ce tiroir, auquel, vous voyez, j'ai fait faire un secret dont personne que moi ne connaît le chiffre.

— Que concluez-vous alors ? dit Aramis agité.

— Que le reçu de Mazarin m'a été volé. Mme de Chevreuse avait raison, chevalier ; j'ai détourné les deniers publics ; j'ai volé treize millions dans les coffres de l'État ; je suis un voleur, monsieur d'Herblay.

— Monsieur ! monsieur ! ne vous irritez pas, ne vous exaltez pas !

— Pourquoi ne pas m'exalter, chevalier ? La cause en vaut la peine. Un bon procès, un bon jugement, et votre ami M. le surintendant peut suivre à Montfaucon son collègue Enguerrand de Marigny, son prédécesseur Samblançay[1].

— Oh ! fit Aramis en souriant, pas si vite.

— Comment, pas si vite ! Que supposez-vous donc que Mme de Chevreuse aura fait de ces lettres ; car vous les avez refusées, n'est-ce pas ?

— Oh ! oui, refusé net. Je suppose qu'elle les sera allée vendre à M. Colbert.

— Eh bien ! voyez-vous ?

— J'ai dit que je supposais, je pourrais dire que j'en suis sûr ; car je l'ai fait suivre, et, en me quittant, elle est rentrée chez elle, puis elle est sortie par une porte de derrière et s'est rendue à la maison de l'intendant, rue Croix-des-Petits-Champs.

— Procès alors, scandale et déshonneur, le tout tombant comme tombe la foudre, aveuglément, brutalement, impitoyablement.

Aramis s'approcha de Fouquet, qui frémissait dans son fauteuil, auprès des tiroirs ouverts ; il lui posa la main sur l'épaule, et, d'un ton affectueux :

---

1. Les « Fourches de la grande justice » de Paris, constituées de seize piliers de pierre, s'élevaient au nord-ouest de Paris, près de l'actuel hôpital Saint-Louis (emplacement du 53, rue de la Grange-aux-Belles). Enguerrand de Marigny y fut pendu en 1315, Semblançay en 1527. Le gibet cessa de fonctionner vers 1627.

— N'oubliez jamais, dit-il, que la position de M. Fouquet ne se peut comparer à celle de Samblançay ou de Marigny.

— Et pourquoi, mon Dieu ?

— Parce que le procès de ces ministres s'est fait, parfait, et que l'arrêt a été exécuté ; tandis qu'à votre égard il ne peut en arriver de même.

— Encore un coup, pourquoi ? Dans tous les temps, un concussionnaire est un criminel.

— Les criminels qui savent trouver un lieu d'asile ne sont jamais en danger.

— Me sauver ? fuir ?

— Je ne vous parle pas de cela, et vous oubliez que ces sortes de procès sont évoqués par le Parlement, instruits par le procureur général, et que vous êtes procureur général. Vous voyez bien qu'à moins de vouloir vous condamner vous-même...

— Oh ! s'écria tout à coup Fouquet en frappant la table de son poing.

— Eh bien ! quoi ? qu'y a-t-il ?

— Il y a que je ne suis plus procureur général.

Aramis, à son tour, pâlit de manière à paraître livide ; il serra ses doigts, qui craquèrent les uns sur les autres, et, d'un œil hagard qui foudroya Fouquet :

— Vous n'êtes plus procureur général ? dit-il en scandant chaque syllabe.

— Non.

— Depuis quand ?

— Depuis quatre ou cinq heures.

— Prenez garde, interrompit froidement Aramis, je crois que vous n'êtes pas en possession de votre bon sens, mon ami ; remettez-vous.

— Je vous dis, reprit Fouquet, que tantôt quelqu'un est venu, de la part de mes amis, m'offrir quatorze cent mille livres de ma charge, et que j'ai vendu ma charge.

Aramis demeura interdit ; sa figure intelligente et railleuse prit un caractère de morne effroi qui fit plus d'effet sur le surintendant que tous les cris et tous les discours du monde.

— Vous aviez donc bien besoin d'argent ? dit-il enfin.

— Oui, pour acquitter une dette d'honneur.

Et il raconta en peu de mots à Aramis la générosité de Mme de Bellière et la façon dont il avait cru devoir payer cette générosité.

— Voilà un beau trait, dit Aramis. Cela vous coûte ?

— Tout justement les quatorze cent mille livres de ma charge.

— Que vous avez reçues comme cela tout de suite, sans réfléchir ? O imprudent ami !

— Je ne les ai pas reçues, mais je les recevrai demain.

— Ce n'est donc pas fait encore ?

— Il faut que ce soit fait puisque j'ai donné à l'orfèvre, pour midi, un bon sur ma caisse, où l'argent de l'acquéreur entrera de six à sept heures.

— Dieu soit loué! s'écria Aramis en battant des mains, rien n'est achevé, puisque vous n'avez pas été payé.

— Mais l'orfèvre?

— Vous recevrez de moi les quatorze cent mille livres à midi moins un quart.

— Un moment, un moment! c'est ce matin, à six heures, que je signe.

— Oh! je vous réponds que vous ne signerez pas.

— J'ai donné ma parole, chevalier.

— Si vous l'avez donnée, vous la reprendrez, voilà tout.

— Oh! que me dites-vous là? s'écria Fouquet avec un accent profondément loyal. Reprendre une parole quand on est Fouquet!

Aramis répondit au regard sévère du ministre par un regard courroucé.

— Monsieur, dit-il, je crois avoir mérité d'être appelé un honnête homme, n'est-ce pas? Sous la casaque du soldat, j'ai risqué cinq cents fois ma vie; sous l'habit du prêtre, j'ai rendu de plus grands services encore, à Dieu, à l'État ou à mes amis. Une parole vaut ce que vaut l'homme qui la donne. Elle est, quand il la tient, de l'or pur; elle est un fer tranchant quand il ne veut pas la tenir. Il se défend alors avec cette parole comme avec une arme d'honneur, attendu que, lorsqu'il ne tient pas cette parole, cet homme d'honneur, c'est qu'il est en danger de mort, c'est qu'il court plus de risques que son adversaire n'a de bénéfices à faire. Alors, monsieur, on en appelle à Dieu et à son droit.

Fouquet baissa la tête:

— Je suis, dit-il, un pauvre Breton opiniâtre et vulgaire; mon esprit admire et craint le vôtre. Je ne dis pas que je tiens ma parole par vertu; je la tiens, si vous voulez, par routine; mais, enfin, les hommes du commun sont assez simples pour admirer cette routine; c'est ma seule vertu, laissez-m'en les honneurs.

— Alors vous signerez demain la vente de cette charge, qui vous défendait contre tous vos ennemis?

— Je signerai.

— Vous vous livrerez pieds et poings liés pour un faux-semblant d'honneur que dédaigneraient les plus scrupuleux casuistes?

— Je signerai.

Aramis poussa un profond soupir, regarda tout autour de lui avec l'impatience d'un homme qui voudrait briser quelque chose.

— Nous avons encore un moyen, dit-il, et j'espère que vous ne me refuserez pas de l'employer, celui-là.

— Assurément non, s'il est loyal... comme tout ce que vous proposez, cher ami.

— Je ne sache rien de plus loyal qu'une renonciation de votre acquéreur. Est-ce votre ami?

— Certes... Mais...

— Mais... si vous me permettez de traiter l'affaire, je ne désespère point.

— Oh ! je vous laisserai absolument maître.

— Avec qui avez-vous traité ? Quel homme est-ce ?

— Je ne sais pas si vous connaissez le Parlement ?

— En grande partie. C'est un président quelconque ?

— Non ; un simple conseiller.

— Ah ! ah !

— Qui s'appelle Vanel.

Aramis devint pourpre.

— Vanel ! s'écria-t-il en se relevant ; Vanel ! le mari de Marguerite Vanel ?

— Précisément.

— De votre ancienne maîtresse ?

— Oui, mon cher, elle a désiré d'être Mme la procureuse générale. Je lui devais bien cela, au pauvre Vanel, et j'y gagne, puisque c'est encore faire plaisir à sa femme.

Aramis vint droit à Fouquet et lui prit la main.

— Vous savez, dit-il avec sang-froid, le nom du nouvel amant de Mme Vanel ?

— Ah ! elle a un nouvel amant ? Je l'ignorais ; et, ma foi, non, je ne sais pas comment il se nomme.

— Il se nomme M. Jean-Baptiste Colbert ; il est intendant des finances ; il demeure rue Croix-des-Petits-Champs, là où Mme de Chevreuse est allée, ce soir, porter les lettres de Mazarin qu'elle veut vendre.

— Mon Dieu ! murmura Fouquet en essuyant son front ruisselant de sueur, mon Dieu !

— Vous commencez à comprendre, n'est-ce pas ?

— Que je suis perdu, oui.

— Trouvez-vous que cela vaille la peine de tenir un peu moins que Régulus[1] à sa parole ?

— Non, dit Fouquet.

— Les gens entêtés, murmura Aramis, s'arrangent toujours de façon qu'on les admire.

Fouquet lui tendit la main.

A ce moment, une riche horloge d'écaille, à figures d'or, placée sur une console en face de la cheminée, sonna six heures du matin.

Une porte cria dans le vestibule.

— M. Vanel, vint dire Gourville à la porte du cabinet, demande si Monseigneur peut le recevoir.

1. Voir Dictionnaire. Antiquité.

Fouquet détourna ses yeux des yeux d'Aramis et répondit :

— Faites entrer M. Vanel.

CLXXXVIII

LA MINUTE DE M. COLBERT

Vanel, entrant à ce moment de la conversation, n'était rien autre chose pour Aramis et Fouquet que le point qui termine une phrase.

Mais, pour Vanel qui arrivait, la présence d'Aramis dans le cabinet de Fouquet devait avoir une bien autre signification.

Aussi l'acheteur, à son premier pas dans la chambre, arrêta-t-il sur cette physionomie, à la fois si fine et si ferme de l'évêque de Vannes, un regard étonné qui devint bientôt scrutateur.

Quant à Fouquet, véritable homme politique, c'est-à-dire maître de lui-même, il avait déjà, par la force de sa volonté, fait disparaître de son visage les traces de l'émotion causée par la révélation d'Aramis.

Ce n'était donc plus un homme abattu par le malheur et réduit aux expédients ; il avait redressé la tête et allongé la main pour faire entrer Vanel.

Il était premier ministre, il était chez lui.

Aramis connaissait le surintendant. Toute la délicatesse de son cœur, toute la largeur de son esprit n'avaient rien qui pût l'étonner. Il se borna donc, momentanément, quitte à reprendre plus tard une part active dans la conversation, au rôle difficile de l'homme qui regarde et qui écoute pour apprendre et pour comprendre.

Vanel était visiblement ému. Il s'avança jusqu'au milieu du cabinet, saluant tout et tous.

— Je viens… dit-il.

Fouquet fit un signe de tête.

— Vous êtes exact, monsieur Vanel, dit-il.

— En affaires, monseigneur, répondit Vanel, je crois que l'exactitude est une vertu.

— Oui, monsieur.

— Pardon, interrompit Aramis, en désignant du doigt Vanel et s'adressant à Fouquet ; pardon, c'est Monsieur qui se présente pour acheter une charge, n'est-ce pas ?

— C'est moi, répondit Vanel, étonné du ton de suprême hauteur avec lequel Aramis avait fait la question. Mais comment dois-je appeler celui qui me fait l'honneur ?…

— Appelez-moi monseigneur, répondit sèchement Aramis.

Vanel s'inclina.

— Allons, allons, messieurs, dit Fouquet, trêve de cérémonies ; venons au fait.

— Monseigneur le voit, dit Vanel, j'attends son bon plaisir.

— C'est moi qui, au contraire, attendais, répondit Fouquet.

— Qu'attendait Monseigneur ?

— Je pensais que vous aviez peut-être quelque chose à me dire.

«Oh ! oh ! murmura Vanel en lui-même, il a réfléchi, je suis perdu ! »

Mais, reprenant courage :

— Non, monseigneur, rien, absolument rien que ce que je vous ai dit hier et que je suis prêt à vous répéter.

— Voyons, franchement, monsieur Vanel, le marché n'est-il pas un peu lourd pour vous, dites ?

— Certes, monseigneur, quinze cent mille livres, c'est une somme importante.

— Si importante, dit Fouquet, que j'avais réfléchi...

— Vous aviez réfléchi, monseigneur ? s'écria vivement Vanel.

— Oui, que vous n'êtes peut-être pas encore en mesure d'acheter.

— Oh ! monseigneur !...

— Tranquillisez-vous, monsieur Vanel, je ne vous blâmerai pas d'un manque de parole qui tiendra évidemment à votre impuissance.

— Si fait, monseigneur, vous me blâmeriez, et vous auriez raison, dit Vanel ; car c'est d'un imprudent ou d'un fou de prendre des engagements qu'il ne peut pas tenir, et j'ai toujours regardé une chose convenue comme une chose faite.

Fouquet rougit. Aramis fit un *hum !* d'impatience.

— Il ne faudrait pas cependant vous exagérer ces idées-là, monsieur, dit le surintendant ; car l'esprit de l'homme est variable et plein de petits caprices fort excusables, fort respectables même parfois ; et tel a désiré hier, qui aujourd'hui se repent.

Vanel sentit une sueur froide couler de son front sur ses joues.

— Monseigneur !... balbutia-t-il.

Quant à Aramis, heureux de voir le surintendant se poser avec tant de netteté dans le débat, il s'accouda au marbre d'une console, et commença de jouer avec un petit couteau d'or à manche de malachite.

Fouquet prit son temps ; puis, après un moment de silence :

— Tenez, mon cher monsieur Vanel, dit-il, je vais vous expliquer la situation.

Vanel frémit.

— Vous êtes un galant homme, continua Fouquet, et comme moi, vous comprendrez.

Vanel chancela.

— Je voulais vendre hier.

— Monseigneur avait fait plus que de vouloir vendre, monseigneur avait vendu.

— Eh bien, soit ! mais aujourd'hui, je vous demande comme une faveur de me rendre la parole que vous aviez reçue de moi.

— Cette parole, je l'ai reçue, dit Vanel, comme un inflexible écho.

— Je le sais. Voilà pourquoi je vous supplie, monsieur Vanel, entendez-vous ? je vous supplie de me la rendre...

Fouquet s'arrêta. Ce mot : *je vous supplie*, dont il ne voyait pas l'effet immédiat, ce mot venait de lui déchirer la gorge au passage.

Aramis, toujours jouant avec son couteau, fixait sur Vanel des regards qui semblaient vouloir pénétrer jusqu'au fond de son âme.

Vanel s'inclina.

— Monseigneur, dit-il, je suis bien ému de l'honneur que vous me faites de me consulter sur un fait accompli ; mais...

— Ne dites pas de *mais*, cher monsieur Vanel.

— Hélas ! monseigneur, songez donc que j'ai apporté l'argent ; je veux dire la somme.

Et il ouvrit un gros portefeuille.

— Tenez, monseigneur, dit-il, voilà le contrat de la vente que je viens de faire d'une terre de ma femme. Le bon est autorisé, revêtu des signatures nécessaires, payable à vue ; c'est de l'argent comptant ; l'affaire est faite en un mot.

— Mon cher monsieur Vanel, il n'est point d'affaire en ce monde, si importante qu'elle soit, qui ne se remette pour obliger...

— Certes... murmura gauchement Vanel.

— Pour obliger un homme dont on se fera ainsi l'ami, continua Fouquet.

— Certes, monseigneur.

— D'autant plus légitimement l'ami, monsieur Vanel, que le service rendu aura été plus considérable. Eh bien ! voyons, monsieur, que décidez-vous ?

Vanel garda le silence.

Pendant ce temps, Aramis avait résumé ses observations.

Le visage étroit de Vanel, ses orbites enfoncées, ses sourcils ronds comme des arcades, avaient décelé à l'évêque de Vannes un type d'avare et d'ambitieux. Battre en brèche une passion par une autre, telle était la méthode d'Aramis. Il vit Fouquet vaincu, démoralisé ; il se jeta dans la lutte avec des armes nouvelles.

— Pardon, dit-il, monseigneur ; vous oubliez de faire comprendre à M. Vanel que ses intérêts sont diamétralement opposés à cette renonciation de la vente.

Vanel regarda l'évêque avec étonnement ; il ne s'attendait pas à trouver là un auxiliaire. Fouquet aussi s'arrêta pour écouter l'évêque.

— Ainsi, continua Aramis, M. Vanel a vendu pour acheter votre charge, monseigneur, une terre de madame sa femme; eh bien! c'est une affaire, cela; on ne déplace pas comme il l'a fait quinze cent mille livres sans de notables pertes, sans de graves embarras.

— C'est vrai, dit Vanel, à qui Aramis, avec ses lumineux regards, arrachait la vérité du fond du cœur.

— Des embarras, poursuivit Aramis, se résolvent en dépenses, et, quand on fait une dépense d'argent, les dépenses d'argent se cotent au numéro 1, parmi les charges.

— Oui, oui, dit Fouquet, qui commençait à comprendre les intentions d'Aramis.

Vanel resta muet : il avait compris.

Aramis remarqua cette froideur et cette abstention.

« Bon! se dit-il, laide face, tu fais le discret jusqu'à ce que tu connaisses la somme; mais, ne crains rien, je vais t'envoyer une telle volée d'écus, que tu capituleras. »

— Il faut tout de suite offrir à M. Vanel cent mille écus, dit Fouquet emporté par sa générosité.

La somme était belle. Un prince se fût contenté d'un pareil pot-de-vin. Cent mille écus, à cette époque, étaient la dot d'une fille de roi.

Vanel ne bougea pas.

« C'est un coquin, pensa l'évêque; il lui faut les cinq cent mille livres toutes rondes. » Et il fit un signe à Fouquet.

— Vous semblez avoir dépensé plus que cela, cher monsieur Vanel, dit le surintendant. Oh! l'argent est hors de prix. Oui, vous aurez fait un sacrifice en vendant cette terre. Eh bien! où avais-je la tête? C'est un bon de cinq cent mille livres que je vais vous signer. Encore serai-je bien votre obligé de tout mon cœur.

Vanel n'eut pas un éclat de joie ou de désir. Sa physionomie resta impassible, et pas un muscle de son visage ne bougea.

Aramis envoya un regard désespéré à Fouquet. Puis, s'avançant vers Vanel, il le prit par le haut de son pourpoint avec le geste familier aux hommes d'une grande importance.

— Monsieur Vanel, dit-il, ce n'est pas la gêne, ce n'est pas le déplacement d'argent, ce n'est pas la vente de votre terre qui vous occupent; c'est une plus haute idée. Je la comprends. Notez bien mes paroles.

— Oui, monseigneur.

Et le malheureux commençait à trembler; le feu des yeux du prélat le dévorait.

— Je vous offre donc, moi, au nom du surintendant, non pas trois cent mille livres, non pas cinq cent mille, mais un million. Un million, entendez-vous?

Et il le secoua nerveusement.

— Un million! répéta Vanel tout pâle.

— Un million, c'est-à-dire, par le temps qui court, soixante-six mille livres de revenu.

— Allons, monsieur, dit Fouquet, cela ne se refuse pas.

« Répondez donc ; acceptez-vous ?

— Impossible... murmura Vanel.

Aramis pinça ses lèvres, et quelque chose comme un nuage blanc passa sur sa physionomie.

On devinait la foudre derrière ce nuage. Il ne lâchait point Vanel.

— Vous avez acheté la charge quinze cent mille livres, n'est-ce pas ? Eh bien ! on vous donnera ces quinze cent mille livres ; vous aurez gagné un million et demi à venir visiter M. Fouquet et à lui toucher la main. Honneur et profit tout à la fois, monsieur Vanel.

— Je ne puis, répondit Vanel sourdement.

— Bien ! répondit Aramis, qui avait tellement serré le pourpoint qu'au moment où il le lâcha Vanel fut renvoyé en arrière par la commotion ; bien ! on voit assez clairement ce que vous êtes venu faire ici.

— Oui, on le voit, dit Fouquet.

— Mais... dit Vanel en essayant de se redresser devant la faiblesse de ces deux hommes d'honneur.

— Le coquin élève la voix, je pense ! dit Aramis avec un ton d'empereur.

— Coquin ! répéta Vanel.

— C'est misérable que je voulais dire, ajouta Aramis revenu au sang-froid. Allons, tirez vite votre acte de vente, monsieur ; vous devez l'avoir là dans quelque poche, tout préparé, comme l'assassin tient son pistolet ou son poignard caché sous son manteau.

Vanel grommela.

— Assez ! cria Fouquet. Cet acte, voyons !

Vanel fouilla en tremblotant dans sa poche ; il en retira son portefeuille, et du portefeuille s'échappa un papier, tandis que Vanel offrait l'autre à Fouquet.

Aramis fondit sur ce papier, dont il venait de reconnaître l'écriture.

— Pardon, c'est la minute de l'acte, dit Vanel.

— Je le vois bien, repartit Aramis avec un sourire plus cruel que n'eût été un coup de fouet, et, ce que j'admire, c'est que cette minute est de la main de M. Colbert. Tenez, monseigneur, regardez.

Il passa la minute à Fouquet, lequel reconnut la vérité du fait. Surchargé de ratures, de mots ajoutés, les marges toutes noircies, cet acte, vivant témoignage de la trame de Colbert, venait de tout révéler à la victime.

— Eh bien ? murmura Fouquet.

Vanel, atterré, semblait chercher un trou profond pour s'y engloutir.

— Eh bien ! dit Aramis, si vous ne vous appeliez Fouquet, et si votre ennemi ne s'appelait Colbert ; si vous n'aviez en face que ce lâche voleur que voici, je vous dirais : Niez... une pareille preuve détruit toute parole ; mais ces gens-là croiraient que vous avez peur ; ils vous craindraient moins ; tenez, monseigneur.

Il lui présenta la plume.

— Signez, dit-il.

Fouquet serra la main d'Aramis ; mais, au lieu de l'acte qu'on lui présentait, il prit la minute.

— Non, pas ce papier, dit vivement Aramis, mais celui-ci, l'autre est trop précieux pour que vous ne le gardiez point.

— Oh ! non pas, répliqua Fouquet, je signerai sur l'écriture même de M. Colbert, et j'écris : « Approuvé l'écriture. »

Il signa.

— Tenez, monsieur Vanel, dit-il ensuite.

Vanel saisit le papier, donna son argent et voulut s'enfuir.

— Un moment ! dit Aramis. Êtes-vous bien sûr qu'il y a le compte de l'argent ? Cela se compte, monsieur Vanel, surtout quand c'est de l'argent que M. Colbert donne aux femmes. Ah ! c'est qu'il n'est pas généreux comme M. Fouquet, ce digne M. Colbert.

Et Aramis, épelant chaque mot, chaque lettre du bon à toucher, distilla toute sa colère et tout son mépris goutte à goutte sur le misérable, qui souffrit un demi-quart d'heure ce supplice ; puis on le renvoya, non pas même de la voix, mais d'un geste, comme on renvoie un manant, comme on chasse un laquais.

Une fois que Vanel fut parti, le ministre et le prélat, les yeux fixés l'un sur l'autre, gardèrent un instant le silence.

— Eh bien ! fit Aramis rompant le silence le premier, à quoi comparez-vous un homme qui, devant combattre un ennemi cuirassé, armé, enragé, se met nu, jette ses armes et envoie des baisers gracieux à l'adversaire ? La bonne foi, monsieur Fouquet, c'est une arme dont les scélérats usent souvent contre les gens de bien, et elle leur réussit. Les gens de bien devraient donc user aussi de mauvaise foi contre les coquins. Vous verriez comme ils seraient forts sans cesser d'être honnêtes.

— On appellerait leurs actes des actes de coquins, répliqua Fouquet.

— Pas du tout ; on appellerait cela de la coquetterie, de la probité. Enfin, puisque vous avez terminé avec ce Vanel, puisque vous vous êtes privé du bonheur de le terrasser en lui reniant votre parole, puisque vous avez donné contre vous la seule arme qui puisse nous perdre...

— Oh ! mon ami, dit Fouquet avec tristesse, vous voilà comme le précepteur philosophe dont nous parlait l'autre jour La Fontaine... Il voit que l'enfant se noie et lui fait un discours en trois points[1].

---

1. « L'Enfant et le Maître d'école », *Fables*, livre I, XIX.

Aramis sourit.

— Philosophe, oui ; précepteur, oui ; enfant qui se noie, oui ; mais enfant qu'on sauvera, vous allez le voir. Et d'abord, parlons affaires.

Fouquet le regarda d'un air étonné.

— Est-ce que vous ne m'avez pas naguère confié certain projet d'une fête à Vaux ?

— Oh ! dit Fouquet, c'était dans le bon temps !

— Une fête à laquelle, je crois, le roi s'était invité de lui-même ?

— Non, mon cher prélat ; une fête à laquelle M. Colbert avait conseillé au roi de s'inviter.

— Ah ! oui, comme étant une fête trop coûteuse pour que vous ne vous y ruinassiez point.

— C'est cela. Dans le bon temps, comme je vous disais tout à l'heure, j'avais cet orgueil de montrer à mes ennemis la fécondité de mes ressources ; je tenais à l'honneur de les frapper d'épouvante en créant des millions là où ils n'avaient vu que des banqueroutes possibles. Mais, aujourd'hui, je compte avec l'État, avec le roi, avec moi-même ; aujourd'hui, je vais devenir l'homme de la lésine ; je saurai prouver au monde que j'agis sur des deniers comme sur des sacs de pistoles, et, à partir de demain, mes équipages vendus, mes maisons en gage, ma dépense suspendue...

— A partir de demain, interrompit Aramis tranquillement, vous allez, mon cher ami, vous occuper sans relâche de cette belle fête de Vaux, qui doit être citée un jour parmi les héroïques magnificences de votre beau temps.

— Vous êtes fou, chevalier d'Herblay.

— Moi ? Vous ne le pensez pas.

— Comment ! Mais savez-vous ce que peut coûter une fête, la plus simple du monde, à Vaux ? Quatre à cinq millions.

— Je ne vous parle pas de la plus simple du monde, mon cher surintendant.

— Mais, puisque la fête est donnée au roi, répondit Fouquet, qui se méprenait sur la pensée d'Aramis, elle ne peut être simple.

— Justement, elle doit être de la plus grande magnificence.

— Alors, je dépenserai dix à douze millions.

— Vous en dépenserez vingt s'il le faut, dit Aramis sans émotion.

— Où les prendrais-je ? s'écria Fouquet.

— Cela me regarde, monsieur le surintendant, et ne concevez pas un instant d'inquiétude. L'argent sera plus vite à votre disposition que vous n'aurez arrêté le projet de votre fête.

— Chevalier ! chevalier ! dit Fouquet saisi de vertige, où m'entraînez-vous ?

— De l'autre côté du gouffre où vous alliez tomber, répliqua l'évêque de Vannes. Accrochez-vous à mon manteau ; n'ayez pas peur.

— Que ne m'aviez-vous dit cela plus tôt, Aramis ! Un jour s'est présenté où, avec un million, vous m'auriez sauvé.

— Tandis que, aujourd'hui... Tandis que, aujourd'hui, j'en donnerais vingt, dit le prélat. Eh bien ! soit !... Mais la raison est simple, mon ami : le jour dont vous parlez, je n'avais pas à ma disposition le million nécessaire. Aujourd'hui j'aurai facilement les vingt millions qu'il me faut.

— Dieu vous entende et me sauve !

Aramis se reprit à sourire étrangement comme d'habitude.

— Dieu m'entend toujours, moi, dit-il ; cela dépend peut-être de ce que je le prie très haut.

— Je m'abandonne à vous sans réserve, murmura Fouquet.

— Oh ! je ne l'entends pas ainsi. C'est moi qui suis à vous sans réserve. Aussi, vous qui êtes l'esprit le plus fin, le plus délicat et le plus ingénieux, vous ordonnerez toute la fête jusqu'au moindre détail. Seulement...

— Seulement ? dit Fouquet en homme habitué à sentir le prix des parenthèses.

— Eh bien ! vous laissant toute l'invention du détail, je me réserve la surveillance de l'exécution.

— Comment cela ?

— Je veux dire que vous ferez de moi, pour ce jour-là, un majordome, un intendant supérieur, une sorte de factotum, qui participera du capitaine des gardes et de l'économe ; je ferai marcher les gens, et j'aurai les clefs des portes ; vous donnerez vos ordres, c'est vrai, mais c'est à moi que vous les donnerez ; ils passeront par ma bouche pour arriver à leur destination, vous comprenez ?

— Non, je ne comprends pas.

— Mais vous acceptez ?

— Pardieu ! oui, mon ami.

— C'est tout ce qu'il nous faut. Merci donc et faites votre liste d'invitations.

— Et qui inviterai-je ?

— Tout le monde !

CLXXXIX

OÙ IL SEMBLE A L'AUTEUR QU'IL EST TEMPS D'EN REVENIR AU VICOMTE DE BRAGELONNE

Nos lecteurs ont vu dans cette histoire se dérouler parallèlement les aventures de la génération nouvelle et celles de la génération passée. Aux uns le reflet de la gloire d'autrefois, l'expérience des choses douloureuses de ce monde. A ceux-là aussi la paix qui envahit le cœur, et permet au sang de s'endormir autour des cicatrices qui furent de cruelles blessures.

Aux autres les combats d'amour-propre et d'amour, les chagrins amers et les joies ineffables : la vie au lieu de la mémoire.

Si quelque variété a surgi aux yeux du lecteur dans les épisodes de ce récit, la cause en est aux fécondes nuances qui jaillissent de cette double palette, où deux tableaux vont se côtoyant, se mêlant et harmoniant leur ton sévère et leur ton joyeux.

Le repos des émotions de l'un s'y trouve au sein des émotions de l'autre. Après avoir raisonné avec les vieillards, on aime à délirer avec les jeunes gens.

Aussi, quand les fils de cette histoire n'attacheraient pas puissamment le chapitre que nous écrivons à celui que nous venons d'écrire, n'en prendrions-nous pas plus de souci que Ruysdaël n'en prenait pour peindre un ciel d'automne après avoir achevé un printemps.

Nous engageons le lecteur à en faire autant et à reprendre Raoul de Bragelonne à l'endroit où notre dernière esquisse l'avait laissé.

Ivre, épouvanté, désolé, ou plutôt sans raison, sans volonté, sans parti pris, il s'enfuit après la scène dont il avait vu la fin chez La Vallière. Le roi, Montalais, Louise, cette chambre, cette exclusion étrange, cette douleur de Louise, cet effroi de Montalais, ce courroux du roi, tout lui présageait un malheur. Mais lequel ?

Arrivé de Londres parce qu'on lui annonçait un danger, il trouvait du premier coup l'apparence de ce danger. N'était-ce point assez pour un amant ? Oui, certes ; mais ce n'était point assez pour un noble cœur, fier de s'exposer sur une droiture égale à la sienne.

Cependant Raoul ne chercha pas les explications là où vont tout de suite les chercher les amants jaloux ou moins timides. Il n'alla point dire à sa maîtresse : « Louise, est-ce que vous ne m'aimez plus ? Louise, est-ce que vous en aimez un autre ? » Homme plein de courage, plein d'amitié comme il était plein d'amour, religieux observateur de sa parole, et croyant à la parole d'autrui, Raoul se dit : « De Guiche m'a écrit pour me prévenir ; de Guiche sait quelque chose ; je vais aller demander à de Guiche ce qu'il sait, et lui dire ce que j'ai vu. »

Le trajet n'était pas long. De Guiche, rapporté de Fontainebleau à Paris depuis deux jours, commençait à se remettre de sa blessure et faisait quelques pas dans sa chambre.

Il poussa un cri de joie en voyant Raoul entrer avec sa furie d'amitié.

Raoul poussa un cri de douleur en voyant de Guiche si pâle, si amaigri, si triste. Deux mots et le geste que fit le blessé pour écarter le bras de Raoul suffirent à ce dernier pour lui apprendre la vérité.

— Ah ! voilà ! dit Raoul en s'asseyant à côté de son ami, on aime et l'on meurt.

— Non, non, l'on ne meurt pas, répliqua de Guiche en souriant, puisque je suis debout, puisque je vous presse dans mes bras.

— Ah ! je m'entends.

— Et je vous entends aussi. Vous vous persuadez que je suis malheureux, Raoul.

— Hélas !

— Non. Je suis le plus heureux des hommes ! Je souffre avec mon corps, mais non avec mon cœur, avec mon âme. Si vous saviez !... Oh ! je suis le plus heureux des hommes !

— Oh ! tant mieux ! répondit Raoul ; tant mieux, pourvu que cela dure.

— C'est fini ; j'en ai pour jusqu'à la mort, Raoul.

— Vous, je n'en doute pas ; mais elle...

— Écoutez, ami, je l'aime... parce que... Mais vous ne m'écoutez pas.

— Pardon.

— Vous êtes préoccupé ?

— Mais oui. Votre santé, d'abord...

— Ce n'est pas cela.

— Mon cher, vous auriez tort, je crois, de m'interroger, vous.

Et il accentua ce *vous* de manière à éclairer complètement son ami sur la nature du mal et la difficulté du remède.

— Vous me dites cela, Raoul, à cause de ce que je vous ai écrit.

— Mais oui... Voulez-vous que nous en causions quand vous aurez fini de me conter vos plaisirs et vos peines ?

— Cher ami, à vous, bien à vous, tout de suite.

— Merci ! J'ai hâte... je brûle... je suis venu de Londres ici en moitié moins de temps que les courriers d'État n'en mettent d'ordinaire. Eh bien ! que vouliez-vous ?

— Mais rien autre chose, mon ami, que de vous faire venir.

— Eh bien ! me voici.

— C'est bien, alors.

— Il y a encore autre chose, j'imagine ?

— Ma foi, non !

— De Guiche !

— D'honneur !

— Vous ne m'avez pas arraché violemment à des espérances, vous ne m'avez pas exposé à une disgrâce du roi par ce retour qui est une infraction à ses ordres, vous ne m'avez pas, enfin, attaché la jalousie au cœur, ce serpent, pour me dire : « C'est bien, dormez tranquille. »

— Je ne vous dis pas : « Dormez tranquille », Raoul ; mais, comprenez-moi bien, je ne veux ni ne puis vous dire autre chose.

— Oh ! mon ami, pour qui me prenez-vous ?

— Comment ?

— Si vous savez, pourquoi me cachez-vous ? Si vous ne savez pas, pourquoi m'avertissez-vous ?

— C'est vrai, j'ai eu tort. Oh ! je me repens bien, voyez-vous, Raoul. Ce n'est rien que d'écrire à un ami : « Venez ! » Mais avoir cet ami en face, le sentir frissonner, haleter sous l'attente d'une parole qu'on n'ose lui dire...

— Osez ! J'ai du cœur, si vous n'en avez pas ! s'écria Raoul au désespoir.

— Voilà que vous êtes injuste et que vous oubliez avoir affaire à un pauvre blessé... la moitié de votre cœur... Là ! calmez-vous ! Je vous ai dit : « Venez. » Vous êtes venu ; n'en demandez pas davantage à ce malheureux de Guiche.

— Vous m'avez dit de venir, espérant que je verrais, n'est-ce pas ?

— Mais...

— Pas d'hésitation ! J'ai vu.

— Ah !... fit de Guiche.

— Ou du moins, j'ai cru...

— Vous voyez bien, vous doutez. Mais, si vous doutez, mon pauvre ami, que me reste-t-il à faire ?

— J'ai vu La Vallière troublée... Montalais effarée... Le roi...

— Le roi ?

— Oui... Vous détournez la tête... Le danger est là, le mal est là, n'est-ce pas ? c'est le roi ?

— Je ne dis rien.

— Oh ! vous en dites mille et mille fois plus ! Des faits, par grâce, par pitié, des faits ! Mon ami, mon seul ami, parlez ! J'ai le cœur percé, saignant ; je meurs de désespoir !...

— S'il en est ainsi, cher Raoul, répliqua de Guiche, vous me mettez à l'aise, et je vais vous parler, sûr que je ne dirai que des choses consolantes en comparaison du désespoir que je vous vois.

— J'écoute ! j'écoute !...

— Eh bien ! fit le comte de Guiche, je puis vous dire ce que vous apprendriez de la bouche du premier venu.

— Du premier venu ! On en parle ? s'écria Raoul.

— Avant de dire : « On en parle », mon ami, sachez d'abord de quoi l'on peut parler. Il ne s'agit, je vous jure, de rien qui ne soit au fond très innocent ; peut-être une promenade...

— Ah ! une promenade avec le roi ?

— Mais oui, avec le roi ; il me semble que le roi s'est promené déjà bien souvent avec des dames, sans que pour cela...

— Vous ne m'eussiez pas écrit, répéterai-je, si cette promenade était bien naturelle.

— Je sais que, pendant cet orage, il faisait meilleur pour le roi de se mettre à l'abri que de rester debout tête nue devant La Vallière ; mais...

— Mais ?...

— Le roi est si poli !

— Oh ! de Guiche, de Guiche, vous me faites mourir !

— Taisons-nous donc.

— Non, continuez. Cette promenade a été suivie d'autres ?

— Non, c'est-à-dire, oui ; il y a eu l'aventure du chêne. Est-ce cela ? Je n'en sais rien.

Raoul se leva. De Guiche essaya de l'imiter malgré sa faiblesse.

— Voyez-vous, dit-il, je n'ajouterai pas un mot ; j'en ai trop dit ou trop peu. D'autres vous renseigneront s'ils veulent ou s'ils peuvent : mon office était de vous avertir, je l'ai fait. Surveillez à présent vos affaires vous-même.

— Questionner ? Hélas ! vous n'êtes pas mon ami, vous qui me parlez ainsi, dit le jeune homme désolé. Le premier que je questionnerai sera un méchant ou un sot ; méchant, il me mentira pour me tourmenter ; sot, il fera pis encore. Ah ! de Guiche ! de Guiche ! avant deux heures j'aurai trouvé dix mensonges et dix duels. Sauvez-moi ! le meilleur n'est-il pas de savoir son mal ?

— Mais je ne sais rien, vous dis-je ! J'étais blessé, fiévreux : j'avais perdu l'esprit, je n'ai de cela qu'une teinture effacée. Mais, pardieu ! nous cherchons loin quand nous avons notre homme sous la main. Est-ce que vous n'avez pas d'Artagnan pour ami ?

— Oh ! c'est vrai, c'est vrai !

— Allez donc à lui. Il fera la lumière, et ne cherchera pas à blesser vos yeux.

Un laquais entra.

— Qu'y a-t-il ? demanda de Guiche.

— On attend M. le comte dans le cabinet des Porcelaines.

— Bien. Vous permettez, cher Raoul ? Depuis que je marche, je suis si fier !

— Je vous offrirais mon bras, de Guiche, si je ne devinais que la personne est une femme.

— Je crois que oui, repartit de Guiche en souriant.

Et il quitta Raoul.

Celui-ci demeura immobile, absorbé, écrasé, comme le mineur sur qui une voûte vient de s'écrouler ; il est blessé, son sang coule, sa pensée s'interrompt, il essaie de se remettre et de sauver sa vie avec sa raison. Quelques minutes suffirent à Raoul pour dissiper les éblouissements de ces deux révélations. Il avait déjà ressaisi le fil de ses idées quand, soudain, à travers la porte, il crut reconnaître la voix de Montalais dans le cabinet des Porcelaines.

— Elle ! s'écria-t-il. Oui, c'est bien sa voix. Oh ! voilà une femme qui pourrait me dire la vérité ; mais, la questionnerai-je ici ? Elle se cache même de moi ; elle vient sans doute de la part de Madame... Je la verrai chez elle. Elle m'expliquera son effroi, sa fuite, la maladresse avec laquelle on m'a évincé ; elle me dira tout cela... quand M. d'Artagnan, qui sait tout, m'aura raffermi le cœur. Madame... une coquette... Eh bien ! oui, une coquette, mais qui aime à ses bons moments, une coquette qui, comme la mort ou la vie, a son caprice, mais qui fait dire à de Guiche qu'il est le plus heureux des hommes. Celui-là, du moins, est sur des roses. Allons !

Il s'enfuit hors de chez le comte, et, tout en se reprochant de n'avoir parlé que de lui-même à de Guiche, il arriva chez d'Artagnan.

CXC

BRAGELONNE CONTINUE SES INTERROGATIONS

Le capitaine était de service ; il faisait sa huitaine, enseveli dans le fauteuil de cuir, l'éperon fiché dans le parquet, l'épée entre les jambes, et lisait force lettres en tortillant sa moustache.

D'Artagnan poussa un grognement de joie en apercevant le fils de son ami.

— Raoul, mon garçon, dit-il, par quel hasard est-ce que le roi t'a rappelé ?

Ces mots sonnèrent mal à l'oreille du jeune homme, qui, s'asseyant, répliqua :

— Ma foi ! je n'en sais rien. Ce que je sais, c'est que je suis revenu.

— Hum ! fit d'Artagnan en repliant les lettres avec un regard plein d'intention dirigé vers son interlocuteur. Que dis-tu là, garçon ? Que le roi ne t'a pas rappelé, et que te voilà revenu ? Je ne comprends pas bien cela.

Raoul était déjà pâle, il roulait déjà son chapeau d'un air contraint.

— Quelle diable de mine fais-tu, et quelle conversation mortuaire ! fit le capitaine. Est-ce que c'est en Angleterre qu'on prend ces façons-là ? Mordioux ! j'y ai été, moi, en Angleterre, et j'en suis revenu gai comme un pinson. Parleras-tu ?

— J'ai trop à dire.

— Ah ! ah ! Comment va ton père ?

— Cher ami, pardonnez-moi ; j'allais vous le demander.

D'Artagnan redoubla l'acuité de ce regard auquel nul secret ne résistait.

— Tu as du chagrin ? dit-il.

— Pardieu ! vous le savez bien, monsieur d'Artagnan.

— Moi ?

— Sans doute. Oh ! ne faites pas l'étonné.

— Je ne fais pas l'étonné, mon ami.

— Cher capitaine, je sais fort bien qu'au jeu de la finesse comme au jeu de la force, je serai battu par vous. En ce moment, voyez-vous, je suis un sot, et je suis un ciron. Je n'ai ni cerveau ni bras, ne me méprisez pas ; aidez-moi. En deux mots, je suis le plus misérable des êtres vivants.

— Oh ! oh ! pourquoi cela ? demanda d'Artagnan en débouclant son ceinturon et en adoucissant son sourire.

— Parce que Mlle de La Vallière me trompe.

D'Artagnan ne changea pas de physionomie.

— Elle te trompe ! elle te trompe ! voilà de grands mots. Qui te les a dits ?

— Tout le monde.

— Ah ! si tout le monde l'a dit, il faut qu'il y ait quelque chose de vrai. Moi, je crois au feu quand je vois la fumée. Cela est ridicule, mais cela est.

— Ainsi, vous croyez ? s'écria vivement Bragelonne.

— Ah ! si tu me prends à partie...

— Sans doute.

— Je ne me mêle pas de ces affaires-là, moi ; tu le sais bien.

— Comment, pour un ami ? pour un fils ?

— Justement. Si tu étais un étranger, je te dirais... je ne te dirais rien du tout... Comment va Porthos, le sais-tu ?

— Monsieur, s'écria Raoul, en serrant la main de d'Artagnan, au nom de cette amitié que vous avez vouée à mon père !

— Ah ! diable ! tu es bien malade... de curiosité.

— Ce n'est pas de curiosité, c'est d'amour.

— Bon ! autre grand mot. Si tu étais réellement amoureux, mon cher Raoul, ce serait différent.

— Que voulez-vous dire ?

— Je te dis que, si tu étais pris d'un amour tellement sérieux, que je pusse croire m'adresser toujours à ton cœur... Mais c'est impossible.

— Je vous dis que j'aime éperdument Louise.

D'Artagnan lut avec ses yeux au fond du cœur de Raoul.

— Impossible, te dis-je... Tu es comme tous les jeunes gens ; tu n'es pas amoureux, tu es fou.

— Eh bien ! quand il n'y aurait que cela ?

— Jamais homme sage n'a fait dévier une cervelle d'un crâne qui tourne. J'y ai perdu mon latin cent fois en ma vie. Tu m'écouterais, que tu ne m'entendrais pas ; tu m'entendrais, que tu ne me comprendrais pas ; tu me comprendrais, que tu ne m'obéirais pas.

— Oh ! essayez, essayez !

— Je dis plus : si j'étais assez malheureux pour savoir quelque chose et assez bête pour t'en faire part... Tu es mon ami, dis-tu ?

— Oh ! oui.

— Eh bien ! je me brouillerais avec toi. Tu ne me pardonnerais jamais d'avoir détruit ton illusion, comme on dit en amour.

— Monsieur d'Artagnan, vous savez tout ; vous me laissez dans l'embarras, dans le désespoir, dans la mort ! c'est affreux !

— Là ! là !

— Je ne crie jamais, vous le savez. Mais, comme mon père et Dieu ne me pardonneraient jamais de m'être cassé la tête d'un coup de pistolet, eh bien ! je vais aller me faire conter ce que vous me refusez par le premier venu ; je lui donnerai un démenti...

— Et tu le tueras ? la belle affaire ! Tant mieux ! Qu'est-ce que cela me fait à moi ? Tue, mon garçon, tue, si cela peut te faire plaisir. C'est comme pour les gens qui ont mal aux dents ; ils me disent : « Oh ! que je souffre ! Je mordrais dans du fer. » Je leur dis : « Mordez, mes amis, mordez ! la dent y restera. »

— Je ne tuerai pas, monsieur, dit Raoul d'un air sombre.

— Oui, oh ! oui, vous prenez de ces airs-là, vous autres, aujourd'hui. Vous vous ferez tuer, n'est-ce pas ? Ah ! que c'est joli ! et comme je te regretterai, par exemple ! Comme je dirai toute la journée : « C'était un fier niais, que le petit Bragelonne ! une double brute ! J'avais passé ma vie à lui faire tenir proprement une épée, et ce drôle est allé se faire embrocher comme un oiseau. » Allez, Raoul, allez vous faire tuer, mon ami. Je ne sais pas qui vous a appris la logique ; mais, Dieu me damne ! comme disent les Anglais, celui-là, monsieur a volé l'argent de votre père.

Raoul, silencieux, enfonça sa tête dans ses mains et murmura :

— On n'a pas d'amis, non !

— Ah bah ! dit d'Artagnan.

— On n'a que des railleurs ou des indifférents.

— Sornettes ! Je ne suis pas un railleur, tout Gascon que je suis. Et indifférent ! Si je l'étais, il y a un quart d'heure déjà que je vous aurais envoyé à tous les diables ; car vous rendriez triste un homme fou de joie, et mort un homme triste. Comment, jeune homme, vous voulez que j'aille vous dégoûter de votre amoureuse, et vous apprendre à exécrer les femmes, qui sont l'honneur et la félicité de la vie humaine ?

— Monsieur, dites, dites, et je vous bénirai !

— Eh ! mon cher, croyez-vous, par hasard, que je me suis fourré dans la cervelle toutes les affaires du menuisier et du peintre, de l'escalier et du portrait, et cent mille autres contes à dormir debout ?

— Un menuisier ! qu'est-ce que signifie ce menuisier ?

— Ma foi ! je ne sais pas ; on m'a dit qu'il y avait un menuisier qui avait percé un parquet.

— Chez La Vallière ?...

— Ah ! je ne sais pas où.

— Chez le roi ?

— Bon ! Si c'était chez le roi, j'irais vous le dire, n'est-ce pas ?

— Chez qui, alors ?

— Voilà une heure que je me tue à vous répéter que je l'ignore.

— Mais le peintre, alors ? ce portrait ?...

— Il paraîtrait que le roi aurait fait faire le portrait d'une dame de la cour.

— De La Vallière ?

— Eh ! tu n'as que ce nom-là dans la bouche. Qui te parle de La Vallière ?

— Mais, alors, si ce n'est pas d'elle, pourquoi voulez-vous que cela me touche ?

— Je ne veux pas que cela te touche. Mais tu me questionnes, je te réponds. Tu veux savoir la chronique scandaleuse, je te la donne. Fais-en ton profit.

Raoul se frappa le front avec désespoir.

— C'est à en mourir ! dit-il.

— Tu l'as déjà dit.

— Oui, vous avez raison.

Et il fit un pas pour s'éloigner.

— Où vas-tu ? dit d'Artagnan.

— Je vais trouver quelqu'un qui me dira la vérité.

— Qui cela ?

— Une femme.

— Mlle de La Vallière elle-même, n'est-ce pas ? dit d'Artagnan avec un sourire. Ah ! tu as là une fameuse idée ; tu cherchais à être consolé, tu vas l'être tout de suite. Elle ne te dira pas de mal d'elle-même, va.

— Vous vous trompez, monsieur, répliqua Raoul ; la femme à qui je m'adresserai me dira beaucoup de mal.

— Montalais, je parie ?

— Oui, Montalais.

— Ah ! son amie ? Une femme qui, en cette qualité, exagérera fortement le bien ou le mal. Ne parlez pas à Montalais, mon bon Raoul.

— Ce n'est pas la raison qui vous pousse à m'éloigner de Montalais.

— Eh bien ! je l'avoue... Et, de fait, pourquoi jouerais-je avec toi comme le chat avec une pauvre souris ? Tu me fais peine, vrai. Et si je désire que tu ne parles pas à la Montalais, en ce moment, c'est que tu vas livrer ton secret et qu'on en abusera. Attends, si tu peux.

— Je ne peux pas.

— Tant pis ! Vois-tu, Raoul, si j'avais une idée... Mais je n'en ai pas.

— Promettez-moi, mon ami, de me plaindre, cela me suffira, et laissez-moi sortir d'affaire tout seul.

— Ah bien ! oui ! t'embourber, à la bonne heure ! Place-toi ici, à cette table, et prends la plume.

— Pour quoi faire ?

— Pour écrire à la Montalais et lui demander un rendez-vous.

— Ah ! fit Raoul en se jetant sur la plume que lui tendait le capitaine.

Tout à coup la porte s'ouvrit, et un mousquetaire, s'approchant de d'Artagnan :

— Mon capitaine, dit-il, il y a là Mlle de Montalais qui voudrait vous parler.

— A moi ? murmura d'Artagnan. Qu'elle entre, et je verrai bien si c'était à moi qu'elle voulait parler.

Le rusé capitaine avait flairé juste.

Montalais, en entrant, vit Raoul, et s'écria :

— Monsieur ! Monsieur !... Pardon, monsieur d'Artagnan.

— Je vous pardonne, mademoiselle, dit d'Artagnan ; je sais qu'à mon âge ceux qui me cherchent bien ont besoin de moi.

— Je cherchais M. de Bragelonne, répondit Montalais.

— Comme cela se trouve ! je vous cherchais aussi.

— Raoul, ne voulez-vous pas aller avec Mademoiselle !

— De tout mon cœur.

— Allez donc !

Et il poussa doucement Raoul hors du cabinet ; puis, prenant la main de Montalais :

— Soyez bonne fille, dit-il tout bas ; ménagez-le, et ménagez-la.

— Ah ! dit-elle sur le même ton, ce n'est pas moi qui lui parlerai.

— Comment cela ?

— C'est Madame qui le fait chercher.

— Ah ! bon ! s'écria d'Artagnan, c'est Madame ! Avant une heure, le pauvre garçon sera guéri.

— Ou mort ! fit Montalais avec compassion. Adieu, monsieur d'Artagnan !

Et elle courut rejoindre Raoul, qui l'attendait loin de la porte, bien intrigué, bien inquiet de ce dialogue qui ne promettait rien de bon.

CXCI

DEUX JALOUSIES

Les amants sont tendres pour tout ce qui touche leur bien-aimée ; Raoul ne se vit pas plutôt avec Montalais, qu'il lui baisa la main avec ardeur.

— Là, là, dit tristement la jeune fille. Vous placez là des baisers à fonds perdus, cher monsieur Raoul ; je vous garantis même qu'ils ne vous rapporteront pas intérêt.

— Comment ?... quoi ?... M'expliquerez-vous, ma chère Aure ?...

— C'est Madame qui vous expliquera tout cela. C'est chez elle que je vous conduis.

— Quoi !...

— Silence ! et pas de ces regards effarouchés. Les fenêtres, ici, ont des yeux, les murs de larges oreilles. Faites-moi le plaisir de ne plus me regarder ; faites-moi le plaisir de me parler très haut de la pluie, du beau temps et des agréments de l'Angleterre.

— Enfin...

— Ah !... je vous préviens que quelque part, je ne sais où, mais quelque part, Madame doit avoir un œil ouvert et une oreille tendue. Je ne me soucie pas, vous comprenez, d'être chassée ou embastillée. Parlons, vous dis-je, ou plutôt ne parlons pas.

Raoul serra ses poings, enleva le pas et fit la mine d'un homme de cœur, c'est vrai, mais d'un homme de cœur qui va au supplice.

Montalais, l'œil éveillé, la démarche leste, la tête à tout vent, le précédait.

Raoul fut introduit immédiatement dans le cabinet de Madame.

« Allons, pensa-t-il, cette journée se passera sans que je sache rien. De Guiche a eu trop pitié de moi ; il s'est entendu avec Madame, et tous deux, par un complot amical, éloignent la solution du problème. Que n'ai-je là un bon ennemi !... ce serpent de de Wardes, par exemple ; il mordrait, c'est vrai ; mais je n'hésiterais plus... Hésiter... douter... mieux vaut mourir ! »

Raoul était devant Madame.

Henriette, plus charmante que jamais, se tenait à demi renversée dans un fauteuil, ses pieds mignons sur un coussin de velours brodé ; elle jouait avec un petit chat aux soies touffues, qui lui mordillait les doigts et se pendait aux guipures de son col.

Madame songeait ; elle songeait profondément ; il lui fallut la voix de Montalais, celle de Raoul, pour la faire sortir de cette rêverie.

— Votre Altesse m'a mandé ? répéta Raoul.

Madame secoua la tête comme si elle se réveillait.

— Bonjour, monsieur de Bragelonne, dit-elle ; oui, je vous ai mandé. Vous voilà donc revenu d'Angleterre ?

— Au service de Votre Altesse Royale.

— Merci ! Laissez-nous, Montalais.

Montalais sortit.

— Vous avez bien quelques minutes à me donner, n'est-ce pas, monsieur de Bragelonne ?

— Toute ma vie appartient à Votre Altesse Royale, repartit avec respect Raoul, qui devinait quelque chose de sombre sous toutes ces politesses de Madame, et à qui ce sombre ne déplaisait pas, persuadé qu'il était d'une certaine affinité des sentiments de Madame avec les siens.

En effet, ce caractère étrange de la princesse, tous les gens intelligents de la cour en connaissaient la volonté capricieuse et le fantasque despotisme.

Madame avait été flattée outre mesure des hommages du roi ; Madame avait fait parler d'elle et inspiré à la reine cette jalousie mortelle qui est le ver rongeur de toutes les félicités féminines ; Madame, en un mot, pour guérir un orgueil blessé, s'était fait un cœur amoureux.

Nous savons, nous, ce que Madame avait fait pour rappeler Raoul, éloigné par Louis XIV. Sa lettre à Charles II, Raoul ne la connaissait pas ; mais d'Artagnan l'avait bien devinée.

Cet inexplicable mélange de l'amour et de la vanité, ces tendresses inouïes, ces perfidies énormes, qui les expliquera ? Personne, pas même l'ange mauvais qui allume la coquetterie au cœur des femmes.

— Monsieur de Bragelonne, dit la princesse après un silence, êtes-vous revenu content ?

Bragelonne regarda Madame Henriette, et, la voyant pâle de ce qu'elle cachait, de ce qu'elle retenait, de ce qu'elle brûlait de dire :

— Content ? dit-il ; de quoi voulez-vous que je sois content ou mécontent, madame ?

— Mais de quoi peut être content ou mécontent un homme de votre âge et de votre mine ?

« Comme elle va vite ! pensa Raoul effrayé ; que va-t-elle souffler en mon cœur ? »

Puis, effrayé de ce qu'il allait apprendre et voulant reculer le moment si désiré, mais si terrible, où il apprendrait tout :

— Madame, répliqua-t-il, j'avais laissé un tendre ami en bonne santé, je l'ai retrouvé malade.

— Voulez-vous parler de M. de Guiche ? demanda Madame Henriette avec une imperturbable tranquillité ; c'est, dit-on, un ami très cher à vous ?

— Oui, madame.

— Eh bien ! c'est vrai, il a été blessé ; mais il va mieux.

« Oh ! M. de Guiche n'est pas à plaindre, dit-elle vite.

Puis se reprenant :

— Est-ce qu'il est à plaindre ? dit-elle ; est-ce qu'il s'est plaint ? est-ce qu'il a un chagrin quelconque que nous ne connaîtrions pas ?

— Je ne parle que de sa blessure, madame.

— A la bonne heure ; car, pour le reste, M. de Guiche semble être fort heureux : on le voit d'une humeur joyeuse. Tenez, monsieur de Bragelonne, je suis bien sûre que vous choisiriez encore d'être blessé comme lui au corps !... Qu'est-ce qu'une blessure au corps ?

Raoul tressaillit.

« Elle y revient, dit-il. Hélas !... »

Il ne répliqua rien.

— Plaît-il ? fit-elle.

— Je n'ai rien dit, madame.

— Vous n'avez rien dit ! Vous me désapprouvez donc ? Vous êtes donc satisfait ?

Raoul se rapprocha.

— Madame, dit-il, Votre Altesse Royale veut me dire quelque chose, et sa générosité naturelle la pousse à ménager ses paroles. Veuille Votre Altesse ne plus rien ménager. Je suis fort et j'écoute.

— Ah ! répliqua Henriette, que comprenez-vous, maintenant ?

— Ce que Votre Altesse veut me faire comprendre.

Et Raoul trembla, malgré lui, en prononçant ces mots.

— En effet, murmura la princesse. C'est cruel ; mais, puisque j'ai commencé...

— Oui, madame, puisque Votre Altesse a daigné commencer, qu'elle daigne achever...

Henriette se leva précipitamment et fit quelques pas dans sa chambre.

— Que vous a dit M. de Guiche ? dit-elle soudain.

— Rien, madame.

— Rien ! il ne vous a rien dit ? Oh ! que je le reconnais bien là !

— Il voulait me ménager, sans doute.

— Et voilà ce que les amis appellent l'amitié ! Mais M. d'Artagnan, que vous quittez, il vous a parlé, lui ?

— Pas plus que de Guiche, madame.

Henriette fit un mouvement d'impatience.

— Au moins, dit-elle, vous savez tout ce que la cour a dit ?

— Je ne sais rien du tout, madame.

— Ni la scène de l'orage ?

— Ni la scène de l'orage !...

— Ni les tête-à-tête dans la forêt ?

— Ni les tête-à-tête dans la forêt !...

— Ni la fuite à Chaillot ?

Raoul, qui penchait comme la fleur tranchée par la faucille, fit des efforts surhumains pour sourire, et répondit avec une exquise douceur :

— J'ai eu l'honneur de dire à Votre Altesse Royale que je ne sais absolument rien. Je suis un pauvre oublié qui arrive d'Angleterre ; entre les gens d'ici et moi, il y avait tant de flots bruyants, que le bruit de toutes les choses dont Votre Altesse me parle n'ont pu arriver à mon oreille.

Henriette fut touchée de cette pâleur, de cette mansuétude, de ce courage. Le sentiment dominant de son cœur, à ce moment, c'était un vif désir d'entendre chez le pauvre amant le souvenir de celle qui le faisait ainsi souffrir.

— Monsieur de Bragelonne, dit-elle, ce que vos amis n'ont pas voulu faire, je veux le faire pour vous, que j'estime et que j'aime. C'est moi qui serai votre amie. Vous portez ici la tête comme un honnête homme, et je ne veux pas que vous la courbiez sous le ridicule ; dans huit jours, on dirait sous du mépris.

— Ah ! fit Raoul livide, c'en est déjà là ?

— Si vous ne savez pas, dit la princesse, je vois que vous devinez ; vous étiez le fiancé de Mlle de La Vallière, n'est-ce pas ?

— Oui, madame.

— A ce titre, je vous dois un avertissement ; comme, d'un jour à l'autre, je chasserai Mlle de La Vallière de chez moi...

— Chasser La Vallière ! s'écria Bragelonne.

— Sans doute. Croyez-vous que j'aurai toujours égard aux larmes et aux jérémiades du roi ? Non, non, ma maison ne sera pas plus longtemps commode pour ces sortes d'usages ; mais vous chancelez !...

— Non, madame, pardon, dit Bragelonne en faisant un effort ; j'ai cru que j'allais mourir, voilà tout. Votre Altesse Royale me faisait l'honneur de me dire que le roi avait pleuré, supplié.

— Oui, mais en vain.

Et elle raconta à Raoul la scène de Chaillot et le désespoir du roi au retour ; elle raconta son indulgence à elle-même, et le terrible mot avec lequel la princesse outragée, la coquette humiliée, avait terrassé la colère royale.

Raoul baissa la tête.

— Qu'en pensez-vous ? dit-elle.

— Le roi l'aime ! répliqua-t-il.

— Mais vous avez l'air de dire qu'elle ne l'aime pas.

— Hélas ! je pense encore au temps où elle m'a aimé, madame.

Henriette eut un moment d'admiration pour cette incrédulité sublime ; puis, haussant les épaules :

— Vous ne me croyez pas ! dit-elle. Oh ! comme vous l'aimez, *vous* ! et vous doutez qu'elle aime le roi, *elle* ?

— Jusqu'à la preuve. Pardon, j'ai sa parole, voyez-vous, et elle est fille noble.

— La preuve ?... Eh bien ! soit ; venez !

CXCII

VISITE DOMICILIAIRE

La princesse, précédant Raoul, le conduisit à travers la cour vers le corps de bâtiment qu'habitait La Vallière, et, montant l'escalier qu'avait monté Raoul le matin même, elle s'arrêta à la porte de la chambre où le jeune homme, à son tour, avait été si étrangement reçu par Montalais.

Le moment était bien choisi pour accomplir le projet conçu par Madame Henriette : le château était vide ; le roi, les courtisans et les dames étaient partis pour Saint-Germain ; Madame Henriette, seule, sachant le retour de Bragelonne et pensant au parti qu'elle avait à tirer de ce retour, avait prétexté une indisposition, et était restée.

Madame était donc sûre de trouver vides la chambre de La Vallière, et l'appartement de Saint-Aignan. Elle tira une double clef de sa poche, et ouvrit la porte de sa demoiselle d'honneur.

Le regard de Bragelonne plongea dans cette chambre qu'il reconnut, et l'impression que lui fit la vue de cette chambre fut un des premiers supplices qui l'attendaient.

La princesse le regarda, et son œil exercé put voir ce qui se passait dans le cœur du jeune homme.

— Vous m'avez demandé des preuves, dit-elle ; ne soyez donc pas surpris si je vous en donne. Maintenant, si vous ne vous croyez pas le courage de les supporter, il en est temps encore, retirons-nous.

— Merci, madame, dit Bragelonne ; mais je suis venu pour être convaincu. Vous avez promis de me convaincre, convainquez-moi.

— Entrez donc, dit Madame, et refermez la porte derrière vous.

Bragelonne obéit, et se retourna vers la princesse, qu'il interrogea du regard.

— Vous savez où vous êtes ? demanda Madame Henriette.

— Mais tout me porte à croire, madame, que je suis dans la chambre de Mlle de La Vallière ?

— Vous y êtes.

— Mais je ferai observer à Votre Altesse que cette chambre est une chambre, et n'est pas une preuve.

— Attendez.

La princesse s'achemina vers le pied du lit, replia le paravent, et, se baissant vers le parquet :

— Tenez, dit-elle, baissez-vous et levez vous-même cette trappe.

— Cette trappe ? s'écria Raoul avec surprise, car les mots de d'Artagnan commençaient à lui revenir en mémoire, et il se souvenait que d'Artagnan avait vaguement prononcé ce mot.

Et Raoul chercha des yeux, mais inutilement, une fente qui indiquât une ouverture ou un anneau qui aidât à soulever une portion quelconque du plancher.

— Ah ! c'est vrai ! dit en riant Madame Henriette, j'oubliais le ressort caché : la quatrième feuille du parquet ; appuyez sur l'endroit où le bois fait un nœud. Voilà l'instruction. Appuyez vous-même, vicomte, appuyez, c'est ici.

Raoul, pâle comme un mort, appuya le pouce sur l'endroit indiqué et, en effet, à l'instant même, le ressort joua et la trappe se souleva d'elle-même.

— C'est très ingénieux, dit la princesse, et l'on voit que l'architecte a prévu que ce serait une petite main qui aurait à utiliser ce ressort : voyez comme cette trappe s'ouvre toute seule ?

— Un escalier ! s'écria Raoul.

— Oui, et très élégant même, dit Madame Henriette. Voyez, vicomte, cet escalier a une rampe destinée à garantir des chutes les délicates personnes qui se hasarderaient à le descendre, ce qui fait que je m'y risque. Allons, suivez-moi, vicomte, suivez-moi.

— Mais, avant de vous suivre, madame où conduit cet escalier ?

— Ah ! c'est vrai, j'oubliais de vous le dire.

— J'écoute, madame, dit Raoul respirant à peine.

— Vous savez peut-être que M. de Saint-Aignan demeurait autrefois presque porte à porte avec le roi ?

— Oui, madame, je le sais ; c'était ainsi avant mon départ et, plus d'une fois, j'ai eu l'honneur de le visiter à son ancien logement.

— Eh bien ! il a obtenu du roi de changer ce commode et bel appartement que vous lui connaissiez contre les deux petites chambres auxquelles mène cet escalier, et qui forment un logement deux fois plus petit et dix fois plus éloigné de celui du roi, dont le voisinage, cependant, n'est point dédaigné, en général, par messieurs de la cour.

— Fort bien, madame, reprit Raoul ; mais continuez, je vous prie, car je ne comprends point encore.

— Eh bien ! il s'est trouvé, par hasard, continua la princesse, que ce logement de M. de Saint-Aignan est situé au-dessous de ceux de mes filles, et particulièrement au-dessous de celui de La Vallière.

— Mais dans quel but cette trappe et cet escalier ?

— Dame ! je l'ignore. Voulez-vous que nous descendions chez M. de Saint-Aignan ? Peut-être y trouverons-nous l'explication de l'énigme.

Et Madame donna l'exemple en descendant elle-même.

Raoul la suivit en soupirant.

Chaque marche qui craquait sous les pieds de Bragelonne le faisait pénétrer d'un pas dans cet appartement mystérieux, qui renfermait encore les soupirs de La Vallière, et les plus suaves parfums de son corps.

Bragelonne reconnut, en absorbant l'air par ses haletantes aspirations, que la jeune fille avait dû passer par là.

Puis, après ces émanations, preuves invisibles, mais certaines, vinrent les fleurs qu'elle aimait, les livres qu'elle avait choisis. Raoul eût-il conservé un seul doute, qu'il l'eût perdu à cette secrète harmonie des goûts et des alliances de l'esprit avec l'usage des objets qui accompagnent la vie. La Vallière était pour Bragelonne en vivante présence dans les meubles, dans le choix des étoffes, dans les reflets mêmes du parquet.

Muet et écrasé, il n'avait plus rien à apprendre, et ne suivait plus son impitoyable conductrice que comme le patient suit le bourreau.

Madame, cruelle comme une femme délicate et nerveuse, ne lui faisait grâce d'aucun détail.

Mais, il faut le dire, malgré l'espèce d'apathie dans laquelle il était tombé, aucun de ces détails, fût-il resté seul, n'eût échappé à Raoul. Le bonheur de la femme qu'il aime, quand ce bonheur lui vient d'un rival, est une torture pour un jaloux. Mais, pour un jaloux tel que l'était Raoul, pour ce cœur qui, pour la première fois, s'imprégnait de fiel, le bonheur de Louise, c'était une mort ignominieuse, la mort du corps et de l'âme.

Il devina tout : les mains qui s'étaient serrées, les visages rapprochés qui s'étaient mariés en face des miroirs, sorte de serment si doux pour les amants qui se voient deux fois, afin de mieux graver le tableau dans leur souvenir.

Il devina le baiser invisible sous les épaisses portières retombant délivrées de leurs embrasses. Il traduisit en fiévreuses douleurs l'éloquence des lits de repos, enfouis dans leur ombre.

Ce luxe, cette recherche pleine d'enivrement, ce soin minutieux d'épargner tout déplaisir à l'objet aimé, ou de lui causer une gracieuse surprise ; cette puissance de l'amour multipliée par la puissance royale, frappa Raoul d'un coup mortel. Oh ! s'il est un adoucissement aux poignantes douleurs de la jalousie, c'est l'infériorité de l'homme qu'on vous préfère : tandis qu'au contraire s'il est un enfer dans l'enfer, une torture sans nom dans la langue, c'est la toute-puissance d'un dieu mise à la disposition d'un rival, avec la jeunesse, la beauté, la grâce. Dans ces moments-là, Dieu lui-même semble avoir pris parti contre l'amant dédaigné.

Une dernière douleur était réservée au pauvre Raoul : Madame Henriette souleva un rideau de soie, et, derrière le rideau, il aperçut le portrait de La Vallière.

Non seulement le portrait de La Vallière, mais de La Vallière jeune, belle, joyeuse, aspirant la vie par tous les pores, parce qu'à dix-huit ans, la vie, c'est l'amour.

— Louise ! murmura Bragelonne, Louise ! C'est donc vrai ? Oh ! tu ne m'as jamais aimé, car jamais tu ne m'as regardé ainsi.

Et il lui sembla que son cœur venait d'être tordu dans sa poitrine.

Madame Henriette le regardait, presque envieuse de cette douleur, quoiqu'elle sût bien n'avoir rien à envier, et qu'elle était aimée de Guiche comme La Vallière était aimée de Bragelonne.

Raoul surprit ce regard de Madame Henriette.

— Oh ! pardon, pardon, dit-il ; je devrais être plus maître de moi, je le sais, me trouvant en face de vous, madame. Mais, puisse le Seigneur,

Dieu du ciel et de la terre, ne jamais vous frapper du coup qui m'atteint en ce moment ! Car vous êtes femme, et sans doute vous ne pourriez pas supporter une pareille douleur. Pardonnez-moi, je ne suis qu'un pauvre gentilhomme, tandis que vous êtes, vous, de la race de ces heureux, de ces tout-puissants, de ces élus...

— Monsieur de Bragelonne, répliqua Henriette, un cœur comme le vôtre mérite les soins et les égards d'un cœur de reine. Je suis votre amie, monsieur ; aussi n'ai-je point voulu que toute votre vie soit empoisonnée par la perfidie et souillée par le ridicule. C'est moi qui, plus brave que tous les prétendus amis, j'excepte M. de Guiche, vous ai fait revenir de Londres ; c'est moi qui vous fournis les preuves douloureuses, mais nécessaires, qui seront votre guérison, si vous êtes un courageux amant et non pas un Amadis pleurard. Ne me remerciez pas : plaignez-moi même, et ne servez pas moins bien le roi.

Raoul sourit avec amertume.

— Ah ! c'est vrai, dit-il, j'oubliais ceci : le roi est mon maître.

— Il y va de votre liberté ! il y va de votre vie !

Un regard clair et pénétrant de Raoul apprit à Madame Henriette qu'elle se trompait, et que son dernier argument n'était pas de ceux qui touchassent ce jeune homme.

— Prenez garde, monsieur de Bragelonne, dit-elle ; mais, en ne pesant pas toutes vos actions, vous jetteriez dans la colère un prince disposé à s'emporter hors des limites de la raison ; vous jetteriez dans la douleur vos amis et votre famille ; inclinez-vous, soumettez-vous, guérissez-vous.

— Merci, madame, dit-il. J'apprécie le conseil que Votre Altesse me donne, et je tâcherai de le suivre ; mais, un dernier mot je vous prie.

— Dites.

— Est-ce une indiscrétion que de vous demander le secret de cet escalier, de cette trappe, de ce portrait, secret que vous avez découvert ?

— Oh ! rien de plus simple ; j'ai, pour cause de surveillance, le double des clefs de mes filles ; il m'a paru étrange que La Vallière se renfermât si souvent ; il m'a paru étrange que M. de Saint-Aignan changeât de logis ; il m'a paru étrange que le roi vînt voir si quotidiennement M. de Saint-Aignan, si avant que celui-ci fût dans son amitié ; enfin, il m'a paru étrange que tant de choses se fussent faites depuis votre absence, que les habitudes de la cour en étaient changées. Je ne veux pas être jouée par le roi, je ne veux pas servir de manteau à ses amours ; car, après La Vallière qui pleure, il aura Montalais qui rit, Tonnay-Charente qui chante ; ce n'est pas un rôle digne de moi. J'ai levé les scrupules de mon amitié, j'ai découvert le secret... Je vous blesse ; encore une fois, excusez-moi, mais j'avais un devoir à remplir ; c'est fini, vous voilà prévenu ; l'orage va venir, garantissez-vous.

— Vous concluez quelque chose, cependant, madame, répondit

Bragelonne avec fermeté ; car vous ne supposez pas que j'accepterai sans rien dire la honte que je subis et la trahison qu'on me fait.

— Vous prendrez à ce sujet le parti qui vous conviendra, monsieur Raoul. Seulement, ne dites point la source d'où vous tenez la vérité ; voilà tout ce que je vous demande, voilà le seul prix que j'exige du service que je vous ai rendu.

— Ne craignez rien, madame, dit Bragelonne avec un sourire amer.

— J'ai, moi, gagné le serrurier que les amants avaient mis dans leurs intérêts. Vous pouvez fort bien avoir fait comme moi, n'est-ce pas ?

— Oui, madame. Votre Altesse Royale ne me donne aucun conseil et ne m'impose aucune réserve que celle de ne pas la compromettre ?

— Pas d'autre.

— Je vais donc supplier Votre Altesse Royale de m'accorder une minute de séjour ici.

— Sans moi ?

— Oh ! non, madame. Peu importe ; ce que j'ai à faire, je puis le faire devant vous. Je vous demande une minute pour écrire un mot à quelqu'un.

— C'est hasardeux, monsieur de Bragelonne. Prenez garde !

— Personne ne peut savoir si Votre Altesse Royale m'a fait l'honneur de me conduire ici. D'ailleurs, je signe la lettre que j'écris.

— Faites, monsieur.

Raoul avait déjà tiré ses tablettes et tracé rapidement ces mots sur une feuille blanche :

Monsieur le comte,

Ne vous étonnez pas de trouver ici ce papier signé de moi, avant qu'un de mes amis, que j'enverrai tantôt chez vous, ait eu l'honneur de vous expliquer l'objet de ma visite.

VICOMTE RAOUL DE BRAGELONNE

Il roula cette feuille, la glissa dans la serrure de la porte qui communiquait à la chambre des deux amants, et, bien assuré que ce papier était tellement visible que de Saint-Aignan le devait voir en rentrant, il rejoignit la princesse, arrivée déjà au haut de l'escalier.

Sur le palier, ils se séparèrent : Raoul affectant de remercier Son Altesse, Henriette plaignant ou faisant semblant de plaindre de tout son cœur le malheureux qu'elle venait de condamner à un aussi horrible supplice.

— Oh ! dit-elle en le voyant s'éloigner pâle et l'œil injecté de sang ; oh ! si j'avais su, j'aurais caché la vérité à ce pauvre jeune homme.

CXCIII

LA MÉTHODE DE PORTHOS

La multiplicité des personnages que nous avons introduits dans cette longue histoire fait que chacun est obligé de ne paraître qu'à son tour et selon les exigences du récit. Il en résulte que nos lecteurs n'ont pas eu l'occasion de se retrouver avec notre ami Porthos depuis son retour de Fontainebleau.

Les honneurs qu'il avait reçus du roi n'avaient point changé le caractère placide et affectueux du respectable seigneur ; seulement, il redressait la tête plus que de coutume, et quelque chose de majestueux se révélait dans son maintien, depuis qu'il avait reçu la faveur de dîner à la table du roi. La salle à manger de Sa Majesté avait produit un certain effet sur Porthos. Le seigneur de Bracieux et de Pierrefonds aimait à se rappeler que, durant ce dîner mémorable, force serviteurs et bon nombre d'officiers, se trouvant derrière les convives, donnaient bon air au repas et meublaient la pièce.

Porthos se promit de conférer à M. Mouston une dignité quelconque, d'établir une hiérarchie dans le reste de ses gens, et de se créer une maison militaire ; ce qui n'était pas insolite parmi les grands capitaines, attendu que, dans le précédent siècle, on remarquait ce luxe chez MM. de Tréville, de Schomberg, de La Vieuville, sans parler de MM. de Richelieu, de Condé, et de Bouillon-Turenne[1].

Lui, Porthos, ami du roi et de M. Fouquet, baron, ingénieur, etc., pourquoi ne jouirait-il pas de tous les agréments attachés aux grands biens et aux grands mérites ?

Un peu délaissé d'Aramis, lequel, nous le savons, s'occupait beaucoup de M. Fouquet, un peu négligé, à cause du service, par d'Artagnan, blasé sur Trüchen et sur Planchet, Porthos se surprit à rêver sans trop savoir pourquoi ; mais à quiconque lui eût dit : « Est-ce qu'il vous manque quelque chose, Porthos ? » il eût assurément répondu : « Oui. »

Après un de ces dîners pendant lesquels Porthos essayait de se rappeler tous les détails du dîner royal, demi-joyeux, grâce au bon vin, demi-triste, grâce aux idées ambitieuses, Porthos se laissait aller à un commencement de sieste, quand son valet de chambre vint l'avertir que M. de Bragelonne voulait lui parler.

Porthos passa dans la salle voisine, où il trouva son jeune ami dans les dispositions que nous connaissons.

---

1. Sur ces hommes de guerre, voir Dictionnaire. Personnages et Temps modernes.

Raoul vint serrer la main de Porthos, qui, surpris de sa gravité, lui offrit un siège.

— Cher monsieur du Vallon, dit Raoul, j'ai un service à vous demander.

— Cela tombe à merveille, mon jeune ami, répliqua Porthos. On m'a envoyé huit mille livres, ce matin, de Pierrefonds, et, si c'est d'argent que vous avez besoin...

— Non, ce n'est pas d'argent ; merci, mon excellent ami.

— Tant pis ! J'ai toujours entendu dire que c'est là le plus rare des services, mais le plus aisé à rendre. Ce mot m'a frappé ; j'aime à citer les mots qui me frappent.

— Vous avez un cœur aussi bon que votre esprit est sain.

— Vous êtes trop bon. Vous dînerez bien, peut-être ?

— Oh ! non, je n'ai pas faim.

— Hein ! Quel affreux pays que l'Angleterre ?

— Pas trop ; mais...

— Voyez-vous, si l'on n'y trouvait pas l'excellent poisson et la belle viande qu'il y a, ce ne serait pas supportable.

— Oui... je venais...

— Je vous écoute. Permettez seulement que je me rafraîchisse. On mange salé à Paris. Pouah !

Et Porthos se fit apporter une bouteille de vin de Champagne.

Puis, ayant rempli avant le sien le verre de Raoul, il but un large coup, et, satisfait, il reprit :

— Il me fallait cela pour vous entendre sans distraction. Me voici tout à vous. Que demandez-vous, cher Raoul ? que désirez-vous ?

— Dites-moi votre opinion sur les querelles, mon cher ami.

— Mon opinion ?... Voyons, développez un peu votre idée, répondit Porthos en se grattant le front.

— Je veux dire : Êtes-vous d'un bon naturel quand il y a démêlé entre vos amis et des étrangers ?

— Oh ! d'un naturel excellent, comme toujours.

— Fort bien ; mais que faites-vous, alors ?

— Quand mes amis ont des querelles, j'ai un principe.

— Lequel ?

— C'est que le temps perdu est irréparable, et que l'on n'arrange jamais aussi bien une affaire que lorsque l'on a encore l'échauffement de la dispute.

— Ah ! vraiment, voilà votre principe ?

— Absolument. Aussi, dès que la querelle est engagée, je mets les parties en présence.

— Oui-da ?

— Vous comprenez que, de cette façon, il est impossible qu'une affaire ne s'arrange pas.

— J'aurais cru, dit avec étonnement Raoul, que, prise ainsi, une affaire devait, au contraire...

— Pas le moins du monde. Songez que j'ai eu, dans ma vie, quelque chose comme cent quatre-vingts à cent quatre-vingt-dix duels réglés, sans compter les prises d'épées et les rencontres fortuites.

— C'est un beau chiffre, dit Raoul en souriant malgré lui.

— Oh! ce n'est rien; moi, je suis si doux!... D'Artagnan compte ses duels par centaines. Il est vrai qu'il est dur et piquant, je le lui ai souvent répété.

— Ainsi, reprit Raoul, vous arrangez d'ordinaire les affaires que vos amis vous confient?

— Il n'y a pas d'exemple que je n'aie fini par en arranger une, dit Porthos avec mansuétude et une confiance qui firent bondir Raoul.

— Mais, dit-il, les arrangements sont-ils au moins honorables?

— Oh! je vous en réponds; et, à ce propos, je vais vous expliquer mon autre principe. Une fois que mon ami m'a remis sa querelle, voici comme je procède: je vais trouver son adversaire sur-le-champ; je m'arme d'une politesse et d'un sang-froid qui sont de rigueur en pareille circonstance.

— C'est à cela, dit Raoul avec amertume, que vous devez d'arranger si bien et si sûrement les affaires?

— Je le crois. Je vais donc trouver l'adversaire et je lui dis: « Monsieur, il est impossible que vous ne compreniez pas à quel point vous avez outragé mon ami. »

Raoul fronça le sourcil.

— Quelquefois, souvent même, poursuivit Porthos, mon ami n'a pas été offensé du tout; il a même offensé le premier: vous jugez si mon discours est adroit.

Et Porthos éclata de rire.

« Décidément, se disait Raoul pendant que retentissait le tonnerre formidable de cette hilarité, décidément j'ai du malheur. De Guiche me bat froid, d'Artagnan me raille, Porthos est mou: nul ne veut *arranger* cette affaire à ma façon. Et moi qui m'étais adressé à Porthos pour trouver une épée au lieu d'un raisonnement!... Ah! quelle mauvaise chance! »

Porthos se remit, et continua:

— J'ai donc, par un seul mot, mis l'adversaire dans son tort.

— C'est selon, dit distraitement Raoul.

— Non pas, c'est sûr. Je l'ai mis dans son tort; c'est à ce moment que je déploie toute ma courtoisie, pour aboutir à l'heureuse issue de mon projet. Je m'avance donc d'une mine affable, et, prenant la main de l'adversaire...

— Oh! fit Raoul impatient.

— « Monsieur, lui dis-je, à présent que vous êtes convaincu de l'offense, nous sommes assurés de la réparation. Entre mon ami et vous, c'est désormais un échange de gracieux procédés. En conséquence, je suis chargé de vous donner la longueur de l'épée de mon ami. »

— Hein ? fit Raoul.

— Attendez donc !... « La longueur de l'épée de mon ami. J'ai un cheval en bas ; mon ami est à tel endroit, qui attend impatiemment votre aimable présence ; je vous emmène ; nous prenons votre témoin en passant, l'affaire est arrangée. »

— Et, dit Raoul pâle de dépit, vous réconciliez les deux adversaires sur le terrain ?

— Plaît-il ? interrompit Porthos. Réconcilier ? pour quoi faire ?

— Vous dites que l'affaire est arrangée...

— Sans doute, puisque mon ami attend.

— Eh bien ! quoi ! s'il attend...

— Eh bien ! s'il attend, c'est pour se délier les jambes. L'adversaire, au contraire, est encore tout roide du cheval ; on s'aligne, et mon ami tue l'adversaire. C'est fini.

— Ah ! il le tue ? s'écria Raoul.

— Pardieu ! dit Porthos, est-ce que je prends jamais pour amis des gens qui se font tuer ? J'ai cent et un amis, à la tête desquels sont monsieur votre père, Aramis et d'Artagnan, tous gens fort vivants, je crois !

— Oh ! mon cher baron, s'exclama Raoul dans l'excès de sa joie.

— Vous approuvez ma méthode, alors ? fit le géant.

— Je l'approuve si bien, que j'y aurai recours aujourd'hui, sans retard, à l'instant même. Vous êtes l'homme que je cherchais.

— Bon ! me voici ; vous voulez vous battre ?

— Absolument.

— C'est bien naturel... Avec qui ?

— Avec M. de Saint-Aignan.

— Je le connais... un charmant garçon, qui a été fort poli avec moi le jour où j'eus l'honneur de dîner chez le roi. Certes, je lui rendrai sa politesse, même quand ce ne serait pas mon habitude. Ah çà ! il vous a donc offensé ?

— Mortellement.

— Diable ! Je pourrai dire mortellement ?

— Plus encore, si vous voulez.

— C'est bien commode.

— Voilà une affaire tout arrangée, n'est-ce pas ? dit Raoul en souriant.

— Cela va de soi... Où l'attendez-vous ?

— Ah ! pardon, c'est délicat. M. de Saint-Aignan est fort ami du roi.

— Je l'ai ouï dire.

— Et si je le tue ?

— Vous le tuerez certainement. C'est à vous de vous précautionner ;

mais, maintenant, ces choses-là ne souffrent pas de difficultés. Si vous eussiez vécu de notre temps, à la bonne heure !

— Cher ami vous ne m'avez pas compris. Je veux dire que, M. de Saint-Aignan étant un ami du roi, l'affaire sera plus difficile à engager, attendu que le roi peut savoir à l'avance...

— Eh ! non pas ! Ma méthode, vous savez bien : « Monsieur, vous avez offensé mon ami, et... »

— Oui, je le sais.

— Et puis : « Monsieur, le cheval est en bas. » Je l'emmène donc avant qu'il ait parlé à personne.

— Se laissera-t-il emmener comme cela ?

— Pardieu ! je voudrais bien voir ! Il serait le premier. Il est vrai que les jeunes gens d'aujourd'hui... Mais, bah ! je l'enlèverai s'il le faut.

Et Porthos, joignant le geste à la parole, enleva Raoul et sa chaise.

— Très bien, dit le jeune homme en riant. Il nous reste à poser la question à M. de Saint-Aignan.

— Quelle question ?

— Celle de l'offense.

— Eh bien ! mais, c'est fait, ce me semble.

— Non, mon cher monsieur du Vallon, l'habitude chez nous autres gens d'aujourd'hui, comme vous dites, veut qu'on s'explique les causes de l'offense.

— Par votre nouvelle méthode, oui. Eh bien ! alors, contez-moi votre affaire...

— C'est que...

— Ah dame ! voilà l'ennui ! Autrefois, nous n'avions jamais besoin de conter. On se battait parce qu'on se battait. Je ne connais pas de meilleure raison, moi.

— Vous êtes dans le vrai, mon ami.

— J'écoute vos motifs.

— J'en ai trop à raconter. Seulement, comme il faut préciser...

— Oui, oui, diable ! avec la nouvelle méthode.

— Comme il faut, dis-je, préciser ; comme, d'un autre côté l'affaire est pleine de difficultés et commande un secret absolu...

— Oh ! oh !

— Vous aurez l'obligeance de dire seulement à M. de Saint-Aignan, et il le comprendra, qu'il m'a offensé : d'abord, en déménageant.

— En déménageant ?... Bien, fit Porthos, qui se mit à récapituler sur ses doigts. Après ?

— Puis en faisant construire une trappe dans son nouveau logement.

— Je comprends, dit Porthos ; une trappe. Peste ! c'est grave ! Je crois bien que vous devez être furieux de cela ! Et pourquoi ce drôle ferait-il faire des trappes sans vous avoir consulté ? Des trappes !... mordioux !... Je n'en ai pas, moi, si ce n'est mon oubliette de Bracieux !

— Vous ajouterez, dit Raoul, que mon dernier motif de me croire outragé, c'est le portrait que M. de Saint-Aignan sait bien.

— Eh ! mais, encore un portrait ?... Quoi ! un déménagement, une trappe et un portrait ? Mais, mon ami, dit Porthos, avec l'un de ces griefs seulement, il y a de quoi faire s'entr'égorger toute la gentilhommerie de France et d'Espagne, ce qui n'est pas peu dire.

— Ainsi, cher, vous voilà suffisamment muni ?

— J'emmène un deuxième cheval. Choisissez votre lieu de rendez-vous, et, pendant que vous attendrez, faites des *pliés* et fendez-vous à fond, cela donne une élasticité rare.

— Merci ! J'attendrai au bois de Vincennes, près des Minimes[1].

— Voilà qui va bien... Où trouve-t-on ce M. de Saint-Aignan ?

— Au Palais-Royal.

Porthos agita une grosse sonnette. Son valet parut.

— Mon habit de cérémonie, dit-il ; mon cheval et un cheval de main.

Le valet s'inclina et sortit.

— Votre père sait-il cela ? dit Porthos.

— Non ; je vais lui écrire.

— Et d'Artagnan ?

— M. d'Artagnan non plus. Il est prudent, il m'aurait détourné.

— D'Artagnan est homme de bon conseil, cependant, dit Porthos étonné, dans sa modestie loyale, qu'on eût songé à lui quand il y avait un d'Artagnan au monde.

— Cher monsieur du Vallon, répliqua Raoul, ne me questionnez plus, je vous en conjure. J'ai dit tout ce que j'avais à dire. C'est l'action que j'attends ; je l'attends rude et décisive, comme vous savez les préparer. Voilà pourquoi je vous ai choisi.

— Vous serez content de moi, répliqua Porthos.

— Et songez, cher ami, que, hors nous, tout le monde doit ignorer cette rencontre.

— On s'aperçoit toujours de ces choses-là, dit Porthos, quand on trouve un corps mort dans le bois. Ah ! cher ami, je vous promets tout, hors de dissimuler le corps mort. Il est là, on le voit, c'est inévitable. J'ai pour principe de ne pas enterrer. Cela sent son assassin. Au risque de risque, comme dit le Normand.

— Brave et cher ami, à l'ouvrage !

— Reposez-vous sur moi, dit le géant en finissant la bouteille, tandis que son laquais étalait sur un meuble le somptueux habit et les dentelles.

Quant à Raoul, il sortit en se disant avec une joie secrète :

« Oh ! roi perfide ! roi traître ! je ne puis t'atteindre ! Je ne le veux

---

1. Protégé par un haut mur le couvent, qui occupait l'emplacement actuel du lac des Minimes, avait d'abord abrité les religieux de Grandmont avant que Henri III n'y loge les minimes venus du monastère de Passy (1585).

pas ! Les rois sont des personnes sacrées ; mais ton complice, ton complaisant, qui te représente, ce lâche va payer ton crime ! Je le tuerai en ton nom, et, après, nous songerons à Louise ! »

CXCIV

LE DÉMÉNAGEMENT, LA TRAPPE ET LE PORTRAIT

Porthos, chargé, à sa grande satisfaction, de cette mission qui le rajeunissait, économisa une demi-heure sur le temps qu'il mettait d'habitude à ses toilettes de cérémonie.

En homme qui s'est frotté au grand monde, il avait commencé par envoyer son laquais s'informer si M. de Saint-Aignan était chez lui.

On lui avait fait réponse que M. le comte de Saint-Aignan avait eu l'honneur d'accompagner le roi à Saint-Germain, ainsi que toute la cour, mais que M. le comte venait de rentrer à l'instant même.

Sur cette réponse, Porthos se hâta et arriva au logis de de Saint-Aignan, comme celui-ci venait de faire tirer ses bottes.

La promenade avait été superbe. Le roi, de plus en plus amoureux et de plus en plus heureux, se montrait de charmante humeur pour tout le monde ; il avait des bontés à nulle autre pareilles, comme disaient les poètes du temps.

M. de Saint-Aignan, on se le rappelle, était poète, et pensait l'avoir prouvé en assez de circonstances mémorables pour qu'on ne lui contestât point ce titre.

Comme un infatigable croqueur de rimes, il avait, pendant toute la route, saupoudré de quatrains, de sixains et de madrigaux, le roi d'abord, La Vallière ensuite.

De son côté, le roi était en verve et avait fait un distique.

Quant à La Vallière, comme les femmes qui aiment, elle avait fait deux sonnets.

Comme on le voit, la journée n'avait pas été mauvaise pour Apollon.

Aussi, de retour à Paris, de Saint-Aignan, qui savait d'avance que ses vers iraient courir les ruelles, se préoccupait-il, un peu plus qu'il ne l'avait fait pendant la promenade, de la facture et de l'idée.

En conséquence, pareil à un tendre père qui est sur le point de produire ses enfants dans le monde, il se demandait si le public trouverait droits, corrects et gracieux ces fils de son imagination. Donc, pour en avoir le cœur net, M. de Saint-Aignan se récitait à lui-même le madrigal suivant, qu'il avait dit de mémoire au roi, et qu'il avait promis de lui donner écrit à son retour :

> *Iris, vos yeux malins ne disent pas toujours*
> *Ce que votre pensée à votre cœur confie ;*
> *Iris, pourquoi faut-il que je passe ma vie*
> *A plus aimer vos yeux qui m'ont joué ces tours ?*

Ce madrigal, tout gracieux qu'il était, ne paraissait pas parfait à de Saint-Aignan, du moment où il le passait de la tradition orale à la poésie manuscrite. Plusieurs l'avaient trouvé charmant, l'auteur tout le premier ; mais à la seconde vue, ce n'était plus le même engouement. Aussi de Saint-Aignan, devant sa table, une jambe croisée sur l'autre et se grattant la tempe, répétait-il :

> *Iris, vos yeux malins ne disent pas toujours...*

— Oh ! quant à celui-là, murmura de Saint-Aignan, celui-là est irréprochable. J'ajouterais même qu'il a un petit air Ronsard ou Malherbe dont je suis content. Malheureusement, il n'en est pas de même du second. On a bien raison de dire que le vers le plus facile à faire est le premier.

Et il continua :

> *Ce que votre pensée à votre cœur confie...*

— Ah ! voilà la pensée qui confie au cœur ! Pourquoi le cœur ne confierait-il pas aussi bien à la pensée ? Ma foi, quant à moi, je n'y vois pas d'obstacle. Où diable ai-je été associer ces deux hémistiches ? Par exemple, le troisième est bon :

> *Iris, pourquoi faut-il que je passe ma vie...*

quoique la rime ne soit pas riche... *vie* et *confie*... Ma foi ! l'abbé Boyer, qui est un grand poète, a fait rimer, comme moi, *vie* et *confie* dans la tragédie d'*Oropaste, ou le Faux Tonaxare*, sans compter que M. Corneille ne s'en gêne pas dans sa tragédie de *Sophonisbe*[1]. Va donc pour *vie* et *confie*. Oui, mais le vers est impertinent. Je me rappelle que le roi s'est mordu l'ongle, à ce moment. En effet, il a l'air de dire à Mlle de La Vallière : « D'où vient que je suis ensorcelé de vous ? » Il eût mieux valu dire, je crois :

> *Que bénis soient les dieux qui condamnent ma vie.*

Condamnent ! Ah bien ! oui ! voilà encore une politesse ! Le roi condamné à La Vallière... Non !

Puis il répéta :

> *Mais bénis soient les dieux qui... destinent ma vie.*

— Pas mal ; quoique *destinent ma vie* soit faible ; mais, ma foi ! tout

---

1. La rime vie/confie ne se trouve ni dans *Sophonisbe*, ni dans *Orospaste* où l'abbé Boyer multiplie pourtant les rimes pauvres à vie : Darie, défie, furie.

ne peut pas être fort dans un quatrain. *A plus aimer vos yeux...* Plus aimer qui ? quoi ? Obscurité... L'obscurité n'est rien ; puisque La Vallière et le roi m'ont compris, tout le monde me comprendra. Oui, mais voilà le triste !... c'est le dernier hémistiche : *Qui m'ont joué ces tours.* Le pluriel forcé pour la rime ! et puis appeler la pudeur de La Vallière un tour ! Ce n'est pas heureux. Je vais passer par la langue de tous les gratte-papier mes confrères. On appellera mes poésies des vers de grand seigneur ; et, si le roi entend dire que je suis un mauvais poète, l'idée lui viendra de le croire.

Et, tout en confiant ces paroles à son cœur, et son cœur à ses pensées, le comte se déshabillait plus complètement. Il venait de quitter son habit et sa veste pour passer sa robe de chambre, lorsqu'on lui annonça la visite de M. le baron du Vallon de Bracieux de Pierrefonds.

— Eh ! fit-il, qu'est-ce que cette grappe de noms ? Je ne connais point cela.

— C'est, répondit le laquais, un gentilhomme qui a eu l'honneur de dîner avec M. le comte, à la table du roi, pendant le séjour de Sa Majesté à Fontainebleau.

— Chez le roi, à Fontainebleau ? s'écria de Saint-Aignan. Eh ! vite, vite, introduisez ce gentilhomme.

Le laquais se hâta d'obéir. Porthos entra.

M. de Saint-Aignan avait la mémoire des courtisans : à la première vue, il reconnut donc le seigneur de province, à la réputation bizarre, et que le roi avait si bien reçu à Fontainebleau, malgré quelques sourires des officiers présents. Il s'avança donc vers Porthos avec tous les signes d'une bienveillance que Porthos trouva toute naturelle, lui qui arborait, en entrant chez un adversaire, l'étendard de la politesse la plus raffinée.

De Saint-Aignan fit avancer un siège par le laquais qui avait annoncé Porthos. Ce dernier, qui ne voyait rien d'exagéré dans ces politesses, s'assit et toussa. Les politesses d'usage s'échangèrent entre les deux gentilshommes ; puis, comme c'était le comte qui recevait la visite :

— Monsieur le baron, dit-il, à quelle heureuse rencontre dois-je la faveur de votre visite ?

— C'est justement ce que je vais avoir l'honneur de vous expliquer, monsieur le comte, répliqua Porthos ; mais, pardon...

— Qu'y a-t-il, monsieur ? demanda de Saint-Aignan.

— Je m'aperçois que je casse votre chaise.

— Nullement, monsieur, dit de Saint-Aignan, nullement.

— Si fait, monsieur le comte, si fait, je la romps ; et si bien même, que, si je tarde, je vais choir, position tout à fait inconvenante dans le rôle grave que je viens jouer auprès de vous.

Porthos se leva. Il était temps, la chaise s'était déjà affaissée sur elle-même de quelques pouces. De Saint-Aignan chercha des yeux un plus solide récipient pour son hôte.

— Les meubles modernes, dit Porthos tandis que le comte se livrait à cette recherche, les meubles modernes sont devenus d'une légèreté ridicule. Dans ma jeunesse, époque où je m'asseyais avec bien plus d'énergie encore qu'aujourd'hui, je ne me rappelle point avoir jamais rompu un siège, sinon dans les auberges avec mes bras.

De Saint-Aignan sourit agréablement à la plaisanterie.

— Mais, dit Porthos en s'installant sur un lit de repos qui gémit, mais qui résista, ce n'est point de cela qu'il s'agit, malheureusement.

— Comment, malheureusement ? Est-ce que vous seriez porteur d'un message de mauvais augure, monsieur le baron ?

— De mauvais augure pour un gentilhomme ? Oh ! non, monsieur le comte, répliqua noblement Porthos. Je viens seulement vous annoncer que vous avez offensé bien cruellement un de mes amis.

— Moi, monsieur ! s'écria de Saint-Aignan ; moi, j'ai offensé un de vos amis ? Et lequel, je vous prie ?

— M. Raoul de Bragelonne.

— J'ai offensé M. de Bragelonne, moi ? s'écria de Saint-Aignan. Ah ! mais, en vérité, monsieur, cela m'est impossible ; car M. de Bragelonne, que je connais peu, je dirai même que je ne connais point, est en Angleterre : ne l'ayant point vu depuis fort longtemps, je ne saurais l'avoir offensé.

— M. de Bragelonne est à Paris, monsieur le comte, dit Porthos impassible ; et, quant à l'avoir offensé, je vous réponds que c'est vrai, puisqu'il me l'a dit lui-même. Oui, monsieur le comte, vous l'avez cruellement, mortellement offensé, je répète le mot.

— Mais impossible, monsieur le baron, je vous jure, impossible.

— D'ailleurs, ajouta Porthos, vous ne pouvez ignorer cette circonstance, attendu que M. de Bragelonne m'a déclaré vous avoir prévenu par un billet.

— Je n'ai reçu aucun billet, monsieur, je vous en donne ma parole.

— Voilà qui est extraordinaire ! répondit Porthos ; et ce que dit Raoul...

— Je vais vous convaincre que je n'ai rien reçu, dit de Saint-Aignan. Et il sonna.

— Basque, dit-il, combien de lettres ou de billets sont venus ici en mon absence ?

— Trois, monsieur le comte.

— Qui sont ?...

— Le billet de M. de Fiesque, celui de Mme de La Ferté, et la lettre de M. de Las Fuentès.

— Voilà tout ?

— Tout, monsieur le comte.

— Dis la vérité devant Monsieur, la vérité, entends-tu bien ? Je réponds de toi.

— Monsieur, il y avait encore le billet de...

— De ?... Dis vite, voyons.

— De Mlle de La Val...

— Cela suffit, interrompit discrètement Porthos. Fort bien, je vous crois, monsieur le comte.

De Saint-Aignan congédia le valet et alla lui-même fermer la porte ; mais, comme il revenait, regardant devant lui par hasard, il vit sortir de la serrure de la chambre voisine ce fameux papier que Bragelonne y avait glissé en partant.

— Qu'est-ce que cela ? dit-il.

Porthos, adossé à cette chambre, se retourna.

— Oh ! oh ! fit Porthos.

Un billet dans la serrure ! s'écria de Saint-Aignan.

— Ce pourrait bien être le nôtre, monsieur le comte, dit Porthos. Voyez.

De Saint-Aignan prit le papier.

— Un billet de M. de Bragelonne ! s'écria-t-il.

— Voyez-vous, j'avais raison. Oh ! quand je dis une chose, moi...

— Apporté ici par M. de Bragelonne lui-même, murmura le comte en pâlissant. Mais c'est indigne ! Comment donc a-t-il pénétré ici ?

De Saint-Aignan sonna encore. Basque reparut.

— Qui est venu ici, pendant que j'étais à la promenade avec le roi ?

— Personne, monsieur.

— C'est impossible ! il faut qu'il soit venu quelqu'un !

— Mais, monsieur, personne n'a pu entrer, puisque j'avais les clefs dans ma poche.

— Cependant, ce billet qui était dans la serrure. Quelqu'un l'y a mis ; il n'est pas venu seul.

Basque ouvrit les bras en signe d'ignorance absolue.

— C'est probablement M. de Bragelonne qui l'y aura mis ? dit Porthos.

— Alors, il serait entré ici ?

— Sans doute, monsieur.

— Mais, enfin, puisque j'avais la clef dans ma poche, reprit Basque avec persévérance.

De Saint-Aignan froissa le billet après l'avoir lu.

— Il y a quelque chose là-dessous, murmura-t-il absorbé.

Porthos le laissa un instant à ses réflexions.

Puis il revint à son message.

— Vous plairait-il que nous en revinssions à notre affaire ? demanda-t-il en s'adressant à de Saint-Aignan, quand le laquais eut disparu.

— Mais je crois la comprendre par ce billet si étrangement arrivé. M. de Bragelonne m'annonce un ami...

— Je suis son ami ; c'est donc moi qu'il vous annonce.

— Pour m'adresser une provocation ?

— Précisément.

— Et il se plaint que je l'ai offensé ?

— Cruellement, mortellement !

— De quelle façon, s'il vous plaît ? Car sa démarche est trop mystérieuse pour que je n'y cherche pas au moins un sens.

— Monsieur, répondit Porthos, mon ami doit avoir raison, et, quant à sa démarche, si elle est mystérieuse comme vous dites, n'en accusez que vous.

Porthos prononça ces dernières paroles avec une confiance qui, pour un homme peu habitué à sa façon, devait révéler une infinité de sens.

— Mystère, soit ! Voyons le mystère, dit de Saint-Aignan.

Mais Porthos s'inclina.

— Vous trouverez bon que je n'y entre point, monsieur, dit-il, et pour d'excellentes raisons.

— Que je comprends à merveille. Oui, monsieur, effleurons alors. Voyons, monsieur je vous écoute.

— Il y a d'abord, monsieur, dit Porthos, que vous avez déménagé ?

— C'est vrai, j'ai déménagé, dit de Saint-Aignan.

— Vous l'avouez ? dit Porthos d'un air de satisfaction visible.

— Si je l'avoue ? Mais oui, je l'avoue. Pourquoi donc voulez-vous que je ne l'avoue pas ?

— Vous avez avoué. Bien, nota Porthos en levant seulement un doigt en l'air.

— Ah çà ! monsieur, comment mon déménagement peut-il avoir causé dommage à M. de Bragelonne ? Répondez, voyons. Car je ne comprends absolument rien à ce que vous me dites.

Porthos l'arrêta.

— Monsieur, dit-il gravement, ce grief est le premier de ceux que M. de Bragelonne articule contre vous. S'il l'articule, c'est qu'il s'est senti blessé.

De Saint-Aignan battit du pied le parquet avec impatience.

— Cela ressemble à une mauvaise querelle, dit-il.

— On ne saurait avoir une mauvaise querelle avec un aussi galant homme que le vicomte de Bragelonne, repartit Porthos ; mais, enfin, vous n'avez rien à ajouter au sujet du déménagement, n'est-ce pas ?

— Non. Après ?

— Ah ! après ? Mais remarquez bien, monsieur, que voilà déjà un grief abominable auquel vous ne répondez pas, ou plutôt auquel vous répondez mal. Comment, monsieur, vous déménagez, cela offense M. de Bragelonne, et vous ne vous excusez pas ? Très bien !

— Quoi ! s'écria de Saint-Aignan, qui s'irritait du flegme de ce personnage ; quoi ! j'ai besoin de consulter M. de Bragelonne sur le sujet de déménager ou non ? Allons donc, monsieur !

— Obligatoire, monsieur, obligatoire. Toutefois, vous m'avouerez que cela n'est rien en comparaison du second grief.

Porthos prit un air sévère.

— Et cette trappe, monsieur, dit-il, et cette trappe ?

De Saint-Aignan devint excessivement pâle. Il recula sa chaise si brusquement, que Porthos, tout naïf qu'il était, s'aperçut que le coup avait porté avant.

— La trappe, murmura de Saint-Aignan.

— Oui, monsieur, expliquez-la si vous pouvez, dit Porthos en secouant la tête.

De Saint-Aignan baissa le front.

— Oh ! je suis trahi, murmura-t-il ; on sait tout !

— On sait toujours tout, répliqua Porthos, qui ne savait rien.

— Vous m'en voyez accablé, poursuivit de Saint-Aignan, accablé à ce point que j'en perds la tête !

— Conscience coupable, monsieur. Oh ! votre affaire n'est pas bonne.

— Monsieur !

— Et quand le public sera instruit, et qu'il se fera juge...

— Oh ! monsieur, s'écria vivement le comte, un pareil secret doit être ignoré, même du confesseur !

— Nous aviserons, dit Porthos, et le secret n'ira pas loin, en effet.

— Mais, monsieur, reprit de Saint-Aignan, M. de Bragelonne, en pénétrant ce secret, se rend-il compte du danger qu'il court, et qu'il fait courir ?

— M. de Bragelonne ne court aucun danger, monsieur, n'en craint aucun, et vous l'expérimenterez bientôt, avec l'aide de Dieu.

« Cet homme est un enragé, pensa de Saint-Aignan. Que me veut-il ? » Puis il reprit tout haut :

— Voyons, monsieur, assoupissons cette affaire.

— Vous oubliez le portrait ? dit Porthos avec une voix de tonnerre qui glaça le sang du comte.

Comme le portrait était celui de La Vallière, et qu'il n'y avait plus à s'y méprendre, de Saint-Aignan sentit ses yeux se dessiller tout à fait.

— Ah ! s'écria-t-il, ah ! monsieur, je me souviens que M. de Bragelonne était son fiancé.

Porthos prit un air imposant, la majesté de l'ignorance.

— Il ne m'importe en rien, ni à vous non plus, dit-il, que mon ami soit ou non le fiancé de qui vous dites. Je suis même surpris que vous ayez prononcé cette parole indiscrète. Elle pourra faire tort à votre cause, monsieur.

— Monsieur, vous êtes l'esprit, la délicatesse et la loyauté en une personne. Je vois tout ce dont il s'agit.

— Tant mieux ! dit Porthos.

— Et, poursuivit de Saint-Aignan, vous me l'avez fait entendre de la façon la plus ingénieuse et la plus exquise. Merci, monsieur, merci !

Porthos se rengorgea.

— Seulement, à présent que je sais tout, souffrez que je vous explique...

Porthos secoua la tête en homme qui ne veut pas entendre ; mais de Saint-Aignan continua :

— Je suis au désespoir, voyez-vous, de tout ce qui arrive ; mais qu'eussiez-vous fait à ma place ? Voyons, entre nous, dites-moi ce que vous eussiez fait ?

Porthos leva la tête.

— Il ne s'agit point de ce que j'eusse fait, jeune homme ; vous avez, dit-il, connaissance des trois griefs, n'est-ce pas ?

— Pour le premier, pour le déménagement, monsieur, et ici, c'est à l'homme d'esprit et d'honneur que je m'adresse, quand une auguste volonté elle-même me conviait à déménager, devais-je, pouvais-je désobéir ?

Porthos fit un mouvement que de Saint-Aignan ne lui donna pas le temps d'achever.

— Ah ! ma franchise vous touche, dit-il, interprétant le mouvement à sa manière. Vous sentez que j'ai raison.

Porthos ne répliqua rien.

— Je passe à cette malheureuse trappe, poursuivit de Saint-Aignan en appuyant sa main sur le bras de Porthos ; cette trappe, cause du mal, moyen du mal ; cette trappe construite pour ce que vous savez. Eh bien ! en bonne foi, supposez-vous que ce soit moi qui, de mon plein gré, dans un endroit pareil, aie fait ouvrir une trappe destinée... Oh ! non, vous ne le croyez pas, et, ici encore, vous sentez, vous devinez, vous comprenez, une volonté au-dessus de la mienne. Vous appréciez l'entraînement, je ne parle pas de l'amour, cette folie irrésistible... Mon Dieu !... heureusement, j'ai affaire à un homme plein de cœur, de sensibilité ; sans quoi, que de malheur et de scandale sur elle, pauvre enfant !... et sur celui... que je ne veux pas nommer !

Porthos, étourdi, abasourdi par l'éloquence et les gestes de Saint-Aignan, faisait mille efforts pour recevoir cette averse de paroles, auxquelles il ne comprenait pas le plus petit mot, droit et immobile sur son siège ; il y parvint.

De Saint-Aignan, lancé dans sa péroraison, continua, en donnant une action nouvelle à sa voix, une véhémence croissante à son geste :

— Quant au portrait, car je comprends que le portrait est le grief principal ; quant au portrait, voyons, suis-je coupable ? Qui a désiré avoir son portrait ? est-ce moi ? Qui l'aime ? est-ce moi ? Qui la veut ? est-ce moi ?... Qui l'a prise ? est-ce moi ? Non ! mille fois non ! je sais que M. de Bragelonne doit être désespéré, je sais que ces malheurs-là sont cruels. Tenez, moi aussi, je souffre. Mais pas de résistance possible. Luttera-t-il ? On en rirait. S'il s'obstine seulement, il se perd. Vous me direz que le désespoir est une folie ; mais vous êtes raisonnable, vous, vous m'avez compris. Je vois à votre air grave, réfléchi, embarrassé même, que l'importance de la situation vous a frappé. Retournez donc vers M. de Bragelonne ; remerciez-le, comme je l'en remercie moi-même, d'avoir choisi pour intermédiaire un homme de votre mérite. Croyez que, de mon côté, je garderai une reconnaissance éternelle à celui qui a pacifié si ingénieusement, si intelligemment notre discorde. Et, puisque le malheur a voulu que ce secret fût à quatre au lieu d'être à trois, eh bien ! ce secret, qui peut faire la fortune du plus ambitieux, je me réjouis de le partager avec vous ; je m'en réjouis du fond de l'âme. A partir de ce moment, disposez donc de moi, je me mets à votre merci. Que faut-il que je fasse pour vous ? Que dois-je demander, exiger même ? Parlez, monsieur, parlez.

Et, selon l'usage familièrement amical des courtisans de cette époque, de Saint-Aignan vint enlacer Porthos et le serrer tendrement dans ses bras.

Porthos se laissa faire avec un flegme inouï.

— Parlez, répéta de Saint-Aignan ; que demandez-vous ?

— Monsieur, dit Porthos, j'ai en bas un cheval ; faites-moi le plaisir de le monter ; il est excellent et ne vous jouera point de mauvais tours.

— Monter à cheval ! pour quoi faire ? demanda de Saint-Aignan avec curiosité.

— Mais, pour venir avec moi où nous attend M. de Bragelonne.

— Ah ! il voudrait me parler, je le conçois ; avoir des détails. Hélas ! c'est bien délicat ! Mais, en ce moment, je ne puis, le roi m'attend.

— Le roi attendra, dit Porthos.

— Mais, où donc m'attend M. de Bragelonne ?

— Aux Minimes, à Vincennes.

— Ah çà ! mais, rions-nous ?

— Je ne crois pas ; moi, du moins.

Et Porthos donna à son visage la rigidité de ses lignes les plus sévères.

— Mais les Minimes, c'est un rendez-vous d'épée, cela ?

« Eh bien ! qu'ai-je à faire aux Minimes, alors ?

Porthos tira lentement son épée.

— Voici la mesure de l'épée de mon ami, dit-il.

— Corbleu ! Cet homme est fou ! s'écria de Saint-Aignan.

Le rouge monta aux oreilles de Porthos.

— Monsieur, dit-il, si je n'avais pas l'honneur d'être chez vous, et de servir les intérêts de M. de Bragelonne, je vous jetterais par votre fenêtre ! Ce sera partie remise, et vous ne perdrez rien pour attendre. Venez-vous aux Minimes, monsieur ?

— Eh !...

— Y venez-vous de bonne volonté ?

— Mais...

— Je vous y porte si vous n'y venez pas ! Prenez garde !

— Basque ! s'écria M. de Saint-Aignan.

— Le roi appelle M. le comte, dit Basque.

— C'est différent, dit Porthos ; le service du roi avant tout. Nous attendrons là jusqu'à ce soir, monsieur.

Et, saluant de Saint-Aignan avec sa courtoisie ordinaire, Porthos sortit, enchanté d'avoir arrangé encore une affaire.

De Saint-Aignan le regarda sortir ; puis, repassant à la hâte son habit et sa veste, il courut en réparant le désordre de sa toilette, et disant :

— Aux Minimes !... aux Minimes !... Nous verrons comment le roi va prendre ce cartel-là. Il est bien pour lui, pardieu !

CXCV

RIVAUX POLITIQUES

Le roi, après cette promenade si fertile pour Apollon, et dans laquelle chacun payait son tribut aux Muses, comme disaient les poètes de l'époque, le roi trouva chez lui M. Fouquet qui l'attendait.

Derrière le roi venait M. Colbert, qui l'avait pris dans un corridor comme s'il l'eût attendu à l'affût, et qui le suivait comme son ombre jalouse et surveillante ; M. Colbert, avec sa tête carrée, son gros luxe d'habits débraillés, qui le faisaient ressembler quelque peu à un seigneur flamand après la bière.

M. Fouquet, à la vue de son ennemi, demeura calme, et s'attacha pendant toute la scène qui allait suivre à observer cette conduite si difficile de l'homme supérieur dont le cœur regorge de mépris, et qui ne veut pas même témoigner son mépris, dans la crainte de faire encore trop d'honneur à son adversaire.

Colbert ne cachait pas une joie insultante. Pour lui, c'était de la part de M. Fouquet une partie mal jouée et perdue sans ressource, quoiqu'elle ne fût pas encore terminée. Colbert était de cette école d'hommes politiques qui n'admirent que l'habileté, qui n'estiment que le succès.

De plus, Colbert, qui n'était pas seulement un homme envieux et jaloux, mais qui avait à cœur tous les intérêts du roi, parce qu'il était doué au fond de la suprême probité du chiffre, Colbert pouvait se donner à lui-même le prétexte, si heureux lorsque l'on hait, qu'il agissait, en haïssant et en perdant M. Fouquet, en vue du bien de l'État et de la dignité royale.

Aucun de ces détails n'échappa à Fouquet. A travers les gros sourcils de son ennemi, et malgré le jeu incessant de ses paupières, il lisait, par les yeux, jusqu'au fond du cœur de Colbert ; il vit donc tout ce qu'il y avait dans ce cœur : haine et triomphe.

Seulement, comme, tout en pénétrant, il voulait rester impénétrable, il rasséréna son visage, sourit de ce charmant sourire sympathique qui n'appartenait qu'à lui, et, donnant l'élasticité la plus noble et la plus souple à la fois à son salut :

— Sire, dit-il, je vois, à l'air joyeux de Votre Majesté, qu'elle a fait une bonne promenade.

— Charmante, en effet, monsieur le surintendant, charmante ! Vous avez eu bien tort de ne pas venir avec nous, comme je vous y avais invité.

— Sire, je travaillais, répondit le surintendant.

Fouquet n'eut pas même besoin de détourner la tête ; il ne regardait pas du côté de M. Colbert.

— Ah ! la campagne, monsieur Fouquet ! s'écria le roi. Mon Dieu, que je voudrais pouvoir toujours vivre à la campagne, en plein air, sous les arbres !

— Oh ! Votre Majesté n'est pas encore lasse du trône, j'espère ? dit Fouquet.

— Non ; mais les trônes de verdure sont bien doux.

— En vérité, sire, Votre Majesté comble tous mes vœux en parlant ainsi. J'avais justement une requête à lui présenter.

— De la part de qui, monsieur le surintendant ?

— De la part des nymphes de Vaux.

— Ah ! ah ! fit Louis XIV.

— Le roi m'a daigné faire une promesse, dit Fouquet.

— Oui, je me rappelle.

— La fête de Vaux, la fameuse fête, n'est-ce pas, sire ? dit Colbert essayant de faire preuve de crédit en se mêlant à la conversation.

Fouquet, avec un profond mépris, ne releva pas le mot. Ce fut pour lui comme si Colbert n'avait ni pensé ni parlé.

— Votre Majesté sait, dit-il, que je destine ma terre de Vaux à recevoir le plus aimable des princes, le plus puissant des rois.

— J'ai promis, monsieur, dit Louis XIV en souriant, et un roi n'a que sa parole.

— Et moi, sire, je viens dire à Votre Majesté que je suis absolument à ses ordres.

— Me promettez-vous beaucoup de merveilles, monsieur le surintendant ?

Et Louis XIV regarda Colbert.

— Des merveilles ? Oh ! non, sire. Je ne m'engage point à cela ; j'espère pouvoir promettre un peu de plaisir, peut-être même un peu d'oubli au roi.

— Non pas, non pas, monsieur Fouquet, dit le roi. J'insiste sur le mot merveille. Oh ! vous êtes un magicien, nous connaissons votre pouvoir, nous savons que vous trouvez de l'or, n'y en eût-il point au monde. Aussi le peuple dit que vous en faites.

Fouquet sentit que le coup partait d'un double carquois et que le roi lui lançait à la fois une flèche de son arc, une flèche de l'arc de Colbert. Il se mit à rire.

— Oh ! dit-il, le peuple sait parfaitement dans quelle mine je le prends, cet or. Il le sait trop, peut-être ; et du reste, ajouta-t-il fièrement, je puis assurer Votre Majesté que l'or destiné à payer la fête de Vaux ne fera couler ni sang ni larmes. Des sueurs, peut-être. On les paiera.

Louis resta interdit. Il voulut regarder Colbert, Colbert aussi voulut répliquer ; un coup d'œil d'aigle, un regard loyal, royal même, lancé par Fouquet, arrêta la parole sur ses lèvres.

Le roi, s'était remis pendant ce temps. Il se tourna vers Fouquet, et lui dit :

— Donc, vous formulez votre invitation ?

— Oui, sire, s'il plaît à Votre Majesté.

— Pour quel jour ?

— Pour le jour qu'il vous conviendra, sire.

— C'est parler en enchanteur qui improvise, monsieur Fouquet. Je n'en dirais pas autant, moi.

— Votre Majesté fera, quand elle le voudra, tout ce qu'un roi peut et doit faire. Le roi de France a des serviteurs capables de tout pour son service et pour ses plaisirs.

Colbert essaya de regarder le surintendant pour voir si ce mot était un retour à des sentiments moins hostiles. Fouquet n'avait pas même regardé son ennemi. Colbert n'existait pas pour lui.

— Eh bien ! à huit jours, voulez-vous ? dit le roi.

— A huit jours, sire.

— Nous sommes à mardi ; voulez-vous jusqu'au dimanche suivant ?

— Le délai que daigne accorder Sa Majesté secondera puissamment les travaux que mes architectes vont entreprendre pour concourir au divertissement du roi et de ses amis.

— Et, en parlant de mes amis, repartit le roi, comment les traitez-vous ?

— Le roi est maître partout, sire ; le roi fait sa liste et donne ses ordres. Tous ceux qu'il daigne inviter sont des hôtes très respectés par moi.

— Merci ! reprit le roi, touché de la noble pensée exprimée avec un noble accent.

Fouquet prit alors congé de Louis XIV, après quelques mots donnés aux détails de certaines affaires.

Il sentit que Colbert demeurait avec le roi, qu'on allait s'entretenir de lui, que ni l'un ni l'autre ne l'épargnerait.

La satisfaction de donner un dernier coup, un terrible coup à son ennemi, lui apparut comme une compensation à tout ce qu'on allait lui faire souffrir.

Il revint donc promptement, lorsque déjà il avait touché la porte, et, s'adressant au roi :

— Pardon ! sire, dit-il, pardon !

— De quoi pardon, monsieur ? fit le prince avec aménité.

— D'une faute grave, que je commettais sans m'en apercevoir.

— Une faute, vous ? Ah ! monsieur Fouquet, il faudra bien que je vous pardonne. Contre quoi avez-vous péché, ou contre qui ?

— Contre toute convenance, sire. J'oubliais de faire part à Votre Majesté d'une circonstance assez importante.

— Laquelle ?

Colbert frissonna ; il crut à une dénonciation. Sa conduite avait été démasquée. Un mot de Fouquet, une preuve articulée, et, devant la loyauté juvénile de Louis XIV, s'effaçait toute la faveur de Colbert. Celui-ci trembla donc qu'un coup si hardi ne vînt renverser tout son échafaudage, et, de fait, le coup était si beau à jouer, qu'Aramis, le beau joueur, ne l'eût pas manqué.

— Sire, dit Fouquet d'un air dégagé, puisque vous avez eu la bonté de me pardonner, je suis tout léger dans ma confession : ce matin, j'ai vendu l'une de mes charges.

— Une de vos charges ! s'écria le roi ; laquelle donc ?

Colbert devint livide.

— Celle qui me donnait, sire, une grande robe et un air sévère : la charge de procureur général.

Le roi poussa un cri involontaire, et regarda Colbert.

Celui-ci, la sueur au front, se sentit près de défaillir.

— A qui vendîtes-vous cette charge, monsieur Fouquet ? demanda le roi.

Colbert s'appuya au chambranle de la cheminée.

— A un conseiller du Parlement, sire, qui s'appelle M. Vanel.

— Vanel ?

— Un ami de M. l'intendant Colbert, ajouta Fouquet en laissant tomber ces mots avec une nonchalance inimitable, avec une expression d'oubli et d'ignorance que le peintre, l'acteur et le poète doivent renoncer à reproduire avec le pinceau, le geste ou la plume.

Puis, ayant fini, ayant écrasé Colbert sous le poids de cette supériorité, le surintendant salua de nouveau le roi, et partit à moitié vengé par la stupéfaction du prince et par l'humiliation du favori.

— Est-il possible ? se dit le roi quand Fouquet eut disparu. Il a vendu cette charge ?

— Oui, sire, répliqua Colbert avec intention.

— Il est fou ! risqua le roi.

Colbert, cette fois, ne répliqua pas ; il avait entrevu la pensée du maître. Cette pensée le vengeait aussi. A sa haine venait se joindre sa jalousie ; à son plan de ruine venait s'allier une menace de disgrâce.

Désormais, Colbert le sentit, entre Louis XIV et lui, les idées hostiles ne rencontraient plus d'obstacles, et la première faute de Fouquet qui pourrait servir de prétexte devancerait de près le châtiment.

Fouquet avait laissé tomber son arme. Haine et Jalousie venaient de la ramasser.

Colbert fut invité par le roi à la fête de Vaux ; il salua comme un homme sûr de lui, il accepta comme un homme qui oblige.

Le roi en était au nom de Saint-Aignan sur la liste d'ordres, quand l'huissier annonça le comte de Saint-Aignan.

Colbert se retira discrètement à l'arrivée du Mercure royal.

CXCVI

RIVAUX AMOUREUX

De Saint-Aignan avait quitté Louis XIV il y avait deux heures à peine ; mais, dans cette première effervescence de son amour, quand Louis XIV ne voyait pas La Vallière, il fallait qu'il parlât d'elle. Or, la seule personne avec laquelle il pût en parler à son aise était de Saint-Aignan ; de Saint-Aignan lui était donc indispensable.

— Ah ! c'est vous, comte ? s'écria-t-il en l'apercevant, doublement joyeux qu'il était de le voir et de ne plus voir Colbert, dont la figure renfrognée l'attristait toujours. Tant mieux ! je suis content de vous voir ; vous serez du voyage, n'est-ce pas ?

— Du voyage, sire ? demanda de Saint-Aignan. Et de quel voyage ?

— De celui que nous ferons pour aller jouir de la fête que nous donne M. le surintendant à Vaux. Ah ! de Saint-Aignan, tu vas enfin voir une fête près de laquelle nos divertissements de Fontainebleau seront des jeux de robins.

— A Vaux ! le surintendant donne une fête à Votre Majesté, et à Vaux, rien que cela ?

— Rien que cela ! Je te trouve charmant de faire le dédaigneux. Sais-tu, toi qui fais le dédaigneux, que, lorsqu'on saura que M. Fouquet me reçoit à Vaux, de dimanche en huit, sais-tu que l'on s'égorgera pour être invité à cette fête ? Je te le répète donc, de Saint-Aignan, tu seras du voyage.

— Oui, si, d'ici là, je n'en ai pas fait un autre plus long et moins agréable.

— Lequel ?

— Celui de Styx, sire.

— Fi ! dit Louis XIV en riant.

— Non, sérieusement, sire, répondit de Saint-Aignan. J'y suis convié, et de façon, en vérité, à ne pas trop savoir de quelle manière m'y prendre pour refuser.

— Je ne te comprends pas, mon cher. Je sais que tu es en verve poétique ; mais tâche de ne pas tomber d'Apollon en Phœbus[1].

— Eh bien ! donc, si Votre Majesté daigne m'écouter, je ne mettrai pas plus longtemps l'esprit de mon roi à la torture.

— Parle.

— Le roi connaît-il M. le baron du Vallon ?

— Oui, pardieu ! un bon serviteur du roi mon père, et un beau convive, ma foi ! Car c'est de celui qui a dîné avec nous à Fontainebleau que tu veux parler ?

— Précisément. Mais Votre Majesté a oublié d'ajouter à ses qualités : un aimable tueur de gens.

— Comment ! il veut te tuer, M. du Vallon.

— Ou me faire tuer, ce qui est tout un.

— Oh ! par exemple !

— Ne riez pas, sire, je ne dis rien qui soit au-dessous de la vérité.

— Et tu dis qu'il veut te faire tuer ?

— C'est son idée pour le moment, à ce digne gentilhomme.

— Sois tranquille, je te défendrai, s'il a tort.

— Ah ! il y a un *si*.

— Sans doute. Voyons, réponds comme s'il s'agissait d'un autre, mon pauvre de Saint-Aignan ; a-t-il tort ou raison ?

— Votre Majesté va en juger.

— Que lui as-tu fait ?

— Oh ! à lui, rien ; mais il paraît que j'ai fait à un de ses amis.

— C'est tout comme ; et, son ami, est-ce un des quatre fameux ?

— Non, c'est le fils d'un des quatre fameux, voilà tout.

— Qu'as-tu fait à ce fils ? Voyons.

— Dame ! j'ai aidé quelqu'un à lui prendre sa maîtresse.

— Et tu avoues cela ?

— Il faut bien que je l'avoue, puisque c'est vrai.

— En ce cas, tu as tort.

— Ah ! j'ai tort ?

— Oui, et, ma foi, s'il te tue...

— Eh bien ?

— Eh bien ! il aura raison.

---

1. Jeu de mots sur Phébus : style obscur et ampoulé, depuis le *Miroir de Phébus*, livre de vénerie du comte Gaston de Foix.

— Ah ! voilà donc comme vous jugez, sire ?

— Trouves-tu la méthode mauvaise ?

— Je la trouve expéditive.

— Bonne justice et prompte, disait mon aïeul Henri IV.

— Alors, que le roi signe vite la grâce de mon adversaire, qui m'attend aux Minimes pour me tuer.

— Son nom et un parchemin.

— Sire, il y a un parchemin sur la table de Votre Majesté, et, quant à son nom...

— Quant à son nom ?

— C'est le vicomte de Bragelonne, sire.

— Le vicomte de Bragelonne ? s'écria le roi en passant du rire à la plus profonde stupeur.

Puis, après un moment de silence, pendant lequel il essuya la sueur qui coulait sur son front :

— Bragelonne ! murmura-t-il.

— Pas davantage, sire, dit de Saint-Aignan.

— Bragelonne, le fiancé de ?...

— Oh ! mon Dieu, oui ! Bragelonne, le fiancé de...

— Il était à Londres, cependant !

— Oui ; mais je puis vous répondre qu'il n'y est plus, sire.

— Et il est à Paris ?

— C'est-à-dire qu'il est aux Minimes, où il m'attend, comme j'ai eu l'honneur de le dire au roi.

— Sachant tout ?

— Et bien d'autres choses encore ! Si le roi veut voir le billet qu'il m'a fait tenir...

Et de Saint-Aignan tira de sa poche le billet que nous connaissons.

— Quand Votre Majesté aura lu le billet, dit-il, j'aurai l'honneur de lui dire comment il m'est parvenu.

Le roi lut avec agitation, et aussitôt.

— Eh bien ? demanda-t-il.

— Eh bien ! Votre Majesté connaît certaine serrure ciselée, fermant certaine porte en bois d'ébène, qui sépare certaine chambre de certain sanctuaire bleu et blanc ?

— Certainement, le boudoir de Louise.

— Oui, sire. Eh bien ! c'est dans le trou de cette serrure que j'ai trouvé ce billet. Qui l'y a mis ? M. de Bragelonne ou le diable ? Mais, comme le billet sent l'ambre et non le soufre, je conclus que ce doit être, non pas le diable, mais bien M. de Bragelonne.

Louis pencha la tête et parut absorbé tristement. Peut-être en ce moment quelque chose comme un remords traversait-il son cœur.

— Oh ! dit-il, ce secret découvert !

— Sire, je vais faire de mon mieux pour que ce secret meure dans la poitrine qui le renferme, dit de Saint-Aignan d'un ton de bravoure tout espagnol.

Et il fit un mouvement pour gagner la porte ; mais d'un geste le roi l'arrêta.

— Et où allez-vous ? demanda-t-il.

— Mais où l'on m'attend, sire.

— Quoi faire ?

— Me battre, probablement.

— Vous battre ? s'écria le roi. Un moment, s'il vous plaît, monsieur le comte !

De Saint-Aignan secoua la tête comme l'enfant qui se mutine quand on veut l'empêcher de se jeter dans un puits ou de jouer avec un couteau.

— Mais cependant, sire... fit-il.

— Et d'abord, dit le roi, je ne suis pas éclairé.

— Oh ! sur ce point, que Votre Majesté interroge, répondit de Saint-Aignan, et je ferai la lumière.

— Qui vous a dit que M. de Bragelonne a pénétré dans la chambre en question ?

— Ce billet que j'ai trouvé dans la serrure, comme j'ai eu l'honneur de le dire à Votre Majesté.

— Qui te dit que c'est lui qui l'y a mis ?

— Quel autre que lui eût osé se charger d'une pareille commission ?

— Tu as raison. Comment a-t-il pénétré chez toi ?

— Ah ! ceci est fort grave, attendu que toutes les portes étaient fermées, et que mon laquais, Basque, avait les clefs dans ses poches.

— Eh bien ! on aura gagné ton laquais.

— Impossible, sire.

— Pourquoi, impossible ?

— Parce que, si on l'eût gagné, on n'eût pas perdu le pauvre garçon, dont on pouvait encore avoir besoin plus tard, en manifestant clairement qu'on s'était servi de lui.

— C'est juste. Maintenant, il ne resterait donc qu'une conjecture.

— Voyons, sire, si cette conjecture est la même que celle qui s'est présentée à mon esprit ?

— C'est qu'il se serait introduit par l'escalier.

— Hélas ! sire, cela me paraît plus que probable.

— Il n'en faut pas moins que quelqu'un ait vendu le secret de la trappe.

— Vendu ou donné.

— Pourquoi cette distinction ?

— Parce que certaines personnes, sire, étant au-dessus du prix d'une trahison, donnent et ne vendent pas.

— Que veux-tu dire ?

— Oh ! sire, Votre Majesté a l'esprit trop subtil pour ne pas m'épargner, en devinant, l'embarras de nommer.

— Tu as raison : Madame !

— Ah ! fit de Saint-Aignan.

— Madame, qui s'est inquiétée du déménagement.

— Madame, qui a les clefs des chambres de ses filles, et qui est assez puissante pour découvrir ce que nul, excepté vous, sire, ou elle, ne découvrirait.

— Et tu crois que ma sœur aura fait alliance avec Bragelonne ?

— Eh ! eh ! sire...

— A ce point de l'instruire de tous ces détails ?

— Peut-être mieux encore.

— Mieux !... Achève.

— Peut-être au point de l'accompagner.

— Où cela ? En bas, chez toi ?

— Croyez-vous la chose impossible, sire ?

— Oh !

— Écoutez. Le roi sait si Madame aime les parfums ?

— Oui, c'est une habitude qu'elle a prise de ma mère.

— La verveine surtout ?

— C'est son odeur de prédilection.

— Eh bien ! mon appartement embaume la verveine.

Le roi demeura pensif.

— Mais, reprit-il, après un moment de silence, pourquoi Madame prendrait-elle le parti de Bragelonne contre moi ?

En disant ces mots, auxquels de Saint-Aignan eût bien facilement répondu par ceux-ci : « Jalousie de femme ! » le roi sondait son ami jusqu'au fond du cœur pour voir s'il avait pénétré le secret de sa galanterie avec sa belle-sœur. Mais de Saint-Aignan n'était pas un courtisan médiocre ; il ne se risquait pas à la légère dans la découverte des secrets de famille ; il était trop ami des Muses pour ne pas songer souvent à ce pauvre Ovidius Naso, dont les yeux versèrent tant de larmes pour expier le crime d'avoir vu on ne sait quoi dans la maison d'Auguste[1]. Il passa donc adroitement à côté du secret de Madame. Mais comme il avait fait preuve de sagacité en indiquant que Madame était venue chez lui avec Bragelonne, il fallait payer l'usure de cet amour-propre et répondre nettement à cette question : « Pourquoi Madame est-elle contre moi avec Bragelonne ? »

— Pourquoi ? répondit de Saint-Aignan. Mais Votre Majesté oublie donc que M. le comte de Guiche est l'ami intime du vicomte de Bragelonne ?

— Je ne vois pas le rapport, répondit le roi.

— Ah ! pardon, sire, fit de Saint-Aignan ; mais je croyais M. le comte de Guiche grand ami de Madame.

---

1. Voir Dictionnaire. Antiquité.

— C'est juste, repartit le roi ; il n'y a plus besoin de chercher, le coup est venu de là.

— Et, pour le parer, le roi n'est-il pas d'avis qu'il faut en porter un autre ?

— Oui ; mais pas du genre de ceux qu'on se porte au bois de Vincennes, répondit le roi.

— Votre Majesté oublie, dit de Saint-Aignan, que je suis gentilhomme, et que l'on m'a provoqué.

— Ce n'est pas toi que cela regarde.

— Mais c'est moi qu'on attend aux Minimes, sire, depuis plus d'une heure ; moi qui en suis cause, et déshonoré si je ne vais pas où l'on m'attend.

— Le premier honneur d'un gentilhomme, c'est l'obéissance à son roi.

— Sire...

— J'ordonne que tu demeures !

— Sire...

— Obéis.

— Comme il plaira à Votre Majesté, sire.

— D'ailleurs, je veux éclaircir toute cette affaire ; je veux savoir comment on s'est joué de moi avec assez d'audace pour pénétrer dans le sanctuaire de mes prédilections. Ceux qui ont fait cela, de Saint-Aignan, ce n'est pas toi qui dois les punir, car ce n'est pas ton honneur qu'ils ont attaqué, c'est le mien.

— Je supplie Votre Majesté de ne pas accabler de sa colère M. de Bragelonne, qui, dans cette affaire, a pu manquer de prudence, mais pas de loyauté.

— Assez ! Je saurai faire la part du juste et de l'injuste, même au fort de ma colère. Pas un mot de cela à Madame, surtout.

— Mais que faire vis-à-vis de M. de Bragelonne, sire ? Il va me chercher, et...

— Je lui aurai parlé ou fait parler avant ce soir.

— Encore une fois, sire, je vous en supplie, de l'indulgence.

— J'ai été indulgent assez longtemps, comte, dit Louis XIV en fronçant le sourcil ; il est temps que je montre à certaines personnes que je suis le maître chez moi.

Le roi prononçait à peine ces mots, qui annonçaient qu'au nouveau ressentiment se mêlait le souvenir d'un ancien, que l'huissier apparut sur le seuil du cabinet.

— Qu'y a-t-il ? demanda le roi, et pourquoi vient-on quand je n'ai point appelé ?

— Sire, dit l'huissier, Votre Majesté m'a ordonné, une fois pour toutes, de laisser passer M. le comte de La Fère toutes les fois qu'il aurait à parler à Votre Majesté.

— Après ?

— M. le comte de La Fère est là qui attend.

Le roi et de Saint-Aignan échangèrent à ces mots un regard dans lequel il y avait plus d'inquiétude que de surprise. Louis hésita un instant. Mais, presque aussitôt, prenant sa résolution :

— Va, dit-il à de Saint-Aignan, va trouver Louise, instruis-la de ce qui se trame contre nous ; ne lui laisse pas ignorer que Madame recommence ses persécutions, et qu'elle a mis en campagne des gens qui eussent mieux fait de rester neutres.

— Sire...

— Si Louise s'effraie, continua le roi, rassure-la ; dis-lui que l'amour du roi est un bouclier impénétrable. Si, ce dont j'aime à douter, elle savait tout déjà, ou si elle avait subi de son côté quelque attaque, dis-lui bien, de Saint-Aignan, ajouta le roi tout frissonnant de colère et de fièvre, dis-lui bien que, cette fois, au lieu de la défendre, je la vengerai, et cela si sévèrement, que nul, désormais, n'osera lever les yeux jusqu'à elle !

— Est-ce tout, sire ?

— C'est tout. Va vite, et demeure fidèle, toi qui vis au milieu de cet enfer, sans avoir comme moi l'espoir du paradis.

Saint-Aignan s'épuisa en protestations de dévouement ; il prit et baisa la main du roi et sortit radieux.

CXCVII

ROI ET NOBLESSE

Louis se remit aussitôt pour faire un bon visage à M. de La Fère. Il prévoyait bien que le comte n'arrivait point par hasard. Il sentait vaguement l'importance de cette visite ; mais à un homme du ton d'Athos, à un esprit aussi distingué, la première vue ne devait rien offrir de désagréable ou de mal ordonné.

Quand le jeune roi fut assuré d'être calme en apparence, il donna ordre aux huissiers d'introduire le comte.

Quelques minutes après, Athos, en habit de cérémonie, revêtu des ordres que seul il avait le droit de porter à la cour de France, Athos se présenta d'un air si grave et si solennel, que le roi put juger, du premier coup, s'il s'était ou non trompé dans ses pressentiments.

Louis fit un pas vers le comte et lui tendit avec un sourire une main sur laquelle Athos s'inclina plein de respect.

— Monsieur le comte de La Fère, dit le roi rapidement, vous êtes si rare chez moi, que c'est une très bonne fortune de vous y voir.

Athos s'inclina et répondit :

— Je voudrais avoir le bonheur d'être toujours auprès de Votre Majesté.

Cette réponse, faite sur ce ton, signifiait manifestement : « Je voudrais pouvoir être un des conseillers du roi pour lui épargner des fautes. »

Le roi le sentit, et, décidé devant cet homme à conserver l'avantage du calme avec l'avantage du rang :

— Je vois que vous avez quelque chose à me dire, fit-il.

— Je ne me serais pas, sans cela, permis de me présenter chez Votre Majesté.

— Dites vite, monsieur, j'ai hâte de vous satisfaire.

Le roi s'assit.

— Je suis persuadé, répliqua Athos d'un ton légèrement ému, que Votre Majesté me donnera toute satisfaction.

— Ah ! dit le roi avec une certaine hauteur, c'est une plainte que vous venez formuler ici ?

— Ce ne serait une plainte, reprit Athos, que si Votre Majesté... Mais, veuillez m'excuser, sire, je vais reprendre l'entretien à son début.

— J'attends.

— Le roi se souvient qu'à l'époque du départ de M. de Buckingham, j'ai eu l'honneur de l'entretenir.

— A cette époque, à peu près... Oui, je me le rappelle ; seulement, le sujet de l'entretien... je l'ai oublié.

Athos tressaillit.

— J'aurai l'honneur de le rappeler au roi, dit-il. Il s'agissait d'une demande que je venais adresser à Votre Majesté, touchant le mariage que voulait contracter M. de Bragelonne avec Mlle de La Vallière.

— Nous y voici, pensa le roi. Je me souviens, dit-il tout haut.

— A cette époque, poursuivit Athos, le roi fut si bon et si généreux envers moi et M. de Bragelonne, que pas un des mots prononcés par Sa Majesté ne m'est sorti de la mémoire.

— Et ?... fit le roi.

— Et le roi, à qui je demandais Mlle de La Vallière pour M. de Bragelonne, me refusa.

— C'est vrai, dit sèchement Louis.

— En alléguant, se hâta de dire Athos, que la fiancée n'avait pas d'état dans le monde.

Louis se contraignit pour écouter patiemment.

— Que... ajouta Athos, elle avait peu de fortune.

Le roi s'enfonça dans son fauteuil.

— Peu de naissance.

Nouvelle impatience du roi.

— Et peu de beauté, ajouta encore impitoyablement Athos.

Ce dernier trait, enfoncé dans le cœur de l'amant, le fit bondir hors mesure.

— Monsieur, dit-il, voilà une bien bonne mémoire !

— C'est toujours ce qui m'arrive quand j'ai l'honneur si grand d'un entretien avec le roi, repartit le comte sans se troubler.

— Enfin, j'ai dit tout cela, soit !

— Et j'en ai beaucoup remercié Votre Majesté, sire, parce que ces paroles témoignaient d'un intérêt bien honorable pour M. de Bragelonne.

— Vous vous rappelez aussi, dit le roi en pesant sur ces paroles, que vous aviez pour ce mariage une grande répugnance ?

— C'est vrai, sire.

— Et que vous faisiez la demande à contrecœur ?

— Oui, Votre Majesté.

— Enfin, je me rappelle aussi, car j'ai une mémoire presque aussi bonne que la vôtre, je me rappelle, dis-je, que vous avez dit ces paroles : « Je ne crois pas à l'amour de Mlle de La Vallière pour M. de Bragelonne. » Est-ce vrai ?

Athos sentit le coup, il ne recula pas.

— Sire, dit-il, j'en ai déjà demandé pardon à Votre Majesté, mais il est certaines choses dans cet entretien qui ne seront intelligibles qu'au dénouement.

— Voyons le dénouement, alors.

— Le voici. Votre Majesté avait dit qu'elle différait le mariage pour le bien de M. de Bragelonne.

Le roi se tut.

— Aujourd'hui, M. de Bragelonne est tellement malheureux, qu'il ne peut différer plus longtemps de demander une solution à Votre Majesté.

Le roi pâlit. Athos le regarda fixement.

— Et que... demande-t-il... M. de Bragelonne ? dit le roi avec hésitation.

— Absolument ce que je venais demander au roi dans la dernière entrevue : le consentement de Votre Majesté à son mariage.

Le roi se tut.

— Les questions relatives aux obstacles sont aplanies pour nous, continua Athos. Mlle de La Vallière, sans fortune, sans naissance et sans beauté, n'en est pas moins le seul beau parti du monde pour M. de Bragelonne, puisqu'il aime cette jeune fille.

Le roi serra ses mains l'une contre l'autre.

— Le roi hésite ? demanda le comte sans rien perdre de sa fermeté ni de sa politesse.

— Je n'hésite pas... je refuse, répliqua le roi.

Athos se recueillit un moment.

— J'ai eu l'honneur, dit-il d'une voix douce, de faire observer au roi que nul obstacle n'arrêtait les affections de M. de Bragelonne, et que sa détermination semblait invariable.

— Il y a ma volonté ; c'est un obstacle, je crois ?

— C'est le plus sérieux de tous, riposta Athos.

— Ah !

— Maintenant, qu'il nous soit permis de demander humblement à Votre Majesté la raison de ce refus.

— La raison ?... Une question ? s'écria le roi.

— Une demande, sire.

Le roi, s'appuyant sur la table avec les deux poings :

— Vous avez perdu l'usage de la cour, monsieur de La Fère, dit-il d'une voix concentrée. A la cour, on ne questionne pas le roi.

— C'est vrai, sire ; mais, si l'on ne questionne pas, on suppose.

— On suppose ! que veut dire cela ?

— Presque toujours la supposition du sujet implique la franchise du roi...

— Monsieur !

— Et le manque de confiance du sujet, poursuivit intrépidement Athos.

— Je crois que vous vous méprenez, dit le monarque entraîné malgré lui à la colère.

— Sire, je suis forcé de chercher ailleurs ce que je croyais trouver en Votre Majesté. Au lieu d'avoir une réponse de vous, je suis forcé de m'en faire une à moi-même.

— Monsieur le comte, dit-il, je vous ai donné tout le temps que j'avais de libre.

— Sire, répondit le comte, je n'ai pas eu le temps de dire au roi ce que j'étais venu lui dire, et je vois si rarement le roi, que je dois saisir l'occasion.

— Vous en étiez à des suppositions ; vous allez passer aux offenses.

— Oh ! sire, offenser le roi, moi ? Jamais ! J'ai toute ma vie soutenu que les rois sont au-dessus des autres hommes, non seulement par le rang et la puissance, mais par la noblesse du cœur et la valeur de l'esprit. Je ne me ferai jamais croire que mon roi, celui qui m'a dit une parole, cachait avec cette parole une arrière-pensée.

— Qu'est-ce à dire ? quelle arrière-pensée ?

— Je m'explique, dit froidement Athos. Si, en refusant la main de Mlle de La Vallière à M. de Bragelonne, Votre Majesté avait un autre but que le bonheur et la fortune du vicomte...

— Vous voyez bien, monsieur, que vous m'offensez.

— Si, en demandant un délai au vicomte, Votre Majesté avait voulu éloigner seulement le fiancé de Mlle de La Vallière...

— Monsieur ! Monsieur !

— C'est que je l'ai ouï dire partout, sire. Partout l'on parle de l'amour de Votre Majesté pour Mlle de La Vallière.

Le roi déchira ses gants, que, par contenance, il mordillait depuis quelques minutes.

— Malheur ! s'écria-t-il, à ceux qui se mêlent de mes affaires ! J'ai pris un parti : je briserai tous les obstacles.

— Quels obstacles ? dit Athos.

Le roi s'arrêta court, comme un cheval emporté à qui le mors brise le palais en se retournant dans sa bouche.

— J'aime Mlle de La Vallière, dit-il soudain avec autant de noblesse que d'emportement.

— Mais, interrompit Athos, cela n'empêche pas Votre Majesté de marier M. de Bragelonne avec Mlle de La Vallière. Le sacrifice est digne d'un roi ; il est mérité par M. de Bragelonne, qui a déjà rendu des services et qui peut passer pour un brave homme. Ainsi donc, le roi, en renonçant à son amour, fait preuve à la fois de générosité, de reconnaissance et de bonne politique.

— Mlle de La Vallière, dit sourdement le roi, n'aime pas M. de Bragelonne.

— Le roi le sait ? demanda Athos avec un regard profond.

— Je le sais.

— Depuis peu, alors ; sans quoi, si le roi le savait lors de ma première demande, Sa Majesté eût pris la peine de me le dire.

— Depuis peu.

Athos garda un moment le silence.

— Je ne comprends point alors, dit-il, que le roi ait envoyé M. de Bragelonne à Londres. Cet exil surprend à bon droit ceux qui aiment l'honneur du roi.

— Qui parle de l'honneur du roi, monsieur de La Fère ?

— L'honneur du roi, sire, est fait de l'honneur de toute sa noblesse. Quand le roi offense un de ses gentilshommes, c'est-à-dire quand il lui prend un morceau de son honneur, c'est à lui-même, au roi, que cette part d'honneur est dérobée.

— Monsieur de La Fère !

— Sire, vous avez envoyé à Londres le vicomte de Bragelonne avant d'être l'amant de Mlle de La Vallière, ou depuis que vous êtes son amant ?

Le roi, irrité, surtout parce qu'il se sentait dominé, voulut congédier Athos par un geste.

— Sire, je vous dirai tout, répliqua le comte ; je ne sortirai d'ici que satisfait par Votre Majesté ou par moi-même. Satisfait si vous m'avez prouvé que vous avez raison ; satisfait si je vous ai prouvé que vous avez tort. Oh ! vous m'écouterez, sire. Je suis vieux, et je tiens à tout ce qu'il y a de vraiment grand et de vraiment fort dans le royaume. Je suis un gentilhomme qui a versé son sang pour votre père et pour vous, sans jamais avoir rien demandé ni à vous, ni à votre père. Je n'ai fait de tort à personne en ce monde, et j'ai obligé des rois ! Vous m'écouterez ! Je viens vous demander compte de l'honneur d'un de vos serviteurs que vous avez abusé par un mensonge ou trahi par une faiblesse. Je sais que ces mots irritent Votre Majesté ; mais les faits nous tuent, nous autres ; je sais que vous cherchez quel châtiment vous ferez subir à ma franchise ; mais je sais, moi, quel châtiment je demanderai à Dieu de vous infliger, quand je lui raconterai votre parjure et le malheur de mon fils.

Le roi se promenait à grands pas, la main sur la poitrine, la tête roidie, l'œil flamboyant.

— Monsieur, s'écria-t-il tout à coup, si j'étais pour vous le roi, vous seriez déjà puni ; mais je ne suis qu'un homme, et j'ai le droit d'aimer sur la terre ceux qui m'aiment, bonheur si rare !

— Vous n'avez pas plus ce droit comme homme que comme roi ; ou, si vous vouliez le prendre loyalement, il fallait prévenir M. de Bragelonne au lieu de l'exiler.

— Je crois que je discute, en vérité ! interrompit Louis XIV avec cette majesté que lui seul savait trouver à un point si remarquable dans le regard et dans la voix.

— J'espérais que vous me répondriez, dit le comte.

— Vous saurez tantôt ma réponse, monsieur.

— Vous savez ma pensée, répliqua M. de La Fère.

— Vous avez oublié que vous parliez au roi, monsieur ; c'est un crime !

— Vous avez oublié que vous brisiez la vie de deux hommes ; c'est un péché mortel, sire !

— Sortez, maintenant !

— Pas avant de vous avoir dit : Fils de Louis XIII, vous commencez mal votre règne, car vous le commencez par le rapt et la déloyauté ! Ma race et moi, nous sommes dégagés envers vous de toute cette affection et de tout ce respect que j'avais fait jurer à mon fils dans les caveaux de Saint-Denis, en présence des restes de vos nobles aïeux. Vous êtes devenu notre ennemi, sire, et nous n'avons plus affaire désormais qu'à Dieu, notre seul maître. Prenez-y garde !

— Vous menacez ?

— Oh ! non, dit tristement Athos, et je n'ai pas plus de bravade que de peur dans l'âme. Dieu, dont je vous parle, sire, m'entend parler ; il sait que, pour l'intégrité, pour l'honneur de votre couronne, je verserais encore à présent tout ce que m'ont laissé de sang vingt années de guerre civile et étrangère. Je puis donc vous assurer que je ne menace pas le roi plus que je ne menace l'homme ; mais je vous dis, à vous : Vous perdez deux serviteurs pour avoir tué la foi dans le cœur du père et l'amour dans le cœur du fils. L'un ne croit plus à la parole royale, l'autre ne croit plus à la loyauté des hommes, ni à la pureté des femmes. L'un est mort au respect et l'autre à l'obéissance. Adieu !

Cela dit, Athos brisa son épée sur son genou, en déposa lentement les deux morceaux sur le parquet, et, saluant le roi, qui étouffait de rage et de honte, il sortit du cabinet.

Louis, abîmé sur sa table, passa quelques minutes à se remettre, et, se relevant soudain, il sonna violemment.

— Qu'on appelle M. d'Artagnan ! dit-il aux huissiers épouvantés.

CXCVIII

SUITE D'ORAGE

Sans doute nos lecteurs se sont déjà demandé comment Athos s'était si bien à point trouvé chez le roi, lui dont ils n'avaient point entendu parler depuis un long temps. Notre prétention, comme romancier, étant surtout d'enchaîner les événements les uns aux autres avec une logique presque fatale, nous nous tenions prêt à répondre et nous répondons à cette question.

Porthos, fidèle à son devoir d'arrangeur d'affaires, avait, en quittant le Palais-Royal, été rejoindre Raoul aux Minimes du bois de Vincennes, et lui avait raconté, dans ses moindres détails, son entretien avec M. de Saint-Aignan ; puis il avait terminé en disant que le message du roi à son favori n'amènerait, probablement, qu'un retard momentané, et qu'en quittant le roi de Saint-Aignan s'empresserait de se rendre à l'appel que lui avait fait Raoul.

Mais Raoul, moins crédule que son vieil ami, avait conclu, du récit de Porthos que, si de Saint-Aignan allait chez le roi, de Saint-Aignan conterait tout au roi, et que, si de Saint-Aignan contait tout au roi, le roi défendrait à de Saint-Aignan de se présenter sur le terrain. Il avait donc, en conséquence de cette réflexion, laissé Porthos garder la place, au cas, fort peu probable, où de Saint-Aignan viendrait, et encore avait-il bien engagé Porthos à ne pas rester sur le pré plus d'une heure ou une heure et demie. Ce à quoi Porthos s'était formellement refusé, s'installant, bien au contraire, aux Minimes, comme pour y prendre racine, faisant promettre à Raoul de revenir de chez son père chez lui, Raoul, afin que le laquais de Porthos sût où le trouver si M. de Saint-Aignan venait au rendez-vous.

Bragelonne avait quitté Vincennes et s'était acheminé tout droit chez Athos, qui, depuis deux jours, était à Paris.

Le comte était déjà prévenu par une lettre de d'Artagnan.

Raoul arrivait donc surabondamment chez son père, qui, après lui avoir tendu la main et l'avoir embrassé, lui fit signe de s'asseoir.

— Je sais que vous venez à moi comme on vient à un ami, vicomte, quand on pleure et quand on souffre ; dites-moi quelle cause vous amène.

Le jeune homme s'inclina et commença son récit. Plus d'une fois, dans le cours de ce récit, les larmes coupèrent sa voix et un sanglot étranglé dans sa gorge suspendit la narration. Cependant il acheva.

Athos savait probablement déjà à quoi s'en tenir, puisque nous avons dit que d'Artagnan lui avait écrit ; mais, tenant à garder jusqu'au bout ce calme et cette sérénité qui faisaient le côté presque surhumain de son caractère, il répondit :

— Raoul, je ne crois rien de ce que l'on dit ; je ne crois rien de ce que vous craignez, non pas que des personnes dignes de foi ne m'aient pas déjà entretenu de cette aventure, mais parce que, dans mon âme et dans ma conscience, je crois impossible que le roi ait outragé un gentilhomme. Je garantis donc le roi, et vais vous rapporter la preuve de ce que je dis.

Raoul, flottant comme un homme ivre entre ce qu'il avait vu de ses propres yeux et cette imperturbable foi qu'il avait dans un homme qui n'avait jamais menti, s'inclina et se contenta de répondre :

— Allez donc, monsieur le comte ; j'attendrai.

Et il s'assit, la tête cachée dans ses deux mains. Athos s'habilla et partit. Chez le roi, il fit ce que nous venons de raconter à nos lecteurs, qui l'ont vu entrer chez Sa Majesté et qui l'ont vu en sortir.

Quand il rentra chez lui, Raoul, pâle et morne, n'avait pas quitté sa position désespérée. Cependant, au bruit des portes qui s'ouvraient, au bruit des pas de son père qui s'approchait de lui, le jeune homme releva la tête.

Athos était pâle, découvert, grave ; il remit son manteau et son chapeau au laquais, le congédia du geste et s'assit près de Raoul.

— Eh bien ! monsieur, demanda le jeune homme en hochant tristement la tête de haut en bas, êtes-vous bien convaincu, à présent ?

— Je le suis, Raoul ; le roi aime Mlle de La Vallière.

— Ainsi, il avoue ? s'écria Raoul.

— Absolument, dit Athos.

— Et elle ?

— Je ne l'ai pas vue.

— Non ; mais le roi vous en a parlé. Que dit-il d'elle ?

— Il dit qu'elle l'aime.

— Oh ! vous voyez ! vous voyez, monsieur !

Et le jeune homme fit un geste de désespoir.

— Raoul, reprit le comte, j'ai dit au roi, croyez-le bien, tout ce que vous eussiez pu lui dire vous-même, et je crois le lui avoir dit en termes convenables, mais fermes.

— Et que lui avez-vous dit, monsieur ?

— J'ai dit, Raoul, que tout était fini entre lui et nous, que vous ne seriez plus rien pour son service ; j'ai dit que, moi-même, je demeurerais à l'écart. Il ne me reste plus qu'à savoir une chose.

— Laquelle, monsieur ?

— Si vous avez pris votre parti.

— Mon parti ? A quel sujet ?

— Touchant l'amour et...

— Achevez, monsieur.

— Et touchant la vengeance ; car j'ai peur que vous ne songiez à vous venger.

— Oh ! monsieur, l'amour... peut-être un jour, plus tard, réussirai-je à l'arracher de mon cœur. J'y compte, avec l'aide de Dieu et le secours de vos sages exhortations. La vengeance, je n'y avais songé que sous l'empire d'une pensée mauvaise, car ce n'était point du vrai coupable que je pouvais me venger ; j'ai donc déjà renoncé à la vengeance.

— Ainsi, vous ne songez plus à chercher une querelle à M. de Saint-Aignan ?

— Non, monsieur. Un défi a été fait ; si M. de Saint-Aignan l'accepte, je le soutiendrai ; s'il ne le relève pas, je le laisserai à terre.

— Et de La Vallière ?

— Monsieur le comte n'a pas sérieusement cru que je songerais à me venger d'une femme, répondit Raoul avec un sourire si triste, qu'il attira une larme aux bords des paupières de cet homme qui s'était tant de fois penché sur ses douleurs et sur les douleurs des autres.

Il tendit sa main à Raoul, Raoul la saisit vivement.

— Ainsi, monsieur le comte, vous êtes bien assuré que le mal est sans remède ? demanda le jeune homme.

Athos secoua la tête à son tour.

— Pauvre enfant ! murmura-t-il.

— Vous pensez que j'espère encore, dit Raoul, et vous me plaignez. Oh ! c'est qu'il m'en coûte horriblement, voyez-vous, pour mépriser, comme je le dois, celle que j'ai tant aimée. Que n'ai-je quelque tort envers elle, je serais heureux et je lui pardonnerais.

Athos regarda tristement son fils. Ces quelques mots que venait de prononcer Raoul semblaient être sortis de son propre cœur. En ce moment, le laquais annonça M. d'Artagnan. Ce nom retentit, d'une façon bien différente, aux oreilles d'Athos et de Raoul.

Le mousquetaire annoncé fit son entrée avec un vague sourire sur les lèvres. Raoul s'arrêta ; Athos marcha vers son ami avec une expression de visage qui n'échappa point à Bragelonne. D'Artagnan répondit à Athos par un simple clignement de l'œil ; puis, s'avançant vers Raoul et lui prenant la main :

— Eh bien ! dit-il s'adressant à la fois au père et au fils, nous consolons l'enfant, à ce qu'il paraît ?

— Et vous, toujours bon, dit Athos, vous venez m'aider à cette tâche difficile.

Et, ce disant, Athos serra entre ses deux mains la main de d'Artagnan. Raoul crut remarquer que cette pression avait un sens particulier à part celui des paroles.

— Oui, répondit le mousquetaire en se grattant la moustache de la main qu'Athos lui laissait libre, oui, je viens aussi...

— Soyez le bienvenu, monsieur le chevalier, non pour la consolation que vous apportez, mais pour vous-même. Je suis consolé.

Et il essaya d'un sourire plus triste qu'aucune des larmes que d'Artagnan eût jamais vu répandre.

— A la bonne heure ! fit d'Artagnan.

— Seulement, continua Raoul, vous êtes arrivé comme M. le comte allait me donner les détails de son entrevue avec le roi. Vous permettez, n'est-ce pas, que M. le comte continue ?

Et les yeux du jeune homme semblaient vouloir lire jusqu'au fond du cœur du mousquetaire.

— Son entrevue avec le roi ? fit d'Artagnan d'un ton si naturel, qu'il n'y avait pas moyen de douter de son étonnement. Vous avez donc vu le roi, Athos ?

Athos sourit.

— Oui, dit-il, je l'ai vu.

— Ah ! vraiment, vous ignoriez que le comte eût vu Sa Majesté ? demanda Raoul à demi rassuré.

— Ma foi, oui ! tout à fait.

— Alors, me voilà plus tranquille, dit Raoul.

— Tranquille, et sur quoi ? demanda Athos.

— Monsieur, dit Raoul, pardonnez-moi ; mais, connaissant l'amitié que vous me faites l'honneur de me porter, je craignais que vous n'eussiez un peu vivement exprimé à Sa Majesté ma douleur et votre indignation, et qu'alors le roi...

— Et qu'alors le roi ? répéta d'Artagnan. Voyons, achevez, Raoul.

— Excusez-moi à votre tour, monsieur d'Artagnan, dit Raoul. Un instant j'ai tremblé, je l'avoue, que vous ne vinssiez pas ici comme M. d'Artagnan, mais comme capitaine de mousquetaires.

— Vous êtes fou, mon pauvre Raoul, s'écria d'Artagnan avec un éclat de rire dans lequel un exact observateur eût peut-être désiré plus de franchise.

— Tant mieux ! dit Raoul.

— Oui, fou, et savez-vous ce que je vous conseille ?

— Dites, monsieur ; venant de vous, l'avis doit être bon.

— Eh bien ! je vous conseille, après votre voyage, après votre visite chez M. de Guiche, après votre visite chez Madame, après votre visite chez Porthos, après votre voyage à Vincennes, je vous conseille de prendre quelque repos ; couchez-vous, dormez douze heures, et, à votre réveil, fatiguez-moi un bon cheval.

Et, l'attirant à lui, il l'embrassa comme il eût fait de son propre enfant. Athos en fit autant ; seulement, il était visible que le baiser était plus tendre et la pression plus forte encore chez le père que chez l'ami.

Le jeune homme regarda de nouveau ces deux hommes, en appliquant à les pénétrer toutes les forces de son intelligence. Mais son regard s'émoussa sur la physionomie riante du mousquetaire et sur la figure calme et douce du comte de La Fère.

— Et où allez-vous, Raoul ? demanda ce dernier, voyant que Bragelonne s'apprêtait à sortir.

— Chez moi, monsieur, répondit celui-ci de sa voix douce et triste.

— C'est donc là qu'on vous trouvera, vicomte, si l'on a quelque chose à vous dire ?

— Oui, monsieur. Est-ce que vous prévoyez avoir quelque chose à me dire ?

— Que sais-je ! dit Athos.

— Oui, de nouvelles consolations, dit d'Artagnan en poussant tout doucement Raoul vers la porte.

Raoul, voyant cette sérénité dans chaque geste des deux amis, sortit de chez le comte, n'emportant avec lui que l'unique sentiment de sa douleur particulière.

— Dieu soit loué, dit-il, je puis donc ne plus penser qu'à moi.

Et, s'enveloppant de son manteau, de manière à cacher aux passants son visage attristé, il sortit pour se rendre à son propre logement, comme il l'avait promis à Porthos.

Les deux amis avaient vu le jeune homme s'éloigner avec un sentiment pareil de commisération.

Seulement, chacun d'eux l'avait exprimé d'une façon différente.

— Pauvre Raoul ! avait dit Athos en laissant échapper un soupir.

— Pauvre Raoul ! avait dit d'Artagnan en haussant les épaules.

CXCIX

HEU ! MISER[1] !

« Pauvre Raoul ! » avait dit Athos. « Pauvre Raoul ! » avait dit d'Artagnan. En effet, plaint par ces deux hommes si forts, Raoul devait être un homme bien malheureux.

---

1. Exclamatif courant en latin, qui signifie « Oh ! malheureux ».

Aussi, lorsqu'il se trouva seul en face de lui-même, laissant derrière lui l'ami intrépide et le père indulgent, lorsqu'il se rappela l'aveu fait par le roi de cette tendresse qui lui volait sa bien-aimée Louise de La Vallière, il sentit son cœur se briser, comme chacun de nous l'a senti se briser une fois à la première illusion détruite, au premier amour trahi.

— Oh ! murmura-t-il, c'en est donc fait ! Plus rien dans la vie ! Rien à attendre, rien à espérer ! Guiche me l'a dit, mon père me l'a dit, M. d'Artagnan me l'a dit. Tout est donc un rêve en ce monde ! C'était un rêve que cet avenir poursuivi depuis dix ans ! Cette union de nos cœurs, c'était un rêve ! Cette vie toute d'amour et de bonheur, c'était un rêve !

« Pauvre fou de rêver ainsi tout haut et publiquement, en face de mes amis et de mes ennemis, afin que mes amis s'attristent de mes peines et que mes ennemis rient de mes douleurs !...

« Ainsi, mon malheur va devenir une disgrâce éclatante, un scandale public. Ainsi, demain, je serai montré honteusement au doigt !

Et, malgré le calme promis à son père et à d'Artagnan, Raoul fit entendre quelques paroles de sourde menace.

— Et cependant, continua-t-il, si je m'appelais de Wardes, et que j'eusse à la fois la souplesse et la vigueur de M. d'Artagnan, je rirais avec les lèvres, je convaincrais les femmes que cette perfide, honorée de mon amour, ne me laisse qu'un regret, celui d'avoir été abusé par ses semblants d'honnêteté ; quelques railleurs flagorneraient le roi à mes dépens ; je me mettrais à l'affût sur le chemin des railleurs, j'en châtierais quelques-uns. Les hommes me redouteraient, et, au troisième que j'aurais couché à mes pieds, je serais adoré par les femmes.

« Oui, voilà un parti à prendre, et le comte de La Fère lui-même n'y répugnerait pas. N'a-t-il pas été éprouvé, lui aussi, au milieu de sa jeunesse, comme je viens de l'être ? N'a-t-il pas remplacé l'amour par l'ivresse ? Il me l'a dit souvent. Pourquoi, moi, ne remplacerais-je pas l'amour par le plaisir ?

« Il avait souffert autant que je souffre, plus peut-être ! L'histoire d'un homme est donc l'histoire de tous les hommes ? une épreuve plus ou moins longue, plus ou moins douloureuse ? La voix de l'humanité tout entière n'est qu'un long cri.

« Mais qu'importe la douleur des autres à celui qui souffre ? La plaie ouverte dans une autre poitrine adoucit-elle la plaie béante sur la nôtre ? Le sang qui coule à côté de nous tarit-il notre sang ? Cette angoisse universelle diminue-t-elle l'angoisse particulière ? Non, chacun souffre pour soi, chacun lutte avec sa douleur, chacun pleure ses propres larmes.

« Et, d'ailleurs, qu'a été la vie pour moi jusqu'à présent ? Une arène froide et stérile où j'ai combattu pour les autres toujours, pour moi jamais.

« Tantôt pour un roi, tantôt pour une femme.

« Le roi m'a trahi, la femme m'a dédaigné.

« Oh ! malheureux !... Les femmes ! Ne pourrais-je donc faire expier à toutes le crime de l'une d'elles ?

« Que faut-il pour cela ?... N'avoir plus de cœur, ou oublier qu'on en a un ; être fort, même contre la faiblesse ; appuyer toujours, même lorsque l'on sent rompre.

« Que faut-il pour en arriver là ? Être jeune, beau, fort, vaillant, riche. Je suis ou je serai tout cela.

« Mais l'honneur ? Qu'est-ce que l'honneur ? Une théorie que chacun comprend à sa façon. Mon père me disait : "L'honneur, c'est le respect de ce que l'on doit aux autres, et surtout de ce qu'on se doit à soi-même." Mais de Guiche, mais Manicamp, mais de Saint-Aignan surtout me diraient : "L'honneur consiste à servir les passions et les plaisirs de son roi." Cet honneur-là est facile et productif. Avec cet honneur-là, je puis garder mon poste à la cour, devenir gentilhomme de la Chambre, avoir un beau et bon régiment à moi. Avec cet honneur-là, je puis être duc et pair.

« La tache que vient de m'imprimer cette femme, cette douleur avec laquelle elle vient de briser mon cœur, à moi, Raoul, son ami d'enfance, ne touche en rien M. de Bragelonne, bon officier, brave capitaine qui se couvrira de gloire à la première rencontre, et qui deviendra cent fois plus que n'est aujourd'hui Mlle de La Vallière, la maîtresse du roi ; car le roi n'épousera pas Mlle de La Vallière, et plus il la déclarera publiquement sa maîtresse, plus il épaissira le bandeau de honte qu'il lui jette au front en guise de couronne, et, à mesure qu'on la méprisera comme je la méprise, moi, je me glorifierai.

« Hélas ! nous avions marché ensemble, elle et moi, pendant le premier, pendant le plus beau tiers de notre vie, nous tenant par la main le long du sentier charmant et plein de fleurs de la jeunesse, et voilà que nous arrivons à un carrefour où elle se sépare de moi, où nous allons suivre une route différente qui ira nous écartant toujours davantage l'un de l'autre ; et, pour atteindre le bout de ce chemin, Seigneur, je suis seul, je suis désespéré, je suis anéanti !

« O malheureux !...

Raoul en était là de ses réflexions sinistres, quand son pied se posa machinalement sur le seuil de sa maison. Il était arrivé là sans voir les rues par lesquelles il passait, sans savoir comment il était venu ; il poussa la porte, continua d'avancer et gravit l'escalier.

Comme dans la plupart des maisons de cette époque, l'escalier était sombre et les paliers étaient obscurs. Raoul logeait au premier étage ; il s'arrêta pour sonner. Olivain parut, lui prit des mains l'épée et le manteau. Raoul ouvrit lui-même la porte qui, de l'antichambre, donnait dans un petit salon assez richement meublé pour un salon de jeune homme, et tout garni de fleurs par Olivain, qui, connaissant les goûts de son maître, s'était empressé d'y satisfaire, sans s'inquiéter s'il s'apercevrait ou ne s'apercevrait pas de cette attention.

Il y avait dans le salon un portrait de La Vallière que La Vallière elle-même avait dessiné et avait donné à Raoul. Ce portrait, accroché au-dessus d'une grande chaise longue recouverte de damas de couleur sombre, fut le premier point vers lequel Raoul se dirigea, le premier objet sur lequel il fixa les yeux. Au reste, Raoul cédait à son habitude ; c'était, chaque fois qu'il rentrait chez lui, ce portrait qui, avant toute chose, attirait ses yeux. Cette fois, comme toujours, il alla donc droit au portrait, posa ses genoux sur la chaise longue, et s'arrêta à le regarder tristement.

Il avait les bras croisés sur la poitrine, la tête doucement levée, l'œil calme et voilé, la bouche plissée par un sourire amer.

Il regarda l'image adorée ; puis tout ce qu'il avait dit repassa dans son esprit, tout ce qu'il avait souffert assaillit son cœur, et, après un long silence :

— O malheureux ! dit-il pour la troisième fois.

A peine avait-il prononcé ces deux mots, qu'un soupir et une plainte se firent entendre derrière lui.

Il se retourna vivement, et, dans l'angle du salon, il aperçut, debout, courbée, voilée, une femme qu'en entrant il avait cachée derrière le déplacement de la porte, et que depuis il n'avait pas vue, ne s'étant pas retourné.

Il s'avança vers cette femme, dont personne ne lui avait annoncé la présence, saluant et s'informant à la fois, quand tout à coup la tête baissée se releva, le voile écarté laissa voir le visage, et une figure blanche et triste lui apparut.

Raoul se recula, comme il eût fait devant un fantôme.

— Louise ! s'écria-t-il avec un accent si désespéré, qu'on n'eût pas cru que la voix humaine pût jeter un pareil cri sans que se brisassent toutes les fibres du cœur.

CC

BLESSURES SUR BLESSURES

Mlle de La Vallière, car c'était bien elle, fit un pas en avant.

— Oui, Louise, murmura-t-elle.

Mais dans cet intervalle, si court qu'il fût, Raoul avait eu le temps de se remettre.

— Vous, mademoiselle ? dit-il.

Puis, avec un accent indéfinissable :

— Vous ici ? ajouta-t-il.

— Oui, Raoul, répéta la jeune fille ; oui, moi, qui vous attendais.

— Pardon ; lorsque je suis rentré, j'ignorais...

— Oui, et j'avais recommandé à Olivain de vous laisser ignorer...

Elle hésita, et, comme Raoul ne se pressait pas de lui répondre, il se fit un silence d'un instant, silence pendant lequel on eût pu entendre le bruit de ces deux cœurs qui battaient, non plus à l'unisson l'un de l'autre, mais aussi violemment l'un que l'autre.

C'était à Louise de parler. Elle fit un effort.

— J'avais à vous parler, dit-elle ; il fallait absolument que je vous visse... moi-même... seule... Je n'ai point reculé devant une démarche qui doit rester secrète ; car personne, excepté vous, ne la comprendrait, monsieur de Bragelonne.

— En effet, mademoiselle, balbutia Raoul, tout effaré, tout haletant, et moi-même, malgré la bonne opinion que vous avez de moi, j'avoue...

— Voulez-vous me faire la grâce de vous asseoir et de m'écouter ? dit Louise, l'interrompant avec sa plus douce voix.

Bragelonne la regarda un instant ; puis, secouant tristement la tête, il s'assit ou plutôt tomba sur une chaise.

— Parlez, dit-il.

Elle jeta un regard à la dérobée autour d'elle. Ce regard était une prière et demandait bien mieux le secret qu'un instant auparavant ne l'avaient fait ses paroles.

Raoul se releva, et, allant à la porte qu'il ouvrit :

— Olivain, dit-il, je n'y suis pour personne.

Puis, se retournant vers La Vallière :

— C'est cela que vous désirez ? dit-il.

Rien ne peut rendre l'effet que fit sur Louise cette parole qui signifiait : « Vous voyez que je vous comprends encore, moi. »

Elle passa son mouchoir sur ses yeux pour éponger une larme rebelle ; puis, s'étant recueillie un instant :

— Raoul, dit-elle, ne détournez point de moi votre regard si bon et si franc ; vous n'êtes pas un de ces hommes qui méprisent une femme parce qu'elle a donné son cœur, dût cet amour faire leur malheur ou les blesser dans leur orgueil.

Raoul ne répondit point.

— Hélas ! continua La Vallière, ce n'est que trop vrai ; ma cause est mauvaise, et je ne sais par quelle phrase commencer. Tenez, je ferai mieux, je crois, de vous raconter tout simplement ce qui m'arrive. Comme je dirai la vérité, je trouverai toujours mon droit chemin, dans l'obscurité, dans l'hésitation, dans les obstacles que j'ai à braver, pour soulager mon cœur qui déborde et veut se répandre à vos pieds.

Raoul continua de garder le silence.

La Vallière le regardait d'un air qui voulait dire : « Encouragez-moi ! par pitié, un mot ! »

Mais Raoul se tut et la jeune fille dut continuer.

— Tout à l'heure, dit-elle, M. de Saint-Aignan est venu chez moi de la part du roi.

Elle baissa les yeux.

De son côté, Raoul détourna les siens pour ne rien voir.

— M. de Saint-Aignan est venu chez moi de la part du roi, répéta-t-elle, et il m'a dit que vous saviez tout.

Et elle essaya de regarder en face celui qui recevait cette blessure après tant d'autres blessures ; mais il lui fut impossible de rencontrer les yeux de Raoul.

— Il m'a dit que vous aviez conçu contre moi une légitime colère.

Cette fois, Raoul regarda la jeune fille, et un sourire dédaigneux retroussa ses lèvres.

— Oh ! continua-t-elle, je vous en supplie, ne dites pas que vous avez ressenti contre moi autre chose que de la colère. Raoul, attendez que je vous aie tout dit, attendez que je vous aie parlé jusqu'à la fin.

Le front de Raoul se rasséréna par la force de sa volonté ; le pli de sa bouche s'effaça.

— Et d'abord, dit La Vallière, d'abord, les mains jointes, le front courbé, je vous demande pardon comme au plus généreux, comme au plus noble des hommes. Si je vous ai laissé ignorer ce qui se passait en moi, jamais du moins je n'eusse consenti à vous tromper. Oh ! je vous en supplie, Raoul, je vous le demande à genoux, répondez-moi, fût-ce une injure. J'aime mieux une injure de vos lèvres qu'un soupçon de votre cœur.

— J'admire votre sublimité, mademoiselle, dit Raoul en faisant un effort sur lui-même pour rester calme. Laisser ignorer que l'on trompe, c'est loyal ; mais tromper, il paraît que ce serait mal, et vous ne le feriez point.

— Monsieur, longtemps, j'ai cru que je vous aimais avant toute chose, et, tant que j'ai cru à mon amour pour vous, je vous ai dit que je vous aimais. A Blois, je vous aimais. Le roi passa à Blois ; je crus que je vous aimais encore. Je l'eusse juré sur un autel ; mais un jour est venu qui m'a détrompée.

— Eh bien ! ce jour-là, mademoiselle, voyant que je vous aimais toujours, moi, la loyauté devait vous ordonner de me dire que vous ne m'aimiez plus.

— Ce jour-là, Raoul, le jour où j'ai lu jusqu'au fond de mon cœur, le jour où je me suis avoué à moi-même que vous ne remplissiez pas toute ma pensée, le jour où j'ai vu un autre avenir que celui d'être votre amie, votre amante, votre épouse, ce jour-là, Raoul, hélas ! vous n'étiez plus près de moi.

— Vous saviez où j'étais, mademoiselle ; il fallait écrire.

— Raoul, je n'ai point osé. Raoul, j'ai été lâche. Que voulez-vous, Raoul ! je vous connaissais si bien, je savais si bien que vous m'aimiez, que j'ai tremblé à la seule idée de la douleur que j'allais vous faire ; et cela est si vrai, Raoul, qu'en ce moment où je vous parle, courbée devant vous, le cœur serré, des soupirs plein la voix, des larmes plein les yeux, aussi vrai que je n'ai d'autre défense que ma franchise, je n'ai pas non plus d'autre douleur que celle que je lis dans vos yeux.

Raoul essaya de sourire.

— Non, dit la jeune fille avec une conviction profonde, non, vous ne me ferez pas cette injure de vous dissimuler devant moi. Vous m'aimiez, vous ; vous étiez sûr de m'aimer ; vous ne vous trompiez pas vous-même, vous ne mentiez pas à votre propre cœur, tandis que moi, moi !...

Et toute pâle, les bras tendus au-dessus de sa tête, elle se laissa tomber sur les genoux.

— Tandis que vous, dit Raoul, vous me disiez que vous m'aimiez, et vous en aimiez un autre !

— Hélas ! oui, s'écria la pauvre enfant ; hélas ! oui, j'en aime un autre ; et cet autre... mon Dieu ! laissez-moi dire, car c'est ma seule excuse, Raoul ; cet autre, je l'aime plus que je n'aime ma vie, plus que je n'aime Dieu. Pardonnez-moi ma faute ou punissez ma trahison, Raoul. Je suis venue ici, non pour me défendre, mais pour vous dire : Vous savez ce que c'est qu'aimer ? Eh bien, j'aime ! J'aime à donner ma vie, à donner mon âme à celui que j'aime ! S'il cesse de m'aimer jamais, je mourrai de douleur, à moins que Dieu ne me secoure, à moins que le Seigneur ne me prenne en miséricorde. Raoul, je suis ici pour subir votre volonté, quelle qu'elle soit ; pour mourir si vous voulez que je meure. Tuez-moi donc, Raoul, si, dans votre cœur, vous croyez que je mérite la mort.

— Prenez-y garde, mademoiselle, dit Raoul, la femme qui demande la mort est celle qui ne peut plus donner que son sang à l'amant trahi.

— Vous avez raison, dit-elle.

Raoul poussa un profond soupir.

— Et vous aimez sans pouvoir oublier ? s'écria Raoul.

— J'aime sans vouloir oublier, sans désir d'aimer jamais ailleurs, répondit La Vallière.

— Bien ! fit Raoul. Vous m'avez dit, en effet, tout ce que vous aviez à me dire, tout ce que je pouvais désirer savoir. Et maintenant, mademoiselle, c'est moi qui vous demande pardon, c'est moi qui ai failli être un obstacle dans votre vie, c'est moi qui ai eu tort, c'est moi qui, en me trompant, vous aidais à vous tromper.

— Oh ! fit La Vallière, je ne vous demande pas tant, Raoul.

— Tout cela est ma faute, mademoiselle, continua Raoul ; plus instruit que vous dans les difficultés de la vie, c'était à moi de vous éclairer ;

je devais ne pas me reposer sur l'incertain, je devais faire parler votre
cœur, tandis que j'ai fait à peine parler votre bouche. Je vous le répète,
mademoiselle, je vous demande pardon.

— C'est impossible, c'est impossible ! s'écria-t-elle. Vous me raillez !

— Comment, impossible ?

— Oui, il est impossible d'être bon, d'être excellent, d'être parfait
à ce point.

— Prenez garde ! dit Raoul avec un sourire amer ; car tout à l'heure
vous allez peut-être dire que je ne vous aimais pas.

— Oh ! vous m'aimiez comme un tendre frère ; laissez-moi espérer
cela, Raoul.

— Comme un tendre frère ? Détrompez-vous, Louise. Je vous aimais
comme un amant, comme un époux, comme le plus tendre des hommes
qui vous aiment.

— Raoul ! Raoul !

— Comme un frère ? Oh ! Louise, je vous aimais à donner pour vous
tout mon sang goutte à goutte, toute ma chair lambeau par lambeau,
toute mon éternité heure par heure.

— Raoul, Raoul, par pitié !

— Je vous aimais tant, Louise, que mon cœur est mort, que ma foi
chancelle, que mes yeux s'éteignent ; je vous aimais tant, que je ne vois
plus rien, ni sur la terre, ni dans le ciel.

— Raoul, Raoul, mon ami, je vous en conjure, épargnez-moi ! s'écria
La Vallière. Oh ! si j'avais su !...

— Il est trop tard, Louise ; vous aimez, vous êtes heureuse ; je lis votre
joie à travers vos larmes ; derrière les larmes que verse votre loyauté,
je sens les soupirs qu'exhale votre amour. Louise, Louise, vous avez
fait de moi le dernier des hommes : retirez-vous, je vous en conjure.
Adieu ! adieu !

— Pardonnez-moi, je vous en supplie !

— Eh ! n'ai-je pas fait plus ? Ne vous ai-je pas dit que je vous aimais
toujours ?

Elle cacha son visage entre ses mains.

— Et vous dire cela, comprenez-vous, Louise ? vous le dire dans un
pareil moment, vous le dire comme je vous le dis, c'est vous dire ma
sentence de mort. Adieu !

La Vallière voulut tendre ses mains vers lui.

— Nous ne devons plus nous voir dans ce monde, dit-il.

Elle voulut s'écrier : il lui ferma la bouche avec la main. Elle baisa
cette main et s'évanouit.

— Olivain, dit Raoul, prenez cette jeune dame et la portez dans sa
chaise, qui attend à la porte.

Olivain la souleva. Raoul fit un mouvement pour se précipiter vers

La Vallière, pour lui donner le premier et le dernier baiser ; puis, s'arrêtant tout à coup :

— Non, dit-il, ce bien n'est pas à moi. Je ne suis pas le roi de France, pour voler !

Et il rentra dans sa chambre, tandis que le laquais emportait La Vallière toujours évanouie.

CCI

CE QU'AVAIT DEVINÉ RAOUL

Raoul parti, les deux exclamations qui l'avaient suivi exhalées, Athos et d'Artagnan se retrouvèrent, seuls, en face l'un de l'autre.

Athos reprit aussitôt l'air empressé qu'il avait à l'arrivée de d'Artagnan.

— Eh bien ! dit-il, cher ami, que veniez-vous m'annoncer ?

— Moi ? demanda d'Artagnan.

— Sans doute, vous. On ne vous envoie pas ainsi sans cause ?

Athos sourit.

— Dame ! fit d'Artagnan.

— Je vais vous mettre à votre aise, cher ami. Le roi est furieux, n'est-ce pas ?

— Mais je dois vous avouer qu'il n'est pas content.

— Et vous venez ?...

— De sa part, oui.

— Pour m'arrêter, alors ?

— Vous avez mis le doigt sur la chose, cher ami.

— Je m'y attendais. Allons !

— Oh ! oh ! que diable ! fit d'Artagnan, comme vous êtes pressé, vous !

— Je crains de vous mettre en retard, dit en souriant Athos.

— J'ai le temps. N'êtes-vous pas curieux, d'ailleurs, de savoir comment les choses se sont passées entre moi et le roi ?

— S'il vous plaît de me le raconter, cher ami, j'écouterai cela avec plaisir.

Et il montra à d'Artagnan un grand fauteuil dans lequel celui-ci s'étendit en prenant ses aises.

— J'y tiens, voyez-vous, continua d'Artagnan, attendu que la conversation est assez curieuse.

— J'écoute.

— Eh bien ! d'abord, le roi m'a fait appeler.

— Après mon départ ?

— Vous descendiez les dernières marches de l'escalier, à ce que m'ont dit les mousquetaires. Je suis arrivé. Mon ami, il n'était pas rouge, il était violet. J'ignorais encore ce qui s'était passé. Seulement, à terre, sur le parquet, je voyais une épée brisée en deux morceaux.

« — Capitaine d'Artagnan ! s'écria le roi en m'apercevant.

« — Sire, répondis-je.

« — Je quitte M. de La Fère, qui est un insolent !

« — Un insolent ? m'écriai-je avec un tel accent, que le roi s'arrêta court.

« — Capitaine d'Artagnan, reprit le roi les dents serrées, vous allez m'écouter et m'obéir.

« — C'est mon devoir, sire.

« — J'ai voulu épargner à ce gentilhomme, pour lequel je garde quelques bons souvenirs, l'affront de ne pas le faire arrêter chez moi.

« — Ah ! ah ! dis-je tranquillement.

« — Mais, continua-t-il, vous allez prendre un carrosse...

« Je fis un mouvement.

« — S'il vous répugne de l'arrêter vous-même, continua le roi, envoyez-moi mon capitaine des gardes.

« — Sire, répliquai-je, il n'est pas besoin du capitaine des gardes puisque je suis de service.

« — Je ne voudrais pas vous déplaire, dit le roi avec bonté ; car vous m'avez toujours bien servi, monsieur d'Artagnan.

« — Vous ne me déplaisez pas, sire, répondis-je. Je suis de service, voilà tout.

« — Mais, dit le roi avec étonnement, il me semble que le comte est votre ami ?

« — Il serait mon père, sire, que je n'en serais pas moins de service.

« Le roi me regarda ; il vit mon visage impassible et parut satisfait.

« — Vous arrêterez donc M. le comte de La Fère ? demanda-t-il.

« — Sans doute, sire, si vous m'en donnez l'ordre.

« — Eh bien ! l'ordre, je vous le donne.

« Je m'inclinai.

« — Où est le comte, sire ?

« — Vous le chercherez.

« — Et je l'arrêterai en quelque lieu qu'il soit, alors ?

« — Oui... cependant, tâchez qu'il soit chez lui. S'il retournait dans ses terres, sortez de Paris et prenez-le sur la route.

« Je saluai ; et, comme je restais en place :

« — Eh bien ? demanda le roi.

« — J'attends, sire ?

« — Qu'attendez-vous ?

« — L'ordre signé.

« Le roi parut contrarié.

« En effet, c'était un nouveau coup d'autorité à faire, c'était réparer l'acte arbitraire, si toutefois arbitraire il y a.

« Il prit la plume lentement et de mauvaise humeur, puis il écrivit :

Ordre à M. le chevalier d'Artagnan, capitaine-lieutenant de mes mousquetaires, d'arrêter M. le comte de La Fère partout où on le trouvera.

« Puis il se tourna de mon côté.

« J'attendais sans sourciller. Sans doute, il crut voir une bravade dans ma tranquillité, car il signa vivement ; puis, me remettant l'ordre :

« — Allez ! s'écria-t-il.

« J'obéis, et me voici.

Athos serra la main de son ami.

— Marchons, dit-il.

— Oh ! fit d'Artagnan, vous avez bien quelques petites affaires à arranger avant de quitter comme cela votre logement ?

— Moi ? Pas du tout.

— Comment !...

— Mon Dieu, non. Vous le savez, d'Artagnan, j'ai toujours été simple voyageur sur la terre, prêt à aller au bout du monde à l'ordre de mon roi, prêt à quitter ce monde pour l'autre à l'ordre de mon Dieu. Que faut-il à l'homme prévenu ? Un portemanteau ou un cercueil. Je suis prêt aujourd'hui comme toujours, cher ami. Emmenez-moi donc.

— Mais Bragelonne ?...

— Je l'ai élevé dans les principes que je m'étais faits à moi-même, et vous voyez qu'en vous apercevant il a deviné à l'instant même la cause qui vous amenait. Nous l'avons dépisté un moment ; mais, soyez tranquille, il s'attend assez à ma disgrâce pour ne pas s'effrayer outre mesure. Marchons.

— Marchons, dit tranquillement d'Artagnan.

— Mon ami, dit le comte, comme j'ai brisé mon épée chez le roi, et que j'en ai jeté les morceaux à ses pieds, je crois que cela me dispense de vous la remettre.

— Vous avez raison ; et, d'ailleurs, que diable voulez-vous que je fasse de votre épée ?

— Marche-t-on devant vous ou derrière vous ?

— On marche à mon bras, répliqua d'Artagnan.

Et il prit le bras du comte de La Fère pour descendre l'escalier.

Ils arrivèrent ainsi au palier.

Grimaud, qu'ils avaient rencontré dans l'antichambre, regardait cette sortie d'un air inquiet. Il connaissait trop la vie pour ne pas se douter qu'il y eût quelque chose de caché là-dessous.

— Ah ! c'est toi, mon bon Grimaud ? dit Athos. Nous allons...

— Faire un tour dans mon carrosse, interrompit d'Artagnan avec un mouvement amical de la tête.

Grimaud remercia d'Artagnan par une grimace qui avait visiblement l'intention d'être un sourire, et il accompagna les deux amis jusqu'à la portière. Athos monta le premier ; d'Artagnan le suivit sans avoir rien dit au cocher. Ce départ, tout simple et sans autre démonstration, ne fit aucune sensation dans le voisinage. Lorsque le carrosse eut atteint les quais :

— Vous me menez à la Bastille, à ce que je vois ? dit Athos.

— Moi ? dit d'Artagnan. Je vous mène où vous voulez aller, pas ailleurs.

— Comment cela ? fit le comte surpris.

— Pardieu ! dit d'Artagnan, vous comprenez bien, mon cher comte, que je ne me suis chargé de la commission que pour que vous en fassiez à votre fantaisie. Vous ne vous attendez pas à ce que je vous fasse écrouer comme cela brutalement, sans réflexion. Si je n'avais pas prévu cela, j'eusse laissé faire M. le capitaine des gardes.

— Ainsi ?... demanda Athos.

— Ainsi, je vous le répète, nous allons où vous voulez.

— Cher ami, dit Athos en embrassant d'Artagnan, je vous reconnais bien là.

— Dame ! il me semble que c'est tout simple. Le cocher va vous mener à la barrière du Cours-la-Reine[1] ; vous y trouverez un cheval que j'ai ordonné de tenir tout prêt ; avec ce cheval, vous ferez trois postes tout d'une traite, et, moi, j'aurai soin de ne rentrer chez le roi, pour lui dire que vous êtes parti, qu'au moment où il sera impossible de vous joindre. Pendant ce temps, vous aurez gagné Le Havre, et, du Havre, l'Angleterre, où vous trouverez la jolie maison que m'a donnée mon ami M. Monck, sans parler de l'hospitalité que le roi Charles ne manquera pas de vous offrir. Eh bien ! que dites-vous de ce projet ?

— Menez-moi à la Bastille, dit Athos en souriant.

— Mauvaise tête ! dit d'Artagnan ; réfléchissez donc.

— Quoi ?

— Que vous n'avez plus vingt ans. Croyez-moi, mon ami, je vous parle d'après moi. Une prison est mortelle aux gens de notre âge. Non, non, je ne souffrirai pas que vous languissiez en prison. Rien que d'y penser, la tête m'en tourne !

— Ami, répondit Athos, Dieu m'a fait, par bonheur, aussi fort de corps que d'esprit. Croyez-moi, je serai fort jusqu'à mon dernier soupir.

— Mais ce n'est pas de la force, mon cher, c'est de la folie.

— Non, d'Artagnan, c'est une raison suprême. Ne croyez pas que je discute le moins du monde avec vous cette question de savoir si vous

---

1. Voir *Vingt Ans après*, chap. LIV, p. 979, note 1.

vous perdriez en me sauvant. J'eusse fait ce que vous faites, si la fuite eût été dans mes convenances. J'eusse donc accepté de vous ce que, sans aucun doute, en pareille circonstance, vous eussiez accepté de moi. Non ! je vous connais trop pour effleurer seulement ce sujet.

— Ah ! si vous me laissiez faire, dit d'Artagnan, comme j'enverrais le roi courir après vous !

— Il est le roi, cher ami.

— Oh ! cela m'est bien égal ; et, tout roi qu'il est, je lui répondrais parfaitement : « Sire, emprisonnez, exilez, tuez tout en France et en Europe ; ordonnez-moi d'arrêter et de poignarder qui vous voudrez, fût-ce Monsieur, votre frère ; mais ne touchez jamais à un des quatre mousquetaires, ou sinon, mordioux !... »

— Cher ami, répondit Athos avec calme, je voudrais vous persuader d'une chose, c'est que je désire être arrêté, c'est que je tiens à une arrestation par-dessus tout.

D'Artagnan fit un mouvement d'épaules.

— Que voulez-vous ! continua Athos, c'est ainsi : vous me laisseriez aller, que je reviendrais de moi-même me constituer prisonnier. Je veux prouver à ce jeune homme que l'éclat de sa couronne étourdit, je veux lui prouver qu'il n'est le premier des hommes qu'à la condition d'en être le plus généreux et le plus sage. Il me punit, il m'emprisonne, il me torture, soit ! Il abuse, et je veux lui faire savoir ce que c'est qu'un remords, en attendant que Dieu lui apprenne ce que c'est qu'un châtiment.

— Mon ami, répondit d'Artagnan, je sais trop que, lorsque vous avez dit non, c'est non. Je n'insiste plus ; vous voulez aller à la Bastille ?

— Je le veux.

— Allons-y !... A la Bastille ! continua d'Artagnan en s'adressant au cocher.

Et, se rejetant dans le carrosse, il mâcha sa moustache avec un acharnement qui, pour Athos, signifiait une résolution prise ou en train de naître.

Le silence se fit dans le carrosse, qui continua de rouler, mais pas plus vite, pas plus lentement. Athos reprit la main du mousquetaire.

— Vous n'êtes point fâché contre moi, d'Artagnan ? dit-il.

— Moi ? Eh ! pardieu ! non. Ce que vous faites par héroïsme, vous, je l'eusse fait, moi, par entêtement.

— Mais vous êtes bien d'avis que Dieu me vengera, n'est-ce pas, d'Artagnan ?

— Et je connais sur la terre des gens qui aideront Dieu, dit le capitaine.

CCII

TROIS CONVIVES ÉTONNÉS DE SOUPER ENSEMBLE

Le carrosse était arrivé devant la première porte de la Bastille. Un factionnaire l'arrêta, et d'Artagnan n'eut qu'un mot à dire pour que la consigne fût levée. Le carrosse entra donc.

Tandis que l'on suivait le grand chemin couvert qui conduisait à la cour du Gouvernement[1], d'Artagnan, dont l'œil de lynx voyait tout, même à travers les murs, s'écria tout à coup :

— Eh ! qu'est-ce que je vois ?

— Bon ! dit tranquillement Athos, qui voyez-vous, mon ami ?

— Regardez donc là-bas !

— Dans la cour ?

— Oui ; vite, dépêchez-vous.

— Eh bien ! un carrosse.

— Bien !

— Quelque pauvre prisonnier comme moi qu'on amène.

— Ce serait trop drôle !

— Je ne vous comprends pas.

— Dépêchez-vous de regarder encore pour voir celui qui va sortir de ce carrosse.

Justement un second factionnaire venait d'arrêter d'Artagnan. Les formalités s'accomplissaient. Athos pouvait voir à cent pas l'homme que son ami lui avait signalé.

Cet homme descendit, en effet, de carrosse à la porte même du Gouvernement.

— Eh bien ! demanda d'Artagnan, vous le voyez ?

— Oui ; c'est un homme en habit gris.

— Qu'en dites-vous ?

— Je ne sais trop ; c'est, comme je vous le dis, un homme en habit gris qui descend de carrosse : voilà tout.

— Athos, je gagerais que c'est lui.

— Qui lui ?

— Aramis.

---

1. Pour entrer à la Bastille, on prenait, à droite de la rue Saint-Antoine, un passage qui allait en s'élargissant et formant la cour de l'Avancée ; à son extrémité, tournant à gauche, on rencontrait un premier pont-levis, celui de l'Avancée, pour se trouver dans la cour dite du Gouvernement (actuellement boulevard Henri-IV) ; à droite s'élevait l'hôtel du gouverneur ; au fond une terrasse plantée, à gauche le chemin d'entrée de la prison située entre les tours de la Bazinière et de la Comté.

— Aramis arrêté ? Impossible !

— Je ne vous dis pas qu'il est arrêté, puisque nous le voyons seul dans son carrosse.

— Alors, que fait-il ici ?

— Oh ! il connaît Baisemeaux, le gouverneur, répliqua le mousquetaire d'un ton sournois. Ma foi ! nous arrivons à temps !

— Pour quoi faire ?

— Pour voir.

— Je regrette fort cette rencontre ; Aramis, en me voyant, va prendre de l'ennui, d'abord de me voir, ensuite d'être vu.

— Bien raisonné.

— Malheureusement, il n'y a pas de remède quand on rencontre quelqu'un dans la Bastille ; voulût-on reculer pour l'éviter, c'est impossible.

— Je vous dis, Athos, que j'ai mon idée ; il s'agit d'épargner à Aramis l'ennui dont vous parliez.

— Comment faire ?

— Comme je vous dirai, ou, pour mieux m'expliquer, laissez-moi conter la chose à ma façon ; je ne vous recommanderai pas de mentir, cela vous serait impossible.

— Eh bien ! alors ?

— Eh bien ! je mentirai pour deux ; c'est si facile avec la nature et l'habitude du Gascon !

Athos sourit. Le carrosse s'arrêta où s'était arrêté celui que nous venons de signaler, sur le seuil du Gouvernement même.

— C'est entendu ? fit d'Artagnan bas à son ami.

Athos consentit par un geste. Ils montèrent l'escalier. Si l'on s'étonne de la facilité avec laquelle ils étaient entrés dans la Bastille, on se souviendra qu'en entrant, c'est-à-dire au plus difficile, d'Artagnan avait annoncé qu'il amenait un prisonnier d'État.

A la troisième porte, au contraire, c'est-à-dire une fois bien entré, il dit seulement au factionnaire :

— Chez M. de Baisemeaux.

Et tous deux passèrent. Ils furent bientôt dans la salle à manger du gouverneur, où le premier visage qui frappa les yeux de d'Artagnan fut celui d'Aramis, qui était assis côte à côte avec Baisemeaux, et attendait l'arrivée d'un bon repas, dont l'odeur fumait par tout l'appartement.

Si d'Artagnan joua la surprise, Aramis ne la joua pas ; il tressaillit en voyant ses deux amis, et son émotion fut visible.

Cependant Athos et d'Artagnan faisaient leurs compliments, et Baisemeaux, étonné, abasourdi de la présence de ces trois hôtes, commençait mille évolutions autour d'eux.

— Ah çà ! dit Aramis, par quel hasard ?...

— Nous vous le demandons, riposta d'Artagnan.

— Est-ce que nous nous constituons tous prisonniers ? s'écria Aramis avec l'affectation de l'hilarité.

— Eh ! eh ! fit d'Artagnan, il est vrai que les murs sentent la prison en diable. Monsieur de Baisemeaux, vous savez que vous m'avez invité à dîner l'autre jour ?

— Moi ? s'écria Baisemeaux.

— Ah çà ! mais on dirait que vous tombez des nues. Vous ne vous souvenez pas ?

Baisemeaux pâlit, rougit, regarda Aramis qui le regardait, et finit par balbutier :

— Certes... je suis ravi... mais... sur l'honneur... je ne... Ah ! misérable mémoire !

— Eh ! mais j'ai tort, dit d'Artagnan comme un homme fâché.

— Tort de quoi ?

— Tort de me souvenir, à ce qu'il paraît.

Baisemeaux se précipita vers lui.

— Ne vous formalisez pas, cher capitaine, dit-il ; je suis la plus pauvre tête du royaume. Sortez-moi de mes pigeons et de leur colombier, je ne vaux pas un soldat de six semaines.

— Enfin, maintenant, vous vous souvenez, dit d'Artagnan avec aplomb.

— Oui, oui, répliqua le gouverneur hésitant, je me souviens.

— C'était chez le roi ; vous me disiez je ne sais quelles histoires sur vos comptes avec MM. Louvières et Tremblay.

— Ah ! oui, parfaitement !

— Et sur les bontés de M. d'Herblay pour vous.

— Ah ! s'écria Aramis en regardant au blanc des yeux le malheureux gouverneur, vous disiez que vous n'aviez pas de mémoire, monsieur Baisemeaux !

Celui-ci interrompit court le mousquetaire.

— Comment donc ! c'est cela ; vous avez raison. Il me semble que j'y suis encore. Mille millions de pardons ! Mais, notez bien ceci, cher monsieur d'Artagnan, à cette heure comme aux autres, prié ou non prié, vous êtes le maître chez moi, vous et monsieur d'Herblay, votre ami, dit-il en se tournant vers Aramis, et Monsieur, ajouta-t-il en saluant Athos.

— J'ai bien pensé à tout cela, répondit d'Artagnan. Voilà pourquoi je venais ; n'ayant rien à faire ce soir au Palais-Royal, je voulais tâter de votre ordinaire, quand, sur la route, je rencontrai M. le comte.

Athos salua.

— M. le comte, qui quittait Sa Majesté, me remit un ordre qui exige prompte exécution. Nous étions près d'ici ; j'ai voulu poursuivre, ne fût-ce que pour vous serrer la main et vous présenter Monsieur, dont vous me parlâtes si avantageusement chez le roi, ce même soir où...

— Très bien ! très bien ! M. le comte de La Fère, n'est-ce pas ?

— Justement.

— M. le comte est le bienvenu.

— Et il dînera avec vous deux, n'est-ce pas ? tandis que moi, pauvre limier, je vais courir pour mon service. Heureux mortels que vous êtes, vous autres ! ajouta-t-il en soupirant comme Porthos l'eût pu faire.

— Ainsi, vous partez ? dirent Aramis et Baisemeaux unis dans un même sentiment de surprise joyeuse.

La nuance fut saisie par d'Artagnan.

— Je vous laisse à ma place, dit-il, un noble et bon convive. Et il frappa doucement sur l'épaule d'Athos, qui, lui aussi, s'étonnait et ne pouvait s'empêcher de le témoigner un peu ; nuance qui fut saisie par Aramis seul, M. de Baisemeaux n'étant pas de la force des trois amis.

— Quoi ! nous vous perdons ? reprit le bon gouverneur.

— Je vous demande une heure ou une heure et demie. Je reviendrai pour le dessert.

— Oh ! nous vous attendrons, dit Baisemeaux.

— Ce serait me désobliger.

— Vous reviendriez ? dit Athos d'un air de doute.

— Assurément, dit-il en lui serrant la main confidentiellement.

Et il ajouta plus bas :

— Attendez-moi, Athos ; soyez gai, et surtout ne parlez pas affaires, pour l'amour de Dieu !

Une nouvelle pression de main confirma le comte dans l'obligation de se tenir discret et impénétrable. Baisemeaux reconduisit d'Artagnan jusqu'à la porte.

Aramis, avec force caresses, s'empara d'Athos, résolu de le faire parler ; mais Athos avait toutes les vertus au suprême degré. Quand la nécessité l'exigeait, il eût été le premier orateur du monde, au besoin ; il fût mort avant de dire une syllabe, dans l'occasion.

Ces trois messieurs se placèrent donc, dix minutes après le départ de d'Artagnan, devant une bonne table meublée avec le luxe gastronomique le plus substantiel. Les grosses pièces, les conserves, les vins les plus variés, apparurent successivement sur cette table, servie aux dépens du roi, et sur la dépense de laquelle M. Colbert eût trouvé facilement à s'économiser deux tiers, sans faire maigrir personne à la Bastille.

Baisemeaux fut le seul qui mangeât et qui bût résolument. Aramis ne refusa rien et effleura tout ; Athos, après le potage et les trois hors-d'œuvre, ne toucha plus à rien.

La conversation fut ce qu'elle devait être entre trois hommes si opposés d'humeur et de projets.

Aramis ne cessa de se demander par quelle singulière rencontre Athos se trouvait chez Baisemeaux lorsque d'Artagnan n'y était plus, et pourquoi d'Artagnan ne s'y trouvait plus quand Athos y était resté. Athos creusa toute la profondeur de cet esprit d'Aramis, qui vivait de subterfuges et d'intrigues ; il regarda bien son homme et le flaira occupé de quelque projet important. Puis il se concentra, lui aussi, dans ses propres intérêts, en se demandant pourquoi d'Artagnan avait quitté la Bastille si étrangement vite, en laissant là un prisonnier si mal introduit et si mal écroué.

Mais ce n'est pas sur ces personnages que nous arrêterons notre examen. Nous les abandonnons à eux-mêmes, devant les débris des chapons, des perdrix et des poissons mutilés par le couteau généreux de Baisemeaux.

Celui que nous poursuivrons, c'est d'Artagnan, qui, remontant dans le carrosse qui l'avait amené, cria au cocher, à l'oreille :

— Chez le roi, et brûlons le pavé !

CCIII

CE QUI SE PASSAIT AU LOUVRE
PENDANT LE SOUPER DE LA BASTILLE

M. de Saint-Aignan avait fait sa commission auprès de La Vallière, ainsi qu'on l'a vu dans un des précédents chapitres ; mais, quelle que fût son éloquence, il ne persuada point à la jeune fille qu'elle eût un protecteur assez considérable dans le roi, et qu'elle n'avait besoin de personne au monde quand le roi était pour elle.

En effet, au premier mot que le confident prononça de la découverte du fameux secret, Louise, éplorée, jeta les hauts cris et s'abandonna tout entière à une douleur que le roi n'eût pas trouvée obligeante, si, d'un coin de l'appartement, il eût pu en être le témoin. De Saint-Aignan, ambassadeur, s'en formalisa comme aurait pu faire son maître, et revint chez le roi annoncer ce qu'il avait vu et entendu. C'est là que nous le retrouvons, fort agité, en présence de Louis, plus agité encore.

— Mais, dit le roi à son courtisan, lorsque celui-ci eut achevé sa narration, qu'a-t-elle conclu ? La verrai-je au moins tout à l'heure avant le souper ? Viendra-t-elle, ou faudra-t-il que je passe chez elle ?

— Je crois, sire, que, si Votre Majesté désire la voir, il faudra que le roi fasse non seulement les premiers pas, mais tout le chemin.

— Rien pour moi ! Ce Bragelonne lui tient donc bien au cœur ? murmura Louis XIV entre ses dents.

— Oh ! sire, cela n'est pas possible, car c'est vous que Mlle de La Vallière aime, et cela de tout son cœur. Mais, vous savez, M. de Bragelonne appartient à cette race sévère qui joue les héros romains.

Le roi sourit faiblement. Il savait à quoi s'en tenir. Athos le quittait.

— Quant à Mlle de La Vallière, continua de Saint-Aignan, elle a été élevée chez Madame douairière, c'est-à-dire dans la retraite et l'austérité. Ces deux fiancés-là se sont froidement fait de petits serments devant la lune et les étoiles, et, voyez-vous, sire, aujourd'hui, pour rompre cela c'est le diable[1] !

De Saint-Aignan croyait faire rire encore le roi ; mais bien au contraire, du simple sourire Louis passa au sérieux complet. Il ressentait déjà ce que le comte avait promis à d'Artagnan de lui donner : des remords. Il songeait qu'en effet ces deux jeunes gens s'étaient aimés et juré alliance ; que l'un des deux avait tenu parole, et que l'autre était trop probe pour ne pas gémir de s'être parjuré.

Et, avec le remords, la jalousie aiguillonnait vivement le cœur du roi. Il ne prononça plus une parole, et, au lieu d'aller chez sa mère, ou chez la reine, ou chez Madame pour s'égayer un peu et faire rire les dames, ainsi qu'il le disait lui-même, il se plongea dans le vaste fauteuil où Louis XIII, son auguste père, s'était tant ennuyé avec Baradas et Cinq-Mars pendant tant de jours et d'années.

De Saint-Aignan comprit que le roi n'était pas amusable en ce moment-là. Il hasarda la dernière ressource et prononça le nom de Louise. Le roi leva la tête.

— Que fera Votre Majesté ce soir ? Faut-il prévenir Mlle de La Vallière ?

— Dame ! il me semble qu'elle est prévenue, répondit le roi.

— Se promènera-t-on ?

— On sort de se promener, répliqua le roi.

— Eh bien ! sire ?

— Eh bien ! rêvons, de Saint-Aignan, rêvons chacun de notre côté ; quand Mlle de La Vallière aura bien regretté ce qu'elle regrette (le remords faisait son œuvre), eh bien ! alors, daignera-t-elle nous donner de ses nouvelles !

— Ah ! sire, pouvez-vous ainsi méconnaître ce cœur dévoué ?

Le roi se leva rouge de dépit ; la jalousie mordait à son tour. De Saint-Aignan commençait à trouver la position difficile, quand la portière se leva. Le roi fit un brusque mouvement ; sa première idée fut qu'il lui arrivait un billet de La Vallière ; mais, à la place d'un messager d'amour, il ne vit que son capitaine des mousquetaires debout et muet dans l'embrasure.

— Monsieur d'Artagnan ! fit-il. Ah !... Eh bien ?

D'Artagnan regarda de Saint-Aignan. Les yeux du roi prirent la même

---

1. Sur le court passage de l'*Histoire de Madame Henriette d'Angleterre* de Mme de La Fayette, à partir duquel Dumas a bâti l'intrigue sentimentale du *Vicomte de Bragelonne*, voir *Vingt Ans après*, chap. XV, p. 671, note 2.

direction que ceux de son capitaine. Ces regards eussent été clairs pour tout le monde ; à bien plus forte raison le furent-ils pour de Saint-Aignan. Le courtisan salua et sortit. Le roi et d'Artagnan se trouvèrent seuls.

— Est-ce fait ? demanda le roi.

— Oui, sire, répondit le capitaine des mousquetaires d'une voix grave, c'est fait.

Le roi ne trouva plus un mot à dire. Cependant l'orgueil lui commandait de n'en pas rester là. Quand un roi a pris une décision, même injuste, il faut qu'il prouve à tous ceux qui la lui ont vu prendre, et surtout il faut qu'il se prouve à lui-même qu'il avait raison en la prenant. Il y a un moyen pour cela, un moyen presque infaillible, c'est de chercher des torts à la victime.

Louis, élevé par Mazarin et Anne d'Autriche, savait, mieux qu'aucun prince ne le sut jamais, son métier de roi. Aussi essaya-t-il de le prouver en cette occasion. Après un moment de silence, pendant lequel il avait fait tout bas les réflexions que nous venons de faire tout haut :

— Qu'a dit le comte ? reprit-il négligemment.

— Mais rien, sire.

— Cependant, il ne s'est pas laissé arrêter sans rien dire ?

— Il a dit qu'il s'attendait à être arrêté, sire.

Le roi releva la tête avec fierté.

— Je présume que M. le comte de La Fère n'a pas continué son rôle de rebelle ? dit-il.

— D'abord, sire, qu'appelez-vous rebelle ? demanda tranquillement le mousquetaire. Un rebelle aux yeux du roi, est-ce l'homme qui, non seulement se laisse coffrer à la Bastille, mais qui encore résiste à ceux qui ne veulent pas l'y conduire ?

— Qui ne veulent pas l'y conduire ? s'écria le roi. Qu'entends-je là, capitaine ? Êtes-vous fou ?

— Je ne crois pas, sire.

— Vous parlez de gens qui ne voulaient pas arrêter M. de La Fère ?...

— Oui, sire.

— Et quels sont ces gens-là ?

— Ceux que Votre Majesté en avait chargés, apparemment, dit le mousquetaire.

— Mais c'est vous que j'en avais chargé, s'écria le roi.

— Oui, sire, c'est moi.

— Et vous dites que, malgré mon ordre, vous aviez l'intention de ne pas arrêter l'homme qui m'avait insulté ?

— C'était absolument mon intention, oui, sire.

— Oh !

— Je lui ai même proposé de monter sur un cheval que j'avais fait préparé pour lui à la barrière de la Conférence[1].

— Et dans quel but aviez-vous fait préparer ce cheval ?

— Mais, sire, pour que M. le comte de La Fère pût gagner Le Havre et, de là, l'Angleterre.

— Vous me trahissiez donc, alors, monsieur ? s'écria le roi étincelant de fierté sauvage.

— Parfaitement.

Il n'y avait rien à répondre à des articulations faites sur ce ton. Le roi sentit une si rude résistance, qu'il s'étonna.

— Vous aviez au moins une raison, monsieur d'Artagnan, quand vous agissiez ainsi ? interrogea le roi avec majesté.

— J'ai toujours une raison, sire.

— Ce n'est pas la raison de l'amitié, au moins, la seule que vous puissiez faire valoir, la seule qui puisse vous excuser, car je vous avais mis bien à l'aise sur ce chapitre.

— Moi, sire ?

— Ne vous ai-je pas laissé le choix d'arrêter ou de ne pas arrêter M. le comte de La Fère ?

— Oui, sire ; mais...

— Mais quoi ? interrompit le roi impatient.

— Mais en me prévenant, sire, que, si je ne l'arrêtais pas, votre capitaine des gardes l'arrêterait, lui.

— Ne vous faisais-je pas la partie assez belle, du moment où je ne vous forçais pas la main ?

— A moi, oui, sire ; à mon ami, non.

— Non ?

— Sans doute, puisque, par moi ou par le capitaine des gardes, mon ami était toujours arrêté.

— Et voilà votre dévouement, monsieur ? un dévouement qui raisonne, qui choisit ? Vous n'êtes pas un soldat, monsieur !

— J'attends que Votre Majesté me dise ce que je suis.

— Eh bien ! vous êtes un frondeur !

— Depuis qu'il n'y a plus de Fronde, alors, sire...

— Mais, si ce que vous dites est vrai...

— Ce que je dis est toujours vrai, sire.

— Que venez-vous faire ici ? Voyons.

— Je viens ici dire au roi : Sire, M. de La Fère est à la Bastille...

— Ce n'est point votre faute, à ce qu'il paraît.

— C'est vrai, sire, mais enfin, il y est, et, puisqu'il y est, il est important que Votre Majesté le sache.

— Ah ! monsieur d'Artagnan, vous bravez votre roi !

---

1. Sur cette barrière, voir *Les Trois Mousquetaires*, chap. XXIV, p. 208, note 1.

— Sire…

— Monsieur d'Artagnan, je vous préviens que vous abusez de ma patience.

— Au contraire, sire.

— Comment, au contraire ?

— Je viens me faire arrêter aussi.

— Vous faire arrêter, vous ?

— Sans doute. Mon ami va s'ennuyer là-bas, et je viens proposer à Votre Majesté de me permettre de lui faire compagnie ; que Votre Majesté dise un mot, et je m'arrête moi-même ; je n'aurai pas besoin du capitaine des gardes[1] pour cela, je vous en réponds.

Le roi s'élança vers la table et saisit une plume pour donner l'ordre d'emprisonner d'Artagnan.

— Faites attention que c'est pour toujours, monsieur, s'écria-t-il avec l'accent de la menace.

— J'y compte bien, reprit le mousquetaire ; car, lorsqu'une fois vous aurez fait ce beau coup-là, vous n'oserez plus me regarder en face.

Le roi jeta sa plume avec violence.

— Allez-vous-en ! dit-il.

— Oh ! non pas, sire, s'il plaît à Votre Majesté.

— Comment, non pas ?

— Sire, je venais pour parler doucement au roi ; le roi s'est emporté, c'est un malheur, mais je n'en dirai pas moins au roi ce que j'ai à lui dire.

— Votre démission, monsieur, s'écria le roi !

— Sire, vous savez que ma démission ne me tient pas au cœur, puisque, à Blois, le jour où Votre Majesté a refusé au roi Charles le million que lui a donné mon ami le comte de La Fère, j'ai offert ma démission au roi.

— Eh bien ! alors, faites vite.

— Non, sire ; car ce n'est point de ma démission qu'il s'agit ici ; Votre Majesté avait pris la plume pour m'envoyer à la Bastille, pourquoi change-t-elle d'avis ?

— D'Artagnan ! tête gasconne ! qui est le roi de vous ou de moi ! Voyons.

— C'est vous, sire, malheureusement.

— Comment, malheureusement ?

— Oui, sire ; car, si c'était moi…

— Si c'était vous, vous approuveriez la rébellion de M. d'Artagnan, n'est-ce pas ?

— Oui, certes !

— En vérité ?

Et le roi haussa les épaules.

— Et je dirais à mon capitaine des mousquetaires, continua

1. Louis XIV le nomme au chap. CCXL : le duc de Gesvres.

d'Artagnan, je lui dirais en le regardant avec des yeux humains et non avec des charbons enflammés, je lui dirais : « Monsieur d'Artagnan, j'ai oublié que je suis le roi. Je suis descendu de mon trône pour outrager un gentilhomme. »

— Monsieur, s'écria le roi, croyez-vous que c'est excuser votre ami que de surpasser son insolence ?

— Oh ! sire, j'irai bien plus loin que lui, dit d'Artagnan ; et ce sera votre faute. Je vous dirai, ce qu'il ne vous a pas dit, lui, l'homme de toutes les délicatesses ; je vous dirai : Sire, vous avez sacrifié son fils, et il défendait son fils ; vous l'avez sacrifié lui-même ; il vous parlait au nom de l'honneur, de la religion et de la vertu, vous l'avez repoussé, chassé, emprisonné. Moi, je serai plus dur que lui, sire ; et je vous dirai : Sire, choisissez ! Voulez-vous des amis ou des valets ? des soldats ou des danseurs à révérences ? des grands hommes ou des polichinelles ? Voulez-vous qu'on vous serve ou voulez-vous qu'on plie ! voulez-vous qu'on vous aime ou voulez-vous qu'on ait peur de vous ? Si vous préférez la bassesse, l'intrigue, la couardise, oh ! dites-le, sire ; nous partirons, nous autres, qui sommes les seuls restes, je dirai plus, les seuls modèles de la vaillance d'autrefois ; nous qui avons servi et dépassé peut-être en courage, en mérite, des hommes déjà grands dans la postérité. Choisissez, sire, et hâtez-vous. Ce qui vous reste de grands seigneurs, gardez-le ; vous aurez toujours assez de courtisans. Hâtez-vous, et envoyez-moi à la Bastille avec mon ami ; car, si vous n'avez pas su écouter le comte de La Fère, c'est-à-dire la voix la plus douce et la plus noble de l'honneur ; si vous ne savez pas entendre d'Artagnan, c'est-à-dire la plus franche et la plus rude voix de la sincérité, vous êtes un mauvais roi, et demain, vous serez un pauvre roi. Or, les mauvais rois, on les abhorre ; les pauvres rois, on les chasse. Voilà ce que j'avais à vous dire, sire ; vous avez eu tort de me pousser jusque-là.

Le roi se renversa froid et livide sur son fauteuil : il était évident que la foudre tombée à ses pieds ne l'eût pas étonné davantage ; on eût cru que le souffle lui manquait et qu'il allait expirer. Cette rude voix de la sincérité, comme l'appelait d'Artagnan, lui avait traversé le cœur, pareille à une lame.

D'Artagnan avait dit tout ce qu'il avait à dire. Comprenant la colère du roi, il tira son épée, et, s'approchant respectueusement de Louis XIV, il la posa sur la table.

Mais le roi, d'un geste furieux, repoussa l'épée, qui tomba à terre et roula aux pieds de d'Artagnan.

Si maître que le mousquetaire fût de lui, il pâlit à son tour, et frémissant d'indignation :

— Un roi, dit-il, peut disgracier un soldat ; il peut l'exiler, il peut le condamner à mort ; mais, fût-il cent fois roi, il n'a jamais le droit de l'insulter en déshonorant son épée. Sire, un roi de France n'a jamais repoussé avec mépris l'épée d'un homme tel que moi. Cette épée souillée, songez-y, sire, elle n'a plus désormais d'autre fourreau que mon cœur ou le vôtre. Je choisis le mien, sire, remerciez-en Dieu et ma patience !

Puis se précipitant sur son épée :

— Que mon sang retombe sur votre tête, sire ! s'écria-t-il.

Et, d'un geste rapide, appuyant la poignée de l'épée au parquet, il en dirigea la pointe sur sa poitrine.

Le roi s'élança d'un mouvement encore plus rapide que celui de d'Artagnan, jetant le bras droit au cou du mousquetaire, et, de la main gauche, saisissant par le milieu la lame de l'épée, qu'il remit silencieusement au fourreau.

D'Artagnan, roide, pâle et frémissant encore, laissa, sans l'aider, faire le roi jusqu'au bout.

Alors, Louis, attendri, revenant à la table, prit la plume, écrivit quelques lignes, les signa, et étendit la main vers d'Artagnan.

— Qu'est-ce que ce papier, sire ? demanda le capitaine.

— L'ordre donné à M. d'Artagnan d'élargir à l'instant même M. le comte de La Fère.

D'Artagnan saisit la main royale et la baisa ; puis il plia l'ordre, le passa sous son buffle et sortit.

Ni le roi ni le capitaine n'avaient articulé une syllabe.

— O cœur humain ! boussole des rois ! murmura Louis resté seul, quand donc saurai-je lire dans tes replis comme dans les feuilles d'un livre ? Non, je ne suis pas un mauvais roi ; non, je ne suis pas un pauvre roi ; mais je suis encore un enfant.

CCIV

RIVAUX POLITIQUES

D'Artagnan avait promis à M. de Baisemeaux d'être de retour au dessert, d'Artagnan tint parole. On en était aux vins fins et aux liqueurs, dont la cave du gouverneur avait la réputation d'être admirablement garnie, lorsque les éperons du capitaine des mousquetaires retentirent dans le corridor et que lui-même parut sur le seuil.

Athos et Aramis avaient joué serré. Aussi, aucun des deux n'avait pénétré l'autre. On avait soupé, causé beaucoup de la Bastille, du dernier voyage de Fontainebleau, de la future fête que M. Fouquet devait donner à Vaux. Les généralités avaient été prodiguées, et nul, hormis de Baisemeaux, n'avait effleuré les choses particulières.

D'Artagnan tomba au milieu de la conversation, encore pâle et ému de sa conversation avec le roi. De Baisemeaux s'empressa d'approcher une chaise. D'Artagnan accepta un verre plein et le laissa vide. Athos et Aramis remarquèrent tous deux cette émotion de d'Artagnan. Quant à de Baisemeaux, il ne vit rien que le capitaine des mousquetaires de Sa Majesté, auquel il se hâta de faire fête. Approcher le roi, c'était avoir tous droits aux égards de M. de Baisemeaux. Seulement, quoique Aramis eût remarqué cette émotion, il n'en pouvait deviner la cause. Athos seul croyait l'avoir pénétrée. Pour lui, le retour de d'Artagnan et surtout le bouleversement de l'homme impassible signifiaient : « Je viens de demander au roi quelque chose que le roi m'a refusé. » Bien convaincu qu'il était dans le vrai, Athos sourit, se leva de table et fit un signe à d'Artagnan, comme pour lui rappeler qu'ils avaient autre chose à faire que de souper ensemble.

D'Artagnan comprit et répondit par un autre signe. Aramis et Baisemeaux, voyant ce dialogue muet, interrogeaient du regard. Athos crut que c'était à lui de donner l'explication de ce qui se passait.

— La vérité, mes amis, dit le comte de La Fère avec un sourire, c'est que vous, Aramis, vous venez de souper avec un criminel d'État, et vous, monsieur de Baisemeaux, avec votre prisonnier.

Baisemeaux poussa une exclamation de surprise et presque de joie. Ce cher M. de Baisemeaux avait l'amour-propre de sa forteresse. A part le profit, plus il avait de prisonniers, plus il était heureux ; plus ces prisonniers étaient grands, plus il était fier.

Quant à Aramis, prenant une figure de circonstance :

— Oh ! cher Athos, dit-il, pardonnez-moi, mais, je me doutais presque de ce qui arrive. Quelque incartade de Raoul ou de La Vallière, n'est-ce pas ?

— Hélas ! fit Baisemeaux.

— Et, continua Aramis, vous, en grand seigneur que vous êtes, oubliant qu'il n'y a plus que des courtisans, vous avez été trouver le roi et vous lui avez dit son fait ?

— Vous avez deviné, mon ami.

— De sorte, dit de Baisemeaux, tremblant d'avoir soupé si familièrement avec un homme tombé dans la disgrâce de Sa Majesté ; de sorte, monsieur le comte ?...

— De sorte, mon cher gouverneur, dit Athos, que mon ami M. d'Artagnan va vous communiquer ce papier qui passe par l'ouverture de son buffle, et qui n'est autre, certainement, que mon ordre d'écrou.

De Baisemeaux tendit la main avec sa souplesse d'habitude.

D'Artagnan tira, en effet, deux papiers de sa poitrine, et en présenta un au gouverneur. Baisemeaux déplia le papier et lut à demi-voix, tout en regardant Athos par-dessus le papier, en s'interrompant :

— « Ordre de détenir dans mon château de la Bastille... » Très bien...

« Dans mon château de la Bastille... M. le comte de La Fère. » Oh ! monsieur, que c'est pour moi un douloureux honneur de vous posséder !

— Vous aurez un patient prisonnier, monsieur, dit Athos de sa voix suave et calme.

— Et un prisonnier qui ne restera pas un mois chez vous, mon cher gouverneur, dit Aramis, tandis que de Baisemeaux, l'ordre à la main, transcrivait sur son registre d'écrou la volonté royale.

— Pas même un jour, ou plutôt, pas même une nuit, dit d'Artagnan en exhibant le second ordre du roi ; car maintenant, cher monsieur de Baisemeaux, il vous faudra transcrire aussi cet ordre de mettre immédiatement le comte en liberté.

— Ah ! fit Aramis, c'est de la besogne que vous m'épargnez, d'Artagnan.

Et il serra d'une façon significative la main du mousquetaire en même temps que celle d'Athos.

— Eh quoi ! dit ce dernier avec étonnement, le roi me donne la liberté ?

— Lisez, cher ami, repartit d'Artagnan.

Athos prit l'ordre et lut.

— C'est vrai, dit-il.

— En seriez-vous fâché ? demanda d'Artagnan.

— Oh ! non, au contraire. Je ne veux pas de mal au roi, et le plus grand mal qu'on puisse souhaiter aux rois, c'est qu'ils commettent une injustice. Mais vous avez eu du mal, n'est-ce pas ? Oh ! avouez-le, mon ami.

— Moi ? Pas du tout ! fit en riant le mousquetaire. Le roi fait tout ce que je veux.

Aramis regarda d'Artagnan et vit bien qu'il mentait. Mais Baisemeaux ne regarda rien que d'Artagnan, tant il était saisi d'une admiration profonde pour cet homme qui faisait faire au roi tout ce qu'il voulait.

— Et le roi exile Athos ? demanda Aramis.

— Non, pas précisément ; le roi ne s'est pas même expliqué là-dessus, reprit d'Artagnan ; mais je crois que le comte n'a rien de mieux à faire, à moins qu'il ne tienne à remercier le roi...

— Non, en vérité, répondit en souriant Athos.

— Eh bien ! je crois que le comte n'a rien de mieux à faire, reprit d'Artagnan, que de se retirer dans son château. Au reste, mon cher Athos, parlez, demandez ; si une résidence vous est plus agréable que l'autre, je me fais fort de vous faire obtenir celle-là.

— Non, merci, dit Athos ; rien ne peut m'être plus agréable, cher ami, que de retourner dans ma solitude, sous mes grands arbres, au bord de la Loire. Si Dieu est le suprême médecin des maux de l'âme, la nature est le souverain remède. Ainsi, monsieur, continua Athos en se retournant vers Baisemeaux, me voilà donc libre ?

— Oui, monsieur le comte, je le crois, je l'espère, du moins, dit le gouverneur en tournant et retournant les deux papiers, à moins, toutefois, que M. d'Artagnan n'ait un troisième ordre.

— Non, cher monsieur de Baisemeaux, non, dit le mousquetaire, il faut vous en tenir au second et nous arrêter là.

— Ah ! monsieur le comte, dit Baisemeaux s'adressant à Athos, vous ne savez pas ce que vous perdez ! Je vous eusse mis à trente livres, comme les généraux ; que dis-je ! à cinquante livres, comme les princes, et vous eussiez soupé tous les soirs comme vous avez soupé ce soir.

— Permettez-moi, monsieur, dit Athos, de préférer ma médiocrité.

Puis, se retournant vers d'Artagnan :

— Partons, mon ami, dit-il.

— Partons, dit d'Artagnan.

— Est-ce que j'aurai cette joie, demanda Athos, de vous posséder pour compagnon, mon ami ?

— Jusqu'à la porte seulement, très cher, répondit d'Artagnan ; après quoi, je vous dirai ce que j'ai dit au roi : « Je suis de service. »

— Et vous, mon cher Aramis, dit Athos en souriant, m'accompagnez-vous ? La Fère est sur la route de Vannes.

— Moi, mon ami, dit le prélat, j'ai rendez-vous ce soir à Paris, et je ne saurais m'éloigner sans faire souffrir de graves intérêts.

— Alors, mon cher ami, dit Athos, permettez-moi que je vous embrasse, et que je parte. Mon cher monsieur Baisemeaux, grand merci de votre bonne volonté, et surtout de l'échantillon que vous m'avez donné de l'ordinaire de la Bastille.

Et, après avoir embrassé Aramis et serré la main à M. de Baisemeaux ; après avoir reçu les souhaits de bon voyage de tous deux, Athos partit avec d'Artagnan.

Tandis que le dénouement de la scène du Palais-Royal s'accomplissait à la Bastille, disons ce qui se passait chez Athos et chez Bragelonne.

Grimaud, comme nous l'avons vu, avait accompagné son maître à Paris ; comme nous l'avons dit, il avait assisté à la sortie d'Athos ; il avait vu d'Artagnan mordre ses moustaches ; il avait vu son maître monter en carrosse ; il avait interrogé l'une et l'autre physionomie, et il les connaissait toutes deux depuis assez longtemps pour avoir compris, à travers le masque de leur impassibilité, qu'il se passait de graves événements.

Une fois Athos parti, il se mit à réfléchir. Alors, il se rappela l'étrange façon dont Athos lui avait dit adieu, l'embarras imperceptible pour tout autre que pour lui de ce maître aux idées si nettes, à la volonté si droite. Il savait qu'Athos n'avait rien emporté que ce qu'il avait sur lui, et, cependant, il croyait voir qu'Athos ne partait pas pour une heure, pas même pour un jour. Il y avait une longue absence dans la façon dont Athos, en quittant Grimaud, avait prononcé le mot adieu.

Tout cela lui revenait à l'esprit avec tous ses sentiments d'affection profonde pour Athos, avec cette horreur du vide et de la solitude qui toujours occupe l'imagination des gens qui aiment ; tout cela, disons-nous, rendit l'honnête Grimaud fort triste et surtout fort inquiet.

Sans se rendre compte de ce qu'il faisait depuis le départ de son maître, il errait par tout l'appartement, cherchant, pour ainsi dire, les traces de son maître, semblable, en cela, tout ce qui est bon se ressemble, au chien, qui n'a pas d'inquiétude sur son maître absent, mais qui a de l'ennui. Seulement, comme à l'instinct de l'animal Grimaud joignait la raison de l'homme, Grimaud avait à la fois de l'ennui et de l'inquiétude.

N'ayant trouvé aucun indice qui pût le guider, n'ayant rien vu ou rien découvert qui eût fixé ses doutes, Grimaud se mit à *imaginer* ce qui pouvait être arrivé. Or, l'imagination est la ressource ou plutôt le supplice des bons cœurs. En effet, jamais il n'arrive qu'un bon cœur se représente son ami heureux ou allègre. Jamais le pigeon qui voyage n'inspire autre chose que la terreur au pigeon resté au logis[1].

Grimaud passa donc de l'inquiétude à la terreur. Il récapitula tout ce qui s'était passé : la lettre de d'Artagnan à Athos, lettre à la suite de laquelle Athos avait paru si chagrin ; puis la visite de Raoul à Athos, visite à la suite de laquelle Athos avait demandé ses ordres et son habit de cérémonie ; puis cette entrevue avec le roi, entrevue à la suite de laquelle Athos était rentré si sombre ; puis cette explication entre le père et le fils, explication à la suite de laquelle Athos avait si tristement embrassé Raoul, tandis que Raoul s'en allait si tristement chez lui ; enfin l'arrivée de d'Artagnan mordant sa moustache, arrivée à la suite de laquelle M. le comte de La Fère était monté en carrosse avec d'Artagnan. Tout cela composait un drame en cinq actes fort clair, surtout pour un analyste de la force de Grimaud.

Et d'abord Grimaud eut recours aux grands moyens ; il alla chercher dans le justaucorps laissé par son maître la lettre de M. d'Artagnan. Cette lettre s'y trouvait encore, et voici ce qu'elle contenait :

Cher ami, Raoul est venu me demander des renseignements sur la conduite de Mlle de La Vallière durant le séjour de notre jeune ami à Londres. Moi, je suis un pauvre capitaine de mousquetaires dont les oreilles sont rebattues tout le jour des propos de caserne et de ruelle. Si j'avais dit à Raoul ce que je crois savoir, le pauvre garçon en fût mort ; mais, moi qui suis au service du roi, je ne puis raconter les affaires du roi. Si le cœur vous en dit, marchez ! La chose vous regarde plus que moi et presque autant que Raoul.

Grimaud s'arracha une demi-pincée de cheveux. Il eût fait mieux si sa chevelure eût été plus abondante.

— Voilà, dit-il, le nœud de l'énigme. La jeune fille a fait des siennes.

---

1. Allusion aux « Deux Pigeons » de La Fontaine (*Fables*, livre IX, II).

Ce qu'on dit d'elle et du roi est vrai. Notre jeune maître est trompé. Il doit le savoir. M. le comte a été trouver le roi et lui a dit son fait. Et puis le roi a envoyé M. d'Artagnan pour arranger l'affaire. Ah ! mon Dieu, continua Grimaud, M. le comte est rentré sans son épée.

Cette découverte fit monter la sueur au front du brave homme. Il ne s'arrêta pas plus longtemps à conjecturer, il enfonça son chapeau sur la tête et courut au logis de Raoul.

Après la sortie de Louise, Raoul avait dompté sa douleur, sinon son amour, et, forcé de regarder en avant dans cette route périlleuse où l'entraînaient la folie et la rébellion, il avait vu du premier coup d'œil son père en butte à la résistance royale, puisque Athos s'était d'abord offert à cette résistance.

En ce moment de lucidité toute sympathique, le malheureux jeune homme se rappela justement les signes mystérieux d'Athos, la visite inattendue de d'Artagnan, et le résultat de tout ce conflit entre un prince et un sujet apparut à ses yeux épouvantés.

D'Artagnan en service, c'est-à-dire cloué à son poste, ne venait certes pas chez Athos pour le plaisir de voir Athos. Il venait pour lui dire quelque chose. Ce quelque chose, en d'aussi pénibles conjonctures, était un malheur ou un danger. Raoul frémit d'avoir été égoïste, d'avoir oublié son père pour son amour, d'avoir, en un mot, cherché la rêverie ou la jouissance du désespoir, alors qu'il s'agissait peut-être de repousser l'attaque imminente dirigée contre Athos.

Ce sentiment le fit bondir. Il ceignit son épée et courut d'abord à la demeure de son père. En chemin, il se heurta contre Grimaud, qui, parti du pôle opposé, s'élançait avec la même ardeur à la recherche de la vérité. Ces deux hommes s'étreignirent l'un et l'autre ; ils en étaient l'un et l'autre au même point de la parabole décrite par leur imagination.

— Grimaud ! s'écria Raoul.

— Monsieur Raoul ! s'écria Grimaud.

— M. le comte va bien ?

— Tu l'as vu ?

— Non ; où est-il ?

— Je le cherche.

— Et M. d'Artagnan ?

— Sorti avec lui.

— Quand ?

— Dix minutes après votre départ.

— Comment sont-ils sortis ?

— En carrosse.

— Où vont-ils ?

— Je ne sais.

— Mon père a pris de l'argent ?

— Non.

— Une épée ?

— Non.

— Grimaud !

— Monsieur Raoul !

— J'ai idée que M. d'Artagnan venait pour...

— Pour arrêter M. le comte, n'est-ce pas ?

— Oui, Grimaud.

— Je l'aurais juré !

— Quel chemin ont-ils pris ?

— Le chemin des quais.

— La Bastille ?

— Ah ! mon Dieu, oui.

— Vite, courons !

— Oui, courons !

— Mais où cela ? dit soudain Raoul avec accablement.

— Passons chez M. d'Artagnan ; nous saurons peut-être quelque chose.

— Non ; si l'on s'est caché de moi chez mon père, on s'en cachera partout. Allons chez... Oh ! mon Dieu ! mais je suis fou aujourd'hui, mon bon Grimaud.

— Quoi donc ?

— J'ai oublié M. du Vallon.

— M. Porthos ?

— Qui m'attend toujours ! Hélas ! je te le disais, je suis fou.

— Qui vous attend, où cela ?

— Aux Minimes de Vincennes !

— Ah ! mon Dieu !... Heureusement, c'est du côté de la Bastille !

— Allons, vite !

— Monsieur, je vais faire seller les chevaux.

— Oui, mon ami, va.

CCV

OÙ PORTHOS EST CONVAINCU SANS AVOIR COMPRIS

Ce digne Porthos, fidèle à toutes les lois de la chevalerie antique, s'était décidé à attendre M. de Saint-Aignan jusqu'au coucher du soleil. Et, comme de Saint-Aignan ne devait pas venir, comme Raoul avait oublié d'en prévenir son second, comme la faction commençait à être des plus longues et des plus pénibles, Porthos s'était fait apporter par le garde d'une porte[1] quelques bouteilles de bon vin et un quartier de viande, afin d'avoir au moins la distraction de tirer de temps en temps un bouchon et une bouchée. Il en était aux dernières extrémités, c'est-à-dire aux dernières miettes, lorsque Raoul arriva escorté de Grimaud, et tous deux poussant à toute bride.

Quand Porthos vit sur le chemin ces deux cavaliers si pressés, il ne douta plus que ce ne fussent ses hommes, et, se levant aussitôt de l'herbe sur laquelle il s'était mollement assis, il commença par déroidir ses genoux et ses poignets, en disant :

— Ce que c'est que d'avoir de belles habitudes ! Ce drôle a fini par venir. Si je me fusse retiré, il ne trouvait personne et prenait avantage.

Puis il se campa sur une hanche avec une martiale attitude, et fit ressortir par un puissant tour de reins la cambrure de sa taille gigantesque. Mais, au lieu de Saint-Aignan, il ne vit que Raoul, lequel, avec des gestes désespérés, l'aborda en criant :

— Ah ! cher ami ; ah ! pardon ; ah ! que je suis malheureux !

— Raoul ! fit Porthos tout surpris.

— Vous m'en vouliez ? s'écria Raoul en venant embrasser Porthos.

— Moi ? et de quoi ?

— De vous avoir ainsi oublié. Mais, voyez-vous, j'ai la tête perdue.

— Ah bah !

— Si vous saviez, mon ami ?

— Vous l'avez tué ?

— Qui ?

— De Saint-Aignan.

— Hélas ! il s'agit bien de Saint-Aignan.

— Qu'y a-t-il encore ?

— Il y a que M. le comte de La Fère doit être arrêté à l'heure qu'il est.

Porthos fit un mouvement qui eût renversé une muraille.

— Arrêté !... Par qui ?

— Par d'Artagnan !

— C'est impossible, dit Porthos.

— C'est cependant la vérité, répliqua Raoul.

Porthos se tourna du côté de Grimaud en homme qui a besoin d'une seconde affirmation. Grimaud fit un signe de tête.

— Et où l'a-t-on mené ? demanda Porthos.

— Probablement à la Bastille.

— Qui vous le fait croire ?

— En chemin, nous avons questionné des gens qui ont vu passer le carrosse, et d'autres encore qui l'ont vu entrer à la Bastille.

— Oh ! oh ! murmura Porthos, et il fit deux pas.

— Que décidez-vous ? demanda Raoul.

---

1. S'agit-il d'une des portes du château ?

— Moi ? Rien. Seulement, je ne veux pas qu'Athos reste à la Bastille.

Raoul s'approcha du digne Porthos.

— Savez-vous que c'est par ordre du roi que l'arrestation s'est faite ?

Porthos regarda le jeune homme comme pour lui dire : « Qu'est-ce que cela me fait, à moi ? » Ce muet langage parut si éloquent à Raoul, qu'il n'en demanda pas davantage. Il remonta à cheval. Déjà Porthos, aidé de Grimaud, en avait fait autant.

— Dressons notre plan, dit Raoul.

— Oui, répliqua Porthos, notre plan, c'est cela, dressons-le.

Raoul poussa un grand soupir et s'arrêta soudain.

— Qu'avez-vous ? demanda Porthos ; une faiblesse ?

— Non, l'impuissance ! Avons-nous la prétention, à trois, d'aller prendre la Bastille ?

— Ah ! si d'Artagnan était là, répondit Porthos, je ne dis pas.

Raoul fut saisi d'admiration à la vue de cette confiance héroïque à force d'être naïve. C'étaient donc bien là ces hommes célèbres qui, à trois ou quatre, abordaient des armées ou attaquaient des châteaux ! Ces hommes qui avaient épouvanté la mort, et qui survivent à tout un siècle en débris, étaient plus forts encore que les plus robustes d'entre les jeunes.

— Monsieur, dit-il à Porthos, vous venez de me faire naître une idée : il faut absolument voir M. d'Artagnan.

— Sans doute.

— Il doit être rentré chez lui, après avoir conduit mon père à la Bastille.

— Informons-nous d'abord à la Bastille, dit Grimaud, qui parlait peu, mais bien.

En effet, ils se hâtèrent d'arriver devant la forteresse. Un de ces hasards, comme Dieu les donne aux gens de grande volonté, fit que Grimaud aperçut tout à coup le carrosse qui tournait la grande porte du pont-levis. C'était au moment où d'Artagnan, comme on l'a vu, revenait de chez le roi.

En vain Raoul poussa-t-il son cheval pour joindre le carrosse et voir quelles personnes étaient dedans. Les chevaux étaient déjà arrêtés de l'autre côté de cette grande porte, qui se referma, tandis qu'un garde-française en faction heurta du mousquet le nez du cheval de Raoul.

Celui-ci fit volte-face, trop heureux de savoir à quoi s'en tenir sur la présence de ce carrosse qui avait renfermé son père.

— Nous le tenons, dit Grimaud.

— En attendant un peu, nous sommes sûrs qu'il sortira, n'est-ce pas, mon ami ?

— A moins que d'Artagnan aussi ne soit prisonnier, répliqua Porthos ; auquel cas tout est perdu.

Raoul ne répondit rien. Tout était admissible. Il donna le conseil à

Grimaud de conduire les chevaux dans la petite rue Jean-Beausire[1], afin d'éveiller moins de soupçons, et lui-même, avec sa vue perçante, il guetta la sortie de d'Artagnan ou celle du carrosse.

C'était le bon parti. En effet, vingt minutes ne s'étaient pas écoulées, que la porte se rouvrit et que le carrosse reparut. Un éblouissement empêcha Raoul de distinguer quelles figures occupaient cette voiture. Grimaud jura qu'il avait vu deux personnes, et que son maître était une des deux. Porthos regardait tour à tour Raoul et Grimaud, espérant comprendre leur idée.

— Il est évident, dit Grimaud, que, si M. le comte est dans ce carrosse, c'est qu'on le met en liberté, ou qu'on le mène à une autre prison.

— Nous l'allons bien voir par le chemin qu'il prendra, dit Porthos.

— Si on le met en liberté, dit Grimaud, on le conduira chez lui.

— C'est vrai, dit Porthos.

— Le carrosse n'en prend pas le chemin, dit Raoul.

Et, en effet, les chevaux venaient de disparaître dans le faubourg Saint-Antoine.

— Courons, dit Porthos ; nous attaquerons le carrosse sur la route, et nous dirons à Athos de fuir.

— Rébellion ! murmura Raoul.

Porthos lança à Raoul un second regard, digne pendant du premier. Raoul n'y répondit qu'en serrant les flancs de son cheval.

Peu d'instants après, les trois cavaliers avaient rattrapé le carrosse et le suivaient de si près, que l'haleine des chevaux humectait la caisse de la voiture.

D'Artagnan, dont les sens veillaient toujours, entendit le trot des chevaux. C'était au moment où Raoul disait à Porthos de dépasser le carrosse, pour voir quelle était la personne qui accompagnait Athos. Porthos obéit, mais il ne put rien voir ; les mantelets[2] étaient baissés.

La colère et l'impatience gagnaient Raoul. Il venait de remarquer ce mystère de la part des compagnons d'Athos, et il se décidait aux extrémités.

D'un autre côté, d'Artagnan avait parfaitement reconnu Porthos ; il avait, sous le cuir des mantelets, reconnu également Raoul, et communiqué au comte le résultat de son observation. Ils voulaient voir si Raoul et Porthos pousseraient les choses au dernier degré.

Cela ne manqua pas. Raoul, le pistolet au poing, fondit sur le premier cheval du carrosse en commandant au cocher d'arrêter.

---

1. Elle commence actuellement 7, rue de la Bastille pour finir 13, boulevard Beaumarchais. Ouverte au XIVe siècle, elle partait de la rue Saint-Antoine ; elle s'appela successivement rue d'Espagne, rue Jean-Boissire, avant de recevoir, en 1522, le nom de Jean-Beausire, porté jusque-là par la rue des Tournelles.

2. *Mantelets* : grandes pièces de cuir qui se rabattaient sur le devant et les côtés d'un carrosse.

Porthos saisit le cocher et l'enleva de dessus son siège.

Grimaud tenait déjà la portière du carrosse arrêté.

Raoul ouvrit ses bras en criant :

— Monsieur le comte ! monsieur le comte !

— Eh bien ! c'est vous, Raoul ? dit Athos ivre de joie.

— Pas mal ! ajouta d'Artagnan avec un éclat de rire.

Et tous deux embrassèrent le jeune homme et Porthos, qui s'étaient emparés d'eux.

— Mon brave Porthos, excellent ami ! s'écria Athos ; toujours vous !

— Il a encore vingt ans ! dit d'Artagnan. Bravo, Porthos !

— Dame ! répondit Porthos un peu confus, nous avons cru que l'on vous arrêtait.

— Tandis que, reprit Athos, il ne s'agissait que d'une promenade dans le carrosse de M. d'Artagnan.

— Nous vous suivons depuis la Bastille, répliqua Raoul avec un ton de soupçon et de reproche.

— Où nous étions allés souper avec ce bon M. de Baisemeaux. Vous rappelez-vous Baisemeaux, Porthos ?

— Pardieu ! très bien.

— Et nous y avons vu Aramis.

— A la Bastille ?

— A souper.

— Ah ! s'écria Porthos en respirant.

— Il nous a dit mille choses pour vous.

— Merci !

— Où va Monsieur le comte ? demanda Grimaud, que son maître avait déjà récompensé par un sourire.

— Nous allons à Blois, chez nous.

— Comme cela ?... tout droit ?

— Tout droit.

— Sans bagages ?

— Oh ! mon Dieu ! Raoul eût été chargé de m'expédier les miens ou de me les apporter en revenant chez moi, s'il y revient.

— Si rien ne l'arrête plus à Paris, dit d'Artagnan avec un regard ferme et tranchant comme l'acier, douloureux comme lui, car il rouvrit les blessures du pauvre jeune homme, il fera bien de vous suivre, Athos.

— Rien ne m'arrête plus à Paris, dit Raoul.

— Nous partons, alors, répliqua sur-le-champ Athos.

— Et M. d'Artagnan ?

— Oh ! moi, j'accompagnais Athos jusqu'à la barrière seulement, et je reviens avec Porthos.

— Très bien, dit celui-ci.

— Venez, mon fils, ajouta le comte en passant doucement le bras autour du cou de Raoul pour l'attirer dans le carrosse, et en l'embrassant encore. Grimaud, poursuivit le comte, tu vas retourner doucement à Paris avec ton cheval et celui de M. du Vallon ; car, Raoul et moi, nous montons à cheval ici, et laissons le carrosse à ces deux messieurs pour rentrer dans Paris ; puis, une fois au logis, tu prendras mes hardes, mes lettres, et tu expédieras le tout chez nous.

— Mais, fit observer Raoul, qui cherchait à faire parler le comte, quand vous reviendrez à Paris, il ne vous restera ni linge ni effets ; ce sera bien incommode.

— Je pense que, d'ici à bien longtemps, Raoul, je ne retournerai à Paris. Le dernier séjour que nous y fîmes ne m'a pas encouragé à en faire d'autres.

Raoul baissa la tête et ne dit plus un mot.

Athos descendit du carrosse, et monta le cheval qui avait amené Porthos et qui sembla fort heureux de l'échange.

On s'était embrassé, on s'était serré les mains, on s'était donné mille témoignages d'éternelle amitié. Porthos avait promis de passer un mois chez Athos à son premier loisir. D'Artagnan promit de mettre à profit son premier congé ; puis, ayant embrassé Raoul pour la dernière fois :

— Mon enfant, dit-il, je t'écrirai.

Il y avait tout dans ces mots de d'Artagnan, qui n'écrivait jamais. Raoul fut touché jusqu'aux larmes. Il s'arracha des mains du mousquetaire et partit.

D'Artagnan rejoignit Porthos dans le carrosse.

— Eh bien ! dit-il, cher ami, en voilà une journée !

— Mais, oui, répliqua Porthos.

— Vous devez être éreinté ?

— Pas trop. Cependant je me coucherai de bonne heure, afin d'être prêt demain.

— Et pourquoi cela ?

— Pardieu ! pour finir ce que j'ai commencé.

— Vous me faites frémir, mon ami ; je vous vois tout effarouché. Que diable avez-vous commencé qui ne soit pas fini ?

— Écoutez donc, Raoul ne s'est pas battu. Il faut que je me batte, moi !

— Avec qui ?... avec le roi ?

— Comment avec le roi ? dit Porthos stupéfait.

— Mais oui, grand enfant, avec le roi !

— Je vous assure que c'est avec M. de Saint-Aignan.

— Voilà ce que je voulais vous dire. En vous battant avec ce gentilhomme, c'est contre le roi que vous tirez l'épée.

— Ah ! fit Porthos en écarquillant les yeux, vous en êtes sûr ?

— Pardieu !

— Eh bien ! comment arranger cela, alors ?

— Nous allons tâcher de faire un bon souper, Porthos. La table du capitaine des mousquetaires est agréable. Vous y verrez le beau de Saint-Aignan, et vous boirez à sa santé.

— Moi ? s'écria Porthos avec horreur.

— Comment ! dit d'Artagnan, vous refusez de boire à la santé du roi ?

— Mais, corne de bœuf ! je ne vous parle pas du roi ; je vous parle de M. de Saint-Aignan.

— Mais puisque je vous répète que c'est la même chose.

— Ah !... très bien, alors, dit Porthos vaincu.

— Vous comprenez, n'est-ce pas ?

— Non, dit Porthos ; mais c'est égal.

— Oui, c'est égal, répliqua d'Artagnan ; allons souper, Porthos.

CCVI

LA SOCIÉTÉ DE M. DE BAISEMEAUX

On n'a pas oublié qu'en sortant de la Bastille d'Artagnan et le comte de La Fère y avaient laissé Aramis en tête à tête avec Baisemeaux.

Baisemeaux ne s'aperçut pas le moins du monde, une fois ses deux convives sortis, que la conversation souffrît de leur absence. Il croyait que le vin de dessert, et celui de la Bastille était excellent, il croyait, disons-nous, que le vin de dessert était un stimulant suffisant pour faire parler un homme de bien. Il connaissait mal Sa Grandeur, qui n'était jamais plus impénétrable qu'au dessert. Mais Sa Grandeur connaissait à merveille M. de Baisemeaux, en comptant pour faire parler le gouverneur sur le moyen que celui-ci regardait comme efficace.

La conversation, sans languir en apparence, languissait donc en réalité ; car Baisemeaux, non seulement parlait à peu près seul, mais encore ne parlait que de ce singulier événement de l'incarcération d'Athos, suivie de cet ordre si prompt de le mettre en liberté.

Baisemeaux, d'ailleurs, n'avait pas été sans remarquer que les deux ordres, ordre d'arrestation et ordre de mise en liberté, étaient tous deux de la main du roi. Or, le roi ne se donnait la peine d'écrire de pareils ordres que dans les grandes circonstances. Tout cela était fort intéressant, et surtout très obscur pour Baisemeaux ; mais, comme tout cela était fort clair pour Aramis, celui-ci n'attachait pas à cet événement la même importance qu'y attachait le bon gouverneur.

D'ailleurs, Aramis se dérangeait rarement pour rien, et il n'avait pas encore dit à M. de Baisemeaux pour quelle cause il s'était dérangé.

Aussi, au moment où Baisemeaux en était au plus fort de sa dissertation, Aramis l'interrompit tout à coup.

— Dites-moi, cher monsieur de Baisemeaux, dit-il, est-ce que vous n'avez jamais à la Bastille d'autres distractions que celles auxquelles j'ai assisté pendant les deux ou trois visites que j'ai eu l'honneur de vous faire ?

L'apostrophe était si inattendue, que le gouverneur, comme une girouette qui reçoit tout à coup une impulsion opposée à celle du vent, en demeura tout étourdi.

— Des distractions ? dit-il. Mais j'en ai continuellement, monseigneur.

— Oh ! à la bonne heure ! Et ces distractions ?

— Sont de toute nature.

— Des visites, sans doute ?

— Des visites ? Non. Les visites ne sont pas communes à la Bastille.

— Comment, les visites sont rares ?

— Très rares.

— Même de la part de votre société ?

— Qu'appelez-vous de ma société ?... Mes prisonniers ?

— Oh ! non. Vos prisonniers !... Je sais que c'est vous qui leur faites des visites, et non pas eux qui vous en font. J'entends par votre société, mon cher de Baisemeaux, la société dont vous faites partie.

Baisemeaux regarda fixement Aramis ; puis, comme si ce qu'il avait supposé un instant était impossible :

— Oh ! dit-il, j'ai bien peu de société à présent. S'il faut que je vous l'avoue, cher monsieur d'Herblay, en général, le séjour de la Bastille paraît sauvage et fastidieux aux gens du monde. Quant aux dames, ce n'est jamais sans un certain effroi, que j'ai toutes les peines de la terre à calmer, qu'elles parviennent jusqu'à moi. En effet, comment ne trembleraient-elles pas un peu, pauvres femmes, en voyant ces tristes donjons, et en pensant qu'ils sont habités par de pauvres prisonniers qui...

Et, au fur et à mesure que les yeux de Baisemeaux se fixaient sur le visage d'Aramis, la langue du bon gouverneur s'embarrassait de plus en plus, si bien qu'elle finit par se paralyser tout à fait.

— Non, vous ne comprenez pas, mon cher monsieur de Baisemeaux, dit Aramis, vous ne comprenez pas... Je ne veux point parler de la société en général, mais d'une société particulière, de la société à laquelle vous êtes affilié, enfin.

Baisemeaux laissa presque tomber le verre plein de muscat qu'il allait porter à ses lèvres.

— Affilié ? dit-il, affilié ?

— Mais sans doute, affilié, répéta Aramis avec le plus grand sang-froid. N'êtes-vous donc pas membre d'une société secrète, mon cher monsieur de Baisemeaux ?

— Secrète ?

— Secrète ou mystérieuse.

— Oh ! monsieur d'Herblay !...

— Voyons, ne vous défendez pas.

— Mais croyez bien...

— Je crois ce que je sais.

— Je vous jure !...

— Écoutez-moi, cher monsieur de Baisemeaux, je dis oui, vous dites non ; l'un de nous est nécessairement dans le vrai, et l'autre inévitablement dans le faux.

— Eh bien ?

— Eh bien ! nous allons tout de suite nous reconnaître.

— Voyons, dit Baisemeaux, voyons.

— Buvez donc votre verre de muscat, cher monsieur de Baisemeaux, dit Aramis. Que diable ! vous avez l'air tout effaré.

— Mais non, pas le moins du monde, non.

— Buvez, alors.

Baisemeaux but, mais il avala de travers.

— Eh bien ! reprit Aramis, si, disais-je, vous ne faites point partie d'une société secrète, mystérieuse, comme vous voudrez, l'épithète n'y fait rien ; si, dis-je, vous ne faites point partie d'une société pareille à celle que je veux désigner, eh bien ! vous ne comprendrez pas un mot à ce que je vais dire : voilà tout.

— Oh ! soyez sûr d'avance que je ne comprendrai rien.

— A merveille, alors.

— Essayez, voyons.

— C'est ce que je vais faire. Si, au contraire, vous êtes un des membres de cette société, vous allez tout de suite me répondre oui ou non.

— Faites la question, poursuivit Baisemeaux en tremblant.

— Car, vous en conviendrez, cher monsieur Baisemeaux, continua Aramis avec la même impassibilité, il est évident que l'on ne peut faire partie d'une société, il est évident qu'on ne peut jouir des avantages que la société produit aux affiliés, sans être astreint soi-même à quelques petites servitudes ?

— En effet, balbutia Baisemeaux, cela se concevrait si...

— Eh bien ! donc, reprit Aramis, il y a dans la société dont je vous parlais, et dont, à ce qu'il paraît, vous ne faites point partie...

— Permettez, dit Baisemeaux, je ne voudrais cependant pas dire absolument...

— Il y a un engagement pris par tous les gouverneurs et capitaines de forteresse affiliés à l'ordre.

Baisemeaux pâlit.

— Cet engagement, continua Aramis d'une voix ferme, le voici.

Baisemeaux se leva, en proie à une indicible émotion.

— Voyons, cher monsieur d'Herblay, dit-il, voyons.

Aramis dit alors ou plutôt récita le paragraphe suivant, de la même voix que s'il eût lu dans un livre : « Ledit capitaine ou gouverneur de forteresse laissera entrer quand besoin sera, et sur la demande du prisonnier, un confesseur affilié à l'ordre. »

Il s'arrêta. Baisemeaux faisait peine à voir, tant il était pâle et tremblant.

— Est-ce bien là le texte de l'engagement ? demanda tranquillement Aramis.

— Monseigneur !... fit Baisemeaux.

— Ah ! bien, vous commencez à comprendre, je crois ?

— Monseigneur, s'écria Baisemeaux, ne vous jouez pas ainsi de mon pauvre esprit ; je me trouve bien peu de chose auprès de vous, si vous avez le malin désir de me tirer les petits secrets de mon administration.

— Oh ! non pas, détrompez-vous, cher monsieur de Baisemeaux ; ce n'est point aux petits secrets de votre administration que j'en veux, c'est à ceux de votre conscience.

— Eh bien ! soit, de ma conscience, cher monsieur d'Herblay. Mais ayez un peu d'égard à ma situation, qui n'est point ordinaire.

— Elle n'est point ordinaire, mon cher monsieur, poursuivit l'inflexible Aramis, si vous êtes agrégé à cette société ; mais elle est toute naturelle, si, libre de tout engagement, vous n'avez à répondre qu'au roi.

— Eh bien ! monsieur, eh bien ! non ! je n'obéis qu'au roi. A qui donc, bon Dieu ! voulez-vous qu'un gentilhomme français obéisse, si ce n'est au roi ?

Aramis ne bougea point ; mais, avec sa voix si suave :

— Il est bien doux, dit-il, pour un gentilhomme français, pour un prélat de France, d'entendre s'exprimer ainsi loyalement un homme de votre mérite, cher monsieur de Baisemeaux, et, vous ayant entendu, de ne plus croire que vous.

— Avez-vous douté, monsieur ?

— Moi ? Oh ! non.

— Ainsi, vous ne doutez plus ?

— Je ne doute plus qu'un homme tel que vous, monsieur, dit sérieusement Aramis, ne serve fidèlement les maîtres qu'il s'est donnés volontairement.

— Les maîtres ? s'écria Baisemeaux.

— J'ai dit les maîtres.

— Monsieur d'Herblay, vous badinez encore, n'est-ce pas ?

— Oui, je conçois, c'est une situation plus difficile d'avoir plusieurs maîtres que d'en avoir un seul ; mais cet embarras vient de vous, cher monsieur de Baisemeaux, et je n'en suis pas la cause.

— Non, certainement, répondit le pauvre gouverneur plus embarrassé que jamais. Mais que faites-vous ? Vous vous levez ?

— Assurément.

— Vous partez ?

— Je pars, oui.

— Mais que vous êtes donc étrange avec moi, monseigneur !

— Moi, étrange ? où voyez-vous cela ?

— Voyons, avez-vous juré de me mettre à la torture ?

— Non, j'en serais au désespoir.

— Restez, alors.

— Je ne puis.

— Et, pourquoi ?

— Parce que je n'ai plus rien à faire ici, et qu'au contraire, j'ai des devoirs ailleurs.

— Des devoirs, si tard ?

— Oui. Comprenez donc, cher monsieur de Baisemeaux ; on m'a dit, d'où je viens : « Ledit gouverneur ou capitaine laissera pénétrer quand besoin sera, sur la demande du prisonnier, un confesseur affilié à l'ordre. » Je suis venu ; vous ne savez pas ce que je veux dire, je m'en retourne dire aux gens qu'ils se sont trompés et qu'ils aient à m'envoyer ailleurs.

— Comment ! vous êtes ?... s'écria Baisemeaux regardant Aramis presque avec effroi.

— Le confesseur affilié à l'ordre, dit Aramis sans changer de voix.

Mais, si douces que fussent ces paroles, elles firent sur le pauvre gouverneur l'effet d'un coup de tonnerre. Baisemeaux devint livide, et il lui sembla que les beaux yeux d'Aramis étaient deux lames de feu, plongeant jusqu'au fond de son cœur.

— Le confesseur ! murmura-t-il ; vous, monseigneur, le confesseur de l'ordre ?

— Oui, moi ; mais nous n'avons rien à démêler ensemble, puisque vous n'êtes point affilié.

— Monseigneur...

— Et je comprends que, n'étant pas affilié, vous vous refusiez à suivre les commandements.

— Monseigneur, je vous en supplie, reprit Baisemeaux, daignez m'entendre.

— Pourquoi ?

— Monseigneur, je ne dis pas que je ne fasse point partie de l'ordre...

— Ah ! ah !

— Je ne dis pas que je me refuse à obéir.

— Ce qui vient de se passer ressemble cependant bien à de la résistance, monsieur de Baisemeaux.

— Oh ! non, monseigneur, non ; seulement, j'ai voulu m'assurer...

— Vous assurer de quoi ? dit Aramis avec un air de suprême dédain.

— De rien, monseigneur.

Baisemeaux baissa la voix et s'inclina devant le prélat.

— Je suis en tout temps, en tout lieu, à la disposition de mes maîtres, dit-il ; mais...

— Fort bien ! Je vous aime mieux ainsi, monsieur.

Aramis reprit sa chaise et tendit son verre à Baisemeaux, qui ne put jamais le remplir, tant la main lui tremblait.

— Vous disiez : *mais*, reprit Aramis.

— Mais, reprit le pauvre homme, n'étant pas prévenu, j'étais loin de m'attendre...

— Est-ce que l'Évangile ne dit pas : « Veillez, car le moment n'est connu que de Dieu[1]. » Est-ce que les prescriptions de l'ordre ne disent pas : « Veillez, car ce que je veux, vous devez toujours le vouloir. » Et sous quel prétexte n'attendiez-vous pas le confesseur, monsieur de Baisemeaux ?

— Parce qu'il n'y a en ce moment aucun prisonnier malade à la Bastille, monseigneur.

Aramis haussa les épaules.

— Qu'en savez-vous ? dit-il.

— Mais il me semble...

— Monsieur de Baisemeaux, dit Aramis en se renversant dans son fauteuil, voici votre valet qui veut vous parler.

En ce moment, en effet, le valet de Baisemeaux parut au seuil de la porte.

— Qu'y a-il ? demanda vivement Baisemeaux.

— Monsieur le gouverneur, dit le valet, c'est le rapport du médecin de la maison qu'on vous apporte.

Aramis regarda M. de Baisemeaux de son œil clair et assuré.

— Eh bien ! faites entrer le messager, dit-il.

Le messager entra, salua, et remit le rapport.

Baisemeaux jeta les yeux dessus, et, relevant la tête :

— Le deuxième Bertaudière est malade ! dit-il avec surprise.

— Que disiez-vous donc, cher monsieur de Baisemeaux, que tout le monde se portait bien dans votre hôtel ? dit négligemment Aramis.

Et il but une gorgée de muscat, sans cesser de regarder Baisemeaux. Alors, le gouverneur, ayant fait de la tête un signe au messager, et celui-ci étant sorti :

— Je crois, dit-il, en tremblant toujours, qu'il y a dans le paragraphe : « Sur la demande du prisonnier » ?

— Oui, il y a cela, répondit Aramis ; mais voyez donc ce que l'on vous veut, cher monsieur de Baisemeaux.

En effet, un sergent passait sa tête par l'entrebâillement de la porte.

— Qu'est-ce encore ? s'écria Baisemeaux. Ne peut-on me laisser dix minutes de tranquillité ?

— Monsieur le gouverneur, dit le sergent, le malade de la deuxième Bertaudière a chargé son geôlier de vous demander un confesseur.

---

1. Matthieu, XXIV, 42 ; Luc, XII, 40.

Baisemeaux faillit tomber à la renverse.

Aramis dédaigna de le rassurer, comme il avait dédaigné de l'épouvanter.

— Que faut-il répondre ? demanda Baisemeaux.

— Mais, ce que vous voudrez, répondit Aramis en se pinçant les lèvres ; cela vous regarde ; je ne suis pas gouverneur de la Bastille, moi.

— Dites, s'écria vivement Baisemeaux, dites au prisonnier qu'il va avoir ce qu'il demande.

Le sergent sortit.

— Oh ! monseigneur, monseigneur ! murmura Baisemeaux, comment me serais-je douté ?... comment aurais-je prévu ?

— Qui vous disait de vous douter ? qui vous priait de prévoir ? répondit dédaigneusement Aramis. L'ordre se doute, l'ordre sait, l'ordre prévoit : n'est-ce pas suffisant ?

— Qu'ordonnez-vous ? ajouta Baisemeaux.

— Moi ? Rien. Je ne suis qu'un pauvre prêtre, un simple confesseur. M'ordonnez-vous d'aller voir le malade ?

— Oh ! monseigneur, je ne vous l'ordonne pas, je vous en prie.

— C'est bien. Alors, conduisez-moi.

CCVII

LE PRISONNIER

Depuis cette étrange transformation d'Aramis en confesseur de l'ordre, Baisemeaux n'était plus le même homme.

Jusque-là, Aramis avait été pour le digne gouverneur un prélat auquel il devait le respect, un ami auquel il devait la reconnaissance ; mais, à partir de la révélation qui venait de bouleverser toutes ses idées, il était inférieur et Aramis était un chef.

Il alluma lui-même un falot, appela un porte-clefs, et, se retournant vers Aramis :

— Aux ordres de Monseigneur, dit-il.

Aramis se contenta de faire un signe de tête qui voulait dire : « C'est bien ! » et un signe de la main qui voulait dire : « Marchez devant ! » Baisemeaux se mit en route. Aramis le suivit.

Il faisait une belle nuit étoilée ; les pas des trois hommes retentissaient sur la dalle des terrasses, et le cliquetis des clefs pendues à la ceinture du guichetier montait jusqu'aux étages des tours, comme pour rappeler aux prisonniers que la liberté était hors de leur atteinte.

On eût dit que le changement qui s'était opéré dans Baisemeaux s'était étendu jusqu'au porte-clefs. Ce porte-clefs, le même qui, à la première visite d'Aramis, s'était montré si curieux et si questionneur, était devenu non seulement muet, mais même impassible. Il baissait la tête et semblait craindre d'ouvrir les oreilles.

On arriva ainsi au pied de la Bertaudière[1], dont les deux étages furent gravis silencieusement et avec une certaine lenteur ; car Baisemeaux, tout en obéissant, était loin de mettre un grand empressement à obéir.

Enfin, on arriva à la porte ; le guichetier n'eut pas besoin de chercher la clef, il l'avait préparée. La porte s'ouvrit.

Baisemeaux se disposait à entrer chez le prisonnier ; mais, l'arrêtant sur le seuil :

— Il n'est pas écrit, dit Aramis, que le gouverneur entendra la confession du prisonnier.

Baisemeaux s'inclina et laissa passer Aramis, qui prit le falot des mains du guichetier et entra ; puis, d'un geste, il fit signe que l'on refermât la porte derrière lui.

Pendant un instant, il se tint debout, l'oreille tendue, écoutant si Baisemeaux et le porte-clefs s'éloignaient ; puis, lorsqu'il se fut assuré, par la décroissance du bruit, qu'ils avaient quitté la tour, il posa le falot sur la table et regarda autour de lui.

Sur un lit de serge verte, en tout pareil aux autres lits de la Bastille, excepté qu'il était plus neuf, sous des rideaux amples et fermés à demi, reposait le jeune homme près duquel, une fois déjà, nous avons introduit Aramis.

Suivant l'usage de la prison, le captif était sans lumière. A l'heure du couvre-feu, il avait dû éteindre sa bougie. On voit combien le prisonnier était favorisé puisqu'il avait ce rare privilège de garder de la lumière jusqu'au moment du couvre-feu.

Près de ce lit, un grand fauteuil de cuir, à pieds tordus, supportait des habits d'une fraîcheur remarquable. Une petite table, sans plumes, sans livres, sans papiers, sans encre, était abandonnée tristement près de la fenêtre. Plusieurs assiettes, encore pleines, attestaient que le prisonnier avait à peine touché à son dernier repas.

Aramis vit, sur le lit, le jeune homme étendu, le visage à demi caché sous ses deux bras.

L'arrivée du visiteur ne le fit point changer de posture ; il attendait ou dormait. Aramis alluma la bougie à l'aide du falot, repoussa doucement le fauteuil et s'approcha du lit avec un mélange visible d'intérêt et de respect.

Le jeune homme souleva la tête.

— Que me veut-on ? demanda-t-il.

---

1. Elle faisait face à Paris, entre la tour de la Bazinière et la tour de la Liberté.

— N'avez-vous pas désiré un confesseur ?

— Oui.

— Parce que vous êtes malade ?

— Oui.

— Bien malade ?

Le jeune homme attacha sur Aramis des yeux pénétrants, et dit :

— Je vous remercie.

Puis, après un silence :

— Je vous ai déjà vu, continua-t-il.

Aramis s'inclina. Sans doute, l'examen que le prisonnier venait de faire, cette révélation d'un caractère froid, rusé et dominateur, empreint sur la physionomie de l'évêque de Vannes, était peu rassurant dans la situation du jeune homme ; car il ajouta :

— Je vais mieux.

— Alors ? demanda Aramis.

— Alors, allant mieux, je n'ai plus le même besoin d'un confesseur, ce me semble.

— Pas même du cilice que vous annonçait le billet que vous avez trouvé dans votre pain ?

Le jeune homme tressaillit ; mais, avant qu'il eût répondu ou nié :

— Pas même, continua Aramis, de cet ecclésiastique de la bouche duquel vous avez une importante révélation à attendre ?

— S'il en est ainsi, dit le jeune homme en retombant sur son oreiller, c'est différent ; j'écoute.

Aramis alors le regarda plus attentivement et fut surpris de cet air de majesté simple et aisée qu'on n'acquiert jamais, si Dieu ne l'a mis dans le sang ou dans le cœur.

— Asseyez-vous, monsieur, dit le prisonnier.

Aramis obéit en s'inclinant.

— Comment vous trouvez-vous à la Bastille ? demanda l'évêque.

— Très bien.

— Vous ne souffrez pas ?

— Non.

— Vous ne regrettez rien ?

— Rien.

— Pas même la liberté ?

— Qu'appelez-vous la liberté, monsieur, demanda le prisonnier avec l'accent d'un homme qui se prépare à une lutte.

— J'appelle la liberté, les fleurs, l'air, le jour, les étoiles, le bonheur de courir où vous portent vos jambes nerveuses de vingt ans.

Le jeune homme sourit ; il eût été difficile de dire si c'était de résignation ou de dédain.

— Regardez, dit-il, j'ai là, dans ce vase du Japon, deux roses, deux belles roses, cueillies hier au soir en boutons dans le jardin du gouverneur ;

elles sont écloses ce matin et ont ouvert sous mes yeux leur calice vermeil ; avec chaque pli de leurs feuilles, elles ouvraient le trésor de leur parfum ; ma chambre en est tout embaumée. Ces deux roses, voyez-les : elles sont belles parmi les roses ; et les roses sont les plus belles des fleurs. Pourquoi donc voulez-vous que je désire d'autres fleurs, puisque j'ai les plus belles de toutes ?

Aramis regarda le jeune homme avec surprise.

— Si les fleurs sont la liberté, reprit mélancoliquement le captif, j'ai donc la liberté, puisque j'ai les fleurs.

— Oh ! mais l'air ! s'écria Aramis ; l'air si nécessaire à la vie ?

— Eh bien ! monsieur, approchez-vous de la fenêtre, continua le prisonnier ; elle est ouverte. Entre le ciel et la terre, le vent roule ses tourbillons de glace, de feu, de tièdes vapeurs ou de douces brises. L'air qui vient de là caresse mon visage, quand, monté sur ce fauteuil, assis sur le dossier, le bras passé autour du barreau qui me soutient, je me figure que je nage dans le vide.

Le front d'Aramis se rembrunissait à mesure que parlait le jeune homme.

— Le jour ? continua-t-il. J'ai mieux que le jour, j'ai le soleil, un ami qui vient tous les jours me visiter sans la permission du gouverneur, sans la compagnie du guichetier. Il entre par la fenêtre, il trace dans ma chambre un grand carré long qui part de la fenêtre même et va mordre la tenture de mon lit jusqu'aux franges. Ce carré lumineux grandit de dix heures à midi, et décroît de une heure à trois, lentement, comme si, ayant eu hâte de venir, il avait regret de me quitter. Quand son dernier rayon disparaît, j'ai joui quatre heures de sa présence. Est-ce que ça ne suffit pas ? On m'a dit qu'il y avait des malheureux qui creusaient des carrières, des ouvriers qui travaillaient aux mines, et qui ne le voyaient jamais.

Aramis s'essuya le front.

— Quant aux étoiles, qui sont douces à voir, continua le jeune homme, elles se ressemblent toutes, sauf l'éclat et la grandeur. Moi, je suis favorisé ; car, si vous n'eussiez allumé cette bougie, vous eussiez pu voir la belle étoile que je voyais de mon lit avant votre arrivée, et dont le rayonnement caressait mes yeux.

Aramis baissa la tête : il se sentait submergé, sous le flot amer de cette sinistre philosophie qui est la religion de la captivité.

— Voilà donc pour les fleurs, pour l'air, pour le jour et pour les étoiles, dit le jeune homme avec la même tranquillité. Reste la promenade. Est-ce que, toute la journée, je ne me promène pas dans le jardin du gouverneur s'il fait beau, ici s'il pleut, au frais s'il fait chaud, au chaud s'il fait froid, grâce à ma cheminée pendant l'hiver ? Ah ! croyez-moi, monsieur, ajouta le prisonnier avec une expression qui n'était pas exempte d'une certaine amertume, les hommes ont fait pour moi tout ce que peut espérer, tout ce que peut désirer un homme.

— Les hommes, soit ! dit Aramis en relevant la tête ; mais il me semble que vous oubliez Dieu.

— J'ai, en effet, oublié Dieu, répondit le prisonnier sans s'émouvoir ; mais, pourquoi me dites-vous cela ? A quoi bon parler de Dieu aux prisonniers ?

Aramis regarda en face ce singulier jeune homme, qui avait la résignation d'un martyr avec le sourire d'un athée.

— Est-ce que Dieu n'est pas dans toutes choses ? murmura-t-il d'un ton de reproche.

— Dites au bout de toute chose, répondit le prisonnier fermement.

— Soit ! dit Aramis ; mais revenons au point d'où nous sommes partis.

— Je ne demande pas mieux, fit le jeune homme.

— Je suis votre confesseur.

— Oui.

— Eh bien ! comme mon pénitent, vous me devez la vérité.

— Je ne demande pas mieux que de vous la dire.

— Tout prisonnier a commis le crime qui l'a fait mettre en prison. Quel crime avez-vous commis, vous ?

— Vous m'avez déjà demandé cela, la première fois que vous m'avez vu, dit le prisonnier.

— Et vous avez éludé ma réponse, cette fois, comme aujourd'hui.

— Et pourquoi, aujourd'hui, pensez-vous que je vous répondrai ?

— Parce que, aujourd'hui, je suis votre confesseur.

— Alors, si vous voulez que je vous dise quel crime j'ai commis, expliquez-moi ce que c'est qu'un crime. Or, comme je ne sais rien en moi qui me fasse des reproches, je dis que je ne suis pas criminel.

— On est criminel parfois aux yeux des grands de la terre, non seulement pour avoir commis des crimes, mais parce que l'on sait que des crimes ont été commis.

Le prisonnier prêtait une attention extrême.

— Oui, dit-il après un moment de silence, je comprends ; oui, vous avez raison, monsieur ; il se pourrait bien que, de cette façon, je fusse criminel aux yeux des grands.

— Ah ! vous savez donc quelque chose ? dit Aramis, qui crut avoir entrevu, non pas le défaut, mais la jointure de la cuirasse.

— Non, je ne sais rien, répondit le jeune homme ; mais je pense quelquefois, et je me dis, à ces moments-là...

— Que vous dites-vous ?

— Que, si je voulais penser plus, ou je deviendrais fou, ou je devinerais bien des choses.

— Eh bien ! alors ? demanda Aramis avec impatience.

— Alors, je m'arrête.

— Vous vous arrêtez ?

— Oui, ma tête est lourde, mes idées deviennent tristes, je sens l'ennui qui me prend ; je désire...

— Quoi ?

— Je n'en sais rien, car je ne veux pas me laisser prendre au désir de choses que je n'ai pas, moi qui suis si content de ce que j'ai.

— Vous craignez la mort ? dit Aramis avec une légère inquiétude.

— Oui, dit le jeune homme en souriant.

Aramis sentit le froid de ce sourire et frémit.

— Oh ! puisque vous avez peur de la mort, vous en savez plus que vous n'en dites, s'écria-t-il.

— Mais vous, répondit le prisonnier, vous qui me faites dire de vous demander, vous qui, lorsque je vous ai demandé, entrez ici en me promettant tout un monde de révélations, d'où vient que c'est vous maintenant qui vous taisez et moi qui parle ? Puisque nous portons chacun un masque, ou gardons-le tous deux, ou déposons-le ensemble.

Aramis sentit à la fois la force et la justesse de ce raisonnement.

— Je n'ai point affaire à un homme ordinaire, pensa-t-il. Voyons, avez-vous de l'ambition ? dit-il tout haut, sans avoir préparé le prisonnier à la transition.

— Qu'est-ce que cela, de l'ambition ? demanda le jeune homme.

— C'est, répondit Aramis, un sentiment qui pousse l'homme à désirer plus qu'il n'a.

— J'ai dit que j'étais content, monsieur, mais il est possible que je me trompe. J'ignore ce que c'est que l'ambition, mais il est possible que j'en aie. Voyons, ouvrez-moi l'esprit, je ne demande pas mieux.

— Un ambitieux, dit Aramis, est celui qui convoite par-delà son état.

— Je ne convoite rien par-delà mon état, dit le jeune homme avec une assurance qui, encore une fois, fit tressaillir l'évêque de Vannes.

Il se tut. Mais, à voir les yeux ardents, le front plissé, l'attitude réfléchie du captif, on sentait bien qu'il attendait autre chose que du silence. Ce silence, Aramis le rompit.

— Vous m'avez menti, la première fois que je vous ai vu, dit-il.

— Menti ? s'écria le jeune homme en se dressant sur son lit, avec un tel accent dans la voix, avec un tel éclair dans les yeux, qu'Aramis recula malgré lui.

— Je veux dire, reprit Aramis en s'inclinant, que vous m'avez caché ce que vous savez de votre enfance.

— Les secrets d'un homme sont à lui, monsieur ! dit le prisonnier, et non au premier venu.

— C'est vrai, dit Aramis en s'inclinant plus bas que la première fois, c'est vrai, pardonnez, mais aujourd'hui, suis-je encore pour vous le premier venu ? Je vous en supplie, répondez, *monseigneur !*

Ce titre causa un léger trouble au prisonnier ; cependant il ne parut point étonné qu'on le lui donnât.

— Je ne vous connais pas, monsieur, dit-il.

— Oh ! si j'osais, je prendrais votre main, et je la baiserais.

Le jeune homme fit un mouvement comme pour donner la main à Aramis, mais l'éclair qui avait jailli de ses yeux s'éteignit au bord de sa paupière, et sa main se retira froide et défiante.

— Baiser la main d'un prisonnier ! dit-il en secouant la tête, à quoi bon ?

— Pourquoi m'avez-vous dit, demanda Aramis, que vous vous trouviez bien ici ? pourquoi m'avez-vous dit que vous n'aspiriez à rien ? pourquoi enfin, en me parlant ainsi, m'empêchez-vous d'être franc à mon tour ?

Le même éclair reparut pour la troisième fois aux yeux du jeune homme ; mais, comme les deux autres fois, il expira sans rien amener.

— Vous vous défiez de moi ? dit Aramis.

— A quel propos, monsieur ?

— Oh ! par une raison bien simple : c'est que, si vous savez ce que vous devez savoir, vous devez vous défier de tout le monde.

— Alors, ne vous étonnez pas que je me défie, puisque vous me soupçonnez de savoir ce que je ne sais pas.

Aramis était frappé d'admiration pour cette énergique résistance.

— Oh ! vous me désespérez, monseigneur ! s'écria-t-il en frappant du poing sur le fauteuil.

— Et moi, je ne vous comprends pas monsieur.

— Eh bien ! tâchez de me comprendre.

Le prisonnier regarda fixement Aramis.

— Il me semble parfois, continua celui-ci, que j'ai devant les yeux l'homme que je cherche… et puis…

— Et puis… cet homme disparaît, n'est-ce pas ? dit le prisonnier en souriant. Tant mieux !

— Décidément, reprit-il, je n'ai rien à dire à un homme qui se défie de moi au point que vous le faites.

— Et moi, ajouta le prisonnier du même ton, rien à dire à l'homme qui ne veut pas comprendre qu'un prisonnier doit se défier de tout.

— Même de ses anciens amis ? dit Aramis. Oh ! c'est trop de prudence, monseigneur !

— De mes anciens amis ? vous êtes un de mes anciens amis, vous ?

— Voyons, dit Aramis, ne vous souvient-il donc plus d'avoir vu autrefois, dans le village où s'écoula votre première enfance ?…

— Savez-vous le nom de ce village ? demanda le prisonnier.

— Noisy-le-Sec, monseigneur, répondit fermement Aramis.

— Continuez, dit le jeune homme sans que son visage avouât ou niât.

— Tenez, monseigneur, dit Aramis, si vous voulez absolument

continuer ce jeu, restons-en là. Je viens pour vous dire beaucoup de choses, c'est vrai ; mais il faut me laisser voir que ces choses, vous avez, de votre côté, le désir de les connaître. Avant de parler, avant de déclarer les choses si importantes que je recèle en moi, convenez-en, j'eusse eu besoin d'un peu d'aide sinon de franchise, d'un peu de sympathie sinon de confiance. Eh bien ! vous vous tenez renfermé dans une prétendue ignorance qui me paralyse... oh ! non pas pour ce que vous croyez ; car, si fort ignorant que vous soyez, ou si fort indifférent que vous feigniez d'être, vous n'en êtes pas moins ce que vous êtes, monseigneur, et rien, rien ! entendez-vous bien, ne fera que vous ne le soyez pas.

— Je vous promets, répondit le prisonnier, de vous écouter sans impatience. Seulement, il me semble que j'ai le droit de vous répéter cette question que je vous ai déjà faite : Qui êtes-vous ?

— Vous souvient-il, il y a quinze ou dix-huit ans[1], d'avoir vu à Noisy-le-Sec un cavalier qui venait avec une dame, vêtue ordinairement de soie noire, avec des rubans couleur de feu dans les cheveux ?

— Oui, dit le jeune homme : une fois j'ai demandé le nom de ce cavalier, et l'on m'a dit qu'il s'appelait l'abbé d'Herblay. Je me suis étonné que cet abbé eût l'air si guerrier, et l'on m'a répondu qu'il n'y avait rien d'étonnant à cela, attendu que c'était un mousquetaire du roi Louis XIII.

— Eh bien ! dit Aramis, ce mousquetaire autrefois, cet abbé alors, évêque de Vannes depuis, votre confesseur aujourd'hui, c'est moi.

— Je le sais. Je vous avais reconnu.

— Eh bien ! monseigneur, si vous savez cela, il faut que j'y ajoute une chose que vous ne savez pas : c'est que si la présence ici de ce mousquetaire, de cet abbé, de cet évêque, de ce confesseur était connue du roi, ce soir, demain, celui qui a tout risqué pour venir à vous verrait

---

1. Soit vers 1643-1646. Dans ses *Impressions de voyage. Une année à Florence,* Dumas avait consacré un chapitre à « L'Homme au masque de fer » (préoriginale : *Le Siècle,* 19-21 février 1841) dans lequel il avait résumé les neuf systèmes échafaudés autour du mystérieux prisonnier. Il en découle clairement que l'écrivain a pris sa matière romanesque dans le huitième système, issu de *Relation de la naissance et de l'éducation du prince infortuné, soustrait par les cardinaux Richelieu et Mazarin à la société, et renfermé par ordre de Louis XIV, composée par le gouverneur du prince à son lit de mort,* dans *Mémoires du maréchal duc de Richelieu pour servir à l'histoire des cours de Louis XIV, de la Régence du duc d'Orléans, de Louis XV, et à celle des 14 premières années du règne de Louis XVI, ouvrage composé dans la bibliothèque, et sous les yeux du maréchal... d'après les portefeuilles, correspondances et mémoires... de plusieurs seigneurs, ministres et militaires, ses contemporains* (attribué à J. L. Soulavie), Londres, J. de Boffe ; Paris, P. Buisson, 1790, 4 vol. in-8°, tome III, p. 75. Ces mémoires apocryphes avaient déjà été à l'origine de *L'Homme au masque de fer,* drame en cinq actes et prologue de Narcisse Fournier et Auguste Arnoult (collaborateurs de Maquet pour l'*Histoire de la Bastille*), représenté à l'Odéon le 3 août 1831 (voir Dumas, *Mes Mémoires,* chap. CCXIV).

Dumas avait ensuite résumé ces systèmes, en les portant à quatorze, dans *Louis XIV et son siècle* (note EE). Nous reproduisons ces deux textes dans nos Documents.

reluire la hache du bourreau au fond d'un cachot plus sombre et plus perdu que ne l'est le vôtre.

En écoutant ces mots fermement accentués, le jeune homme s'était soulevé sur son lit, et avait plongé des regards de plus en plus avides dans les regards d'Aramis.

Le résultat de cet examen fut que le prisonnier parut prendre quelque confiance.

— Oui, murmura-t-il, oui, je me souviens parfaitement. La femme dont vous parlez vint une fois avec vous, et deux autres fois avec la femme...

Il s'arrêta.

— Avec la femme qui venait vous voir tous les mois, n'est-ce pas, monseigneur ?

— Oui.

— Savez-vous quelle était cette dame ?

Un éclair parut près de jaillir de l'œil du prisonnier.

— Je sais que c'était une dame de la cour, dit-il.

— Vous vous la rappelez bien, cette dame ?

— Oh ! mes souvenirs ne peuvent être bien confus sous ce rapport, dit le jeune prisonnier ; j'ai vu une fois cette dame avec un homme de quarante-cinq ans[1], à peu près, j'ai vu une fois cette dame avec vous et avec la dame à la robe noire et aux rubans couleur de feu ; je l'ai revue deux fois depuis avec la même personne. Ces quatre personnes avec mon gouverneur et la vieille Perronnette, mon geôlier et le gouverneur, sont les seules personnes à qui j'aie jamais parlé, et, en vérité, presque les seules personnes que j'aie jamais vues.

— Mais vous étiez donc en prison ?

— Si je suis en prison ici, relativement j'étais libre là-bas, quoique ma liberté fût bien restreinte ; une maison d'où je ne sortais pas, un grand jardin entouré de murs que je ne pouvais franchir : c'était ma demeure ; vous la connaissez, puisque vous y êtes venu. Au reste, habitué à vivre dans les limites de ces murs et de cette maison, je n'ai jamais désiré en sortir. Donc, vous comprenez, monsieur, n'ayant rien vu de ce monde, je ne puis rien désirer, et, si vous me racontez quelque chose, vous serez forcé de tout m'expliquer.

— Ainsi ferai-je, monseigneur, dit Aramis en s'inclinant ; car c'est mon devoir.

— Eh bien ! commencez donc par me dire ce qu'était mon gouverneur.

— Un bon gentilhomme, monseigneur, un honnête gentilhomme surtout, un précepteur à la fois pour votre corps et pour votre âme. Avez-vous jamais eu à vous en plaindre ?

— Oh ! non, monsieur, bien au contraire ; mais ce gentilhomme m'a

---

1. Sans doute Mazarin.

dit souvent que mon père et ma mère étaient morts ; ce gentilhomme mentait-il ou disait-il la vérité ?

— Il était forcé de suivre les ordres qui lui étaient donnés.

— Alors il mentait donc ?

— Sur un point. Votre père est mort.

— Et ma mère ?

— Elle est morte pour vous.

— Mais, pour les autres, elle vit, n'est-ce pas ?

— Oui.

— Et moi (le jeune homme regarda Aramis), moi, je suis condamné à vivre dans l'obscurité d'une prison ?

— Hélas ! je le crois.

— Et cela, continua le jeune homme, parce que ma présence dans le monde révélerait un grand secret ?

— Un grand secret, oui.

— Pour faire enfermer à la Bastille un enfant tel que je l'étais, il faut que mon ennemi soit bien puissant.

— Il l'est.

— Plus puissant que ma mère, alors ?

— Pourquoi cela ?

— Parce que ma mère m'eût défendu.

Aramis hésita.

— Plus puissant que votre mère, oui, monseigneur.

— Pour que ma nourrice et le gentilhomme aient été enlevés et pour qu'on m'ait séparé d'eux ainsi, j'étais donc ou ils étaient donc un bien grand danger pour mon ennemi ?

— Oui, un danger dont votre ennemi s'est délivré en faisant disparaître le gentilhomme et la nourrice, répondit tranquillement Aramis.

— Disparaître ? demanda le prisonnier. Mais de quelle façon ont-ils disparu ?

— De la façon la plus sûre, répondit Aramis : ils sont morts.

Le jeune homme pâlit légèrement et passa une main tremblante sur son visage.

— Par le poison ? demanda-t-il.

— Par le poison.

Le prisonnier réfléchit un instant.

— Pour que ces deux innocentes créatures, reprit-il, mes seuls soutiens, aient été assassinées le même jour, il faut que mon ennemi soit bien cruel, ou bien contraint par la nécessité ; car ce digne gentilhomme et cette pauvre femme n'avaient jamais fait de mal à personne.

— La nécessité est dure dans votre maison, monseigneur. Aussi est-ce une nécessité qui me fait, à mon grand regret, vous dire que ce gentilhomme et cette nourrice ont été assassinés.

— Oh ! vous ne m'apprenez rien de nouveau, dit le prisonnier en fronçant le sourcil.

— Comment cela ?

— Je m'en doutais.

— Pourquoi ?

— Je vais vous le dire.

En ce moment, le jeune homme, s'appuyant sur ses deux coudes, s'approcha du visage d'Aramis avec une telle expression de dignité, d'abnégation, de défi même, que l'évêque sentit l'électricité de l'enthousiasme monter en étincelles dévorantes de son cœur flétri à son crâne dur comme l'acier.

— Parlez, monseigneur. Je vous ai déjà dit que j'expose ma vie en vous parlant. Si peu que soit ma vie, je vous supplie de la recevoir comme rançon de la vôtre.

— Eh bien ! reprit le jeune homme, voici pourquoi je soupçonnais que l'on avait tué ma nourrice et mon gouverneur.

— Que vous appeliez votre père.

— Oui, que j'appelais mon père, mais dont je savais bien que je n'étais pas le fils.

— Qui vous avait fait supposer ?...

— De même que vous êtes, vous, trop respectueux pour un ami, lui était trop respectueux pour un père.

— Moi, dit Aramis, je n'ai pas le dessein de me déguiser.

Le jeune homme fit un signe de tête et continua :

— Sans doute, je n'étais pas destiné à demeurer éternellement enfermé, dit le prisonnier, et ce qui me le fait croire, maintenant surtout, c'est le soin qu'on prenait de faire de moi un cavalier aussi accompli que possible. Le gentilhomme qui était près de moi m'avait appris tout ce qu'il savait lui-même : les mathématiques, un peu de géométrie, d'astronomie, l'escrime, le manège. Tous les matins, je faisais des armes dans une salle basse, et montais à cheval dans le jardin. Eh bien ! un matin, c'était pendant l'été, car il faisait une grande chaleur, je m'étais endormi dans cette salle basse. Rien, jusque-là, ne m'avait, excepté le respect de mon gouverneur, instruit ou donné des soupçons. Je vivais comme les oiseaux, comme les plantes, d'air et de soleil ; je venais d'avoir quinze ans[1].

— Alors, il y a huit ans de cela ?

— Oui, à peu près ; j'ai perdu la mesure du temps.

— Pardon, mais que vous disait votre gouverneur pour vous encourager au travail ?

— Il me disait qu'un homme doit chercher à se faire sur la terre une

---

1. En 1653, peu après le 3 septembre, date anniversaire de la naissance de Louis et de Philippe.

fortune que Dieu lui a refusée en naissant ; il ajoutait que, pauvre, orphelin, obscur, je ne pouvais compter que sur moi, et que nul ne s'intéressait ou ne s'intéresserait jamais à ma personne. J'étais donc dans cette salle basse, et, fatigué par ma leçon d'escrime, je m'étais endormi. Mon gouverneur était dans sa chambre, au premier étage, juste au-dessus de moi. Soudain j'entendis comme un petit cri poussé par mon gouverneur. Puis il appela : « Perronnette ! Perronnette ! » C'était ma nourrice qu'il appelait.

— Oui, je sais, dit Aramis ; continuez, monseigneur, continuez.

— Sans doute elle était au jardin, car mon gouverneur descendit l'escalier avec précipitation. Je me levai, inquiet de le voir inquiet lui-même. Il ouvrit la porte qui, du vestibule, menait au jardin, en criant toujours : « Perronnette ! Perronnette ! » Les fenêtres de la salle basse donnaient sur la cour ; les volets de ces fenêtres étaient fermés ; mais, par une fente du volet, je vis mon gouverneur s'approcher d'un large puits situé presque au-dessous des fenêtres de son cabinet de travail. Il se pencha sur la margelle, regarda dans le puits, et poussa un nouveau cri en faisant de grands gestes effarés. D'où j'étais, je pouvais non seulement voir, mais encore entendre. Je vis donc, j'entendis donc.

— Continuez, monseigneur, je vous en prie, dit Aramis.

— Dame Perronnette accourait aux cris de mon gouverneur. Il alla au-devant d'elle, la prit par le bras et l'entraîna vivement vers la margelle ; après quoi, se penchant avec elle dans le puits, il lui dit :

« — Regardez, regardez, quel malheur !

« — Voyons, voyons, calmez-vous, disait dame Perronnette ; qu'y a-t-il ?

« — Cette lettre, criait mon gouverneur, voyez-vous cette lettre ?

« Et il étendait la main vers le fond du puits.

« — Quelle lettre ? demanda la nourrice.

« — Cette lettre que vous voyez là-bas, c'est la dernière lettre de la reine.

« A ce mot je tressaillis. Mon gouverneur, celui qui passait pour mon père, celui qui me recommandait sans cesse la modestie et l'humilité, en correspondance avec la reine !

« — La dernière lettre de la reine ? s'écria dame Perronnette sans paraître étonnée autrement que de voir cette lettre au fond du puits. Et comment est-elle là ?

« — Un hasard, dame Perronnette, un hasard étrange ! Je rentrais chez moi ; en rentrant, j'ouvre la porte ; la fenêtre de son côté était ouverte ; un courant d'air s'établit ; je vois un papier qui s'envole, je reconnais que ce papier, c'est la lettre de la reine ; je cours à la fenêtre en poussant un cri ; le papier flotte un instant en l'air et tombe dans le puits.

« — Eh bien ! dit dame Perronnette, si la lettre est tombée dans le puits, c'est comme si elle était brûlée, et, puisque la reine brûle elle-même toutes ses lettres, chaque fois qu'elle vient...

« Chaque fois qu'elle vient ! Ainsi cette femme qui venait tous les mois, c'était la reine ? interrompit le prisonnier.

— Oui, fit de la tête Aramis.

— « Sans doute, sans doute, continua le vieux gentilhomme, mais cette lettre contenait des instructions. Comment ferai-je pour les suivre ?

« — Écrivez vite à la reine, racontez-lui la chose comme elle s'est passée, et la reine vous écrira une seconde lettre en place de celle-ci.

« — Oh ! la reine ne voudra pas croire à cet accident, dit le bonhomme en branlant la tête ; elle pensera que j'ai voulu garder cette lettre, au lieu de la lui rendre comme les autres, afin de m'en faire une arme. Elle est si défiante, et M. de Mazarin si... Ce démon d'Italien est capable de nous faire empoisonner au premier soupçon ! »

Aramis sourit avec un imperceptible mouvement de tête.

— « Vous savez, dame Perronnette, tous les deux sont si ombrageux à l'endroit de Philippe !

« Philippe, c'est le nom qu'on me donnait, interrompit le prisonnier.

« — Eh bien ! alors, il n'y a pas à hésiter, dit dame Perronnette, il faut faire descendre quelqu'un dans le puits.

« — Oui, pour que celui qui rapportera le papier y lise en remontant.

« — Prenons, dans le village, quelqu'un qui ne sache pas lire ; ainsi vous serez tranquille.

« — Soit ; mais celui qui descendra dans le puits ne devinera-t-il pas l'importance d'un papier pour lequel on risque la vie d'un homme ? Cependant vous venez de me donner une idée, dame Perronnette ; oui, quelqu'un descendra dans le puits, et ce quelqu'un sera moi.

« Mais, sur cette proposition, dame Perronnette se mit à s'éplorer et à s'écrier de telle façon, elle supplia si fort en pleurant le vieux gentilhomme, qu'il lui promit de se mettre en quête d'une échelle assez grande pour qu'on pût descendre dans le puits, tandis qu'elle irait jusqu'à la ferme chercher un garçon résolu, à qui l'on ferait accroire qu'il était tombé un bijou dans le puits, que ce bijou était enveloppé dans du papier, et, comme le papier, remarqua mon gouverneur, se développe à l'eau, il ne sera pas surprenant qu'on ne retrouve que la lettre tout ouverte.

« — Elle aura peut-être déjà eu le temps de s'effacer, dit dame Perronnette.

« — Peu importe, pourvu que nous ayons la lettre. En remettant la lettre à la reine, elle verra bien que nous ne l'avons pas trahie, et, par conséquent, n'excitant pas la défiance de M. de Mazarin, nous n'aurons rien à craindre de lui.

« Cette résolution prise, ils se séparèrent. Je repoussai le volet, et, voyant que mon gouverneur s'apprêtait à rentrer, je me jetai sur mes coussins avec un bourdonnement dans la tête, causé par tout ce que je venais d'entendre.

« Mon gouverneur entrebâilla la porte quelques secondes après que je m'étais rejeté sur mes coussins, et, me croyant assoupi, la referma doucement.

« A peine fut-elle refermée, que je me relevai, et, prêtant l'oreille, j'entendis le bruit des pas qui s'éloignaient. Alors je revins à mon volet, et je vis sortir mon gouverneur et dame Perronnette.

« J'étais seul à la maison.

« Ils n'eurent pas plutôt refermé la porte, que, sans prendre la peine de traverser le vestibule, je sautai par la fenêtre et courus au puits.

« Alors, comme s'était penché mon gouverneur, je me penchai à mon tour.

« Je ne sais quoi de blanchâtre et de lumineux tremblotait dans les cercles frissonnants de l'eau verdâtre. Ce disque brillant me fascinait et m'attirait. Mes yeux étaient fixes, ma respiration haletante. Le puits m'aspirait avec sa large bouche et son haleine glacée : il me semblait lire au fond de l'eau des caractères de feu tracés sur le papier qu'avait touché la reine.

« Alors, sans savoir ce que je faisais, et animé par un de ces mouvements instinctifs qui vous poussent sur les pentes fatales, je roulai une extrémité de la corde au pied de la potence du puits, je laissai pendre le seau jusque dans l'eau, à trois pieds de profondeur à peu près, tout cela en me donnant bien du mal pour ne pas déranger le précieux papier, qui commençait à changer sa couleur blanchâtre contre une teinte verdâtre, preuve qu'il s'enfonçait, puis, un morceau de toile mouillée entre les mains, je me laissai glisser dans l'abîme.

« Quand je me vis suspendu au-dessus de cette flaque d'eau sombre, quand je vis le ciel diminuer au-dessus de ma tête, le froid s'empara de moi, le vertige me saisit et fit dresser mes cheveux ; mais ma volonté domina tout, terreur et malaise. J'atteignis l'eau, et je m'y plongeai d'un seul coup, me retenant d'une main, tandis que j'allongeais l'autre, et que je saisissais le précieux papier, qui se déchira en deux entre mes doigts.

« Je cachai les deux morceaux dans mon justaucorps, et, m'aidant des pieds aux parois du puits, me suspendant des mains, vigoureux, agile, et pressé surtout, je regagnai la margelle, que j'inondai en la touchant de l'eau qui ruisselait de toute la partie inférieure de mon corps.

« Une fois hors du puits avec ma proie, je me mis à courir au soleil, et j'atteignis le fond du jardin, où se trouvait une espèce de petit bois. C'est là que je voulais me réfugier.

« Comme je mettais le pied dans ma cachette, la cloche qui retentissait lorsque s'ouvrait la grand-porte sonna. C'était mon gouverneur qui rentrait. Il était temps !

« Je calculai qu'il me restait dix minutes avant qu'il m'atteignît, si, devinant où j'étais, il venait droit à moi ; vingt minutes, s'il prenait la peine de me chercher.

« C'était assez pour lire cette précieuse lettre, dont je me hâtai de rapprocher les deux fragments. Les caractères commençaient à s'effacer.

« Cependant, malgré tout, je parvins à déchiffrer la lettre.

— Et qu'y avez-vous lu, monseigneur ? demanda Aramis vivement intéressé.

— Assez de choses pour croire, monsieur, que le valet était un gentilhomme, et que Perronnette, sans être une grande dame, était cependant plus qu'une servante ; enfin, que j'avais moi-même quelque naissance, puisque la reine Anne d'Autriche et le premier ministre Mazarin me recommandaient si soigneusement.

Le jeune homme s'arrêta tout ému.

— Et qu'arriva-t-il ? demanda Aramis.

— Il arriva, monsieur, répondit le jeune homme, que l'ouvrier appelé par mon gouverneur ne trouva rien dans le puits, après l'avoir fouillé en tous sens ; il arriva que mon gouverneur s'aperçut que la margelle était toute ruisselante ; il arriva que je ne m'étais pas si bien séché au soleil que dame Perronnette ne reconnût que mes habits étaient tout humides ; il arriva enfin que je fus pris d'une grosse fièvre causée par la fraîcheur de l'eau et l'émotion de ma découverte, et que cette fièvre fut suivie d'un délire pendant lequel je racontai tout ; de sorte que, guidé par mes propres aveux, mon gouverneur trouva sous mon chevet les deux fragments de la lettre écrite par la reine.

— Ah ! fit Aramis, je comprends à cette heure.

— A partir de là, tout est conjecture. Sans doute, le pauvre gentilhomme et la pauvre femme, n'osant garder le secret de ce qui venait de se passer, écrivirent tout à la reine et lui renvoyèrent la lettre déchirée.

— Après quoi, dit Aramis, vous fûtes arrêté et conduit à la Bastille[1] ?

— Vous le voyez.

— Puis vos serviteurs disparurent ?

— Hélas !

— Ne nous occupons pas des morts, reprit Aramis, et voyons ce que l'on peut faire avec le vivant. Vous m'avez dit que vous étiez résigné ?

— Et je vous le répète.

— Sans souci de la liberté ?

— Je vous l'ai dit.

— Sans ambition, sans regret, sans pensée ?

Le jeune homme ne répondit rien.

---

1. Dumas semble oublier l'épisode tourangeau, révélé par Mme de Chevreuse au chap. CLXXXIII : « Quelqu'un, [...] passant quelques temps après en Touraine [...] reconnut le gouverneur et l'enfant. »

— Eh bien ! demanda Aramis, vous vous taisez ?

— Je crois que j'ai assez parlé, répondit le prisonnier, et que c'est votre tour. Je suis fatigué.

— Je vais vous obéir, dit Aramis.

Aramis se recueillit, et une teinte de solennité profonde se répandit sur toute sa physionomie. On sentait qu'il en était arrivé à la partie importante du rôle qu'il était venu jouer dans la prison.

— Une première question, fit Aramis.

— Laquelle ? Parlez.

— Dans la maison que vous habitiez, il n'y avait ni glace ni miroir, n'est-ce pas ?

— Qu'est-ce que ces deux mots, et que signifient-ils ? demanda le jeune homme. Je ne les connais même pas.

— On entend par miroir ou glace un meuble qui réfléchit les objets, qui permet, par exemple, que l'on voie les traits de son propre visage dans un verre préparé, comme vous voyez les miens à l'œil nu.

— Non, il n'y avait dans la maison ni glace ni miroir, répondit le jeune homme.

Aramis regarda autour de lui.

— Il n'y en a pas non plus ici, dit-il ; les mêmes précautions ont été prises ici que là-bas.

— Dans quel but ?

— Vous le saurez tout à l'heure. Maintenant, pardonnez-moi ; vous m'avez dit que l'on vous avait appris les mathématiques, l'astronomie, l'escrime, le manège ; vous ne m'avez point parlé d'histoire.

— Quelquefois, mon gouverneur m'a raconté les hauts faits du roi saint Louis, de François Ier et du roi Henri IV.

— Voilà tout ?

— Voilà à peu près tout.

— Eh bien ! je le vois, c'est encore un calcul : comme on vous avait enlevé les miroirs qui réfléchissent le présent, on vous a laissé ignorer l'histoire qui réfléchit le passé. Depuis votre emprisonnement, les livres vous ont été interdits, de sorte que bien des faits vous sont inconnus, à l'aide desquels vous pourriez reconstruire l'édifice écroulé de vos souvenirs ou de vos intérêts.

— C'est vrai, dit le jeune homme.

— Écoutez, je vais donc, en quelques mots, vous dire ce qui s'est passé en France depuis vingt-trois ou vingt-quatre ans, c'est-à-dire depuis la date probable de votre naissance, c'est-à-dire, enfin, depuis le moment qui vous intéresse.

— Dites.

Et le jeune homme reprit son attitude sérieuse et recueillie.

— Savez-vous quel fut le fils du roi Henri IV ?

— Je sais du moins quel fut son successeur.

— Comment savez-vous cela ?

— Par une pièce de monnaie, à la date de 1610, qui représentait le roi Henri IV ; par une pièce de monnaie à la date de 1612, qui représentait le roi Louis XIII. Je présumai, puisqu'il n'y avait que deux ans entre les deux pièces, que Louis XIII devait être le successeur de Henri IV.

— Alors, dit Aramis, vous savez que le dernier roi régnant était Louis XIII ?

— Je le sais, dit le jeune homme en rougissant légèrement.

— Eh bien ! ce fut un prince plein de bonnes idées, plein de grands projets, projets toujours ajournés par le malheur des temps et par les luttes qu'eut à soutenir contre la seigneurie de France son ministre Richelieu. Lui, personnellement (je parle du roi Louis XIII), était faible de caractère. Il mourut jeune encore et tristement.

— Je sais cela.

— Il avait été longtemps préoccupé du soin de sa postérité. C'est un soin douloureux pour les princes, qui ont besoin de laisser sur la terre plus qu'un souvenir, pour que leur pensée se poursuive, pour que leur œuvre continue.

— Le roi Louis XIII est-il mort sans enfants ? demanda en souriant le prisonnier.

— Non, mais il fut privé longtemps du bonheur d'en avoir ; non, mais longtemps il crut qu'il mourrait tout entier. Et cette pensée l'avait réduit à un profond désespoir, quand tout à coup sa femme, Anne d'Autriche...

Le prisonnier tressaillit.

— Saviez-vous, continua Aramis, que la femme de Louis XIII s'appelât Anne d'Autriche ?

— Continuez, dit le jeune homme sans répondre.

— Quand tout à coup, reprit Aramis, la reine Anne d'Autriche annonça qu'elle était enceinte. La joie fut grande à cette nouvelle, et tous les vœux tendirent à une heureuse délivrance. Enfin, le 5 septembre 1638, elle accoucha d'un fils.

Ici Aramis regarda son interlocuteur, et crut s'apercevoir qu'il pâlissait.

— Vous allez entendre, dit Aramis, un récit que peu de gens sont en état de faire à l'heure qu'il est ; car ce récit est un secret que l'on croit mort avec les morts, ou enseveli dans l'abîme de la confession.

— Et vous allez me dire ce secret ? fit le jeune homme.

— Oh ! dit Aramis avec un accent auquel il n'y avait pas à se méprendre, ce secret, je ne crois pas l'aventurer en le confiant à un prisonnier qui n'a aucun désir de sortir de la Bastille.

— J'écoute, monsieur.

— La reine donna donc le jour à un fils. Mais quand toute la cour eut poussé des cris de joie à cette nouvelle, quand le roi eut montré le nouveau-né à son peuple, et à sa noblesse, quand il se fut gaiement mis à table pour fêter cette heureuse naissance, alors la reine, restée seule dans sa chambre, fut prise, pour la seconde fois, des douleurs de l'enfantement, et donna le jour à un second fils.

— Oh ! dit le prisonnier trahissant une instruction plus grande que celle qu'il avouait, je croyais que Monsieur n'était né qu'en...

Aramis leva le doigt.

— Attendez que je continue, dit-il.

Le prisonnier poussa un soupir impatient, et attendit.

— Oui, dit Aramis, la reine eut un second fils, un second fils que dame Perronnette[1], la sage-femme, reçut dans ses bras.

— Dame Perronnette ! murmura le jeune homme.

— On courut aussitôt à la salle où le roi dînait ; on le prévint tout bas de ce qui arrivait ; il se leva de table et accourut. Mais, cette fois, ce n'était plus la gaieté qu'exprimait son visage, c'était un sentiment qui ressemblait à de la terreur. Deux fils jumeaux changeaient en amertume la joie que lui avait causée la naissance d'un seul, attendu que (ce que je vais vous dire, vous l'ignorez certainement), attendu qu'en France c'est l'aîné des fils qui règne après le père.

— Je sais cela.

— Et que les médecins et les jurisconsultes prétendent qu'il y a lieu de douter si le fils qui sort le premier du sein de sa mère est l'aîné de par la loi de Dieu et de la nature.

Le prisonnier poussa un cri étouffé, et devint plus blanc que le drap sous lequel il se cachait.

— Vous comprenez maintenant, poursuivit Aramis, que le roi, qui s'était vu avec tant de joie continuer dans un héritier, dut être au désespoir en songeant que maintenant il en avait deux, et que, peut-être, celui qui venait de naître et qui était inconnu, contesterait le droit d'aînesse à l'autre qui était né deux heures auparavant, et qui, deux heures auparavant, avait été reconnu. Ainsi, ce second fils, s'armant des intérêts ou des caprices d'un parti, pouvait, un jour, semer dans le royaume la discorde et la guerre, détruisant, par cela même, la dynastie qu'il eût dû consolider.

— Oh ! je comprends, je comprends !... murmura le jeune homme.

— Eh bien ! continua Aramis, voilà ce qu'on rapporte, voilà ce qu'on assure, voilà pourquoi un des deux fils d'Anne d'Autriche, indignement séparé de son frère, indignement séquestré, réduit à l'obscurité la plus profonde, voilà pourquoi ce second fils a disparu, et si bien disparu, que nul en France ne sait aujourd'hui qu'il existe, excepté sa mère.

— Oui, sa mère, qui l'a abandonné ! s'écria le prisonnier avec l'expression du désespoir.

---

1. Nommée précédemment Péronne (chap. CLXXXII). les *Mémoires de Richelieu* la nomment indifféremment Péronète, Péronnette, Péronette.

— Excepté, continua Aramis,'cette dame à la robe noire et aux rubans de feu, et enfin excepté...

— Excepté vous, n'est-ce pas ? Vous qui venez me conter tout cela, vous qui venez éveiller en mon âme la curiosité, la haine, l'ambition, et, qui sait ? peut-être, la soif de la vengeance ; excepté vous, monsieur, qui, si vous êtes l'homme que j'attends, l'homme que me promet le billet, l'homme enfin que Dieu doit m'envoyer, devez avoir sur vous...

— Quoi ? demanda Aramis.

— Un portrait du roi Louis XIV, qui règne en ce moment sur le trône de France.

— Voici le portrait, répliqua l'évêque en donnant au prisonnier un émail des plus exquis, sur lequel Louis XIV apparaissait fier, beau, et vivant pour ainsi dire.

Le prisonnier saisit avidement le portrait, et fixa ses yeux sur lui comme s'il eût voulu le dévorer.

— Et maintenant, monseigneur, dit Aramis voici un miroir.

Aramis laissa le temps au prisonnier de renouer ses idées.

— Si haut ! si haut ! murmura le jeune homme en dévorant du regard le portrait de Louis XIV et son image à lui-même réféchie dans le miroir.

— Qu'en pensez-vous ? dit alors Aramis.

— Je pense que je suis perdu, répondit le captif, que le roi ne me pardonnera jamais.

— Et moi, je me demande, ajouta l'évêque en attachant sur le prisonnier un regard brillant de signification, je me demande lequel des deux est le roi, de celui que représente ce portrait, ou de celui que reflète cette glace.

— Le roi, monsieur, est celui qui est sur le trône, répliqua tristement le jeune homme, c'est celui qui n'est pas en prison, et qui, au contraire, y fait mettre les autres. La royauté, c'est la puissance, et vous voyez bien que je suis impuissant.

— Monseigneur, répondit Aramis avec un respect qu'il n'avait pas encore témoigné, le roi, prenez-y bien garde, sera, si vous le voulez, celui qui, sortant de prison, saura se tenir sur le trône où des amis le placeront.

— Monsieur, ne me tentez point, fit le prisonnier avec amertume.

— Monseigneur, ne faiblissez pas, persista Aramis avec vigueur. J'ai apporté toutes les preuves de votre naissance ; consultez-les, prouvez-vous à vous-même que vous êtes un fils de roi, et, après, agissons.

— Non, non, c'est impossible.

— A moins, reprit ironiquement l'évêque, qu'il ne soit dans la destinée de votre race que les frères exclus du trône soient tous des princes sans valeur et sans honneur, comme M. Gaston d'Orléans, votre oncle, qui, dix fois, conspira contre le roi Louis XIII, son frère.

— Mon oncle Gaston d'Orléans conspira contre son frère ? s'écria le prince épouvanté ; il conspira pour le détrôner ?

— Mais oui, monseigneur, pas pour autre chose.

— Que me dites-vous là, monsieur ?

— La vérité.

— Et il eut des amis... dévoués ?

— Comme moi pour vous.

— Eh bien ! que fit-il ? il échoua ?

— Il échoua, mais toujours par sa faute, et, pour racheter, non pas sa vie, car la vie du frère du roi est sacrée, inviolable, mais pour racheter sa liberté, votre oncle sacrifia la vie de tous ses amis les uns après les autres. Aussi est-il aujourd'hui la honte de l'histoire et l'exécration de cent nobles familles de ce royaume.

— Je comprends, monsieur, fit le prince, et c'est par faiblesse ou par trahison que mon oncle tua ses amis ?

— Par faiblesse : ce qui est toujours une trahison chez les princes.

— Ne peut-on pas échouer aussi par ignorance, par incapacité ? Croyez-vous bien qu'il soit possible à un pauvre captif tel que moi, élevé non seulement loin de la cour, mais encore loin du monde, croyez-vous qu'il lui soit possible d'aider ceux de ces amis qui tenteraient de le servir ?

Et comme Aramis allait répondre, le jeune homme s'écria tout à coup avec une violence qui décelait la force du sang :

— Nous parlons ici d'amis, mais par quel hasard aurais-je des amis, moi que personne ne connaît, et qui n'ai pour m'en faire ni liberté, ni argent, ni puissance ?

— Il me semble que j'ai eu l'honneur de m'offrir à Votre Altesse Royale.

— Oh ! ne m'appelez pas ainsi, monsieur ; c'est une dérision ou une barbarie. Ne me faites pas songer à autre chose qu'aux murs de la prison qui m'enferme, laissez-moi aimer encore, ou, du moins, subir mon esclavage et mon obscurité.

— Monseigneur ! monseigneur ! Si vous me répétez encore ces paroles découragées ! si, après avoir eu la preuve de votre naissance, vous demeurez pauvre d'esprit, de souffle et de volonté, j'accepterai votre vœu, je disparaîtrai, je renoncerai à servir ce maître, à qui, si ardemment, je venais dévouer ma vie et mon aide.

— Monsieur, s'écria le prince, avant de me dire tout ce que vous dites, n'eût-il pas mieux valu réfléchir que vous m'avez à jamais brisé le cœur ?

— Ainsi ai-je voulu faire, monseigneur.

— Monsieur, pour me parler de grandeur, de puissance, de royauté même, est-ce que vous devriez choisir une prison ? Vous voulez me faire croire à la splendeur, et nous nous cachons dans la nuit ? Vous me vantez la gloire, et nous étouffons nos paroles sous les rideaux de ce grabat ? Vous me faites entrevoir une toute-puissance, et j'entends les pas du geôlier dans ce corridor, ce pas qui vous fait trembler plus que moi ? Pour me rendre un peu moins incrédule, tirez-moi donc de la Bastille, donnez de l'air à mes poumons, des éperons à mon pied, une épée à mon bras, et nous commencerons à nous entendre.

— C'est bien mon intention de vous donner tout cela, et plus que cela, monseigneur. Seulement, le voulez-vous ?

— Écoutez encore, monsieur, interrompit le prince. Je sais qu'il y a des gardes à chaque galerie, des verrous à chaque porte, des canons et des soldats à chaque barrière. Avec quoi vaincrez-vous les gardes, enclouerez-vous les canons ? Avec quoi briserez-vous les verrous et les barrières ?

— Monseigneur, comment vous est venu ce billet que vous avez lu et qui annonçait ma venue ?

— On corrompt un geôlier pour un billet.

— Si l'on corrompt un geôlier, on peut en corrompre dix.

— Eh bien ! j'admets que ce soit possible de tirer un pauvre captif de la Bastille, possible de le bien cacher pour que les gens du roi ne le rattrapent point, possible encore de nourrir convenablement ce malheureux dans un asile inconnu.

— Monseigneur ! fit en souriant Aramis.

— J'admets que celui qui ferait cela pour moi serait déjà plus qu'un homme, mais puisque vous dites que je suis un prince, un frère de roi, comment me rendrez-vous le rang et la force que ma mère et mon frère m'ont enlevés ? Mais, puisque je dois passer une vie de combats et de haines, comment me ferez-vous vainqueur dans ces combats et invulnérable à mes ennemis ? Ah ! monsieur, songez-y ! jetez-moi demain dans quelque noire caverne, au fond d'une montagne ! faites-moi cette joie d'entendre en liberté les bruits du fleuve et de la plaine, de voir en liberté le soleil d'azur ou le ciel orageux, c'en est assez ! Ne me promettez pas davantage, car, en vérité, vous ne pouvez me donner davantage, et ce serait un crime de me tromper, puisque vous vous dites mon ami.

Aramis continua d'écouter en silence.

— Monseigneur, reprit-il après avoir un moment réfléchi, j'admire ce sens si droit et si ferme qui dicte vos paroles ; je suis heureux d'avoir deviné mon roi.

— Encore ! encore !... Ah ! par pitié, s'écria le prince en comprimant de ses mains glacées son front couvert d'une sueur brûlante, n'abusez pas de moi : je n'ai pas besoin d'être un roi, monsieur, pour être le plus heureux des hommes.

— Et moi, monseigneur, j'ai besoin que vous soyez un roi pour le bonheur de l'humanité.

— Ah ! fit le prince avec une nouvelle défiance inspirée par ce mot, ah ! qu'a donc l'humanité à reprocher à mon frère ?

— J'oubliais de dire, monseigneur, que, si vous daignez vous laisser guider par moi, et si vous consentez à devenir le plus puissant prince de la terre, vous aurez servi les intérêts de tous les amis que je voue au succès de notre cause, et ces amis sont nombreux.

— Nombreux ?

— Encore moins que puissants, monseigneur.

— Expliquez-vous.

— Impossible ! Je m'expliquerai, je le jure devant Dieu qui m'entend, le propre jour où je vous verrai assis sur le trône de France.

— Mais mon frère ?

— Vous ordonnerez de son sort. Est-ce que vous le plaignez ?

— Lui qui me laisse mourir dans un cachot ? Non, je ne le plains pas !

— A la bonne heure !

— Il pouvait venir lui-même en cette prison, me prendre la main et me dire : « Mon frère, Dieu nous a créés pour nous aimer, non pour nous combattre. Je viens à vous. Un préjugé sauvage vous condamnait à périr obscurément loin de tous les hommes, privé de toutes les joies. Je veux vous faire asseoir près de moi ; je veux vous attacher au côté l'épée de notre père. Profiterez-vous de ce rapprochement pour m'étouffer ou me contraindre ? Userez-vous de cette épée pour verser mon sang ?...

« — Oh ! non, lui eussé-je répondu : je vous regarde comme mon sauveur, et vous respecterai comme mon maître. Vous me donnez bien plus que ne m'avait donné Dieu. Par vous, j'ai la liberté ; par vous, j'ai le droit d'aimer et d'être aimé en ce monde. »

— Et vous eussiez tenu parole, monseigneur ?

— Oh ! sur ma vie !

— Tandis que maintenant ?...

— Tandis que, maintenant, je sens que j'ai des coupables à punir...

— De quelle façon, monseigneur ?

— Que dites-vous de cette ressemblance que Dieu m'avait donnée avec mon frère ?

— Je dis qu'il y avait dans cette ressemblance un enseignement providentiel que le roi n'eût pas dû négliger, je dis que votre mère a commis un crime en faisant différents par le bonheur et par la fortune ceux que la nature avait créés si semblables dans son sein, et je conclus, moi, que le châtiment ne doit être autre chose que l'équilibre à rétablir.

— Ce qui signifie ?...

— Que, si je vous rends votre place sur le trône de votre frère, votre frère prendra la vôtre dans votre prison.

— Hélas ! on souffre bien en prison ! surtout quand on a bu si largement à la coupe de la vie !

— Votre Altesse Royale sera toujours libre de faire ce qu'elle voudra : elle pardonnera, si bon lui semble, après avoir puni.

— Bien. Et maintenant, savez-vous une chose, monsieur ?

— Dites, mon prince.

— C'est que je n'écouterai plus rien de vous que hors de la Bastille.

— J'allais dire à Votre Altesse Royale que je n'aurai plus l'honneur de la voir qu'une fois.

— Quand cela ?

— Le jour où mon prince sortira de ces murailles noires.

— Dieu vous entende ! Comment me préviendrez-vous ?

— En venant ici vous chercher.

— Vous-même ?

— Mon prince, ne quittez cette chambre qu'avec moi, ou, si l'on vous contraint en mon absence, rappelez-vous que ce ne sera pas de ma part.

— Ainsi, pas un mot à qui que ce soit, si ce n'est à vous ?

— Si ce n'est à moi.

Aramis s'inclina profondément. Le prince lui tendit la main.

— Monsieur, dit-il avec un accent qui jaillissait du cœur, j'ai un dernier mot à vous dire. Si vous vous êtes adressé à moi pour me perdre, si vous n'avez été qu'un instrument aux mains de mes ennemis, si de notre conférence, dans laquelle vous avez sondé mon cœur, il résulte pour moi quelque chose de pire que la captivité, c'est-à-dire la mort, eh bien ! soyez béni, car vous aurez terminé mes peines et fait succéder le calme aux fiévreuses tortures dont je suis dévoré depuis huit ans.

— Monseigneur, attendez pour me juger, dit Aramis.

— J'ai dit que je vous bénissais et que je vous pardonnais. Si, au contraire, vous êtes venu pour me rendre la place que Dieu m'avait destinée au soleil de la fortune et de la gloire, si, grâce à vous, je puis vivre dans la mémoire des hommes, et faire honneur à ma race par quelques faits illustres ou quelques services rendus à mes peuples, si, du dernier rang où je languis, je m'élève au faîte des honneurs, soutenu par votre main généreuse, eh bien ! à vous que je bénis et que je remercie, à vous la moitié de ma puissance et de ma gloire ! Vous serez encore trop peu payé ; votre part sera toujours incomplète, car jamais je ne réussirai à partager avec vous tout ce bonheur que vous m'aurez donné.

— Monseigneur, dit Aramis ému de la pâleur et de l'élan du jeune homme, votre noblesse de cœur me pénètre de joie et d'admiration. Ce n'est pas à vous de me remercier, ce sera surtout aux peuples que vous rendrez heureux, à vos descendants que vous rendrez illustres. Oui, je vous aurai donné plus que la vie, je vous donnerai l'immortalité.

Le jeune homme tendit la main à Aramis : celui-ci la baisa en s'agenouillant.

— Oh ! s'écria le prince avec une modestie charmante.

— C'est le premier hommage rendu à notre roi futur, dit Aramis. Quand je vous reverrai, je dirai : « Bonjour, sire ! »

— Jusque-là, s'écria le jeune homme en appuyant ses doigts blancs et amaigris sur son cœur, jusque-là plus de rêves, plus de chocs à ma vie ; elle se briserait ! Oh ! monsieur, que ma prison est petite et que cette fenêtre est basse, que ces portes sont étroites ! Comment tant d'orgueil, tant de splendeur, tant de félicité a-t-il pu passer par là et tenir ici ?

— Votre Altesse Royale me rend fier, dit Aramis, puisqu'elle prétend que c'est moi qui ai apporté tout cela.

Il heurta aussitôt la porte.

Le geôlier vint ouvrir avec Baisemeaux, qui, dévoré d'inquiétude et de crainte, commençait à écouter malgré lui à la porte de la chambre.

Heureusement ni l'un ni l'autre des deux interlocuteurs n'avait oublié d'étouffer sa voix, même dans les plus hardis élans de la passion.

— Quelle confession ! dit le gouverneur en essayant de rire ; croirait-on jamais qu'un reclus, un homme presque mort, ait commis des péchés si nombreux et si longs ?

Aramis se tut. Il avait hâte de sortir de la Bastille, où le secret qui l'accablait doublait le poids des murailles.

Quand ils furent arrivés chez Baisemeaux :

— Causons affaires, mon cher gouverneur, dit Aramis.

— Hélas ! répliqua Baisemeaux.

— Vous avez à me demander mon acquit pour cent cinquante mille livres ? dit l'évêque.

— Et à verser le premier tiers de la somme, ajouta en soupirant le pauvre gouverneur, qui fit trois pas vers son armoire de fer.

— Voici votre quittance, dit Aramis.

— Et voici l'argent, reprit avec un triple soupir M. de Baisemeaux.

— L'ordre m'a dit seulement de donner une quittance de cinquante mille livres, dit Aramis : il ne m'a pas dit de recevoir d'argent. Adieu, monsieur le gouverneur.

Et il partit, laissant Baisemeaux plus que suffoqué par la surprise et la joie, en présence de ce présent royal fait si grandement par le confesseur extraordinaire de la Bastille.

CCVIII

COMMENT MOUSTON AVAIT ENGRAISSÉ
SANS EN PRÉVENIR PORTHOS,
ET DES DÉSAGRÉMENTS QUI EN ÉTAIENT RÉSULTÉS
POUR CE DIGNE GENTILHOMME

Depuis le départ d'Athos pour Blois, Porthos et d'Artagnan s'étaient rarement trouvés ensemble. L'un avait fait un service fatigant près du roi, l'autre avait fait beaucoup d'emplettes de meubles, qu'il comptait emporter dans ses terres, et à l'aide desquels il espérait fonder, dans ses diverses résidences, un peu de ce luxe de cour dont il avait entrevu l'éblouissante clarté dans la compagnie de Sa Majesté.

D'Artagnan, toujours fidèle, un matin que son service lui laissait quelque liberté, songea à Porthos, et, inquiet de n'avoir pas entendu parler de lui depuis plus de quinze jours, s'achemina vers son hôtel, où il le saisit au sortir du lit.

Le digne baron paraissait pensif : plus que pensif, mélancolique. Il était assis sur son lit, demi-nu, les jambes pendantes, contemplant une foule d'habits qui jonchaient le parquet de leurs franges, de leurs galons, de leurs broderies et de leurs cliquetis d'inharmonieuses couleurs.

Porthos, triste et songeur comme le lièvre de La Fontaine[1], ne vit pas entrer d'Artagnan, que lui cachait d'ailleurs en ce moment M. Mouston, dont la corpulence personnelle, fort suffisante en tout cas pour cacher un homme à un autre homme, était momentanément doublée par le déploiement d'un habit écarlate que l'intendant exhibait à son maître en le tenant par les manches, afin qu'il fût plus manifeste de tous les côtés.

D'Artagnan s'arrêta sur le seuil et examina Porthos songeant. Puis, comme la vue de ces innombrables habits jonchant le parquet tirait de profonds soupirs de la poitrine du digne gentilhomme, d'Artagnan pensa qu'il était temps de l'arracher à cette douloureuse contemplation, et toussa pour s'annoncer.

— Ah ! fit Porthos, dont le visage s'illumina de joie, ah ! ah ! voici d'Artagnan ! Je vais enfin avoir une idée !

Mouston, à ces mots, se doutant de ce qui se passait derrière lui, s'effaça en souriant tendrement à l'ami de son maître, qui se trouva ainsi débarrassé de l'obstacle matériel qui l'empêchait de parvenir jusqu'à d'Artagnan.

Porthos fit craquer ses genoux robustes en se redressant, et, en deux enjambées, traversant la chambre, se trouva en face de d'Artagnan, qu'il pressa sur son cœur avec une affection qui semblait prendre une nouvelle force dans chaque jour qui s'écoulait.

— Ah ! répéta-t-il, vous êtes toujours le bienvenu, cher ami, mais aujourd'hui, vous êtes mieux venu que jamais.

— Voyons, voyons, on est triste chez vous ? fit d'Artagnan.

Porthos répondit par un regard qui exprimait l'abattement.

— Eh bien ! contez-moi cela, Porthos, mon ami, à moins que ce ne soit un secret.

— D'abord, mon ami, dit Porthos, vous savez que je n'ai pas de secrets pour vous. Voici donc ce qui m'attriste.

---

1. « Un lièvre en son gîte songeait / [...] Le lièvre est triste, et la crainte le ronge. » « Le Lièvre et les Grenouilles », *Fables*, livre II, XIV, déjà mentionné (voir chap. CXL, p. 52, note 1).

— Attendez, Porthos, laissez-moi d'abord me dépêtrer de toute cette litière de drap, de satin et de velours.

— Oh ! marchez, marchez, dit piteusement Porthos : tout cela n'est que rebut.

— Peste ! du rebut, Porthos, du drap à vingt livres l'aune ! du satin magnifique, du velours royal !

— Vous trouvez donc ces habits ?...

— Splendides, Porthos, splendides ! Je gage que vous seul en France en avez autant, et, en supposant que vous n'en fassiez plus faire un seul, et que vous viviez cent ans, ce qui ne m'étonnerait pas, vous porteriez encore des habits neufs le jour de votre mort, sans avoir besoin de voir le nez d'un seul tailleur, d'aujourd'hui à ce jour-là.

Porthos secoua la tête.

— Voyons, mon ami, dit d'Artagnan, cette mélancolie qui n'est pas dans votre caractère m'effraie. Mon cher Porthos, sortons-en donc : le plus tôt sera le mieux.

— Oui, mon ami, sortons-en, dit Porthos, si toutefois cela est possible.

— Est-ce que vous avez reçu de mauvaises nouvelles de Bracieux, mon ami ?

— Non, on a coupé les bois, et ils ont donné un tiers de produit au-delà de leur estimation.

— Est-ce qu'il y a une fuite dans les étangs de Pierrefonds ?

— Non, mon ami, on les a pêchés, et du superflu de la vente, il y a eu de quoi empoissonner tous les étangs des environs.

— Est-ce que le Vallon se serait éboulé par suite d'un tremblement de terre ?

— Non, mon ami, au contraire, le tonnerre est tombé à cent pas du château, et a fait jaillir une source à un endroit qui manquait complètement d'eau.

— Eh bien ! alors, qu'y a-t-il ?

— Il y a que j'ai reçu une invitation pour la fête de Vaux, fit Porthos d'un air lugubre.

— Eh bien ! plaignez-vous un peu ! le roi a causé dans les ménages de la cour plus de cent brouilles mortelles en refusant des invitations. Ah ! vraiment, cher ami, vous êtes du voyage de Vaux ? Tiens, tiens, tiens !

— Mon Dieu, oui !

— Vous allez avoir un coup d'œil magnifique, mon ami.

— Hélas ! je m'en doute bien.

— Tout ce qu'il y a de grand en France va être réuni là.

— Ah ! fit Porthos en s'arrachant de désespoir une pincée de cheveux.

— Eh ! là, bon Dieu ! fit d'Artagnan, êtes-vous malade, mon ami ?

— Je me porte comme le Pont-Neuf, ventre Mahon ! Ce n'est pas cela.

— Mais qu'est-ce donc, alors ?

— C'est que je n'ai pas d'habits.

D'Artagnan demeura pétrifié.

— Pas d'habits, Porthos ! pas d'habits ! s'écria-t-il, quand j'en vois là plus de cinquante sur le plancher !

— Cinquante, oui, et pas un qui m'aille !

— Comment, pas un qui vous aille ? Mais on ne vous prend donc pas mesure quand on vous habille ?

— Si fait, répondit Mouston, mais malheureusement, j'ai engraissé.

— Comment ! vous avez engraissé ?

— De sorte que je suis devenu plus gros, mais beaucoup plus gros que M. le baron. Croiriez-vous cela, monsieur ?

— Parbleu ! il me semble que cela se voit !

— Entends-tu, imbécile ! dit Porthos, cela se voit.

— Mais enfin, mon cher Porthos, reprit d'Artagnan avec une légère impatience, je ne comprends pas pourquoi vos habits ne vous vont point parce que Mouston a engraissé.

— Je vais vous expliquer cela, mon ami, dit Porthos. Vous vous rappelez m'avoir raconté l'histoire d'un général romain, Antoine, qui avait toujours sept sangliers à la broche, et cuits à des points différents, afin de pouvoir demander son dîner à quelque heure du jour qu'il lui plût de le faire[1]. Eh bien ! je résolus, comme, d'un moment à l'autre, je pouvais être appelé à la cour et y rester une semaine, je résolus d'avoir toujours sept habits prêts pour cette occasion.

— Puissamment raisonné, Porthos. Seulement, il faut avoir votre fortune pour se passer ces fantaisies-là. Sans compter le temps que l'on perd à donner des mesures. Les modes changent si souvent.

— Voilà justement, dit Porthos, où je me flattais d'avoir trouvé quelque chose de fort ingénieux.

— Voyons, dites-moi cela. Pardieu ! je ne doute pas de votre génie.

— Vous vous rappelez que Mouston a été maigre ?

— Oui, du temps qu'il s'appelait Mousqueton.

— Mais vous rappelez-vous aussi l'époque où il a commencé d'engraisser ?

— Non, pas précisément. Je vous demande pardon, mon cher Mouston.

— Oh ! Monsieur n'est pas fautif, dit Mouston d'un air aimable, Monsieur était à Paris, et nous étions, nous, à Pierrefonds.

— Enfin, mon cher Porthos, il y a un moment où Mouston s'est mis à engraisser. Voilà ce que vous voulez dire, n'est-ce pas ?

— Oui, mon ami, et je m'en réjouis fort à cette époque.

— Peste ! je le crois bien, fit d'Artagnan.

---

1. Voir Plutarque, *Vie d'Antoine*, XXXIII.

— Vous comprenez, continua Porthos, ce que cela m'épargnait de peine ?

— Non, mon cher ami, je ne comprends pas encore ; mais, à force de m'expliquer...

— M'y voici, mon ami. D'abord, comme vous l'avez dit, c'est une perte de temps que de donner sa mesure, ne fût-ce qu'une fois tous les quinze jours. Et puis on peut être en voyage, et, quand on veut avoir toujours sept habits en train... Enfin, mon ami, j'ai horreur de donner ma mesure à quelqu'un. On est gentilhomme ou on ne l'est pas, que diable ! Se faire toiser par un drôle qui vous analyse au pied, pouce et ligne, c'est humiliant. Ces gens-là vous trouvent trop creux ici, trop saillant là ; ils connaissent votre fort et votre faible. Tenez, quand on sort des mains d'un mesureur, on ressemble à ces places fortes dont un espion est venu relever les angles et les épaisseurs.

— En vérité, mon cher Porthos, vous avez des idées qui n'appartiennent qu'à vous.

— Ah ! vous comprenez, quand on est ingénieur...

— Et qu'on a fortifié Belle-Ile, c'est juste, mon ami.

— J'eus donc une idée, et, sans doute, elle eût été bonne sans la négligence de M. Mouston.

D'Artagnan jeta un regard sur Mouston, qui répondit à ce regard par un léger mouvement de corps qui voulait dire : « Vous allez voir s'il y a de ma faute dans tout cela. »

— Je m'applaudis donc, reprit Porthos, de voir engraisser Mouston, et j'aidai même, de tout mon pouvoir, à lui faire de l'embonpoint, à l'aide d'une nourriture substantielle, espérant toujours qu'il parviendrait à m'égaler en circonférence, et qu'alors il pourrait se faire mesurer à ma place.

— Ah ! corne de bœuf ! s'écria d'Artagnan, je comprends... Cela vous épargnait le temps et l'humiliation.

— Parbleu ! jugez donc de ma joie quand, après un an et demi de nourriture bien combinée, car je prenais la peine de le nourrir moi-même, ce drôle-là...

— Oh ! et j'y ai bien aidé, monsieur, dit modestement Mouston.

— Çà, c'est vrai. Jugez donc de ma joie, lorsque je m'aperçus qu'un matin Mouston était forcé de s'effacer, comme je m'effaçais moi-même, pour passer par la petite porte secrète que ces diables d'architectes ont faite dans la chambre de feu Mme du Vallon, au château de Pierrefonds. Et, à propos de cette porte, mon ami, je vous demanderai, à vous qui savez tout, comment ces bélîtres d'architectes, qui doivent avoir, par état, le compas dans l'œil, imaginent de faire des portes par lesquelles ne peuvent passer que des gens maigres.

— Ces portes-là, répondit d'Artagnan, sont destinées aux galants ; or, un galant est généralement de taille mince et svelte.

— Mme du Vallon n'avait pas de galants, interrompit Porthos avec majesté.

— Parfaitement juste, mon ami, répondit d'Artagnan : mais les architectes ont songé au cas où, peut-être, vous vous remarieriez.

— Ah ! c'est possible, dit Porthos. Et, maintenant que l'explication des portes trop étroites m'est donnée, revenons à l'engraissement de Mouston. Mais remarquez que les deux choses se touchent, mon ami. Je me suis toujours aperçu que les idées s'appareillaient. Ainsi, admirez ce phénomène, d'Artagnan ; je vous parlais de Mouston, qui était gras, et nous en sommes venus à Mme du Vallon.

— Qui était maigre.

— Hum ! n'est-ce pas prodigieux, cela ?

— Mon cher, un savant de mes amis, M. Costar[1], a fait la même observation que vous, et il appelle cela d'un nom grec que je ne me rappelle pas.

— Ah ! mon observation n'est donc pas nouvelle ? s'écria Porthos stupéfait. Je croyais l'avoir inventée.

— Mon ami, c'était un fait connu avant Aristote, c'est-à-dire voilà deux mille ans, à peu près.

— Eh bien ! il n'en est pas moins juste, dit Porthos, enchanté de s'être rencontré avec les sages de l'Antiquité.

— A merveille ! Mais si nous revenions à Mouston. Nous l'avons laissé engraissant à vue d'œil, ce me semble.

— Oui, monsieur, dit Mouston.

— M'y voici, fit Porthos. Mouston engraissa donc si bien, qu'il combla toutes mes espérances, en atteignant ma mesure, ce dont je pus me convaincre un jour, en voyant sur le corps de ce coquin-là une de mes vestes dont il s'était fait un habit : une veste qui valait cent pistoles, rien que par la broderie !

— C'était pour l'essayer, monsieur, dit Mouston.

— A partir de ce moment, reprit Porthos, je décidai donc que Mouston entrerait en communication avec mes tailleurs d'habits, et prendrait mesure en mon lieu et place.

— Puissamment imaginé, Porthos ; mais Mouston a un pied et demi moins que vous.

— Justement. On prenait la mesure jusqu'à terre, et l'extrémité de l'habit me venait juste au-dessus du genou.

— Quelle chance vous avez, Porthos ! ces choses-là n'arrivent qu'à vous !

— Ah ! oui, faites-moi votre compliment, il y a de quoi ! Ce fut

---

1. Voir Dictionnaire. Contemporains. Le nom grec est-il « antithèse » ?

justement à cette époque, c'est-à-dire voilà deux ans et demi à peu près, que je partis pour Belle-Ile, en recommandant à Mouston, pour avoir toujours, et en cas de besoin, un échantillon de toutes les modes, de se faire faire un habit tous les mois.

— Et Mouston aurait-il négligé d'obéir à votre recommandation ? Ah ! ah ! ce serait mal, Mouston !

— Au contraire, monsieur, au contraire !

— Non, il n'a pas oublié de se faire faire des habits, mais il a oublié de me prévenir qu'il engraissait.

— Dame ! ce n'est pas ma faute, monsieur, votre tailleur ne me l'a pas dit.

— De sorte, continua Porthos, que le drôle, depuis deux ans, a gagné dix-huit pouces de circonférence, et que mes douze derniers habits sont tous trop larges progressivement, d'un pied à un pied et demi.

— Mais les autres, ceux qui se rapprochent du temps où votre taille était la même ?

— Ils ne sont plus de mode, mon cher ami, et, si je les mettais, j'aurais l'air d'arriver de Siam et d'être hors de cour depuis deux ans.

— Je comprends votre embarras. Vous avez combien d'habits neufs ? trente-six ? et vous n'en avez pas un ! Eh bien ! il faut en faire faire un trente-septième ; les trente-six autres seront pour Mouston.

— Ah ! monsieur ! dit Mouston d'un air satisfait, le fait est que Monsieur a toujours été bien bon pour moi.

— Parbleu ! croyez-vous que cette idée ne me soit pas venue ou que la dépense m'ait arrêté ? Mais il n'y a plus que deux jours d'ici à la fête de Vaux ; j'ai reçu l'invitation hier, j'ai fait venir Mouston en poste avec ma garde-robe ; je me suis aperçu du malheur qui m'arrivait ce matin seulement, et, d'ici à après-demain, il n'y a pas un tailleur un peu à la mode qui se charge de me confectionner un habit.

— C'est-à-dire un habit couvert d'or, n'est-ce pas ?

— J'en veux partout !

— Nous arrangerons cela. Vous ne partez que dans trois jours. Les invitations sont pour mercredi, et nous sommes le dimanche matin.

— C'est vrai ; mais Aramis m'a bien recommandé d'être à Vaux vingt-quatre heures d'avance.

— Comment, Aramis ?

— Oui, c'est Aramis qui m'a apporté l'invitation.

— Ah ! fort bien, je comprends. Vous êtes invité du côté de M. Fouquet.

— Non pas ! Du côté du roi, cher ami. Il y a sur le billet, en toutes lettres : « M. le baron du Vallon est prévenu que le roi a daigné le mettre sur la liste de ses invitations... »

— Très bien, mais c'est avec M. Fouquet que vous partez.

— Et quand je pense, s'écria Porthos en défonçant le parquet d'un coup de pied, quand je pense que je n'aurai pas d'habits ! J'en crève de colère ! Je voudrais bien étrangler quelqu'un ou déchirer quelque chose !

— N'étranglez personne et ne déchirez rien, Porthos, j'arrangerai tout cela : mettez un de vos trente-six habits et venez avec moi chez un tailleur.

— Bah ! mon coureur les a tous vus depuis ce matin.

— Même M. Percerin ?

— Qu'est-ce que M. Percerin ?

— C'est le tailleur du roi, parbleu !

— Ah ! oui, oui, dit Porthos, qui voulait avoir l'air de connaître le tailleur du roi et qui entendait prononcer ce nom pour la première fois ; chez M. Percerin, le tailleur du roi, parbleu ! J'ai pensé qu'il serait trop occupé.

— Sans doute, il le sera trop ; mais, soyez tranquille, Porthos ; il fera pour moi ce qu'il ne ferait pas pour un autre. Seulement, il faudra que vous vous laissiez mesurer, mon ami.

— Ah ! fit Porthos, avec un soupir, c'est fâcheux ; mais, enfin, que voulez-vous !

— Dame ! vous ferez comme les autres, mon cher ami ; vous ferez comme le roi.

— Comment ! on mesure aussi le roi ? Et il le souffre ?

— Le roi est coquet, mon cher, et vous aussi, vous l'êtes, quoi que vous en disiez.

Porthos sourit d'un air vainqueur.

— Allons donc chez le tailleur du roi ! dit-il, et puisqu'il mesure le roi, ma foi ! je puis bien, il me semble, me laisser mesurer par lui.

CCIX

CE QUE C'ÉTAIT QUE MESSIRE JEAN PERCERIN

Le tailleur du roi, messire Jean Percerin, occupait une maison assez grande dans la rue Saint-Honoré, près de la rue de l'Arbre-Sec. C'était un homme qui avait le goût des belles étoffes, des belles broderies, des beaux velours, étant de père en fils tailleur du roi. Cette succession remontait à Charles IX, auquel, comme on sait, remontaient souvent des fantaisies de *bravoure* assez difficiles à satisfaire.

Le Percerin de ce temps-là, était un huguenot comme Ambroise Paré, et avait été épargné par la royne de Navarre, la belle Margot, comme on écrivait et comme on disait alors, et cela attendu qu'il était le seul qui eût jamais pu lui réussir ces merveilleux habits de cheval qu'elle aimait à porter, parce qu'ils étaient propres à dissimuler certains défauts anatomiques que la royne de Navarre cachait fort soigneusement[1].

Percerin, sauvé, avait fait, par reconnaissance, de beaux justes noirs, fort économiques pour la reine Catherine, laquelle finit par savoir bon gré de sa conservation au huguenot, à qui longtemps elle avait fait la mine. Mais Percerin était un homme prudent : il avait entendu dire que rien n'était plus dangereux pour un huguenot que les sourires de la reine Catherine ; et, ayant remarqué qu'elle lui souriait plus souvent que de coutume, il se hâta de se faire catholique avec toute sa famille, et, devenu irréprochable par cette conversion, il parvint à la haute position de tailleur maître de la couronne de France.

Sous Henri III, roi coquet s'il en fut, cette position acquit la hauteur d'un des plus sublimes pics des Cordillères. Percerin avait été un homme habile toute sa vie, et, pour garder cette réputation au-delà de la tombe, il se garda bien de manquer sa mort ; il trépassa donc fort adroitement et juste à l'heure où son imagination commençait à baisser.

Il laissait un fils et une fille, l'un et l'autre dignes du nom qu'ils étaient appelés à porter : le fils, coupeur intrépide et exact comme une équerre ; la fille, brodeuse et dessinateur d'ornements.

Les noces de Henri IV et de Marie de Médicis, les deuils si beaux de ladite reine, firent, avec quelques mots échappés à M. de Bassompierre, le roi des élégants de l'époque, la fortune de cette seconde génération des Percerin.

M. Concino Concini et sa femme Galigaï, qui brillèrent ensuite à la cour de France, voulurent italianiser les habits et firent venir des tailleurs de Florence ; mais Percerin, piqué au jeu dans son patriotisme et dans son amour-propre, réduisit à néant ces étrangers par ses dessins de brocatelle en application et ses plumetis inimitables ; si bien que Concino renonça le premier à ses compatriotes, et tint le tailleur français en telle estime, qu'il ne voulut plus être habillé que par lui ; de sorte qu'il portait

---

1. Allusion aux *Historiettes* de Tallemant des Réaux : « Elle faisait ses carures et ses jupes beaucoup plus larges qu'il ne fallait, et ses manches à proportion ; et, pour se rendre de plus belle taille, elle faisait mettre du fer-blanc aux deux côtés de son corps afin d'élargir sa carrure », citée postérieurement par Dumas dans *Les Grands Hommes en robe de chambre. Henri IV*, chap. I. « [Margot] était bien faite. Elle avait, selon Tallemant des Réaux, un visage "un peu trop long" qui évoquait celui de sa mère, les yeux proéminents et le "museau" des Médicis, de fortes joues, une bouche sensuelle, un teint éclatant, un regard malicieux, des cheveux noirs et frisés qu'elle cachait fréquemment sous des perruques blondes », Ph. Erlanger, *La Reine Margot*, p. 35. Au chap. I de *La Reine Margot*, Dumas la dépeint comme une « beauté sans rivale ».

un pourpoint de lui, le jour où Vitry lui cassa la tête, d'un coup de pistolet, au petit pont du Louvre[1].

C'est ce pourpoint, sortant des ateliers de maître Percerin, que les Parisiens eurent le plaisir de déchiqueter en tant de morceaux, avec la chair humaine qu'il contenait.

Malgré la faveur dont Percerin avait joui près de Concino Concini, le roi Louis XIII eut la générosité de ne pas garder rancune à son tailleur, et de le retenir à son service. Au moment où Louis le Juste donnait ce grand exemple d'équité, Percerin avait élevé deux fils, dont l'un fit son coup d'essai dans les noces d'Anne d'Autriche, inventa pour le cardinal de Richelieu ce bel habit espagnol avec lequel il dansa une sarabande[2], fit les costumes de la tragédie de *Mirame*[3], et cousit au manteau de Buckingham ces fameuses perles qui étaient destinées à être répandues sur les parquets du Louvre[4].

On devient aisément illustre quand on a habillé M. de Buckingham, M. de Cinq-Mars, Mlle Ninon, M. de Beaufort et Marion de Lorme. Aussi Percerin III avait-il atteint l'apogée de sa gloire lorsque son père mourut.

Ce même Percerin III, vieux, glorieux et riche, habillait encore Louis XIV, et, n'ayant plus de fils, ce qui était un grand chagrin pour lui, attendu qu'avec lui sa dynastie s'éteignait, et, n'ayant plus de fils, disons-nous, avait formé plusieurs élèves de belle espérance. Il avait un carrosse, une terre, des laquais, les plus grands de tout Paris, et, par autorisation spéciale de Louis XIV, une meute. Il habillait MM. de Lyonne et Letellier avec une sorte de protection ; mais, homme politique, nourri aux secrets d'État, il n'était jamais parvenu à réussir un habit à M. Colbert. Cela ne s'explique pas, cela se devine. Les grands esprits, en tout genre, vivent des perceptions invisibles, insaisissables ; ils agissent sans savoir eux-mêmes pourquoi. Le grand Percerin, car, contre l'habitude des dynasties, c'était surtout le dernier des Percerin qui avait mérité le surnom de Grand, le grand Percerin, avons-nous dit, taillait d'inspiration une jupe pour la reine ou une trousse[5] pour le roi ; il inventait un manteau pour Monsieur, un coin de bas pour Madame ; mais, malgré son génie suprême, il ne pouvait retenir la mesure de M. Colbert.

— Cet homme-là, disait-il souvent, est hors de mon talent, et je ne saurais le voir dans le dessin de mes aiguilles.

---

1. Le pont franchissait le fossé du palais, une fois franchie la porte de Bourbon, du nom de l'hôtel qui s'élevait en face, et percée à travers le rempart. Il était constitué d'une partie fixe et d'une partie mobile, plus étroite, qui formait pont-levis.

2. Sur cet épisode, voir *Les Trois Mousquetaires*, chap. VIII, p. 79, note 1.

3. Sur *Mirame*, voir *Les Trois Mousquetaires*, chap. XXXIX, p. 347, note 1.

4. Voir *Les Trois Mousquetaires*, chap. IX, p. 85, note 1.

5. *Trousse* : chausses bouffantes.

Il va sans dire que Percerin était le tailleur de M. Fouquet, et que M. le surintendant le prisait fort.

M. Percerin avait près de quatre-vingts ans, et cependant il était vert encore, et si sec en même temps, disaient les courtisans, qu'il en était cassant. Sa renommée et sa fortune étaient assez grandes pour que M. le prince, ce roi des petits-maîtres[1], lui donnât le bras en causant costumes avec lui, et que les moins ardents à payer parmi les gens de cour n'osassent jamais laisser chez lui des comptes trop arriérés ; car maître Percerin faisait une fois des habits à crédit, mais jamais une seconde s'il n'était pas payé de la première.

On conçoit qu'un pareil tailleur, au lieu de courir après les pratiques, fût difficile à en recevoir de nouvelles. Aussi Percerin refusait d'habiller les bourgeois ou les anoblis trop récents. Le bruit courait même que M. de Mazarin, contre la fourniture désintéressée d'un grand habit complet de cardinal en cérémonie, lui avait glissé, un beau jour, des lettres de noblesse dans sa poche.

Percerin avait de l'esprit et de la malice. On le disait fort égrillard. A quatre-vingts ans, il prenait encore d'une main ferme la mesure des corsages de femme.

C'est dans la maison de cet artiste grand seigneur que d'Artagnan conduisit le désolé Porthos.

Celui-ci, tout en marchant, disait à son ami :

— Prenez garde, mon cher d'Artagnan, prenez garde de commettre la dignité d'un homme comme moi avec l'arrogance de ce Percerin, qui doit être fort incivil ; car je vous préviens, cher ami, que s'il me manquait, je le châtierais.

— Présenté par moi, répondit d'Artagnan, vous n'avez rien à craindre, cher ami, fussiez-vous... ce que vous n'êtes pas.

— Ah ! c'est que...

— Quoi donc ? Auriez-vous quelque chose contre Percerin ? Voyons, Porthos.

— Je crois que, dans le temps...

— Eh bien ! quoi, dans le temps ?

— J'aurais envoyé Mousqueton chez un drôle de ce nom-là.

— Eh bien ! après ?

— Et que ce drôle aurait refusé de m'habiller.

— Oh ! un malentendu, sans doute, qu'il est urgent de redresser ; Mouston aura confondu.

— Peut-être.

— Il aura pris un nom pour un autre.

— C'est possible. Ce coquin de Mouston n'a jamais eu la mémoire des noms.

---

1. Le nom fut donné pendant la Fronde aux jeunes seigneurs partisans du prince.

— Je me charge de tout cela.

— Fort bien.

— Faites arrêter le carrosse, Porthos ; c'est ici.

— C'est ici ?

— Oui.

— Comment ici ? Nous sommes aux Halles, et vous m'avez dit que la maison était au coin de la rue de l'Arbre-Sec.

— C'est vrai ; mais regardez.

— Eh bien ! je regarde, et je vois...

— Quoi ?

— Que nous sommes aux Halles, pardieu !

— Vous ne voulez pas, sans doute, que nos chevaux montent sur le carrosse qui nous précède ?

— Non.

— Ni que le carrosse qui nous précède monte sur celui qui est devant.

— Encore moins.

— Ni que le deuxième carrosse passe sur le ventre aux trente ou quarante autres qui sont arrivés avant nous ?

— Ah ! par ma foi ! vous avez raison.

— Ah !

— Que de gens, mon cher, que de gens !

— Hein ?

— Et que font-ils là, tous ces gens ?

— C'est bien simple : ils attendent leur tour.

— Bah ! les comédiens de l'hôtel de Bourgogne seraient-ils déménagés[1] ?

— Non, leur tour pour entrer chez M. Percerin.

— Mais nous allons donc attendre aussi, nous.

— Nous, nous serons plus ingénieux et moins fiers qu'eux.

— Qu'allons-nous faire, donc ?

— Nous allons descendre, passer parmi les pages et les laquais, et nous entrerons chez le tailleur, c'est moi qui vous en réponds, surtout si vous marchez le premier.

— Allons, fit Porthos.

Et tous deux, étant descendus, s'acheminèrent à pied vers la maison.

Ce qui causait cet encombrement, c'est que la porte de M. Percerin était fermée, et qu'un laquais, debout à cette porte, expliquait aux illustres pratiques de l'illustre tailleur que, pour le moment, M. Percerin ne recevait personne. On se répétait au-dehors, toujours d'après ce qu'avait dit confidentiellement le grand laquais à un grand seigneur pour lequel

---

1. Le théâtre de l'hôtel de Bourgogne, fondé en 1629, jouait dans une salle, construite en 1548 par les Confrères de la Passion, dont l'entrée était rue Mauconseil (actuellement des Deux-Boules). Il créa entre 1630 et 1680, date à laquelle Louis XIV ordonna sa fusion avec la troupe de la rue Guénégaud, les tragédies de Corneille et de Racine.

il avait des bontés, on se répétait que M. Percerin s'occupait de cinq habits pour le roi, et que, vu l'urgence de la situation il méditait dans son cabinet les ornements, la couleur et la coupe de ces cinq habits.

Plusieurs, satisfaits de cette raison, s'en retournaient heureux de la dire aux autres, mais plusieurs aussi, plus tenaces, insistaient pour que la porte leur fût ouverte, et, parmi ces derniers, trois cordons bleus désignés pour un ballet qui manquerait infailliblement si les trois cordons bleus n'avaient pas des habits taillés de la main même du grand Percerin.

D'Artagnan, poussant devant lui Porthos, qui effondra les groupes, parvint jusqu'aux comptoirs, derrière lesquels les garçons tailleurs s'escrimaient à répondre de leur mieux.

Nous oublions de dire qu'à la porte on avait voulu consigner Porthos comme les autres, mais d'Artagnan s'était montré, avait prononcé ces seules paroles :

— Ordre du roi !

Et il avait été introduit avec son ami.

Ces pauvres diables avaient fort à faire et faisaient de leur mieux pour répondre aux exigences des clients en l'absence du patron, s'interrompant de piquer un point pour tourner une phrase, et quand l'orgueil blessé ou l'attente déçue les gourmandait trop vivement, celui qui était attaqué faisait un plongeon et disparaissait sous le comptoir.

La procession des seigneurs mécontents faisait un tableau plein de détails curieux.

Notre capitaine des mousquetaires, homme au regard rapide et sûr, l'embrassa d'un seul coup d'œil. Mais, après avoir parcouru les groupes, ce regard s'arrêta sur un homme placé en face de lui. Cet homme, assis sur un escabeau, dépassait de la tête à peine le comptoir qui l'abritait. C'était un homme de quarante ans à peu près, à la physionomie mélancolique, au visage pâle, aux yeux doux et lumineux. Il regardait d'Artagnan et les autres, une main sous son menton, en amateur curieux et calme. Seulement, en apercevant et en reconnaissant, sans doute, notre capitaine, il rabattit son chapeau sur ses yeux.

Ce fut peut-être ce geste qui attira le regard de d'Artagnan. S'il en était ainsi, il en était résulté que l'homme au chapeau rabattu avait atteint un but tout différent de celui qu'il s'était proposé.

Au reste, le costume de cet homme était assez simple, et ses cheveux étaient assez uniment coiffés pour que des clients peu observateurs le prissent pour un simple garçon tailleur accroupi derrière le chêne, et piquant, avec exactitude, le drap et le velours.

Toutefois, cet homme avait trop souvent la tête en l'air pour travailler fructueusement avec ses doigts.

D'Artagnan n'en fut pas dupe, lui, et il vit bien que, si cet homme travaillait, ce n'était pas, assurément, sur les étoffes.

— Hé ! dit-il en s'adressant à cet homme, vous voilà donc devenu garçon tailleur, monsieur Molière ?

— Chut ! monsieur d'Artagnan, répondit doucement l'homme, chut ! au nom du Ciel ! vous m'allez faire reconnaître.

— Eh bien ! où est le mal ?

— Le fait est qu'il n'y a pas de mal, mais...

— Mais vous voulez dire qu'il n'y a pas de bien non plus, n'est-ce pas ?

— Hélas ! non, car j'étais, je vous l'affirme, occupé à regarder de bien bonnes figures.

— Faites, faites, monsieur Molière. Je comprends l'intérêt que la chose a pour vous, et... je ne vous troublerai point dans vos études.

— Merci !

— Mais à une condition : c'est que vous me direz où est réellement M. Percerin.

— Oh ! cela, volontiers : dans son cabinet. Seulement...

— Seulement, on ne peut pas y entrer ?

— Inabordable !

— Pour tout le monde ?

— Pour tout le monde. Il m'a fait entrer ici, afin que je fusse à l'aise pour y faire mes observations, et puis il s'en est allé.

— Eh bien ! mon cher monsieur Molière, vous l'allez prévenir que je suis là, n'est-ce pas ?

— Moi ? s'écria Molière du ton d'un brave chien à qui l'on retire l'os qu'il a légitimement gagné ; moi, me déranger ? Ah ! monsieur d'Artagnan, comme vous me traitez mal !

— Si vous n'allez pas prévenir tout de suite M. Percerin que je suis là, mon cher monsieur Molière, dit d'Artagnan à voix basse, je vous préviens d'une chose, c'est que je ne vous ferai pas voir l'ami que j'amène avec moi.

Molière désigna Porthos d'un geste imperceptible.

— Celui-ci n'est-ce pas ? dit-il.

— Oui.

Molière attacha sur Porthos un de ces regards qui fouillent les cerveaux et les cœurs. L'examen lui parut sans doute gros de promesses, car il se leva aussitôt et passa dans la chambre voisine.

CCX

LES ÉCHANTILLONS

Pendant ce temps, la foule s'écoulait lentement, laissant à chaque angle de comptoir un murmure ou une menace, comme aux bancs de sable de l'Océan, les flots laissent un peu d'écume ou d'algues broyées, lorsqu'ils se retirent en descendant les marées.

Au bout de dix minutes, Molière reparut, faisant sous la tapisserie un signe à d'Artagnan. Celui-ci se précipita, entraînant Porthos, et, à travers des corridors assez compliqués, il le conduisit dans le cabinet de Percerin. Le vieillard, les manches retroussées, fouillait une pièce de brocart à grandes fleurs d'or, pour y faire naître de beaux reflets. En apercevant d'Artagnan, il laissa son étoffe et vint à lui, non pas radieux, non pas courtois, mais, en somme, assez civil.

— Monsieur le capitaine des gardes, dit-il, vous m'excuserez, n'est-ce pas, mais j'ai affaire.

— Eh ! oui, pour les habits du roi ? Je sais cela, mon cher monsieur Percerin. Vous en faites trois, m'a-t-on dit ?

— Cinq, mon cher monsieur, cinq !

— Trois ou cinq, cela ne m'inquiète pas, maître Percerin, et je sais que vous les ferez les plus beaux du monde.

— On le sait, oui. Une fois faits, ils seront les plus beaux du monde, je ne dis pas non, mais pour qu'ils soient les plus beaux du monde, il faut d'abord qu'ils soient, et pour cela, monsieur le capitaine, j'ai besoin de temps.

— Ah bah ! deux jours encore, c'est bien plus qu'il ne vous en faut, monsieur Percerin, dit d'Artagnan avec le plus grand flegme.

Percerin leva la tête en homme peu habitué à être contrarié, même dans ses caprices, mais d'Artagnan ne fit point attention à l'air que l'illustre tailleur de brocart commençait à prendre.

— Mon cher monsieur Percerin, continua-t-il, je vous amène une pratique.

— Ah ! ah ! fit Percerin d'un air rechigné.

— M. le baron du Vallon de Bracieux de Pierrefonds, continua d'Artagnan.

Percerin essaya un salut qui ne trouva rien de bien sympathique chez le terrible Porthos, lequel, depuis son entrée dans le cabinet, regardait le tailleur de travers.

— Un de mes bons amis, acheva d'Artagnan.

— Je servirai Monsieur, dit Percerin, mais, plus tard.

— Plus tard ? Et quand cela ?

— Mais, quand j'aurai le temps.

— Vous avez déjà dit cela à mon valet, interrompit Porthos mécontent.

— C'est possible, dit Percerin, je suis presque toujours pressé.

— Mon ami, dit sentencieusement Porthos, on a toujours le temps qu'on veut.

Percerin devint cramoisi, ce qui, chez les vieillards blanchis par l'âge, est un fâcheux diagnostic.

— Monsieur, dit-il, est, ma foi ! bien libre de se servir ailleurs.

— Allons, allons, Percerin, glissa d'Artagnan, vous n'êtes pas aimable aujourd'hui. Eh bien ! je vais vous dire un mot qui va vous faire tomber à nos genoux. Monsieur est non seulement un ami à moi, mais encore un ami à M. Fouquet.

— Ah ! ah ! fit le tailleur, c'est autre chose.

Puis, se retournant vers Porthos :

— Monsieur le baron est à M. le surintendant ? demanda-t-il.

— Je suis à moi, éclata Porthos, juste au moment où la tapisserie se soulevait pour donner passage à un nouvel interlocuteur.

Molière observait. D'Artagnan riait. Porthos maugréait.

— Mon cher Percerin, dit d'Artagnan, vous ferez un habit à M. le baron, c'est moi qui vous le demande.

— Pour vous, je ne dis pas, monsieur le capitaine.

— Mais ce n'est pas le tout : vous lui ferez cet habit tout de suite.

— Impossible avant huit jours.

— Alors, c'est comme si vous refusiez de le lui faire, parce que l'habit est destiné à paraître aux fêtes de Vaux.

— Je répète que c'est impossible, reprit l'obstiné vieillard.

— Non pas, cher monsieur Percerin, surtout si c'est moi qui vous en prie, dit une douce voix à la porte, voix métallique qui fit dresser l'oreille à d'Artagnan.

C'était la voix d'Aramis.

— Monsieur d'Herblay ! s'écria le tailleur.

— Aramis ! murmura d'Artagnan.

— Ah ! notre évêque ! fit Porthos.

— Bonjour, d'Artagnan ! bonjour, Porthos ! bonjour, chers amis ! dit Aramis. Allons, allons, cher monsieur Percerin, faites l'habit de Monsieur, et je vous réponds qu'en le faisant vous ferez une chose agréable à M. Fouquet.

Et il accompagna ces paroles d'un signe qui voulait dire : « Consentez et congédiez. » Il paraît qu'Aramis avait sur maître Percerin une influence supérieure à celle de d'Artagnan lui-même, car le tailleur s'inclina en signe d'assentiment, et, se retournant vers Porthos :

— Allez vous faire prendre mesure de l'autre côté, dit-il rudement.

Porthos rougit d'une façon formidable.

D'Artagnan vit venir l'orage, et, interpellant Molière :

— Mon cher monsieur, lui dit-il à demi-voix, l'homme que vous voyez se croit déshonoré quand on toise la chair et les os que Dieu lui a départis ; étudiez-moi ce type, maître Aristophane, et profitez.

Molière n'avait pas besoin d'être encouragé ; il couvait des yeux le baron Porthos.

— Monsieur, lui dit-il, s'il vous plaît de venir avec moi, je vous ferai prendre mesure d'un habit, sans que le mesureur vous touche.

— Oh ! fit Porthos, comment dites-vous cela, mon ami ?

— Je dis qu'on n'appliquera ni l'aune ni le pied sur vos coutures. C'est un procédé nouveau, que nous avons imaginé, pour prendre la mesure des gens de qualité, dont la susceptibilité répugne à se laisser toucher par des manants. Nous avons des gens susceptibles qui ne peuvent souffrir d'être mesurés, cérémonie qui, à mon avis, blesse la majesté naturelle de l'homme, et si, par hasard, monsieur, vous étiez de ces gens-là...

— Corne de bœuf ! je crois bien que j'en suis.

— Eh bien ! cela tombe à merveille, monsieur le baron, et vous aurez l'étrenne de notre invention.

— Mais comment diable s'y prend-on ? dit Porthos ravi.

— Monsieur, dit Molière en s'inclinant, si vous voulez bien me suivre, vous le verrez.

Aramis regardait cette scène de tous ses yeux. Peut-être croyait-il reconnaître, à l'animation de d'Artagnan, que celui-ci partirait avec Porthos, pour ne pas perdre la fin d'une scène si bien commencée. Mais, si perspicace que fût Aramis, il se trompait. Porthos et Molière partirent seuls. D'Artagnan demeura avec Percerin. Pourquoi ? Par curiosité, voilà tout ; probablement, dans l'intention de jouir quelques instants de plus de la présence de son bon ami Aramis. Molière et Porthos disparus, d'Artagnan se rapprocha de l'évêque de Vannes ; ce qui parut contrarier celui-ci tout particulièrement.

— Un habit aussi pour vous, n'est-ce pas, cher ami ?

Aramis sourit.

— Non, dit-il.

— Vous allez à Vaux, cependant ?

— J'y vais, mais sans habit neuf. Vous oubliez, cher d'Artagnan, qu'un pauvre évêque de Vannes n'est pas assez riche pour se faire faire des habits à toutes les fêtes.

— Bah ! dit le mousquetaire en riant, et les poèmes, n'en faisons-nous plus ?

— Oh ! d'Artagnan, fit Aramis, il y a longtemps que je ne pense plus à toutes ces futilités.

— Bien ! répéta d'Artagnan mal convaincu.

Quant à Percerin, il s'était replongé dans sa contemplation de brocarts.

— Ne remarquez-vous pas, dit Aramis en souriant, que nous gênons beaucoup ce brave homme, mon cher d'Artagnan ?

— Ah ! ah ! murmura à demi-voix le mousquetaire, c'est-à-dire que je te gêne, cher ami.

Puis tout haut :

— Eh bien ! partons ; moi, je n'ai plus affaire ici, et, si vous êtes aussi libre que moi, cher Aramis...

— Non ; moi, je voulais...

— Ah ! vous aviez quelque chose à dire en particulier à Percerin ? Que ne me préveniez-vous de cela tout de suite !

— De particulier, répéta Aramis, oui, certes, mais pas pour vous, d'Artagnan. Jamais, je vous prie de le croire, je n'aurai rien d'assez particulier pour qu'un ami tel que vous ne puisse l'entendre.

— Oh ! non, non, je me retire, insista d'Artagnan, mais en donnant à sa voix un accent sensible de curiosité, car la gêne d'Aramis, si bien dissimulée qu'elle fût, ne lui avait point échappé, et il savait que, dans cette âme impénétrable, tout, même les choses les plus futiles en apparence, marchait d'ordinaire vers un but, but inconnu, mais que, d'après la connaissance qu'il avait du caractère de son ami, le mousquetaire comprenait devoir être important.

Aramis, de son côté, vit que d'Artagnan n'était pas sans soupçon, et il insista :

— Restez, de grâce, dit-il, voici ce que c'est.

Puis, se retournant vers le tailleur.

— Mon cher Percerin... dit-il. Je suis même très heureux que vous soyez là, d'Artagnan.

— Ah ! vraiment ? fit pour la troisième fois le Gascon encore moins dupe cette fois que les autres.

Percerin ne bougeait pas. Aramis le réveilla violemment en lui tirant des mains l'étoffe, objet de sa méditation.

— Mon cher Percerin, lui dit-il, j'ai ici près M. Le Brun, un des peintres de M. Fouquet.

« Ah ! très bien, pensa d'Artagnan, mais pourquoi Le Brun ? »

Aramis regardait d'Artagnan, qui avait l'air de regarder des gravures de Marc-Antoine.

— Et vous voulez lui faire faire un habit pareil à ceux des épicuriens ? répondit Percerin.

Et, tout en disant cela d'une façon distraite, le digne tailleur cherchait à rattraper sa pièce de brocart.

— Un habit d'épicurien ? demanda d'Artagnan d'un ton questionneur.

— Enfin, dit Aramis avec son plus charmant sourire, il est écrit que ce cher d'Artagnan saura tous nos secrets ce soir ; oui, mon ami, oui. Vous avez entendu parler des épicuriens de M. Fouquet, n'est-ce pas ?

— Sans doute. N'est-ce pas une espèce de société de poètes dont sont La Fontaine, Loret, Pélisson, Molière, que sais-je ? et qui tient son académie à Saint-Mandé ?

— C'est cela justement. Eh bien ! nous donnons un uniforme à nos poètes, et nous les enrégimentons au service du roi.

— Oh ! très bien, je devine : une surprise que M. Fouquet fait au roi. Oh ! soyez tranquille, si c'est là le secret de M. Le Brun, je ne le dirai pas.

— Toujours charmant, mon ami. Non, M. Le Brun n'a rien à faire de ce côté, le secret qui le concerne est bien plus important que l'autre encore !

— Alors, s'il est si important que cela, j'aime mieux ne pas le savoir, dit d'Artagnan en dessinant une fausse sortie.

— Entrez, monsieur Le Brun, entrez, dit Aramis en ouvrant de la main droite une porte latérale, et en retenant de la gauche d'Artagnan.

— Ma foi ! je ne comprends plus, dit Percerin.

Aramis prit un temps, comme on dit en matière de théâtre.

— Mon cher monsieur Percerin, dit-il, vous faites cinq habits pour le roi, n'est-ce pas ? un en brocart, un en drap de chasse, un en velours, un en satin, et un en étoffe de Florence ?

— Oui. Mais comment savez-vous tout cela, monseigneur ? demanda Percerin stupéfait.

— C'est tout simple, mon cher monsieur, il y aura chasse, festin, concert, promenade et réception ; ces cinq étoffes sont d'étiquette.

— Vous savez tout, monseigneur !

— Et bien d'autres choses encore, allez, murmura d'Artagnan.

— Mais, s'écria le tailleur avec triomphe, ce que vous ne savez pas, monseigneur, tout prince de l'Église que vous êtes, ce que personne ne saura, ce que le roi seul, Mlle de La Vallière et moi savons, c'est la couleur des étoffes et le genre des ornements ; c'est la coupe, c'est l'ensemble, c'est la tournure de tout cela !

— Eh bien ! dit Aramis, voilà justement ce que je viens vous demander de me faire connaître, mon cher monsieur Percerin.

— Ah bah ! s'écria le tailleur épouvanté, quoique Aramis eût prononcé les paroles que nous rapportons de sa voix la plus douce et la plus mielleuse.

La prétention parut, en y réfléchissant, si exagérée, si ridicule, si énorme à M. Percerin, qu'il rit d'abord tout bas, puis tout haut, et qu'il finit par éclater. D'Artagnan l'imita, non qu'il trouvât la chose aussi profondément risible, mais pour ne pas laisser refroidir Aramis. Celui-ci les laissa faire tous deux ; puis, lorsqu'ils furent calmés :

— Au premier abord, dit-il, j'ai l'air de hasarder une absurdité, n'est-ce pas ? Mais d'Artagnan, qui est la sagesse incarnée, va vous dire que je ne saurais faire autrement que de vous demander cela.

— Voyons, fit le mousquetaire attentif, et sentant avec son flair merveilleux qu'on n'avait fait qu'escarmoucher jusque-là et que le moment de la bataille approchait.

— Voyons, dit Percerin avec incrédulité.

— Pourquoi, continua Aramis, M. Fouquet donne-t-il une fête au roi ? n'est-ce pas pour lui plaire ?

— Assurément, fit Percerin.

D'Artagnan approuva d'un signe de tête.

— Par quelque galanterie ? par quelque bonne imagination ? par une suite de surprises pareilles à celle dont nous parlions tout à l'heure à propos de l'enrégimentation de nos épicuriens ?

— A merveille !

— Eh bien ! voici la surprise, mon bon ami. M. Le Brun, que voici, est un homme qui dessine très exactement.

— Oui, dit Percerin, j'ai vu des tableaux de Monsieur, et j'ai remarqué que les habits étaient fort soignés. Voilà pourquoi j'ai accepté tout de suite de lui faire un vêtement, soit conforme à ceux de MM. les épicuriens, soit particulier.

— Cher monsieur, nous acceptons votre parole ; plus tard, nous y aurons recours ; mais, pour le moment, M. Le Brun a besoin, non des habits que vous ferez pour lui, mais de ceux que vous faites pour le roi.

Percerin exécuta un bond en arrière que d'Artagnan, l'homme calme et l'appréciateur par excellence, ne trouva pas trop exagéré, tant la proposition que venait de risquer Aramis renfermait de faces étranges et horripilantes.

— Les habits du roi ! donner à qui que ce soit au monde les habits du roi ?... Oh ! pour le coup, monsieur l'évêque, Votre Grandeur est folle ! s'écria le pauvre tailleur poussé à bout.

— Aidez-moi donc d'Artagnan, dit Aramis de plus en plus souriant et calme, aidez-moi donc à persuader Monsieur ; car vous comprenez, vous, n'est-ce pas ?

— Eh ! eh ! pas trop, je l'avoue.

— Comment ! mon ami, vous ne comprenez pas que M. Fouquet veut faire au roi la surprise de trouver son portrait en arrivant à Vaux ? que le portrait, dont la ressemblance sera frappante, devra être vêtu juste comme sera vêtu le roi le jour où le portrait paraîtra ?

— Ah ! oui, oui, s'écria le mousquetaire presque persuadé, tant la raison était plausible ; oui, mon cher Aramis, vous avez raison ; oui, l'idée est heureuse. Gageons qu'elle est de vous, Aramis ?

— Je ne sais, répondit négligemment l'évêque ; de moi ou de M. Fouquet...

Puis, interrogeant la figure de Percerin après avoir remarqué l'indécision de d'Artagnan :

— Eh bien ! monsieur Percerin, demanda-t-il, qu'en dites-vous ? Voyons.

— Je dis que...

— Que vous êtes libre de refuser, sans doute, je le sais bien, et je ne compte nullement vous forcer, mon cher monsieur ; je dirai plus, je comprends même toute la délicatesse que vous mettez à n'aller pas au-devant de l'idée de M. Fouquet : vous redoutez de paraître aduler le roi. Noblesse de cœur, monsieur Percerin ! noblesse de cœur !

Le tailleur balbutia.

— Ce serait, en effet, une bien belle flatterie à faire au jeune prince, continua Aramis. « Mais, m'a dit M. le surintendant, si Percerin refuse, dites-lui que cela ne lui fait aucun tort dans mon esprit, et que je l'estime toujours. Seulement... »

— Seulement ?... répéta Percerin avec inquiétude.

— « Seulement, continua Aramis, je serai forcé de dire au roi (mon cher monsieur Percerin, vous comprenez, c'est M. Fouquet qui parle), seulement, je serai forcé de dire au roi : "Sire, j'avais l'intention d'offrir à Votre Majesté son image ; mais, dans un sentiment de délicatesse, exagérée peut-être, quoique respectable, M. Percerin s'y est opposé." »

— Opposé ! s'écria le tailleur épouvanté de la responsabilité qui allait peser sur lui ; moi, m'opposer à ce que désire, à ce que veut M. Fouquet, quand il s'agit de faire plaisir au roi ? Oh ! le vilain mot que vous avez dit là, monsieur l'évêque ! m'opposer ! Oh ! ce n'est pas moi qui l'ai prononcé, Dieu merci ! j'en prends à témoin M. le capitaine des mousquetaires ! N'est-ce pas, monsieur d'Artagnan, que je ne m'oppose à rien ?

D'Artagnan fit un signe d'abnégation indiquant qu'il désirait rester neutre ; il sentait qu'il y avait là-dessous une intrigue, comédie ou tragédie ; il se donnait au diable de ne pas la deviner, mais, en attendant, il désirait s'abstenir.

Mais déjà Percerin, poursuivi de l'idée qu'on pouvait dire au roi qu'il s'était opposé à ce qu'on lui fît une surprise, avait approché un siège à Le Brun, et s'occupait de tirer d'une armoire quatre habits resplendissants, le cinquième étant encore aux mains des ouvriers, et plaçait successivement lesdits chefs-d'œuvre sur autant de mannequins de Bergame[1], qui, venus en France du temps de Concini, avaient été donnés à Percerin II par le maréchal d'Ancre, après la déconfiture des tailleurs italiens, ruinés dans leur concurrence.

Le peintre se mit à dessiner, puis à peindre les habits.

---

1. *Mannequin de Bergame* : cage d'osier sur laquelle les tailleurs confectionnaient les habits.

Mais Aramis, qui suivait des yeux toutes les phases de son travail et qui le veillait de près, l'arrêta tout à coup.

— Je crois que vous n'êtes pas dans le ton, mon cher monsieur Le Brun, lui dit-il ; vos couleurs vous tromperont, et sur la toile se perdra cette parfaite ressemblance qui nous est absolument nécessaire ; il faudrait plus de temps, pour observer attentivement les nuances.

— C'est vrai, dit Percerin ; mais le temps nous fait faute, et à cela, vous en conviendrez, monsieur l'évêque, je ne puis rien.

— Alors la chose manquera, dit Aramis tranquillement, et cela faute de vérité dans les couleurs.

Cependant Le Brun copiait étoffes et ornements avec la plus grande fidélité, ce que regardait Aramis avec une impatience mal dissimulée.

« Voyons, voyons, quel diable d'imbroglio joue-t-on ici ? » continua de se demander le mousquetaire.

— Décidément, cela n'ira point, dit Aramis ; monsieur Le Brun, fermez vos boîtes et roulez vos toiles.

— Mais c'est qu'aussi, monsieur, s'écria le peintre dépité, le jour est détestable ici.

— Une idée, monsieur Le Brun, une idée ! Si on avait un échantillon des étoffes, par exemple, et qu'avec le temps et dans un meilleur jour...

— Oh ! alors, s'écria Le Brun, je répondrais de tout.

— Bon ! dit d'Artagnan, ce doit être là le nœud de l'action ; on a besoin d'un échantillon de chaque étoffe. Mordioux ! le donnera-t-il, ce Percerin ?

Percerin, battu dans ses derniers retranchements, dupe, d'ailleurs, de la feinte bonhomie d'Aramis, coupa cinq échantillons qu'il remit à l'évêque de Vannes.

— J'aime mieux cela. N'est-ce pas, dit Aramis à d'Artagnan, c'est votre avis, hein ?

— Mon avis, mon cher Aramis, dit d'Artagnan, c'est que vous êtes toujours le même.

— Et, par conséquent, toujours votre ami, dit l'évêque avec un son de voix charmant.

— Oui, oui, dit tout haut d'Artagnan.

Puis tout bas :

— Si je suis ta dupe, double jésuite, je ne veux pas être ton complice, au moins, et pour ne pas être ton complice, il est temps que je sorte d'ici. Adieu, Aramis, ajouta-t-il tout haut, adieu, je vais rejoindre Porthos.

— Alors, attendez-moi, fit Aramis en empochant les échantillons, car j'ai fini, et je ne serai pas fâché de dire un dernier mot à notre ami.

Le Brun plia bagage, Percerin rentra ses habits dans l'armoire, Aramis pressa sa poche de la main pour s'assurer que les échantillons y étaient bien renfermés, et tous sortirent du cabinet.

CCXI

OÙ MOLIÈRE PRIT PEUT-ÊTRE SA PREMIÈRE IDÉE DU *BOURGEOIS GENTILHOMME*[1]

D'Artagnan retrouva Porthos dans la salle voisine ; non plus Porthos irrité, non plus Porthos désappointé, mais Porthos épanoui, radieux, charmant, et causant avec Molière, qui le regardait avec une sorte d'idolâtrie, et comme un homme qui, non seulement n'a jamais rien vu de mieux, mais qui encore n'a jamais rien vu de pareil.

Aramis alla droit à Porthos, lui présenta sa main fine et blanche, qui alla s'engloutir dans la main gigantesque de son vieil ami, opération qu'Aramis ne risquait jamais sans une espèce d'inquiétude. Mais, la pression amicale s'étant accomplie sans trop de souffrance, l'évêque de Vannes se retourna du côté de Molière.

— Eh bien ! monsieur, lui dit-il, viendrez-vous avec moi à Saint-Mandé ?

— J'irai partout où vous voudrez, monseigneur, répondit Molière.

— A Saint-Mandé ! s'écria Porthos, surpris de voir ainsi le fier évêque de Vannes en familiarité avec un garçon tailleur. Quoi ! Aramis, vous emmenez Monsieur à Saint-Mandé ?

— Oui, dit Aramis en souriant, le temps presse.

— Et puis, mon cher Porthos, continua d'Artagnan, M. Molière n'est pas tout à fait ce qu'il paraît être.

— Comment ? demanda Porthos.

— Oui, Monsieur est un des premiers commis de maître Percerin, il est attendu à Saint-Mandé pour essayer aux épicuriens les habits de fête qui ont été commandés par M. Fouquet.

— C'est justement cela, dit Molière. Oui, monsieur.

— Venez donc, mon cher monsieur Molière, dit Aramis, si toutefois vous avez fini avec M. du Vallon.

— Nous avons fini, répliqua Porthos.

— Et vous êtes satisfait ? demanda d'Artagnan.

— Complètement satisfait, répondit Porthos.

Molière prit congé de Porthos avec force saluts, et serra la main que lui tendit furtivement le capitaine des mousquetaires.

— Monsieur, acheva Porthos en minaudant, monsieur, soyez exact, surtout.

---

1. *Le Bourgeois gentilhomme*, comédie-ballet « faite à Chambord, pour le divertissement du roi au mois d'octobre 1670, et représentée en public à Paris, pour la première fois, au théâtre du Palais-Royal, le 23 novembre de la même année 1670, par la troupe du roi. »

— Vous aurez votre habit dès demain, monsieur le baron, répondit Molière.

Et il partit avec Aramis.

Alors d'Artagnan, prenant le bras de Porthos :

— Que vous a donc fait ce tailleur, mon cher Porthos, demanda-t-il, pour que vous soyez si content de lui ?

— Ce qu'il m'a fait, mon ami ! ce qu'il m'a fait ! s'écria Porthos avec enthousiasme.

— Oui, je vous demande ce qu'il vous a fait.

— Mon ami, il a su faire ce qu'aucun tailleur n'avait jamais fait : il m'a pris mesure sans me toucher.

— Ah bah ! contez-moi cela, mon ami.

— D'abord, mon ami, on a été chercher je ne sais où une suite de mannequins de toutes les tailles, espérant qu'il s'en trouverait un de la mienne ; mais le plus grand, qui était celui du tambour-major des Suisses, était de deux pouces trop court et d'un demi-pied trop maigre.

— Ah ! vraiment ?

— C'est comme j'ai l'honneur de vous le dire, mon cher d'Artagnan. Mais c'est un grand homme ou tout au moins un grand tailleur que ce M. Molière : il n'a pas été le moins du monde embarrassé pour cela.

— Et qu'a-t-il fait ?

— Oh ! une chose bien simple. C'est inouï, par ma foi ! Comment ! on est assez grossier pour n'avoir pas trouvé tout de suite ce moyen ? Que de peines et d'humiliations on m'eût épargnées !

— Sans compter les habits, mon cher Porthos.

— Oui, trente habits.

— Eh bien ! mon cher Porthos, voyons, dites-moi la méthode de M. Molière.

— Molière ? vous l'appelez ainsi, n'est-ce pas ? Je tiens à me rappeler son nom.

— Oui, ou Poquelin, si vous l'aimez mieux.

— Non, j'aime mieux Molière. Quand je voudrai me rappeler son nom, je penserai à votre volière, et, comme j'en ai une à Pierrefonds...

— A merveille, mon ami. Et sa méthode, à ce M. Molière ?

— La voici. Au lieu de me démembrer comme font tous ces bélîtres, de me faire courber les reins, de me faire plier les articulations, toutes pratiques déshonorantes et basses...

D'Artagnan fit un signe approbatif de la tête.

— « Monsieur, m'a-t-il dit, un galant homme doit se mesurer lui-même. Faites-moi le plaisir de vous approcher de ce miroir. » Alors je me suis approché du miroir. Je dois avouer que je ne comprenais pas parfaitement ce que ce brave M. Volière voulait de moi.

— Molière.

— Ah ! oui, Molière, Molière. Et, comme la peur d'être mesuré me tenait toujours :

« — Prenez garde, lui ai-je dit, à ce que vous m'allez faire ; je suis fort chatouilleux, je vous en préviens.

« Mais lui, de sa voix douce (car c'est un garçon courtois, mon ami, il faut en convenir), mais lui, de sa voix douce :

« — Monsieur, dit-il, pour que l'habit aille bien, il faut qu'il soit fait à votre image. Votre image est exactement réfléchie par le miroir. Nous allons prendre mesure sur votre image.

— En effet, dit d'Artagnan, vous vous voyiez au miroir ; mais comment a-t-on trouvé un miroir où vous puissiez vous voir tout entier ?

— Mon cher, c'est le propre miroir où le roi se regarde.

— Oui, mais le roi a un pied et demi de moins que vous.

— Eh bien ! je ne sais pas comment cela se fait, c'était sans doute une manière de flatter le roi, mais le miroir était trop grand pour moi. Il est vrai que sa hauteur était faite de trois glaces de Venise superposées et sa largeur des mêmes glaces juxtaposées.

— Oh ! mon ami, les admirables mots que vous possédez là ! où diable en avez-vous fait collection ?

— A Belle-Ile. Aramis les expliquait à l'architecte.

— Ah ! très bien ! Revenons à la glace, cher ami.

— Alors, ce brave M. Volière...

— Molière.

— Oui, Molière, c'est juste. Vous allez voir, mon cher ami, que voilà maintenant que je vais trop me souvenir de son nom. Ce brave M. Molière se mit donc à tracer avec un peu de blanc d'Espagne des lignes sur le miroir, le tout en suivant le dessin de mes bras et de mes épaules, et cela tout en professant cette maxime que je trouvai admirable : « Il faut qu'un habit ne gêne pas celui qui le porte. »

— En effet, dit d'Artagnan, voilà une belle maxime, qui n'est pas toujours mise en pratique.

— C'est pour cela que je la trouvai d'autant plus étonnante, surtout lorsqu'il la développa.

— Ah ! il développa cette maxime ?

— Parbleu !

— Voyons le développement.

— « Attendu, continua-t-il, que l'on peut, dans une circonstance difficile, ou dans une situation gênante, avoir son habit sur l'épaule, et désirer ne pas ôter son habit.

— C'est vrai, dit d'Artagnan.

— « Ainsi, continua M. Volière...

— Molière !

— « Ainsi, continua M. Molière, vous avez besoin de tirer l'épée, monsieur, et vous avez votre habit sur le dos. Comment faites-vous ?

« — Je l'ôte, répondis-je.

« — Eh bien ! non, répondit-il à son tour.

« — Comment ! non ?

« — Je dis qu'il faut que l'habit soit si bien fait, qu'il ne vous gêne aucunement, même pour tirer l'épée.

« — Ah ! ah !

« — Mettez-vous en garde, poursuivit-il.

« J'y tombai avec un si merveilleux aplomb, que deux carreaux de la fenêtre en sautèrent.

« — Ce n'est rien, ce n'est rien, dit-il, restez comme cela.

« Je levai le bras gauche en l'air, l'avant-bras plié gracieusement, la manchette rabattue et le poignet circonflexe, tandis que le bras droit à demi étendu garantissait la ceinture avec le coude, et la poitrine avec le poignet.

— Oui, dit d'Artagnan, la vraie garde, la garde académique.

— Vous avez dit le mot, cher ami. Pendant ce temps, Volière...

— Molière !

— Tenez, décidément, mon cher ami, j'aime mieux l'appeler... comment avez-vous dit son autre nom ?

— Poquelin.

— J'aime mieux l'appeler Poquelin.

— Et comment vous souviendrez-vous mieux de ce nom que de l'autre ?

— Vous comprenez... il s'appelle Poquelin, n'est-ce pas ?

— Oui.

— Je me rappellerai Mme Coquenard.

— Bon.

— Je changerai *Coque* en *Poque*, *nard* en *lin*, et, au lieu de Coquenard, j'aurai Poquelin.

— C'est merveilleux ! s'écria d'Artagnan abasourdi... Allez, mon ami, je vous écoute avec admiration.

— Ce Coquelin esquissa donc mon bras sur le miroir.

— Poquelin. Pardon.

— Comment ai-je donc dit ?

— Vous avez dit Coquelin.

— Ah ! c'est juste. Ce Poquelin esquissa donc mon bras sur le miroir ; mais il y mit le temps ; il me regardait beaucoup ; le fait est que j'étais très beau.

« — Cela vous fatigue ? demanda-t-il.

« — Un peu, répondis-je en pliant sur les jarrets ; cependant je peux tenir encore une heure.

« — Non, non, je ne le souffrirai pas ! Nous avons ici des garçons complaisants qui se feront un devoir de vous soutenir les bras, comme autrefois on soutenait ceux des prophètes quand ils invoquaient le Seigneur[1].

« — Très bien ! répondis-je.

« — Cela ne vous humiliera pas ?

« — Mon ami, lui dis-je, il y a, je le crois, une grande différence entre être soutenu et être mesuré.

— La distinction est pleine de sens, interrompit d'Artagnan.

— Alors, continua Porthos, il fit un signe ; deux garçons s'approchèrent ; l'un me soutint le bras gauche, tandis que l'autre, avec infiniment d'adresse, me soutenait le bras droit.

« — Un troisième garçon ! dit-il.

« Un troisième garçon s'approcha.

« — Soutenez les reins de Monsieur, dit-il.

« Le garçon me soutint les reins.

— De sorte que vous posiez ? demanda d'Artagnan.

— Absolument, et Poquenard me dessinait sur la glace.

— Poquelin, mon ami.

— Poquelin, vous avez raison.

— Tenez, décidément, j'aime encore mieux l'appeler Volière.

— Oui, et que ce soit fini, n'est-ce pas ?

— Pendant ce temps-là, Volière me dessinait sur la glace.

— C'était galant.

— J'aime fort cette méthode ; elle est respectueuse et met chacun à sa place.

— Et cela se termina ?...

— Sans que personne m'eût touché, mon ami.

— Excepté les trois garçons qui vous soutenaient ?

— Sans doute ; mais je vous ai déjà exposé, je crois, la différence qu'il y a entre soutenir et mesurer.

— C'est vrai, répondit d'Artagnan, qui se dit ensuite à lui-même : « Ma foi ! ou je me trompe fort, ou j'ai valu là une bonne aubaine à ce coquin de Molière, et nous en verrons bien certainement la scène tirée au naturel dans quelque comédie[2]. »

Porthos souriait.

— Quelle chose vous fait rire ? lui demanda d'Artagnan.

— Faut-il vous l'avouer ? Eh bien ! je ris de ce que j'ai tant de bonheur.

— Oh ! cela, c'est vrai ; je ne connais pas d'homme plus heureux que vous. Mais quel est le nouveau bonheur qui vous arrive ?

— Eh bien ! mon cher, félicitez-moi.

— Je ne demande pas mieux.

---

1. Moïse, Exode, XVII, 12. Voir *Les Trois Mousquetaires*, chap. XXVI, p. 236, note 4.
2. La scène est reproduite dans *Le Bourgeois gentilhomme*, acte II, scène v.

— Il paraît que je suis le premier à qui l'on ait pris mesure de cette façon-là.

— Vous en êtes sûr ?

— A peu près. Certains signes d'intelligence échangés entre Volière et les autres garçons me l'ont bien indiqué.

— Eh bien ! mon cher ami, cela ne me surprend pas de la part de Molière.

— Volière, mon ami !

— Oh ! non, non, par exemple ! je veux bien vous laisser dire Volière, à vous ; mais, je continuerai, moi, à dire Molière. — Eh bien ! cela, disais-je donc, ne m'étonne point de la part de Molière, qui est un garçon ingénieux, et à qui vous avez inspiré cette belle idée.

— Elle lui servira plus tard, j'en suis sûr.

— Comment donc, si elle lui servira ! Je le crois bien, qu'elle lui servira, et même beaucoup ! Car, voyez-vous, mon ami, Molière est, de tous nos tailleurs connus, celui qui habille le mieux nos barons, nos comtes et nos marquis... à leur mesure.

Sur ce mot, dont nous ne discuterons ni l'à-propos ni la profondeur, d'Artagnan et Porthos sortirent de chez maître Percerin et rejoignirent leur carrosse. Nous les y laisserons, s'il plaît au lecteur, pour revenir auprès de Molière et d'Aramis à Saint-Mandé.

CCXII

LA RUCHE, LES ABEILLES ET LE MIEL

L'évêque de Vannes, fort marri d'avoir rencontré d'Artagnan chez maître Percerin, revint d'assez mauvaise humeur à Saint-Mandé.

Molière, au contraire, tout enchanté d'avoir trouvé un si bon croquis à faire, et de savoir où retrouver l'original, quand du croquis il voudrait faire un tableau, Molière y rentra de la plus joyeuse humeur.

Tout le premier étage, du côté gauche, était occupé par les épicuriens les plus célèbres dans Paris et les plus familiers dans la maison, employés chacun dans son compartiment, comme des abeilles dans leurs alvéoles, à produire un miel destiné au gâteau royal que M. Fouquet comptait servir à Sa Majesté Louis XIV pendant la fête de Vaux.

Pélisson, la tête dans sa main, creusait les fondations du prologue des *Fâcheux*, comédie en trois actes[1], que devait faire représenter

---

1. Commandée le 2 août 1661 par Fouquet, la comédie-ballet fut conçue, écrite, apprise en quinze jours. Le prologue de trente-huit vers fut composé par Pélisson.

Poquelin de Molière, comme disait d'Artagnan, Coquelin de Volière, comme disait Porthos.

Loret, dans toute la naïveté de son état de gazetier — les gazetiers de tout temps ont été naïfs — Loret composait le récit des fêtes de Vaux avant que ces fêtes eussent eu lieu[1].

La Fontaine vaguait au milieu des uns et des autres, ombre égarée, distraite, gênante, insupportable, qui bourdonnait et susurrait à l'épaule de chacun mille inepties poétiques. Il gêna tant de fois Pélisson, que celui-ci, relevant la tête avec humeur :

— Au moins, La Fontaine, dit-il, cueillez-moi une rime, puisque vous dites que vous vous promenez dans les jardins du Parnasse.

— Quelle rime voulez-vous ? demanda le fablier, comme l'appelait Mme de Sévigné[2].

— Je veux une rime à *lumière*.

— *Ornière*, répondit La Fontaine.

— Eh ! mon cher ami, impossible de parler d'ornières quand on vante les délices de Vaux, dit Loret.

— D'ailleurs, cela ne rime pas, répondit Pélisson.

— Comment ! cela ne rime pas ? s'écria La Fontaine surpris.

— Oui, vous avez une détestable habitude, mon cher, habitude qui vous empêchera toujours d'être un poète de premier ordre. Vous rimez lâchement !

— Oh ! oh ! vous trouvez, Pélisson ?

— Eh ! oui, mon cher, je trouve. Rappelez-vous qu'une rime n'est jamais bonne tant qu'il s'en peut trouver une meilleure.

— Alors, je n'écrirai plus jamais qu'en prose, dit La Fontaine, qui avait pris au sérieux le reproche de Pélisson. Ah ! je m'en étais souvent douté, que je n'étais qu'un maraud de poète ! Oui, c'est la vérité pure.

— Ne dites pas cela, mon cher, vous devenez trop exclusif, et vous avez du bon dans vos fables.

— Et pour commencer, continua La Fontaine poursuivant son idée, je vais brûler une centaine de vers que je venais de faire.

— Où sont-ils, vos vers ?

— Dans ma tête.

— Eh bien ! s'ils sont dans votre tête, vous ne pouvez pas les brûler ?

— C'est vrai, dit La Fontaine. Si je ne les brûle pas, cependant...

— Eh bien ! qu'arrivera-t-il si vous ne les brûlez pas ?

1. *La Muze historique ou Recueil des lettres en vers contenant les nouvelles du temps*, livre XII, lettre XXXII, « Du vingt Aoust [1661] ».

2. Le mot est attribué à Mme de Bouillon : « Comme l'arbre qui porte des pommes est appelé un pommier, elle disait de M. de La Fontaine ; "C'est un *fablier*" », *Histoire de l'Académie depuis 1652 jusqu'à 1700*, par l'abbé d'Olivet, Paris, imprimerie J.-B. Coignard fils, 1729, tome II.

— Il arrivera qu'ils me resteront dans l'esprit, et que je ne les oublierai jamais.

— Diable ! fit Loret, voilà qui est dangereux, on en devient fou !

— Diable, diable, diable ! comment faire ? répéta La Fontaine.

— J'ai trouvé un moyen, moi, dit Molière, qui venait d'entrer sur les derniers mots.

— Lequel ?

— Écrivez-les d'abord, et brûlez-les ensuite.

— Comme c'est simple ! Eh bien ! je n'eusse jamais inventé cela. Qu'il a d'esprit, ce diable de Molière ! dit La Fontaine.

Puis se frappant le front :

— Ah ! tu ne seras jamais qu'un âne, Jean de La Fontaine, ajouta-t-il.

— Que dites-vous là, mon ami ? interrompit Molière en s'approchant du poète, dont il avait entendu l'aparté.

— Je dis que je ne serai jamais qu'un âne, mon cher confrère, répondit La Fontaine avec un gros soupir et les yeux tout bouffis de tristesse. Oui, mon ami, continua-t-il avec une tristesse croissante, il paraît que je rime lâchement.

— C'est un tort.

— Vous voyez bien ! Je suis un faquin !

— Qui a dit cela ?

— Parbleu ! c'est Pélisson. N'est-ce pas, Pélisson ?

Pélisson, replongé dans sa composition, se garda bien de répondre.

— Mais, si Pélisson a dit que vous étiez un faquin, s'écria Molière, Pélisson vous a gravement offensé.

— Vous croyez ?...

— Ah ! mon cher, je vous conseille, puisque vous êtes gentilhomme, de ne pas laisser impunie une pareille injure.

— Heu ! fit La Fontaine.

— Vous êtes-vous jamais battu ?

— Une fois, mon ami, avec un lieutenant de chevau-légers.

— Que vous avait-il fait ?

— Il paraît qu'il avait séduit ma femme[1].

— Ah ! ah ! dit Molière pâlissant légèrement.

Mais comme, à l'aveu formulé par La Fontaine, les autres s'étaient retournés, Molière garda sur ses lèvres le sourire railleur qui avait failli s'en effacer, et, continuant de faire parler La Fontaine.

— Et qu'est-il résulté de ce duel ?

— Il est résulté que, sur le terrain, mon adversaire me désarma, puis me fit des excuses, me promettant de ne plus remettre les pieds à la maison.

---

1. L'adversaire amical s'appelait Antoine Poignant ; voir l'abbé d'Olivet, *op. cit.*, p. 319-320, et Louis Racine, *Mémoires sur la vie de Jean Racine. Œuvres de Jean Racine*, Lausanne, Genève. M. M. Bousquet, 1747, tome I, p. 327-328.

— Et vous vous tîntes pour satisfait ? demanda Molière.

— Non pas, au contraire ! Je ramassai mon épée : « Pardon, monsieur, lui dis-je, je ne me suis pas battu avec vous parce que vous étiez l'amant de ma femme, mais parce qu'on m'a dit que je devais me battre. Or, comme je n'ai jamais été heureux que depuis ce temps-là, faites-moi le plaisir de continuer d'aller à la maison, comme par le passé, ou, morbleu ! recommençons. » De sorte, continua La Fontaine, qu'il fut forcé de rester l'amant de ma femme, et que je continue d'être le plus heureux mari de la terre.

Tous éclatèrent de rire. Molière seul passa sa main sur ses yeux. Pourquoi ? Peut-être pour essuyer une larme, peut-être pour étouffer un soupir. Hélas ! on le sait, Molière était moraliste, mais Molière n'était pas philosophe.

— C'est égal, dit-il revenant au point de départ de la discussion, Pélisson vous a offensé.

— Ah ! c'est vrai, je l'avais déjà oublié, moi.

— Et je vais l'appeler de votre part.

— Cela se peut faire, si vous le jugez indispensable.

— Je le juge indispensable, et j'y vais.

— Attendez, fit La Fontaine. Je veux avoir votre avis.

— Sur quoi ?... sur cette offense ?

— Non, dites-moi si, réellement, *lumière* ne rime pas avec *ornière*.

— Moi, je les ferais rimer.

— Parbleu ! je le savais bien.

— Et j'ai fait cent mille vers pareils dans ma vie.

— Cent mille ? s'écria La Fontaine. Quatre fois *La Pucelle* que médite M. Chapelain[1] ! Est-ce aussi sur ce sujet que vous avez fait cent mille vers, cher ami ?

— Mais, écoutez donc, éternel distrait ! dit Molière.

— Il est certain, continua La Fontaine, que *légume*, par exemple, rime avec *posthume*.

— Au pluriel surtout.

— Oui, surtout au pluriel ; attendu qu'alors il rime, non plus par trois lettres, mais par quatre ; c'est comme *ornière* avec *lumière*. Mettez *ornières* et *lumières* au pluriel, mon cher Pélisson, dit La Fontaine en allant frapper sur l'épaule de son confrère, dont il avait complètement oublié l'injure, et cela rimera.

— Hein ? fit Pélisson.

— Dame ! Molière le dit, et Molière s'y connaît : il avoue lui-même avoir fait cent mille vers.

---

1. Les douze premiers chants de *La Pucelle, ou la France délivrée* avait été publiés en 1656 ; les douze derniers ont été imprimés en 1882. Racine et Boileau ont tourné en ridicule l'œuvre et sa gestation laborieuse.

— Allons, dit Molière en riant, le voilà parti !

— C'est comme *rivage*, qui rime admirablement avec *herbage*, j'en mettrais ma tête au feu.

— Mais... fit Molière.

— Je vous dis cela, continua La Fontaine, parce que vous faites un divertissement pour Sceaux[1], n'est-ce pas ?

— Oui, *Les Fâcheux*.

— Ah ! *Les Fâcheux*, c'est cela, oui, je me souviens. Eh bien ! j'avais imaginé qu'un prologue ferait très bien à votre divertissement.

— Sans doute, cela irait à merveille.

— Ah ! vous êtes de mon avis ?

— J'en suis si bien, que je vous avais prié de le faire, ce prologue.

— Vous m'avez prié de le faire, moi ?

— Oui, vous, et même, sur votre refus, je vous ai prié de le demander à Pélisson, qui le fait en ce moment.

— Ah ! c'est donc cela que fait Pélisson ? Ma foi ! mon cher Molière, vous pourriez bien avoir raison quelquefois.

— Quand cela ?

— Quand vous dites que je suis distrait. C'est un vilain défaut, je m'en corrigerai, et je vais vous faire votre prologue.

— Mais puisque c'est Pélisson qui le fait !

— C'est juste ! Ah ! double brute que je suis ! Loret a eu bien raison de dire que j'étais un faquin !

— Ce n'est pas Loret qui l'a dit, mon ami.

— Eh bien ! celui qui l'a dit, peu m'importe lequel ! Ainsi, votre divertissement s'appelle *Les Fâcheux*. Eh bien ! est-ce que vous ne feriez pas rimer *heureux* avec *fâcheux* ?

— A la rigueur, oui.

— Et même avec *capricieux* ?

— Oh ! non, cette fois, non !

— Ce serait hasardé, n'est-ce pas ? Mais, enfin, pourquoi serait-ce hasardé ?

— Parce que la désinence est trop différente.

— Je supposais, moi, dit La Fontaine en quittant Molière pour aller trouver Loret, je supposais...

— Que supposiez-vous ? dit Loret au milieu d'une phrase. Voyons, dites vite.

— C'est vous qui faites le prologue des *Fâcheux*, n'est-ce pas ?

— Eh ! non, mordieu ! c'est Pélisson !

— Ah ! c'est Pélisson ! s'écria La Fontaine, qui alla trouver Pélisson. Je supposais, continua-t-il, que la nymphe de Vaux...

---

1. *Sic* pour Vaux : distraction de La Fontaine ou de l'imprimeur.

— Ah ! jolie ! s'écria Loret. La nymphe de Vaux ! Merci, La Fontaine ; vous venez de me donner les deux derniers vers de ma gazette.

> *Et l'on vit la nymphe de Vaux*
> *Donner le prix à leurs travaux*[1].

— A la bonne heure ! voilà qui est rimé, dit Pélisson : si vous rimiez comme cela, La Fontaine, à la bonne heure !

— Mais il paraît que je rime comme cela, puisque Loret dit que c'est moi qui lui ai donné les deux vers qu'il vient de dire.

— Eh bien ! si vous rimez comme cela, voyons, dites, de quelle façon commenceriez-vous mon prologue ?

— Je dirais, par exemple : *O nymphe... qui...* Après *qui*, je mettrais un verbe à la deuxième personne du pluriel du présent de l'indicatif, et je continuerais ainsi : *cette grotte profonde.*

— Mais le verbe, le verbe ? demanda Pélisson.

— *Pour venir admirer le plus grand roi du monde*, continua La Fontaine.

— Mais le verbe, le verbe ? insista obstinément Pélisson. Cette seconde personne du pluriel du présent de l'indicatif ?

— Eh bien : *quittez.*

> *O nymphe qui quittez cette grotte profonde*
> *Pour venir admirer le plus grand roi du monde*[2].

— Vous mettriez : *qui quittez*, vous ?

— Pourquoi pas ?

— *Qui... qui !*

— Ah ! mon cher, fit La Fontaine, vous êtes horriblement pédant !

— Sans compter, dit Molière, que, dans le second vers, *venir admirer* est faible, mon cher La Fontaine.

— Alors, vous voyez bien que je suis un pleutre, un faquin, comme vous disiez.

— Je n'ai jamais dit cela.

— Comme disait Loret, alors.

— Ce n'est pas Loret non plus, c'est Pélisson.

— Eh bien ! Pélisson avait cent fois raison. Mais ce qui me fâche surtout, mon cher Molière, c'est que je crois que nous n'aurons pas nos habits d'épicuriens.

— Vous comptiez sur le vôtre pour la fête ?

---

1. *La Muze historique* ne renferme pas ces vers, mais retient la rime : « Aujourd'hui mes soins et travaux / N'iront qu'à discourir de Vaux. »

2. Dans le prologue des *Fâcheux*, « le théâtre représentait un jardin orné de termes et de plusieurs jets d'eau » et « une naïade [jouée par Madeleine Béjart], sortant des eaux dans une coquille », commençait ainsi son compliment au roi : « Pour voir en ces beaux lieux le plus grand roi du monde, / Mortels, je viens à vous de ma grotte profonde. »

— Oui, pour la fête, et puis pour après la fête. Ma femme de ménage m'a prévenu que le mien était un peu mûr.

— Diable ! votre femme de ménage a raison : il est plus que mûr !

— Ah ! voyez-vous, reprit La Fontaine, c'est que je l'ai oublié à terre dans mon cabinet, et ma chatte...

— Eh bien ! votre chatte ?

— Ma chatte a fait ses chats dessus, ce qui l'a un peu fané.

Molière éclata de rire. Pélisson et Loret suivirent son exemple.

En ce moment, l'évêque de Vannes parut, tenant sous son bras un rouleau de plans et de parchemins.

Comme si l'ange de la mort eût glacé toutes les imaginations folles et rieuses, comme si cette figure pâle eût effarouché les grâces auxquelles sacrifiait Xénocrate, le silence s'établit aussitôt dans l'atelier, et chacun reprit son sang-froid et sa plume.

Aramis distribua des billets d'invitation aux assistants, et leur adressa des remerciements de la part de M. Fouquet. Le surintendant, disait-il, retenu dans son cabinet de travail, ne pouvait les venir voir, mais les priait de lui envoyer un peu de leur travail du jour pour lui faire oublier la fatigue de son travail de la nuit.

A ces mots, on vit tous les fronts s'abaisser. La Fontaine lui-même se mit à une table et fit courir sur le vélin une plume rapide, Pélisson remit au net son prologue, Molière donna cinquante vers nouvellement crayonnés que lui avait inspirés sa visite chez Percerin, Loret, son article sur les fêtes merveilleuses qu'il prophétisait, et Aramis, chargé de butin comme le roi des abeilles, ce gros bourdon noir aux ornements de pourpre et d'or, rentra dans son appartement, silencieux et affairé. Mais, avant de rentrer :

— Songez, dit-il, chers messieurs, que nous partons tous demain au soir.

— En ce cas, il faut que je prévienne chez moi, dit Molière.

— Ah ! oui, pauvre Molière ! fit Loret en souriant, *il aime* chez lui.

— *Il aime*, oui, répliqua Molière avec son doux et triste sourire ; *il aime*, ce qui ne veut pas dire *on l'aime*[1].

— Moi, dit La Fontaine, on m'aime à Château-Thierry, j'en suis bien sûr.

En ce moment, Aramis rentra après une disparition d'un instant.

— Quelqu'un vient-il avec moi ? demanda-t-il. Je passe par Paris, après avoir entretenu M. Fouquet un quart d'heure. J'offre mon carrosse.

— Bon, à moi ! dit Molière. J'accepte, je suis pressé.

---

1. Molière n'épousa Armande Béjart, « âgée de vingt ans environ » que le 20 février 1662. Grimarest s'est fait l'écho de ses infortunes conjugales : « Il aurait acheté la tendresse [de sa femme] pour toute chose au monde. Mais ayant été malheureux de ce côté-là, il avait la prudence de n'en parler jamais qu'à ses amis. »

— Moi, je dînerai ici, dit Loret. M. de Gourville m'a promis des écrevisses.

Il m'a promis des écrevisses...

Cherche la rime, La Fontaine.

Aramis sortit en riant comme il savait rire. Molière le suivit. Ils étaient au bas de l'escalier lorsque La Fontaine entrebâilla la porte et cria :

Moyennant que tu l'écrivisses,
Il t'a promis des écrevisses.

Les éclats de rire des épicuriens redoublèrent et parvinrent jusqu'aux oreilles de Fouquet, au moment où Aramis ouvrait la porte de son cabinet.

Quant à Molière, il s'était chargé de commander les chevaux, tandis qu'Aramis allait échanger avec le surintendant les quelques mots qu'il avait à lui dire.

— Oh ! comme ils rient là-haut ! dit Fouquet avec un soupir.

— Vous ne riez pas, vous, monseigneur ?

— Je ne ris plus, monsieur d'Herblay.

— La fête approche.

— L'argent s'éloigne.

— Ne vous ai-je pas dit que c'était mon affaire ?

— Vous m'avez promis des millions.

— Vous les aurez le lendemain de l'entrée du roi à Vaux.

Fouquet regarda profondément Aramis, et passa sa main glacée sur son front humide. Aramis comprit que le surintendant doutait de lui, ou sentait son impuissance à avoir de l'argent. Comment Fouquet pouvait-il supposer qu'un pauvre évêque, ex-abbé, ex-mousquetaire, en trouverait ?

— Pourquoi douter ? dit Aramis.

Fouquet sourit et secoua la tête.

— Homme de peu de foi[1] ! ajouta l'évêque.

— Mon cher monsieur d'Herblay, répondit Fouquet, si je tombe...

— Eh bien ! si vous tombez ?...

— Je tomberai du moins de si haut, que je me briserai en tombant.

Puis, secouant la tête comme pour échapper à lui-même :

— D'où venez-vous, dit-il, cher ami ?

— De Paris.

— De Paris ? Ah !

— Oui, de chez Percerin.

— Et qu'avez-vous été faire vous-même chez Percerin ; car je ne

---

1. Paroles de Jésus à Pierre, Matthieu, XIV, 31.

suppose pas que vous attachiez une si grande importance aux habits de nos poètes ?

— Non, j'ai été commander une surprise.

— Une surprise ?

— Oui, que vous ferez au roi.

— Coûtera-t-elle cher ?

— Oh ! cent pistoles que vous donnerez à Le Brun.

— Une peinture ? Ah ! tant mieux ! Et que doit représenter cette peinture ?

— Je vous conterai cela. Puis, du même coup, quoi que vous en disiez, j'ai visité les habits de nos poètes.

— Bah ! et ils seront élégants, riches ?

— Superbes ! il n'y aura pas beaucoup de grands seigneurs qui en auront de pareils. On verra la différence qu'il y a entre les courtisans de la richesse et ceux de l'amitié.

— Toujours spirituel et généreux, cher prélat !

— A votre école.

Fouquet lui serra la main.

— Et où allez-vous ? dit-il.

— Je vais à Paris, quand vous m'aurez donné une lettre.

— Une lettre pour qui ?

— Une lettre pour M. de Lyonne.

— Et que lui voulez-vous, à Lyonne ?

— Je veux lui faire signer une lettre de cachet.

— Une lettre de cachet ! Vous voulez faire mettre quelqu'un à la Bastille ?

— Non, au contraire, j'en veux faire sortir quelqu'un.

— Ah ! et qui cela ?

— Un pauvre diable, un jeune homme, un enfant, qui est embastillé, voilà tantôt dix ans, pour deux vers latins qu'il a faits contre les jésuites.

— Pour deux vers latins ! et, pour deux vers latins, il est en prison depuis dix ans, le malheureux ?

— Oui.

— Et il n'a pas commis d'autre crime ?

— A part ces deux vers, il est innocent comme vous et moi.

— Votre parole ?

— Sur l'honneur !

— Et il se nomme ?...

— Seldon.

— Ah ! c'est trop fort, par exemple ! et vous saviez cela, et vous ne me l'avez pas dit ?

— Ce n'est qu'hier que sa mère s'est adressée à moi, monseigneur.

— Et cette femme est pauvre ?

— Dans la misère la plus profonde.

— Mon Dieu ! dit Fouquet, vous permettez parfois de telles injustices, que je comprends qu'il y ait des malheureux qui doutent de vous ! Tenez, monsieur d'Herblay.

Et Fouquet, prenant une plume, écrivit rapidement quelques lignes à son collègue Lyonne.

Aramis prit la lettre et s'apprêta à sortir.

— Attendez, dit Fouquet.

Il ouvrit son tiroir et lui remit dix billets de caisse qui s'y trouvaient. Chaque billet était de mille livres.

— Tenez, dit-il, faites sortir le fils, et remettez ceci à la mère, mais surtout ne lui dites pas...

— Quoi, monseigneur ?

— Qu'elle est de dix mille livres plus riche que moi ; elle dirait que je suis un triste surintendant. Allez, et j'espère que Dieu bénira ceux qui pensent à ses pauvres.

— C'est ce que j'espère aussi, répliqua Aramis en baisant la main de Fouquet.

Et il sortit rapidement, emportant la lettre pour Lyonne, les bons de caisse pour la mère de Seldon, et emmenant Molière, qui commençait à s'impatienter.

CCXIII

ENCORE UN SOUPER A LA BASTILLE

Sept heures du soir sonnaient au grand cadran de la Bastille, à ce fameux cadran qui, pareil à tous les accessoires de la prison d'État, dont l'usage est une torture, rappelait aux prisonniers la destination de chacune des heures de leur supplice. Le cadran de la Bastille, orné de figures comme la plupart des horloges de ce temps, représentait saint Pierre aux liens[1].

C'était l'heure du souper des pauvres captifs. Les portes, grondant sur leurs énormes gonds, ouvraient passage aux plateaux et aux paniers chargés de mets, dont la délicatesse, comme M. de Baisemeaux nous l'a appris lui-même, s'appropriait à la condition du détenu.

Nous savons là-dessus les théories de M. de Baisemeaux, souverain

---

1. L'horloge de la Bastille, adossée au bâtiment qui s'élevait en face de l'entrée de la grande cour, représentait un homme et une femme enchaînés par le cou, la ceinture, les mains et les pieds ; leurs chaînes formaient une guirlande autour du cadran, se rejoignant en bas pour former un nœud. Elle avait été mise en place à l'époque du lieutenant de police d'Argenson, au début du XVIIIe siècle.

dispensateur des délices gastronomiques, cuisinier en chef de la forteresse royale, dont les paniers pleins montaient les roides escaliers, portant quelque consolation aux prisonniers, dans le fond des bouteilles honnêtement remplies.

Cette même heure était celle du souper de M. le gouverneur. Il avait un convive ce jour-là, et la broche tournait plus lourde que d'habitude.

Les perdreaux rôtis, flanqués de cailles et flanquant un levreau piqué, les poules dans le bouillon, le jambon frit et arrosé de vin blanc, les cardons de Guipuzcoa et la bisque d'écrevisses, voilà, outre les soupes et les hors-d'œuvre, quel était le menu de M. le gouverneur.

Baisemeaux, attablé, se frottait les mains en regardant M. l'évêque de Vannes qui, botté comme un cavalier, habillé de gris, l'épée au flanc, ne cessait de parler de sa faim et témoignait la plus vive impatience.

M. de Baisemeaux de Montlezun n'était pas accoutumé aux familiarités de Sa Grandeur Mgr de Vannes, et, ce soir-là, Aramis, devenu guilleret, faisait confidences sur confidences. Le prélat était redevenu tant soit peu mousquetaire. L'évêque frisait la gaillardise. Quant à M. de Baisemeaux, avec cette facilité des gens vulgaires, il se livrait tout entier sur ce quart d'abandon de son convive.

— Monsieur, dit-il, car, en vérité, ce soir, je n'ose vous appeler monseigneur.

— Non pas, dit Aramis, appelez-moi monsieur, j'ai des bottes.

— Eh bien ! monsieur, savez-vous qui vous me rappelez ce soir ?

— Non, ma foi ! dit Aramis en se versant à boire, mais j'espère que je vous rappelle un bon convive.

— Vous m'en rappelez deux. Monsieur François, mon ami, fermez cette fenêtre : le vent pourrait incommoder Sa Grandeur.

— Et qu'il sorte ! ajouta Aramis. Le souper est complètement servi, nous le mangerons bien sans laquais. J'aime fort, quand je suis en petit comité, quand je suis avec un ami...

Baisemeaux s'inclina respectueusement.

— J'aime fort, continua Aramis, à me servir moi-même.

— François, sortez ! cria Baisemeaux. Je disais donc que Votre Grandeur me rappelle deux personnes : l'une bien illustre, c'est feu M. le cardinal, le grand cardinal, celui de La Rochelle, celui qui avait des bottes comme vous. Est-ce vrai ?

— Oui, ma foi ! dit Aramis. Et l'autre ?

— L'autre, c'est un certain mousquetaire, très joli, très brave, très hardi, très heureux, qui, d'abbé, se fit mousquetaire, et de mousquetaire, abbé.

Aramis daigna sourire.

— D'abbé, continua Baisemeaux enhardi par le sourire de Sa Grandeur, d'abbé, évêque, et, d'évêque...

— Ah ! arrêtons-nous, par grâce ! fit Aramis.

— Je vous dis, monsieur, que vous me faites l'effet d'un cardinal.

— Cessons, mon cher monsieur de Baisemeaux. Vous l'avez dit, j'ai les bottes d'un cavalier, mais je ne veux pas, même ce soir, me brouiller, malgré cela, avec l'Église.

— Vous avez des intentions mauvaises, cependant, monseigneur.

— Oh ! je l'avoue, mauvaises comme tout ce qui est mondain.

— Vous courez la ville, les ruelles, en masque ?

— Comme vous dites, en masque.

— Et vous jouez toujours de l'épée ?

— Je crois que oui, mais seulement quand on m'y force. Faites-moi donc le plaisir d'appeler François.

— Vous avez du vin là.

— Ce n'est pas pour du vin, c'est parce qu'il fait chaud ici et que la fenêtre est close.

— Je ferme les fenêtres en soupant pour ne pas entendre les rondes ou les arrivées des courriers.

— Ah ! oui… On les entend quand la fenêtre est ouverte ?

— Trop bien, et cela dérange. Vous comprenez.

— Cependant on étouffe. François !

François entra.

— Ouvrez, je vous prie, maître François, dit Aramis. Vous permettez, cher monsieur de Baisemeaux ?

— Monseigneur est ici chez lui, répondit le gouverneur.

La fenêtre fut ouverte.

— Savez-vous, dit M. de Baisemeaux, que vous allez vous trouver bien esseulé, maintenant que M. de La Fère a regagné ses pénates de Blois ? C'est un bien ancien ami, n'est-ce pas ?

— Vous le savez comme moi, Baisemeaux, puisque vous avez été aux mousquetaires avec nous.

— Bah ! avec mes amis, je ne compte ni les bouteilles ni les années.

— Et vous avez raison. Mais je fais plus qu'aimer M. de La Fère, cher monsieur de Baisemeaux, je le vénère.

— Eh bien ! moi, c'est singulier, dit le gouverneur, je lui préfère M. d'Artagnan. Voilà un homme qui boit bien et longtemps ! Ces gens-là laissent voir leur pensée, au moins.

— Baisemeaux, enivrez-moi ce soir, faisons la débauche comme autrefois ; et, si j'ai une peine au fond du cœur, je vous promets que vous la verrez comme vous verriez un diamant au fond de votre verre.

— Bravo ! dit Baisemeaux.

Et il se versa un grand coup de vin, et l'avala en frémissant de joie d'être pour quelque chose dans un péché capital d'archevêque.

Tandis qu'il buvait il ne voyait pas avec quelle attention Aramis observait les bruits de la grande cour.

Un courrier entra vers huit heures, à la cinquième bouteille apportée par François sur la table, et, quoique ce courrier fît grand bruit, Baisemeaux n'entendit rien.

— Le diable l'emporte ! fit Aramis.

— Quoi donc ? qui donc ? demanda Baisemeaux. J'espère que ce n'est pas le vin que vous buvez, ni celui qui vous le fait boire ?

— Non, c'est un cheval qui fait, à lui seul, autant de bruit dans la cour que pourrait en faire un escadron tout entier.

— Bon ! quelque courrier, répliqua le gouverneur en redoublant force rasades. Oui, le diable l'emporte ! et si vite, que nous n'en entendions plus parler ! Hourra ! hourra !

— Vous m'oubliez, Baisemeaux ! mon verre est vide, dit Aramis en montrant un cristal éblouissant.

— D'honneur, vous m'enchantez... François, du vin !

François entra.

— Du vin, maraud, et du meilleur !

— Oui, monsieur, mais... c'est un courrier.

— Au diable ! ai-je dit.

— Monsieur, cependant...

— Qu'il laisse au greffe ; nous verrons demain. Demain, il sera temps, demain, il fera jour, dit Baisemeaux en chantonnant ces deux dernières phrases.

— Ah ! monsieur, grommela le soldat François, bien malgré lui, monsieur...

— Prenez garde, dit Aramis, prenez garde !

— A quoi, cher monsieur d'Herblay ? dit Baisemeaux à moitié ivre.

— La lettre par courrier, qui arrive aux gouverneurs de citadelle, c'est quelquefois un ordre.

— Presque toujours.

— Les ordres ne viennent-ils pas des ministres ?

— Oui, sans doute ; mais...

— Et ces ministres ne font-ils pas que contresigner le seing du roi ?

— Vous avez peut-être raison. Cependant, c'est bien ennuyeux, quand on est en face d'une bonne table, en tête à tête avec un ami ! Ah ! pardon, monsieur, j'oublie que c'est moi qui vous donne à souper, et que je parle à un futur cardinal.

— Laissons tout cela, cher Baisemeaux, et revenons à votre soldat, à François.

— Eh bien ! qu'a-t-il fait, François ?

— Il a murmuré.

— Il a eu tort.

— Cependant, il a murmuré, vous comprenez ; c'est qu'il se passe quelque chose d'extraordinaire. Ce pourrait bien n'être pas François qui aurait tort de murmurer, mais vous qui auriez tort de ne pas l'entendre.

— Tort ? Moi, avoir tort devant François ? Cela me paraît dur.

— Un tort d'irrégularité. Pardon ! mais j'ai cru devoir vous faire une observation que je juge importante.

— Oh ! vous avez raison, peut-être, bégaya Baisemeaux. Ordre du roi, c'est sacré ! Mais les ordres qui viennent quand on soupe, je le répète, que le diable...

— Si vous eussiez fait cela au grand cardinal, hein ! mon cher Baisemeaux, et que cet ordre eût eu quelque importance...

— Je le fais pour ne pas déranger un évêque ; ne suis-je pas excusable, morbleu ?

— N'oubliez pas, Baisemeaux, que j'ai porté la casaque, et que j'ai l'habitude de voir partout des consignes.

— Vous voulez donc ?...

— Je veux que vous fassiez votre devoir, mon ami. Oui, je vous en prie, au moins, devant ce soldat.

— C'est mathématique, fit Baisemeaux.

François attendait toujours.

— Qu'on me monte cet ordre du roi, dit Baisemeaux en se redressant.

Et il ajouta tout bas :

— Savez-vous ce que c'est ? Je vais vous le dire, quelque chose d'intéressant comme ceci : « Prenez garde au feu dans les environs de la poudrière » ; ou bien : « Veillez sur un tel, qui est un adroit fuyard. » Ah ! si vous saviez, monseigneur, combien de fois j'ai été réveillé en sursaut au plus doux, au plus profond de mon sommeil, par des ordonnances arrivant au galop pour me dire, ou plutôt pour m'apporter un pli contenant ces mots : « Monsieur de Baisemeaux, qu'y a-t-il de nouveau ? » On voit bien que ceux qui perdent leur temps à écrire de pareils ordres n'ont jamais couché à la Bastille. Ils connaîtraient mieux l'épaisseur de mes murailles, la vigilance de mes officiers, la multiplicité de mes rondes. Enfin, que voulez-vous, monseigneur, leur métier est d'écrire pour me tourmenter lorsque je suis tranquille, pour me troubler quand je suis heureux, ajouta Baisemeaux en s'inclinant devant Aramis. Laissons-les donc faire leur métier.

— Et faites le vôtre, ajouta en souriant l'évêque, dont le regard, soutenu, commandait malgré cette caresse.

François rentra. Baisemeaux prit de ses mains l'ordre envoyé du ministère. Il le décacheta lentement et le lut de même. Aramis feignit de boire pour observer son hôte au travers du cristal. Puis, Baisemeaux ayant lu :

— Que disais-je tout à l'heure ? fit-il.

— Quoi donc ? demanda l'évêque.

— Un ordre d'élargissement. Je vous demande un peu, la belle nouvelle pour nous déranger !

— Belle nouvelle pour celui qu'elle concerne, vous en conviendrez, au moins, mon cher gouverneur.

— Et à huit heures du soir !

— C'est de la charité.

— De la charité, je le veux bien, mais elle est pour ce drôle-là qui s'ennuie, et non pas pour moi qui m'amuse ! dit Baisemeaux exaspéré.

— Est-ce une perte que vous faites, et le prisonnier qui vous est enlevé était-il aux grands contrôles ?

— Ah bien ! oui ! Un pleutre, un rat, à cinq francs !

— Faites voir, demanda M. d'Herblay. Est-ce indiscret ?

— Non pas ; lisez.

— Il y a *pressé* sur la feuille. Vous avez vu, n'est-ce pas ?

— C'est admirable ! *Pressé !*... un homme qui est ici depuis dix ans ! On est pressé de le mettre dehors, aujourd'hui, ce soir même, à huit heures !

Et Baisemeaux, haussant les épaules avec un air de superbe dédain, jeta l'ordre sur la table et se remit à manger.

— Ils ont de ces mouvements-là, dit-il la bouche pleine, ils prennent un homme un beau jour, ils le nourrissent pendant dix ans et vous écrivent : *Veillez bien sur le drôle !* ou bien : *Tenez-le rigoureusement !* Et puis, quand on s'est accoutumé à regarder le détenu comme un homme dangereux, tout à coup, sans cause, sans précédent, ils vous écrivent : *Mettez en liberté.* Et ils ajoutent à leur missive : *Pressé !* Vous avouerez, monseigneur, que c'est à faire lever les épaules.

— Que voulez-vous ! on crie comme cela, dit Aramis, et on exécute l'ordre.

— Bon ! bon ! l'on exécute !... Oh ! patience !... Il ne faudrait pas vous figurer que je suis un esclave.

— Mon Dieu, très cher monsieur de Baisemeaux, qui vous dit cela ? On connaît votre indépendance.

— Dieu merci !

— Mais on connaît aussi votre bon cœur.

— Ah ! parlons-en !

— Et votre obéissance à vos supérieurs. Quand on a été soldat, voyez-vous, Baisemeaux, c'est pour la vie.

— Aussi obéirai-je strictement, et demain matin, au point du jour, le détenu désigné sera élargi.

— Demain ?

— Au jour.

— Pourquoi pas ce soir, puisque la lettre de cachet porte sur la suscription et à l'intérieur : *Pressé* ?

— Parce que ce soir nous soupons et que nous sommes pressés, nous aussi.

— Cher Baisemeaux, tout botté que je suis, je me sens prêtre, et la charité m'est un devoir plus impérieux que la faim et la soif. Ce malheureux a souffert assez longtemps, puisque vous venez de me dire que, depuis dix ans, il est votre pensionnaire. Abrégez-lui la souffrance. Une bonne minute l'attend, donnez-la-lui bien vite. Dieu vous la rendra dans son paradis en années de félicité.

— Vous le voulez ?

— Je vous en prie.

— Comme cela, tout au travers du repas.

— Je vous en supplie, cette action vaudra dix *Benedicite*.

— Qu'il soit fait comme vous le désirez. Seulement, nous mangerons froid.

— Oh ! qu'à cela ne tienne !

Baisemeaux se pencha en arrière pour sonner François, et, par un mouvement tout naturel, il se retourna vers la porte.

L'ordre était resté sur la table. Aramis profita du moment où Baisemeaux ne regardait pas pour échanger ce papier contre un autre, plié de la même façon, et qu'il tira de sa poche.

— François, dit le gouverneur, que l'on fasse monter ici M. le major avec les guichetiers de la Bertaudière.

François sortit en s'inclinant, et les deux convives se retrouvèrent seuls.

CCXIV

LE GÉNÉRAL DE L'ORDRE

Il se fit, entre les deux convives, un instant de silence pendant lequel Aramis ne perdit pas de vue le gouverneur. Celui-ci ne semblait qu'à moitié résolu à se déranger ainsi au milieu de son souper, et il était évident qu'il cherchait une raison quelconque, bonne ou mauvaise, pour retarder au moins jusqu'après le dessert. Cette raison, il parut tout à coup l'avoir trouvée.

— Eh ! mais, s'écria-t-il, c'est impossible !

— Comment, impossible ? dit Aramis. Voyons un peu, cher ami, ce qui est impossible.

— Il est impossible de mettre le prisonnier en liberté à une pareille heure. Où ira-t-il, lui qui ne connaît pas Paris ?

— Il ira où il pourra.

— Vous voyez bien, autant vaudrait délivrer un aveugle.

— J'ai un carrosse, je le conduirai là où il voudra que je le mène.

— Vous avez réponse à tout... François, qu'on dise à M. le major d'aller ouvrir la prison de M. Seldon, n° 3, Bertaudière.

— Seldon ? fit Aramis très simplement. Vous avez dit Seldon, je crois ?

— J'ai dit Seldon. C'est le nom de celui qu'on élargit.

— Oh ! vous voulez dire Marchiali, dit Aramis.

— Marchiali ? Ah bien ! oui ! Non, non, Seldon.

— Je pense que vous faites erreur, monsieur Baisemeaux.

— J'ai lu l'ordre.

— Moi aussi.

— Et j'ai vu *Seldon* en lettres grosses comme cela.

Et M. de Baisemeaux montrait son doigt.

— Moi, j'ai lu *Marchiali* en caractères gros comme ceci.

Et Aramis montrait les deux doigts.

— Au fait, éclaircissons le cas, dit Baisemeaux, sûr de lui.

« Le papier est là, et il suffira de le lire.

— Je lis : *Marchiali*, reprit Aramis en déployant le papier. Tenez !

Baisemeaux regarda et ses bras fléchirent.

— Oui, oui, dit-il atterré, oui, *Marchiali*. Il y a bien écrit *Marchiali* ! c'est bien vrai !

— Ah !

— Comment ! l'homme dont nous parlons tant ? L'homme que chaque jour l'on me recommande tant ?

— Il y a *Marchiali*, répéta encore l'inflexible Aramis.

— Il faut l'avouer, monseigneur, mais je n'y comprends absolument rien.

— On en croit ses yeux, cependant.

— Ma foi, dire qu'il y a bien *Marchiali* !

— Et d'une bonne écriture, encore.

— C'est phénoménal ! Je vois encore cet ordre et le nom de Seldon, Irlandais. Je le vois. Ah ! et même, je me le rappelle, sous ce nom, il y avait un pâté d'encre.

— Non, il n'y a pas d'encre, non, il n'y a pas de pâté.

— Oh ! par exemple, si fait ! A telle enseigne que j'ai frotté la poudre qu'il y avait sur le pâté.

— Enfin, quoi qu'il en soit, cher monsieur de Baisemeaux, dit Aramis, et quoi que vous ayez vu, l'ordre est signé de délivrer Marchiali, avec ou sans pâté[1].

— L'ordre est signé de délivrer Marchiali, répéta machinalement Baisemeaux, qui essayait de reprendre possession de ses esprits.

— Et vous allez délivrer ce prisonnier. Si le cœur vous dit de délivrer aussi Seldon, je vous déclare que je ne m'y opposerai pas le moins du monde.

---

1. Reprise d'une scène du *Mariage de Figaro*, acte III, scène XV : « Brid'oison. — Un pâ-âté ? Je sais ce que sais. »

Aramis ponctua cette phrase par un sourire dont l'ironie acheva de dégriser Baisemeaux et lui donna du courage.

— Monseigneur, dit-il, ce Marchiali est bien le même prisonnier, que, l'autre jour, un prêtre, confesseur de *notre ordre*, est venu visiter si impérieusement et si secrètement.

— Je ne sais pas cela, monsieur, répliqua l'évêque.

— Il n'y a pas cependant si longtemps, cher monsieur d'Herblay.

— C'est vrai, mais chez nous, monsieur, il est bon que l'homme d'aujourd'hui ne sache plus ce qu'a fait l'homme d'hier.

— En tout cas, fit Baisemeaux, la visite du confesseur jésuite aura porté bonheur à cet homme.

Aramis ne répliqua pas et se remit à manger et à boire.

Baisemeaux, lui, ne touchant plus à rien de ce qui était sur la table, reprit encore une fois l'ordre et l'examina en tous sens.

Cette inquisition, dans des circonstances ordinaires, eût fait monter le pourpre aux oreilles du mal patient Aramis ; mais l'évêque de Vannes ne se courrouçait point pour si peu, surtout quand il s'était dit tout bas qu'il serait dangereux de se courroucer.

— Allez-vous délivrer Marchiali ? dit-il. Oh ! que voilà du xérès fondu et parfumé, mon cher gouverneur !

— Monseigneur, répondit Baisemeaux, je délivrerai le prisonnier Marchiali quand j'aurai rappelé le courrier qui apportait l'ordre, et surtout lorsqu'en l'interrogeant je me serai assuré...

— Les ordres sont cachetés, et le contenu est ignoré du courrier. De quoi vous assurerez-vous donc, je vous prie ?

— Soit, monseigneur ; mais j'enverrai au ministère, et, là, M. de Lyonne retirera l'ordre ou l'approuvera.

— A quoi bon tout cela ? fit Aramis froidement.

— A quoi bon ?

— Oui, je demande à quoi cela sert.

— Cela sert à ne jamais se tromper, monseigneur, à ne jamais manquer au respect que tout subalterne doit à ses supérieurs, à ne jamais enfreindre les devoirs du service qu'on a consenti à prendre.

— Fort bien, vous venez de parler si éloquemment, que je vous ai admiré. C'est vrai, un subalterne doit respect à ses supérieurs, il est coupable quand il se trompe, et il serait puni s'il enfreignait les devoirs ou les lois de son service.

Baisemeaux regarda l'évêque avec étonnement.

— Il en résulte, poursuivit Aramis, que vous allez consulter pour vous mettre en repos avec votre conscience ?

— Oui, monseigneur.

— Et que, si un supérieur vous ordonne, vous obéirez ?

— Vous n'en doutez pas, monseigneur.

— Vous connaissez bien la signature du roi, monsieur de Baisemeaux ?

— Oui, monseigneur.

— N'est-elle pas sur cet ordre de mise en liberté ?

— C'est vrai, mais elle peut...

— Être fausse, n'est-ce pas ?

— Cela s'est vu, monseigneur.

— Vous avez raison. Et celle de M. de Lyonne ?

— Je la vois bien sur l'ordre ; mais, de même qu'on peut contrefaire le seing du roi, l'on peut, à plus forte raison, contrefaire celui de M. de Lyonne.

— Vous marchez dans la logique à pas de géant, monsieur de Baisemeaux, dit Aramis, et votre argumentation est invincible. Mais vous vous fondez, pour croire ces signatures fausses, particulièrement sur quelles causes ?

— Sur celle-ci : l'absence des signataires. Rien ne contrôle la signature de Sa Majesté, et M. de Lyonne n'est pas là pour me dire qu'il a signé.

— Eh bien ! monsieur de Baisemeaux, fit Aramis en attachant sur le gouverneur son regard d'aigle, j'adopte si franchement vos doutes et votre façon de les éclaircir, que je vais prendre une plume si vous me la donnez.

Baisemeaux donna une plume.

— Une feuille blanche quelconque, ajouta Aramis.

Baisemeaux donna le papier.

— Et que je vais écrire, moi aussi, moi présent, moi incontestable, n'est-ce pas ? un ordre auquel, j'en suis certain, vous donnerez créance, si incrédule que vous soyez.

Baisemeaux pâlit devant cette glaciale assurance. Il lui sembla que cette voix d'Aramis, si souriant et si gai naguère, était devenue funèbre et sinistre, que la cire des flambeaux se changeait en cierges de chapelle sépulcrale, et que le vin des verres se transformait en calice de sang.

Aramis prit la plume et écrivit. Baisemeaux, terrifié, lisait derrière son épaule :

« A.M.D.G. » écrivit l'évêque, et il souscrivit une croix au-dessous de ces quatre lettres, qui signifient *ad majorem Dei gloriam*[1]. Puis il continua :

Il nous plaît que l'ordre apporté à M. de Baisemeaux de Montlezun, gouverneur pour le roi du château de la Bastille, soit réputé par lui bon et valable, et mis sur-le-champ à exécution.

Signé : D'HERBLAY,
général de l'ordre par la grâce de Dieu

Baisemeaux fut frappé si profondément, que ses traits demeurèrent

---

1. « Pour la plus grande gloire de Dieu. » Les initiales servaient d'épigraphe à la plupart des écrits des jésuites.

contractés, ses lèvres béantes, ses yeux fixes. Il ne remua pas, il n'articula pas un son.

On n'entendait dans la vaste salle que le bourdonnement d'une petite mouche qui voletait autour des flambeaux.

Aramis, sans même daigner regarder l'homme qu'il réduisait à un si misérable état, tira de sa poche un petit étui qui renfermait de la cire noire ; il cacheta sa lettre, y apposa un sceau suspendu à sa poitrine derrière son pourpoint, et, quand l'opération fut terminée, il présenta, silencieusement toujours, la missive à M. de Baisemeaux.

Celui-ci, dont les mains tremblaient à faire pitié, promena un regard terne et fou sur le cachet. Une dernière lueur d'émotion se manifesta sur ses traits, et il tomba comme foudroyé sur une chaise.

— Allons, allons, dit Aramis après un long silence, pendant lequel le gouverneur de la Bastille avait repris peu à peu ses sens, ne me faites pas croire, cher Baisemeaux, que la présence du général de l'ordre est terrible comme celle de Dieu, et qu'on meurt de l'avoir vu. Du courage ! levez-vous, donnez-moi votre main, et obéissez.

Baisemeaux, rassuré, sinon satisfait, obéit, baisa la main d'Aramis et se leva.

— Tout de suite ? murmura-t-il.

— Oh ! pas d'exagération, mon hôte ; reprenez votre place, et faisons honneur à ce beau dessert.

— Monseigneur, je ne me relèverai pas d'un tel coup ; moi qui ai ri, plaisanté avec vous ! moi qui ai osé vous traiter sur un pied d'égalité !

— Tais-toi, mon vieux camarade, répliqua l'évêque, qui sentit combien la corde était tendue et combien il eût été dangereux de la rompre, tais-toi. Vivons chacun de notre vie : à toi, ma protection et mon amitié ; à moi, ton obéissance. Ces deux tributs exactement payés, restons en joie.

Baisemeaux réfléchit ; il aperçut d'un coup d'œil les conséquences de cette extorsion d'un prisonnier à l'aide d'un faux ordre, et, mettant en parallèle la garantie que lui offrait l'ordre officiel du général, il ne la sentit pas de poids.

Aramis le devina.

— Mon cher Baisemeaux, dit-il, vous êtes un niais. Perdez donc l'habitude de réfléchir, quand je me donne la peine de penser pour vous.

Et sur un nouveau geste qu'il fit, Baisemeaux s'inclina encore.

— Comment vais-je m'y prendre ? dit-il.

— Comment faites-vous pour délivrer un prisonnier ?

— J'ai le règlement.

— Eh bien ! suivez le règlement, mon cher.

— Je vais avec mon major à la chambre du prisonnier, et je l'emmène quand c'est un personnage d'importance.

— Mais ce Marchiali n'est pas un personnage d'importance ? dit négligemment Aramis.

— Je ne sais, répliqua le gouverneur.

Comme il eût dit : « C'est à vous de me l'apprendre. »

— Alors, si vous ne le savez pas, c'est que j'ai raison : agissez donc envers ce Marchiali comme vous agissez envers les petits.

— Bien. Le règlement l'indique.

— Ah !

— Le règlement porte que le guichetier ou l'un des bas officiers amènera le prisonnier au gouverneur, dans le greffe.

— Eh bien ! mais c'est fort sage, cela. Et ensuite ?

— Ensuite, on rend à ce prisonnier les objets de valeur qu'il portait sur lui lors de son incarcération, les habits, les papiers, si l'ordre du ministre n'en a disposé autrement.

— Que dit l'ordre du ministre à propos de ce Marchiali ?

— Rien ; car le malheureux est arrivé ici sans joyaux, sans papiers, presque sans habits.

— Voyez comme tout cela est simple ! En vérité, Baisemeaux, vous vous faites des monstres de toute chose. Restez donc ici, et faites amener le prisonnier au Gouvernement.

Baisemeaux obéit. Il appela son lieutenant, et lui donna une consigne, que celui-ci transmit, sans s'émouvoir, à qui de droit.

Une demi-heure après, on entendit une porte se refermer dans la cour : c'était la porte du donjon qui venait de rendre sa proie à l'air libre.

Aramis souffla toutes les bougies qui éclairaient la chambre. Il n'en laissa brûler qu'une, derrière la porte. Cette lueur tremblotante ne permettait pas aux regards de se fixer sur les objets. Elle en décuplait les aspects et les nuances par son incertitude et sa mobilité.

Les pas se rapprochèrent.

— Allez au-devant de vos hommes, dit Aramis à Baisemeaux.

Le gouverneur obéit.

Le sergent et les guichetiers disparurent.

Baisemeaux rentra, suivi d'un prisonnier.

Aramis s'était placé dans l'ombre ; il voyait sans être vu.

Baisemeaux, d'une voix émue, fit connaître à ce jeune homme l'ordre qui le rendait libre.

Le prisonnier écouta sans faire un geste ni prononcer un mot.

— Vous jurerez, c'est le règlement qui le veut, ajouta le gouverneur, de ne jamais rien révéler de ce que vous avez vu ou entendu dans la Bastille ?

Le prisonnier aperçut un christ ; il étendit la main et jura des lèvres.

— A présent, monsieur, vous êtes libre ; où comptez-vous aller ?

Le prisonnier tourna la tête, comme pour chercher derrière lui une protection sur laquelle il avait dû compter.

C'est alors qu'Aramis sortit de l'ombre.

— Me voici, dit-il, pour rendre à Monsieur le service qu'il lui plaira de me demander.

Le prisonnier rougit légèrement, et, sans hésitation, vint passer son bras sous celui d'Aramis.

— Dieu vous ait en sa sainte garde ! dit-il d'une voix qui, par sa fermeté, fit tressaillir le gouverneur, autant que la formule l'avait étonné.

Aramis, en serrant les mains de Baisemeaux, lui dit :

— Mon ordre vous gêne-t-il ? craignez-vous qu'on ne le trouve chez vous, si l'on venait à y fouiller ?

— Je désire le garder, monseigneur, dit Baisemeaux. Si on le trouvait chez moi, ce serait un signe certain que je serais perdu, et, en ce cas, vous seriez pour moi un puissant et dernier auxiliaire.

— Étant votre complice, voulez-vous dire ? répondit Aramis en haussant les épaules. Adieu, Baisemeaux ! dit-il.

Les chevaux attendaient, ébranlant le carrosse dans leur impatience. Baisemeaux conduisit l'évêque jusqu'au bas du perron.

Aramis fit monter son compagnon avant lui dans le carrosse, y monta ensuite, et, sans donner d'autre ordre au cocher :

— Allez ! dit-il.

La voiture roula bruyamment sur le pavé des cours. Un officier, portant un flambeau, devançait les chevaux, et donnait à chaque corps de garde l'ordre de laisser passer.

Pendant le temps que l'on mit à ouvrir toutes les barrières, Aramis ne respira point, et l'on eût pu entendre son cœur battre contre les parois de sa poitrine.

Le prisonnier, plongé dans un angle du carrosse, ne donnait pas non plus signe d'existence.

Enfin, un soubresaut, plus fort que les autres, annonça que le dernier ruisseau était franchi. Derrière le carrosse se referma la dernière porte, celle de la rue Saint-Antoine. Plus de murs à droite ni à gauche ; le ciel partout, la liberté partout, la vie partout. Les chevaux, tenus en bride par une main vigoureuse, allèrent doucement jusqu'au milieu du faubourg. Là, ils prirent le trot.

Peu à peu, soit qu'ils s'échauffassent, soit qu'on les poussât, ils gagnèrent en rapidité, et, une fois à Bercy[1], le carrosse semblait voler, tant l'ardeur des coursiers était grande. Ces chevaux coururent ainsi jusqu'à Villeneuve-Saint-Georges, où le relais était préparé. Alors, quatre chevaux, au lieu de deux, entraînèrent la voiture dans la direction de

---

1. Bercy était alors un hameau de la commune de Conflans qui ne fut érigé en commune qu'en 1790 avant d'être rattaché à Paris (XIIe arrondissement) en 1860.

Melun, et s'arrêtèrent un moment au milieu de la forêt de Sénart[1]. L'ordre, sans doute, avait été donné d'avance au postillon, car Aramis n'eut pas même besoin de faire un signe.

— Qu'y a-t-il ? demanda le prisonnier, comme s'il sortait d'un long rêve.

— Il y a, monseigneur, dit Aramis, qu'avant d'aller plus loin, nous avons besoin de causer, Votre Altesse Royale et moi.

— J'attendrai l'occasion, monsieur, répondit le jeune prince.

— Elle ne saurait être meilleure, monseigneur : nous voici au milieu du bois, nul ne peut nous entendre.

— Et le postillon ?

— Le postillon de ce relais est sourd et muet, monseigneur.

— Je suis à vous, monsieur d'Herblay.

— Vous plaît-il de rester dans cette voiture ?

— Oui, nous sommes bien assis, et j'aime cette voiture ; c'est celle qui m'a rendu à la liberté.

— Attendez, monseigneur... Encore une précaution à prendre.

— Laquelle ?

— Nous sommes ici sur le grand chemin : il peut passer des cavaliers ou des carrosses voyageant comme nous, et qui, à nous voir arrêtés, nous croiraient dans un embarras. Évitons des offres de services qui nous gêneraient.

— Ordonnez au postillon de cacher le carrosse dans une allée latérale.

— C'est précisément ce que je voulais faire, monseigneur.

Aramis fit un signe au muet, qu'il toucha. Celui-ci mit pied à terre, prit les deux premiers chevaux par la bride, et les entraîna dans les bruyères veloutées, sur l'herbe moussue d'une allée sinueuse, au fond de laquelle, par cette nuit sans lune, les nuages formaient un rideau plus noir que des taches d'encre.

Cela fait, l'homme se coucha sur un talus, près de ses chevaux, qui arrachaient de droite et de gauche les jeunes pousses de la glandée.

— Je vous écoute, dit le jeune prince à Aramis ; mais que faites-vous là ?

— Je désarme des pistolets dont nous n'avons plus besoin, monseigneur.

---

1. La forêt, entre Seine et Yerres, est en effet traversée par la grande route allant de Paris à Melun.

CCXV

LE TENTATEUR

— Mon prince, dit Aramis en se tournant, dans le carrosse, du côté de son compagnon, si faible créature que je sois, si médiocre d'esprit, si inférieur dans l'ordre des êtres pensants, jamais il ne m'est arrivé de m'entretenir avec un homme, sans pénétrer sa pensée au travers de ce masque vivant jeté sur notre intelligence, afin d'en retenir la manifestation. Mais ce soir, dans l'ombre où nous sommes, dans la réserve où je vous vois, je ne pourrai rien lire sur vos traits, et quelque chose me dit que j'aurai de la peine à vous arracher une parole sincère. Je vous supplie donc, non pas par amour pour moi, car les sujets ne doivent peser rien dans la balance que tiennent les princes, mais pour l'amour de vous, de retenir chacune de mes syllabes, chacune de mes inflexions, qui, dans les graves circonstances où nous sommes engagés, auront chacune leur sens et leur valeur, aussi importantes que jamais il s'en prononça dans le monde.

— J'écoute, répéta le jeune prince avec décision, sans rien ambitionner, sans rien craindre de ce que vous m'allez dire.

Et il s'enfonça plus profondément encore dans les coussins épais du carrosse, essayant de dérober à son compagnon, non seulement la vue, mais la supposition même de sa personne.

L'ombre était noire, et elle descendait, large et opaque, du sommet des arbres entrelacés. Ce carrosse, fermé d'une vaste toiture, n'eût pas reçu la moindre parcelle de lumière, lors même qu'un atome lumineux se fût glissé entre les colonnes de brume qui s'épanouissaient dans l'allée du bois.

— Monseigneur, reprit Aramis, vous connaissez l'histoire du gouvernement qui dirige aujourd'hui la France. Le roi est sorti d'une enfance captive comme l'a été la vôtre, obscure comme l'a été la vôtre, étroite comme l'a été la vôtre. Seulement, au lieu d'avoir, comme vous, l'esclavage de la prison, l'obscurité de la solitude, l'étroitesse de la vie cachée, il a dû souffrir toutes ses misères, toutes ses humiliations, toutes ses gênes, au grand jour, au soleil impitoyable de la royauté ; place noyée de lumière, où toute tache paraît une fange sordide, où toute gloire paraît une tache. Le roi a souffert, il a de la rancune, il se vengera. Ce sera un mauvais roi. Je ne dis pas qu'il versera le sang comme Louis XI ou Charles IX, car il n'a pas à venger d'injures mortelles, mais il dévorera l'argent et la subsistance de ses sujets, parce qu'il a subi des injures d'intérêt et d'argent. Je mets donc tout d'abord à l'abri ma conscience quand je considère en face les mérites et les défauts de ce prince, et, si je le condamne, ma conscience m'absout.

Aramis fit une pause. Ce n'était pas pour écouter si le silence du bois était toujours le même, c'était pour reprendre sa pensée du fond de son esprit, c'était pour laisser à cette pensée le temps de s'incruster profondément dans l'esprit de son interlocuteur.

— Dieu fait bien tout ce qu'il fait, continua l'évêque de Vannes, et de cela je suis tellement persuadé, que je me suis applaudi dès longtemps d'avoir été choisi par lui comme dépositaire du secret que je vous ai aidé à découvrir. Il fallait au Dieu de justice et de prévoyance un instrument aigu, persévérant, convaincu, pour accomplir une grande œuvre. Cet instrument, c'est moi. J'ai l'acuité, j'ai la persévérance, j'ai la conviction ; je gouverne un peuple mystérieux qui a pris pour devise la devise de Dieu : *Patiens quia aeternus*[1] !

Le prince fit un mouvement.

— Je devine, monseigneur, dit Aramis, que vous levez la tête, et que ce peuple à qui je commande vous étonne. Vous ne saviez pas traiter avec un roi. Oh ! monseigneur, roi d'un peuple bien humble, roi d'un peuple bien déshérité : humble, parce qu'il n'a de force qu'en rampant ; déshérité, parce que jamais, presque jamais en ce monde, mon peuple ne récolte les moissons qu'il sème et ne mange le fruit qu'il cultive. Il travaille pour une abstraction, il agglomère toutes les molécules de sa puissance pour en former un homme, et à cet homme, avec le produit de ses gouttes de sueur, il compose un nuage dont le génie de cet homme doit à son tour faire une auréole, dorée aux rayons de toutes les couronnes de la chrétienté. Voilà l'homme que vous avez à vos côtés, monseigneur. C'est vous dire qu'il vous a tiré de l'abîme dans un grand dessein, et qu'il veut, dans ce dessein magnifique, vous élever au-dessus des puissances de la terre, au-dessus de lui-même.

Le prince toucha légèrement le bras d'Aramis.

— Vous me parlez, dit-il, de cet ordre religieux dont vous êtes le chef. Il résulte, pour moi, de vos paroles, que, le jour où vous voudrez précipiter celui que vous aurez élevé, la chose se fera, et que vous tiendrez sous votre main votre créature de la veille.

— Détrompez-vous, monseigneur, répliqua l'évêque, je ne prendrais pas la peine de jouer ce jeu terrible avec Votre Altesse Royale, si je n'avais un double intérêt à gagner la partie. Le jour où vous serez élevé, vous serez élevé à jamais, vous renverserez en montant le marchepied, vous l'enverrez rouler si loin, que jamais sa vue ne vous rappellera même son droit à votre reconnaissance.

— Oh ! monsieur.

---

1. La devise vient de saint Augustin : « Il est patient parce qu'il est éternel. »

— Votre mouvement, monseigneur, vient d'un excellent naturel.
Merci ! Croyez bien que j'aspire à plus que de la reconnaissance ; je suis
assuré que, parvenu au faîte, vous me jugerez plus digne encore d'être
votre ami, et alors, à nous deux, monseigneur, nous ferons de si grandes
choses, qu'il en sera longtemps parlé dans les siècles.

— Dites-moi bien, monsieur, dites-le-moi sans voile, ce que je suis
aujourd'hui et ce que vous prétendez que je sois demain.

— Vous êtes le fils du roi Louis XIII, vous êtes le frère du roi
Louis XIV, vous êtes l'héritier naturel et légitime du trône de France.
En vous gardant près de lui, comme on a gardé Monsieur, votre frère
cadet, le roi se réservait le droit d'être souverain légitime. Les médecins
seuls et Dieu pouvaient lui disputer la légitimité. Les médecins aiment
toujours mieux le roi qui est que le roi qui n'est pas. Dieu se mettrait
dans son tort en nuisant à un prince honnête homme. Mais Dieu a voulu
qu'on vous persécutât, et cette persécution vous sacre aujourd'hui roi
de France. Vous aviez donc le droit de régner, puisqu'on vous le conteste ;
vous aviez donc le droit d'être déclaré, puisqu'on vous séquestre ; vous
êtes donc de sang divin, puisqu'on n'a pas osé verser votre sang comme
celui de vos serviteurs. Maintenant, voyez ce qu'il a fait pour vous, ce
Dieu que vous avez tant de fois accusé d'avoir tout fait contre vous.
Il vous a donné les traits, la taille, l'âge et la voix de votre frère, et toutes
les causes de votre persécution vont devenir les causes de votre
résurrection triomphale. Demain, après-demain, au premier moment,
fantôme royal, ombre vivante de Louis XIV, vous vous assiérez sur son
trône, d'où la volonté de Dieu, confiée à l'exécution d'un bras d'homme,
l'aura précipité sans retour.

— Je comprends, dit le prince, on ne versera pas le sang de mon frère.

— Vous serez seul arbitre de sa destinée.

— Ce secret dont on a abusé envers moi...

— Vous en userez avec lui. Que faisait-il pour le cacher ? Il vous
cachait. Vivante image de lui-même, vous trahiriez le complot de Mazarin
et d'Anne d'Autriche. Vous, mon prince, vous aurez le même intérêt
à cacher celui qui vous ressemblera prisonnier, comme vous lui
ressemblerez roi.

— Je reviens sur ce que je vous disais. Qui le gardera ?

— Qui vous gardait.

— Vous connaissez ce secret, vous en avez fait usage pour moi. Qui
le connaît encore ?

— La reine mère et Mme de Chevreuse.

— Que feront-elles ?

— Rien, si vous le voulez.

— Comment cela ?

— Comment vous reconnaîtront-elles, si vous agissez de façon qu'on
ne vous reconnaisse pas ?

— C'est vrai. Il y a des difficultés plus graves.

— Dites, prince.

— Mon frère est marié ; je ne puis prendre la femme de mon frère.

— Je ferai qu'une répudiation soit consentie par l'Espagne ; c'est l'intérêt de votre nouvelle politique, c'est la morale humaine. Tout ce qu'il y a de vraiment noble et de vraiment utile en ce monde y trouvera son compte.

— Le roi, séquestré, parlera.

— A qui voulez-vous qu'il parle ? Aux murs ?

— Vous appelez murs les hommes en qui vous aurez confiance.

— Au besoin, oui, Votre Altesse Royale. D'ailleurs...

— D'ailleurs ?...

— Je voulais dire que les desseins de Dieu ne s'arrêtent pas en si beau chemin. Tout plan de cette portée est complété par les résultats, comme un calcul géométrique. Le roi, séquestré, ne sera pas pour vous l'embarras que vous avez été pour le roi régnant. Dieu a fait cette âme orgueilleuse et impatiente de nature. Il l'a, de plus, amollie, désarmée, par l'usage des honneurs et l'habitude du souverain pouvoir. Dieu, qui voulait que la fin du calcul géométrique dont j'avais l'honneur de vous parler fût votre avènement au trône et la destruction de ce qui vous est nuisible, a décidé que le vaincu finira bientôt ses souffrances avec les vôtres. Il a donc préparé cette âme et ce corps pour la brièveté de l'agonie. Mis en prison simple particulier, séquestré avec vos doutes, privé de tout, avec l'habitude d'une vie solide vous avez résisté. Mais votre frère, captif, oublié, restreint, ne supportera point son injure, et Dieu reprendra son âme au temps voulu, c'est-à-dire bientôt.

A ce moment de la sombre analyse d'Aramis, un oiseau de nuit poussa du fond des futaies ce houhoulement plaintif et prolongé qui fait tressaillir toute créature.

— J'exilerais le roi déchu, dit Philippe en frémissant ; ce serait plus humain.

— Le bon plaisir du roi décidera la question, répondit Aramis. Maintenant, ai-je bien posé le problème ? ai-je bien amené la solution selon les désirs ou les prévisions de Votre Altesse Royale ?

— Oui, monsieur, oui ; vous n'avez rien oublié, si ce n'est cependant deux choses.

— La première ?

— Parlons-en tout de suite avec la même franchise que nous venons de mettre à notre conversation, parlons des motifs qui peuvent amener la dissolution des espérances que nous avons conçues, parlons des dangers que nous courons.

— Ils seraient immenses, infinis, effrayants, insurmontables, si, comme je vous l'ai dit, tout ne concourait à les rendre absolument nuls.

Il n'y a pas de dangers pour vous ni pour moi, si la constance et l'intrépidité de Votre Altesse Royale égalent la perfection de cette ressemblance que la nature vous a donnée avec le roi. Je vous le répète, il n'y a pas de dangers, il n'y a que des obstacles. Ce mot-là, que je trouve dans toutes les langues, je l'ai toujours mal compris ; si j'étais roi, je le ferais effacer comme absurde et inutile.

— Si fait, monsieur, il y a un obstacle très sérieux, un danger insurmontable que vous oubliez.

— Ah ! fit Aramis.

— Il y a la conscience qui crie, il y a le remords qui déchire.

— Oui, c'est vrai, dit l'évêque ; il y a la faiblesse de cœur, vous me le rappelez. Oh ! vous avez raison, c'est un immense obstacle, c'est vrai. Le cheval qui a peur du fossé saute au milieu et se tue ! L'homme qui croise le fer en tremblant laisse à la lame ennemie des jours par lesquels la mort passe ! C'est vrai ! c'est vrai !

— Avez-vous un frère ? dit le jeune homme à Aramis.

— Je suis seul au monde, répliqua celui-ci d'une voix sèche et nerveuse comme la détente d'un pistolet.

— Mais vous aimez quelqu'un sur la terre ? ajouta Philippe.

— Personne ! Si fait, je vous aime.

Le jeune homme se plongea dans un silence si profond, que le bruit de son propre souffle devint un tumulte pour Aramis.

— Monseigneur, reprit-il, je n'ai pas dit tout ce que j'avais à dire à Votre Altesse Royale : je n'ai pas offert à mon prince tout ce que je possède pour lui de salutaires conseils et d'utiles ressources. Il ne s'agit pas de faire briller un éclair aux yeux de ce qui aime l'ombre ; il ne s'agit pas de faire gronder les magnificences du canon aux oreilles de l'homme doux qui aime le repos et les champs. Monseigneur, j'ai votre bonheur tout prêt dans ma pensée ; je vais le laisser tomber de mes lèvres, ramassez-le précieusement pour vous, qui avez tant aimé le ciel, les prés verdoyants et l'air pur. Je connais un pays de délices, un paradis ignoré, un coin du monde où, seul, libre, inconnu, dans les bois, dans les fleurs, dans les eaux vives, vous oublierez tout ce que la folie humaine, tentatrice de Dieu, vient de vous débiter de misères tout à l'heure. Oh ! écoutez-moi, mon prince, je ne raille pas. J'ai une âme, voyez-vous, je devine l'abîme de la vôtre. Je ne vous prendrai pas incomplet pour vous jeter dans le creuset de ma volonté, de mon caprice ou de mon ambition. Tout ou rien. Vous êtes froissé, malade, presque éteint par le surcroît de souffle qu'il vous a fallu donner depuis une heure de liberté. C'est un signe certain pour moi que vous ne voudrez pas continuer à respirer largement, longuement. Tenons-nous donc à une vie plus humble, plus appropriée à nos forces. Dieu m'est témoin, j'en atteste sa toute-puissance, que je veux faire sortir votre bonheur de cette épreuve où je vous ai engagé.

— Parlez ! Parlez ! dit le prince avec une vivacité qui fit réfléchir Aramis.

— Je connais, reprit le prélat, dans le Bas-Poitou, un canton dont nul en France ne soupçonne l'existence. Vingt lieues de pays, c'est immense, n'est-ce pas ? Vingt lieues, monseigneur, et toutes couvertes d'eau, d'herbages et de joncs, le tout mêlé d'îles chargées de bois. Ces grands marais[1], vêtus de roseaux comme d'une épaisse mante, dorment silencieux et profonds sous le sourire du soleil. Quelques familles de pêcheurs les mesurent paresseusement avec leurs grands radeaux de peuplier et d'aune, dont le plancher est fait d'un lit de roseaux, dont la toiture est tressée en joncs solides. Ces barques, ces maisons flottantes, vont à l'aventure sous le souffle du vent. Quand elles touchent une rive, c'est par hasard, et si moelleusement, que le pêcheur qui dort n'est pas réveillé par la secousse. S'il a voulu aborder, c'est qu'il a vu les longues bandes de râles ou de vanneaux, de canards ou de pluviers, de sarcelles ou de bécassines, dont il fait sa proie avec le piège ou avec le plomb du mousquet. Les aloses argentées, les anguilles monstrueuses, les brochets nerveux, les perches roses et grises, tombent par masse dans ses filets. Il n'y a qu'à choisir les pièces les plus grasses, et laisser échapper le reste. Jamais un homme des villes, jamais un soldat, jamais personne n'a pénétré dans ce pays. Le soleil y est doux. Certains massifs de terre retiennent la vigne et nourrissent d'un suc généreux ses belles grappes noires et blanches. Une fois la semaine, une barque va chercher, au four commun, le pain tiède et jaune dont l'odeur attire et caresse de loin. Vous vivrez là comme un homme des temps anciens. Seigneur puissant de vos chiens barbets, de vos lignes, de vos fusils et de votre belle maison de roseaux, vous y vivrez dans l'opulence de la chasse, dans la plénitude de la sécurité ; vous passerez ainsi des années au bout desquelles, méconnaissable, transformé, vous aurez forcé Dieu à vous refaire une destinée. Il y a mille pistoles dans ce sac, monseigneur ; c'est plus qu'il n'en faut pour acheter tout le marais dont je vous ai parlé ; c'est plus qu'il n'en faut pour y vivre autant d'années que vous avez de jours à vivre ; c'est plus qu'il n'en faut pour être le plus riche, le plus libre et le plus heureux de la contrée. Acceptez comme je vous offre, sincèrement, joyeusement. Tout de suite, du carrosse que voici, nous allons distraire deux chevaux ; le muet, mon serviteur, vous conduira, marchant la nuit, dormant le jour, jusqu'au pays dont je vous parle, et au moins j'aurai la satisfaction de me dire que j'ai rendu à mon prince le service qu'il a choisi. J'aurai fait un homme heureux. Dieu m'en saura plus de gré que d'avoir fait un homme puissant. C'est bien autrement difficile ! Eh bien ! que répondez-vous, monseigneur ? Voici l'argent. Oh ! n'hésitez

1. Il s'agit du marais poitevin, pays de Niort et de Melle, où coulent la Sèvre niortaise et l'Yon.

pas. Au Poitou, vous ne risquez rien, sinon de gagner les fièvres. Encore les sorciers du pays pourront-ils vous guérir pour vos pistoles. A jouer l'autre partie, celle que vous savez, vous risquez d'être assassiné sur un trône ou étranglé dans une prison. Sur mon âme ! je le dis, à présent que j'ai pesé les deux, sur ma vie ! j'hésiterais.

— Monsieur, répliqua le jeune prince, avant que je me résolve, laissez-moi descendre de ce carrosse, marcher sur la terre, et consulter cette voix que Dieu fait parler dans la nature libre. Dix minutes, et je répondrai.

— Faites, monseigneur, dit Aramis en s'inclinant avec respect, tant avait été solennelle et auguste la voix qui venait de s'exprimer ainsi.

CCXVI

COURONNE ET TIARE

Aramis était descendu avant le jeune homme et lui tenait la portière ouverte. Il le vit poser le pied sur la mousse avec un frémissement de tout le corps, et faire autour de la voiture quelques pas embarrassés, chancelants presque. On eût dit que le pauvre prisonnier était mal habitué à marcher sur la terre des hommes.

On était au 15 août, vers onze heures du soir : de gros nuages, qui présageaient la tempête, avaient envahi le ciel, et sous leurs plis dérobaient toute lumière et toute perspective. A peine les extrémités des allées se détachaient-elles des taillis par une pénombre d'un gris opaque qui devenait, après un certain temps d'examen, sensible au milieu de cette obscurité complète. Mais les parfums qui montent de l'herbe, ceux plus pénétrants et plus frais qu'exhale l'essence des chênes, l'atmosphère tiède et onctueuse qui l'enveloppait tout entier pour la première fois depuis tant d'années, cette ineffable jouissance de liberté en pleine campagne, parlaient un langage si séduisant pour le prince, que, quelle que fût cette retenue, nous dirons presque cette dissimulation dont nous avons essayé de donner une idée, il se laissa surprendre à son émotion et poussa un soupir de joie.

Puis, peu à peu, il leva sa tête alourdie, et respira les différentes couches d'air, à mesure qu'elles s'offraient chargées d'arômes à son visage épanoui. Croisant ses bras sur sa poitrine, comme pour l'empêcher d'éclater à l'invasion de cette félicité nouvelle, il aspira délicieusement cet air inconnu qui court la nuit sous le dôme des hautes forêts. Ce ciel qu'il contemplait, ces eaux qu'il entendait bruire, ces créatures qu'il voyait s'agiter, n'était-ce pas la réalité ? Aramis n'était-il pas un fou de croire qu'il y eût autre chose à rêver dans ce monde ?

Ces tableaux enivrants de la vie de campagne, exempte de soucis, de craintes et de gênes, cet océan de jours heureux qui miroite incessamment devant toute imagination jeune, voilà la véritable amorce à laquelle pourra se prendre un malheureux captif, usé par la pierre du cachot, étiolé dans l'air si rare de la Bastille. C'était celle, on s'en souvient, que lui avait présentée Aramis, en lui offrant et les mille pistoles que renfermait la voiture et cet éden enchanté que cachaient aux yeux du monde les déserts du Bas-Poitou.

Telles étaient les réflexions d'Aramis pendant qu'il suivait, avec une anxiété impossible à décrire, la marche silencieuse des joies de Philippe, qu'il voyait s'enfoncer graduellement dans les profondeurs de sa méditation.

En effet, le jeune prince, absorbé, ne touchait plus que des pieds à la terre, et son âme, envolée aux pieds de Dieu, le suppliait d'accorder un rayon de lumière à cette hésitation d'où devait sortir sa mort ou sa vie.

Ce moment fut terrible pour l'évêque de Vannes. Il ne s'était pas encore trouvé en présence d'un aussi grand malheur. Cette âme d'acier, habituée à se jouer dans la vie parmi des obstacles sans consistance, ne se trouvant jamais inférieure ni vaincue, allait-elle échouer dans un si vaste plan, pour n'avoir pas prévu l'influence qu'exerçaient sur un corps humain quelques feuilles d'arbres arrosées de quelques litres d'air ?

Aramis, fixé à la même place par l'angoisse de son doute, contempla donc cette agonie douloureuse de Philippe, qui soutenait la lutte contre les deux anges mystérieux. Ce supplice dura les dix minutes qu'avait demandées le jeune homme. Pendant cette éternité, Philippe ne cessa de regarder le ciel avec un œil suppliant, triste et humide. Aramis ne cessa de regarder Philippe avec un œil avide, enflammé, dévorant.

Tout à coup, la tête du jeune homme s'inclina. Sa pensée redescendit sur la terre. On vit son regard s'endurcir, son front se plisser, sa bouche s'armer d'un courage farouche ; puis ce regard devint fixe encore une fois ; mais, cette fois, il reflétait la flamme des mondaines splendeurs ; cette fois, il ressemblait au regard de Satan sur la montagne, lorsqu'il passait en revue les royaumes et les puissances de la terre pour en faire des séductions à Jésus[1].

L'œil d'Aramis redevint aussi doux qu'il avait été sombre. Alors, Philippe lui saisissant la main d'un mouvement rapide et nerveux :

— Allons, dit-il, allons où l'on trouve la couronne de France !

— C'est votre décision, mon prince ? repartit Aramis.

— C'est ma décision.

— Irrévocable ?

Philippe ne daigna pas même répondre. Il regarda résolument l'évêque,

---

1. Matthieu, IV, 8-10 ; Luc, IV, 5-8.

comme pour lui demander s'il était possible qu'un homme revînt jamais sur un parti pris.

— Ces regards-là sont des traits de feu qui peignent les caractères, dit Aramis en s'inclinant sur la main de Philippe. Vous serez grand, monseigneur, je vous en réponds.

— Reprenons, s'il vous plaît, la conversation où nous l'avons laissée. Je vous avais dit, je crois, que je *voulais* m'entendre avec vous sur deux points : les dangers ou les obstacles. Ce point est décidé. L'autre, ce sont les conditions que vous me poseriez. A votre tour de parler, monsieur d'Herblay.

— Les conditions, mon prince ?

— Sans doute. Vous ne m'arrêterez pas en chemin pour une bagatelle semblable, et vous ne me ferez pas l'injure de supposer que je vous crois sans intérêt dans cette affaire. Ainsi donc, sans détour et sans crainte, ouvrez-moi le fond de votre pensée.

— M'y voici, monseigneur. Une fois roi...

— Quand sera-ce ?

— Ce sera demain au soir. Je veux dire dans la nuit.

— Expliquez-moi comment.

— Quand j'aurai fait une question à Votre Altesse Royale.

— Faites.

— J'avais envoyé à Votre Altesse un homme à moi, chargé de lui remettre un cahier de notes écrites finement, rédigées avec sûreté, notes qui permettent à Votre Altesse de connaître à fond toutes les personnes qui composent et composeront sa cour.

— J'ai lu toutes ces notes.

— Attentivement ?

— Je les sais par cœur.

— Et comprises ? Pardon, je puis demander cela au pauvre abandonné de la Bastille. Il va sans dire que, dans huit jours, je n'aurai plus rien à demander à un esprit comme le vôtre, jouissant de sa liberté dans sa toute-puissance.

— Interrogez-moi, alors : je veux être l'écolier à qui le savant maître fait répéter la leçon convenue.

— Sur votre famille, d'abord, monseigneur.

— Ma mère, Anne d'Autriche ? tous ses chagrins, sa triste maladie ? Oh ! je la connais ! je la connais !

— Votre second frère ? dit Aramis en s'inclinant.

— Vous avez joint à ces notes des portraits si merveilleusement tracés, dessinés et peints, que j'ai, par ces peintures, reconnu les gens dont vos notes me désignaient le caractère, les mœurs et l'histoire. Monsieur mon frère est un beau brun, le visage pâle ; il n'aime pas sa femme Henriette, que moi, moi Louis XIV, j'ai un peu aimée, que j'aime encore coquettement, bien qu'elle m'ait tant fait pleurer le jour où elle voulait chasser Mlle de La Vallière.

— Vous prendrez garde aux yeux de celle-ci, dit Aramis. Elle aime sincèrement le roi actuel. On trompe difficilement les yeux d'une femme qui aime.

— Elle est blonde, elle a des yeux bleus dont la tendresse me révélera son identité. Elle boite un peu, elle écrit chaque jour une lettre à laquelle je fais répondre par M. de Saint-Aignan.

— Celui-là, vous le connaissez?

— Comme si je le voyais, et je sais les derniers vers qu'il m'a faits, comme ceux que j'ai composés en réponse aux siens.

— Très bien. Vos ministres, les connaissez-vous?

— Colbert, une figure laide et sombre, mais intelligente, cheveux couvrant le front, grosse tête, lourde, pleine : ennemi mortel de M. Fouquet.

— Quant à celui-là, ne nous en inquiétons pas.

— Non, parce que, nécessairement, vous me demanderez de l'exiler, n'est-ce pas?

Aramis, pénétré d'admiration, se contenta de dire :

— Vous serez très grand, monseigneur.

— Vous voyez, ajouta le prince, que je sais ma leçon à merveille, et, Dieu aidant, vous ensuite, je ne me tromperai guère.

— Vous avez encore une paire d'yeux bien gênants, monseigneur.

— Oui, le capitaine des mousquetaires, M. d'Artagnan, votre ami.

— Mon ami, je dois le dire.

— Celui qui a escorté La Vallière à Chaillot, celui qui a livré Monck dans un coffre au roi Charles II, celui qui a si bien servi ma mère, celui à qui la couronne de France doit tant qu'elle lui doit tout. Est-ce que vous me demanderez aussi de l'exiler, celui-là?

— Jamais, sire. D'Artagnan est un homme à qui, dans un moment donné, je me charge de tout dire ; mais défiez-vous, car, s'il nous dépiste avant cette révélation, vous ou moi, nous serons pris ou tués. C'est un homme de main.

— J'aviserai. Parlez-moi de M. Fouquet. Qu'en voulez-vous faire?

— Un moment encore, je vous en prie, monseigneur. Pardon, si je parais manquer de respect en vous questionnant toujours.

— C'est votre devoir de le faire, et c'est encore votre droit.

— Avant de passer à M. Fouquet, j'aurais un scrupule d'oublier un autre ami à moi.

— M. du Vallon, l'Hercule de la France. Quant à celui-là, sa fortune est assurée.

— Non, ce n'est pas de lui que je voulais parler.

— Du comte de La Fère, alors?

— Et de son fils, notre fils à tous quatre.

— Ce garçon qui se meurt d'amour pour La Vallière, à qui mon frère l'a prise déloyalement ! Soyez tranquille, je saurai la lui faire recouvrer. Dites-moi une chose, monsieur d'Herblay : oublie-t-on les injures quand on aime ? pardonne-t-on à la femme qui a trahi ? Est-ce un des usages de l'esprit français ? est-ce une des lois du cœur humain ?

— Un homme qui aime profondément, comme aime Raoul de Bragelonne, finit par oublier le crime de sa maîtresse ; mais je ne sais si Raoul oubliera.

— J'y pourvoirai. Est-ce tout ce que vous vouliez me dire sur votre ami ?

— C'est tout.

— A M. Fouquet, maintenant. Que comptez-vous que j'en ferai ?

— Le surintendant, comme par le passé, je vous en prie.

— Soit ! mais il est aujourd'hui premier ministre.

— Pas tout à fait.

— Il faudra bien un premier ministre à un roi ignorant et embarrassé comme je le serai.

— Il faudra un ami à Votre Majesté ?

— Je n'en ai qu'un, c'est vous.

— Vous en aurez d'autres plus tard : jamais d'aussi dévoué, jamais d'aussi zélé pour votre gloire.

— Vous serez mon premier ministre.

— Pas tout de suite, monseigneur. Cela donnerait trop d'ombrage et d'étonnement.

— M. de Richelieu, premier ministre de ma grand-mère Marie de Médicis, n'était qu'évêque de Luçon, comme vous êtes évêque de Vannes.

— Je vois que Votre Altesse Royale a bien profité de mes notes. Cette miraculeuse perspicacité me comble de joie.

— Je sais bien que M. de Richelieu, par la protection de la reine, est devenu bientôt cardinal.

— Il vaudra mieux, dit Aramis en s'inclinant, que je ne sois premier ministre qu'après que Votre Altesse Royale m'aura fait nommer cardinal.

— Vous le serez avant deux mois, monsieur d'Herblay. Mais voilà bien peu de chose. Vous ne m'offenseriez pas en me demandant davantage, et vous m'affligeriez en vous en tenant là.

— Aussi ai-je quelque chose à espérer de plus, monseigneur.

— Dites, dites !

— M. Fouquet ne gardera pas toujours les affaires, il vieillira vite. Il aime le plaisir, compatible aujourd'hui avec son travail, grâce au reste de jeunesse dont il jouit ; mais cette jeunesse tient au premier chagrin ou à la première maladie qu'il rencontrera. Nous lui épargnerons le chagrin, parce qu'il est galant homme et noble cœur. Nous ne pourrons lui sauver la maladie. Ainsi, c'est jugé. Quand vous aurez payé toutes les dettes de M. Fouquet, remis les finances en état, M. Fouquet pourra demeurer roi dans sa cour de poètes et de peintres ; nous l'aurons fait riche. Alors, devenu premier ministre de Votre Altesse Royale, je pourrai songer à mes intérêts et aux vôtres.

Le jeune homme regarda son interlocuteur.

— M. de Richelieu, dont nous parlions, dit Aramis, a eu le tort très grand de s'attacher à gouverner seulement la France. Il a laissé deux rois, le roi Louis XIII et lui, trôner sur le même trône, tandis qu'il pouvait les installer plus commodément sur deux trônes différents.

— Sur deux trônes ? dit le jeune homme en rêvant.

— En effet, poursuivit Aramis tranquillement : un cardinal premier ministre de France, aidé de la faveur et de l'appui du Roi Très Chrétien, un cardinal à qui le roi son maître prête ses trésors, son armée, son conseil, cet homme-là ferait un double emploi fâcheux en appliquant ses ressources à la seule France. Vous, d'ailleurs, ajouta Aramis en plongeant jusqu'au fond des yeux de Philippe, vous ne serez pas un roi comme votre père, délicat, lent et fatigué de tout ; vous serez un roi de tête et d'épée ; vous n'aurez pas assez de vos États : je vous y gênerais. Or, jamais notre amitié ne doit être, je ne dis pas altérée, mais même effleurée par une pensée secrète. Je vous aurai donné le trône de France, vous me donnerez le trône de saint Pierre. Quand votre main loyale, ferme et armée aura pour main jumelle la main d'un pape tel que je le serai, ni Charles Quint, qui a possédé les deux tiers du monde, ni Charlemagne, qui le posséda entier, ne viendront à la hauteur de votre ceinture. Je n'ai pas d'alliance, moi, je n'ai pas de préjugés, je ne vous jette pas dans la persécution des hérétiques, je ne vous jetterai pas dans les guerres de famille ; je dirai : « A nous deux l'univers ; à moi pour les âmes, à vous pour les corps. » Et, comme je mourrai le premier, vous aurez mon héritage. Que dites-vous de mon plan, monseigneur ?

— Je dis que vous me rendez heureux et fier, rien que de vous avoir compris, monsieur d'Herblay, vous serez cardinal ; cardinal, vous serez mon premier ministre. Et puis vous m'indiquerez ce qu'il faut faire pour qu'on vous élise pape ; je le ferai. Demandez-moi des garanties.

— C'est inutile. Je n'agirai jamais qu'en vous faisant gagner quelque chose ; je ne monterai jamais sans vous avoir hissé sur l'échelon supérieur ; je me tiendrai toujours assez loin de vous pour échapper à votre jalousie, assez près pour maintenir votre profit et surveiller votre amitié. Tous les contrats en ce monde se rompent, parce que l'intérêt qu'ils renferment tend à pencher d'un seul côté. Jamais entre nous il n'en sera de même ; je n'ai pas besoin de garanties.

— Ainsi... mon frère... disparaîtra ?...

— Simplement. Nous l'enlèverons de son lit par le moyen d'un plancher qui cède à la pression du doigt. Endormi sous la couronne, il se réveillera dans la captivité. Seul, vous commanderez à partir de ce moment, et vous n'aurez pas d'intérêt plus cher que celui de me conserver près de vous.

— C'est vrai ! Voici ma main, monsieur d'Herblay.

— Permettez-moi de m'agenouiller devant vous, sire, bien respectueusement. Nous nous embrasserons le jour où tous deux nous aurons au front, vous la couronne, moi la tiare.

— Embrassez-moi aujourd'hui même, et soyez plus que grand, plus qu'habile, plus que sublime génie : soyez bon pour moi, soyez mon père !

Aramis faillit s'attendrir en l'écoutant parler. Il crut sentir dans son cœur un mouvement jusqu'alors inconnu ; mais cette impression s'effaça bien vite.

« Son père ! pensa-t-il. Oui, Saint-Père ! »

Et ils reprirent place dans le carrosse, qui courut rapidement sur la route de Vaux-le-Vicomte.

CCXVII

LE CHÂTEAU DE VAUX-LE-VICOMTE

Le château de Vaux-le-Vicomte, situé à une lieue de Melun, avait été bâti par Fouquet en 1656. Il n'y avait alors que peu d'argent en France. Mazarin avait tout pris, et Fouquet dépensait le reste. Seulement, comme certains hommes ont les défauts féconds et les vices utiles, Fouquet, en semant les millions dans ce palais, avait trouvé le moyen de récolter trois hommes illustres : Le Vau, architecte de l'édifice, Le Nôtre, dessinateur des jardins, et Le Brun, décorateur des appartements.

Si le château de Vaux avait un défaut qu'on pût lui reprocher, c'était son caractère grandiose et sa gracieuse magnificence, il est encore proverbial aujourd'hui de nombrer les arpents de sa toiture, dont la réparation est de nos jours la ruine des fortunes rétrécies comme toute l'époque.

Vaux-le-Vicomte, quand on a franchi sa large grille, soutenue par des cariatides, développe son principal corps de logis dans la vaste cour d'honneur, ceinte de fossés profonds que borde un magnifique balustre de pierre. Rien de plus noble que l'avant-corps du milieu, hissé sur son perron comme un roi sur son trône, ayant autour de lui quatre pavillons qui forment les angles, et dont les immenses colonnes ioniques s'élèvent majestueusement à toute la hauteur de l'édifice. Les frises ornées d'arabesques, les frontons couronnant les pilastres donnent partout la richesse et la grâce. Les dômes, surmontant le tout, donnent l'ampleur et la majesté.

Cette maison, bâtie par un sujet, ressemble bien plus à une maison royale que ces maisons royales dont Wolsey se croyait forcé de faire présent à son maître de peur de le rendre jaloux[1].

Mais, si la magnificence et le goût éclatent dans un endroit spécial de ce palais, si quelque chose peut être préféré à la splendide ordonnance des intérieurs, au luxe des dorures, à la profusion des peintures et des statues, c'est le parc, ce sont les jardins de Vaux. Les jets d'eau, merveilleux en 1653, sont encore des merveilles aujourd'hui[2], les cascades faisaient l'admiration de tous les rois et de tous les princes, et quant à la fameuse grotte, thème de tant de vers fameux, séjour de cette illustre nymphe de Vaux que Pélisson fit parler avec La Fontaine, on nous dispensera d'en décrire toutes les beautés, car nous ne voudrions pas réveiller pour nous ces critiques que méditait alors Boileau :

Ce ne sont que festons, ce ne sont qu'astragales.
....
Et je me sauve à peine au travers du jardin[3].

Nous ferons comme Despréaux, nous entrerons dans ce parc âgé de huit ans seulement, et dont les cimes, déjà superbes, s'épanouissaient rougissantes aux premiers rayons du soleil. Le Nôtre avait hâté le plaisir de Mécène ; toutes les pépinières avaient donné des arbres doublés par la culture et les actifs engrais. Tout arbre du voisinage qui offrait un bel espoir avait été enlevé avec ses racines, et planté tout vif dans le parc. Fouquet pouvait bien acheter des arbres pour orner son parc, puisqu'il avait acheté trois villages et leurs contenances pour l'agrandir.

M. de Scudéry dit de ce palais que, pour l'arroser, M. Fouquet avait divisé une rivière en mille fontaines et réuni mille fontaines en torrents. Ce M. de Scudéry en dit bien d'autres dans sa *Clélie* sur ce palais de Valterre, dont il décrit minutieusement les agréments. Nous serons plus sages de renvoyer les lecteurs curieux à Vaux que de les renvoyer à la *Clélie*. Cependant il y a autant de lieues de Paris à Vaux que de volumes à la *Clélie*[4].

Cette splendide maison était prête pour recevoir *le plus grand roi du monde*. Les amis de M. Fouquet avaient voituré là, les uns leurs acteurs et leurs décors, les autres leurs équipages de statuaires et de peintres,

---

1. Allusion à Hampton Court, voir chap. CLXXVI.

2. Vaux-le-Vicomte appartenait en 1849 à la famille Sébastiani. Sur la visite projetée par Maquet avant de rédiger les chapitres qui s'y déroulent, voir Correspondance, lettre de Perrée à Maquet du 20 août 1849.

3. *Art poétique*, chant I, vers 56 et 58. L'*astragale* est une petite moulure ronde dont on orne le haut et le bas des colonnes.

4. La description de Valterre se trouve dans la cinquième et dernière partie, livre III, tome X, p. 1099-1142. *Clélie. Histoire romaine*, Paris, A. Courbé, publiée entre 1654 et 1660, en dix volumes, portait pour les premiers volumes la signature de Georges de Scudéry, mais le véritable auteur en était sa sœur.

les autres encore leurs plumes finement taillées. Il s'agissait de risquer beaucoup d'impromptus.

Les cascades, peu dociles, quoique nymphes, regorgeaient d'une eau plus brillante que le cristal ; elles épanchaient sur les tritons et les néréides de bronze des flots écumeux s'irisant aux feux du soleil.

Une armée de serviteurs courait par escouades dans les cours et dans les vastes corridors, tandis que Fouquet, arrivé le matin seulement, se promenait calme et clairvoyant, pour donner les derniers ordres, après que ses intendants avaient passé leur revue.

On était, comme nous l'avons dit, au 15 août. Le soleil tombait d'aplomb sur les épaules des dieux de marbre et de bronze ; il chauffait l'eau des conques et mûrissait dans les vergers ces magnifiques pêches que le roi devait regretter cinquante ans plus tard, alors qu'à Marly, manquant de belles espèces dans ses jardins qui avaient coûté à la France le double de ce qu'avait coûté Vaux, le *grand roi* disait à quelqu'un :

— Vous êtes trop jeune, vous, pour avoir mangé des pêches de M. Fouquet.

O souvenir ! ô trompettes de la renommée ! ô gloire de ce monde ! Celui-là qui se connaissait si bien en mérite ; celui-là qui avait recueilli l'héritage de Nicolas Fouquet ; celui-là qui lui avait pris Le Nôtre et Le Brun ; celui-là qui l'avait envoyé pour toute sa vie dans une prison d'État, celui-là se rappelait seulement les pêches de cet ennemi vaincu, étouffé, oublié ! Fouquet avait eu beau jeter trente millions dans ses bassins, dans les creusets de ses statuaires, dans les écritures de ses poètes, dans les portefeuilles de ses peintres ; il avait cru en vain faire penser à lui. Une pêche éclose vermeille et charnue entre les losanges d'un treillage, sous les langues verdoyantes de ses feuilles aiguës, ce peu de matière végétale qu'un loir croquait sans y penser, suffisait au grand roi pour ressusciter en son souvenir l'ombre lamentable du dernier surintendant de France !

Bien sûr qu'Aramis avait distribué les grandes masses, qu'il avait pris soin de faire garder les portes et préparer les logements, Fouquet ne s'occupait plus que de l'ensemble. Ici, Gourville lui montrait les dispositions du feu d'artifice ; là, Molière le conduisait au théâtre ; et enfin, après avoir visité la chapelle, les salons, les galeries, Fouquet redescendait épuisé, quand il vit Aramis dans l'escalier. Le prélat lui faisait signe.

Le surintendant vint joindre son ami, qui l'arrêta devant un grand tableau terminé à peine. S'escrimant sur cette toile, le peintre Le Brun, couvert de sueur, taché de couleurs, pâle de fatigue et d'inspiration, jetait les derniers coups de sa brosse rapide. C'était ce portrait du roi qu'on attendait, avec l'habit de cérémonie, que Percerin avait daigné faire voir d'avance à l'évêque de Vannes.

Fouquet se plaça devant ce tableau, qui vivait, pour ainsi dire, dans sa chair fraîche et dans sa moite chaleur. Il regarda la figure, calcula le travail, admira, et, ne trouvant pas de récompense qui fût digne de ce travail d'Hercule, il passa ses bras au cou du peintre et l'embrassa. M. le surintendant venait de gâter un habit de mille pistoles, mais il avait reposé Le Brun.

Ce fut un beau moment pour l'artiste, ce fut un douloureux moment pour M. Percerin, qui, lui aussi, marchait derrière Fouquet, et admirait dans la peinture de Le Brun l'habit qu'il avait fait pour Sa Majesté, objet d'art, disait-il, qui n'avait son pareil que dans la garde-robe de M. le surintendant.

Sa douleur et ses cris furent interrompus par le signal qui fut donné du sommet de la maison. Par-delà Melun, dans la plaine déjà nue, les sentinelles de Vaux avaient aperçu le cortège du roi et des reines : Sa Majesté entrait dans Melun avec sa longue file de carrosses et de cavaliers.

— Dans une heure, dit Aramis à Fouquet.

— Dans une heure ! répliqua celui-ci en soupirant.

— Et ce peuple qui se demande à quoi servent les fêtes royales ! continua l'évêque de Vannes en riant de son faux rire.

— Hélas ! moi, qui ne suis pas peuple, je me le demande aussi.

— Je vous répondrai dans vingt-quatre heures, monseigneur. Prenez votre bon visage, car c'est jour de joie.

— Eh bien ! croyez-moi, si vous voulez, d'Herblay, dit le surintendant avec expansion, en désignant du doigt le cortège de Louis à l'horizon, il ne m'aime guère, je ne l'aime pas beaucoup, mais je ne sais comment il se fait que, depuis qu'il approche de ma maison...

— Eh bien ! quoi ?

— Eh bien ! depuis qu'il se rapproche, il m'est plus sacré, il m'est le roi, il m'est presque cher.

— Cher ? Oui, fit Aramis en jouant sur le mot, comme, plus tard, l'abbé Terray avec Louis XV[1].

— Ne riez pas, d'Herblay, je sens que, s'il le voulait bien, j'aimerais ce jeune homme.

— Ce n'est pas à moi qu'il faut dire cela, reprit Aramis, c'est à M. Colbert.

— A M. Colbert ! s'écria Fouquet. Pourquoi ?

— Parce qu'il vous fera avoir une pension sur la cassette du roi, quand il sera surintendant.

Ce trait lancé, Aramis salua.

— Où allez-vous donc ? reprit Fouquet, devenu sombre.

---

1. L'abbé Terray fut nommé contrôleur général des Finances le 22 décembre 1769 et ministre d'État le 18 février 1770. Ce mot se rapproche de celui qu'il prononça le soir des noces du dauphin (1770) : à Louis XV qui lui demandait comment il en avait trouvé les fêtes, il répondit : « Impayables, sire. »

— Chez moi, pour changer d'habits, monseigneur.

— Où vous êtes-vous logé, d'Herblay ?

— Dans la chambre bleue du deuxième étage.

— Celle qui donne au-dessus de la chambre du roi ?

— Précisément.

— Quelle sujétion vous avez prise là ! Se condamner à ne pas remuer !

— Toute la nuit, monseigneur, je dors ou je lis dans mon lit.

— Et vos gens ?

— Oh ! je n'ai qu'une personne avec moi.

— Si peu !

— Mon lecteur me suffit. Adieu, monseigneur, ne vous fatiguez pas trop. Conservez-vous frais pour l'arrivée du roi.

— On vous verra ? on verra votre ami du Vallon ?

— Je l'ai logé près de moi. Il s'habille.

Et Fouquet, saluant de la tête et du sourire, passa comme un général en chef qui visite des avant-postes, quand on lui a signalé l'ennemi.

CCXVIII

LE VIN DE MELUN

Le roi était entré effectivement dans Melun avec l'intention de traverser seulement la ville. Le jeune monarque avait soif de plaisirs. Durant tout le voyage, il n'avait aperçu que deux fois La Vallière, et, devinant qu'il ne pourrait lui parler que la nuit, dans les jardins, après la cérémonie, il avait hâte de prendre ses logements à Vaux. Mais il comptait sans son capitaine des mousquetaires et aussi sans M. Colbert.

Semblable à Calypso, qui ne pouvait se consoler du départ d'Ulysse[1], notre Gascon ne pouvait se consoler de n'avoir pas deviné pourquoi Aramis faisait demander à Percerin l'exhibition des habits neufs du roi.

« Toujours est-il, se disait cet esprit flexible dans sa logique, que l'évêque de Vannes, mon ami, fait cela pour quelque chose. »

Et de se creuser la cervelle bien inutilement.

D'Artagnan, si fort assoupli à toutes les intrigues de cour ; d'Artagnan, qui connaissait la situation de Fouquet mieux que Fouquet lui-même, avait conçu les plus étranges soupçons à l'énoncé de cette fête qui eût ruiné un homme riche, et qui devenait une œuvre impossible, insensée, pour un homme ruiné. Et puis, la présence d'Aramis, revenu de Belle-Ile et nommé grand ordonnateur par M. Fouquet, son immixtion

1. *L'Odyssée*, chant V.

persévérante dans toutes les affaires du surintendant, les visites de M. de Vannes chez Baisemeaux, tout ce louche avait profondément tourmenté d'Artagnan depuis quelques semaines.

« Avec les hommes de la trempe d'Aramis, disait-il, on n'est le plus fort que l'épée à la main. Tant qu'Aramis a fait l'homme de guerre, il y a eu espoir de le surmonter ; depuis qu'il a doublé sa cuirasse d'une étole, nous sommes perdus. Mais que veut Aramis ? »

Et d'Artagnan rêvait.

« Que m'importe ! après tout, s'il ne veut renverser que M. Colbert ?... Que peut-il vouloir autre chose ? »

D'Artagnan se grattait le front, cette fertile terre d'où le soc de ses ongles avait tant fouillé de belles et bonnes idées.

Il eut celle de s'aboucher avec M. Colbert, mais son amitié, son serment d'autrefois, le liaient trop à Aramis. Il recula. D'ailleurs, il haïssait ce financier.

Il voulut s'ouvrir au roi. Mais le roi ne comprendrait rien à ses soupçons, qui n'avaient pas même la réalité de l'ombre.

Il résolut de s'adresser directement à Aramis, la première fois qu'il le verrait.

« Je le prendrai entre deux chandelles, directement, brusquement, se dit le mousquetaire. Je lui mettrai la main sur le cœur, et il me dira... Que me dira-t-il ? Oui, il me dira quelque chose, car, mordioux ! il y a quelque chose là-dessous ! »

Plus tranquille, d'Artagnan fit ses apprêts de voyage, et donna ses soins à ce que la maison militaire du roi, fort peu considérable encore, fût bien commandée et bien ordonnée dans ses médiocres proportions. Il résulta, de ces tâtonnements du capitaine, que le roi se mit à la tête des mousquetaires, de ses Suisses et d'un piquet de gardes-françaises, lorsqu'il arriva devant Melun. On eût dit d'une petite armée. M. Colbert regardait ces hommes d'épée avec beaucoup de joie. Il en voulait encore un tiers en sus.

— Pourquoi ? disait le roi.

— Pour faire plus d'honneur à M. Fouquet, répliquait Colbert.

« Pour le ruiner plus vite », pensait d'Artagnan.

L'armée parut devant Melun, dont les notables apportèrent au roi les clefs, et l'invitèrent à entrer à l'hôtel de ville pour prendre le vin d'honneur.

Le roi, qui s'attendait à passer outre et à gagner Vaux tout de suite, devint rouge de dépit.

— Quel est le sot qui m'a valu ce retard ? grommela-t-il entre ses dents, pendant que le maître échevin faisait son discours.

— Ce n'est pas moi, répliqua d'Artagnan ; mais je crois bien que c'est M. Colbert.

Colbert entendit son nom.

— Que plaît-il à M. d'Artagnan ? demanda-t-il.

— Il me plaît savoir si vous êtes celui qui a fait entrer le roi dans le vin de Brie ?

— Oui, monsieur.

— Alors, c'est à vous que le roi a donné un nom.

— Lequel, monsieur ?

— Je ne sais trop... Attendez... imbécile... non, non... sot, sot, stupide, voilà ce que Sa Majesté a dit de celui qui lui a valu le vin de Melun.

D'Artagnan, après cette bordée, caressa tranquillement son cheval. La grosse tête de M. Colbert enfla comme un boisseau.

D'Artagnan, le voyant si laid par la colère, ne s'arrêta pas en chemin. L'orateur allait toujours ; le roi rougissait à vue d'œil.

— Mordioux ! dit flegmatiquement le mousquetaire, le roi va prendre un coup de sang. Où diable avez-vous eu cette idée-là, monsieur Colbert ? Vous n'avez pas de chance.

— Monsieur, dit le financier en se redressant, elle m'a été inspirée par mon zèle pour le service du roi.

— Bah !

— Monsieur, Melun est une ville, une bonne ville qui paie bien, et qu'il est inutile de mécontenter.

— Voyez-vous cela ! Moi qui ne suis pas financier, j'avais seulement vu une idée dans votre idée.

— Laquelle, monsieur ?

— Celle de faire faire un peu de bile à M. Fouquet, qui s'évertue, là-bas, sur ses donjons, à nous attendre.

Le coup était juste et rude. Colbert en fut désarçonné. Il se retira l'oreille basse. Heureusement, le discours était fini. Le roi but, puis tout le monde reprit la marche à travers la ville. Le roi rongeait ses lèvres, car la nuit venait et tout espoir de promenade avec La Vallière s'évanouissait.

Pour faire entrer la maison du roi dans Vaux, il fallait au moins quatre heures, grâce à toutes les consignes. Aussi le roi, qui bouillait d'impatience, pressa-t-il les reines, afin d'arriver avant la nuit, mais au moment de se remettre en marche, les difficultés surgirent.

— Est-ce que le roi ne va pas coucher à Melun ? dit M. Colbert, bas, à d'Artagnan.

M. Colbert était bien mal inspiré, ce jour-là, de s'adresser ainsi au chef des mousquetaires. Celui-ci avait deviné que le roi ne tenait pas en place. D'Artagnan ne voulait le laisser entrer à Vaux que bien accompagné : il désirait donc que Sa Majesté n'entrât qu'avec toute l'escorte. D'un autre côté, il sentait que les retards irriteraient cet impatient caractère. Comment concilier ces deux difficultés ? D'Artagnan prit Colbert au mot et le lança sur le roi.

— Sire, dit-il, M. Colbert demande si Votre Majesté ne couchera pas à Melun ?

— Coucher à Melun ! Et pour quoi faire ? s'écria Louis XIV. Coucher à Melun ! Qui diable a pu songer à cela, quand M. Fouquet nous attend ce soir ?

— C'était, reprit vivement Colbert, la crainte de retarder Votre Majesté, qui, d'après l'étiquette, ne peut entrer autre part que chez elle, avant que les logements aient été marqués par son fourrier, et la garnison distribuée.

D'Artagnan écoutait de ses oreilles en se mordant la moustache.

Les reines entendaient aussi. Elles étaient fatiguées ; elles eussent voulu dormir, et surtout empêcher le roi de se promener, le soir, avec M. de Saint-Aignan et les dames ; car, si l'étiquette renfermait chez elles les princesses, les dames, leur service fait, avaient toute faculté de se promener.

On voit que tous ces intérêts, s'amoncelant en vapeurs, devaient produire des nuages, et les nuages une tempête. Le roi n'avait pas de moustache à mordre : il mâchait avidement le manche de son fouet. Comment sortir de là ? D'Artagnan faisait les doux yeux et Colbert le gros dos. Sur qui mordre ?

— On consultera là-dessus la reine, dit Louis XIV en saluant les dames.

Et cette bonne grâce qu'il eut pénétra le cœur de Marie-Thérèse[1], qui était bonne et généreuse, et qui, remise à son libre arbitre, répliqua respectueusement :

— Je ferai la volonté du roi, toujours avec plaisir.

— Combien faut-il de temps pour aller à Vaux ? demanda Anne d'Autriche en traînant sur chaque syllabe, et en appuyant la main sur son sein endolori.

— Une heure pour les carrosses de Leurs Majestés, dit d'Artagnan, par des chemins assez beaux.

Le roi le regarda.

— Un quart d'heure pour le roi, se hâta-t-il d'ajouter.

— On arriverait au jour, dit Louis XIV.

— Mais les logements de la maison militaire, objecta Colbert, feront perdre au roi toute la hâte du voyage, si prompt qu'il soit.

« Double brute ! pensa d'Artagnan, si j'avais intérêt à démolir ton crédit, je le ferais en dix minutes. »

— A la place du roi, ajouta-t-il tout haut, en me rendant chez M. Fouquet, qui est un galant homme, je laisserais ma maison, j'irais

---

1. La reine ne vint pas à Vaux, « elle était demeurée à Fontainebleau pour une affaire fort importante : tu vois bien que je veux parler de sa grossesse », La Fontaine, lettre à Maucroix du 22 août 1661, *Œuvres diverses*, 1729, tome III.

en ami ; j'entrerais seul avec mon capitaine des gardes ; j'en serais plus grand et plus sacré.

La joie brilla dans les yeux du roi.

— Voilà un bon conseil, dit-il, mesdames ; allons chez un ami, en ami. Marchez doucement, messieurs des équipages ; et nous, messieurs, en avant !

Il entraîna derrière lui tous les cavaliers.

Colbert cacha sa grosse tête renfrognée derrière le cou de son cheval.

— J'en serai quitte, dit d'Artagnan tout en galopant, pour causer, dès ce soir, avec Aramis. Et puis M. Fouquet est un galant homme, mordioux ! je l'ai dit, il faut le croire.

Voilà comment, vers sept heures du soir, sans trompettes et sans gardes avancées, sans éclaireurs ni mousquetaires, le roi se présenta devant la grille de Vaux, où Fouquet, prévenu, attendait, depuis une demi-heure, tête nue, au milieu de sa maison et de ses amis.

CCXIX

NECTAR ET AMBROISIE

M. Fouquet tint l'étrier au roi, qui, ayant mis pied à terre, se releva gracieusement, et, plus gracieusement encore, lui tendit une main que Fouquet, malgré un léger effort du roi, porta respectueusement à ses lèvres.

Le roi voulait attendre, dans la première enceinte, l'arrivée des carrosses. Il n'attendit pas longtemps. Les chemins avaient été battus par ordre du surintendant. On n'eût pas trouvé, depuis Melun jusqu'à Vaux, un caillou gros comme un œuf. Aussi les carrosses, roulant comme sur un tapis, amenèrent-ils, sans cahots ni fatigues, toutes les dames à huit heures. Elles furent reçues par Mme la surintendante, et au moment où elles apparaissaient, une lumière vive, comme celle du jour, jaillit de tous les arbres, de tous les vases, de tous les marbres. Cet enchantement dura jusqu'à ce que Leurs Majestés se fussent perdues dans l'intérieur du palais.

Toutes ces merveilles, que le chroniqueur a entassées ou plutôt conservées dans son récit, au risque de rivaliser avec le romancier, ces splendeurs de la nuit vaincue, de la nature corrigée, de tous les plaisirs, de tous les luxes combinés pour la satisfaction des sens et de l'esprit, Fouquet les offrit réellement à son roi, dans cette retraite enchantée, dont nul souverain, en Europe, ne pouvait se flatter de posséder l'équivalent.

Nous ne parlerons ni du grand festin qui réunit Leurs Majestés, ni des concerts, ni des féeriques métamorphoses ; nous nous contenterons de peindre le visage du roi, qui, de gai, ouvert, de bienheureux qu'il était d'abord, devint bientôt sombre, contraint, irrité. Il se rappelait sa maison à lui, et ce pauvre luxe qui n'était que l'ustensile de la royauté sans être la propriété de l'homme-roi. Les grands vases du Louvre, les vieux meubles et la vaisselle de Henri II, de François Iᵉʳ, de Louis XI, n'étaient que des monuments historiques. Ce n'étaient que des objets d'art, une défroque du métier royal. Chez Fouquet, la valeur était dans le travail comme dans la matière. Fouquet mangeait dans un or que des artistes à lui avaient fondu et ciselé pour lui. Fouquet buvait des vins dont le roi de France ne savait pas le nom : il les buvait dans des gobelets plus précieux chacun que toute la cave royale.

Que dire des salles, des tentures, des tableaux, des serviteurs, des officiers de toute sorte ? Que dire du service où, l'ordre remplaçant l'étiquette, le bien-être remplaçant les consignes, le plaisir et la satisfaction du convive devenaient la suprême loi de tout ce qui obéissait à l'hôte ?

Cet essaim de gens affairés sans bruit, cette multitude de convives moins nombreux que les serviteurs, ces myriades de mets, de vases d'or et d'argent, ces flots de lumière, ces amas de fleurs inconnues, dont les serres s'étaient dépouillées comme d'une surcharge, puisqu'elles étaient encore redondantes de beauté, ce tout harmonieux, qui n'était que le prélude de la fête promise, ravit tous les assistants, qui témoignèrent leur admiration à plusieurs reprises, non par la voix ou par le geste, mais par le silence et l'attention, ces deux langages du courtisan qui ne connaît plus le frein du maître.

Quant au roi, ses yeux se gonflèrent : il n'osa plus regarder la reine. Anne d'Autriche, toujours supérieure en orgueil à toute créature, écrasa son hôte par le mépris qu'elle témoigna pour tout ce qu'on lui servait.

La jeune reine, bonne et curieuse de la vie, loua Fouquet, mangea de grand appétit, et demanda le nom de plusieurs fruits qui paraissaient sur la table. Fouquet répondit qu'il ignorait les noms. Ces fruits sortaient de ses réserves : il les avait souvent cultivés lui-même, étant un savant en fait d'agronomie exotique. Le roi sentit la délicatesse. Il n'en fut que plus humilié. Il trouvait la reine un peu peuple, et Anne d'Autriche un peu Junon. Tout son soin, à lui, était de se garder froid sur la limite de l'extrême dédain ou de la simple admiration.

Mais Fouquet avait prévu tout cela : c'était un de ces hommes qui prévoient tout.

Le roi avait expressément déclaré que, tant qu'il serait chez M. Fouquet, il désirait ne pas soumettre ses repas à l'étiquette, et, par conséquent, dîner avec tout le monde ; mais, par les soins du surintendant, le dîner du roi se trouvait servi à part, si l'on peut s'exprimer ainsi, au milieu de la table générale. Ce dîner, merveilleux par sa composition, comprenait tout ce que le roi aimait, tout ce qu'il choisissait d'habitude. Louis n'avait pas d'excuses, lui, le premier appétit de son royaume, pour dire qu'il n'avait pas faim.

M. Fouquet fit bien mieux : il s'était mis à table pour obéir à l'ordre du roi, mais dès que les potages furent servis, il se leva de table et se mit lui-même à servir le roi, pendant que Mme la surintendante se tenait derrière le fauteuil de la reine mère. Le dédain de Junon et les bouderies de Jupiter ne tinrent pas contre cet excès de bonne grâce. La reine mère mangea un biscuit dans du vin de Sanlucar[1], et le roi mangea de tout en disant à M. Fouquet :

— Il est impossible, monsieur le surintendant, de faire meilleure chère.

Sur quoi, toute la cour se mit à dévorer d'un tel enthousiasme, que l'on eût dit des nuées de sauterelles d'Égypte s'abattant sur les seigles verts.

Cela n'empêcha pas que, après la faim assouvie, le roi ne redevînt triste : triste en proportion de la belle humeur qu'il avait cru devoir manifester, triste surtout de la bonne mine que ses courtisans avaient faite à Fouquet.

D'Artagnan, qui mangeait beaucoup et qui buvait sec, sans qu'il y parût, ne perdit pas un coup de dent, mais fit un grand nombre d'observations qui lui profitèrent.

Le souper fini, le roi ne voulut pas perdre la promenade. Le parc était illuminé. La lune, d'ailleurs, comme si elle se fût mise aux ordres du seigneur de Vaux, argenta les massifs et les lacs de ses diamants et de son phosphore. La fraîcheur était douce. Les allées étaient ombreuses et sablées si moelleusement, que les pieds s'y plaisaient. Il y eut fête complète ; car le roi, trouvant La Vallière au détour d'un bois, lui put serrer la main et dire : « Je vous aime », sans que nul l'entendît, excepté M. d'Artagnan, qui suivait, et M. Fouquet, qui précédait.

Cette nuit d'enchantements s'avança. Le roi demanda sa chambre. Aussitôt tout fut en mouvement. Les reines passèrent chez elles au son des théorbes et des flûtes. Le roi trouva, en montant, ses mousquetaires, que M. Fouquet avait fait venir de Melun et invités à souper.

D'Artagnan perdit toute défiance. Il était las, il avait bien soupé, et voulait, une fois dans sa vie, jouir d'une fête chez un véritable roi.

— M. Fouquet, disait-il, est mon homme.

On conduisit, en grande cérémonie, le roi dans la chambre de Morphée, dont nous devons une mention légère à nos lecteurs. C'était la plus belle et la plus vaste du palais. Le Brun avait peint, dans la coupole, les songes heureux et les songes tristes que Morphée suscite aux rois comme aux hommes. Tout ce que le sommeil enfante de gracieux, ce qu'il verse de

---

1. Sanlucar de Barrameda, dans la province de Cadix, exporte la fameuse manzanilla.

miel et de parfums, de fleurs et de nectar, de voluptés ou de repos dans les sens, le peintre en avait enrichi les fresques. C'était une composition aussi suave dans une partie, que sinistre et terrible dans l'autre. Les coupes qui versent les poisons, le fer qui brille sur la tête du dormeur, les sorciers et les fantômes aux masques hideux, les demi-ténèbres, plus effrayantes que la flamme ou la nuit profonde, voilà ce qu'il avait donné pour pendants à ses gracieux tableaux.

Le roi, entré dans cette chambre magnifique, fut saisi d'un frisson. Fouquet en demanda la cause.

— J'ai sommeil, répliqua Louis assez pâle.

— Votre Majesté veut-elle son service sur-le-champ ?

— Non, j'ai à causer avec quelques personnes, dit le roi. Qu'on prévienne M. Colbert.

Fouquet s'inclina et sortit.

CCXX

A GASCON, GASCON ET DEMI

D'Artagnan n'avait pas perdu de temps ; ce n'était pas dans ses habitudes. Après s'être informé d'Aramis, il avait couru jusqu'à ce qu'il l'eût rencontré. Or, Aramis, une fois le roi entré dans Vaux, s'était retiré dans sa chambre, méditant sans doute encore quelque galanterie pour les plaisirs de Sa Majesté.

D'Artagnan se fit annoncer et trouva au second étage, dans une belle chambre qu'on appelait la chambre bleue, à cause de ses tentures, il trouva, disons-nous, l'évêque de Vannes en compagnie de Porthos et de plusieurs épicuriens modernes.

Aramis vint embrasser son ami, lui offrit le meilleur siège, et comme on vit généralement que le mousquetaire se réservait sans doute afin d'entretenir secrètement Aramis, les épicuriens prirent congé.

Porthos ne bougea pas. Il est vrai qu'ayant dîné beaucoup, il dormait dans son fauteuil. L'entretien ne fut pas gêné par ce tiers. Porthos avait le ronflement harmonieux, et l'on pouvait parler sur cette espèce de basse comme sur une mélopée antique.

D'Artagnan sentit que c'était à lui d'ouvrir la conversation. L'engagement qu'il était venu chercher était rude ; aussi aborda-t-il nettement le sujet.

— Eh bien ! nous voici donc à Vaux ? dit-il.

— Mais oui, d'Artagnan. Aimez-vous ce séjour ?

— Beaucoup, et j'aime aussi M. Fouquet.

— N'est-ce pas qu'il est charmant ?

— On ne saurait plus.

— On dit que le roi a commencé par lui battre froid, et que Sa Majesté s'est radoucie ?

— Vous n'avez donc pas vu, que vous dites : « On dit » ?

— Non ; je m'occupais, avec ces messieurs qui viennent de sortir, de la représentation et du carrousel de demain.

— Ah çà ! vous êtes ordonnateur des fêtes, ici, vous ?

— Je suis, comme vous savez, ami des plaisirs de l'imagination : j'ai toujours été poète par quelque endroit, moi.

— Je me rappelle vos vers. Ils étaient charmants.

— Moi, je les ai oubliés, mais je me réjouis d'apprendre ceux des autres, quand les autres s'appellent Molière, Pélisson, La Fontaine, etc.

— Savez-vous l'idée qui m'est venue ce soir en soupant, Aramis ?

— Non. Dites-la-moi ; sans quoi, je ne la devinerais pas ; vous en avez tant !

— Eh bien ! l'idée m'est venue que le vrai roi de France n'est pas Louis XIV.

— Hein ! fit Aramis en ramenant involontairement ses yeux sur les yeux du mousquetaire.

— Non, c'est M. Fouquet.

Aramis respira et sourit.

— Vous voilà comme les autres : jaloux ! dit-il. Parions que c'est M. Colbert qui vous a fait cette phrase-là ?

D'Artagnan, pour amadouer Aramis, lui conta les mésaventures de Colbert à propos du vin de Melun.

— Vilaine race que ce Colbert ! fit Aramis.

— Ma foi, oui !

— Quand on pense, ajouta l'évêque, que ce drôle-là sera votre ministre dans quatre mois.

— Bah !

— Et que vous le servirez comme Richelieu, comme Mazarin.

— Comme vous servez Fouquet, dit d'Artagnan.

— Avec cette différence, cher ami, que M. Fouquet n'est pas M. Colbert.

— C'est vrai.

Et d'Artagnan feignit de devenir triste.

— Mais, ajouta-t-il un moment après, pourquoi donc me disiez-vous que M. Colbert sera ministre dans quatre mois ?

— Parce que M. Fouquet ne le sera plus, répliqua Aramis.

— Il sera ruiné, n'est-ce pas ? dit d'Artagnan.

— A plat.

— Pourquoi donner des fêtes, alors ? fit le mousquetaire d'un ton de bienveillance si naturel, que l'évêque en fut un moment la dupe. Comment ne l'en avez-vous pas dissuadé, vous ?

Cette dernière partie de la phrase était un excès. Aramis revint à la défiance.

— Il s'agit, dit-il, de se ménager le roi.

— En se ruinant ?

— En se ruinant pour lui, oui.

— Singulier calcul !

— La nécessité.

— Je ne la vois pas, cher Aramis.

— Si fait, vous remarquez bien l'antagonisme naissant de M. de Colbert.

— Et que M. Colbert pousse le roi à se défaire du surintendant.

— Cela saute aux yeux.

— Et qu'il y a cabale contre M. Fouquet.

— On le sait de reste.

— Quelle apparence que le roi se mette de la partie contre un homme qui aura tout dépensé pour lui plaire ?

— C'est vrai, fit lentement Aramis, peu convaincu, et curieux d'aborder une autre face du sujet de conversation.

— Il y a folies et folies, reprit d'Artagnan. Je n'aime pas toutes celles que vous faites.

— Lesquelles ?

— Le souper, le bal, le concert, la comédie, les carrousels, les cascades, les feux de joie et d'artifice, les illuminations et les présents, très bien, je vous accorde cela ; mais ces dépenses de circonstance ne suffisaient-elles point ? Fallait-il...

— Quoi ?

— Fallait-il habiller de neuf toute une maison, par exemple ?

— Oh ! c'est vrai ! J'ai dit cela à M. Fouquet ; il m'a répondu que, s'il était assez riche, il offrirait au roi un château neuf des girouettes aux caves, neuf avec tout ce qui tient dedans, et que, le roi parti, il brûlerait tout cela pour que rien ne servît à d'autres.

— C'est de l'espagnol pur !

— Je le lui ai dit. Il a ajouté ceci : « Sera mon ennemi, quiconque me conseillera d'épargner. »

— C'est de la démence, vous dis-je, ainsi que ce portrait.

— Quel portrait ? dit Aramis.

— Celui du roi, cette surprise...

— Cette surprise ?

— Oui, pour laquelle vous avez pris des échantillons chez Percerin.

D'Artagnan s'arrêta. Il avait lancé la flèche. Il ne s'agissait plus que d'en mesurer la portée.

— C'est une gracieuseté, répondit Aramis.

D'Artagnan vint droit à son ami, lui prit les deux mains, et, le regardant dans les yeux :

— Aramis, dit-il, m'aimez-vous encore un peu ?

— Si je vous aime !

— Bon ! Un service, alors. Pourquoi avez-vous pris des échantillons de l'habit du roi chez Percerin ?

— Venez avec moi le demander à ce pauvre Le Brun, qui a travaillé là-dessus deux jours et deux nuits.

— Aramis, cela est la vérité pour tout le monde, mais pour moi...

— En vérité, d'Artagnan, vous me surprenez !

— Soyez bon pour moi. Dites-moi la vérité : vous ne voudriez pas qu'il m'arrivât du désagrément, n'est-ce pas ?

— Cher ami, vous devenez incompréhensible. Quel diable de soupçon avez-vous donc ?

— Croyez-vous à mes instincts ? Vous y croyiez autrefois. Eh bien ! un instinct me dit que vous avez un projet caché.

— Moi, un projet ?

— Je n'en suis pas sûr.

— Pardieu !

— Je n'en suis pas sûr, mais j'en jurerais.

— Eh bien ! d'Artagnan, vous me causez une vive peine. En effet, si j'ai un projet que je doive vous taire, je vous le tairai, n'est-ce pas ? Si j'en ai un que je doive vous révéler, je vous l'aurais déjà dit.

— Non, Aramis, non, il est des projets qui ne se révèlent qu'au moment favorable.

— Alors, mon bon ami, reprit l'évêque en riant, c'est que le moment favorable n'est pas encore arrivé.

D'Artagnan secoua la tête avec mélancolie.

— Amitié ! amitié ! dit-il, vain nom ! Voilà un homme qui, si je le lui demandais, se ferait hacher en morceaux pour moi.

— C'est vrai, dit noblement Aramis.

— Et cet homme, qui me donnerait tout le sang de ses veines, ne m'ouvrira pas un petit coin de son cœur. Amitié, je le répète, tu n'es qu'une ombre et qu'un leurre, comme tout ce qui brille dans le monde !

— Ne parlez pas ainsi de notre amitié, répondit l'évêque d'un ton ferme et convaincu. Elle n'est pas du genre de celles dont vous parlez.

— Regardez-nous, Aramis. Nous voici trois sur quatre. Vous me trompez, je vous suspecte, et Porthos dort. Beau trio d'amis, n'est-ce pas ? beau reste !

— Je ne puis vous dire qu'une chose, d'Artagnan, et je vous l'affirme sur l'Évangile. Je vous aime comme autrefois. Si jamais je me défie de vous, c'est à cause des autres, non à cause de vous ni de moi. Toute chose que je ferai et en quoi je réussirai, vous y trouverez votre part. Promettez-moi la même faveur, dites !

— Si je ne m'abuse, Aramis, voilà des paroles qui sont, au moment où vous les prononcez, pleines de générosité.

— C'est possible.

— Vous conspirez contre M. Colbert. Si ce n'est que cela, mordioux ! dites-le-moi donc, j'ai l'outil, j'arracherai la dent.

Aramis ne put effacer un sourire de dédain, qui glissa sur sa noble figure.

— Et, quand je conspirerais contre M. Colbert, où serait le mal ?

— C'est trop peu pour vous, et ce n'est pas pour renverser Colbert que vous avez été demander des échantillons à Percerin. Oh ! Aramis, nous ne sommes pas ennemis, nous sommes frères. Dites-moi ce que vous voulez entreprendre, et, foi de d'Artagnan, si je ne puis pas vous aider, je jure de rester neutre.

— Je n'entreprends rien, dit Aramis.

— Aramis, une voix me parle, elle m'éclaire ; cette voix ne m'a jamais trompé. Vous en voulez au roi !

— Au roi ? s'écria l'évêque en affectant le mécontentement.

— Votre physionomie ne me convaincra pas. Au roi, je le répète.

— Vous m'aiderez ? dit Aramis, toujours avec l'ironie de son rire.

— Aramis, je ferai plus que de vous aider, je ferai plus que de rester neutre, je vous sauverai.

— Vous êtes fou, d'Artagnan.

— Je suis le plus sage de nous deux.

— Vous, me soupçonner de vouloir assassiner le roi !

— Qui est-ce qui parle de cela ? dit le mousquetaire.

— Alors, entendons-nous, je ne vois pas ce que l'on peut faire à un roi légitime comme le nôtre, si on ne l'assassine pas.

D'Artagnan ne répliqua rien.

— Vous avez, d'ailleurs, vos gardes et vos mousquetaires ici, fit l'évêque.

— C'est vrai.

— Vous n'êtes pas chez M. Fouquet, vous êtes chez vous.

— C'est vrai.

— Vous avez, à l'heure qu'il est, M. Colbert qui conseille au roi contre M. Fouquet tout ce que vous voudriez peut-être conseiller si je n'étais pas de la partie.

— Aramis ! Aramis ! par grâce, un mot d'ami !

— Le mot des amis, c'est la vérité. Si je pense à toucher du doigt au fils d'Anne d'Autriche, le vrai roi de ce pays de France, si je n'ai pas la ferme intention de me prosterner devant son trône, si, dans mes idées, le jour de demain, ici, à Vaux, ne doit pas être le plus glorieux des jours de mon roi, que la foudre m'écrase ! j'y consens.

Aramis avait prononcé ces paroles le visage tourné vers l'alcôve de sa chambre, où d'Artagnan, adossé d'ailleurs à cette alcôve, ne pouvait soupçonner qu'il se cachât quelqu'un. L'onction de ces paroles, leur lenteur étudiée, la solennité du serment, donnèrent au mousquetaire la satisfaction la plus complète. Il prit les deux mains d'Aramis et les serra cordialement.

Aramis avait supporté les reproches sans pâlir, il rougit en écoutant les éloges. D'Artagnan trompé lui faisait honneur. D'Artagnan confiant lui faisait honte.

— Est-ce que vous partez ? lui dit-il en l'embrassant pour cacher sa rougeur.

— Oui, mon service m'appelle. J'ai le mot de la nuit à prendre.

— Où coucherez-vous ?

— Dans l'antichambre du roi, à ce qu'il paraît. Mais Porthos ?

— Emmenez-le-moi donc ; car il ronfle comme un canon.

— Ah !... il n'habite pas avec vous ? dit d'Artagnan.

— Pas le moins du monde. Il a son appartement je ne sais où.

— Très bien ! dit le mousquetaire, à qui cette séparation des deux associés ôtait ses derniers soupçons.

Et il toucha rudement l'épaule de Porthos. Celui-ci répondit en rugissant.

— Venez ! dit d'Artagnan.

— Tiens ! d'Artagnan, ce cher ami ! par quel hasard ? Ah ! c'est vrai, je suis de la fête de Vaux.

— Avec votre bel habit.

— C'est gentil de la part de M. Coquelin de Volière, n'est-ce pas ?

— Chut ! fit Aramis, vous marchez à défoncer les parquets.

— C'est vrai, dit le mousquetaire. Cette chambre est au-dessus du dôme.

— Et je ne l'ai pas prise pour salle d'armes, ajouta l'évêque. La chambre du roi a pour plafond les douceurs du sommeil. N'oubliez pas que mon parquet est la doublure de ce plafond-là. Bonsoir, mes amis, dans dix minutes je dormirai.

Et Aramis les conduisit en riant doucement. Puis, lorsqu'ils furent dehors, fermant rapidement les verrous et calfeutrant les fenêtres, il appela :

— Monseigneur ! monseigneur !

Philippe sortit de l'alcôve en poussant une porte à coulisse placée derrière le lit.

— Voilà bien des soupçons chez M. d'Artagnan, dit-il.

— Ah ! vous avez reconnu d'Artagnan, n'est-ce pas ?

— Avant que vous l'eussiez nommé.

— C'est votre capitaine des mousquetaires.

— Il m'est bien dévoué, répliqua Philippe en appuyant sur le pronom personnel.

— Fidèle comme un chien, mordant quelquefois. Si d'Artagnan ne vous reconnaît pas avant que *l'autre* ait disparu, comptez sur d'Artagnan à toute éternité ; car alors, s'il n'a rien vu, il gardera sa fidélité. S'il a vu trop tard, il est Gascon et n'avouera jamais qu'il s'est trompé.

— Je le pensais. Que faisons-nous maintenant ?

— Vous allez vous mettre à l'observatoire et regarder, au coucher du roi, comment vous vous couchez en petite cérémonie.

— Très bien. Où me mettrai-je ?

— Asseyez-vous sur ce pliant. Je vais faire glisser le parquet. Vous regarderez par cette ouverture qui répond aux fausses fenêtres pratiquées dans le dôme de la chambre du roi. Voyez-vous ?

— Je vois le roi.

Et Philippe tressaillit comme à l'aspect d'un ennemi.

— Que fait-il ?

— Il veut faire asseoir auprès de lui un homme.

— M. Fouquet.

— Non, non pas ; attendez...

— Les notes, mon prince, les portraits !

— L'homme que le roi veut faire asseoir ainsi devant lui, c'est M. Colbert.

— Colbert devant le roi ? s'écria Aramis. Impossible !

— Regardez.

Aramis plongea ses regards dans la rainure du parquet.

— Oui, dit-il, Colbert lui-même. Oh ! monseigneur, qu'allons-nous entendre, et que va-t-il résulter de cette intimité ?

— Rien de bon pour M. Fouquet, sans nul doute.

Le prince ne se trompait pas. Nous avons vu que Louis XIV avait fait mander Colbert, et que Colbert était arrivé. La conversation s'était engagée entre eux par une des plus hautes faveurs que le roi eût jamais faites. Il est vrai que le roi était seul avec son sujet.

— Colbert, asseyez-vous.

L'intendant, comblé de joie, lui qui craignait d'être renvoyé, refusa cet insigne honneur.

— Accepte-t-il ? dit Aramis.

— Non, il reste debout.

— Écoutons, mon prince.

Et le futur roi, le futur pape écoutèrent avidement ces simples mortels qu'ils tenaient sous leurs pieds, prêts à les écraser s'il l'eussent voulu.

— Colbert, dit le roi, vous m'avez fort contrarié aujourd'hui.

— Sire... je le savais.

— Très bien ! J'aime cette réponse. Oui, vous le saviez. Il y a du courage à l'avoir fait.

— Je risquais de mécontenter Votre Majesté, mais je risquais aussi de lui cacher son intérêt véritable.

— Quoi donc ? Vous craigniez quelque chose pour moi ?

— Ne fût-ce qu'un indigestion, sire, dit Colbert, car on ne donne à son roi des festins pareils que pour l'étouffer sous le poids de la bonne chère.

Et, cette grosse plaisanterie lancée, Colbert en attendit agréablement l'effet.

Louis XIV, l'homme le plus vain et le plus délicat de son royaume, pardonna encore cette facétie à Colbert.

— De vrai, dit-il, M. Fouquet m'a donné un trop beau repas. Dites-moi, Colbert, où prend-il tout l'argent nécessaire pour subvenir à ces frais énormes ? Le savez-vous ?

— Oui, je le sais, sire.

— Vous me l'allez un peu établir.

— Facilement, à un denier près.

— Je sais que vous comptez juste.

— C'est la première qualité qu'on puisse exiger d'un intendant des finances.

— Tous ne l'ont pas.

— Je rends grâce à Votre Majesté d'un éloge si flatteur dans sa bouche.

— Donc, M. Fouquet est riche, très riche, et cela, monsieur, tout le monde le sait.

— Tout le monde, les vivants comme les morts.

— Que veut dire cela, monsieur Colbert ?

— Les vivants voient la richesse de M. Fouquet ; ils admirent un résultat, et ils y applaudissent ; mais les morts, plus savants que nous, savent les causes, et ils accusent.

— Eh bien ! M. Fouquet doit sa richesse à quelles causes ?

— Le métier d'intendant favorise souvent ceux qui l'exercent.

— Vous avez à me parler plus confidentiellement ; ne craignez rien, nous sommes bien seuls.

— Je ne crains jamais rien, sous l'égide de ma conscience et sous la protection de mon roi, sire.

Et Colbert s'inclina.

— Donc, les morts, s'ils parlaient ?...

— Ils parlent quelquefois, sire. Lisez.

— Ah ! murmura Aramis à l'oreille du prince, qui, à ses côtés, écoutait sans perdre une syllabe, puisque vous êtes placé ici, monseigneur, pour apprendre votre métier de roi, écoutez une infamie toute royale. Vous allez assister à une de ces scènes comme Dieu seul ou plutôt comme le diable les conçoit et les exécute. Écoutez bien, vous profiterez.

Le prince redoubla d'attention et vit Louis XIV prendre des mains de Colbert une lettre que celui-ci tendait.

— L'écriture du feu cardinal ! dit le roi.

— Votre Majesté a bonne mémoire, répliqua Colbert en s'inclinant, et c'est une merveilleuse aptitude pour un roi destiné au travail, que de reconnaître ainsi les écritures à première vue.

Le roi lut une lettre de Mazarin, qui, déjà connue du lecteur, depuis la brouille entre Mme de Chevreuse et Aramis, n'apprendrait rien de nouveau si nous la rapportions ici.

— Je ne comprends pas bien, dit le roi intéressé vivement.

— Votre Majesté n'a pas encore l'habitude des commis d'intendance.

— Je vois qu'il s'agit d'argent donné à M. Fouquet.

— Treize millions. Une jolie somme !

— Mais oui... Eh bien ! ces treize millions manquent dans le total des comptes ? Voilà ce que je ne comprends pas très bien, vous dis-je. Pourquoi et comment ce déficit serait-il possible ?

— Possible, je ne dis pas ; réel, je le dis.

— Vous dites que treize millions manquent dans les comptes ?

— Ce n'est pas moi qui le dis, c'est le registre.

— Et cette lettre de M. de Mazarin indique l'emploi de cette somme et le nom du dépositaire ?

— Comme Votre Majesté peut s'en convaincre.

— Oui, en effet, il résulte de là que M. Fouquet n'aurait pas encore rendu les treize millions.

— Cela résulte des comptes, oui, sire.

— Eh bien ! alors ?...

— Eh bien ! alors, sire, puisque M. Fouquet n'a pas rendu les treize millions, c'est qu'il les a encaissés, et, avec treize millions, on fait quatre fois plus, et une fraction, de dépense et de munificence que Votre Majesté n'a pu en faire à Fontainebleau, où nous ne dépensâmes que trois millions en totalité, s'il vous en souvient.

C'était, pour un maladroit, une bien adroite noirceur que ce souvenir invoqué de la fête dans laquelle le roi avait, grâce à un mot de Fouquet, aperçu pour la première fois son infériorité. Colbert recevait à Vaux ce que Fouquet lui avait fait à Fontainebleau, et, en bon homme de finances, il le rendait avec tous les intérêts. Ayant ainsi disposé le roi, Colbert n'avait plus grand-chose à faire. Il le sentit ; le roi était devenu sombre. Colbert attendit la première parole du roi avec autant d'impatience que Philippe et Aramis du haut de leur observatoire.

— Savez-vous ce qui résulte de tout cela, monsieur Colbert ? dit le roi après une réflexion.

— Non, sire, je ne le sais pas.

— C'est que le fait de l'appropriation des treize millions, s'il était avéré...

— Mais il l'est.

— Je veux dire s'il était déclaré, monsieur Colbert.

— Je pense qu'il le serait dès demain, si Votre Majesté...

— N'était pas chez M. Fouquet, répondit assez dignement le roi.

— Le roi est chez lui partout, sire, et surtout dans les maisons que son argent a payées.

— Il me semble, dit Philippe bas à Aramis, que l'architecte qui a bâti ce dôme aurait dû, prévoyant quel usage on en ferait, le mobiliser pour qu'on pût le faire choir sur la tête des coquins d'un caractère aussi noir que ce M. Colbert.

— J'y pensais bien, dit Aramis, mais M. Colbert est si près du roi en ce moment !

— C'est vrai, cela ouvrirait une succession.

— Dont monsieur votre frère puîné récolterait tout le fruit, monseigneur. Tenez, restons en repos et continuons à écouter.

— Nous n'écouterons pas longtemps, dit le jeune prince.

— Pourquoi cela, monseigneur ?

— Parce que, si j'étais le roi, je ne répondrais plus rien.

— Et que feriez-vous ?

— J'attendrais à demain matin pour réfléchir.

Louis XIV leva enfin les yeux, et, retrouvant Colbert attentif à sa première parole :

— Monsieur Colbert, dit-il, en changeant brusquement la conversation, je vois qu'il se fait tard, je me coucherai.

— Ah ! fit Colbert, j'aurai...

— A demain. Demain matin, j'aurai pris une détermination.

— Fort bien, sire, repartit Colbert outré, quoiqu'il se contînt en présence du roi.

Le roi fit un geste, et l'intendant se dirigea vers la porte à reculons.

— Mon service ! cria le roi.

Le service du roi entra dans l'appartement.

Philippe allait quitter son poste d'observation.

— Un moment, lui dit Aramis avec sa douceur habituelle ; ce qui vient de se passer n'est qu'un détail, et nous n'en prendrons plus demain aucun souci, mais le service de nuit, l'étiquette du petit coucher, ah ! monseigneur, voilà qui est important ! Apprenez, apprenez comment vous vous mettez au lit, sire. Regardez, regardez !

CCXXI

COLBERT

L'histoire nous dira ou plutôt l'histoire nous a dit les événements du lendemain, les fêtes splendides données par le surintendant à son roi. Deux grands écrivains ont constaté la grande dispute qu'il y eut entre la Cascade et la Gerbe d'eau, la lutte engagée entre la Fontaine de la Couronne et les Animaux[1], pour savoir à qui plairait davantage. Il y eut donc le lendemain divertissement et joie ; il y eut promenade, repas, comédie ; comédie dans laquelle, à sa grande surprise, Porthos reconnut M. Coquelin de Volière, jouant dans la *farce* des *Fâcheux*. C'est ainsi qu'appelait ce divertissement M. de Bracieux de Pierrefonds.

La Fontaine n'en jugeait pas de même, sans doute, lui qui écrivait à son ami M. Maucroix :

> *C'est un ouvrage de Molière.*
> *Cet écrivain par sa manière*
> *Charme à présent toute la cour.*
> *De la façon que son nom court,*
> *Il doit être par-delà Rome.*
> *J'en suis ravi, car c'est mon homme[2].*

On voit que La Fontaine avait profité de l'avis de Pélisson et avait soigné la rime.

Au reste, Porthos était de l'avis de La Fontaine, et il eût dit comme lui : « Pardieu ! ce Molière est mon homme ! mais seulement pour les habits. » A l'endroit du théâtre, nous l'avons dit, pour M. de Bracieux de Pierrefonds, Molière n'était qu'un *farceur*.

Mais préoccupé par la scène de la veille, mais cuvant le poison versé par Colbert, le roi, pendant toute cette journée si brillante, si accidentée, si imprévue, où toutes les merveilles des *Mille et Une Nuits* semblaient naître sous ses pas, le roi se montra froid, réservé, taciturne. Rien ne put le dérider ; on sentait qu'un profond ressentiment venant de loin, accru peu à peu comme la source qui devient rivière, grâce aux mille filets d'eau qui l'alimentent, tremblait au plus profond de son âme. Vers midi seulement, il commença à reprendre un peu de sérénité. Sans doute, sa résolution était arrêtée.

Aramis, qui le suivait pas à pas, dans sa pensée comme dans sa marche, Aramis conclut que l'événement qu'il attendait ne se ferait pas attendre.

Cette fois, Colbert semblait marcher de concert avec l'évêque de Vannes, et, eût-il reçu pour chaque aiguille dont il piquait le cœur du roi un mot d'ordre d'Aramis, qu'il n'eût pas fait mieux.

Toute cette journée, le roi, qui avait sans doute besoin d'écarter une pensée sombre, le roi parut rechercher aussi activement la société de La Vallière, qu'il mit d'empressement à fuir celle de M. Colbert ou celle de M. Fouquet.

Le soir vint. Le roi avait désiré ne se promener qu'après le jeu. Entre

---

1. « Il y eut grande contestation entre la Cascade, la Gerbe d'eau, la Fontaine de la Couronne, et les animaux », lettre de La Fontaine à Maucroix du 22 août 1661, *op. cit.*, p. 290. La Fontaine semble avoir été le seul écrivain à constater la dispute.

2. Il s'agit de la lettre à Maucroix qui est à l'origine de la narration de la fête de Vaux. Le texte imprimé : « Maucrou » et « … car c'est *un* homme. »

le souper et la promenade, on joua donc. Le roi gagna mille pistoles, et, les ayant gagnées, les mit dans sa poche, et se leva en disant :

— Allons, messieurs, au parc.

Il y trouva les dames. Le roi avait gagné mille pistoles et les avait empochées, avons-nous dit. Mais M. Fouquet avait su en perdre dix mille ; de sorte que, parmi les courtisans, il y avait encore cent quatre-vingt-dix mille livres de bénéfice, circonstance qui faisait des visages des courtisans et des officiers de la maison du roi les visages les plus joyeux de la terre.

Il n'en était pas de même du visage du roi, sur lequel, malgré ce gain auquel il n'était pas insensible, demeurait toujours un lambeau de nuage. Au coin d'une allée, Colbert l'attendait. Sans doute, l'intendant se trouvait là en vertu d'un rendez-vous donné, car Louis XIV, qui l'avait évité, lui fit un signe et s'enfonça avec lui dans le parc.

Mais La Vallière aussi avait vu ce front sombre et ce regard flamboyant du roi, elle l'avait vu, et comme rien de ce qui couvait dans cette âme n'était impénétrable à son amour, elle avait compris que cette colère comprimée menaçait quelqu'un. Elle se tenait sur le chemin de vengeance comme l'ange de la miséricorde.

Toute triste, toute confuse, à demi folle d'avoir été si longtemps séparée de son amant, inquiète de cette émotion intérieure qu'elle avait devinée, elle se montra d'abord au roi avec un aspect embarrassé que, dans sa mauvaise disposition d'esprit, le roi interpréta défavorablement.

Alors, comme ils étaient seuls ou à peu près seuls, attendu que Colbert, en apercevant la jeune fille, s'était respectueusement arrêté et se tenait à dix pas de distance, le roi s'approcha de La Vallière et lui prit la main.

— Mademoiselle, lui dit-il, puis-je, sans indiscrétion, vous demander ce que vous avez ? Votre poitrine paraît gonflée, vos yeux sont humides.

— Oh ! sire, si ma poitrine est gonflée, si mes yeux sont humides, si je suis triste enfin, c'est de la tristesse de Votre Majesté.

— Ma tristesse ? Oh ! vous voyez mal, mademoiselle. Non, ce n'est point de la tristesse que j'éprouve.

— Et qu'éprouvez-vous, sire ?

— De l'humiliation.

— De l'humiliation ? Oh ! que dites-vous là ?

— Je dis, mademoiselle, que, là où je suis, nul autre ne devrait être le maître. Eh bien ! regardez, si je ne m'éclipse pas, moi, le roi de France, devant le roi de ce domaine. Oh ! continua-t-il en serrant les dents et le poing, oh !... Et quand je pense que ce roi...

— Après ? dit La Vallière effayée.

— Que ce roi est un serviteur infidèle qui se fait orgueilleux avec mon bien volé ! Aussi, je vais lui changer, à cet impudent ministre, sa fête en deuil dont la nymphe de Vaux, comme disent ses poètes, gardera longtemps le souvenir.

— Oh ! Votre Majesté...

— Eh bien ! mademoiselle, allez-vous prendre le parti de M. Fouquet ? fit Louis XIV avec impatience.

— Non, sire, je vous demanderai seulement si vous êtes bien renseigné. Votre Majesté, plus d'une fois, a appris à connaître la valeur des accusations de cour.

Louis XIV fit signe à Colbert de s'approcher.

— Parlez, monsieur Colbert, dit le jeune prince ; car, en vérité, je crois que voilà Mlle de La Vallière qui a besoin de votre parole pour croire à la parole du roi. Dites à Mademoiselle ce qu'a fait M. Fouquet. Et vous, mademoiselle, oh ! ce ne sera pas long, ayez la bonté d'écouter, je vous prie.

Pourquoi Louis XIV insistait-il ainsi ? Chose toute simple : son cœur n'était pas tranquille, son esprit n'était pas bien convaincu ; il devinait quelque menée sombre, obscure, tortueuse, sous cette histoire des treize millions, et il eût voulu que le cœur pur de La Vallière, révolté à l'idée d'un vol, approuvât, d'un seul mot, cette résolution qu'il avait prise, et que, néanmoins, il hésitait à mettre à exécution.

— Parlez, monsieur, dit La Vallière à Colbert, qui s'était avancé ; parlez, puisque le roi veut que je vous écoute. Voyons, dites, quel est le crime de M. Fouquet ?

— Oh ! pas bien grave, mademoiselle, dit le noir personnage ; un simple abus de confiance...

— Dites, dites, Colbert, et quand vous aurez dit, laissez-nous et allez avertir M. d'Artagnan que j'ai des ordres à lui donner.

— M. d'Artagnan ! s'écria La Vallière, et pourquoi faire avertir M. d'Artagnan, sire ? Je vous supplie de me le dire.

— Pardieu ! pour arrêter ce titan orgueilleux qui, fidèle à sa devise, menace d'escalader mon ciel.

— Arrêter M. Fouquet, dites-vous ?

— Ah ! cela vous étonne ?

— Chez lui ?

— Pourquoi pas ? S'il est coupable, il est coupable chez lui comme ailleurs.

— M. Fouquet, qui se ruine en ce moment pour faire honneur à son roi ?

— Je crois, en vérité, que vous défendez ce traître, mademoiselle. Colbert se mit à rire tout bas. Le roi se retourna au sifflement de ce rire.

— Sire, dit La Vallière, ce n'est pas M. Fouquet que je défends, c'est vous-même.

— Moi-même !... Vous me défendez ?

— Sire, vous vous déshonorez en donnant un pareil ordre.

— Me déshonorer ? murmura le roi blêmissant de colère. En vérité, mademoiselle, vous mettez à ce que vous dites une étrange passion.

— Je mets de la passion, non pas à ce que je dis, sire, mais à servir Votre Majesté, répondit la noble jeune fille. J'y mettrais, s'il le fallait, ma vie, et cela avec la même passion, sire.

Colbert voulut grommeler. Alors La Vallière, ce doux agneau, se redressa contre lui et, d'un œil enflammé, lui imposa silence.

— Monsieur, dit-elle, quand le roi agit bien, si le roi fait tort à moi ou aux miens, je me tais ; mais, le roi me servît-il, moi ou ceux que j'aime, si le roi agit mal, je le lui dis.

— Mais, il me semble, mademoiselle, hasarda Colbert, que, moi aussi, j'aime le roi.

— Oui, monsieur, nous l'aimons tous deux, chacun à sa manière, répliqua La Vallière avec un tel accent, que le cœur du jeune roi en fut pénétré. Seulement je l'aime, moi, si fortement, que tout le monde le sait, si purement, que le roi lui-même ne doute pas de mon amour. Il est mon roi et mon maître, je suis son humble servante, mais quiconque touche à son honneur touche à ma vie. Or, je répète que ceux-là déshonorent le roi qui lui conseillent de faire arrêter M. Fouquet chez lui.

Colbert baissa la tête, car il se sentait abandonné par le roi. Cependant, tout en baissant la tête, il murmura :

— Mademoiselle, je n'aurais qu'un mot à dire.

— Ne le dites pas, ce mot, monsieur, car ce mot, je ne l'écouterais point. Que me diriez-vous d'ailleurs ? Que M. Fouquet a commis des crimes ? Je le sais, parce que le roi l'a dit, et du moment que le roi a dit : « Je crois », je n'ai pas besoin qu'une autre bouche dise : « J'affirme. » Mais M. Fouquet, fût-il le dernier des hommes, je le dis hautement, M. Fouquet est sacré au roi, parce que le roi est son hôte. Sa maison fût-elle un repaire, Vaux fût-il une caverne de faux-monnayeurs ou de bandits, sa maison est sainte, son château est inviolable, puisqu'il y loge sa femme, et c'est un lieu d'asile que des bourreaux ne violeraient pas !

La Vallière se tut. Malgré lui, le roi l'admirait ; il fut vaincu par la chaleur de cette voix, par la noblesse de cette cause. Colbert, lui, ployait, écrasé par l'inégalité de cette lutte. Enfin, le roi respira, secoua la tête et tendit la main à La Vallière.

— Mademoiselle, dit-il avec douceur, pourquoi parlez-vous contre moi ? Savez-vous ce que fera ce misérable si je le laisse respirer ?

— Eh ! mon Dieu, n'est-ce pas une proie qui vous appartiendra toujours ?

— Et s'il échappe, s'il fuit ? s'écria Colbert.

— Eh bien ! monsieur, ce sera la gloire éternelle du roi d'avoir laissé fuir M. Fouquet, et plus il aura été coupable, plus la gloire du roi sera grande, comparée à cette misère, à cette honte.

Louis baisa la main de La Vallière, tout en se laissant glisser à ses genoux[1].

« Je suis perdu », pensa Colbert.

Puis tout à coup sa figure s'éclaira :

« Oh ! non, non, pas encore ! » se dit-il.

Et, tandis que le roi, protégé par l'épaisseur d'un énorme tilleul, étreignait La Vallière avec toute l'ardeur d'un ineffable amour, Colbert fouilla tranquillement dans son garde-notes, d'où il tira un papier plié en forme de lettre, papier un peu jaune peut-être, mais qui devait être bien précieux, puisque l'intendant sourit en le regardant. Puis il reporta son regard haineux sur le groupe charmant que dessinaient dans l'ombre la jeune fille et le roi, groupe que venait éclairer la lueur des flambeaux qui s'approchaient.

Louis vit la lueur de ces flambeaux se refléter sur la robe blanche de La Vallière.

— Pars, Louise, lui dit-il, car voilà que l'on vient.

— Mademoiselle, mademoiselle, on vient, ajouta Colbert pour hâter le départ de la jeune fille.

Louise disparut rapidement entre les arbres. Puis, comme le roi, qui s'était mis aux genoux de la jeune fille, se relevait :

— Ah ! Mlle de La Vallière a laissé tomber quelque chose, dit Colbert.

— Quoi donc ? demanda le roi.

— Un papier, une lettre, quelque chose de blanc, voyez, là, sire.

Le roi se baissa vite, et ramassa la lettre en la froissant.

En ce moment, les flambeaux arrivèrent, inondant de jour cette scène obscure.

CCXXII

JALOUSIE

Cette vraie lumière, cet empressement de tous, cette nouvelle ovation faite au roi par Fouquet, vinrent suspendre l'effet d'une résolution que La Vallière avait déjà bien ébranlée dans le cœur de Louis XIV.

---

1. « [Louis XIV était] résolu à le faire arrêter au milieu des hautbois et des violons, dans un lieu qui se pouvait dire une preuve parlante de la dissipation des finances. Mais avant l'exécution n'ayant pu s'empêcher d'en faire la confidence à la reine mère, elle lui dit tant de raisons pour l'en empêcher, qu'il résolut dès lors de faire le voyage de Nantes », l'abbé Choisy, *op. cit.*, livre troisième. Le rôle historique d'Anne d'Autriche passe dans le roman à La Vallière.

Il regarda Fouquet avec une sorte de reconnaissance pour lui, de ce qu'il avait fourni à La Vallière l'occasion de se montrer si généreuse, si fort puissante sur son cœur.

C'était le moment des dernières merveilles. A peine Fouquet eut-il emmené le roi vers le château, qu'une masse de feu, s'échappant avec un grondement majestueux du dôme de Vaux, éblouissante aurore, vint éclairer jusqu'aux moindres détails des parterres.

Le feu d'artifice commençait. Colbert, à vingt pas du roi, que les maîtres de Vaux entouraient et fêtaient, cherchait par l'obstination de sa pensée funeste à ramener l'attention de Louis sur des idées que la magnificence du spectacle éloignait déjà trop.

Tout à coup, au moment de la tendre à Fouquet, le roi sentit dans sa main ce papier que, selon toute apparence, La Vallière, en fuyant, avait laissé tomber à ses pieds.

L'aimant le plus fort de la pensée d'amour entraînait le jeune prince vers le souvenir de sa maîtresse.

Aux lueurs de ce feu, toujours croissant en beauté, et qui faisait pousser des cris d'admiration dans les villages d'alentour, le roi lut le billet, qu'il supposait être une lettre d'amour destinée à lui par La Vallière.

A mesure qu'il lisait, la pâleur montait à son visage, et cette sourde colère, illuminée par ces feux de mille couleurs, faisait un spectacle terrible dont tout le monde eût frémi, si chacun avait pu lire dans ce cœur ravagé par les plus sinistres passions. Pour lui, plus de trêve dans la jalousie et la rage. A partir du moment où il eut découvert la sombre vérité, tout disparut, pitié, douceur, religion de l'hospitalité.

Peu s'en fallut que, dans la douleur aiguë qui tordait son cœur, encore trop faible pour dissimuler la souffrance, peu s'en fallut qu'il ne poussât un cri d'alarme et qu'il n'appelât ses gardes autour de lui.

Cette lettre, jetée sur les pas du roi par Colbert, on l'a déjà deviné, c'était celle qui avait disparu avec le grison Tobie à Fontainebleau, après la tentative faite par Fouquet sur le cœur de La Vallière.

Fouquet voyait la pâleur et ne devinait point le mal, Colbert voyait la colère et se réjouissait à l'approche de l'orage.

La voix de Fouquet tira le jeune prince de sa farouche rêverie.

— Qu'avez-vous, sire ? demanda gracieusement le surintendant.

Louis fit un effort sur lui-même, un violent effort.

— Rien, dit-il.

— J'ai peur que Votre Majesté ne souffre.

— Je souffre, en effet, je vous l'ai déjà dit, monsieur, mais ce n'est rien.

Et le roi, sans attendre la fin du feu d'artifice, se dirigea vers le château.

Fouquet accompagna le roi. Tout le monde suivit derrière eux.

Les dernières fusées brûlèrent tristement pour elles seules.

Le surintendant essaya de questionner encore Louis XIV, mais n'obtint aucune réponse. Il supposa qu'il y avait eu querelle entre Louis et La Vallière dans le parc ; que brouille en était résultée ; que le roi, peu boudeur de sa nature, mais tout dévoué à sa rage d'amour, prenait le monde en haine depuis que sa maîtresse le boudait. Cette idée suffit à le rassurer ; il eut même un sourire amical et consolant pour le jeune roi, quand celui-ci lui souhaita le bonsoir.

Ce n'était pas tout pour le roi. Il fallait subir le service. Ce service du soir se devait faire en grande étiquette. Le lendemain était le jour du départ. Il fallait bien que les hôtes remerciassent leur hôte et lui donnassent une politesse pour ses douze millions.

La seule chose que Louis trouva d'aimable pour Fouquet en le congédiant, ce furent ces paroles :

— Monsieur Fouquet, vous saurez de mes nouvelles ; faites, je vous prie, venir ici M. d'Artagnan.

Et le sang de Louis XIII, qui avait tant dissimulé, bouillait alors dans ses veines, et il était tout prêt à faire égorger Fouquet, comme son prédécesseur avait fait assassiner le maréchal d'Ancre. Aussi déguisa-t-il l'affreuse résolution sous un de ces sourires royaux qui sont les éclairs des coups d'État.

Fouquet prit la main du roi et la baisa. Louis frissonna de tout son corps, mais laissa toucher sa main aux lèvres de M. Fouquet.

Cinq minutes après, d'Artagnan, auquel on avait transmis l'ordre royal, entrait dans la chambre de Louis XIV.

Aramis et Philippe étaient dans la leur, toujours attentifs, toujours écoutant.

Le roi ne laissa pas au capitaine de ses mousquetaires le temps d'arriver jusqu'à son fauteuil.

Il courut à lui.

— Ayez soin, s'écria-t-il, que nul n'entre ici.

— Bien, sire, répliqua le soldat, dont le coup d'œil avait, depuis longtemps, analysé les ravages de cette physionomie.

Et il donna l'ordre à la porte, puis revenant vers le roi :

— Il y a du nouveau chez Votre Majesté ? dit-il.

— Combien avez-vous d'hommes ici ? demanda le roi sans répondre autrement à la question qui lui était faite.

— Pour quoi faire, sire ?

— Combien avez-vous d'hommes ? répéta le roi en frappant du pied.

— J'ai les mousquetaires.

— Après ?

— J'ai vingt gardes et treize Suisses.

— Combien faut-il de gens pour...

— Pour ?... dit le mousquetaire avec ses grands yeux calmes.

— Pour arrêter M. Fouquet.

D'Artagnan fit un pas en arrière.

— Arrêter M. Fouquet ! dit-il avec éclat.

— Allez-vous dire aussi que c'est impossible ? s'écria le roi avec une rage froide et haineuse.

— Je ne dis jamais qu'une chose soit impossible, répliqua d'Artagnan blessé au vif.

— Eh bien ! faites !

D'Artagnan tourna sur ses talons sans mesure et se dirigea vers la porte.

L'espace à parcourir était court : il le franchit en six pas. Là, s'arrêtant :

— Pardon, sire, dit-il.

— Quoi ? dit le roi.

— Pour faire cette arrestation, je voudrais un ordre écrit.

— A quel propos ? et depuis quand la parole du roi ne vous suffit-elle pas ?

— Parce qu'une parole de roi, issue d'un sentiment de colère, peut changer quand le sentiment change.

— Pas de phrases, monsieur ! vous avez une autre pensée.

— Oh ! j'ai toujours des pensées, moi, et des pensées que les autres n'ont malheureusement pas, répliqua impertinemment d'Artagnan.

Le roi, dans la fougue de son emportement, plia devant cet homme, comme le cheval plie les jarrets sous la main robuste du dompteur.

— Votre pensée ? s'écria-t-il.

— La voici, sire, répondit d'Artagnan. Vous faites arrêter un homme lorsque vous êtes encore chez lui : c'est de la colère. Quand vous ne serez plus en colère, vous vous repentirez. Alors, je veux pouvoir vous montrer votre signature. Si cela ne répare rien, au moins cela nous montrera-t-il que le roi a tort de se mettre en colère.

— A tort de se mettre en colère ! hurla le roi avec frénésie. Est-ce que le roi mon père, est-ce que mon aïeul ne s'y mettaient pas, corps du Christ ?

— Le roi votre père, le roi votre aïeul ne se mettaient jamais en colère que chez eux.

— Le roi est maître partout comme chez lui.

— C'est une phrase de flatteur, et qui doit venir de M. Colbert, mais ce n'est pas une vérité. Le roi est chez lui dans toute maison, quand il en a chassé le propriétaire.

Louis se mordit les lèvres.

— Comment ! dit d'Artagnan, voilà un homme qui se ruine pour vous plaire, et vous voulez le faire arrêter ? Mordioux ! sire, si je m'appelais Fouquet et que l'on me fît cela, j'avalerais d'un coup dix fusées d'artifice, et j'y mettrais le feu pour me faire sauter, moi et tout le reste. C'est égal, vous le voulez, j'y vais.

— Allez ! fit le roi. Mais avez-vous assez de monde ?

— Croyez-vous, sire, que je vais emmener un anspessade[1] avec moi ? Arrêter M. Fouquet, mais c'est si facile, qu'un enfant le ferait. M. Fouquet à arrêter, c'est un verre d'absinthe à boire. On fait la grimace, et c'est tout.

— S'il se défend ?...

— Lui ? Allons donc ! se défendre, quand une rigueur comme celle-là le fait roi et martyr ! Tenez, s'il lui reste un million, ce dont je doute, je gage qu'il le donnerait pour avoir cette fin-là. Allons, sire, j'y vais.

— Attendez ! dit le roi.

— Ah ! qu'y a-t-il ?

— Ne rendez pas son arrestation publique.

— C'est plus difficile, cela.

— Pourquoi ?

— Parce que rien n'est plus simple que d'aller, au milieu des mille personnes enthousiastes qui l'entourent, dire à M. Fouquet : « Au nom du roi, monsieur, je vous arrête ! » Mais aller à lui, le tourner, le retourner, le coller dans quelque coin de l'échiquier, de façon qu'il ne s'en échappe pas ; le voler à tous ses convives, et vous le garder prisonnier, sans qu'un de ses *hélas !* ait été entendu, voilà une difficulté réelle, véritable, suprême, et je la donne en cent aux plus habiles.

— Dites encore : « C'est impossible ! » et vous aurez plus vite fait. Ah ! mon Dieu, mon Dieu ! ne serais-je entouré que de gens qui m'empêchent de faire ce que je veux !

— Moi, je ne vous empêche de rien faire. Est-ce dit ?

— Gardez-moi M. Fouquet jusqu'à ce que, demain, j'aie pris une résolution.

— Ce sera fait, sire.

— Et revenez à mon lever pour prendre mes nouveaux ordres.

— Je reviendrai.

— Maintenant, qu'on me laisse seul.

— Vous n'avez pas même besoin de M. Colbert ? dit le mousquetaire envoyant sa dernière flèche au moment du départ.

Le roi tressaillit. Tout entier à la vengeance, il avait oublié le corps du délit.

— Non, personne, dit-il, personne ici ! Laissez-moi !

D'Artagnan partit. Le roi ferma sa porte lui-même, et commença une furieuse course dans sa chambre, comme le taureau blessé qui traîne après lui ses banderilles et les fers des hameçons. Enfin, il se mit à se soulager par des cris.

— Ah ! le misérable ! non seulement il me vole mes finances, mais, avec cet or, il me corrompt secrétaires, amis, généraux, artistes, il me prend jusqu'à ma maîtresse ! Ah ! voilà pourquoi cette perfide l'a si

---

1. L'*anspessade* (de l'italien *lancia spezzata*, « lance brisée ») est un officier inférieur.

bravement défendu !... C'était de la reconnaissance !... Qui sait ?... peut-être même de l'amour.

Il s'abîma un instant dans ces réflexions douloureuses.

« Un satyre ! pensa-t-il avec cette haine profonde que la grande jeunesse porte aux hommes mûrs qui songent encore à l'amour ; un faune qui court la galanterie et qui n'a jamais trouvé de rebelles ! un homme à femmelettes, qui donne des fleurettes d'or et de diamant, et qui a des peintres pour faire le portrait de ses maîtresses en costume de déesses ! »

Le roi frémit de désespoir.

— Il me souille tout ! continua-t-il. Il me ruine tout ! Il me tuera ! Cet homme est trop pour moi ! il est mon mortel ennemi ! Cet homme tombera ! Je le hais !... je le hais !... je le hais !...

Et, en disant ces mots, il frappait à coups redoublés sur les bras du fauteuil dans lequel il s'asseyait et duquel il se levait comme un épileptique.

— Demain ! demain !... Oh ! le beau jour ! murmura-t-il, quand le soleil se lèvera, n'ayant que moi pour rival, cet homme tombera si bas, qu'en voyant les ruines que ma colère aura faites, on avouera enfin que je suis plus grand que lui !

Le roi, incapable de se maîtriser plus longtemps, renversa d'un coup de poing une table placée près de son lit, et, dans la douleur qu'il ressentit, pleurant presque, suffoquant, il alla se précipiter sur ses draps, tout habillé qu'il était, pour les mordre et pour y trouver le repos du corps.

Le lit gémit sous ce poids, et, à part quelques soupirs échappés de la poitrine haletante du roi, on n'entendit plus rien dans la chambre de Morphée.

CCXXIII

LÈSE-MAJESTÉ

Cette fureur exaltée, qui s'était emparée du roi à la vue et à la lecture de la lettre de Fouquet à La Vallière, se fondit peu à peu en une fatigue douloureuse.

La jeunesse, pleine de santé et de vie, ayant besoin de réparer à l'instant même ce qu'elle perd, la jeunesse ne connaît point ces insomnies sans fin qui réalisent pour le malheureux la fable du foie toujours renaissant de Prométhée. Là où l'homme mûr dans sa force, où le vieillard dans son épuisement, trouvent une continuelle alimentation de la douleur, le jeune homme, surpris par la révélation subite du mal, s'énerve en cris, en luttes directes, et se fait terrasser plus vite par l'inflexible ennemi qu'il combat. Une fois terrassé, il ne souffre plus.

Louis fut dompté en un quart d'heure ; puis il cessa de crisper ses poings et de brûler avec ses regards les invincibles objets de sa haine ; il cessa d'accuser par de violentes paroles M. Fouquet et La Vallière ; il tomba de la fureur dans le désespoir, et du désespoir dans la prostration.

Après qu'il se fut roidi et tordu pendant quelques instants sur le lit, ses bras inertes retombèrent à ses côtés. Sa tête languit sur l'oreiller de dentelle, ses membres épuisés frissonnèrent, agités de légères contractions musculaires, sa poitrine ne laissa plus filtrer que de rares soupirs.

Le dieu Morphée, qui régnait en souverain dans cette chambre à laquelle il avait donné son nom, et vers lequel Louis tournait ses yeux appesantis par la colère et rougis par les larmes, le dieu Morphée versait sur lui les pavots dont ses mains étaient pleines, de sorte que le roi ferma doucement ses yeux et s'endormit.

Alors il lui sembla, comme il arrive dans le premier sommeil, si doux et si léger, qui élève le corps au-dessus de la couche, l'âme au-dessus de la terre, il lui sembla que le dieu Morphée, peint sur le plafond, le regardait avec des yeux tout humains ; que quelque chose brillait et s'agitait dans le dôme ; que les essaims de songes sinistres, un instant déplacés, laissaient à découvert un visage d'homme, la main appuyée sur sa bouche, et dans l'attitude d'une méditation contemplative. Et, chose étrange, cet homme ressemblait tellement au roi, que Louis croyait voir son propre visage réfléchi dans un miroir. Seulement, ce visage était attristé par un sentiment de profonde pitié.

Puis il lui sembla, peu à peu, que le dôme fuyait, échappant à sa vue, et que les figures et les attributs peints par Le Brun s'obscurcissaient dans un éloignement progressif. Un mouvement doux, égal, cadencé, comme celui d'un vaisseau qui plonge sous la vague, avait succédé à l'immobilité du lit. Le roi faisait un rêve sans doute, et, dans ce rêve, la couronne d'or qui attachait les rideaux s'éloignait comme le dôme auquel elle restait suspendue, de sorte que le génie ailé, qui, des deux mains, soutenait cette couronne, semblait appeler vainement le roi, qui disparaissait loin d'elle.

Le lit s'enfonçait toujours. Louis, les yeux ouverts, se laissait décevoir par cette cruelle hallucination. Enfin, la lumière de la chambre royale allant s'obscurcissant, quelque chose de froid, de sombre, d'inexplicable envahit l'air. Plus de peintures, plus d'or, plus de rideaux de velours, mais des murs d'un gris terne, dont l'ombre s'épaississait de plus en plus. Et cependant le lit descendait toujours, et, après une minute, qui parut un siècle au roi, il atteignit une couche d'air noire et glacée. Là, il s'arrêta.

Le roi ne voyait plus la lumière de sa chambre que comme, du fond d'un puits, on voit la lumière du jour.

« Je fais un affreux rêve ! pensa-t-il. Il est temps de me réveiller. Allons, réveillons-nous ! »

Tout le monde a éprouvé ce que nous disons là ; il n'est personne qui, au milieu d'un cauchemar étouffant, ne se soit dit, à l'aide de cette lampe qui veille au fond du cerveau quand toute lumière humaine est éteinte, il n'est personne qui ne se soit dit : « Ce n'est rien, je rêve ! »

C'était ce que venait de se dire Louis XIV ; mais à ce mot : « Réveillons-nous ! » il s'aperçut que non seulement il était éveillé, mais encore qu'il avait les yeux ouverts. Alors il les jeta autour de lui.

A sa droite et à sa gauche se tenaient deux hommes armés, enveloppés chacun dans un vaste manteau, et le visage couvert d'un masque.

L'un de ces hommes tenait à la main une petite lampe dont la lueur rouge éclairait le plus triste tableau qu'un roi pût envisager.

Louis se dit que son rêve continuait, et que, pour le faire cesser, il suffisait de remuer les bras ou de faire entendre sa voix. Il sauta à bas du lit, et se trouva sur un sol humide. Alors, s'adressant à celui des deux hommes qui tenait la lampe :

— Qu'est cela, monsieur, dit-il, et d'où vient cette plaisanterie ?

— Ce n'est point une plaisanterie, répondit d'une voix sourde celui des deux hommes masqués qui tenait la lanterne.

— Êtes-vous à M. Fouquet ? demanda le roi un peu interdit.

— Peu importe à qui nous appartenons ! dit le fantôme. Nous sommes vos maîtres, voilà tout.

Le roi, plus impatient qu'intimidé, se tourna vers le second masque.

— Si c'est une comédie, fit-il, vous direz à M. Fouquet que je la trouve inconvenante, et j'ordonne qu'elle cesse.

Ce second masque, auquel s'adressait le roi, était un homme de très haute taille et d'une vaste circonférence. Il se tenait droit et immobile comme un bloc de marbre.

— Eh bien ! ajouta le roi en frappant du pied, vous ne me répondez pas ?

— Nous ne vous répondons pas, mon petit monsieur, fit le géant d'une voix de stentor, parce qu'il n'y a rien à vous répondre, sinon que vous êtes le premier *fâcheux*, et que M. Coquelin de Volière vous a oublié dans le nombre des siens.

— Mais, enfin, que me veut-on ? s'écria Louis en se croisant les bras avec colère.

— Vous le saurez plus tard, répondit le porte-lampe.

— En attendant, où suis-je ?

— Regardez !

Louis regarda effectivement ; mais, à la lueur de la lampe que soulevait l'homme masqué, il n'aperçut que des murs humides, sur lesquels brillait çà et là le sillage argenté des limaces.

— Oh ! oh ! un cachot ? fit le roi.

— Non, un souterrain.

— Qui mène ?...

— Veuillez nous suivre.

— Je ne bougerai pas d'ici, s'écria le roi.

— Si vous faites le mutin, mon jeune ami, répondit le plus robuste des deux hommes, je vous enlèverai, je vous roulerai dans un manteau, et, si vous y étouffez, ma foi ! ce sera tant pis pour vous.

Et, en disant ces mots, celui qui les disait tira, de dessous ce manteau dont il menaçait le roi, une main que Milon de Crotone eût bien voulu posséder le jour où lui vint cette malheureuse idée de fendre son dernier chêne[1].

Le roi eut horreur d'une violence, car il comprenait que ces deux hommes, au pouvoir desquels il se trouvait, ne s'étaient point avancés jusque-là pour reculer, et, par conséquent, pousseraient la chose jusqu'au bout. Il secoua la tête.

— Il paraît que je suis tombé aux mains de deux assassins, dit-il. Marchons !

Aucun des deux hommes ne répondit à cette parole. Celui qui tenait la lampe marcha le premier ; le roi le suivit ; le second masque vint ensuite. On traversa ainsi une galerie longue et sinueuse, diaprée d'autant d'escaliers qu'on en trouve dans les mystérieux et sombres palais d'Anne Radcliff. Tous ces détours, pendant lesquels le roi entendit plusieurs fois des bruits d'eau sur sa tête, aboutirent enfin à un long corridor fermé par une porte de fer. L'homme à la lampe ouvrit cette porte avec des clefs qu'il portait à sa ceinture, où, pendant toute la route, le roi les avait entendues résonner.

Quand cette porte s'ouvrit et donna passage à l'air, Louis reconnut ces senteurs embaumées qui s'exhalent des arbres après les journées chaudes de l'été. Un instant, il s'arrêta hésitant, mais le robuste gardien qui le suivait le poussa hors du souterrain.

— Encore une fois, dit le roi en se retournant vers celui qui venait de se livrer à cet acte audacieux de toucher son souverain, que voulez-vous faire du roi de France ?

— Tâchez d'oublier ce mot-là, répondit l'homme à la lampe, d'un ton qui n'admettait pas plus de réplique que les fameux arrêts de Minos.

— Vous devriez être roué pour le mot que vous venez de prononcer,

---

1. « Milon, dans un âge avancé, se promenait seul au milieu d'un bois écarté. Il aperçut un arbre que le vent avait fendu en l'agitant. Se rappelant alors son ancienne vigueur, il essaya d'en séparer les éclats ; mais le bras de Milon avait vieilli. L'arbre, s'étant entr'ouvert à la première secousse, se referma. Tous les efforts de l'athlète ne purent le dégager de cette étreinte fatale ; et le vainqueur des jeux olympiques, attendant la mort dans un désert, y devint la proie des bêtes féroces », Desmoustier, *Lettres à Émilie sur la mythologie*, première partie, lettre V.

ajouta le géant en éteignant la lumière que lui passait son compagnon, mais le roi est trop humain.

Louis, à cette menace, fit un mouvement si brusque, que l'on put croire qu'il voulait fuir, mais la main du géant s'appuya sur son épaule et le fixa à sa place.

— Mais, enfin, où allons-nous ? dit le roi.

— Venez, répondit le premier des deux hommes avec une sorte de respect, et en conduisant son prisonnier vers un carrosse qui semblait attendre.

Ce carrosse était entièrement caché dans les feuillages. Deux chevaux, ayant des entraves aux jambes, étaient attachés, par un licol, aux branches basses d'un grand chêne.

— Montez, dit le même homme en ouvrant la portière du carrosse et en abaissant le marchepied.

Le roi obéit, s'assit au fond de la voiture, dont la portière matelassée et à serrure se ferma à l'instant même sur lui et sur son conducteur. Quant au géant, il coupa les entraves et les liens des chevaux, les attela lui-même et monta sur le siège, qui n'était pas occupé. Aussitôt le carrosse partit au grand trot, gagna la route de Paris, et, dans la forêt de Sénart, trouva un relais attaché à des arbres comme les premiers.chevaux. L'homme du siège changea d'attelage et continua rapidement sa route vers Paris, où il entra vers trois heures du matin. Le carrosse suivit le faubourg Saint-Antoine, et, après avoir crié à la sentinelle : « Ordre du roi ! » le cocher guida les chevaux dans l'enceinte circulaire de la Bastille, aboutissant à la cour du Gouvernement. Là, les chevaux s'arrêtèrent fumants aux degrés du perron. Un sergent de garde accourut.

— Qu'on éveille M. le gouverneur, dit le cocher d'une voix de tonnerre.

A part cette voix, qu'on eût pu entendre de l'entrée du faubourg Saint-Antoine, tout demeura calme dans le carrosse comme dans le château. Dix minutes après M. de Baisemeaux parut en robe de chambre sur le seuil de sa porte.

— Qu'est-ce encore, demanda-t-il, et que m'amenez-vous là ?

L'homme à la lanterne ouvrit la portière du carrosse et dit deux mots au cocher. Aussitôt celui-ci descendit de son siège, prit un mousqueton qu'il y tenait sous ses pieds, et appuya le canon de l'arme sur la poitrine du prisonnier.

— Et faites feu, s'il parle ! ajouta tout haut l'homme qui descendait de la voiture.

— Bien ! répliqua l'autre sans plus d'observation.

Cette recommandation faite, le conducteur du roi monta les degrés, au haut desquels l'attendait le gouverneur.

— Monsieur d'Herblay ! s'écria celui-ci.

— Chut ! dit Aramis. Entrons chez vous.

— Oh ! mon Dieu ! Et quoi donc vous amène à cette heure ?

— Une erreur, mon cher monsieur de Baisemeaux, répondit tranquillement Aramis. Il paraît que, l'autre jour, vous aviez raison.

— A quel propos ? demanda le gouverneur.

— Mais à propos de cet ordre d'élargissement, cher ami.

— Expliquez-moi cela, monsieur... non, monseigneur, dit le gouverneur, suffoqué à la fois et par la surprise et par la terreur.

— C'est bien simple : vous vous souvenez, cher monsieur de Baisemeaux, qu'on vous a envoyé un ordre de mise en liberté ?

— Oui, pour Marchiali.

— Eh bien ! n'est-ce pas, nous avons tous cru que c'était pour Marchiali ?

— Sans doute. Cependant, rappelez-vous que, moi, je doutais ; que, moi, je ne voulais pas ; que c'est vous qui m'avez contraint.

— Oh ! quel mot employez-vous là, cher Baisemeaux !... engagé, voilà tout.

— Engagé, oui, engagé à vous le remettre, et que vous l'avez emmené dans votre carrosse.

— Eh bien ! mon cher monsieur de Baisemeaux, c'était une erreur. On l'a reconnue au ministère, de sorte que je vous rapporte un ordre du roi pour mettre en liberté... Seldon, ce pauvre diable d'Écossais, vous savez ?

— Seldon ? Vous êtes sûr, cette fois ?...

— Dame ! lisez vous-même, ajouta Aramis en lui remettant l'ordre.

— Mais, dit Baisemeaux, cet ordre, c'est celui qui m'a déjà passé par les mains.

— Vraiment ?

— C'est celui que je vous attestais avoir vu l'autre soir. Parbleu ! je le reconnais au pâté d'encre.

— Je ne sais si c'est celui-là ; mais toujours est-il que je vous l'apporte.

— Mais, alors, l'autre ?

— Qui l'autre ?

— Marchiali ?

— Je vous le ramène.

— Mais cela ne me suffit pas. Il faut, pour le reprendre, un nouvel ordre.

— Ne dites donc pas de ces choses-là, mon cher Baisemeaux ; vous parlez comme un enfant ! Où est l'ordre que vous avez reçu, touchant Marchiali ?

Baisemeaux courut à son coffre et l'en tira. Aramis le saisit, le déchira froidement en quatre morceaux, approcha les morceaux de la lampe et les brûla.

— Mais que faites-vous ? s'écria Baisemeaux au comble de l'effroi.

— Considérez un peu la situation, mon cher gouverneur, dit Aramis avec son imperturbable tranquillité, et vous allez voir comme elle est simple. Vous n'avez plus d'ordre qui justifie la sortie de Marchiali.

— Eh ! mon Dieu, non ! je suis un homme perdu !

— Mais pas du tout, puisque je vous ramène Marchiali. Du moment que je vous le ramène, c'est comme s'il n'était pas sorti.

— Ah ! fit le gouverneur abasourdi.

— Sans doute. Vous l'allez renfermer sur l'heure.

— Je le crois bien !

— Et vous me donnerez ce Seldon que l'ordre nouveau libère. De cette façon, votre comptabilité est en règle. Comprenez-vous ?

— Je... je...

— Vous comprenez, dit Aramis. Très bien !

Baisemeaux joignit les mains.

— Mais enfin, pourquoi, après m'avoir pris Marchiali, me le ramenez-vous ? s'écria le malheureux gouverneur dans un paroxysme de douleur et d'attendrissement.

— Pour un ami comme vous, dit Aramis, pour un serviteur comme vous, pas de secrets.

Et Aramis approcha sa bouche de l'oreille de Baisemeaux.

— Vous savez, continua Aramis à voix basse, quelle ressemblance il y avait entre ce malheureux et...

— Et le roi, oui.

— Eh bien ! le premier usage qu'a fait Marchiali de sa liberté a été pour soutenir, devinez quoi ?

— Comment voulez-vous que je devine ?

— Pour soutenir qu'il était le roi de France.

— Oh ! le malheureux ! s'écria Baisemeaux.

— Ç'a été pour se revêtir d'habits pareils à ceux du roi et se poser en usurpateur.

— Bonté du Ciel !

— Voilà pourquoi je vous le ramène, cher ami. Il est fou, et dit sa folie à tout le monde.

— Que faire alors ?

— C'est bien simple : ne le laissez communiquer avec personne. Vous comprenez que, lorsque sa folie est venue aux oreilles du roi, qui avait eu pitié de son malheur, et qui se voyait récompensé de sa bonté par une noire ingratitude, le roi a été furieux. De sorte que, maintenant, retenez bien ceci, cher monsieur de Baisemeaux, car ceci vous regarde, de sorte que, maintenant, il y a peine de mort contre ceux qui le laisseraient communiquer avec d'autres que moi, ou le roi lui-même. Vous entendez, Baisemeaux, peine de mort !

— Si j'entends, morbleu !

— Et maintenant, descendez, et reconduisez ce pauvre diable à son cachot, à moins que vous ne préfériez le faire monter ici.

— A quoi bon ?

— Oui, mieux vaut l'écrouer tout de suite, n'est-ce pas ?

— Pardieu !

— Eh bien ! alors, allons.

Baisemeaux fit battre le tambour et sonner la cloche qui avertissait chacun de rentrer, afin d'éviter la rencontre d'un prisonnier mystérieux. Puis, lorsque les passages furent libres, il alla prendre au carrosse le prisonnier, que Porthos, fidèle à la consigne, maintenait toujours le mousqueton sur la gorge.

— Ah ! vous voilà, malheureux ! s'écria Baisemeaux en apercevant le roi. C'est bon ! c'est bon !

Et aussitôt, faisant descendre le roi de voiture, il le conduisit, toujours accompagné de Porthos, qui n'avait pas quitté son masque, et d'Aramis, qui avait remis le sien, dans la deuxième Bertaudière, et lui ouvrit la porte de la chambre où, pendant six ans[1], avait gémi Philippe.

Le roi entra dans le cachot sans prononcer une parole. Il était pâle et hagard.

Baisemeaux referma la porte sur lui, donna lui-même deux tours de clef à la serrure, et, revenant à Aramis :

— C'est, ma foi, vrai ! lui dit-il tout bas, qu'il ressemble au roi ; cependant, moins que vous ne le dites.

— De sorte, fit Aramis, que vous ne vous seriez pas laissé prendre à la substitution, vous ?

— Ah ! par exemple !

— Vous êtes un homme précieux, mon cher Baisemeaux, dit Aramis. Maintenant, mettez en liberté Seldon.

— C'est juste, j'oubliais... Je vais donner l'ordre.

— Bah ! demain, vous avez le temps.

— Demain ? Non, non, à l'instant même. Dieu me garde d'attendre une seconde !

— Alors, allez à vos affaires ; moi, je vais aux miennes. Mais c'est compris, n'est-ce pas ?

— Qu'est-ce qui est compris ?

— Que personne n'entrera chez le prisonnier qu'avec un ordre du roi, ordre que j'apporterai moi-même ?

— C'est dit. Adieu ! monseigneur.

Aramis revint vers son compagnon.

— Allons, allons, ami Porthos, à Vaux ! et bien vite !

— On est léger quand on a fidèlement servi son roi, et, en le servant, sauvé son pays, dit Porthos. Les chevaux n'auront rien à traîner. Partons.

---

1. Le chiffre donné jusqu'ici a été *huit* ans, chiffre repris plus loin, au chap. CCXXX.

Et le carrosse, délivré d'un prisonnier qui, en effet, pouvait paraître bien lourd à Aramis, franchit le pont-levis de la Bastille, qui se releva derrière lui.

CCXXIV

UNE NUIT A LA BASTILLE

La souffrance dans cette vie est en proportion des forces de l'homme. Nous ne prétendons pas dire que Dieu mesure toujours aux forces de la créature l'angoisse qu'il lui fait endurer : cela ne serait pas exact, puisque Dieu permet la mort, qui est parfois le seul refuge des âmes trop vivement pressées dans le corps. La souffrance est en proportion des forces, c'est-à-dire que le faible souffre plus, à mal égal, que le fort. Maintenant, de quels éléments se compose la force humaine ? N'est-ce pas surtout de l'exercice, de l'habitude, de l'expérience ? Voilà ce que nous ne prendrons même pas la peine de démontrer ; c'est un axiome au moral comme au physique.

Quand le jeune roi, hébété, rompu, se vit conduire à une chambre de la Bastille, il se figura d'abord que la mort est comme un sommeil, qu'elle a ses rêves, que le lit s'était enfoncé dans le plancher de Vaux, que la mort s'en était ensuivie, et que, poursuivant son rêve, Louis XIV, défunt, rêvait une de ces horreurs, impossibles à la vie, qu'on appelle le détrônement, l'incarcération et l'insulte d'un roi naguère tout-puissant.

Assister, fantôme palpable, à sa passion douloureuse ; nager dans un mystère incompréhensible entre la ressemblance et la réalité ; tout voir, tout entendre, sans brouiller un de ces détails de l'agonie, n'était-ce pas, se disait le roi, un supplice d'autant plus épouvantable qu'il pouvait être éternel ?

— Est-ce là ce qu'on appelle l'éternité, l'enfer ? murmura Louis XIV au moment où la porte se ferma sur lui, poussée par Baisemeaux lui-même.

Il ne regarda pas même autour de lui, et, dans cette chambre, adossé à un mur quelconque, il se laissa emporter par la terrible supposition de sa mort, en fermant les yeux pour éviter de voir quelque chose de pire encore.

— Comment suis-je mort ? se dit-il à moitié insensé. N'aura-t-on pas fait descendre ce lit par artifice ? Mais non, pas de souvenir d'aucune contusion, d'aucun choc... Ne m'aurait-on pas plutôt empoisonné dans le repas, ou avec des fumées de cire, comme Jeanne d'Albret, ma bisaïeule ?

Tout à coup, le froid de cette chambre tomba comme un manteau sur les épaules de Louis.

— J'ai vu, dit-il, mon père exposé mort sur son lit dans son habit royal. Cette figure pâle, si calme et si affaissée ; ces mains si adroites devenues insensibles ; ces jambes roidies ; tout cela n'annonçait pas un sommeil peuplé de songes. Et pourtant que de songes Dieu ne devait-il pas envoyer à ce mort !... à ce mort que tant d'autres avaient précédé, précipités par lui dans la mort éternelle !... Non, ce roi était encore le roi ; il trônait encore sur ce lit funèbre, comme sur le fauteuil de velours. Il n'avait rien abdiqué de sa majesté. Dieu, qui ne l'avait point puni, ne peut me punir, moi qui n'ai rien fait.

Un bruit étrange attira l'attention du jeune homme. Il regarda et vit sur la cheminée, au-dessus d'un énorme christ grossièrement peint à fresque, un rat de taille monstrueuse, occupé à grignoter un reste de pain dur, tout en fixant sur le nouvel hôte du logis un regard intelligent et curieux.

Le roi eut peur ; il sentit le dégoût ; il recula vers la porte en poussant un grand cri. Et, comme s'il eût fallu ce cri, échappé de sa poitrine, pour qu'il se reconnût lui-même, Louis se comprit vivant, raisonnable et nanti de sa conscience naturelle.

— Prisonnier ! s'écria-t-il, moi, moi, prisonnier !

Il chercha des yeux une sonnette pour appeler.

— Il n'y a pas de sonnettes à la Bastille, dit-il, et c'est à la Bastille que je suis enfermé. Maintenant, comment ai-je été fait prisonnier ? C'est une conspiration de M. Fouquet nécessairement. J'ai été attiré à Vaux dans un piège. M. Fouquet ne peut être seul dans cette affaire. Son agent... cette voix... c'était M. d'Herblay, je l'ai reconnu. Colbert avait raison. Mais que me veut Fouquet ? Régnera-t-il à ma place ? Impossible ! Qui sait ?... pensa le roi devenu sombre. Mon frère le duc d'Orléans fait peut-être contre moi ce qu'a voulu faire, toute sa vie, mon oncle contre mon père. Mais la reine ? mais ma mère ? mais La Vallière ? Oh ! La Vallière ! elle serait livrée à Madame. Chère enfant ! oui, c'est cela, on l'aura enfermée comme je le suis moi-même. Nous sommes éternellement séparés !

Et, à cette seule idée de séparation, l'amant éclata en soupirs, en sanglots et en cris.

— Il y a un gouverneur ici, reprit le roi avec fureur. Je lui parlerai. Appelons.

Il appela. Aucune voix ne répondit à la sienne.

Il prit la chaise et s'en servit pour frapper dans la massive porte de chêne. Le bois sonna sur le bois, et fit parler plusieurs échos lugubres dans les profondeurs de l'escalier ; mais, de créature qui répondît, pas une.

C'était pour le roi une nouvelle preuve du peu d'estime qu'on faisait de lui à la Bastille. Alors, après la première colère, ayant remarqué une fenêtre grillée par où passait une lumière dorée qui devait être l'aube lumineuse, Louis se mit à crier, doucement d'abord, puis avec force. Il ne lui fut rien répondu.

Vingt autres tentatives, faites successivement, n'obtinrent pas plus de succès.

Le sang commençait à se révolter et montait à la tête du prince. Cette nature, habituée au commandement, frémissait devant une désobéissance. Peu à peu la colère grandit. Le prisonnier brisa sa chaise trop lourde pour ses mains, et s'en servit comme d'un bélier pour frapper dans la porte. Il frappa si fort et tant de fois, que la sueur commença à couler de son front. Le bruit devint immense et continu. Quelques cris étouffés y répondaient çà et là.

Ce bruit produisit sur le roi un effet étrange. Il s'arrêta pour l'écouter. C'étaient les voix des prisonniers, autrefois ses victimes, aujourd'hui ses compagnons. Ces voix montaient comme des vapeurs à travers d'épais plafonds, des murs opaques. Elles accusaient encore l'auteur de ce bruit, comme, sans doute, les soupirs et les larmes accusaient tout bas l'auteur de leur captivité. Après avoir ôté la liberté à tant de gens, le roi venait chez eux leur ôter le sommeil.

Cette idée faillit le rendre fou. Elle doubla ses forces, ou plutôt sa volonté, altérée d'obtenir un renseignement ou une conclusion. Le bâton de la chaise recommença son office. Au bout d'une heure, Louis entendit quelque chose dans le corridor, derrière sa porte, et un violent coup, répondu dans cette porte même, fit cesser les siens.

— Ah çà ! êtes-vous fou ? dit une rude et grossière voix. Que vous prend-il ce matin ?

« Ce matin ? » pensa le roi surpris.

Puis, poliment :

— Monsieur, dit-il, êtes-vous le gouverneur de la Bastille ?

— Mon brave, vous avez la cervelle détraquée, répliqua la voix, mais ce n'est pas une raison pour faire tant de vacarme. Taisez-vous, mordieu !

— Est-ce vous le gouverneur ? demanda encore le roi.

Une porte se referma. Le guichetier venait de partir, sans daigner même répondre un mot.

Quand le roi eut la certitude de ce départ, sa fureur ne connut plus de bornes. Agile comme un tigre, il bondit de la table sur la fenêtre, dont il secoua les grilles. Il enfonça une vitre dont les éclats tombèrent avec mille cliquetis harmonieux dans les cours. Il appela, en s'enrouant : « Le gouverneur ! le gouverneur ! » Cet accès dura une heure, qui fut une période de fièvre chaude.

Les cheveux en désordre et collés sur son front, ses habits déchirés, blanchis, son linge en lambeaux, le roi ne s'arrêta qu'à bout de toutes ses forces, et, seulement alors, il comprit l'épaisseur impitoyable de ces murailles, l'impénétrabilité de ce ciment, invincible à toute autre tentive que celle du temps, ayant pour outil le désespoir.

Il appuya son front sur la porte, et laissa son cœur se calmer peu à peu : un battement de plus l'eût fait éclater.

— Il viendra, dit-il, un moment où l'on m'apportera la nourriture que l'on donne à tous les prisonniers. Je verrai alors quelqu'un, je parlerai, on me répondra.

Et le roi chercha dans sa mémoire à quelle heure avait lieu le premier repas des prisonniers dans la Bastille. Il ignorait même ce détail. Ce fut un coup de poignard sourd et cruel, que ce remords d'avoir vécu vingt-cinq ans, roi et heureux, sans penser à tout ce que souffre un malheureux qu'on prive injustement de sa liberté. Le roi en rougit de honte. Il sentait que Dieu, en permettant cette humiliation terrible, ne faisait que rendre à un homme la torture infligée par cet homme à tant d'autres.

Rien ne pouvait être plus efficace pour ramener à la religion cette âme atterrée par le sentiment des douleurs. Mais Louis n'osa pas même s'agenouiller pour prier Dieu, pour lui demander la fin de cette épreuve.

— Dieu fait bien, dit-il, Dieu a raison. Ce serait lâche à moi de demander à Dieu ce que j'ai refusé souvent à mes semblables.

Il en était là de ses réflexions, c'est-à-dire de son agonie, quand le même bruit se fit entendre derrière sa porte, suivi cette fois du grincement des clefs et du bruit des verrous jouant dans les gâches.

Le roi fit un bond en avant pour se rapprocher de celui qui allait entrer, mais soudain, songeant que c'était un mouvement indigne d'un roi, il s'arrêta, prit une pose noble et calme, ce qui lui était facile, et il attendit, le dos tourné à la fenêtre, pour dissimuler un peu de son agitation aux regards du nouvel arrivant.

C'était seulement un porte-clefs chargé d'un panier plein de vivres. Le roi considérait cet homme avec inquiétude : il attendit qu'il parlât.

— Ah ! dit celui-ci, vous avez cassé votre chaise, je le disais bien. Mais il faut que vous soyez devenu enragé !

— Monsieur, fit le roi, prenez garde à tout ce que vous allez dire : il y va pour vous d'un intérêt fort grave.

Le guichetier posa son panier sur la table, et, regardant son interlocuteur :

— Hein ? dit-il avec surprise.

— Faites-moi monter le gouverneur, ajouta noblement le roi.

— Voyons, mon enfant, dit le guichetier, vous avez toujours été bien sage ; mais la folie rend méchant, et nous voulons bien vous prévenir : vous avez cassé votre chaise et fait du bruit ; c'est un délit qui se punit du cachot. Promettez-moi de ne pas recommencer, et je n'en parlerai pas au gouverneur.

— Je veux voir le gouverneur, répliqua le roi sans sourciller.

— Il vous fera mettre dans le cachot, prenez-y garde.

— Je veux ! entendez-vous ?

— Ah ! voilà votre œil qui devient hagard. Bon ! je vous retire votre couteau.

Et le guichetier fit ce qu'il disait, ferma la porte et partit, laissant le roi plus étonné, plus malheureux, plus seul que jamais.

En vain recommença-t-il le jeu du bâton de chaise, en vain fit-il voler par la fenêtre les plats et les assiettes : rien ne lui répondit plus.

Deux heures après, ce n'était plus un roi, un gentilhomme, un homme, un cerveau : c'était un fou s'arrachant les ongles aux portes, essayant de dépaver la chambre, et poussant des cris si effrayants, que la vieille Bastille semblait trembler jusque dans ses racines d'avoir osé se révolter contre son maître.

Quant au gouverneur, il ne s'était pas même dérangé. Le porte-clefs et les sentinelles avaient fait leur rapport, mais à quoi bon ? Les fous n'étaient-ils pas chose vulgaire dans la forteresse, et les murs n'étaient-ils pas plus forts que les fous ?

M. de Baisemeaux, pénétré de tout ce que lui avait dit Aramis, et parfaitement en règle avec son ordre du roi, ne demandait qu'une chose, c'était que le fou Marchiali fût assez fou pour se pendre un peu à son baldaquin ou à l'un de ses barreaux.

En effet, ce prisonnier-là ne rapportait guère, et il devenait plus gênant que de raison. Ces complications de Seldon et de Marchiali, ces complications de délivrance et de réincarcération, ces complications de ressemblance, se fussent trouvées avoir un dénouement fort commode. Baisemeaux croyait même avoir remarqué que cela ne déplairait pas trop à M. d'Herblay.

— Et puis, réellement, disait Baisemeaux à son major, un prisonnier ordinaire est déjà bien assez malheureux d'être prisonnier ; il souffre bien assez pour qu'on puisse charitablement lui souhaiter la mort. A plus forte raison, quand ce prisonnier est devenu fou, et qu'il peut mordre et faire du bruit dans la Bastille ; alors, ma foi ! ce n'est plus un vœu charitable à faire que de lui souhaiter la mort ; ce serait une bonne œuvre à accomplir que de le supprimer tout doucement.

Et le bon gouverneur fit là-dessus son deuxième déjeuner.

CCXXV

L'OMBRE DE M. FOUQUET

D'Artagnan, tout lourd encore de l'entretien qu'il venait d'avoir avec le roi, se demandait s'il était bien dans son bon sens ; si la scène se passait bien à Vaux ; si lui, d'Artagnan, était bien le capitaine des mousquetaires, et M. Fouquet le propriétaire du château dans lequel Louis XIV venait de recevoir l'hospitalité. Ces réflexions n'étaient pas celles d'un homme ivre. On avait cependant bien banqueté à Vaux. Les vins de M. le surintendant avaient cependant figuré avec honneur à la fête. Mais le Gascon était homme de sang-froid : il savait, en touchant son épée d'acier, prendre au moral le froid de cet acier pour les grandes occasions.

— Allons, dit-il en quittant l'appartement royal, me voilà jeté tout historiquement dans les destinées du roi et dans celles du ministre ; il sera écrit que M. d'Artagnan, cadet de Gascogne, a mis la main sur le collet de M. Nicolas Fouquet, surintendant des finances de France. Mes descendants, si j'en ai, se feront une renommée avec cette arrestation, comme les messieurs de Luynes s'en sont fait une avec les défroques de ce pauvre maréchal d'Ancre. Il s'agit d'exécuter proprement les volontés du roi. Tout homme saura bien dire à M. Fouquet : « Votre épée, monsieur ! » Mais tout le monde ne saura pas garder M. Fouquet sans faire crier personne. Comment donc opérer, pour que M. le surintendant passe de l'extrême faveur à la dernière disgrâce, pour qu'il voie se changer Vaux en un cachot, pour que, après avoir goûté l'encens d'Assuérus, il touche à la potence d'Aman, c'est-à-dire d'Enguerrand de Marigny ?

Ici, le front de d'Artagnan s'assombrit à faire pitié. Le mousquetaire avait des scrupules. Livrer ainsi à la mort (car certainement Louis XIV haïssait M. Fouquet), livrer, disons-nous, à la mort celui qu'on venait de breveter galant homme, c'était un véritable cas de conscience.

— Il me semble, se dit d'Artagnan, que, si je ne suis pas un croquant, je ferai savoir à M. Fouquet l'idée du roi à son égard. Mais, si je trahis le secret de mon maître, je suis un perfide et un traître, crime tout à fait prévu par les lois militaires, à telles enseignes que j'ai vu vingt fois, dans les guerres, brancher des malheureux qui avaient fait en petit ce que mon scrupule me conseille de faire en grand. Non, je pense qu'un homme d'esprit doit sortir de ce pas avec beaucoup plus d'adresse. Et maintenant, admettons-nous que j'aie de l'esprit ? C'est contestable, en ayant fait depuis quarante ans une telle consommation que, s'il m'en reste pour une pistole, ce sera bien du bonheur.

D'Artagnan se prit la tête dans les mains, s'arracha, bon gré mal gré, quelques poils de moustache et ajouta :

— Pour quelle cause M. Fouquet serait-il disgracié ? Pour trois causes : la première, parce qu'il n'est pas aimé de M. Colbert ; la seconde, parce qu'il a voulu aimer Mlle de La Vallière ; la troisième, parce que le roi aime M. Colbert et Mlle de La Vallière. C'est un homme perdu ! Mais lui mettrai-je le pied sur la tête, moi, un homme, quand il succombe sous des intrigues de femmes et de commis ? Fi donc ! S'il est dangereux, je l'abattrai ; s'il n'est que persécuté, je verrai ! J'en suis venu à ce point que ni roi ni homme ne prévaudra sur mon opinion. Athos serait ici qu'il ferait comme moi. Ainsi donc, au lieu d'aller trouver brutalement M. Fouquet, de l'appréhender au corps et de le calfeutrer, je vais tâcher de me conduire en homme de bonnes façons. On en parlera, d'accord ; mais on en parlera bien.

Et d'Artagnan, rehaussant par un geste particulier son baudrier sur son épaule, s'en alla droit chez M. Fouquet, lequel, après les adieux faits aux dames, se préparait à dormir tranquillement sur ses triomphes de la journée.

L'air était encore parfumé ou infecté, comme on voudra, de l'odeur du feu d'artifice. Les bougies jetaient leurs mourantes clartés, les fleurs tombaient détachées des guirlandes, les grappes de danseurs et de courtisans s'égrenaient dans les salons.

Au centre de ses amis, qui le complimentaient et recevaient ses compliments, le surintendant fermait à demi ses yeux fatigués. Il aspirait au repos, il tombait sur la litière de lauriers amassés depuis tant de jours. On eût dit qu'il courbait sa tête sous le poids de dettes nouvelles contractées pour faire honneur à cette fête.

M. Fouquet venait de se retirer dans sa chambre, souriant et plus qu'à moitié mort. Il n'écoutait plus, il ne voyait plus ; son lit l'attirait, le fascinait. Le dieu Morphée, dominateur du dôme, peint par Le Brun, avait étendu sa puissance aux chambres voisines, et lancé ses plus efficaces pavots chez le maître de la maison.

M. Fouquet, presque seul, était déjà dans les mains de son valet de chambre, lorsque M. d'Artagnan apparut sur le seuil de son appartement.

D'Artagnan n'avait jamais pu réussir à se vulgariser à la cour : en vain le voyait-on partout et toujours, il faisait son effet toujours et partout. C'est le privilège de certaines natures, qui ressemblent en cela aux éclairs ou au tonnerre. Chacun les connaît, mais leur apparition étonne, et, quand on les sent, la dernière impression est toujours celle qu'on croit avoir été la plus forte.

— Tiens ! M. d'Artagnan ? dit M. Fouquet, dont la manche droite était déjà séparée du corps.

— Pour vous servir, répliqua le mousquetaire.

— Entrez donc, cher monsieur d'Artagnan.

— Merci !

— Venez-vous me faire quelque critique sur la fête ? Vous êtes un esprit ingénieux.

— Oh ! non.

— Est-ce qu'on gêne votre service ?

— Pas du tout.

— Vous êtes mal logé peut-être ?

— A merveille.

— Eh bien ! je vous remercie d'être aussi aimable, et c'est moi qui me déclare votre obligé pour tout ce que vous me dites de flatteur.

Ces paroles signifiaient sans conteste : « Mon cher d'Artagnan, allez vous coucher, puisque vous avez un lit, et laissez-moi en faire autant. »

D'Artagnan ne parut pas avoir compris.

— Vous vous couchez déjà ? dit-il au surintendant.

— Oui. Avez-vous quelque chose à me communiquer ?

— Rien, monsieur, rien. Vous couchez donc ici ?

— Comme vous voyez.

— Monsieur, vous avez donné une bien belle fête au roi.

— Vous trouvez ?

— Oh ! superbe.

— Le roi est content ?

— Enchanté.

— Vous aurait-il prié de m'en faire part ?

— Il ne choisirait pas un si peu digne messager, monseigneur.

— Vous vous faites tort, monsieur d'Artagnan.

— C'est votre lit, ceci ?

— Oui. Pourquoi cette question ? n'êtes-vous pas satisfait du vôtre ?

— Faut-il vous parler avec franchise ?

— Assurément.

— Eh bien ! non.

Fouquet tressaillit.

— Monsieur d'Artagnan, dit-il, prenez ma chambre.

— Vous en priver, monseigneur ? Jamais !

— Que faire, alors ?

— Me permettre de la partager avec vous.

M. Fouquet regarda fixement le mousquetaire.

— Ah ! ah ! dit-il, vous sortez de chez le roi ?

— Mais oui, monseigneur.

— Et le roi voudrait vous voir coucher dans ma chambre ?

— Monseigneur...

— Très bien, monsieur d'Artagnan, très bien. Vous êtes ici le maître. Allez, monsieur.

— Je vous assure, monseigneur, que je ne veux point abuser...

M. Fouquet, s'adressant à son valet de chambre :

— Laissez-nous, dit-il.

Le valet sortit.

— Vous avez à me parler, monsieur ? dit-il à d'Artagnan.

— Moi ?

— Un homme de votre esprit ne vient pas causer avec un homme du mien, à l'heure qu'il est, sans de graves motifs ?

— Ne m'interrogez pas.

— Au contraire, que voulez-vous de moi ?

— Rien que votre société.

— Allons au jardin, fit le surintendant tout à coup, dans le parc ?

— Non, répondit vivement le mousquetaire, non.

— Pourquoi ?

— La fraîcheur...

— Voyons, avouez donc que vous m'arrêtez, dit le surintendant au capitaine.

— Jamais ! fit celui-ci.

— Vous me veillez, alors ?

— Par honneur, oui, monseigneur.

— Par honneur ?... C'est autre chose ! Ah ! l'on m'arrête chez moi ?

— Ne dites pas cela !

— Je le crierai, au contraire !

— Si vous le criez, je serai forcé de vous engager au silence.

— Bien ! de la violence chez moi ? Ah ! c'est très bien !

— Nous ne nous comprenons pas du tout. Tenez, il y a là un échiquier : jouons, s'il vous plaît, monseigneur.

— Monsieur d'Artagnan, je suis donc en disgrâce ?

— Pas du tout, mais...

— Mais défense m'est faite de me soustraire à vos regards ?

— Je ne comprends pas un mot de ce que vous me dites, monseigneur, et si vous voulez que je me retire, annoncez-le-moi.

— Cher monsieur d'Artagnan, vos façons me rendront fou. Je tombais de sommeil, vous m'avez réveillé.

— Je ne me le pardonnerai jamais, et si vous voulez me réconcilier avec moi-même...

— Eh bien ?

— Eh bien ! dormez là, devant moi, j'en serai ravi.

— Surveillance ?...

— Je m'en vais alors.

— Je ne vous comprends plus.

— Bonsoir, monseigneur.

Et d'Artagnan feignit de se retirer.

Alors M. Fouquet courut après lui.

— Je ne me coucherai pas, dit-il. Sérieusement, et puisque vous refusez de me traiter en homme, et que vous jouez au fin avec moi, je vais vous forcer comme on fait du sanglier.

— Bah ! s'écria d'Artagnan affectant de sourire.

— Je commande mes chevaux et je pars pour Paris, dit M. Fouquet plongeant jusqu'au cœur du capitaine des mousquetaires.

— Ah ! s'il en est ainsi, monseigneur, c'est différent.

— Vous m'arrêtez ?

— Non, mais je pars avec vous.

— En voilà assez, monsieur d'Artagnan, reprit Fouquet d'un ton froid. Ce n'est pas pour rien que vous avez cette réputation d'homme d'esprit et d'homme de ressources ; mais, avec moi, tout cela est superflu. Droit au but : un service. Pourquoi m'arrêtez-vous ? qu'ai-je fait ?

— Oh ! je ne sais rien de ce que vous avez fait ; mais je ne vous arrête pas... ce soir...

— Ce soir ! s'écria Fouquet en pâlissant ; mais demain ?

— Oh ! nous ne sommes pas à demain, monseigneur. Qui peut répondre jamais du lendemain ?

— Vite ! vite ! capitaine, laissez-moi parler à M. d'Herblay.

— Hélas ! voilà qui devient impossible, monseigneur. J'ai ordre de veiller à ce que vous ne causiez avec personne.

— Avec M. d'Herblay, capitaine, avec votre ami !

— Monseigneur, est-ce que, par hasard, M. d'Herblay, mon ami, ne serait pas le seul avec qui je dusse vous empêcher de communiquer ?

Fouquet rougit, et, prenant l'air de la résignation :

— Monsieur, dit-il, vous avez raison, je reçois une leçon que je n'eusse pas dû provoquer. L'homme tombé n'a droit à rien, pas même de la part de ceux dont il a fait la fortune, à plus forte raison de ceux à qui il n'a pas eu le bonheur de rendre jamais service.

— Monseigneur !

— C'est vrai, monsieur d'Artagnan, vous vous êtes toujours mis avec moi dans une bonne situation, dans la situation qui convient à l'homme destiné à m'arrêter. Vous ne m'avez jamais rien demandé, vous !

— Monseigneur, répondit le Gascon touché de cette douleur éloquente et noble, voulez-vous, je vous prie, m'engager votre parole d'honnête homme que vous ne sortirez pas de cette chambre ?

— A quoi bon, cher monsieur d'Artagnan, puisque vous m'y gardez ? Craignez-vous que je ne lutte contre la plus vaillante épée du royaume ?

— Ce n'est pas cela, monseigneur, c'est que je vais vous aller chercher M. d'Herblay, et, par conséquent, vous laisser seul.

Fouquet poussa un cri de joie et de surprise.

— Chercher M. d'Herblay ! me laisser seul ! s'écria-t-il en joignant les mains.

— Où loge M. d'Herblay ? dans la chambre bleue ?

— Oui, mon ami, oui.

— Votre ami ! merci du mot, monseigneur. Vous me donnez aujourd'hui, si vous ne m'avez pas donné autrefois.

— Ah ! vous me sauvez !

— Il y a bien pour dix minutes de chemin d'ici à la chambre bleue pour aller et revenir ? reprit d'Artagnan.

— A peu près.

— Et pour réveiller Aramis, qui dort bien quand il dort, pour le prévenir, je mets cinq minutes : total, un quart d'heure d'absence. Maintenant, monseigneur, donnez-moi votre parole que vous ne chercherez en aucune façon à fuir, et qu'en rentrant ici je vous y retrouverai ?

— Je vous la donne, monsieur, répondit Fouquet en serrant la main du mousquetaire avec une affectueuse reconnaissance.

D'Artagnan disparut.

Fouquet le regarda s'éloigner, attendit avec une impatience visible que la porte se fût refermée derrière lui, et, la porte refermée, se précipita sur ses clefs, ouvrit quelques tiroirs à secret cachés dans des meubles, chercha vainement quelques papiers, demeurés sans doute à Saint-Mandé et qu'il parut regretter de ne point y trouver ; puis, saisissant avec empressement des lettres, des contrats, des écritures, il en fit un monceau qu'il brûla hâtivement sur la plaque de marbre de l'âtre, ne prenant pas la peine de tirer de l'intérieur les pots de fleurs qui l'encombraient.

Puis, cette opération achevée, comme un homme qui vient d'échapper à un immense danger, et que la force abandonne dès que ce danger n'est plus à craindre, il se laissa tomber anéanti dans un fauteuil.

D'Artagnan rentra et trouva Fouquet dans la même position. Le digne mousquetaire n'avait pas fait un doute que Fouquet, ayant donné sa parole, ne songerait pas même à y manquer ; mais il avait pensé qu'il utiliserait son absence en se débarrassant de tous les papiers, de toutes les notes, de tous les contrats qui pourraient rendre plus dangereuse la position déjà assez grave dans laquelle il se trouvait. Aussi, levant la tête comme un chien qui prend le vent, il flaira cette odeur de fumée qu'il comptait bien découvrir dans l'atmosphère, et, l'y ayant trouvée, il fit un mouvement de tête en signe de satisfaction.

A l'entrée de d'Artagnan, Fouquet avait, de son côté, levé la tête, et aucun des mouvements de d'Artagnan ne lui avait échappé.

Puis les regards des deux hommes se rencontrèrent ; tous deux virent qu'ils s'étaient compris sans avoir échangé une parole.

— Eh bien ! demanda, le premier, Fouquet, et M. d'Herblay ?

— Ma foi ! monseigneur, répondit d'Artagnan, il faut que M. d'Herblay aime les promenades nocturnes et fasse, au clair de la lune, dans le parc de Vaux, des vers avec quelques-uns de vos poètes, mais il n'était pas chez lui.

— Comment ! pas chez lui ? s'écria Fouquet, à qui échappait sa dernière espérance, car, sans qu'il se rendît compte de quelle façon l'évêque de Vannes pouvait le secourir, il comprenait qu'en réalité il ne pouvait attendre de secours que de lui.

— Ou bien, s'il est chez lui, continua d'Artagnan, il a eu des raisons pour ne pas répondre.

— Mais vous n'avez donc pas appelé de façon qu'il entendît, monsieur ?

— Vous ne supposez pas, monseigneur, que, déjà en dehors de mes ordres, qui me défendaient de vous quitter un seul instant, vous ne supposez pas que j'aie été assez fou pour réveiller toute la maison et me faire voir dans le corridor de l'évêque de Vannes, afin de bien faire constater par M. Colbert que je vous donnais le temps de brûler vos papiers ?

— Mes papiers ?

— Sans doute ; c'est du moins ce que j'eusse fait à votre place. Quand on m'ouvre une porte, j'en profite.

— Eh bien ! oui, merci, j'en ai profité.

— Et vous avez bien fait, morbleu ! Chacun a ses petits secrets qui ne regardent pas les autres. Mais revenons à Aramis, monseigneur.

— Eh bien ! je vous dis, vous aurez appelé trop bas, et il n'aura pas entendu.

— Si bas qu'on appelle Aramis, monseigneur, Aramis entend toujours quand il a intérêt à entendre. Je répète donc ma phrase : Aramis n'était pas chez lui, monseigneur, ou Aramis a eu, pour ne pas reconnaître ma voix, des motifs que j'ignore et que vous ignorez peut-être vous-même, tout votre homme lige qu'est Sa Grandeur Mgr l'évêque de Vannes.

Fouquet poussa un soupir, se leva, fit trois ou quatre pas dans la chambre, et finit par aller s'asseoir, avec une expression de profond abattement, sur son magnifique lit de velours, tout garni de splendides dentelles.

D'Artagnan remarqua Fouquet avec un sentiment de profonde pitié.

— J'ai vu arrêter bien des gens dans ma vie, dit le mousquetaire avec mélancolie, j'ai vu arrêter M. de Cinq-Mars, j'ai vu arrêter M. de Chalais. J'étais bien jeune. J'ai vu arrêter M. de Condé avec les princes, j'ai vu arrêter M. de Retz, j'ai vu arrêter M. Broussel[1]. Tenez, monseigneur, c'est fâcheux à dire, mais celui de tous ces gens-là à qui vous ressemblez

---

1. La trilogie ne met en scène que l'arrestation de Broussel (voir *Vingt Ans après*, chap. XLVII) qui eut lieu le 26 août 1848. Cinq-Mars fut arrêté en septembre 1642 ; le prince de Condé, le prince de Conti et le duc de Longueville le 18 janvier 1650 ; Retz le 19 mars 1653, c'est-à-dire entre *Les Trois Mousquetaires* et *Vingt Ans après* pour Cinq-Mars, entre *Vingt Ans après* et *Le Vicomte de Bragelonne* pour les autres. Bien que l'arrestation de Chalais soit de 1626, et donc contemporaine à l'action des *Trois Mousquetaires*, elle est donnée comme effectuée dès le début du roman (chap. II).

le plus en ce moment, c'est le bonhomme Broussel. Peu s'en faut que vous ne mettiez, comme lui, votre serviette dans votre portefeuille, et que vous ne vous essuyiez la bouche avec vos papiers. Mordioux ! monsieur Fouquet, un homme comme vous n'a pas de ces abattements-là. Si vos amis vous voyaient !...

— Monsieur d'Artagnan, reprit le surintendant avec un sourire plein de tristesse, vous ne comprenez point : c'est justement parce que mes amis ne me voient pas, que je suis tel que vous me voyez, vous. Je ne vis pas tout seul, moi ! je ne suis rien tout seul. Remarquez bien que j'ai employé mon existence à me faire des amis dont j'espérais me faire des soutiens. Dans la prospérité, toutes ces voix heureuses, et heureuses par moi, me faisaient un concert de louanges et d'actions de grâces. Dans la moindre défaveur, ces voix plus humbles accompagnaient harmonieusement les murmures de mon âme. L'isolement, je ne l'ai jamais connu. La pauvreté, fantôme que parfois j'ai entrevu avec ses haillons au bout de ma route ! la pauvreté, c'est le spectre avec lequel plusieurs de mes amis se jouent depuis tant d'années, qu'ils poétisent, qu'ils caressent, qu'ils me font aimer ! La pauvreté ! mais je l'accepte, je la reconnais, je l'accueille comme une sœur déshéritée ; car, la pauvreté, ce n'est pas la solitude, ce n'est pas l'exil, ce n'est pas la prison ! Est-ce que je serais jamais pauvre, moi, avec des amis comme Pélisson, comme La Fontaine, comme Molière ? avec une maîtresse, comme... Oh ! mais la solitude, à moi, homme de bruit, à moi, homme de plaisirs, à moi qui ne suis que parce que les autres sont !... Oh ! si vous saviez comme je suis seul en ce moment ! et comme vous me paraissez être, vous qui me séparez de tout ce que j'aimais, l'image de la solitude, du néant et de la mort !

— Mais je vous ai déjà dit, monsieur Fouquet, répondit d'Artagnan touché jusqu'au fond de l'âme, je vous ai déjà dit que vous exagériez les choses. Le roi vous aime.

— Non, dit Fouquet en secouant la tête, non !

— M. Colbert vous hait.

— M. Colbert ? que m'importe !

— Il vous ruinera.

— Oh ! quant à cela, je l'en défie : je suis ruiné.

A cet étrange aveu du surintendant, d'Artagnan promena un regard expressif autour de lui. Quoiqu'il n'ouvrît pas la bouche, Fouquet le comprit si bien, qu'il ajouta :

— Que faire de ces magnificences, quand on n'est plus magnifique ? Savez-vous à quoi nous servent la plupart de nos possessions, à nous autres riches ? C'est à nous dégoûter, par leur splendeur même, de tout ce qui n'égale pas cette splendeur. Vaux ! me direz-vous, les merveilles de Vaux, n'est-ce pas ? Eh bien ! quoi ? Que faire de cette merveille ? Avec quoi, si je suis ruiné, verserai-je l'eau dans les urnes de mes naïades, le feu dans les entrailles de mes salamandres, l'air dans la poitrine de mes tritons ? Pour être assez riche, monsieur d'Artagnan, il faut être trop riche.

D'Artagnan hocha la tête.

— Oh ! je sais bien ce que vous pensez, répliqua vivement Fouquet. Si vous aviez Vaux, vous le vendriez, vous, et vous achèteriez une terre en province. Cette terre aurait des bois, des vergers et des champs ; cette terre nourrirait son maître. De quarante millions, vous feriez bien...

— Dix millions, interrompit d'Artagnan.

— Pas un million, mon cher capitaine. Nul, en France, n'est assez riche pour acheter Vaux deux millions et l'entretenir comme il est, nul ne le pourrait, nul ne le saurait.

— Dame ! fit d'Artagnan, en tout cas, un million...

— Eh bien ?

— Ce n'est pas la misère.

— C'est bien près, mon cher monsieur.

— Comment ?

— Oh ! vous ne comprenez pas. Non, je ne veux pas vendre ma maison de Vaux. Je vous la donne, si vous voulez.

Et Fouquet accompagna ces mots d'un inexprimable mouvement d'épaules.

— Donnez-la au roi, vous ferez un meilleur marché.

— Le roi n'a pas besoin que je la lui donne, dit Fouquet ; il me la prendra parfaitement bien, si elle lui fait plaisir : voilà pourquoi j'aime mieux qu'elle périsse. Tenez, monsieur d'Artagnan, si le roi n'était pas sous mon toit, je prendrais cette bougie, j'irais sous le dôme mettre le feu à deux caisses de fusées et d'artifices que l'on avait réservées, et je réduirais mon palais en cendres.

— Bah ! fit négligemment le mousquetaire. En tout cas, vous ne brûleriez pas les jardins. C'est ce qu'il y a de mieux chez vous.

— Et puis, reprit sourdement Fouquet, qu'ai-je dit là, mon Dieu ! Brûler Vaux ! détruire mon palais ! Mais Vaux n'est pas à moi, mais ces richesses, mais ces merveilles, elles appartiennent, comme jouissance, à celui qui les a payées, c'est vrai, mais comme durée, elles sont à ceux-là qui les ont créées. Vaux est à Le Brun ; Vaux est à Le Nôtre ; Vaux est à Pélisson, à Le Vau, à La Fontaine, Vaux est à Molière, qui y a fait jouer *Les Fâcheux*, Vaux est à la postérité, enfin. Vous voyez bien, monsieur d'Artagnan, que je n'ai plus ma maison à moi.

— A la bonne heure, dit d'Artagnan, voilà une idée que j'aime, et je reconnais là M. Fouquet. Cette idée m'éloigne du bonhomme Broussel, et je n'y reconnais plus les pleurnicheries du vieux frondeur. Si vous êtes ruiné, monseigneur, prenez bien la chose ; vous aussi, mordioux ! vous appartenez à la postérité et vous n'avez pas le droit de vous amoindrir. Tenez, regardez-moi, moi qui ai l'air d'exercer une supériorité sur vous parce que je vous arrête ; le sort, qui distribue leurs rôles aux comédiens de ce monde, m'en a donné un moins beau, moins agréable à jouer que n'était le vôtre. Je suis de ceux, voyez-vous, qui pensent que les rôles des rois ou des puissants valent mieux que les rôles de mendiants ou de laquais. Mieux vaut, même en scène, sur un autre théâtre que le théâtre du monde, mieux vaut porter le bel habit et mâcher le beau langage que de frotter la planche avec une savate ou se faire caresser l'échine avec des bâtons rembourrés d'étoupe. En un mot, vous avez abusé de l'or, vous avez commandé, vous avez joui. Moi, j'ai traîné ma longe ; moi, j'ai obéi ; moi, j'ai pâti. Eh bien ! si peu que je vaille auprès de vous, monseigneur, je vous le déclare : le souvenir de ce que j'ai fait me tient lieu d'un aiguillon qui m'empêche de courber trop tôt ma vieille tête. Je serai jusqu'au bout bon cheval d'escadron, et je tomberai tout roide, tout d'une pièce, tout vivant, après avoir bien choisi ma place. Faites comme moi, monsieur Fouquet ; vous ne vous en trouverez pas plus mal. Cela n'arrive qu'une fois aux hommes comme vous. Le tout est de bien faire quand cela arrive. Il y a un proverbe latin dont j'ai oublié les mots, mais dont je me rappelle le sens, car plus d'une fois, je l'ai médité : il dit : « La fin couronne l'œuvre[1]. »

Fouquet se leva, vint passez son bras autour du cou de d'Artagnan, qu'il étreignit sur sa poitrine, tandis que, de l'autre main, il lui serrait la main.

— Voilà un beau sermon, dit-il après une pause.

— Sermon de mousquetaire, monseigneur.

— Vous m'aimez, vous, qui me dites tout cela.

— Peut-être.

Fouquet redevint pensif. Puis, après un instant :

— Mais M. d'Herblay, demanda-t-il, où peut-il être ?

— Ah ! voilà !

— Je n'ose vous prier de le faire chercher.

— Vous m'en prieriez, que je ne le ferais plus, monsieur Fouquet. C'est imprudent. On le saurait, et Aramis, qui n'est pas en cause dans tout cela, pourrait être compromis et englobé dans votre disgrâce.

— J'attendrai le jour, dit Fouquet.

— Oui, c'est ce qu'il y a de mieux.

— Que ferons-nous, au jour ?

— Je n'en sais rien, monseigneur.

— Faites-moi une grâce, monsieur d'Artagnan.

— Très volontiers.

— Vous me gardez, je reste ; vous êtes dans la pleine exécution de vos consignes, n'est-ce pas ?

— Mais oui.

---

1. « Finis corona opus. »

— Eh bien ! restez mon ombre, soit ! J'aime mieux cette ombre-là qu'une autre.

D'Artagnan s'inclina.

— Mais oubliez que vous êtes M. d'Artagnan, capitaine des mousquetaires ; oubliez que je suis M. Fouquet, surintendant des finances, et causons de mes affaires.

— Peste ! c'est épineux, cela.

— Vraiment ?

— Oui ; mais, pour vous, monsieur Fouquet, je ferais l'impossible.

— Merci. Que vous a dit le roi ?

— Rien.

— Ah ! voilà comme vous causez ?

— Dame !

— Que pensez-vous de ma situation ?

— Rien.

— Cependant, à moins de mauvaise volonté...

— Votre situation est difficile.

— En quoi ?

— En ce que vous êtes chez vous.

— Si difficile qu'elle soit, je la comprends bien.

— Pardieu ! est-ce que vous vous imaginez qu'avec un autre que vous j'eusse fait tant de franchise ?

— Comment, tant de franchise ? Vous avez été franc avec moi, vous ! vous qui refusez de me dire la moindre chose ?

— Tant de façons. Alors.

— A la bonne heure !

— Tenez, monseigneur, écoutez comment je m'y fusse pris avec un autre que vous ; j'arrivais à votre porte, les gens partis, ou, s'ils n'étaient pas partis, je les attendais à leur sortie et je les attrapais un à un, comme des lapins au débouter ; je les coffrais sans bruit, je m'étendais sur le tapis de votre corridor, et, une main sur vous, sans que vous vous en doutassiez, je vous gardais pour le déjeuner du maître. De cette façon pas d'esclandre, pas de défense, pas de bruit, mais aussi, pas d'avertissement pour M. Fouquet, pas de réserve, pas de ces concessions délicates qu'entre gens courtois on se fait au moment décisif. Êtes-vous content de ce plan-là ?

— Il me fait frémir.

— N'est-ce pas ? c'eût été triste d'apparaître demain, sans préparation, et de vous demander votre épée.

— Oh ! monsieur, j'en fusse mort de honte et de colère !

— Votre reconnaissance s'exprime trop éloquemment ; je n'ai point fait assez, croyez-moi.

— A coup sûr, monsieur, vous ne me ferez jamais avouer cela.

— Eh bien ! maintenant, monseigneur, si vous êtes content de moi, si vous êtes remis de la secousse, que j'ai adoucie autant que j'ai pu, laissons le temps battre des ailes, vous êtes harassé, vous avez des réflexions à faire, je vous en conjure : dormez ou faites semblant de dormir, sur votre lit ou dans votre lit. Moi, je dors sur ce fauteuil, et quand je dors, mon sommeil est dur au point que le canon ne me réveillerait pas.

Fouquet sourit.

— J'excepte cependant, continua le mousquetaire, le cas où l'on ouvrirait une porte, soit secrète, soit visible, soit de sortie, soit d'entrée. Oh ! pour cela, mon oreille est vulnérable au dernier point. Un craquement me fait tressaillir. C'est une affaire d'antipathie naturelle. Allez donc, venez donc, promenez-vous par la chambre, écrivez, effacez, déchirez, brûlez, mais ne touchez pas la clef de la serrure ; mais ne touchez pas au bouton de la porte, car vous me réveilleriez en sursaut, et cela m'agacerait horriblement les nerfs.

— Décidément, monsieur d'Artagnan, dit Fouquet, vous êtes l'homme le plus spirituel et le plus courtois que je connaisse, et vous ne me laisserez qu'un regret : c'est d'avoir fait si tard votre connaissance.

D'Artagnan poussa un soupir qui voulait dire :

« Hélas ! peut-être l'avez-vous faite trop tôt ! »

Puis il s'enfonça dans son fauteuil, tandis que Fouquet, à demi couché sur son lit et appuyé sur le coude, rêvait à son aventure.

Et tous deux, laissant les bougies brûler, attendirent ainsi le premier réveil du jour, et quand Fouquet soupirait trop haut, d'Artagnan ronflait plus fort.

Nulle visite, même celle d'Aramis, ne troubla leur quiétude, nul bruit ne se fit entendre dans la vaste maison.

Au-dehors, les rondes d'honneur et les patrouilles de mousquetaires faisaient crier le sable sous leurs pas : c'était une tranquillité de plus pour les dormeurs. Qu'on y joigne le bruit du vent et des fontaines, qui font leur fonction éternelle, sans s'inquiéter des petits bruits et des petites choses dont se composent la vie et la mort de l'homme.

CCXXVI

LE MATIN

Auprès de ce destin lugubre du roi enfermé à la Bastille et rongeant de désespoir les verrous et les barreaux, la rhétorique des chroniqueurs anciens ne manquerait pas de placer l'antithèse de Philippe dormant sous le dais royal. Ce n'est pas que la rhétorique soit toujours mauvaise et sème toujours à faux les fleurs dont elle veut émailler l'histoire ; mais nous nous excuserons de polir ici soigneusement l'antithèse et de dessiner avec intérêt l'autre tableau destiné à servir de pendant au premier.

Le jeune prince descendit de chez Aramis comme le roi était descendu de la chambre de Morphée. Le dôme s'abaissa lentement sous la pression de M. d'Herblay, et Philippe se trouva devant le lit royal, qui était remonté après avoir déposé son prisonnier dans les profondeurs des souterrains.

Seul en présence de ce luxe, seul devant toute sa puissance, seul devant le rôle qu'il allait être forcé de jouer, Philippe sentit pour la première fois son âme s'ouvrir à ces mille émotions qui sont les battements vitaux d'un cœur de roi.

Mais la pâleur le prit quand il considéra ce lit vide et encore froissé par le corps de son frère.

Ce muet complice était revenu après avoir servi à la consommation de l'œuvre. Il revenait avec la trace du crime, il parlait au coupable le langage franc et brutal que le complice ne craint jamais d'employer avec son complice. Il disait la vérité.

Philippe, en se baissant pour mieux voir, aperçut le mouchoir encore humide de la sueur froide qui avait ruisselé du front de Louis XIV. Cette sueur épouvanta Philippe comme le sang d'Abel épouvanta Caïn.

— Me voilà face à face avec mon destin, dit Philippe, l'œil en feu, le visage livide. Sera-t-il plus effrayant que ma captivité ne fut douloureuse ? Forcé de suivre à chaque instant les usurpations de la pensée, songerai-je toujours à écouter les scrupules de mon cœur ?... Eh bien ! oui ! le roi a reposé sur ce lit ; oui, c'est bien sa tête qui a creusé ce pli dans l'oreiller, c'est bien l'amertume de ses larmes qui a amolli ce mouchoir, et j'hésite à me coucher sur ce lit, à serrer de ma main ce mouchoir brodé des armes et du chiffre du roi !... Allons, imitons M. d'Herblay, qui veut que l'action soit toujours d'un degré au-dessus de la pensée ; imitons M. d'Herblay, qui songe toujours à lui et qui s'appelle honnête homme quand il n'a mécontenté ou trahi que ses ennemis. Ce lit, je l'aurais occupé si Louis XIV ne m'en eût frustré par le crime de notre mère. Ce mouchoir brodé aux armes de France, c'est à moi qu'il appartiendrait de m'en servir, si, comme le fait observer M. d'Herblay, j'avais été laissé à ma place dans le berceau royal. Philippe, fils de France, remonte sur ton lit ! Philippe, seul roi de France, reprends ton blason ! Philippe, seul héritier présomptif de Louis XIII, ton père, sois sans pitié pour l'usurpateur, qui n'a pas même en ce moment le remords de tout ce que tu as souffert !

Cela dit, Philippe, malgré sa répugnance instinctive du corps, malgré les frissons et la terreur que domptait la volonté, se coucha sur le lit royal, et contraignit ses muscles à presser la couche encore tiède de

Louis XIV, tandis qu'il appuyait sur son front le mouchoir humide de sueur.

Lorsque sa tête se renversa en arrière et creusa l'oreiller moelleux, Philippe aperçut au-dessus de son front la couronne de France, tenue, comme nous l'avons dit, par l'ange aux ailes d'or.

Maintenant, qu'on se représente ce royal intrus, l'œil sombre et le corps frémissant. Il ressemble au tigre égaré par une nuit d'orage, qui est venu par les roseaux, par la ravine inconnue, se coucher dans la caverne du lion absent. L'odeur féline l'a attiré, cette tiède vapeur de l'habitation ordinaire. Il a trouvé un lit d'herbes sèches, d'ossements rompus et pâteux comme une moelle ; il arrive, promène dans l'ombre son regard qui flamboie et qui voit ; il secoue ses membres ruisselants, son pelage souillé de vase, et s'accroupit lourdement, son large museau sur ses pattes énormes, prêt au sommeil, mais aussi prêt au combat. De temps en temps, l'éclair qui brille et miroite dans les crevasses de l'antre, le bruit des branches qui s'entrechoquent, des pierres qui crient en tombant, la vague appréhension du danger, le tirent de cette léthargie causée par la fatigue.

On peut être ambitieux de coucher dans le lit du lion, mais on ne doit pas espérer d'y dormir tranquille.

Philippe prêta l'oreille à tous les bruits, il laissa osciller son cœur au souffle de toutes les épouvantes ; mais, confiant dans sa force, doublée par l'exagération de sa résolution suprême, il attendit sans faiblesse qu'une circonstance décisive lui permît de se juger lui-même. Il espéra qu'un grand danger luirait pour lui, comme ces phosphores de la tempête qui montrent aux navigateurs la hauteur des vagues contre lesquelles ils luttent.

Mais rien ne vint. Le silence, ce mortel ennemi des cœurs inquiets, ce mortel ennemi des ambitieux, enveloppa toute la nuit, dans son épaisse vapeur, le futur roi de France, abrité sous sa couronne volée.

Vers le matin, une ombre bien plutôt qu'un corps se glissa dans la chambre royale ; Philippe l'attendait et ne s'en étonna pas.

— Eh bien ! monsieur d'Herblay ? dit-il.

— Eh bien ! sire, tout est fini.

— Comment ?

— Tout ce que nous attendions.

— Résistance ?

— Acharnée : pleurs, cris.

— Puis ?

— Puis la stupeur.

— Mais enfin ?

— Enfin, victoire complète et silence absolu.

— Le gouverneur de la Bastille se doute-t-il ?...

— De rien.

— Cette ressemblance ?

— Est la cause du succès.

— Mais le prisonnier ne peut manquer de s'expliquer, songez-y. J'ai bien pu le faire, moi qui avais à combattre un pouvoir bien autrement solide que n'est le mien.

— J'ai déjà pourvu à tout. Dans quelques jours, plus tôt peut-être, s'il est besoin, nous tirerons le captif de sa prison, et nous le dépayserons par un exil si lointain...

— On revient de l'exil, monsieur d'Herblay.

— Si loin, ai-je dit, que les forces matérielles de l'homme et la durée de sa vie ne suffiraient pas au retour.

Encore une fois, le regard du jeune roi et celui d'Aramis se croisèrent avec une froide intelligence.

— Et M. du Vallon ? demanda Philippe pour détourner la conversation.

— Il vous sera présenté aujourd'hui, et, confidentiellement, vous félicitera du danger que cet usurpateur vous a fait courir.

— Qu'en fera-t-on ?

— De M. du Vallon ?

— Un duc à brevet, n'est-ce pas ?

— Oui, un duc à brevet, reprit en souriant singulièrement Aramis.

— Pourquoi riez-vous, monsieur d'Herblay ?

— Je ris de l'idée prévoyante de Votre Majesté.

— Prévoyante ? Qu'entendez-vous par là ?

— Votre Majesté craint sans doute que ce pauvre Porthos ne devienne un témoin gênant, et elle veut s'en défaire.

— En le créant duc ?

— Assurément. Vous le tuez ; il en mourra de joie, et le secret mourra avec lui.

— Ah ! mon Dieu !

— Moi, dit flegmatiquement Aramis, j'y perdrai un bien bon ami.

En ce moment, et au milieu de ces futiles entretiens sous lesquels les deux conspirateurs cachaient la joie et l'orgueil du succès, Aramis entendit quelque chose qui lui fit dresser l'oreille.

— Qu'y a-t-il ? dit Philippe.

— Le jour, sire.

— Eh bien ?

— Eh bien ! avant de vous coucher, hier, sur ce lit, vous avez probablement décidé de faire quelque chose ce matin, au jour ?

— J'ai dit à mon capitaine des mousquetaires, répondit le jeune homme vivement, que je l'attendrais.

— Si vous lui avez dit cela, il viendra assurément, car c'est un homme exact.

— J'entends un pas dans le vestibule.

— C'est lui.

— Allons, commençons l'attaque, fit le jeune roi avec résolution.

— Prenez garde! s'écria Aramis. Commencer l'attaque, et par d'Artagnan, ce serait folie. D'Artagnan ne sait rien, d'Artagnan n'a rien vu, d'Artagnan est à cent lieues de soupçonner notre mystère; mais qu'il pénètre ici ce matin le premier, et il flairera que quelque chose s'y est passé dont il doit se préoccuper. Voyez-vous, sire, avant de laisser pénétrer d'Artagnan ici, nous devons donner beaucoup d'air à la chambre, ou y introduire tant de gens, que le limier le plus fin de ce royaume ait été dépisté par vingt traces différentes.

— Mais comment le congédier, puisque je lui ai donné rendez-vous? fit observer le prince, impatient de se mesurer avec un si redoutable adversaire.

— Je m'en charge, répliqua l'évêque, et, pour commencer, je vais frapper un coup qui étourdira notre homme.

— Lui aussi frappe un coup, ajouta vivement le prince.

En effet, un coup retentit à l'extérieur.

Aramis ne s'était pas trompé: c'était bien d'Artagnan qui s'annonçait de la sorte.

Nous l'avons vu passer la nuit à philosopher avec M. Fouquet; mais le mousquetaire était bien las, même de feindre le sommeil; et aussitôt que l'aube vint illuminer de sa bleuâtre auréole les somptueuses corniches de la chambre du surintendant, d'Artagnan se leva de son fauteuil, rangea son épée, repassa son habit avec sa manche et brossa son feutre comme un soldat aux gardes prêt à passer l'inspection de son anspessade.

— Vous sortez? demanda M. Fouquet.

— Oui, monseigneur; et vous?

— Moi, je reste.

— Sur parole?

— Sur parole.

— Bien. Je ne sors, d'ailleurs, que pour aller chercher cette réponse, vous savez?

— Cette sentence, vous voulez dire.

— Tenez, j'ai un peu du vieux Romain, moi. Ce matin, en me levant, j'ai remarqué que mon épée ne s'est prise dans aucune aiguillette, et que le baudrier a bien coulé. C'est un signe infaillible.

— De prospérité?

— Oui, figurez-vous-le bien. Chaque fois que ce diable de buffle s'accrochait à mon dos, c'était une punition de M. de Tréville, ou un refus d'argent de M. de Mazarin. Chaque fois que l'épée s'accrochait dans le baudrier même, c'était une mauvaise commission, comme il m'en a plu toute ma vie. Chaque fois que l'épée elle-même dansait au fourreau, c'était un duel heureux. Chaque fois qu'elle se logeait dans mes mollets, c'était une blessure légère. Chaque fois qu'elle sortait tout à fait du fourreau, j'étais fixé, j'en étais quitte pour rester sur le champ de bataille, avec deux ou trois mois de chirurgien et de compresses.

— Ah ! mais je ne vous savais pas si bien renseigné par votre épée, dit Fouquet avec un pâle sourire qui était la lutte contre ses propres faiblesses. Avez-vous une *tisona*[1] ou une *tranchante* ? Votre lame est-elle fée ou charmée ?

— Mon épée, voyez-vous, c'est un membre qui fait partie de mon corps. J'ai ouï dire que certains hommes sont avertis par leur jambe ou par un battement de leur tempe. Moi, je suis averti par mon épée. Eh bien ! elle ne m'a rien dit ce matin. Ah ! si fait !… la voilà qui vient de tomber toute seule dans le dernier recoin du baudrier. Savez-vous ce que cela me présage ?

— Non.

— Eh bien ! cela me présage une arrestation pour aujourd'hui.

— Ah ! mais, fit le surintendant plus étonné que fâché de cette franchise, si rien de triste ne vous est prédit par votre épée, il n'est donc pas triste pour vous de m'arrêter ?

— Vous arrêter ! vous ?

— Sans doute… le présage…

— Ne vous regarde pas, puisque vous êtes tout arrêté depuis hier. Ce n'est donc pas vous que j'arrêterai. Voilà pourquoi je me réjouis, voilà pourquoi je dis que ma journée sera heureuse.

Et, sur ces paroles, prononcées avec une bonne grâce tout affectueuse, le capitaine prit congé de M. Fouquet pour se rendre chez le roi.

Il allait franchir le seuil de la chambre, lorsque M. Fouquet lui dit :

— Une dernière marque de votre bienveillance.

— Soit, monseigneur.

— M. d'Herblay ; laissez-moi voir M. d'Herblay.

— Je vais faire en sorte de vous le ramener.

D'Artagnan ne croyait pas si bien dire. Il était écrit que la journée se passerait pour lui à réaliser les prédictions que le matin lui aurait faites.

Il vint heurter, ainsi que nous l'avons dit, à la porte du roi. Cette porte s'ouvrit. Le capitaine put croire que le roi venait ouvrir lui-même. Cette supposition n'était pas inadmissible après l'état d'agitation où le mousquetaire avait laissé Louis XIV la veille. Mais, au lieu de la figure royale, qu'il s'apprêtait à saluer respectueusement, il aperçut la figure longue et impassible d'Aramis. Peu s'en fallut qu'il ne poussât un cri, tant sa surprise fut violente.

— Aramis ! dit-il.

— Bonjour, cher d'Artagnan, répondit froidement le prélat.

— Ici ? balbutia le mousquetaire.

---

1. Tizona était l'une des épées du Cid.

— Sa Majesté vous prie, dit l'évêque, d'annoncer qu'elle repose, après avoir été bien fatiguée toute la nuit.

— Ah ! fit d'Artagnan, qui ne pouvait comprendre comment l'évêque de Vannes, si mince favori la veille, se trouvait devenu, en six heures, le plus haut champignon de fortune qui eût encore poussé dans la ruelle d'un lit royal.

En effet, pour transmettre au seuil de la chambre du monarque les volontés du roi, pour servir d'intermédiaire à Louis XIV, pour commander en son nom, à deux pas de lui, il fallait être plus que n'avait jamais été Richelieu avec Louis XIII.

L'œil expressif de d'Artagnan, sa bouche dilatée, sa moustache hérissée, dirent tout cela dans le plus éclatant des langages au superbe favori, qui ne s'en émut point.

— De plus, continua l'évêque, vous voudrez bien, monsieur le capitaine des mousquetaires, ne laisser admettre que les grandes entrées ce matin. Sa Majesté veut dormir encore.

— Mais, objecta d'Artagnan prêt à se révolter, et surtout à laisser éclater les soupçons que lui inspirait le silence du roi ; mais, monsieur l'évêque, Sa Majesté m'a donné rendez-vous ce matin.

— Remettons, remettons, dit du fond de l'alcôve la voix du roi, voix qui fit courir un frisson dans les veines du mousquetaire.

Il s'inclina, ébahi, stupide, abruti par le sourire dont Aramis l'écrasa, une fois ces paroles prononcées.

— Et puis, continua l'évêque, pour répondre à ce que vous veniez demander au roi, mon cher d'Artagnan, voici un ordre dont vous prendrez connaissance sur-le-champ. Cet ordre concerne M. Fouquet.

D'Artagnan prit l'ordre qu'on lui tendait.

— Mise en liberté ? murmura-t-il. Ah !

Et il poussa un second *ah !* plus intelligent que le premier.

C'est que cet ordre lui expliquait la présence d'Aramis chez le roi ; c'est qu'Aramis, pour avoir obtenu la grâce de M. Fouquet, devait être bien avant dans la faveur royale ; c'est que cette faveur expliquait à son tour l'incroyable aplomb avec lequel M. d'Herblay donnait les ordres au nom de Sa Majesté.

Il suffisait à d'Artagnan d'avoir compris quelque chose pour tout comprendre. Il salua et fit deux pas pour partir.

— Je vous accompagne, dit l'évêque.

— Où cela ?

— Chez M. Fouquet ; je veux jouir de son contentement.

— Ah ! Aramis, que vous m'avez intrigué tout à l'heure, dit encore d'Artagnan.

— Mais, à présent, vous comprenez ?

— Pardieu ! si je comprends, dit-il tout haut.

Puis, tout bas :

— Eh bien ! non ! siffla-t-il entre ses dents ; non, je ne comprends pas. C'est égal, il y a ordre.

Et il ajouta :

— Passez devant, monseigneur.

D'Artagnan conduisit Aramis chez Fouquet.

CCXXVII

L'AMI DU ROI

Fouquet attendait avec anxiété ; il avait déjà congédié plusieurs de ses serviteurs et de ses amis qui, devançant l'heure de ses réceptions accoutumées, étaient venus à sa porte. A chacun d'eux, taisant le danger suspendu sur sa tête, il demandait seulement où l'on pouvait trouver Aramis.

Quand il vit revenir d'Artagnan, quand il aperçut derrière lui l'évêque de Vannes, sa joie fut au comble ; elle égala toute son inquiétude. Voir Aramis, c'était pour le surintendant une compensation au malheur d'être arrêté.

Le prélat était silencieux et grave ; d'Artagnan était bouleversé par toute cette accumulation d'événements incroyables.

— Eh bien ! capitaine, vous m'amenez M. d'Herblay ?

— Et quelque chose de mieux encore, monseigneur.

— Quoi donc ?

— La liberté.

— Je suis libre ?

— Vous l'êtes. Ordre du roi.

Fouquet reprit toute sa sérénité pour bien interroger Aramis avec son regard.

— Oh ! oui, vous pouvez remercier M. l'évêque de Vannes, poursuivit d'Artagnan, car c'est bien à lui que vous devez le changement du roi.

— Oh ! dit M. Fouquet, plus humilié du service que reconnaissant du succès.

— Mais vous, continua d'Artagnan en s'adressant à Aramis, vous qui protégez M. Fouquet, est-ce que vous ne ferez pas quelque chose pour moi ?

— Tout ce qu'il vous plaira, mon ami, répliqua l'évêque de sa voix calme.

— Une seule chose alors, et je me déclare satisfait. Comment êtes-vous devenu le favori du roi, vous qui ne lui avez parlé que deux fois en votre vie ?

— A un ami comme vous, repartit Aramis finement, on ne cache rien.

— Ah ! bon. Dites.

— Eh bien ! vous croyez que je n'ai vu le roi que deux fois, tandis que je l'ai vu plus de cent fois. Seulement, nous nous cachions, voilà tout.

Et, sans chercher à éteindre la nouvelle rougeur que cette révélation fit monter au front de d'Artagnan, Aramis se tourna vers M. Fouquet, aussi surpris que le mousquetaire.

— Monseigneur, reprit-il, le roi me charge de vous dire qu'il est plus que jamais votre ami, et que votre fête si belle, si généreusement offerte, lui a touché le cœur.

Là-dessus, il salua M. Fouquet si révérencieusement, que celui-ci, incapable de rien comprendre à une diplomatie de cette force, demeura sans voix, sans idée et sans mouvement.

D'Artagnan crut comprendre, lui, que ces deux hommes avaient quelque chose à se dire, et il allait obéir à cet instinct de politesse qui précipite, en pareil cas, vers la porte celui dont la présence est une gêne pour les autres ; mais sa curiosité ardente, fouettée par tant de mystères, lui conseilla de rester.

Alors, Aramis, se tournant vers lui avec douceur :

— Mon ami, dit-il, vous vous rappellerez bien, n'est-ce pas, l'ordre du roi touchant les défenses pour son petit lever ?

Ces mots étaient assez clairs. Le mousquetaire les comprit ; il salua donc M. Fouquet, puis Aramis avec une teinte de respect ironique, et disparut.

Alors M. Fouquet, dont toute l'impatience avait eu peine à attendre ce moment, s'élança vers la porte pour la fermer, et, revenant à l'évêque :

— Mon cher d'Herblay, dit-il, je crois qu'il est temps pour vous de m'expliquer ce qui se passe. En vérité, je n'y comprends plus rien.

— Nous allons vous expliquer tout cela, dit Aramis en s'asseyant et en faisant asseoir M. Fouquet. Par où faut-il commencer ?

— Par ceci, d'abord. Avant tout autre intérêt, pourquoi le roi me fait-il mettre en liberté ?

— Vous eussiez dû plutôt me demander pourquoi il vous faisait arrêter.

— Depuis mon arrestation, j'ai eu le temps d'y songer, et je crois qu'il s'agit bien un peu de jalousie. Ma fête a contrarié M. Colbert, et M. Colbert a trouvé quelque plan contre moi, le plan de Belle-Ile, par exemple ?

— Non, il ne s'agissait pas encore de Belle-Ile.

— De quoi, alors ?

— Vous souvenez-vous de ces quittances de treize millions que M. de Mazarin vous a fait voler ?

— Oh ! oui. Eh bien ?

— Eh bien ! vous voilà déjà déclaré voleur.

— Mon Dieu !

— Ce n'est pas tout. Vous souvient-il de cette lettre écrite par vous à La Vallière ?

— Hélas ! c'est vrai.

— Vous voilà déclaré traître et suborneur.

— Alors, pourquoi m'avoir pardonné ?

— Nous n'en sommes pas encore là de notre argumentation. Je désire vous voir bien fixé sur le fait. Remarquez bien ceci : le roi vous sait coupable de détournements de fonds. Oh ! pardieu ! je n'ignore pas que vous n'avez rien détourné du tout ; mais enfin, le roi n'a pas vu les quittances, et il ne peut faire autrement que de vous croire criminel.

— Pardon, je ne vois...

— Vous allez voir. Le roi, de plus, ayant lu votre billet amoureux et vos offres faites à La Vallière, ne peut conserver aucun doute sur vos intentions à l'égard de cette belle, n'est-ce pas ?

— Assurément. Mais concluez.

— J'y viens. Le roi est donc pour vous un ennemi capital, implacable, éternel.

— D'accord. Mais suis-je donc si puissant, qu'il n'ait osé me perdre, malgré cette haine, avec tous les moyens que ma faiblesse ou mon malheur lui donne comme prise sur moi ?

— Il est bien constaté, reprit froidement Aramis, que le roi est irrévocablement brouillé avec vous.

— Mais qu'il m'absout.

— Le croyez-vous ? fit l'évêque avec un regard scrutateur.

— Sans croire à la sincérité du cœur, je crois à la vérité du fait.

Aramis haussa légèrement les épaules.

— Pourquoi alors Louis XIV vous aurait-il chargé de me dire ce que vous m'avez rapporté ? demanda Fouquet.

— Le roi ne m'a chargé de rien pour vous.

— De rien !... fit le surintendant stupéfait. Eh bien ! alors, cet ordre ?...

— Ah ! oui, il y a un ordre, c'est juste.

Et ces mots furent prononcés par Aramis avec un accent si étrange, que Fouquet ne put s'empêcher de tressaillir.

— Tenez, dit-il, vous me cachez quelque chose, je le vois.

Aramis caressa son menton avec ses doigts si blancs.

— Le roi m'exile ?

— Ne faites pas comme dans ce jeu où les enfants devinent la présence d'un objet caché à la façon dont une sonnette tinte quand ils s'approchent ou s'éloignent.

— Parlez, alors !

— Devinez.

— Vous me faites peur.

— Bah !... C'est que vous n'avez pas deviné, alors.

— Que vous a dit le roi ? Au nom de notre amitié, ne me le dissimulez pas.

— Le roi ne m'a rien dit.

— Vous me ferez mourir d'impatience, d'Herblay. Suis-je toujours surintendant ?

— Tant que vous voudrez.

— Mais quel singulier empire avez-vous pris tout à coup sur l'esprit de Sa Majesté ?

— Ah ! voilà !

— Vous le faites agir à votre gré.

— Je le crois.

— C'est invraisemblable.

— On le dira.

— D'Herblay, par notre alliance, par notre amitié, par tout ce que vous avez de plus cher au monde, parlez-moi, je vous en supplie. A quoi devez-vous d'avoir ainsi pénétré chez Louis XIV ? Il ne vous aimait pas, je le sais.

— Le roi m'aimera maintenant, dit Aramis en appuyant sur ce dernier mot.

— Vous avez eu quelque chose de particulier avec lui ?

— Oui.

— Un secret, peut-être ?

— Oui, un secret.

— Un secret de nature à changer les intérêts de Sa Majesté ?

— Vous êtes un homme réellement supérieur, monseigneur. Vous avez bien deviné. J'ai, en effet, découvert un secret de nature à changer les intérêts du roi de France.

— Ah ! dit Fouquet, avec la réserve d'un galant homme qui ne veut pas questionner.

— Et vous allez en juger, poursuivit Aramis ; vous allez me dire si je me trompe sur l'importance de ce secret.

— J'écoute, puisque vous êtes assez bon pour vous ouvrir à moi. Seulement, mon ami, remarquez que je n'ai rien sollicité d'indiscret.

Aramis se recueillit un moment.

— Ne parlez pas, s'écria Fouquet. Il est temps encore.

— Vous souvient-il, dit l'évêque, les yeux baissés, de la naissance de Louis XIV ?

— Comme d'aujourd'hui.

— Avez-vous ouï dire quelque chose de particulier sur cette naissance ?

— Rien, sinon que le roi n'était pas véritablement le fils de Louis XIII.

— Cela n'importe en rien à notre intérêt ni à celui du royaume. Est le fils de son père, dit la loi française, celui qui a un père avoué par la loi.

— C'est vrai ; mais c'est grave, quand il s'agit de la qualité de races.

— Question secondaire. Donc, vous n'avez rien su de particulier ?

— Rien.

— Voilà où commence mon secret.

— Ah !

— La reine, au lieu d'accoucher d'un fils, accoucha de deux enfants.

Fouquet leva la tête.

— Et le second est mort ? dit-il.

— Vous allez voir. Ces deux jumeaux devaient être l'orgueil de leur mère et l'espoir de la France ; mais la faiblesse du roi, sa superstition, lui firent craindre des conflits entre deux enfants égaux en droits ; il supprima l'un des deux jumeaux.

— Supprima, dites-vous ?

— Attendez... Ces deux enfants grandirent : l'un, sur le trône, vous êtes son ministre ; l'autre, dans l'ombre et l'isolement.

— Et celui-là ?

— Est mon ami.

— Mon Dieu ! que me dites-vous là, monsieur d'Herblay. Et que fait ce pauvre prince ?

— Demandez-moi d'abord ce qu'il a fait.

— Oui, oui.

— Il a été élevé dans une campagne, puis séquestré dans une forteresse que l'on nomme la Bastille.

— Est-ce possible ! s'écria le surintendant les mains jointes.

— L'un était le plus fortuné des mortels, l'autre le plus malheureux des misérables.

— Et sa mère ignore-t-elle ?

— Anne d'Autriche sait tout.

— Et le roi ?

— Ah ! le roi ne sait rien.

— Tant mieux ! dit Fouquet.

Cette exclamation parut impressionner vivement Aramis. Il regarda d'un air soucieux son interlocuteur.

— Pardon, je vous ai interrompu, dit Fouquet.

— Je disais donc, reprit Aramis, que ce pauvre prince était le plus malheureux des hommes, quand Dieu, qui songe à toutes ses créatures, entreprit de venir à son secours.

— Oh ! comment cela ?

— Vous allez voir. Le roi régnant... Je dis le roi régnant, vous devinez bien pourquoi.

— Non... Pourquoi ?

— Parce que tous deux, bénéficiant légitimement de leur naissance, eussent dû être rois. Est-ce votre avis ?

— C'est mon avis.

— Positif ?

— Positif. Les jumeaux sont un en deux corps.

— J'aime qu'un légiste de votre force et de votre autorité me donne cette consultation. Il est donc établi pour nous que tous deux avaient les mêmes droits, n'est-ce pas ?

— C'est établi... Mais, mon Dieu ! quelle aventure !

— Vous n'êtes pas au bout. Patience !

— Oh ! j'en aurai.

— Dieu voulut susciter à l'opprimé un vengeur, un soutien, si vous le préférez. Il arriva que le roi régnant, l'usurpateur... Vous êtes bien de mon avis, n'est-ce pas ? c'est de l'usurpation que la jouissance tranquille, égoïste d'un héritage dont on n'a, au plus, en droit, que la moitié.

— Usurpation est le mot.

— Je poursuis donc. Dieu voulut que l'usurpateur eût pour premier ministre un homme de talent et de grand cœur, un grand esprit, outre cela.

— C'est bien, c'est bien, s'écria Fouquet. Je comprends : vous avez compté sur moi pour vous aider à réparer le tort fait au pauvre frère de Louis XIV ? Vous avez bien pensé : je vous aiderai. Merci, d'Herblay, merci !

— Ce n'est pas cela du tout. Vous ne me laissez pas finir, dit Aramis, impassible.

— Je me tais.

— M. Fouquet, disais-je, étant ministre du roi régnant, fut pris en aversion par le roi et fort menacé dans sa fortune, dans sa liberté, dans sa vie peut-être, par l'intrigue et la haine, trop facilement écoutées du roi. Mais Dieu permit, toujours pour le salut du prince sacrifié, que M. Fouquet eût à son tour un ami dévoué qui savait le secret d'État, et se sentait la force de mettre ce secret au jour après avoir eu la force de porter ce secret vingt ans dans son cœur.

— N'allez pas plus loin, dit Fouquet bouillant d'idées généreuses ; je vous comprends et je devine tout. Vous avez été trouver le roi quand la nouvelle de mon arrestation vous est parvenue ; vous l'avez supplié, il a refusé de vous entendre, lui aussi ; alors vous avez fait la menace du secret, la menace de la révélation, et Louis XIV, épouvanté, a dû accorder à la terreur de votre indiscrétion ce qu'il refusait à votre intercession généreuse. Je comprends, je comprends ! vous tenez le roi ; je comprends !

— Vous ne comprenez pas du tout, répondit Aramis, et voilà encore une fois que vous m'interrompez, mon ami. Et puis, permettez-moi de vous le dire, vous négligez trop la logique et vous n'usez pas assez de la mémoire.

— Comment ?

— Vous savez sur quoi j'ai appuyé au début de notre conversation ?

— Oui, la haine de Sa Majesté pour moi, haine invincible ! mais quelle haine résisterait à une menace de pareille révélation ?

— Une pareille révélation ? Eh ! voilà où vous manquez de logique. Quoi ! vous admettez que, si j'eusse fait au roi une pareille révélation, je puisse vivre encore à l'heure qu'il est ?

— Il n'y a pas dix minutes que vous étiez chez le roi.

— Soit ! il n'aurait pas eu le temps de me faire tuer ; mais il aurait eu le temps de me faire bâillonner et jeter dans une oubliette. Allons, de la fermeté dans le raisonnement, mordieu !

Et, par ce mot tout mousquetaire, oubli d'un homme qui ne s'oubliait jamais, Fouquet dut comprendre à quel degré d'exaltation venait d'arriver le calme, l'impénétrable évêque de Vannes. Il en frémit.

— Et puis, reprit ce dernier après s'être dompté, serais-je l'homme que je suis ? serais-je un ami véritable si je vous exposais, vous que le roi hait déjà, à un sentiment plus redoutable encore du jeune roi ? L'avoir volé, ce n'est rien ; avoir courtisé sa maîtresse, c'est peu ; mais tenir dans vos mains sa couronne et son honneur, allons donc ! il vous arracherait plutôt le cœur de ses propres mains !

— Vous ne lui avez rien laissé voir du secret ?

— J'eusse mieux aimé avaler tous les poisons que Mithridate a bus en vingt ans pour essayer à ne pas mourir[1].

— Qu'avez-vous fait, alors ?

— Ah ! nous y voici, monseigneur. Je crois que je vais exciter en vous quelque intérêt. Vous m'écoutez toujours, n'est-ce pas ?

— Si j'écoute ! Dites.

Aramis fit un tour dans la chambre, s'assura de la solitude, du silence, et revint se placer près du fauteuil dans lequel Fouquet attendait ses révélations avec une anxiété profonde.

— J'avais oublié de vous dire, reprit Aramis en s'adressant à Fouquet, qui l'écoutait avec une attention extrême, j'avais oublié une particularité remarquable touchant ces jumeaux : c'est que Dieu les a faits tellement semblables l'un à l'autre, que lui seul, s'il les citait à son tribunal, les saurait distinguer l'un de l'autre. Leur mère ne le pourrait pas.

— Est-il possible ! s'écria Fouquet.

— Même noblesse dans les traits, même démarche, même taille, même voix.

---

1. Procédé de Mithridate : tous les poisons que Mithridate a bus en vingt ans pour essayer de ne pas mourir.

— Mais la pensée ? mais l'intelligence ? mais la science de la vie ?

— Oh ! en cela, inégalité, monseigneur. Oui, car le prisonnier de la Bastille est d'une supériorité incontestable sur son frère, et si, de la prison, cette pauvre victime passait sur le trône, la France n'aurait pas, depuis son origine peut-être, rencontré un maître plus puissant par le génie et la noblesse de caractère.

Fouquet laissa un moment tomber dans ses mains son front appesanti par ce secret immense. Aramis s'approchait de lui :

— Il y a encore inégalité, dit-il en poursuivant son œuvre tentatrice, inégalité pour vous, monseigneur, entre les deux jumeaux, fils de Louis XIII : c'est que le dernier venu ne connaît pas M. Colbert.

Fouquet se releva aussitôt avec des traits pâles et altérés. Le coup avait porté, non pas en plein cœur, mais en plein esprit.

— Je vous comprends, dit-il à Aramis : vous me proposez une conspiration.

— A peu près.

— Une de ces tentatives qui, ainsi que vous le disiez au début de cet entretien, changent le sort des empires.

— Et des surintendants ; oui, monseigneur.

— En un mot, vous me proposez d'opérer une substitution du fils de Louis XIII qui est prisonnier aujourd'hui au fils de Louis XIII qui dort dans la chambre de Morphée en ce moment ?

Aramis sourit avec l'éclat sinistre de sa sinistre pensée.

— Soit ! dit-il.

— Mais, reprit Fouquet après un silence pénible, vous n'avez pas réfléchi que cette œuvre politique est de nature à bouleverser tout le royaume, et que, pour arracher cet arbre aux racines infinies qu'on appelle un roi, pour le remplacer par un autre, la terre ne sera jamais raffermie à ce point que le nouveau roi soit assuré contre le vent qui restera de l'ancien orage et contre les oscillations de sa propre masse.

Aramis continua de sourire.

— Songez donc, continua M. Fouquet en s'échauffant avec cette force de talent qui creuse un projet et le mûrit en quelques secondes, et avec cette largeur de vue qui en prévoit toutes les conséquences et en embrasse tous les résultats, songez donc qu'il nous faut assembler la noblesse, le clergé, le tiers état, déposer le prince régnant, troubler par un affreux scandale la tombe de Louis XIII, perdre la vie et l'honneur d'une femme, Anne d'Autriche, la vie et la paix d'une autre femme, Marie-Thérèse, et que, tout cela fini, si nous le finissons...

— Je ne vous comprends pas, dit froidement Aramis. Il n'y a pas un mot utile dans tout ce que vous venez de dire là.

— Comment ! fit le surintendant surpris, vous ne discutez pas la pratique, un homme comme vous ? Vous vous bornez aux joies enfantines d'une illusion politique, et vous négligez les chances de l'exécution, c'est-à-dire la réalité ; est-ce possible ?

— Mon ami, dit Aramis en appuyant sur le mot avec une sorte de familiarité dédaigneuse, comment fait Dieu pour substituer un roi à un autre ?

— Dieu ! s'écria Fouquet, Dieu donne un ordre à son agent, qui saisit le condamné, l'emporte et fait asseoir le triomphateur sur le trône devenu vide. Mais vous oubliez que cet agent s'appelle la mort. Oh ! mon Dieu ! monsieur d'Herblay, est-ce que vous auriez l'idée...

— Il ne s'agit pas de cela, monseigneur. En vérité, vous allez au-delà du but. Qui donc vous parle d'envoyer la mort au roi Louis XIV ? qui donc vous parle de suivre l'exemple de Dieu dans la stricte pratique de ses œuvres ? Non. Je voulais vous dire que Dieu fait les choses sans bouleversement, sans scandale, sans efforts, et que les hommes inspirés par Dieu réussissent comme lui dans ce qu'ils entreprennent, dans ce qu'il tentent, dans ce qu'ils font.

— Que voulez-vous dire ?

— Je voulais vous dire, mon ami, reprit Aramis avec la même intonation qu'il avait donnée à ce mot ami, quand il l'avait prononcé pour la première fois, je voulais vous dire que, s'il y a eu bouleversement, scandale et même effort dans la substitution du prisonnier au roi, je vous défie de me le prouver.

— Plaît-il ? s'écria Fouquet, plus blanc que le mouchoir dont il essuyait ses tempes. Vous dites ?...

— Allez dans la chambre du roi, continua tranquillement Aramis, et, vous qui savez le mystère, je vous défie de vous apercevoir que le prisonnier de la Bastille est couché dans le lit de son frère.

— Mais le roi ? balbutia Fouquet, saisi d'horreur à cette nouvelle.

— Quel roi ? dit Aramis de son plus doux accent, celui qui vous hait ou celui qui vous aime ?

— Le roi... d'hier ?...

— Le roi d'hier ? Rassurez-vous ; il a été prendre, à la Bastille, la place que sa victime occupait depuis trop longtemps.

— Juste Ciel ! Et qui l'y a conduit ?

— Moi.

— Vous ?

— Oui, et de la façon la plus simple. Je l'ai enlevé cette nuit, et, pendant qu'il redescendait dans l'ombre, l'autre remontait à la lumière. Je ne crois pas que cela ait fait du bruit. Un éclair sans tonnerre, cela ne réveille jamais personne.

Fouquet poussa un cri sourd, comme s'il eût été atteint d'un coup invisible, et prenant sa tête dans ses deux mains crispées :

— Vous avez fait cela ? murmura-t-il.

— Assez adroitement. Qu'en pensez-vous ?

— Vous avez détrôné le roi ? vous l'avez emprisonné ?

— C'est fait.

— Et l'action s'est accomplie ici, à Vaux ?

— Ici, à Vaux, dans la chambre de Morphée. Ne semblait-elle pas avoir été bâtie dans la prévoyance d'un pareil acte ?

— Et cela s'est passé ?

— Cette nuit.

— Cette nuit ?

— Entre minuit et une heure.

Fouquet fit un mouvement comme pour se jeter sur Aramis ; il se retint.

— A Vaux ! chez moi !... dit-il d'une voix étranglée.

— Mais je crois que oui. C'est surtout votre maison, depuis que M. Colbert ne peut plus vous la faire voler.

— C'est donc chez moi que s'est exécuté ce crime.

— Ce crime ! fit Aramis stupéfait.

— Ce crime abominable ! poursuivit Fouquet en s'exaltant de plus en plus, ce crime plus exécrable qu'un assassinat ! ce crime qui déshonore à jamais mon nom et me voue à l'horreur de la postérité.

— Çà, vous êtes en délire, monsieur, répondit Aramis d'une voix mal assurée, vous parlez trop haut : prenez garde !

— Je crierai si haut, que l'univers m'entendra.

— Monsieur Fouquet, prenez garde !

Fouquet se retourna vers le prélat, qu'il regarda en face.

— Oui, dit-il, vous m'avez déshonoré en commettant cette trahison, ce forfait, sur mon hôte, sur celui qui reposait paisiblement sous mon toit ! Oh ! malheur à moi !

— Malheur sur celui qui méditait, sous votre toit, la ruine de votre fortune, de votre vie ! Oubliez-vous cela ?

— C'était mon hôte, c'était mon roi !

Aramis se leva, les yeux injectés de sang, la bouche convulsive.

— Ai-je affaire à un insensé ? dit-il.

— Vous avez affaire à un honnête homme.

— Fou !

— A un homme qui vous empêchera de consommer votre crime.

— Fou !

— A un homme qui aime mieux mourir, qui aime mieux vous tuer que de laisser consommer son déshonneur.

Et Fouquet, se précipitant sur son épée, replacée par d'Artagnan au chevet du lit, agita résolument dans ses mains l'étincelant carrelet d'acier.

Aramis fronça le sourcil, glissa une main dans sa poitrine, comme s'il y cherchait une arme. Ce mouvement n'échappa point à Fouquet. Aussi, noble et superbe en sa magnanimité, jeta-t-il loin de lui son épée, qui alla rouler dans la ruelle du lit, et, s'approchant d'Aramis, de façon à lui toucher l'épaule de sa main désarmée :

— Monsieur, dit-il, il me serait doux de mourir ici pour ne pas survivre à mon opprobre, et, si vous avez encore quelque amitié pour moi, je vous en supplie, donnez-moi la mort.

Aramis resta silencieux et immobile.

— Vous ne répondez rien ?

Aramis releva doucement la tête, et l'on vit l'éclair de l'espoir se rallumer encore une fois dans ses yeux.

— Réfléchissez, dit-il, monseigneur, à tout ce qui nous attend. Cette justice étant faite, le roi vit encore, et son emprisonnement vous sauve la vie.

— Oui, répliqua Fouquet, vous avez pu agir dans mon intérêt, mais je n'accepte pas votre service. Toutefois, je ne veux point vous perdre. Vous allez sortir de cette maison.

Aramis étouffa l'éclair qui jaillissait de son cœur brisé.

— Je suis hospitalier pour tous, continua Fouquet avec une inexprimable majesté ; vous ne serez pas plus sacrifié, vous, que ne le sera celui dont vous aviez consommé la perte.

— Vous le serez, vous, dit Aramis d'une voix sourde et prophétique ; vous le serez, vous le serez !

— J'accepte l'augure, monsieur d'Herblay ; mais rien ne m'arrêtera. Vous allez quitter Vaux, vous allez quitter la France ; je vous donne quatre heures pour vous mettre hors de la portée du roi.

— Quatre heures ? fit Aramis railleur et incrédule.

— Foi de Fouquet ! nul ne vous suivra avant ce délai. Vous aurez donc quatre heures d'avance sur tous ceux que le roi voudrait expédier après vous.

— Quatre heures ! répéta Aramis en rugissant.

— C'est plus qu'il n'en faut pour vous embarquer et gagner Belle-Ile, que je vous donne pour refuge.

— Ah ! murmura Aramis.

— Belle-Ile, c'est à moi pour vous, comme Vaux est à moi pour le roi. Allez, d'Herblay, allez ! tant que je vivrai, il ne tombera pas un cheveu de votre tête.

— Merci ! dit Aramis avec une sombre ironie.

— Partez donc, et me donnez la main pour que tous deux nous courions, vous, au salut de votre vie, moi, au salut de mon honneur.

Aramis retira de son sein la main qu'il y avait cachée. Elle était rouge de son sang ; elle avait labouré sa poitrine avec ses ongles, comme pour punir la chair d'avoir enfanté tant de projets plus vains, plus fous, plus périssables que la vie de l'homme. Fouquet eut horreur, eut pitié : il ouvrit les bras à Aramis.

— Je n'avais pas d'armes, murmura celui-ci, farouche et terrible comme l'ombre de Didon.

Puis, sans toucher la main de Fouquet, il détourna sa vue et fit deux pas en arrière. Son dernier mot fut une imprécation ; son dernier geste fut l'anathème que dessina cette main rougie, en tachant Fouquet au visage de quelques gouttelettes de son sang.

Et tous deux s'élancèrent hors de la chambre par l'escalier secret, qui aboutissait aux cours intérieures.

Fouquet commanda ses meilleurs chevaux, et Aramis s'arrêta au bas de l'escalier qui conduisait à la chambre de Porthos. Il réfléchit longtemps, pendant que le carrosse de Fouquet quittait au grand galop le pavé de la cour principale.

« Partir seul ?... se dit Aramis. Prévenir le prince ?... Oh ! fureur !... Prévenir le prince, et alors quoi faire ?... Partir avec lui ?... Traîner partout ce témoignage accusateur ?... La guerre ?... La guerre civile, implacable ?... Sans ressource, hélas !... Impossible !... Que fera-t-il sans moi ?... Oh ! sans moi, il s'écroulera comme moi... Qui sait ?... Que la destinée s'accomplisse !... Il était condamné, qu'il demeure condamné !... Dieu !... Démon !... Sombre et railleuse puissance qu'on appelle le génie de l'homme, tu n'es qu'un souffle plus incertain, plus inutile que le vent dans la montagne ; tu t'appelles hasard, tu n'es rien ; tu embrasses tout de ton haleine, tu soulèves les quartiers de roc, la montagne elle-même, et tout à coup tu te brises devant la croix de bois mort, derrière laquelle vit une autre puissance invisible... que tu niais peut-être, et qui se venge de toi, et qui t'écrase sans te faire même l'honneur de dire son nom !... Perdu !... Je suis perdu !... Que faire ?... Aller à Belle-Ile ?... Oui. Et Porthos qui va rester ici, et parler, et tout conter à tous ! Porthos, qui souffrira peut-être !... Je ne veux pas que Porthos souffre. C'est un de mes membres : sa douleur est mienne. Porthos partira avec moi, Porthos suivra ma destinée. Il le faut.

Et Aramis, tout à la crainte de rencontrer quelqu'un à qui cette précipitation pût paraître suspecte, Aramis gravit l'escalier sans être aperçu de personne.

Porthos, revenu à peine de Paris, dormait déjà du sommeil du juste. Son corps énorme oubliait la fatigue, comme son esprit oubliait la pensée.

Aramis entra léger comme une ombre, et posa sa main nerveuse sur l'épaule du géant.

— Allons, cria-t-il, allons, Porthos, allons !

Porthos obéit, se leva, ouvrit les yeux avant d'avoir ouvert son intelligence.

— Nous partons, fit Aramis.

— Ah ! fit Porthos.

— Nous partons à cheval, plus rapides que nous n'avons jamais couru.

— Ah ! répéta Porthos.

— Habillez-vous, ami.

Et il aida le géant à s'habiller, et lui mit dans les poches son or et ses diamants.

Tandis qu'il se livrait à cette opération, un léger bruit attira sa pensée.

D'Artagnan regardait à l'embrasure de la porte.

Aramis tressaillit.

— Que diable faites-vous là, si agité ? dit le mousquetaire.

— Chut ! souffla Porthos.

— Nous partons en mission, ajouta l'évêque.

— Vous êtes bien heureux ! dit le mousquetaire.

— Peuh ! fit Porthos, je me sens fatigué ; j'eusse aimé mieux dormir ; mais le service du roi !...

— Est-ce que vous avez vu M. Fouquet ? dit Aramis à d'Artagnan.

— Oui, en carrosse, à l'instant.

— Et que vous a-t-il dit ?

— Il m'a dit adieu.

— Voilà tout ?

— Que vouliez-vous qu'il me dît autre chose ? Est-ce que je ne compte pas pour rien depuis que vous êtes tous en faveur ?

— Écoutez, dit Aramis en embrassant le mousquetaire, votre bon temps est revenu ; vous n'aurez plus à être jaloux de personne.

— Ah bah !

— Je vous prédis pour ce jour un événement qui doublera votre position.

— En vérité !

— Vous savez que je sais les nouvelles ?

— Oh ! oui !

— Allons, Porthos, vous êtes prêt ? Partons !

— Partons !

— Et embrassons d'Artagnan.

— Pardieu !

— Les chevaux ?

— Il n'en manque pas ici. Voulez-vous le mien ?

— Non, Porthos a son écurie. Adieu ! adieu !

Les deux fugitifs montèrent à cheval sous les yeux du capitaine des mousquetaires, qui tint l'étrier à Porthos et accompagna ses amis du regard, jusqu'à ce qu'il les eût vus disparaître.

« En toute autre occasion, pensa le Gascon, je dirais que ces gens-là se sauvent ; mais, aujourd'hui, la politique est si changée, que cela s'appelle aller en mission. Je le veux bien. Allons à nos affaires. »

Et il rentra philosophiquement à son logis.

CCXXVIII

COMMENT LA CONSIGNE ÉTAIT RESPECTÉE A LA BASTILLE

Fouquet brûlait le pavé. Chemin faisant, il s'agitait d'horreur à l'idée de ce qu'il venait d'apprendre.

Qu'était donc, pensait-il, la jeunesse de ces hommes prodigieux, qui, dans l'âge déjà faible, savent encore composer des plans pareils et les exécuter sans sourciller ?

Parfois, il se demandait si tout ce qu'Aramis lui avait conté n'était point un rêve, si la fable n'était pas le piège lui-même, et si, en arrivant à la Bastille, lui, Fouquet, il n'allait pas trouver un ordre d'arrestation qui l'enverrait rejoindre le roi détrôné.

Dans cette idée, il donna quelques ordres cachetés sur sa route, tandis qu'on attelait les chevaux. Ces ordres s'adressaient à M. d'Artagnan et à tous les chefs de corps dont la fidélité ne pouvait être suspecte.

« De cette façon, se dit Fouquet, prisonnier ou non, j'aurai rendu le service que je dois à la cause de l'honneur. Les ordres n'arriveront qu'après moi si je reviens libre, et, par conséquent, on ne les aura pas décachetés. Je les reprendrai. Si je tarde, c'est qu'il me sera arrivé malheur. Alors j'aurai du secours pour moi et pour le roi. »

C'est ainsi préparé qu'il arriva devant la Bastille. Le surintendant avait fait cinq lieues et demie à l'heure.

Tout ce qui n'était jamais arrivé à Aramis arriva dans la Bastille à M. Fouquet. M. Fouquet eut beau se nommer, il eut beau se faire reconnaître, il ne put jamais être introduit.

A force de solliciter, de menacer, d'ordonner, il décida un factionnaire à prévenir un bas officier qui prévint le major. Quant au gouverneur, on n'eût pas même osé le déranger pour cela.

Fouquet, dans son carrosse, à la porte de la forteresse, rongeait son frein et attendait le retour de ce bas officier, qui reparut enfin d'un air assez maussade.

— Eh bien ! dit Fouquet impatiemment, qu'a dit le major ?

— Eh bien ! *monsieur*, répliqua le soldat, M. le major m'a ri au nez. Il m'a dit que M. Fouquet est à Vaux, et que, fût-il à Paris, M. Fouquet ne se lèverait pas à l'heure qu'il est.

— Mordieu ! vous êtes un troupeau de drôles ! s'écria le ministre en s'élançant hors du carrosse.

Et, avant que le bas officier eût le temps de fermer la porte, Fouquet s'introduisit par la fente, et courut en avant, malgré les cris du soldat qui appelait à l'aide.

Fouquet gagnait du terrain, peu soucieux des cris de cet homme, lequel, ayant enfin joint Fouquet, répéta à la sentinelle de la seconde porte :

— A vous, à vous, sentinelle !

Le factionnaire croisa la pique sur le ministre ; mais celui-ci, robuste et agile, emporté d'ailleurs par la colère, arracha la pique des mains du soldat et lui en caressa rudement les épaules. Le bas officier, qui s'approchait trop, eut sa part de la distribution : tous deux poussèrent des cris furieux, au bruit desquels sortit tout le premier corps de garde de l'avancée.

Parmi ces gens, il y en eut un qui reconnut le surintendant et s'écria :

— Monseigneur !... Ah ! monseigneur !... Arrêtez, vous autres !

Et il arrêta effectivement les gardes qui se préparaient à venger leurs compagnons.

Fouquet commanda qu'on lui ouvrît la grille ; mais on lui objecta la consigne.

Il ordonna qu'on prévînt le gouverneur ; mais celui-ci était déjà instruit de tout le bruit de la porte ; à la tête d'un piquet de vingt hommes, il accourait, suivi de son major, dans la persuasion qu'une attaque avait lieu contre la Bastille.

Baisemeaux reconnut aussi Fouquet, et laissa tomber son épée qu'il tenait déjà toute brandie.

— Ah ! monseigneur, balbutia-t-il, que d'excuses !...

— Monsieur, fit le surintendant rouge de chaleur et tout suant, je vous fais mon compliment : votre service se fait à merveille.

Baisemeaux pâlit, croyant que ces paroles n'étaient qu'une ironie, présage de quelque furieuse colère. Mais Fouquet avait repris haleine, appelant du geste la sentinelle et le bas officier, qui se frottaient les épaules.

— Il y a vingt pistoles pour le factionnaire, dit-il, cinquante pour l'officier. Mon compliment, messieurs ! j'en parlerai au roi. A nous deux, monsieur de Baisemeaux.

Et, sur un murmure de satisfaction générale, il suivit le gouverneur au Gouvernement.

Baisemeaux tremblait déjà de honte et d'inquiétude. La visite matinale d'Aramis lui semblait avoir, dès à présent, des conséquences dont un fonctionnaire pouvait, à bon droit, s'épouvanter.

Ce fut bien autre chose encore quand Fouquet, d'une voix brève et avec un regard impérieux :

— Monsieur, dit-il, vous avez vu M. d'Herblay ce matin ?

— Oui, monseigneur.

— Eh bien ! monsieur, vous n'avez pas horreur du crime dont vous vous êtes rendu complice ?

« Allons, bien ! » pensa Baisemeaux.

Puis il ajouta tout haut :

— Mais quel crime, monseigneur ?

— Il y a là de quoi vous faire écarteler, monsieur, songez-y ! Mais ce n'est pas le moment de s'irriter. Conduisez-moi sur-le-champ auprès du prisonnier.

— Auprès de quel prisonnier ? fit Baisemeaux frémissant.

— Vous faites l'ignorant, soit ! C'est ce que vous pouvez faire de mieux. En effet, si vous avouiez une pareille complicité, ce serait fait de vous. Je veux donc bien paraître ajouter foi à votre ignorance.

— Je vous prie, monseigneur...

— C'est bien. Conduisez-moi auprès du prisonnier.

— Auprès de Marchiali ?

— Qu'est-ce que c'est que Marchiali ?

— C'est le détenu amené ce matin par M. d'Herblay.

— On l'appelle Marchiali ? fit le surintendant, troublé dans ses convictions par la naïve assurance de Baisemeaux.

— Oui, monseigneur, c'est sous ce nom qu'on l'a inscrit ici.

Fouquet regarda jusqu'au fond du cœur de Baisemeaux. Il y lut, avec cette habitude des hommes que donne l'usage du pouvoir, une sincérité absolue. D'ailleurs, en observant une minute cette physionomie, comment croire qu'Aramis eût pris un pareil confident ?

— C'est, dit-il au gouverneur, le prisonnier que M. d'Herblay avait emmené avant-hier ?

— Oui, monseigneur.

— Et qu'il a ramené ce matin ? ajouta vivement Fouquet, qui comprit aussitôt le mécanisme du plan d'Aramis.

— C'est cela ; oui, monseigneur.

— Et il s'appelle Marchiali ?

— Marchiali. Si Monseigneur vient ici pour me l'enlever, tant mieux ; car j'allais écrire encore à son sujet.

— Que fait-il donc ?

— Depuis ce matin, il me mécontente extrêmement ; il a des accès de rage à faire croire que la Bastille s'écroulera par son fait.

— Je vais vous en débarrasser, en effet, dit Fouquet.

— Ah ! tant mieux !

— Conduisez-moi à sa prison.

— Monseigneur me donnera bien l'ordre...

— Quel ordre ?

— Un ordre du roi.

— Attendez que je vous en signe un.

— Cela ne suffirait pas, monseigneur ; il me faut l'ordre du roi.

— Vous qui êtes si scrupuleux, dit-il, pour faire sortir les prisonniers, montrez-moi donc l'ordre avec lequel on avait délivré celui-ci.

Baisemeaux montra l'ordre de délivrer Seldon.

— Eh bien ! fit Fouquet, Seldon, ce n'est pas Marchiali.

— Mais Marchiali n'est pas libéré, monseigneur ; il est ici.

— Puisque vous dites que M. d'Herblay l'a emmené et ramené.

— Je n'ai pas dit cela.

— Vous l'avez si bien dit, qu'il me semble encore l'entendre.

— La langue m'a fourché.

— Monsieur de Baisemeaux, prenez garde !

— Je n'ai rien à craindre, monseigneur, je suis en règle.

— Osez-vous le dire ?

— Je le dirais devant un apôtre. M. d'Herblay m'a apporté un ordre de libérer Seldon, et Seldon est libéré.

— Je vous dis que Marchiali est sorti de la Bastille.

— Il faut me prouver cela, monseigneur.

— Laissez-le-moi voir.

— Monseigneur, qui gouverne en ce royaume sait trop bien que nul n'entre auprès des prisonniers sans un ordre exprès du roi.

— M. d'Herblay est bien entré lui.

— C'est ce qu'il faudrait prouver, monseigneur.

— Monsieur de Baisemeaux, encore une fois, faites attention à vos paroles.

— Les actes sont là.

— M. d'Herblay est renversé.

— Renversé, M. d'Herblay ? Impossible !

— Vous voyez qu'il vous a influencé.

— Ce qui m'influence, monseigneur, c'est le service du roi ; je fais mon devoir ; donnez-moi un ordre de lui, et vous entrerez.

— Tenez, monsieur le gouverneur, je vous engage ma parole que, si vous me laissez pénétrer près du prisonnier, je vous donne un ordre du roi à l'instant.

— Donnez-le tout de suite, monseigneur.

— Et que, si vous me refusez, je vous fais arrêter sur-le-champ avec tous vos officiers.

— Avant de commettre cette violence, monseigneur, vous réfléchirez, dit Baisemeaux fort pâle, que nous n'obéirons qu'à un ordre du roi, et qu'il sera aussitôt fait à vous d'en avoir un pour voir M. Marchiali, que d'en obtenir un pour me faire tant de mal, à moi innocent.

— C'est vrai ! s'écria Fouquet furieux, c'est vrai ! Eh bien ! monsieur de Baisemeaux, ajouta-t-il d'une voix sonore, en attirant à lui le malheureux, savez-vous pourquoi je veux avec tant d'ardeur parler à ce prisonnier ?

— Non, monseigneur, et daignez observer combien vous me causez de frayeur ; j'en tremble, je vais tomber en défaillance.

— Vous tomberez encore mieux en défaillance tout à l'heure, monsieur Baisemeaux, quand je reviendrai ici avec dix mille hommes et trente pièces de canon.

— Mon Dieu ! voilà Monseigneur qui devient fou !

— Quand j'ameuterai contre vous et vos maudites tours tout le peuple de Paris, et que je forcerai vos portes et que je vous ferai pendre aux créneaux de la tour du coin !

— Monseigneur, monseigneur, par grâce !

— Je vous donne dix minutes pour vous résoudre, ajouta Fouquet d'une voix calme ; je m'assieds ici, dans ce fauteuil, et vous attends. Si dans dix minutes vous persistez, je sors, et croyez-moi fou tant qu'il vous plaira ; mais vous verrez !

Baisemeaux frappa du pied comme un homme au désespoir, mais ne répliqua rien.

Ce que voyant, Fouquet saisit une plume, de l'encre, et écrivit :

Ordre à M. le prévôt des marchands de rassembler la garde bourgeoise et de marcher sur la Bastille, pour le service du roi.

Baisemeaux haussa les épaules ; Fouquet écrivit :

Ordre à M. le duc de Bouillon et à M. le prince de Condé de prendre le commandement des suisses et des gardes, et de marcher sur la Bastille, pour le service de Sa Majesté...

Baisemeaux réfléchit. Fouquet écrivit :

Ordre à tout soldat, bourgeois ou gentilhomme, de saisir et d'appréhender au corps, partout où ils se trouveront, le chevalier d'Herblay, évêque de Vannes, et ses complices, qui sont : 1° M. de Baisemeaux, gouverneur de la Bastille, suspect des crimes de trahison, rébellion et lèse-majesté...

— Arrêtez, monseigneur, s'écria Baisemeaux ; je n'y comprends absolument rien ; mais tant de maux, fussent-ils déchaînés par la folie même, peuvent arriver d'ici à deux heures, que le roi, qui me jugera, verra si j'ai eu tort de faire fléchir la consigne devant tant de catastrophes imminentes. Allons au donjon, monseigneur ; vous verrez Marchiali.

Fouquet s'élança hors de la chambre, et Baisemeaux le suivit, en essuyant la sueur froide qui ruisselait de son front.

— Quelle affreuse matinée ! disait-il ; quelle disgrâce !

— Marchez vite ! répondait Fouquet.

Baisemeaux fit signe au porte-clefs de les précéder. Il avait peur de son compagnon. Celui-ci s'en aperçut.

— Trêve d'enfantillages ! dit-il rudement. Laissez là cet homme ; prenez les clefs vous-même et me montrez le chemin. Il ne faut pas que personne, comprenez-vous, puisse entendre ce qui va se passer ici.

— Ah ! fit Baisemeaux indécis.

— Encore ! s'écria Fouquet. Ah ! dites tout de suite non et je vais sortir de la Bastille pour porter moi-même mes dépêches.

Baisemeaux baissa la tête, prit les clefs et gravit, seul avec le ministre, l'escalier de la tour.

A mesure qu'ils s'avançaient dans cette tourbillonnante spirale, certains murmures étouffés devenaient des cris distincts et d'affreuses imprécations[1].

— Qu'est-ce que cela ? demanda Fouquet.

— C'est votre Marchiali, fit le gouverneur ; voilà comment hurlent les fous !

Il accompagna cette réponse d'un coup d'œil plus rempli d'allusions blessantes que de politesse pour Fouquet.

Celui-ci frissonna. Il venait, dans un cri plus terrible que les autres, de reconnaître la voix du roi.

Il s'arrêta au palier, prit le trousseau des mains de Baisemeaux. Celui-ci crut que le nouveau fou allait lui rompre le crâne avec l'une de ces clefs.

— Ah ! cria-t-il, M. d'Herblay ne m'avait point parlé de cela.

— Ces clefs donc ! dit Fouquet en les lui arrachant. Où est celle de la porte que je veux ouvrir ?

— Celle-ci.

Un cri effrayant, suivi d'un coup terrible dans la porte, vint faire écho dans l'escalier.

— Retirez-vous ! dit Fouquet à Baisemeaux d'une voix menaçante.

— Je ne demande pas mieux, murmura celui-ci. Voilà deux enragés qui vont se trouver face à face. L'un mangera l'autre, j'en suis assuré.

— Partez, répéta Fouquet. Si vous mettez le pied dans cet escalier avant que je vous appelle, souvenez-vous que vous prendrez la place du plus misérable des prisonniers de la Bastille.

— J'en mourrai, c'est sûr ! grommela Baisemeaux en se retirant d'un pas chancelant.

Les cris du prisonnier retentissaient, de plus en plus formidables. Fouquet s'assura que Baisemeaux arrivait au bas des degrés. Il mit la clef dans la première serrure.

Ce fut alors qu'il entendit clairement la voix étranglée du roi qui criait avec rage :

— Au secours ! je suis le roi ! au secours !

La clef de la seconde porte n'était pas la même que celle de la première. Fouquet fut obligé de chercher dans le trousseau.

Cependant, le roi ivre, fou, forcené, criait à tue-tête :

— C'est M. Fouquet qui m'a fait conduire ici ! Au secours contre M. Fouquet ! je suis le roi ! au secours pour le roi contre M. Fouquet !

Ces vociférations déchiraient le cœur du ministre. Elles étaient suivies de coups effrayants, frappés dans la porte avec cette chaise dont le roi se servait comme d'un bélier. Fouquet réussit à trouver la clef. Le roi était à bout de ses forces : il n'articulait plus, il rugissait.

---

1. Voir Dante, *L'Enfer*, chant III, vers 22-23 : « *Quivi sospiri, pianti e altri guai / risonavan per l'aere senza stelle.* »

— Mort à Fouquet ! hurlait-il, mort au scélérat Fouquet !
La porte s'ouvrit.

CCXXIX

LA RECONNAISSANCE DU ROI

Les deux hommes qui allaient se précipiter l'un vers l'autre s'arrêtèrent soudain en s'apercevant, et poussèrent alors un cri d'horreur.

— Venez-vous pour m'assassiner, monsieur ? dit le roi en reconnaissant Fouquet.

— Le roi dans cet état ! murmura le ministre.

Rien de plus effrayant, en effet, que l'aspect du jeune prince au moment où le surprit Fouquet. Ses habits étaient en lambeaux ; sa chemise, ouverte et déchirée, buvait à la fois la sueur et le sang qui s'échappaient de sa poitrine et de ses bras déchirés.

Hagard, pâle, écumant, les cheveux hérissés, Louis XIV offrait l'image la plus vraie du désespoir, de la faim et de la peur réunis en une seule statue. Fouquet fut si touché, si troublé, qu'il courut au roi les bras ouverts et les larmes aux yeux.

Louis leva sur Fouquet le tronçon de bois dont il avait fait un si furieux usage.

— Eh bien ! dit Fouquet d'une voix tremblante, ne reconnaissez-vous pas le plus fidèle de vos amis ?

— Un ami, vous ? répéta Louis avec un grincement de dents où sonnaient la haine et la soif d'une prompte vengeance.

— Un serviteur respectueux, ajouta Fouquet en se précipitant à genoux.

Le roi laissa tomber son arme. Fouquet, s'approchant, lui baisa les genoux, et le prit tendrement entre ses bras.

— Mon roi, mon enfant, dit-il, avez-vous dû souffrir !

Louis, rappelé à lui-même par le changement de la situation, se regarda, et, honteux de son désordre, honteux de sa folie, honteux de la protection qu'il recevait, il recula.

Fouquet ne comprit point ce mouvement. Il ne sentit pas que l'orgueil du roi ne lui pardonnerait jamais d'avoir été témoin de tant de faiblesse.

— Venez, sire, vous êtes libre, dit-il.

— Libre ? répéta le roi. Oh ! vous me rendez libre après avoir osé porter la main sur moi ?

— Vous ne le croyez pas ! s'écria Fouquet indigné ; vous ne croyez pas que je sois coupable en cette circonstance !

Et, rapidement, chaleureusement même, il lui raconta toute l'intrigue dont on connaît les détails.

Tant que dura le récit, Louis supporta les plus horribles angoisses, et, le récit terminé, la grandeur du péril qu'il avait couru le frappa bien plus encore que l'importance du secret relatif à son frère jumeau.

— Monsieur, dit-il soudain à Fouquet, cette double naissance est un mensonge ; il est impossible que vous en ayez été la dupe.

— Sire !

— Il est impossible, vous dis-je, que l'on soupçonne l'honneur, la vertu de ma mère. Et mon premier ministre n'a pas déjà fait justice des criminels ?

— Réfléchissez bien, sire, avant de vous emporter, répondit Fouquet. La naissance de votre frère...

— Je n'ai qu'un frère : c'est Monsieur. Vous le connaissez comme moi. Il y a complot, vous dis-je, à commencer par le gouverneur de la Bastille.

— Prenez garde, sire ; cet homme a été trompé, comme tout le monde, par la ressemblance du prince.

— La ressemblance ? Allons donc !

— Il faut cependant que ce Marchiali soit bien semblable à Votre Majesté, pour que tous les yeux s'y laissent prendre, insista Fouquet.

— Folie !

— Ne dites pas cela, sire ; les gens qui s'apprêtent à affronter le regard de vos ministres, de votre mère, de vos officiers, de votre famille, ces gens-là doivent être bien sûrs de la ressemblance.

— En effet, murmura le roi ; ces gens-là, où sont-ils ?

— Mais à Vaux.

— A Vaux ! Vous souffrez qu'ils y restent ?

— Le plus pressé, ce me semble, était de délivrer Votre Majesté. J'ai accompli ce devoir. Maintenant, faisons ce qu'ordonnera le roi. J'attends.

Louis réfléchit un moment.

— Rassemblons des troupes à Paris, dit-il.

— Les ordres sont donnés à cet effet, répliqua Fouquet.

— Vous avez donné des ordres ? s'écria le roi.

— Pour cela, oui, sire. Votre Majesté sera à la tête de dix mille hommes dans une heure.

Pour toute réponse, le roi prit la main de Fouquet avec une telle effusion, qu'il était aisé de voir combien il avait jusqu'à cette parole conservé de défiance contre son ministre, malgré l'intervention de ce dernier.

— Et avec ces troupes, poursuivit le roi, nous irons assiéger, dans votre maison, les rebelles, qui doivent déjà s'y être établis ou retranchés.

— Cela m'étonnerait, répliqua Fouquet.

— Pourquoi?

— Parce que leur chef, l'âme de l'entreprise, ayant été démasqué par moi, tout le plan me semble avorté.

— Vous avez démasqué ce faux prince, lui?

— Non, je ne l'ai pas vu.

— Qui donc, alors?

— Le chef de l'entreprise, ce n'est point ce malheureux. Celui-là n'est qu'un instrument destiné pour toute sa vie au malheur, je le vois bien.

— Absolument!

— C'est M. l'abbé d'Herblay, l'évêque de Vannes.

— Votre ami?

— Il était mon ami, sire, répliqua noblement Fouquet.

— Voilà qui est malheureux pour vous, dit le roi d'un ton moins généreux.

— De pareilles amitiés n'avaient rien de déshonorant, tant que j'ignorais le crime, sire.

— Il fallait le prévoir.

— Si je suis coupable, je me remets aux mains de Votre Majesté.

— Ah! monsieur Fouquet, ce n'est point là ce que je veux dire, repartit le roi, fâché d'avoir ainsi montré l'aigreur de sa pensée. Eh bien! je vous le déclare, malgré le masque dont ce misérable se couvrait la face, j'ai eu comme un vague soupçon que ce pouvait être lui. Mais, avec ce chef de l'entreprise, il y avait un homme de main. Celui qui me menaçait de sa force herculéenne, quel est-il?

— Ce doit être son ami, le baron du Vallon, l'ancien mousquetaire.

— L'ami de d'Artagnan? l'ami du comte de La Fère? Ah! s'écria le roi sur ce dernier nom, ne négligeons pas cette relation entre les conspirateurs et M. de Bragelonne.

— Sire, sire, n'allez pas trop loin. M. de La Fère est le plus honnête homme de France. Contentez-vous de ce que je vous livre.

— De ce que vous me livrez? Bien! car vous me livrez les coupables, n'est-ce pas?

— Comment Votre Majesté l'entend-elle? demanda Fouquet.

— J'entends, répliqua le roi, que nous allons arriver à Vaux avec des forces, que nous ferons main basse sur ce nid de vipères, et qu'il n'échappera rien; rien, n'est-ce pas?

— Votre Majesté fera tuer ces hommes? s'écria Fouquet.

— Jusqu'au dernier!

— Oh! sire!

— Entendons-nous bien, monsieur Fouquet, dit le roi avec hauteur. Je ne vis plus dans un temps où l'assassinat soit la seule, la dernière raison des rois[1]. Non, Dieu merci! J'ai des parlements, moi, qui jugent

---

1. Allusion à la devise que Louis XIV fit graver sur ses canons : *Ultima ratio regum.*

en mon nom, et j'ai des échafauds où l'on exécute mes volontés suprêmes !

Fouquet pâlit.

— Je prendrai la liberté, dit-il, de faire observer à Votre Majesté que tout procès sur ces matières est un scandale mortel pour la dignité du trône. Il ne faut pas que le nom auguste d'Anne d'Autriche passe par les lèvres du peuple, entrouvertes pour un sourire.

— Il faut que justice soit faite, monsieur.

— Bien, sire ; mais le sang royal ne peut couler sur l'échafaud !

— Le sang royal ! vous croyez cela ? s'écria le roi avec fureur en frappant du pied sur le carreau. Cette double naissance est une invention. Là, surtout, dans cette invention, je vois le crime de M. d'Herblay. C'est ce crime que je veux punir, bien plus que leur violence, leur insulte.

— Et punir de mort ?

— De mort, oui, monsieur.

— Sire, dit avec fermeté le surintendant, dont le front, longtemps baissé, se releva superbe, Votre Majesté fera trancher la tête, si elle le veut, à Philippe de France, son frère ; cela la regarde, et elle consultera là-dessus Anne d'Autriche, sa mère. Ce qu'elle ordonnera sera bien ordonné. Je ne m'en veux donc plus mêler, pas même pour l'honneur de votre couronne ; mais j'ai une grâce à vous demander : je vous la demande.

— Parlez, dit le roi fort troublé par les dernières paroles du ministre. Que vous faut-il ?

— La grâce de M. d'Herblay et celle de M. du Vallon.

— Mes assassins ?

— Deux rebelles, sire, voilà tout.

— Oh ! je comprends que vous me demandiez grâce pour vos amis.

— Mes amis ! fit Fouquet blessé profondément.

— Vos amis, oui ; mais la sûreté de mon État exige une exemplaire punition des coupables.

— Je ne ferai pas observer à Votre Majesté que je viens de lui rendre la liberté, de lui sauver la vie.

— Monsieur !

— Je ne lui ferai pas observer que, si M. d'Herblay eût voulu faire son rôle d'assassin, il pouvait simplement assassiner Votre Majesté, ce matin, dans la forêt de Sénart et que tout était fini.

Le roi tressaillit.

— Un coup de pistolet dans la tête, poursuivit Fouquet, et le visage de Louis XIV, devenu méconnaissable, était à jamais l'absolution de M. d'Herblay.

Le roi pâlit d'épouvante à l'aspect du péril évité.

— M. d'Herblay, continua Fouquet, s'il eût été un assassin, n'avait pas besoin de me conter son plan pour réussir. Débarrassé du vrai roi, il rendait le faux roi impossible à deviner. L'usurpateur eût-il été reconnu par Anne d'Autriche, c'était toujours un fils pour elle. L'usurpateur, pour la conscience de M. d'Herblay, c'était toujours un roi du sang de Louis XIII. De plus, le conspirateur avait la sûreté, le secret, l'impunité. Un coup de pistolet lui donnait tout cela. Grâce, pour lui, au nom de votre salut, sire !

Le roi, au lieu d'être touché par cette peinture si vraie de générosité d'Aramis, se sentait cruellement humilié. Son indomptable orgueil ne pouvait s'accoutumer à l'idée qu'un homme avait tenu, suspendu au bout de son doigt, le fil d'une vie royale. Chacune des paroles que Fouquet croyait efficaces pour obtenir la grâce de ses amis portait une nouvelle goutte de venin dans le cœur déjà ulcéré de Louis XIV. Rien ne put donc le fléchir, et, s'adressant impétueusement à Fouquet :

— Je ne sais vraiment pas, monsieur, dit-il, pourquoi vous me demandez grâce pour ces gens-là ! A quoi bon demander ce qu'on peut avoir sans le solliciter ?

— Je ne vous comprends pas, sire.

— C'est aisé, pourtant. Où suis-je ici ?

— A la Bastille, sire.

— Oui, dans un cachot. Je passe pour un fou, n'est-ce pas ?

— C'est vrai, sire.

— Et nul ne connaît ici que Marchiali ?

— Assurément.

— Eh bien ! ne changez rien à la situation. Laissez le fou pourrir dans un cachot de la Bastille, et MM. d'Herblay et du Vallon n'ont pas besoin de ma grâce. Leur nouveau roi les absoudra.

— Votre Majesté me fait injure, sire, et elle a tort, répliqua sèchement Fouquet. Je ne suis pas assez enfant, M. d'Herblay n'est pas assez inepte, pour avoir oublié de faire toutes ces réflexions, et, si j'eusse voulu faire un nouveau roi, comme vous dites, je n'avais aucun besoin de venir forcer les portes de la Bastille pour vous en tirer. Cela tombe sous le sens. Votre Majesté a l'esprit troublé par la colère. Autrement, elle n'offenserait pas sans raison celui de ses serviteurs qui lui a rendu le plus important service.

Louis s'aperçut qu'il avait été trop loin, que les portes de la Bastille étaient encore fermées sur lui, tandis que s'ouvraient peu à peu les écluses derrière lesquelles ce généreux Fouquet contenait sa colère.

— Je n'ai pas dit cela pour vous humilier. A Dieu ne plaise ! monsieur ! répliqua-t-il. Seulement, vous vous adressez à moi pour obtenir une grâce, et je vous réponds selon ma conscience ; or, suivant ma conscience, les coupables dont nous parlons ne sont pas dignes de grâce ni de pardon.

Fouquet ne répliqua rien.

— Ce que je fais là, ajouta le roi, est généreux comme ce que vous avez fait ; car je suis en votre pouvoir. Je dirai même que c'est plus généreux, attendu que vous me placez en face de conditions d'où peuvent dépendre ma liberté, ma vie, et que refuser, c'est en faire le sacrifice.

— J'ai tort, en effet, répondit Fouquet. Oui, j'avais l'air d'extorquer une grâce ; je me repens, je demande pardon à Votre Majesté.

— Et vous êtes pardonné, mon cher monsieur Fouquet, fit le roi avec un sourire qui acheva de ramener la sérénité sur son visage, que tant d'événements avaient altéré depuis la veille.

— J'ai ma grâce, reprit obstinément le ministre ; mais MM. d'Herblay et du Vallon ?

— N'obtiendront jamais la leur, tant que je vivrai, répliqua le roi inflexible. Rendez-moi le service de ne m'en plus parler.

— Votre Majesté sera obéie.

— Et vous ne m'en conserverez pas rancune ?

— Oh ! non, sire ; car j'avais prévu le cas.

— Vous aviez prévu que je refuserais la grâce de ces messieurs ?

— Assurément, et toutes mes mesures étaient prises en conséquence.

— Qu'entendez-vous dire ? s'écria le roi surpris.

— M. d'Herblay venait, pour ainsi dire, se livrer en mes mains. M. d'Herblay me laissait le bonheur de sauver mon roi et mon pays. Je ne pouvais condamner M. d'Herblay à la mort. Je ne pouvais non plus l'exposer au courroux très légitime de Votre Majesté. C'eût été la même chose que de le tuer moi-même.

— Eh bien ! qu'avez-vous fait ?

— Sire, j'ai donné à M. d'Herblay mes meilleurs chevaux, et ils ont quatre heures d'avance sur tous ceux que Votre Majesté pourra envoyer après lui.

— Soit ! murmura le roi ; mais le monde est assez grand pour que mes coureurs gagnent sur vos chevaux les quatre heures de gain que vous avez données à M. d'Herblay.

— En lui donnant ces quatre heures, sire, je savais lui donner la vie. Il aura la vie.

— Comment cela ?

— Après avoir bien couru, toujours en avant de quatre heures sur vos mousquetaires, il arrivera dans mon château de Belle-Ile, où je lui ai donné asile.

— Soit ! mais vous oubliez que vous m'avez donné Belle-Ile.

— Pas pour faire arrêter mes amis.

— Vous me le reprenez, alors ?

— Pour cela oui, sire.

— Mes mousquetaires le reprendront, et tout sera dit.

— Ni vos mousquetaires ni même votre armée, sire, dit froidement Fouquet. Belle-Ile est imprenable.

Le roi devint livide, un éclair jaillit de ses yeux. Fouquet se sentit perdu ; mais il n'était pas de ceux qui reculent devant la voix de l'honneur. Il soutint le regard envenimé du roi. Celui-ci dévora sa rage, et, après un silence :

— Allons-nous à Vaux ? dit-il.

— Je suis aux ordres de Votre Majesté, répliqua Fouquet en s'inclinant profondément ; mais je crois que Votre Majesté ne peut se dispenser de changer d'habits avant de paraître devant sa cour.

— Nous passerons par le Louvre, dit le roi. Allons.

Et ils sortirent devant Baisemeaux effaré, qui, une fois encore, regarda sortir Marchiali, et s'arracha le peu de cheveux qui lui restaient.

Il est vrai que Fouquet lui donna décharge du prisonnier et que le roi écrivit au-dessous : *Vu et approuvé :* Louis ; folie que Baisemeaux, incapable d'assembler deux idées, accueillit par un héroïque coup de poing qu'il se bourra dans les mâchoires.

CCXXX

LE FAUX ROI

Cependant, à Vaux, la royauté usurpatrice continuait bravement son rôle.

Philippe donna ordre qu'on introduisît pour son petit lever les grandes entrées, déjà prêtes à paraître devant le roi. Il se décida à donner cet ordre, malgré l'absence de M. d'Herblay, qui ne revenait pas, et nos lecteurs savent pour quelle raison. Mais le prince, ne croyant pas que cette absence pût se prolonger, voulait, comme tous les esprits téméraires, essayer sa valeur et sa fortune, loin de toute protection, de tout conseil.

Une autre raison l'y poussait. Anne d'Autriche allait paraître ; la mère coupable allait se trouver en présence de son fils sacrifié. Philippe ne voulait pas, s'il avait une faiblesse, en rendre témoin l'homme envers lequel il était désormais tenu de déployer tant de force.

Philippe ouvrit les deux battants de la porte, et plusieurs personnes entrèrent silencieusement. Philippe ne bougea point tant que ses valets de chambre l'habillèrent. Il avait vu, la veille, les habitudes de son frère. Il fit le roi, de manière à n'éveiller aucun soupçon.

Ce fut donc tout habillé, avec l'habit de chasse, qu'il reçut les visiteurs. Sa mémoire et les notes d'Aramis lui annoncèrent tout d'abord Anne d'Autriche, à laquelle Monsieur donnait la main, puis Madame avec M. de Saint-Aignan.

Il sourit en voyant ces visages, et frissonna en reconnaissant sa mère.

Cette figure noble et imposante, ravagée par la douleur, vint plaider dans son cœur la cause de cette fameuse reine qui avait immolé un enfant à la raison d'État. Il trouva que sa mère était belle. Il savait que Louis XIV l'aimait, il se promit de l'aimer aussi, et de ne pas être pour sa vieillesse un châtiment cruel.

Il regarda son frère avec un attendrissement facile à comprendre. Celui-ci n'avait rien usurpé, rien gâté dans sa vie. Rameau écarté, il laissait monter la tige, sans souci de l'élévation et de la majesté de sa vie. Philippe se promit d'être bon frère pour ce prince auquel suffisait l'or qui donne les plaisirs.

Il salua d'un air affectueux Saint-Aignan, qui s'épuisait en sourires et révérences, et tendit la main en tremblant à Henriette, sa belle-sœur, dont la beauté le frappa. Mais il vit dans les yeux de cette princesse un reste de froideur qui lui plut pour la facilité de leurs relations futures.

« Combien me sera-t-il plus aisé, pensait-il, d'être le frère de cette femme que son galant, si elle me témoigne une froideur que mon frère ne pouvait avoir pour elle, et qui m'est imposée comme un devoir. »

La seule visite qu'il redoutât en ce moment était celle de la reine ; son cœur, son esprit venaient d'être ébranlés par une épreuve si violente, que, malgré leur trempe solide, ils ne supporteraient peut-être pas un nouveau choc. Heureusement, la reine ne vint pas.

Alors commença, de la part d'Anne d'Autriche, une dissertation politique sur l'accueil que M. Fouquet avait fait à la maison de France. Elle entremêla ses hostilités de compliments à l'adresse du roi, de questions sur sa santé, de petites flatteries maternelles, et de ruses diplomatiques.

— Eh bien ! mon fils, dit-elle, êtes-vous revenu sur le compte de M. Fouquet ?

— Saint-Aignan, dit Philippe, veuillez aller savoir des nouvelles de la reine.

A ces mots, les premiers que Philippe eût prononcés tout haut, la légère différence qu'il y avait entre sa voix et celle de Louis XIV fut sensible aux oreilles maternelles ; Anne d'Autriche regarda fixement son fils.

De Saint-Aignan sortit. Philippe continua.

— Madame, je n'aime pas qu'on me dise du mal de M. Fouquet, vous le savez, et vous m'en avez dit du bien vous-même.

— C'est vrai ; aussi ne fais-je que vous questionner sur l'état de vos sentiments à son égard.

— Sire, dit Henriette, j'ai, moi, toujours aimé M. Fouquet. C'est un homme de bon goût, un brave homme.

— Un surintendant qui ne lésine jamais, ajouta Monsieur, et qui paie en or toutes les cédules que j'ai sur lui.

— On compte trop ici chacun pour soi, dit la vieille reine. Personne ne compte pour l'État : M. Fouquet, c'est un fait, M. Fouquet ruine l'État.

— Allons, ma mère, repartit Philippe d'un ton plus bas, est-ce que, vous aussi, vous vous faites le bouclier de M. Colbert ?

— Comment cela ? fit la vieille reine surprise.

— C'est que, en vérité, reprit Philippe, je vous entends parler là comme parlerait votre vieille amie, Mme de Chevreuse.

A ce nom, Anne d'Autriche pâlit et pinça ses lèvres. Philippe avait irrité la lionne.

— Que venez-vous me parler de Mme de Chevreuse, fit-elle, et quelle humeur avez-vous aujourd'hui contre moi ?

Philippe continua :

— Est-ce que Mme de Chevreuse n'a pas toujours une ligue à faire contre quelqu'un ? est-ce que Mme de Chevreuse n'a pas été vous rendre une visite, ma mère ?

— Monsieur, vous me parlez ici d'une telle sorte, repartit la vieille reine, que je crois entendre le roi votre père.

— Mon père n'aimait pas Mme de Chevreuse, et il avait raison, dit le prince. Moi, je ne l'aime pas non plus, et, si elle s'avise de venir, comme elle y venait autrefois, semer les divisions et les haines sous prétexte de mendier de l'argent, eh bien !...

— Eh bien ? dit fièrement Anne d'Autriche provoquant elle-même l'orage.

— Eh bien ! repartit avec résolution le jeune homme, je chasserai du royaume Mme de Chevreuse, et avec elle tous les artisans de secrets et de mystères.

Il n'avait pas calculé la portée de ce mot terrible, ou peut-être avait-il voulu en juger l'effet, comme ceux qui, souffrant d'une douleur chronique et cherchant à rompre la monotonie de cette souffrance, appuient sur leur plaie pour se procurer une douleur aiguë.

Anne d'Autriche faillit s'évanouir ; ses yeux ouverts, mais atones, cessèrent de voir pendant un moment ; elle tendit les bras à son autre fils, qui aussitôt l'embrassa sans crainte d'irriter le roi.

— Sire, murmura-t-elle, vous traitez cruellement votre mère.

— Mais en quoi, madame ? répliqua-t-il. Je ne parle que de Mme de Chevreuse, et ma mère préfère-t-elle Mme de Chevreuse à la sûreté de mon État et à la sécurité de ma personne ? Eh bien ! je vous dis que Mme de Chevreuse est venue en France pour emprunter de l'argent, qu'elle s'est adressée à M. Fouquet pour lui vendre certain secret.

— Certain secret ? s'écria Anne d'Autriche.

— Concernant de prétendus vols que M. le surintendant aurait commis ; ce qui est faux, ajouta Philippe. M. Fouquet l'a fait chasser avec indignation, préférant l'estime du roi à toute complicité avec des intrigants. Alors, Mme de Chevreuse a vendu le secret à M. Colbert, et, comme elle est insatiable, et qu'il ne lui suffit pas d'avoir extorqué cent mille écus à ce commis, elle a cherché plus haut si elle ne trouverait pas des sources plus profondes... Est-ce vrai, madame ?

— Vous savez tout, sire, dit la reine, plus inquiète qu'irritée.

— Or, poursuivit Philippe, j'ai bien le droit d'en vouloir à cette furie qui vient tramer à ma cour le déshonneur des uns et la ruine des autres. Si Dieu a souffert que certains crimes fussent commis, et s'il les a cachés dans l'ombre de sa clémence, je n'admets pas que Mme de Chevreuse ait le pouvoir de contrecarrer les desseins de Dieu.

Cette dernière partie du discours de Philippe avait tellement agité la reine mère, que son fils en eut pitié. Il lui prit et lui baisa tendrement la main ; elle ne sentit pas que, dans ce baiser donné malgré les révoltes et les rancunes du cœur, il y avait tout un pardon de huit années d'horribles souffrances.

Philippe laissa un instant de silence engloutir les émotions qui venaient de se produire ; puis avec une sorte de gaieté :

— Nous ne partirons pas encore aujourd'hui, dit-il ; j'ai un plan.

Et il se tourna vers la porte, où il espérait voir Aramis, dont l'absence commençait à lui peser.

La reine mère voulut prendre congé.

— Demeurez, ma mère, dit-il ; je veux vous faire faire la paix avec M. Fouquet.

— Mais je n'en veux pas à M. Fouquet ; je craignais seulement ses prodigalités.

— Nous y mettrons ordre, et ne prendrons du surintendant que les bonnes qualités.

— Que cherche donc Votre Majesté ? dit Henriette voyant le roi regarder encore vers la porte, et désirant lui décocher un trait au cœur ; car elle supposait qu'il attendait La Vallière ou une lettre d'elle.

— Ma sœur, dit le jeune homme, qui venait de la deviner, grâce à cette merveilleuse perspicacité dont la fortune lui allait désormais permettre l'exercice, ma sœur, j'attends un homme extrêmement distingué, un conseiller des plus habiles que je veux vous présenter à tous, en le recommandant à vos bonnes grâces. Ah ! entrez donc, d'Artagnan.

D'Artagnan parut.

— Que veut Sa Majesté ?

— Dites donc, où est M. l'évêque de Vannes, votre ami ?

— Mais, sire...

— Je l'attends et ne le vois pas venir. Qu'on me le cherche.

D'Artagnan demeura un instant stupéfait ; mais bientôt, réfléchissant qu'Aramis avait quitté Vaux secrètement avec une mission du roi, il en conclut que le roi voulait garder le secret.

— Sire, répliqua-t-il, est-ce que Votre Majesté veut absolument qu'on lui amène M. d'Herblay ?

— Absolument n'est pas le mot, répliqua Philippe ; je n'en ai pas un tel besoin ; mais si on me le trouvait...

« J'ai deviné », se dit d'Artagnan.

— Ce M. d'Herblay, dit Anne d'Autriche, c'est l'évêque de Vannes ?

— Oui, madame.

— Un ami de M. Fouquet ?

— Oui, madame, un ancien mousquetaire.

Anne d'Autriche rougit.

— Un de ces quatre braves qui, jadis, firent tant de merveilles.

La vieille reine se repentit d'avoir voulu mordre ; elle rompit l'entretien pour y conserver le reste de ses dents.

— Quel que soit votre choix, sire, dit-elle, je le tiens pour excellent. Tous s'inclinèrent.

— Vous verrez, continua Philippe, la profondeur de M. de Richelieu, moins l'avarice de M. de Mazarin.

— Un Premier ministre, sire ? demanda Monsieur effrayé.

— Je vous conterai cela, mon frère ; mais c'est étrange que M. d'Herblay ne soit pas ici ?

Il appela.

— Qu'on prévienne M. Fouquet, dit-il, j'ai à lui parler... Oh ! devant vous, devant vous ; ne vous retirez point.

M. de Saint-Aignan revint, apportant des nouvelles satisfaisantes de la reine, qui gardait le lit seulement par précaution, et pour avoir la force de suivre toutes les volontés du roi.

Tandis que l'on cherchait partout M. Fouquet et Aramis, le nouveau roi continuait paisiblement ses épreuves, et tout le monde, famille, officiers, valets, reconnaissait le roi à son geste, à sa voix, à ses habitudes.

De son côté, Philippe, appliquant sur tous les visages la note et le dessin fidèles fournis par son complice Aramis, se conduisait de façon à ne pas même soulever un soupçon dans l'esprit de ceux qui l'entouraient.

Rien désormais ne pouvait inquiéter l'usurpateur. Avec quelle étrange facilité la Providence ne venait-elle pas de renverser la plus haute fortune du monde, pour y substituer la plus humble !

Philippe admirait cette bonté de Dieu à son égard, et la secondait avec toutes les ressources de son admirable nature. Mais il sentait parfois comme une ombre se glisser sur les rayons de sa nouvelle gloire. Aramis ne paraissait pas.

La conversation avait langui dans la famille royale ; Philippe, préoccupé, oubliait de congédier son frère et madame Henriette. Ceux-

ci s'étonnaient et perdaient peu à peu patience. Anne d'Autriche se pencha vers son fils et lui adressa quelques mots en espagnol.

Philippe ignorait complètement cette langue ; il pâlit devant cet obstacle inattendu. Mais, comme si l'esprit de l'imperturbable Aramis l'eût couvert de son infaillibilité, au lieu de se déconcerter, Philippe se leva.

— Eh bien ! quoi ? Répondez, dit Anne d'Autriche.

— Quel est tout ce bruit ? demanda Philippe en se tournant vers la porte de l'escalier dérobé.

Et l'on entendait une voix qui criait :

— Par ici, par ici ! Encore quelques degrés, sire !

— La voix de M. Fouquet ? dit d'Artagnan placé près de la reine mère.

— M. d'Herblay ne saurait être loin, ajouta Philippe.

Mais il vit ce qu'il était bien loin de s'attendre à voir si près de lui.

Tous les yeux s'étaient tournés vers la porte par laquelle allait entrer M. Fouquet ; mais ce ne fut pas lui qui entra.

Un cri terrible partit de tous les coins de la chambre, cri douloureux poussé par le roi et les assistants.

Il n'est pas donné aux hommes, même à ceux dont la destinée renferme le plus d'éléments étranges et d'accidents merveilleux, de contempler un spectacle pareil à celui qu'offrait la chambre royale en ce moment.

Les volets, à demi clos, ne laissaient pénétrer qu'une lumière incertaine tamisée par de grands rideaux de velours doublés d'une épaisse soie.

Dans cette pénombre moelleuse s'étaient peu à peu dilatés les yeux, et chacun des assistants voyait les autres plutôt avec la confiance qu'avec la vue. Toutefois, on en arrive, dans ces circonstances, à ne laisser échapper aucun des détails environnants et le nouvel objet qui se présente apparaît lumineux comme s'il était éclairé par le soleil.

C'est ce qui arriva pour Louis XIV, lorsqu'il se montra pâle et le sourcil froncé sous la portière de l'escalier secret.

Fouquet laissa voir, derrière, son visage empreint de sévérité et de tristesse.

La reine mère, qui aperçut Louis XIV, et qui tenait la main de Philippe, poussa le cri dont nous avons parlé, comme elle eût fait en voyant un fantôme.

Monsieur eut un mouvement d'éblouissement et tourna la tête, de celui des deux rois qu'il apercevait en face, vers celui aux côtés duquel il se trouvait.

Madame fit un pas en avant, croyant voir se refléter, dans une glace, son beau-frère.

Et, de fait, l'illusion était possible.

Les deux princes, défaits l'un et l'autre, car nous renonçons à peindre l'épouvantable saisissement de Philippe, et tremblants tous deux, crispant l'un et l'autre une main convulsive, se mesuraient du regard et plongeaient

leurs yeux comme des poignards dans l'âme l'un de l'autre. Muets, haletants, courbés, ils paraissaient prêts à fondre sur un ennemi.

Cette ressemblance inouïe du visage, du geste, de la taille, tout, jusqu'à une ressemblance de costume décidée par le hasard, car Louis XIV était allé prendre au Louvre un habit de velours violet, cette parfaite analogie des deux princes acheva de bouleverser le cœur d'Anne d'Autriche.

Elle ne devinait pourtant pas encore la vérité. Il y a de ces malheurs que nul ne veut accepter dans la vie. On aime mieux croire au surnaturel, à l'impossible.

Louis n'avait pas compté sur ces obstacles. Il s'attendait, en entrant seulement, à être reconnu. Soleil vivant, il ne souffrait pas le soupçon d'une parité avec qui que ce fût. Il n'admettait pas que tout flambeau ne devînt ténèbres à l'instant où il faisait luire son rayon vainqueur.

Aussi, à l'aspect de Philippe, fut-il plus terrifié peut-être qu'aucun autre autour de lui, et son silence, son immobilité, furent ce temps de recueillement et de calme qui précède les violentes explosions de la colère.

Mais Fouquet, qui pourrait peindre son saisissement et sa stupeur, en présence de ce portrait vivant de son maître ? Fouquet pensa qu'Aramis avait raison, que ce nouveau venu était un roi aussi pur dans sa race que l'autre, et que, pour avoir répudié toute participation à ce coup d'État si habilement fait par le général des jésuites, il fallait être un fol enthousiaste, indigne à jamais de tremper ses mains dans une œuvre politique.

Et puis c'était le sang de Louis XIII que Fouquet sacrifiait au sang de Louis XIII ; c'était à une ambition égoïste qu'il sacrifiait une noble ambition ; c'était au droit de garder qu'il sacrifiait le droit d'avoir. Toute l'étendue de sa faute lui fut révélée par le seul aspect du prétendant.

Tout ce qui se passa dans l'esprit de Fouquet fut perdu pour les assistants. Il eut cinq minutes pour concentrer ses méditations sur ce point du cas de conscience ; cinq minutes, c'est-à-dire cinq siècles, pendant lesquels les deux rois et leur famille trouvèrent à peine le temps de respirer d'une si terrible secousse.

D'Artagnan, adossé au mur, en face de Fouquet, le poing sur son front, l'œil fixe, se demandait la raison d'un si merveilleux prodige. Il n'eût pu dire sur-le-champ pourquoi il doutait ; mais il savait, assurément, qu'il avait eu raison de douter, et que, dans cette rencontre des deux Louis XIV, gisait toute la difficulté qui, pendant ces derniers jours, avait rendu la conduite d'Aramis si suspecte au mousquetaire.

Toutefois, ces idées étaient enveloppées de voiles épais. Les acteurs de cette scène semblaient nager dans les vapeurs d'un lourd réveil.

Soudain Louis XIV, plus impatient et plus habitué à commander, courut à un des volets, qu'il ouvrit en déchirant les rideaux. Un flot de vive lumière entra dans la chambre et fit reculer Philippe jusqu'à l'alcôve.

Ce mouvement, Louis le saisit avec ardeur, et, s'adressant à la reine :

— Ma mère, dit-il, ne reconnaissez-vous pas votre fils, puisque chacun ici a méconnu son roi ?

Anne d'Autriche tressaillit et leva les bras au ciel sans pouvoir articuler un mot.

— Ma mère, dit Philippe avec une voix calme, ne reconnaissez-vous pas votre fils ?

Et, cette fois, Louis recula à son tour.

Quant à Anne d'Autriche, elle perdit l'équilibre, frappée à la tête et au cœur par le remords. Nul ne l'aidant, car tous étaient pétrifiés, elle tomba sur son fauteuil en poussant un faible soupir.

Louis ne put supporter ce spectacle et cet affront. Il bondit vers d'Artagnan, que le vertige commençait à gagner, et qui chancelait en frôlant la porte, son point d'appui.

— A moi, dit-il, mousquetaire ! Regardez-nous au visage, et voyez lequel, de lui ou de moi, est plus pâle.

Ce cri réveilla d'Artagnan et vint remuer en son cœur la fibre de l'obéissance. Il secoua son front, et, sans hésiter désormais, il marcha vers Philippe, sur l'épaule duquel il appuya la main en disant :

— Monsieur, vous êtes mon prisonnier !

Philippe ne leva pas les yeux au ciel, ne bougea pas de la place où il se tenait comme cramponné au parquet, l'œil profondément attaché sur le roi son frère. Il lui reprochait, dans un sublime silence, tous ses malheurs passés, toutes ses tortures de l'avenir. Contre ce langage de l'âme, le roi ne se sentit plus de force ; il baissa les yeux, entraîna précipitamment son frère et sa belle-sœur, oubliant sa mère étendue sans mouvement à trois pas du fils qu'elle laissait une seconde fois condamner à la mort. Philippe s'approcha d'Anne d'Autriche, et lui dit d'une voix douce et noblement émue :

— Si je n'étais pas votre fils, je vous maudirais, ma mère, pour m'avoir rendu si malheureux.

D'Artagnan sentit un frisson passer dans la moelle de ses os. Il salua respectueusement le jeune prince, et lui dit à demi courbé :

— Excusez-moi, monseigneur, je ne suis qu'un soldat, et mes serments sont à celui qui sort de cette chambre.

— Merci, monsieur d'Artagnan. Mais qu'est devenu M. d'Herblay ?

— M. d'Herblay est en sûreté, monseigneur, dit une voix derrière eux, et nul, moi vivant ou libre, ne fera tomber un cheveu de sa tête.

— Monsieur Fouquet ! dit le prince en souriant tristement.

— Pardonnez-moi, monseigneur, dit Fouquet en s'agenouillant ; mais celui qui vient de sortir d'ici était mon hôte.

— Voilà, murmura Philippe avec un soupir, de braves amis et de bons cœurs. Ils me font regretter ce monde. Marchez, monsieur d'Artagnan, je vous suis.

Au moment où le capitaine des mousquetaires allait sortir, Colbert apparut, remit à d'Artagnan un ordre du roi et se retira.

D'Artagnan le lut et froissa le papier avec rage.

— Qu'y a-t-il ? demanda le prince.

— Lisez, monseigneur, repartit le mousquetaire.

Philippe lut ces mots tracés à la hâte de la main de Louis XIV :

M. d'Artagnan conduira le prisonnier aux îles Sainte-Marguerite. Il lui couvrira le visage d'une visière de fer, que le prisonnier ne pourra lever sous peine de vie.

— C'est juste, dit Philippe avec résignation. Je suis prêt.

— Aramis avait raison, dit Fouquet, bas, au mousquetaire ; celui-ci est roi bien autant que l'autre.

— Plus ! répliqua d'Artagnan. Il ne lui manque que moi et vous.

CCXXXI

OÙ PORTHOS CROIT COURIR APRÈS UN DUCHÉ

Aramis et Porthos, ayant profité du temps accordé par Fouquet, faisaient, par leur rapidité, honneur à la cavalerie française.

Porthos ne comprenait pas bien pour quel genre de mission on le forçait à déployer une vélocité pareille : mais comme il voyait Aramis piquant avec rage, lui, Porthos, piquait avec fureur.

Ils eurent ainsi bientôt mis douze lieues entre eux et Vaux ; puis il fallut changer de chevaux et organiser une sorte de service de poste. C'est pendant un relais que Porthos se hasarda discrètement à interroger Aramis.

— Chut ! répliqua celui-ci ; sachez seulement que notre fortune dépend de notre rapidité.

Comme si Porthos eût été le mousquetaire sans sou ni maille de 1626, il poussa en avant. Ce mot magique de fortune signifie toujours quelque chose à l'oreille humaine. Il veut dire *assez*, pour ceux qui n'ont rien ; il veut dire *trop*, pour ceux qui ont assez.

— On me fera duc, dit Porthos tout haut.

Il se parlait à lui-même.

— Cela est possible, répliqua en souriant à sa façon Aramis, dépassé par le cheval de Porthos.

Cependant la tête d'Aramis était en feu ; l'activité du corps n'avait pas encore réussi à surmonter celle de l'esprit. Tout ce qu'il y a de colères rugissantes, de douleurs aux dents aiguës, de menaces mortelles, se tordait, et mordait, et grondait dans la pensée du prélat vaincu.

Sa physionomie offrait les traces bien visibles de ce rude combat. Libre, sur le grand chemin, de s'abandonner au moins aux impressions du moment, Aramis ne se privait pas de blasphémer à chaque écart du cheval, à chaque inégalité de la route. Pâle, parfois inondé de sueurs bouillantes, tantôt sec et glacé, il battait les chevaux et leur ensanglantait les flancs. Porthos en gémissait, lui dont le défaut dominant n'était pas la sensibilité. Ainsi coururent-ils pendant huit grandes heures, et ils arrivèrent à Orléans.

Il était quatre heures de l'après-midi. Aramis, en interrogeant ses souvenirs, pensa que rien ne démontrait la poursuite possible.

Il eût été sans exemple qu'une troupe capable de prendre Porthos et lui fût fournie de relais suffisants pour faire quarante lieues en huit heures. Ainsi, en admettant la poursuite, ce qui n'était pas manifeste, les fuyards avaient cinq bonnes heures d'avance sur les poursuivants.

Aramis pensa que se reposer n'était pas imprudence, mais que continuer était un coup de partie. En effet, vingt lieues de plus fournies avec cette rapidité, vingt lieues dévorées, et nul, pas même d'Artagnan, ne pourrait rattraper les ennemis du roi.

Aramis fit donc à Porthos le chagrin de remonter à cheval. On courut jusqu'à sept heures du soir ; on n'avait plus qu'une poste pour arriver à Blois.

Mais, là, un contretemps diabolique vint alarmer Aramis. Les chevaux manquaient à la poste.

Le prélat se demanda par quelle machination infernale ses ennemis étaient arrivés à lui ôter le moyen d'aller plus loin, lui qui ne reconnaissait pas le hasard pour un dieu, lui qui trouvait à tout résultat sa cause ; il aimait mieux croire que le refus du maître de poste, à une pareille heure, dans un pareil pays, était la suite d'un ordre émané de haut ; ordre donné en vue d'arrêter court le faiseur de majesté dans sa fuite.

Mais, au moment où il allait s'emporter pour avoir soit une explication, soit un cheval, une idée lui vint. Il se rappela que le comte de La Fère logeait dans les environs.

— Je ne voyage pas, dit-il, et je ne fais pas poste entière. Donnez-moi deux chevaux pour aller rendre visite à un seigneur de mes amis qui habite près d'ici.

— Quel seigneur ? demanda le maître de poste.

— M. le comte de La Fère.

— Oh ! répondit cet homme en se découvrant avec respect, un digne seigneur. Mais, quel que soit mon désir de lui être agréable, je ne puis vous donner deux chevaux ; tous ceux de ma poste sont retenus par M. le duc de Beaufort.

— Ah ! fit Aramis désappointé.

— Seulement, continua le maître de poste, s'il vous plaît de monter dans un petit chariot que j'ai, j'y ferai mettre un vieux cheval aveugle qui n'a plus que des jambes, et qui vous conduira chez M. le comte de La Fère.

— Cela vaut un louis, dit Aramis.

— Non, monsieur, cela ne vaut jamais qu'un écu ; c'est le prix que me paie M. Grimaud, l'intendant du comte, toutes les fois qu'il se sert de mon chariot, et je ne voudrais pas que M. le comte eût à me reprocher d'avoir fait payer trop cher un de ses amis.

— Ce sera comme il vous plaira, dit Aramis, et surtout comme il plaira au comte de La Fère, que je me garderai bien de désobliger. Vous aurez votre écu ; seulement, j'ai bien le droit de vous donner un louis pour votre idée.

— Sans doute, répliqua le maître tout joyeux.

Et il attela lui-même son vieux cheval à la carriole criarde.

Pendant ce temps-là, Porthos était curieux à voir. Il se figurait avoir découvert le secret ; il ne se sentait pas d'aise : d'abord, parce que la visite chez Athos lui était particulièrement agréable ; ensuite, parce qu'il était dans l'espérance de trouver à la fois un bon lit et un bon souper.

Le maître, ayant fini d'atteler, proposa un de ses valets pour conduire les étrangers à La Fère.

Porthos s'assit dans le fond avec Aramis et lui dit à l'oreille :

— Je comprends !

— Ah ! ah ! répondit Aramis ; et que comprenez-vous, cher ami ?

— Nous allons, de la part du roi, faire quelque grande proposition à Athos.

— Peuh ! fit Aramis.

— Ne me dites rien, ajouta le bon Porthos en essayant de contrepeser assez solidement pour éviter les cahots ; ne me dites rien, je devinerai.

— Eh bien ! c'est cela, mon ami, devinez, devinez.

On arriva vers neuf heures du soir chez Athos, par un clair de lune magnifique.

Cette admirable clarté réjouissait Porthos au-delà de toute expression ; mais Aramis s'en montra incommodé à un degré presque égal. Il en témoigna quelque chose à Porthos, qui lui répondit :

— Bien ! je devine encore. La mission est secrète.

Ce furent ses derniers mots en voiture.

Le conducteur les interrompit par ceux-ci :

— Messieurs, vous êtes arrivés.

Porthos et son compagnon descendirent devant la porte du petit château.

C'est là que nous allons retrouver Athos et Bragelonne, disparus tous deux depuis la découverte de l'infidélité de La Vallière.

S'il est un mot plein de vérité, c'est celui-ci : les grandes douleurs renferment en elles-mêmes le germe de leur consolation.

En effet, cette douloureuse blessure faite à Raoul avait rapproché de lui son père, et Dieu sait si elles étaient douces, les consolations qui coulaient de la bouche éloquente et du cœur généreux d'Athos.

La blessure ne s'était point cicatrisée ; mais Athos, à force de converser avec son fils, à force de mêler un peu de sa vie à lui dans celle du jeune homme, avait fini par lui faire comprendre que cette douleur de la première infidélité est nécessaire à toute existence humaine, et que nul n'a aimé sans la connaître.

Raoul écoutait souvent, il n'entendait pas. Rien ne remplace, dans le cœur vivement épris, le souvenir et la pensée de l'objet aimé. Raoul répondait alors à son père :

— Monsieur, tout ce que vous me dites est vrai ; je crois que nul n'a autant souffert que vous par le cœur ; mais vous êtes un homme trop grand par l'intelligence, trop éprouvé par les malheurs, pour ne pas permettre la faiblesse au soldat qui souffre pour la première fois. Je paie un tribut que je ne paierai pas deux fois ; permettez-moi de me plonger si avant dans ma douleur, que je m'y oublie moi-même, que j'y noie jusqu'à ma raison.

— Raoul ! Raoul !

— Écoutez, monsieur ; jamais je ne m'accoutumerai à cette idée que Louise, la plus chaste et la plus naïve des femmes, a pu tromper aussi lâchement un homme aussi honnête et aussi aimant que je le suis ; jamais je ne pourrai me décider à voir ce masque doux et bon se changer en une figure hypocrite et lascive. Louise perdue ! Louise infâme ! Ah ! monsieur, c'est bien plus cruel pour moi que Raoul abandonné, que Raoul malheureux !

Athos employait alors le remède héroïque. Il défendait Louise contre Raoul, et justifiait sa perfidie par son amour.

— Une femme qui eût cédé au roi parce qu'il est le roi, disait-il, mériterait le nom d'infâme ; mais Louise aime Louis. Jeunes tous deux, ils ont oublié, lui son rang, elle ses serments. L'amour absout tout, Raoul. Les deux jeunes gens s'aiment avec franchise.

Et, quand il avait donné ce coup de poignard, Athos voyait en soupirant Raoul bondir sous la cruelle blessure, et s'enfuir au plus épais du bois ou se réfugier dans sa chambre d'où, une heure après, il sortait pâle, tremblant, mais dompté. Alors, revenant à Athos avec un sourire, il lui baisait la main, comme le chien qui vient d'être battu caresse un bon maître pour racheter sa faute. Raoul, lui, n'écoutait que sa faiblesse, et il n'avouait que sa douleur.

Ainsi se passèrent les jours qui suivirent cette scène dans laquelle Athos avait si violemment agité l'orgueil indomptable du roi. Jamais, en causant avec son fils, il ne fit allusion à cette scène ; jamais il ne lui donna les détails de cette vigoureuse sortie qui eût peut-être consolé le jeune homme en lui montrant son rival abaissé. Athos ne voulait point que l'amant offensé oubliât le respect dû au roi.

Et quand Bragelonne, ardent, furieux, sombre, parlait avec mépris des paroles royales, de la foi équivoque que certains fous puisent dans la promesse tombée du trône ; quand, passant deux siècles avec la rapidité d'un oiseau qui traverse un détroit pour aller d'un monde à l'autre, Raoul en venait à prédire le temps où les rois sembleraient plus petits que les hommes, Athos lui disait de sa voix sereine et persuasive :

— Vous avez raison, Raoul ; tout ce que vous dites arrivera : les rois perdront leur prestige, comme perdent leurs clartés les étoiles qui ont fait leur temps. Mais, lorsque ce moment viendra, Raoul, nous serons morts ; et rappelez-vous bien ce que je vous dis : en ce monde, il faut pour tous, hommes, femmes et rois, vivre au présent ; nous ne devons vivre selon l'avenir que pour Dieu.

Voilà de quoi s'entretenaient, comme toujours, Athos et Raoul, en arpentant la longue allée de tilleuls dans le parc, lorsque retentit soudain la clochette qui servait à annoncer au comte soit l'heure du repas, soit une visite. Machinalement et sans y attacher d'importance, il rebroussa chemin avec son fils, et tous les deux se trouvèrent, au bout de l'allée, en présence de Porthos et d'Aramis.

CCXXXII

LES DERNIERS ADIEUX

Raoul poussa un cri de joie et serra tendrement Porthos dans ses bras. Aramis et Athos s'embrassèrent en vieillards. Cet embrassement même était une question pour Aramis, qui, aussitôt :

— Ami, dit-il, nous ne sommes pas pour longtemps avec vous.

— Ah ! fit le comte.

— Le temps, interrompit Porthos, de vous conter mon bonheur.

— Ah ! fit Raoul.

Athos regarda silencieusement Aramis, dont déjà l'air sombre lui avait paru bien peu en harmonie avec les bonnes nouvelles dont parlait Porthos.

— Quel est le bonheur qui vous arrive ? Voyons, demanda Raoul en souriant.

— Le roi me fait duc, dit avec mystère le bon Porthos, se penchant à l'oreille du jeune homme ; duc à brevet !

Mais les apartés de Porthos avaient toujours assez de vigueur pour être entendus de tout le monde ; ses murmures étaient au diapason d'un rugissement ordinaire.

Athos entendit et poussa une exclamation qui fit tressaillir Aramis.

Celui-ci prit le bras d'Athos, et, après avoir demandé à Porthos la permission de causer quelques moments à l'écart :

— Mon cher Athos, dit-il au comte, vous me voyez navré de douleur.

— De douleur ? s'écria le comte. Ah ! cher ami !

— Voici, en deux mots : j'ai fait, contre le roi, une conspiration ; cette conspiration a manqué, et, à l'heure qu'il est, on me cherche sans doute.

— On vous cherche !... une conspiration !... Eh ! mon ami, que me dites-vous là ?

— Une triste vérité. Je suis tout bonnement perdu.

— Mais Porthos... ce titre de duc... qu'est-ce que tout cela ?

— Voilà le sujet de ma plus vive peine ; voilà le plus profond de ma blessure. J'ai, croyant à un succès infaillible, entraîné Porthos dans ma conjuration. Il y a donné, comme vous savez qu'il donne, de toutes ses forces, sans rien savoir, et, aujourd'hui, le voilà si bien compromis avec moi, qu'il est perdu comme moi.

— Mon Dieu !

Et Athos se retourna vers Porthos, qui leur sourit agréablement.

— Il faut vous faire tout comprendre. Écoutez-moi, continua Aramis.

Et il raconta l'histoire que nous connaissons.

Athos sentit plusieurs fois, durant le récit, son front se mouiller de sueur.

— C'est une grande idée, dit-il ; mais c'était une grande faute.

— Dont je suis puni, Athos.

— Aussi ne vous dirai-je pas ma pensée entière.

— Dites.

— C'est un crime.

— Capital, je le sais. Lèse-majesté !

— Porthos ! pauvre Porthos !

— Que voulez-vous que je fasse ? Le succès, je vous l'ai dit, était certain.

— M. Fouquet est un honnête homme.

— Et moi, je suis un sot, de l'avoir si mal jugé, fit Aramis. Oh ! la sagesse des hommes ! oh ! meule immense qui broie un monde, et qui, un jour, est arrêtée par le grain de sable qui tombe, on ne sait comment, dans ses rouages !

— Dites par un diamant, Aramis. Enfin, le mal est fait. Que comptez-vous devenir ?

— J'emmène Porthos. Jamais le roi ne voudra croire que le digne homme ait agi naïvement ; jamais il ne voudra croire que Porthos ait cru servir le roi en agissant comme il a fait. Sa tête paierait ma faute. Je ne le veux pas.

— Vous l'emmenez, où ?

— A Belle-Ile, d'abord. C'est un refuge imprenable. Puis j'ai la mer et un navire pour passer, soit en Angleterre, où j'ai beaucoup de relations...

— Vous ? en Angleterre ?

— Oui. Ou bien en Espagne, où j'en ai davantage encore...

— En exilant Porthos, vous le ruinez, car le roi confisquera ses biens.

— Tout est prévu. Je saurai, une fois en Espagne, me réconcilier avec Louis XIV et faire rentrer Porthos en grâce.

— Vous avez du crédit, à ce que je vois, Aramis ! dit Athos d'un air discret.

— Beaucoup, et au service de mes amis, ami Athos.

Ces mots furent accompagnés d'une sincère pression de main.

— Merci, répliqua le comte.

— Et, puisque nous en sommes là, dit Aramis, vous aussi vous êtes un mécontent ; vous aussi, Raoul aussi, vous avez des griefs contre le roi. Imitez notre exemple. Passez à Belle-Ile. Puis nous verrons... Je vous garantis sur l'honneur que, dans un mois, la guerre aura éclaté entre la France et l'Espagne, au sujet de ce fils de Louis XIII, qui est un infant aussi, et que la France détient inhumainement. Or, comme Louis XIV ne voudra pas d'une guerre faite pour ce motif, je vous garantis une transaction dont le résultat donnera la grandeur à Porthos et à moi, et un duché en France à vous, qui êtes déjà grand d'Espagne. Voulez-vous ?

— Non ; moi, j'aime mieux avoir quelque chose à reprocher au roi ; c'est un orgueil naturel à ma race que de prétendre à la supériorité sur les races royales. Faisant ce que vous me proposez, je deviendrais l'obligé du roi ; j'y gagnerais certainement sur cette terre, j'y perdrais dans ma conscience. Merci.

— Alors, donnez-moi deux choses, Athos : votre absolution...

— Oh ! je vous la donne, si vous avez réellement voulu venger le faible et l'opprimé contre l'oppresseur.

— Cela me suffit, répondit Aramis avec une rougeur qui s'effaça dans la nuit. Et maintenant, donnez-moi vos deux meilleurs chevaux pour gagner la seconde poste, attendu que l'on m'en a refusé sous prétexte d'un voyage que M. de Beaufort fait dans ces parages.

— Vous aurez mes deux meilleurs chevaux, Aramis, et je vous recommande Porthos.

— Oh ! soyez sans crainte. Un mot encore : trouvez-vous que je manœuvre pour lui comme il convient ?

— Le mal étant fait, oui ; car le roi ne lui pardonnerait pas, et puis vous avez toujours, quoi qu'il en dise, un appui dans M. Fouquet, lequel ne vous abandonnera pas, étant, lui aussi, fort compromis, malgré son trait héroïque.

— Vous avez raison. Voilà pourquoi, au lieu de gagner tout de suite la mer, ce qui déclarerait ma peur et m'avouerait coupable, voilà pourquoi je reste sur le sol français. Mais Belle-Ile sera pour moi le sol que je voudrai : anglais, espagnol ou romain ; le tout consiste pour moi dans le pavillon que j'arborerai.

— Comment cela ?

— C'est moi qui ai fortifié Belle-Ile, et nul ne prendra Belle-Ile, moi la défendant. Et puis, comme vous l'avez dit tout à l'heure, M. Fouquet est là. On n'attaquera pas Belle-Ile sans la signature de M. Fouquet.

— C'est juste. Néanmoins, soyez prudent. Le roi est rusé et il est fort.

Aramis sourit.

— Je vous recommande Porthos, répéta le comte avec une sorte de froide insistance.

— Ce que je deviendrai, comte, répliqua Aramis avec le même ton, notre frère Porthos le deviendra.

Athos s'inclina en serrant la main d'Aramis, et alla embrasser Porthos avec effusion.

— J'étais né heureux, n'est-ce pas ? murmura celui-ci, transporté, en s'enveloppant de son manteau.

— Venez, très cher, dit Aramis.

Raoul était allé devant pour donner des ordres et faire seller les deux chevaux.

Déjà le groupe s'était divisé. Athos voyait ses deux amis sur le point de partir ; quelque chose comme un brouillard passa devant ses yeux et pesa sur son cœur.

« C'est étrange ! pensa-t-il. D'où vient cette envie que j'ai d'embrasser Porthos encore une fois ? »

Justement Porthos s'était retourné, et il venait à son vieil ami les bras ouverts.

Cette dernière étreinte fut tendre comme dans la jeunesse, comme dans les temps où le cœur était chaud, la vie heureuse.

Et puis Porthos monta sur son cheval. Aramis revint aussi pour entourer de ses bras le cou d'Athos.

Ce dernier les vit sur le grand chemin s'allonger dans l'ombre avec leurs manteaux blancs. Pareils à deux fantômes, ils grandissaient en s'éloignant de terre, et ce n'est pas dans la brume, dans la pente du sol qu'ils se perdirent : à bout de perspective, tous deux semblèrent avoir donné du pied un élan qui les faisait disparaître, évaporés dans les nuages.

Alors Athos, le cœur serré, retourna vers la maison en disant à Bragelonne :

— Raoul, je ne sais quoi vient de me dire que j'avais vu ces deux hommes pour la dernière fois.

— Il ne m'étonne pas, monsieur, que vous ayez cette pensée, répondit le jeune homme, car je l'ai en ce moment même, et moi aussi, je pense que je ne verrai plus jamais MM. du Vallon et d'Herblay.

— Oh ! vous, reprit le comte, vous me parlez en homme attristé par une autre cause, vous voyez tout en noir ; mais vous êtes jeune ; et s'il vous arrive de ne plus voir ces vieux amis, c'est qu'ils ne seront plus du monde où vous avez bien des années à passer. Mais, moi...

Raoul secoua doucement la tête, et s'appuya sur l'épaule du comte, sans que ni l'un ni l'autre trouvât un mot de plus en son cœur, plein à déborder.

Tout à coup, un bruit de chevaux et de voix, à l'extrémité de la route de Blois, attira leur attention de ce côté.

Des porte-flambeaux à cheval secouaient joyeusement leurs torches sur les arbres de la route, et se retournaient de temps en temps pour ne pas distancer les cavaliers qui les suivaient.

Ces flammes, ce bruit, cette poussière d'une douzaine de chevaux richement caparaçonnés, firent un contraste étrange au milieu de la nuit avec la disparition sourde et funèbre des deux ombres de Porthos et d'Aramis.

Athos rentra chez lui.

Mais il n'avait pas gagné son parterre, que la grille d'entrée parut s'enflammer ; tous ces flambeaux s'arrêtèrent et embrasèrent la route. Un cri retentit :

— M. le duc de Beaufort !

Et Athos s'élança vers la porte de sa maison.

Déjà le duc était descendu de cheval et cherchait des yeux autour de lui.

— Me voici, monseigneur, fit Athos.

— Eh ! bonsoir, cher comte, répliqua le prince avec cette franche cordialité qui lui gagnait tous les cœurs. Est-il trop tard pour un ami ?

— Ah ! mon prince, entrez, dit le comte.

Et, M. de Beaufort s'appuyant sur le bras d'Athos, ils entrèrent dans la maison, suivis de Raoul, qui marchait respectueusement et modestement parmi les officiers du prince, au nombre desquels il comptait plusieurs amis.

CCXXXIII

M. DE BEAUFORT

Le prince se retourna au moment où Raoul, pour le laisser seul avec Athos, fermait la porte et s'apprêtait à passer avec les officiers dans une salle voisine.

— C'est là ce jeune garçon que j'ai tant entendu vanter par M. le prince ? demanda M. de Beaufort.

— C'est lui, oui, monseigneur.

— C'est un soldat ! Il n'est pas de trop, gardez-le, comte.

— Restez, Raoul, puisque Monseigneur le permet, dit Athos.

— Le voilà grand et beau, sur ma foi ! continua le duc. Me le donnerez-vous, monsieur, si je vous le demande ?

— Comment l'entendez-vous, monseigneur, dit Athos.

— Oui, je viens ici pour vous faire mes adieux.

— Vos adieux, monseigneur ?

— Oui, en vérité. N'avez-vous aucune idée de ce que je vais devenir ?

— Mais ce que vous avez toujours été, monseigneur, un vaillant prince et un excellent gentilhomme.

— Je vais devenir un prince d'Afrique, un gentilhomme bédouin. Le roi m'envoie pour faire des conquêtes chez les Arabes.

— Que dites-vous là, monseigneur ?

— C'est étrange, n'est-ce pas ? Moi, le Parisien par essence, moi qui ai régné sur les faubourgs et qu'on appelait le roi des Halles, je passe de la place Maubert aux minarets de Djidgelli[1] ; je me fais de frondeur aventurier !

— Oh ! monseigneur, si vous ne me disiez pas cela...

— Ce ne serait pas croyable, n'est-il pas vrai ? Croyez-moi cependant, et disons-nous adieu. Voilà ce que c'est que de rentrer en faveur.

— En faveur ?

— Oui. Vous souriez ? Ah ! cher comte, savez-vous pourquoi j'aurais accepté ? le savez-vous bien ?

— Parce que Votre Altesse aime la gloire avant tout.

— Oh ! non, ce n'est pas glorieux, voyez-vous, d'aller tirer le mousquet contre ces sauvages. La gloire, je ne la prends pas par là, moi, et il est plus probable que j'y trouverai autre chose... Mais j'ai voulu et je veux, entendez-vous bien, mon cher comte ? que ma vie ait cette dernière facette après tous les bizarres miroitements que je me suis vu faire depuis cinquante ans. Car enfin, vous l'avouerez, c'est assez étrange d'être né fils de roi, d'avoir fait la guerre à des rois, d'avoir compté parmi les puissances dans le siècle, d'avoir bien tenu son rang, de sentir son Henri IV, d'être grand amiral de France, et d'aller se faire tuer à Djidgelli, parmi tous ces Turcs, Sarrasins et Mauresques.

— Monseigneur, vous insistez étrangement sur ce sujet, dit Athos troublé. Comment supposez-vous qu'une si brillante destinée ira se perdre sous ce misérable éteignoir ?

— Est-ce que vous croyez, homme juste et simple, que, si je vais en Afrique pour ce ridicule motif, je ne chercherai pas à en sortir sans ridicule ? Est-ce que je ne ferai pas parler de moi ? Est-ce que, pour faire parler de moi aujourd'hui quand il y a M. le prince, M. de Turenne et plusieurs autres, mes contemporains, moi, l'amiral de France, le fils

---

1. Ville de Petite-Kabylie sur le littoral. L'expédition de Beaufort eut lieu en 1664.

de Henri IV, le roi de Paris, j'ai autre chose à faire que de me faire tuer ? Cordieu ! on en parlera, vous dis-je ; je serai tué envers et contre tous. Si ce n'est pas là, ce sera ailleurs.

— Allons, monseigneur, répondit Athos, voilà de l'exagération, et vous n'en avez jamais montré qu'en bravoure.

— Peste ! cher ami, c'est bravoure que s'en aller au scorbut, aux dysenteries, aux sauterelles, aux flèches empoisonnées, comme mon aïeul saint Louis[1]. Savez-vous qu'ils ont encore des flèches empoisonnées, ces drôles-là ? Et puis, vous me connaissez, j'y pense depuis longtemps et, vous le savez, quand je veux une chose, je la veux bien.

— Vous avez voulu sortir de Vincennes, monseigneur.

— Oh ! vous m'y avez aidé, mon maître ; et, à propos, je me tourne et retourne sans apercevoir mon vieil ami, M. Vaugrimaud. Comment va-t-il ?

— M. Vaugrimaud[2] est toujours le très respectueux serviteur de Votre Altesse, dit en souriant Athos.

— J'ai là cent pistoles pour lui que j'apporte comme legs. Mon testament est fait, comte.

— Ah ! monseigneur ! monseigneur !

— Et vous comprenez que, si l'on voyait Grimaud sur mon testament...

Le duc se mit à rire ; puis, s'adressant à Raoul qui, depuis le commencement de cette conversation, était tombé dans une rêverie profonde :

— Jeune homme, dit-il, je sais ici un certain vin de Vouvray, je crois...

Raoul sortit précipitamment pour faire servir le duc. Pendant ce temps, M. de Beaufort prenait la main d'Athos.

— Qu'en voulez-vous faire ? demanda-t-il.

— Rien, quant à présent, monseigneur.

— Ah ! oui, je sais ; depuis la passion du roi pour... La Vallière.

— Oui, monseigneur.

— C'est donc vrai, tout cela ?... Je l'ai connue, moi, je crois, cette petite La Vallière. Elle n'est pas belle, il me semble...

— Non, monseigneur, dit Athos.

— Savez-vous qui elle me rappelle ?

— Elle rappelle quelqu'un à Votre Altesse ?

— Elle me rappelle une jeune fille assez agréable, dont la mère habitait les Halles.

— Ah ! ah ! fit Athos en souriant.

---

1. Dumas a consacré, dans ses *Impressions de voyages*, trois chapitres à la septième croisade (*Quinze Jours au Sinaï* : « Damiette », Mansourah », « La Maison de Fakreddin-ben-Lokman ») et un chapitre à la mort de Saint Louis (*Le Véloce* : « Le tombeau de Saint Louis »).

2. Sur Vaugrimaud ou plutôt Vaugrimont, voir *Vingt Ans après*, chap. XVIII, p. 693, note 1.

— Le bon temps ! ajouta M. de Beaufort. Oui, La Vallière me rappelle cette fille.

— Qui eut un fils, n'est-ce pas ?

— Je crois que oui, répondit le duc avec une naïveté insouciante, avec un oubli complaisant, dont rien ne saurait traduire le ton et la valeur vocale. Or, voilà le pauvre Raoul, qui est bien votre fils, hein ?...

— C'est mon fils, oui, monseigneur.

— Voilà que ce pauvre garçon est débouté par le roi, et l'on boude ?

— Mieux que cela, monseigneur, on s'abstient.

— Vous allez laisser croupir ce garçon-là ? C'est un tort. Voyons, donnez-le-moi.

— Je veux le garder, monseigneur. Je n'ai plus que lui au monde, et, tant qu'il voudra rester...

— Bien, bien, répondit le duc. Cependant, je vous l'eusse bientôt raccommodé. Je vous assure qu'il est d'une pâte dont on fait les maréchaux de France, et j'en ai vu sortir plus d'un d'une étoffe semblable.

— C'est possible, monseigneur, mais c'est le roi qui fait les maréchaux de France, et jamais Raoul n'acceptera rien du roi.

Raoul brisa cet entretien par son retour. Il précédait Grimaud, dont les mains, encore sûres, portaient le plateau chargé d'un verre et d'une bouteille du vin favori de M. le duc.

En voyant son vieux protégé, le duc poussa une exclamation de plaisir.

— Grimaud ! Bonsoir, Grimaud, dit-il ; comment va ?

Le serviteur s'inclina profondément, aussi heureux que son noble interlocuteur.

— Deux amis ! dit le duc en secouant d'une façon vigoureuse l'épaule de l'honnête Grimaud.

Autre salut plus profond et encore plus joyeux de Grimaud.

— Que vois-je là, comte ? Un seul verre !

— Je ne bois avec Votre Altesse que si Votre Altesse m'invite, dit Athos avec une noble humilité.

— Cordieu ! vous avez raison de n'avoir fait apporter qu'un verre, nous y boirons tous deux comme deux frères d'armes. A vous, d'abord, comte.

— Faites-moi la grâce tout entière, dit Athos en repoussant doucement le verre.

— Vous êtes un charmant ami, répliqua le duc de Beaufort, qui but et passa le gobelet d'or à son compagnon. Mais ce n'est pas tout, continua-t-il : j'ai encore soif et je veux faire honneur à ce beau garçon qui est là debout. Je porte bonheur, vicomte, dit-il à Raoul ; souhaitez quelque chose en buvant dans mon verre, et la peste m'étouffe si ce que vous souhaitez n'arrive pas.

Il tendit le gobelet à Raoul, qui y mouilla précipitamment ses lèvres, et dit avec la même promptitude :

— J'ai souhaité quelque chose, monseigneur.

Ses yeux brillaient d'un feu sombre, le sang avait monté à ses joues ; il effraya Athos, rien que par son sourire.

— Et qu'avez-vous souhaité ? reprit le duc en se laissant aller dans le fauteuil, tandis que d'une main il remettait la bouteille et une bourse à Grimaud.

— Monseigneur, voulez-vous me promettre de m'accorder ce que j'ai souhaité ?

— Pardieu ! puisque c'est dit.

— J'ai souhaité, monsieur le duc, d'aller avec vous à Djidgelli.

Athos pâlit et ne put réussir à cacher son trouble.

Le duc regarda son ami, comme pour l'aider à parer ce coup imprévu.

— C'est difficile, mon cher vicomte, bien difficile, ajouta-t-il un peu bas.

— Pardon, monseigneur, j'ai été indiscret, reprit Raoul d'une voix ferme ; mais, comme vous m'aviez vous-même invité à souhaiter...

— A souhaiter de me quitter, dit Athos.

— Oh ! monsieur... le pouvez-vous croire ?

— Eh bien ! mordieu ! s'écria le duc, il a raison le petit vicomte ; que fera-t-il ici ? Il pourrira de chagrin.

Raoul rougit ; le prince, emporté, continua :

— La guerre, c'est une destruction ; on y gagne tout, on n'y perd qu'une chose, la vie ; alors, tant pis !

— C'est-à-dire la mémoire, fit vivement Raoul, c'est-à-dire tant mieux !

Il se repentit d'avoir parlé si vite, en voyant Athos se lever et ouvrir la fenêtre.

Ce geste cachait sans doute une émotion. Raoul se précipita vers le comte. Mais Athos avait déjà dévoré son regret, car il reparut aux lumières avec une physionomie sereine et impassible.

— Eh bien ! fit le duc, voyons ! part-il ou ne part-il pas ? S'il part, comte, il sera mon aide de camp, mon fils.

— Monseigneur ! s'écria Raoul en ployant le genou.

— Monseigneur, s'écria le comte en prenant la main du duc, Raoul fera ce qu'il voudra.

— Oh ! non, monsieur, ce que vous voudrez, interrompit le jeune homme.

— Par la corbleu ! fit le prince à son tour, ce n'est le comte ni le vicomte qui fera sa volonté, ce sera moi. Je l'emmène. La marine, c'est un avenir superbe, mon ami.

Raoul sourit encore si tristement, que, cette fois, Athos en eut le cœur navré, et lui répondit par un regard sévère.

Raoul comprenait tout ; il reprit son calme et s'observa si bien, que plus un mot ne lui échappa.

Le duc se leva, voyant l'heure avancée, et dit très vite :

— Je suis pressé, moi ; mais, si l'on me dit que j'ai perdu mon temps à causer avec un ami, je répondrai que j'ai fait une bonne recrue.

— Pardon, monsieur le duc, interrompit Raoul, ne dites pas cela au roi, car ce n'est pas le roi que je servirai.

— Eh ! mon ami, qui donc serviras-tu ? Ce n'est plus le temps où tu eusses pu dire : « Je suis à M. de Beaufort. » Non, aujourd'hui, nous sommes tous au roi, grands et petits. C'est pourquoi, si tu sers sur mes vaisseaux, pas d'équivoque, mon cher vicomte, c'est bien le roi que tu serviras.

Athos attendait, avec une sorte de joie impatiente, la réponse qu'allait faire, à cette embarrassante question, Raoul, l'intraitable ennemi du roi, son rival. Le père espérait que l'obstacle renverserait le désir. Il remerciait presque M. de Beaufort, dont la légèreté ou la généreuse réflexion venait de remettre en doute le départ d'un fils, sa seule joie.

Mais Raoul, toujours ferme et tranquille :

— Monsieur le duc, répliqua-t-il, cette objection que vous me faites, je l'ai déjà résolue dans mon esprit. Je servirai sur vos vaisseaux, puisque vous me faites la grâce de m'emmener ; mais j'y servirai un maître plus puissant que le roi, j'y servirai Dieu !

— Dieu ! comment cela ? firent à la fois Athos et le prince.

— Mon intention est de faire profession et de devenir chevalier de Malte[1], ajouta Bragelonne, qui laissa tomber une à une ces paroles, plus glacées que les gouttes descendues des arbres noirs après les tempêtes de l'hiver.

Sous ce dernier coup, Athos chancela et le prince fut ébranlé lui-même.

Grimaud poussa un sourd gémissement et laissa tomber la bouteille, qui se brisa sur le tapis sans que nul y fît attention.

M. de Beaufort regarda en face le jeune homme, et lut sur ses traits, bien qu'il eût les yeux baissés, le feu d'une résolution devant laquelle tout devait céder.

Quant à Athos, il connaissait cette âme tendre et inflexible ; il ne comptait pas la faire dévier du fatal chemin qu'elle venait de se choisir. Il serra la main que lui tendait le duc.

— Comte, je pars dans deux jours pour Toulon, fit M. de Beaufort. Me viendrez-vous retrouver à Paris pour que je sache votre résolution ?

— J'aurai l'honneur d'aller vous y remercier de toutes vos bontés, mon prince, répliqua le comte.

— Et amenez-moi toujours le vicomte, qu'il me suive ou ne me suive pas, ajouta le duc ; il a ma parole, et je ne lui demande que la vôtre.

Ayant ainsi jeté un peu de baume sur la blessure de ce cœur paternel,

---

1. Les chevaliers de Malte devaient prononcer les trois vœux monastiques : pauvreté, abstinence et chasteté.

le duc tira l'oreille au vieux Grimaud, qui clignait des yeux plus qu'il n'est naturel, et il rejoignit son escorte dans le parterre.

Les chevaux, reposés et frais par cette belle nuit, mirent l'espace entre le château et leur maître. Athos et Bragelonne se retrouvèrent seuls face à face.

Onze heures sonnaient.

Le père et le fils gardèrent l'un vis-à-vis de l'autre un silence que tout observateur intelligent eût deviné plein de cris et de sanglots.

Mais ces deux hommes étaient trempés de telle sorte que toute émotion s'enfonçait, perdue à jamais, quand ils avaient résolu de la comprimer dans leur cœur.

Ils passèrent donc silencieux et presque haletants l'heure qui précède minuit. L'horloge, en sonnant, leur indiqua seule combien de minutes avait duré ce voyage douloureux fait par leurs âmes, dans l'immensité des souvenirs du passé et des craintes de l'avenir.

Athos se leva le premier en disant :

— Il est tard... A demain, Raoul !

Raoul se leva à son tour et vint embrasser son père.

Celui-ci le retint sur sa poitrine, et lui dit d'une voix altérée.

— Dans deux jours, vous m'aurez donc quitté, quitté à jamais, Raoul ?

— Monsieur, répliqua le jeune homme, j'avais fait un projet, celui de me percer le cœur avec mon épée, mais vous m'eussiez trouvé lâche ; j'ai renoncé à ce projet, et puis il fallait nous quitter.

— Vous me quittez en partant, Raoul.

— Écoutez-moi encore, monsieur, je vous en supplie. Si je ne pars pas, je mourrai ici de douleur et d'amour. Je sais combien j'ai encore de temps à vivre ici. Renvoyez-moi vite, monsieur, ou vous me verrez lâchement expirer sous vos yeux, dans votre maison ; c'est plus fort que ma volonté, c'est plus fort que mes forces ; vous voyez bien que, depuis un mois, j'ai vécu trente ans, et que je suis au bout de ma vie.

— Alors, dit Athos froidement, vous partez avec l'intention d'aller vous faire tuer en Afrique ? Oh ! dites-le... ne mentez pas.

Raoul pâlit et se tut pendant deux secondes, qui furent pour son père deux heures d'agonie, puis tout à coup :

— Monsieur, dit-il, j'ai promis de me donner à Dieu. En échange de ce sacrifice que je fais de ma jeunesse et de ma liberté, je ne lui demanderai qu'une chose : c'est de me conserver pour vous, parce que vous êtes le seul lien qui m'attache encore à ce monde. Dieu seul peut me donner la force pour ne pas oublier que je vous dois tout, et que rien ne me doit être avant vous.

Athos embrassa tendrement son fils et lui dit :

— Vous venez de me répondre une parole d'honnête homme ; dans deux jours, nous serons chez M. de Beaufort, à Paris : et c'est vous qui ferez alors ce qu'il vous conviendra de faire. Vous êtes libre, Raoul. Adieu !

Et il gagna lentement sa chambre à coucher.

Raoul descendit dans le jardin, où il passa la nuit dans l'allée des tilleuls.

CCXXXIV

PRÉPARATIFS DE DÉPART

Athos ne perdit plus le temps à combattre cette immuable résolution. Il mit tous ses soins à faire préparer, pendant les deux jours que le duc lui avait accordés, tout l'équipage de Raoul. Ce travail regardait le bon Grimaud, lequel s'y appliqua sur-le-champ, avec le cœur et l'intelligence qu'on lui connaît.

Athos donna ordre à ce digne serviteur de prendre la route de Paris quand les équipages seraient prêts, et, pour ne pas s'exposer à faire attendre le duc ou, tout au moins, à mettre Raoul en retard si le duc s'apercevait de son absence, il prit, dès le lendemain de la visite de M. de Beaufort, le chemin de Paris avec son fils.

Ce fut pour le pauvre jeune homme une émotion bien facile à comprendre que celle d'un retour à Paris, au milieu de tous les gens qui l'avaient connu et qui l'avaient aimé.

Chaque visage rappelait, à celui qui avait tant souffert, une souffrance, à celui qui avait tant aimé, une circonstance de son amour. Raoul, en se rapprochant de Paris, se sentait mourir. Une fois à Paris, il n'exista réellement plus. Lorsqu'il arriva chez M. de Guiche, on lui expliqua que M. de Guiche était chez Monsieur.

Raoul prit le chemin du Luxembourg[1], et, une fois arrivé, sans s'être douté qu'il allait dans un endroit où La Vallière avait vécu, il entendit tant de musique et respira tant de parfums, il entendit tant de rires joyeux et vit tant d'ombres dansantes, que, sans une charitable femme qui l'aperçut morne et pâle sous une portière, il fût demeuré là quelques moments, puis serait parti sans jamais revenir.

Mais comme nous l'avons dit, aux premières antichambres il avait arrêté ses pas uniquement pour ne point se mêler à toutes ces existences heureuses qu'il sentait s'agiter dans les salles voisines.

---

1. Monsieur logeait aux Tuileries, non au Luxembourg qui, donné à Gaston d'Orléans, était occupé par sa veuve. Philippe d'Orléans ne le reçut qu'après la mort de la Grande Mademoiselle, la troisième fille de Gaston d'Orléans en ayant fait don à Louis XIV (1694).

Et, comme un valet de Monsieur, le reconnaissant, lui avait demandé s'il comptait voir Monsieur ou Madame, Raoul lui avait à peine répondu et était tombé sur un banc près de la portière de velours, regardant une horloge qui venait de s'arrêter depuis une heure.

Le valet avait passé ; un autre était arrivé alors plus instruit encore, et avait interrogé Raoul pour savoir s'il voulait qu'on prévînt M. de Guiche.

Ce nom n'avait pas éveillé l'attention du pauvre Raoul.

Le valet, insistant, s'était mis à raconter que de Guiche venait d'inventer un jeu de loterie nouveau, et qu'il l'apprenait à ces dames.

Raoul, ouvrant de grands yeux comme le distrait de Théophraste[1], n'avait plus répondu ; mais sa tristesse en avait augmenté de deux nuances.

La tête renversée, les jambes molles, la bouche entrouverte pour laisser passer les soupirs, Raoul restait ainsi oublié dans cette antichambre, quand tout à coup une robe passa en frôlant les portes d'un salon latéral qui débouchait sur cette galerie.

Une femme jeune, jolie et rieuse, gourmandant un officier de service, arrivait par là et s'exprimait avec vivacité.

L'officier répondait par des phrases calmes mais fermes ; c'était plutôt un débat d'amants qu'une contestation de gens de cour, qui finit par un baiser sur les doigts de la dame.

Soudain, en apercevant Raoul, la dame se tut, et, repoussant l'officier :

— Sauvez-vous, Malicorne, dit-elle ; je ne croyais pas qu'il y eût quelqu'un ici. Je vous maudis si l'on nous a entendus ou vus !

Malicorne s'enfuit en effet ; la jeune dame s'avança derrière Raoul, et, allongeant sa moue enjouée :

— Monsieur est galant homme, dit-elle, et, sans doute...

Elle s'interrompit pour proférer un cri.

— Raoul ! dit-elle en rougissant.

— Mademoiselle de Montalais ! fit Raoul plus pâle que la mort.

Il se leva en trébuchant et voulut prendre sa course sur la mosaïque glissante ; mais elle comprit cette douleur sauvage et cruelle, elle sentit que, dans la fuite de Raoul, il y avait une accusation ou, tout au moins, un soupçon sur elle. Femme toujours vigilante, elle ne crut pas devoir laisser passer l'occasion d'une justification ; mais Raoul, arrêté par elle au milieu de cette galerie, ne semblait pas vouloir se rendre sans combat.

Il le prit sur un ton tellement froid et embarrassé que, si l'un ou l'autre eût été surpris ainsi, toute la cour n'eût plus eu de doutes sur la démarche de Mlle de Montalais.

— Ah ! monsieur, dit-elle avec dédain, c'est peu digne d'un

---

1. Voir *Les Caractères* de La Bruyère, qui traduit « De la stupidité », avant de donner à son tour le portrait d'un distrait, Ménalque (« De l'homme », 7).

gentilhomme, ce que vous faites. Mon cœur m'entraîne à vous parler ; vous me compromettez par un accueil presque incivil ; vous avez tort, monsieur, et vous confondez vos amis avec vos ennemis. Adieu !

Raoul s'était juré de ne jamais parler de Louise, de ne jamais regarder ceux qui auraient pu voir Louise ; il passait dans un autre monde pour n'y jamais rencontrer rien que Louise eût vu, rien qu'elle eût touché. Mais, après le premier choc de son orgueil, après avoir entrevu Montalais, cette compagne de Louise, Montalais, qui lui rappelait la petite tourelle de Blois et les joies de sa jeunesse, toute sa raison s'évanouit.

— Pardonnez-moi, mademoiselle ; il n'entre pas, il ne peut pas entrer dans ma pensée d'être incivil.

— Vous voulez me parler ? dit-elle avec le sourire d'autrefois. Eh bien ! venez autre part ; car ici, nous pourrions être surpris.

— Où ? fit-il.

Elle regarda l'horloge avec indécision ; puis, s'étant consultée :

— Chez moi, continua-t-elle ; nous avons une heure à nous.

Et prenant sa course, plus légère qu'une fée, elle monta dans sa chambre, et Raoul la suivit.

Là, fermant la porte, et remettant aux mains de sa camériste la mante qu'elle avait tenue jusque-là sous son bras :

— Vous cherchez M. de Guiche ? dit-elle à Raoul.

— Oui, mademoiselle.

— Je vais le prier de monter ici, tout à l'heure, quand je vous aurai parlé.

— Faites, mademoiselle.

— M'en voulez-vous ?

Raoul la regarda un moment ; puis, baissant les yeux :

— Oui, dit-il.

— Vous croyez que j'ai trempé dans ce complot de votre rupture ?

— Rupture ! dit-il avec amertume. Oh ! mademoiselle, il n'y a pas rupture là où jamais il n'y eut amour.

— Erreur, répliqua Montalais ; Louise vous aimait.

Raoul tressaillit.

— Pas d'amour, je le sais ; mais elle vous aimait, et vous eussiez dû l'épouser avant de partir pour Londres.

Raoul poussa un éclat de rire sinistre, qui donna le frisson à Montalais.

— Vous me dites cela bien à votre aise, mademoiselle !... Épouse-t-on celle que l'on veut ? Vous oubliez donc que le roi gardait déjà pour lui sa maîtresse, dont nous parlons.

— Écoutez, reprit la jeune femme en serrant les mains froides de Raoul dans les siennes, vous avez eu tous les torts ; un homme de votre âge ne doit pas laisser seule une femme du sien.

— Il n'y a plus de foi au monde, alors, dit Raoul.

— Non, vicomte, répliqua tranquillement Montalais. Cependant je dois vous dire que si, au lieu d'aimer froidement et philosophiquement Louise, vous l'eussiez éveillée à l'amour...

— Assez, je vous prie, mademoiselle, dit Raoul. Je sens que vous êtes toutes et tous d'un autre siècle que moi. Vous savez rire et vous raillez agréablement. Moi, j'aimais Mlle de...

Raoul ne put prononcer son nom.

— Je l'aimais ; eh bien ! je croyais en elle ; aujourd'hui, j'en suis quitte pour ne plus l'aimer.

— Oh ! vicomte ! dit Montalais en lui montrant un miroir.

— Je sais ce que vous voulez dire, mademoiselle ; je suis bien changé, n'est-ce pas ? Eh bien ! savez-vous pour quelle raison ? C'est que mon visage à moi est le miroir de mon cœur : le dedans a changé comme le dehors.

— Vous êtes consolé ? dit aigrement Montalais.

— Non, je ne me consolerai jamais.

— On ne vous comprendra point, monsieur de Bragelonne.

— Je m'en soucie peu. Je me comprends trop bien, moi.

— Vous n'avez même pas essayé de parler à Louise ?

— Moi ! s'écria le jeune homme avec des yeux étincelants, moi ! En vérité, pourquoi ne me conseillez-vous pas de l'épouser ? Peut-être le roi y consentirait-il aujourd'hui !

Et il se leva plein de colère.

— Je vois, dit Montalais, que vous n'êtes pas guéri, et que Louise a un ennemi de plus.

— Un ennemi de plus ?

— Oui, les favorites sont mal chéries à la cour de France.

— Oh ! tant qu'il lui reste son amant pour la défendre, n'est-ce pas assez ? Elle l'a choisi de qualité telle, que les ennemis ne prévaudront pas contre lui.

Mais s'arrêtant tout à coup :

— Et puis elle vous a pour amie, mademoiselle, ajouta-t-il avec une nuance d'ironie qui ne glissa point hors de la cuirasse.

— Moi ? Oh ! non : je ne suis plus de celles que daigne regarder Mlle de La Vallière ; mais...

Ce *mais*, si gros de menaces et d'orages, ce *mais* qui fit battre le cœur de Raoul, tant il présageait de douleurs à celle que jadis il aimait tant, ce terrible *mais*, significatif chez une femme comme Montalais, fut interrompu par un bruit assez fort que les deux interlocuteurs entendirent dans l'alcôve, derrière la boiserie.

Montalais dressa l'oreille et Raoul se levait déjà, quand une femme entra, toute tranquille, par cette porte secrète, qu'elle referma derrière elle.

— Madame ! s'écria Raoul en reconnaissant la belle-sœur du roi.

— Oh ! malheureuse ! murmura Montalais en se jetant, mais trop tard, devant la princesse. Je me suis trompée d'une heure.

Elle eut cependant le temps de prévenir Madame, qui marchait sur Raoul.

— M. de Bragelonne, madame.

Et, sur ces mots, la princesse recula en poussant un cri à son tour.

— Votre Altesse Royale, dit Montalais avec volubilité est donc assez bonne pour penser à cette loterie, et...

La princesse commençait à perdre contenance.

Raoul pressa à la hâte sa sortie sans deviner tout encore, et il sentait cependant qu'il gênait.

Madame préparait un mot de transition pour se remettre, lorsqu'une armoire s'ouvrit en face de l'alcôve et que M. de Guiche sortit tout radieux aussi de cette armoire[1]. Le plus pâle des quatre, il faut le dire, ce fut encore Raoul. Cependant, la princesse faillit s'évanouir et s'appuya sur le pied du lit.

Nul n'osa la soutenir. Cette scène occupa quelques minutes dans un terrible silence.

Raoul le rompit ; il alla au comte, dont l'émotion inexprimable faisait trembler les genoux, et, lui prenant la main :

— Cher comte, dit-il, dites bien à Madame que je suis trop malheureux pour ne pas mériter mon pardon ; dites-lui bien aussi que j'ai aimé dans ma vie, et que l'horreur de la trahison qu'on m'a faite me rend inexorable pour toute autre trahison qui se commettrait autour de moi. Voilà pourquoi, mademoiselle, dit-il en souriant à Montalais, je ne divulguerai jamais le secret des visites de mon ami chez vous. Obtenez de Madame, Madame qui est si clémente et si généreuse, obtenez qu'elle vous les pardonne aussi, elle qui vous a surprise tout à l'heure. Vous êtes libres l'un et l'autre, aimez-vous, soyez heureux !

La princesse eut un mouvement de désespoir qui ne se peut traduire ; il lui répugnait, malgré l'exquise délicatesse dont venait de faire preuve Raoul, de se sentir à la merci d'une indiscrétion.

Il lui répugnait également d'accepter l'échappatoire offerte par cette délicate supercherie. Vive, nerveuse, elle se débattait contre la double morsure de ces deux chagrins.

Raoul la comprit et vint encore une fois à son aide. Fléchissant le genou devant elle :

— Madame, lui dit-il tout bas, dans deux jours, je serai loin de Paris,

---

1. Mme de La Fayette (*op. cit.*) développe les intrigues de Montalais. Peut-être cette scène s'inspire-t-elle de ce passage : « Monsieur devant venir au Louvre, elle fit entrer le comte de Guiche, par un escalier dérobé et l'enferma dans un oratoire. Lorsque Madame eut dîné, elle fit semblant de vouloir dormir et passa dans une galerie où le comte lui dit adieu. Comme ils étaient ensemble, Monsieur revint ; tout ce qu'on put faire fut de cacher le comte de Guiche dans une cheminée, où il demeura longtemps sans pouvoir sortir. »

et, dans quinze jours, je serai loin de la France, et jamais plus on ne me reverra.

— Vous partez? pensa-t-elle, joyeuse.

— Avec M. de Beaufort.

— En Afrique! s'écria de Guiche à son tour. Vous, Raoul? Oh! mon ami, en Afrique où l'on meurt!

Et, oubliant tout, oubliant que son oubli même compromettait plus éloquemment la princesse que sa présence :

— Ingrat, dit-il, vous ne m'avez pas même consulté!

Et il l'embrassa.

Pendant ce temps, Montalais avait fait disparaître Madame, elle était disparue elle-même.

Raoul passa une main sur son front et dit en souriant :

— J'ai rêvé!

Puis, vivement à de Guiche, qui l'absorbait peu à peu :

— Ami, dit-il, je ne me cache pas de vous, qui êtes l'élu de mon cœur : je vais mourir là-bas, votre secret ne passera pas l'année.

— Oh! Raoul! un homme!

— Savez-vous ma pensée, de Guiche? La voici : c'est que je vivrai plus, étant couché sous la terre, que je ne vis depuis un mois. On est chrétien, mon ami, et, si une pareille souffrance continuait, je ne répondrais plus de mon âme.

De Guiche voulut faire ses objections.

— Plus un mot sur moi, dit Raoul ; un conseil à vous, cher ami ; c'est d'une bien autre importance, ce que je vais vous dire.

— Comment cela?

— Sans doute, vous risquez bien plus que moi, vous, puisqu'on vous aime.

— Oh!...

— Ce m'est une joie si douce que de pouvoir vous parler ainsi! Eh bien! de Guiche, défiez-vous de Montalais.

— C'est une bonne amie.

— Elle était amie de... celle que vous savez... elle l'a perdue par l'orgueil.

— Vous vous trompez.

— Et aujourd'hui qu'elle l'a perdue, elle veut lui ravir la seule chose qui rende cette femme excusable à mes yeux.

— Laquelle?

— Son amour.

— Que voulez-vous dire?

— Je veux dire qu'il y a un complot formé contre celle qui est la maîtresse du roi, complot formé dans la maison même de Madame.

— Le pouvez-vous croire?

— J'en suis certain.

— Par Montalais ?

— Prenez-la comme la moins dangereuse des ennemies que je redoute pour... l'autre !

— Expliquez-vous bien, mon ami, et, si je puis vous comprendre...

— En deux mots : Madame a été jalouse du roi.

— Je le sais...

— Oh ! ne craignez rien, on vous aime, on vous aime, de Guiche ; sentez-vous tout le prix de ces deux mots ? Ils signifient que vous pouvez lever le front, que vous pouvez dormir tranquille, que vous pouvez remercier Dieu à chaque minute de votre vie ! On vous aime, cela signifie que vous pouvez tout entendre, même le conseil d'un ami qui veut vous ménager votre bonheur. On vous aime, de Guiche, on vous aime ! Vous ne passerez point ces nuits atroces, ces nuits sans fin que traversent, l'œil aride et le cœur dévoré, d'autres gens destinés à mourir. Vous vivrez longtemps, si vous faites comme l'avare qui, brin à brin, miette à miette, caresse et entasse diamants et or. On vous aime ! permettez-moi de vous dire ce qu'il faut faire pour qu'on vous aime toujours.

De Guiche regarda quelque temps ce malheureux jeune homme à moitié fou de désespoir, et il lui passa dans l'âme comme un remords de son bonheur.

Raoul se remettait de son exaltation fiévreuse pour prendre la voix et la physionomie d'un homme impassible.

— On fera souffrir, dit-il, celle dont je voudrais encore pouvoir dire le nom. Jurez-moi, non seulement que vous n'y aiderez en rien, mais encore que vous la défendrez quand il se pourra, comme je l'eusse fait moi-même.

— Je le jure ! répliqua de Guiche.

— Et, dit Raoul, un jour que vous lui aurez rendu quelque grand service, un jour qu'elle vous remerciera, promettez-moi de lui dire ces paroles : « Je vous ai fait ce bien, madame, sur la recommandation de M. de Bragelonne, à qui vous avez fait tant de mal. »

— Je le jure ! murmura de Guiche attendri.

— Voilà tout. Adieu ! Je pars demain ou après pour Toulon. Si vous avez quelques heures, donnez-les-moi.

— Tout ! tout ! s'écria le jeune homme.

— Merci !

— Et qu'allez-vous faire de ce pas ?

— Je m'en vais retrouver M. le comte chez Planchet, où nous espérons trouver M. d'Artagnan.

— M. d'Artagnan ?

— Je veux l'embrasser avant mon départ. C'est un brave homme qui m'aimait. Adieu, cher ami ; on vous attend sans doute, vous me retrouverez, quand il vous plaira, au logis du comte. Adieu !

Les deux jeunes gens s'embrassèrent. Ceux qui les eussent vus ainsi l'un et l'autre n'eussent pas manqué de dire en montrant Raoul : « C'est celui-là qui est l'homme heureux. »

CCXXXV

L'INVENTAIRE DE PLANCHET

Athos, pendant la visite faite au Luxembourg par Raoul, était allé, en effet, chez Planchet pour avoir des nouvelles de d'Artagnan.

Le gentilhomme, en arrivant rue des Lombards, trouva la boutique de l'épicier fort encombrée ; mais ce n'était pas l'encombrement d'une vente heureuse ou celui d'un arrivage de marchandises.

Planchet ne trônait pas comme d'habitude sur les sacs et les barils. Non. Un garçon, la plume à l'oreille, un autre, le carnet à la main, inscrivaient force chiffres, tandis qu'un troisième comptait et pesait.

Il s'agissait d'un inventaire. Athos, qui n'était pas commerçant, se sentit un peu embarrassé par les obstacles matériels et la majesté de ceux qui instrumentaient ainsi.

Il voyait renvoyer plusieurs pratiques et se demandait si lui, qui ne venait rien acheter, ne serait pas à plus forte raison importun.

Aussi demanda-t-il fort poliment aux garçons comment on pourrait parler à M. Planchet.

La réponse, assez négligente, fut que M. Planchet achevait ses malles.

Ces mots firent dresser l'oreille à Athos.

— Comment, ses malles ? dit-il ; M. Planchet part-il ?

— Oui, monsieur, sur l'heure.

— Alors, messieurs, veuillez le faire prévenir que M. le comte de La Fère désire lui parler un moment.

Au nom du comte de La Fère, un des garçons, accoutumé sans doute à n'entendre prononcer ce nom qu'avec respect, se détacha pour aller prévenir Planchet.

Ce fut le moment où Raoul, libre enfin, après sa cruelle scène avec Montalais, arrivait chez l'épicier.

Planchet, sur le rapport de son garçon, quitta sa besogne et accourut.

— Ah ! monsieur le comte, dit-il, que de joie ! et quelle étoile vous amène ?

— Mon cher Planchet, dit Athos en serrant les mains de son fils, dont il remarquait à la dérobée l'air attristé, nous venons savoir de vous... Mais dans quel embarras je vous trouve ! vous êtes blanc comme un meunier, où vous êtes-vous fourré ?

— Ah ! diable ! prenez garde, monsieur, et ne m'approchez pas que je ne me sois bien secoué.

— Pourquoi donc ? farine ou poudre ne font que blanchir ?

— Non pas, non pas ! ce que vous voyez là, sur mes bras, c'est de l'arsenic.

— De l'arsenic ?

— Oui. Je fais mes provisions pour les rats.

— Oh ! dans un établissement comme celui-ci, les rats jouent un grand rôle.

— Ce n'est pas de cet établissement que je m'occupe, monsieur le comte : les rats m'y ont plus mangé qu'ils ne me mangeront.

— Que voulez-vous dire ?

— Mais, vous avez pu le voir, monsieur le comte, on fait mon inventaire.

— Vous quittez le commerce ?

— Eh ! mon Dieu, oui ; je cède mon fonds à un de mes garçons.

— Bah ! vous êtes donc assez riche ?

— Monsieur, j'ai pris la ville en dégoût ; je ne sais si c'est parce que je vieillis, et que, comme le disait un jour M. d'Artagnan, quand on vieillit, on pense plus souvent aux choses de la jeunesse ; mais, depuis quelque temps, je me sens entraîné vers la campagne et le jardinage : j'étais paysan, moi, autrefois.

Et Planchet ponctua cet aveu d'un petit rire un peu prétentieux pour un homme qui eût fait profession d'humilité.

Athos approuva du geste.

— Vous achetez des terres ? dit-il ensuite.

— J'ai acheté, monsieur.

— Ah ! tant mieux.

— Une petite maison à Fontainebleau et quelque vingt arpents[1] aux alentours.

— Très bien, Planchet, mon compliment.

— Mais, monsieur, nous sommes bien mal ici ; voilà que ma maudite poussière vous fait tousser. Corbleu ! je ne me soucie pas d'empoisonner le plus digne gentilhomme de ce royaume.

Athos ne sourit pas à cette plaisanterie, que lui décochait Planchet pour s'essayer aux facéties mondaines.

— Oui, dit-il, causons à l'écart ; chez vous, par exemple. Vous avez un chez-vous, n'est-ce pas ?

— Certainement, monsieur le comte.

— Là-haut, peut-être ?

Et Athos, voyant Planchet embarrassé, voulut le dégager en passant devant.

1. L'arpent contenait environ 34,20 ares.

— C'est que... dit Planchet en hésitant.

Athos se méprit au sens de cette hésitation, et, l'attribuant à une crainte qu'aurait l'épicier d'offrir une hospitalité médiocre :

— N'importe, n'importe ! dit-il en passant toujours, le logement d'un marchand, dans ce quartier, a le droit de ne pas être un palais. Allons toujours.

Raoul le précéda lestement et entra.

Deux cris se firent entendre simultanément ; on pourrait dire trois.

L'un de ces cris domina les autres : il était poussé par une femme.

L'autre sortit de la bouche de Raoul. C'était une exclamation de surprise. Il ne l'eut pas plutôt poussée qu'il ferma vivement la porte.

Le troisième était de l'effroi. Planchet l'avait proféré.

— Pardon, ajouta-t-il, c'est que Madame s'habille.

Raoul avait vu sans doute que Planchet disait vrai, car il fit un pas pour redescendre.

— Madame ?... dit Athos. Ah ! pardon, mon cher, j'ignorais que vous eussiez là-haut...

— C'est Trüchen, ajouta Planchet un peu rouge.

— C'est ce qu'il vous plaira, mon bon Planchet ; pardon de notre indiscrétion.

— Non, non ; montez à présent, messieurs.

— Nous n'en ferons rien, dit Athos.

— Oh ! Madame étant prévenue, elle aura eu le temps...

— Non, Planchet. Adieu !

— Eh ! messieurs, vous ne voudriez pas me désobliger ainsi en demeurant sur l'escalier, ou en sortant de chez moi sans vous être assis ?

— Si nous eussions su que vous aviez une dame là-haut, répondit Athos avec son sang-froid habituel, nous eussions demandé à la saluer.

Planchet fut si décontenancé par cette exquise impertinence, qu'il força le passage et ouvrit lui-même la porte pour faire entrer le comte et son fils.

Trüchen était tout à fait vêtue : costume de marchande riche et coquette ; œil d'Allemande aux prises avec des yeux français. Elle céda la place après deux révérences, et descendit à la boutique.

Mais ce ne fut pas sans avoir écouté aux portes pour savoir ce que diraient d'elle à Planchet les gentilshommes ses visiteurs.

Athos s'en doutait bien, et ne mit pas la conversation sur ce chapitre.

Planchet, lui, grillait de donner des explications devant lesquelles fuyait Athos.

Aussi, comme certaines ténacités sont plus fortes que toutes les autres, Athos fut-il forcé d'entendre Planchet raconter ses idylles de félicité, traduites en un langage plus chaste que celui de Longus.

Ainsi Planchet raconta-t-il que Trüchen avait charmé son âge mûr et porté bonheur à ses affaires, comme Ruth à Booz[1].

— Il ne vous manque plus que des héritiers de votre prospérité, dit Athos.

— Si j'en avais un, celui-là aurait trois cent mille livres, répliqua Planchet.

— Il faut l'avoir, dit flegmatiquement Athos, ne fût-ce que pour ne pas laisser perdre votre petite fortune.

Ce mot : *petite fortune*, mit Planchet à son rang, comme autrefois la voix du sergent quand Planchet n'était que piqueur dans le régiment de Piémont, où l'avait placé Rochefort.

Athos comprit que l'épicier épouserait Trüchen, et que, bon gré mal gré, il ferait souche.

Cela lui apparut d'autant plus évidemment, qu'il apprit que le garçon auquel Planchet vendait son fonds était un cousin de Trüchen.

Athos se souvint que ce garçon était rouge de teint comme une giroflée, crépu de cheveux et carré d'épaules.

Il savait tout ce qu'on peut, tout ce qu'on doit savoir sur le sort d'un épicier. Les belles robes de Trüchen ne payaient pas seules l'ennui qu'elle éprouverait à s'occuper de nature champêtre et de jardinage en compagnie d'un mari grisonnant.

Athos comprit donc, comme nous l'avons dit, et, sans transition :

— Que fait M. d'Artagnan ? dit-il. On ne l'a pas trouvé au Louvre.

— Ah ! monsieur le comte, M. d'Artagnan a disparu.

— Disparu ? fit Athos avec surprise.

— Oh ! monsieur, nous savons ce que cela veut dire.

— Mais, moi, je ne le sais pas.

— Quand M. d'Artagnan disparaît, c'est toujours pour quelque mission ou quelque affaire.

— Il vous en aurait parlé ?

— Jamais.

— Vous avez su autrefois cependant son départ pour l'Angleterre ?

— A cause de la spéculation, fit étourdiment Planchet.

— La spéculation ?

— Je veux dire... interrompit Planchet gêné.

— Bien, bien, vos affaires, non plus que celles de notre ami, ne sont en jeu ; l'intérêt qu'il nous inspire m'a poussé seul à vous questionner. Puisque le capitaine des mousquetaires n'est pas ici, puisque l'on ne peut obtenir de vous aucun renseignement sur l'endroit où on pourrait rencontrer M. d'Artagnan, nous allons prendre congé de vous. Au revoir, Planchet ! au revoir ! Partons, Raoul !

---

1. Voir le Livre de Ruth.

— Monsieur le comte, je voudrais pouvoir vous dire...

— Nullement, nullement ; ce n'est pas moi qui reproche à un serviteur la discrétion.

Ce mot : *serviteur*, frappa rudement le demi-millionnaire Planchet ; mais le respect et la bonhomie naturels l'emportèrent sur l'orgueil.

— Il n'y a rien d'indiscret à vous dire, monsieur le comte, que M. d'Artagnan est venu ici l'autre jour.

— Ah ! ah !

— Et qu'il y est resté plusieurs heures à consulter une carte géographique.

— Vous avez raison, mon ami, n'en dites pas davantage.

— Et cette carte, la voici comme preuve, ajouta Planchet, qui alla la chercher sur la muraille voisine, où elle était suspendue par une tresse formant triangle avec la traverse à laquelle était cloué le plan consulté par le capitaine lors de sa visite à Planchet.

Il apporta, en effet au comte de La Fère une carte de France, sur laquelle l'œil exercé de celui-ci découvrit un itinéraire pointé avec de petites épingles ; là où l'épingle manquait, le trou faisait foi et jalon.

Athos, en suivant du regard les épingles et les trous, vit que d'Artagnan avait dû prendre la direction du Midi et marcher jusqu'à la Méditerranée, du côté de Toulon. C'était auprès de Cannes que s'arrêtaient les marques et les endroits ponctués.

Le comte de La Fère se creusa pendant quelques instants la cervelle pour deviner ce que le mousquetaire allait faire à Cannes, et quel motif il pouvait avoir pour aller observer les rives du Var.

Les réflexions d'Athos ne lui suggérèrent rien. Sa perspicacité accoutumée resta en défaut. Raoul ne devina pas plus que son père.

— N'importe ! dit le jeune homme au comte, qui, silencieusement et du doigt, lui avait fait comprendre la marche de d'Artagnan, on peut avouer qu'il y a une providence toujours occupée de rapprocher notre destinée de celle de M. d'Artagnan. Le voilà du côté de Cannes, et vous, monsieur, vous me conduisez au moins jusqu'à Toulon. Soyez sûr que nous le retrouverons bien plus aisément sur notre route que sur cette carte.

Puis, prenant congé de Planchet, qui gourmandait ses garçons, même le cousin de Trüchen, son successeur, les gentilshommes se mirent en chemin pour aller rendre visite à M. le duc de Beaufort.

A la sortie de la boutique de l'épicier, ils virent un coche, dépositaire futur des charmes de Mlle Trüchen et des sacs d'écus de M. Planchet.

— Chacun s'achemine au bonheur par la route qu'il choisit, dit tristement Raoul.

— Route de Fontainebleau ! cria Planchet à son cocher.

CCXXXVI

L'INVENTAIRE DE M. DE BEAUFORT

Avoir causé de d'Artagnan avec Planchet, avoir vu Planchet quitter Paris pour s'ensevelir dans la retraite, c'était pour Athos et son fils comme un dernier adieu à tout ce bruit de la capitale, à leur vie d'autrefois.

Que laissaient-ils, en effet, derrière eux, ces gens, dont l'un avait épuisé tout le siècle dernier avec la gloire, et l'autre tout l'âge nouveau avec le malheur ? Évidemment, ni l'un ni l'autre de ces deux hommes n'avaient rien à demander à leurs contemporains.

Il ne restait plus qu'à rendre une visite à M. de Beaufort et à régler les conditions de départ.

Le duc était logé magnifiquement à Paris[1]. Il avait le train superbe des grandes fortunes que certains vieillards se rappelaient avoir vues fleurir du temps des libéralités de Henri III.

Alors, réellement, certains grands seigneurs étaient plus riches que le roi. Ils le savaient, en usaient, et ne se privaient pas du plaisir d'humilier un peu Sa Majesté Royale. C'était cette aristocratie égoïste que Richelieu avait contrainte à contribuer de son sang, de sa bourse et de ses révérences à ce qu'on appela dès lors le service du roi.

Depuis Louis XI, le terrible faucheur des grands, jusqu'à Richelieu, combien de familles avaient relevé la tête ! Combien, depuis Richelieu jusqu'à Louis XIV, l'avaient courbée, qui ne la relevèrent plus ! Mais M. de Beaufort était né prince et d'un sang qui ne se répand point sur les échafauds, si ce n'est par sentence des peuples.

Ce prince avait donc conservé une grande habitude de vivre. Comment payait-il ses chevaux, ses gens et sa table ? Nul ne le savait, lui moins que les autres. Seulement, il y avait alors le privilège pour les fils de roi que nul ne refusait de devenir leur créancier, soit par respect, soit par dévouement, soit par la persuasion que l'on serait payé un jour.

Athos et Raoul trouvèrent donc la maison du prince encombrée à la façon de celle de Planchet.

Le duc aussi faisait son inventaire, c'est-à-dire qu'il distribuait à ses amis, tous ses créanciers, chaque valeur un peu considérable de sa maison.

Devant deux millions à peu près, ce qui était énorme alors, M. de Beaufort avait calculé qu'il ne pourrait partir pour l'Afrique sans une belle somme, et, pour trouver cette somme, il distribuait aux créanciers

---

1. L'hôtel de Beaufort était situé rue Quincampoix (actuel n° 65) ; il fut ensuite le siège de la banque générale de Law avant de disparaître lors du percement de la rue Rambuteau.

passés vaisselle, armes, joyaux et meubles, ce qui était plus magnifique que de vendre, et lui rapportait le double.

En effet, comment un homme auquel on doit dix mille livres refuse-t-il d'emporter un présent de six mille, rehaussé du mérite d'avoir appartenu au descendant de Henri IV, et comment, après avoir emporté ce présent, refuserait-il dix mille autres livres à ce généreux seigneur ?

C'est donc ce qui était arrivé. Le prince n'avait plus de maison, ce qui devient inutile à un amiral dont l'appartement est son navire. Il n'avait plus d'armes superflues, depuis qu'il se plaçait au milieu de ses canons ; plus de joyaux que la mer eût pu dévorer ; mais il avait trois ou quatre cent mille écus dans ses coffres.

Et partout, dans la maison, il y avait un mouvement joyeux de gens qui croyaient piller Monseigneur.

Le prince possédait au suprême degré l'art de rendre heureux les créanciers les plus à plaindre. Tout homme pressé, toute bourse vide rencontraient chez lui patience et intelligence de sa position.

Aux uns il disait :

— Je voudrais bien avoir ce que vous avez ; je vous le donnerais.

Et aux autres :

— Je n'ai que cette aiguière d'argent ; elle vaut toujours bien cinq cents livres ; prenez-la.

Ce qui fait, tant la bonne mine est un paiement courant, que le prince trouvait sans cesse à renouveler ses créanciers.

Cette fois, il n'y mettait plus de cérémonie, et l'on eût dit un pillage ; il donnait tout.

La fable orientale de ce pauvre Arabe qui enlève du pillage d'un palais une marmite au fond de laquelle il a caché un sac d'or, et que tout le monde laisse passer librement et sans le jalouser[1], cette fable était devenue chez le prince une vérité. Bon nombre de fournisseurs se payaient sur les offices du duc.

Ainsi l'état de bouche, qui pillait les vestiaires et les selleries, trouvait peu de prix dans ces riens que prisaient bien fort les selliers ou les tailleurs.

Jaloux de rapporter chez leurs femmes des confitures données par Monseigneur, on les voyait bondir joyeux sous le poids des terrines et des bouteilles glorieusement estampillées aux armes du prince.

M. de Beaufort finit par donner ses chevaux et le foin des greniers. Il fit plus de trente heureux avec ses batteries de cuisine, et trois cents avec sa cave.

De plus, tous ces gens s'en allaient avec la conviction que M. de Beaufort n'agissait de la sorte qu'en prévision d'une nouvelle fortune cachée sous les tentes arabes.

---

1. Voir *Les Mille et Une Nuits*.

On se répétait, tout en dévastant son hôtel, qu'il était envoyé à Djidgelli par le roi pour reconstituer sa richesse perdue ; que les trésors d'Afrique seraient partagés par moitié entre l'amiral et le roi de France ; que ces trésors consistaient en des mines de diamants ou d'autres pierres fabuleuses ; les mines d'argent ou d'or de l'Atlas n'obtenaient pas même l'honneur d'une mention.

Outre les mines à exploiter, ce qui n'arriverait qu'après la campagne, il y aurait le butin fait par l'armée.

M. de Beaufort mettrait la main sur tout ce que les riches écumeurs de mer avaient volé à la chrétienté depuis la bataille de Lépante[1]. Le nombre des millions ne se comptait plus.

Or, pourquoi aurait-il ménagé les pauvres ustensiles de sa vie passée, celui qui allait être en quête des plus rares trésors ? Et, réciproquement, comment aurait-on ménagé le bien de celui qui se ménageait si peu lui-même ?

Voilà quelle était la situation. Athos, avec son regard investigateur, s'en rendit compte du premier coup d'œil.

Il trouva l'amiral de France un peu étourdi, car il sortait de table, d'une table de cinquante couverts, où l'on avait bu longtemps à la prospérité de l'expédition ; où, au dessert, on avait abandonné les restes aux valets et les plats vides aux curieux.

Le prince s'était enivré de sa ruine et de sa popularité tout ensemble. Il avait bu son ancien vin à la santé de son vin futur.

Quand il vit Athos avec Raoul :

— Voilà, s'écria-t-il, mon aide de camp que l'on m'amène. Venez par ici, comte ; venez par ici, vicomte.

Athos cherchait un passage dans la jonchée de linge et de vaisselle.

— Ah ! oui, enjambez, dit le duc.

Et il offrit un verre plein à Athos.

Celui-ci accepta ; Raoul mouilla ses lèvres à peine.

— Voici votre commission, dit le prince à Raoul. Je l'avais préparée, comptant sur vous. Vous allez courir devant moi jusqu'à Antibes.

— Oui, monseigneur.

— Voici l'ordre.

Et M. de Beaufort donna l'ordre à Bragelonne.

— Connaissez-vous la mer ? dit-il.

— Oui, monseigneur, j'ai voyagé avec M. le prince.

— Bien. Tous ces chalands, toutes ces allèges[2] m'attendront pour me faire escorte et charrier mes provisions. Il faut que l'armée puisse s'embarquer dans quinze jours au plus tard.

---

1. Victoire de don Juan d'Autriche à la tête d'une escadre espagnole, vénitienne et génoise sur les Turcs (1571).

2. *Allège* : embarcation servant au chargement des navires.

— Ce sera fait, monseigneur.

— Le présent ordre vous donne le droit de visite et de recherche dans toutes les îles qui longent la côte ; vous y ferez les enrôlements et les enlèvements que vous voudrez pour moi.

— Oui, monsieur le duc.

— Et, comme vous êtes un homme actif, comme vous travaillerez beaucoup, vous dépenserez beaucoup d'argent.

— J'espère que non, monseigneur.

— J'espère que si. Mon intendant a préparé des bons de mille livres payables sur les villes du Midi. On vous en donnera cent. Allez, cher vicomte.

Athos interrompit le prince :

— Gardez votre argent, monseigneur ; la guerre se fait chez les Arabes avec de l'or autant qu'avec du plomb.

— Je veux essayer du contraire, repartit le duc ; et puis vous savez mes idées sur mon expédition : beaucoup de bruit, beaucoup de feu, et je disparaîtrai, s'il le faut dans la fumée.

Ayant ainsi parlé, M. de Beaufort voulut se remettre à rire ; mais il était mal tombé avec Athos et Raoul. Il s'en aperçut aussitôt.

— Ah ! dit-il avec l'égoïsme courtois de son rang et de son âge, vous êtes des gens qu'il ne faut pas voir après le dîner, froids, roides et secs, quand je suis tout feu, tout souplesse et tout vin. Non, le diable m'emporte ! je vous verrai toujours à jeun, vicomte ; et vous, comte, si vous continuez, je ne vous verrai plus.

Il disait cela en serrant la main d'Athos, qui lui répondit en souriant :

— Monseigneur, ne faites pas cet éclat, parce que vous avez beaucoup d'argent. Je vous prédis que, avant un mois, vous serez sec, roide et froid, en présence de votre coffre, et qu'alors, ayant Raoul à vos côtés, vous serez surpris de le voir gai, bouillant et généreux, parce qu'il aura des écus neufs à vous offrir.

— Dieu vous entende ! s'écria le duc enchanté. Je vous garde, comte.

— Non, je pars avec Raoul ; la mission dont vous le chargez est pénible, difficile. Seul, il aurait trop de peine à la remplir. Vous ne faites pas attention, monseigneur, que vous venez de lui donner un commandement de premier ordre.

— Bah !

— Et dans la marine !

— C'est vrai. Mais ne fait-on pas tout ce qu'on veut, quand on lui ressemble ?

— Monseigneur, vous ne trouverez nulle part autant de zèle et d'intelligence, autant de réelle bravoure que chez Raoul ; mais, s'il vous manquait votre embarquement, vous n'auriez que ce que vous méritez.

— Le voilà qui me gronde !

— Monseigneur, pour approvisionner une flotte, pour rallier une flottille, pour enrôler votre service maritime, il faudrait un an à un amiral. Raoul est un capitaine de cavalerie, et vous lui donnez quinze jours.

— Je vous dis qu'il s'en tirera.

— Je le crois bien ; mais je l'y aiderai.

— J'ai bien compté sur vous, et je compte bien même que, une fois à Toulon, vous ne le laisserez pas partir seul.

— Oh ! fit Athos en secouant la tête.

— Patience ! patience !

— Monseigneur, laissez-nous prendre congé.

— Allez donc, et que ma fortune vous aide !

— Adieu, monseigneur, et que votre fortune vous aide aussi !

— Voilà une expédition bien commencée, dit Athos à son fils. Pas de vivres, pas de réserves, pas de flottille de charge ; que fera-t-on ainsi ?

— Bon ! murmura Raoul, si tous y vont faire ce que j'y ferai, les vivres ne manqueront pas.

— Monsieur, répliqua sévèrement Athos, ne soyez pas injuste et fou dans votre égoïsme ou dans votre douleur, comme il vous plaira. Dès que vous partez pour cette guerre avec l'intention d'y mourir, vous n'avez besoin de personne, et ce n'était pas la peine de vous faire recommander à M. de Beaufort. Dès que vous approchez du prince commandant, dès que vous acceptez la responsabilité d'une charge dans l'armée, il ne s'agit plus de vous, il s'agit de tous ces pauvres soldats qui, comme vous, ont un cœur et un corps, qui pleureront la patrie et souffriront toutes les nécessités de la condition humaine. Sachez, Raoul, que l'officier est un ministre aussi utile qu'un prêtre, et qu'il doit avoir plus de charité qu'un prêtre.

— Monsieur, je le savais et je l'ai pratiqué, je l'eusse fait encore... mais...

— Vous oubliez aussi que vous êtes d'un pays fier de sa gloire militaire ; allez mourir si vous voulez, mais ne mourez pas sans honneur et sans profit pour la France. Allons, Raoul, ne vous attristez pas de mes paroles ; je vous aime et voudrais que vous fussiez parfait.

— J'aime vos reproches, monsieur, dit doucement le jeune homme ; ils me guérissent, ils prouvent que quelqu'un m'aime encore.

— Et maintenant, partons, Raoul ; le temps est si beau, le ciel est si pur, ce ciel que nous trouverons toujours au-dessus de nos têtes, que vous reverrez plus pur encore à Djidgelli, et qui vous parlera de moi là-bas, comme ici il me parle de Dieu.

Les deux gentilshommes, après s'être accordés sur ce point, s'entretinrent des folles façons du duc, convinrent que la France serait servie d'une manière incomplète dans l'esprit et la pratique de l'expédition, et, ayant résumé cette politique par le mot vanité, ils se mirent en marche pour obéir à leur volonté plus encore qu'au destin.

Le sacrifice était accompli.

CCXXXVII

LE PLAT D'ARGENT

Le voyage fut doux. Athos et son fils traversèrent toute la France en faisant une quinzaine de lieues par jour, quelquefois davantage, selon que le chagrin de Raoul redoublait d'intensité.

Ils mirent quinze jours pour arriver à Toulon, et perdirent tout à fait les traces de d'Artagnan à Antibes.

Il faut croire que le capitaine des mousquetaires avait voulu garder l'incognito dans ces parages ; car Athos recueillit de ses informations l'assurance qu'on avait vu le cavalier qu'il dépeignit changer ses chevaux contre une voiture bien fermée à partir d'Avignon.

Raoul se désespérait de ne point rencontrer d'Artagnan, il manquait à ce cœur tendre l'adieu et la consolation de ce cœur d'acier.

Athos savait par expérience que d'Artagnan devenait impénétrable lorsqu'il s'occupait d'une affaire sérieuse, soit pour son compte, soit pour le service du roi.

Il craignit même d'offenser son ami ou de lui nuire en prenant trop d'informations. Cependant, quand Raoul commença son travail de classement pour la flottille, et qu'il rassembla les chalands et allèges pour les envoyer à Toulon, l'un des pêcheurs apprit au comte que son bateau était en radoub depuis un voyage qu'il avait fait pour le compte d'un gentilhomme très pressé de s'embarquer.

Athos, croyant que cet homme mentait pour rester libre et gagner plus d'argent à pêcher quand tous ses compagnons seraient partis, insista pour avoir des détails.

Le pêcheur lui apprit que, environ six jours en deçà, un homme était venu louer son bateau pendant la nuit pour rendre une visite à l'île Saint-Honorat. Le prix fut convenu ; mais le gentilhomme était arrivé avec une grande caisse de voiture qu'il avait voulu embarquer malgré les difficultés de toute nature que présentait cette opération. Le pêcheur avait voulu se dédire. Il avait menacé, et sa menace n'avait abouti qu'à lui procurer un grand nombre de coups de canne rudement appliqués par ce gentilhomme, qui frappait fort et longtemps. Tout maugréant, le pêcheur avait eu recours au syndic de ses confrères d'Antibes, lesquels entre eux font la justice et se protègent ; mais le gentilhomme avait exhibé certain papier à la vue duquel le syndic, saluant jusqu'à terre, avait enjoint au pêcheur d'obéir, en le gourmandant d'avoir été récalcitrant. Alors on était parti avec le chargement.

— Mais tout cela ne nous dit pas, reprit Athos, comment vous avez échoué.

— Le voici. J'allais sur Saint-Honorat, ainsi que me l'avait dit le gentilhomme ; mais il changea d'avis et prétendit que je ne pourrais passer au sud de l'abbaye.

— Pourquoi pas ?

— Parce que, monsieur, il y a, en face de la tour carrée des Bénédictins, vers la pointe du sud, le banc des Moines.

— Un écueil ? fit Athos.

— A fleur d'eau et sous l'eau, passage dangereux, mais que j'ai franchi mille fois ; le gentilhomme demanda que je le déposasse à Sainte-Marguerite[1].

— Eh bien ?

— Eh bien ! monsieur, s'écria le pêcheur avec son accent provençal, on est marin ou on ne l'est pas, on connaît sa passe ou l'on n'est qu'une pluie d'eau douce. Je m'obstinais à vouloir passer. Le gentilhomme me prit au cou et m'annonça tranquillement qu'il allait m'étrangler. Mon second s'arma d'une hache, et moi aussi. Nous avions à venger l'affront de la nuit. Mais le gentilhomme mit l'épée à la main, avec des mouvements si vifs, que nous ne pûmes approcher ni l'un ni l'autre. J'allais lui lancer ma hache à la tête, et j'étais dans mon droit, n'est-ce pas monsieur ? car un marin sur son bord est maître, comme un bourgeois dans sa chambre ; j'allais donc, pour me défendre, couper en deux le gentilhomme, lorsque tout à coup, vous me croirez si vous voulez, monsieur, ce coffre de carrosse s'ouvrit je ne sais comment, et il en sortit une manière de fantôme, coiffé d'un casque noir, avec un masque noir, quelque chose d'effrayant à voir qui nous menaça du poing.

— C'était ? dit Athos.

— C'était le diable, monsieur ! car le gentilhomme, joyeux, s'écria en le voyant : « Ah ! merci, monseigneur. »

— C'est étrange ! murmura le comte en regardant Raoul.

— Que fîtes-vous ? demanda celui-ci au pêcheur.

— Vous comprenez bien, monsieur, que deux pauvres hommes comme nous étaient déjà trop peu contre deux gentilshommes ; mais contre le diable ! ah bien ! oui ! Nous ne nous consultâmes pas, mon compagnon et moi, mais nous ne fîmes qu'un saut à la mer : nous étions à sept ou huit cents pieds de la côte.

— Et alors ?

— Et alors, monsieur, comme il faisait un petit vent sud-ouest, la barque fila toujours et alla se jeter dans les sables de Sainte-Marguerite.

— Oh !... mais les deux voyageurs ?

---

1. La tour ou le donjon, baigné de trois côtés par la mer, fut élevé en 1073 par Aldebert, abbé de Lérins. L'île Saint-Honorat n'est séparée de l'île Sainte-Marguerite que par un étroit chenal, le plateau du Milieu.

— Bah ! n'ayez donc pas d'inquiétude ! Voilà bien la preuve que l'un était le diable et protégeait l'autre ; car, lorsque nous regagnâmes le bateau à la nage, au lieu de trouver ces deux créatures brisées par le choc, nous ne trouvâmes plus rien, pas même le carrosse.

— Étrange ! étrange ! répéta le comte. Mais, depuis, mon ami, qu'avez-vous fait ?

— Ma plainte au gouverneur de Sainte-Marguerite, qui m'a mis le doigt sous le nez en m'annonçant que, si je cherchais à lui conter des sornettes pareilles, il me les paierait en coups d'étrivières.

— Le gouverneur ?

— Oui, monsieur ; et cependant mon bateau était brisé, bien brisé, puisque la proue est restée sur la pointe de Sainte-Marguerite, et que le charpentier me demande cent vingt livres pour la réparation.

— C'est bon, répliqua Raoul, vous serez exempté de service. Allez.

— Nous irons à Sainte-Marguerite, voulez-vous ? dit ensuite Athos à Bragelonne.

— Oui, monsieur ; car il y a là quelque chose à éclaircir et cet homme ne me fait pas l'effet d'avoir dit la vérité.

— Ni à moi non plus, Raoul. Cette histoire du gentilhomme masqué et du carrosse disparu me fait l'effet d'une manière de cacher la violence que ce rustre aurait peut-être commise en pleine mer sur son passager, pour le punir de l'insistance qu'il avait mise à s'embarquer.

— J'en ai conçu le soupçon, et le carrosse aurait contenu des valeurs bien plutôt qu'un homme.

— Nous verrons cela, Raoul. Très certainement, ce gentilhomme ressemble à d'Artagnan ; je reconnais ses façons. Hélas ! nous ne sommes plus les jeunes invincibles d'autrefois. Qui sait si la hache ou la barre de ce mauvais caboteur n'a pas réussi à faire ce que les plus fines épées de l'Europe, les balles et les boulets n'ont pas fait depuis quarante ans.

Le jour même, ils partirent pour Sainte-Marguerite, à bord d'un chasse-marée venu de Toulon sur ordre.

L'impression qu'ils ressentirent en abordant fut un bien-être singulier. L'île était pleine de fleurs et de fruits ; elle servait de jardin au gouverneur dans sa partie cultivée. Les orangers, les grenadiers, les figuiers courbaient sous le poids de leurs fruits d'or et d'azur. Tout autour de ce jardin, dans sa partie inculte, les perdrix rouges couraient par bandes dans les ronces et dans les touffes de genévriers, et, à chaque pas que faisaient Raoul et le comte, un lapin effrayé quittait les marjolaines et les bruyères pour rentrer dans son terrier.

En effet, cette bienheureuse île était inhabitée. Plate, n'offrant qu'une anse pour l'arrivée des embarcations, et sous la protection du gouverneur, qui partageait avec eux, les contrebandiers s'en servaient comme d'un entrepôt provisoire, à la charge de ne point tuer le gibier ni dévaster le jardin. Moyennant ce compromis, le gouverneur se contentait d'une garnison de huit hommes pour garder sa forteresse, dans laquelle moisissaient douze canons. Ce gouverneur était donc un heureux métayer, récoltant vins, figues, huiles et oranges, faisant confire ses citrons et ses cédrats au soleil de ses casemates.

La forteresse, ceinte d'un fossé profond, son seul gardien, levait comme trois têtes ses trois tourelles, liées l'une à l'autre par des terrasses de mousse.

Athos et Raoul longèrent pendant quelque temps les clôtures du jardin sans trouver quelqu'un qui les introduisît chez le gouverneur. Ils finirent par entrer dans le jardin. C'était le moment le plus chaud de la journée.

Alors tout se cache sous l'herbe et sous la pierre. Le ciel étend ses voiles de feu comme pour étouffer tous les bruits, pour envelopper toutes les existences. Les perdrix sous les genêts, la mouche sous la feuille, s'endorment comme le flot sous le ciel.

Athos aperçut seulement sur la terrasse, entre la deuxième et la troisième cour, un soldat qui portait comme un panier de provisions sur sa tête. Cet homme revint presque aussitôt sans son panier, et disparut dans l'ombre de la guérite.

Athos comprit que cet homme portait à dîner à quelqu'un et que, après avoir fait son service, il revenait dîner lui-même.

Tout à coup il s'entendit appeler, et, levant la tête, aperçut dans l'encadrement des barreaux d'une fenêtre quelque chose de blanc, comme une main qui s'agitait, quelque chose d'éblouissant, comme une arme frappée des rayons du soleil.

Et, avant qu'il se fût rendu compte de ce qu'il venait de voir, une traînée lumineuse, accompagnée d'un sifflement dans l'air, appela son attention du donjon sur la terre.

Un second bruit mat se fit entendre dans le fossé, et Raoul courut ramasser un plat d'argent qui venait de rouler jusque dans les sables desséchés.

La main qui avait lancé ce plat fit un signe aux deux gentilshommes, puis elle disparut.

Alors Raoul et Athos, s'approchant l'un de l'autre, se mirent à considérer attentivement le plat souillé de poussière, et ils découvrirent, sur le fond, des caractères tracés avec la pointe d'un couteau :

Je suis, *disait l'inscription*, le frère du roi de France, prisonnier aujourd'hui, fou demain. Gentilshommes français et chrétiens, priez Dieu pour l'âme et la raison du fils de vos maîtres[1] !

Le plat tomba des mains d'Athos, pendant que Raoul cherchait à pénétrer le sens mystérieux de ces mots lugubres.

---

1. Dans « L'Homme au masque de fer » (voir Documents, p. 925), Dumas a raconté cet épisode. Sa source est Voltaire, *Le Siècle de Louis XIV*, chap. XXV, *Œuvres complètes*, Garnier frères, 1878, tome XIV, p. 427-428.

Au même instant, un cri se fit entendre du haut du donjon. Raoul, prompt comme l'éclair, courba la tête et força son père à se courber aussi. Un canon de mousquet venait de reluire à la crête du mur. Une fumée blanche jaillit comme un panache à l'orifice du mousquet, et une balle vint s'aplatir sur une pierre, à six pouces des deux gentilshommes. Un autre mousquet parut encore et s'abaissa.

— Cordieu ! s'écria Athos, assassine-t-on les gens, ici ? Descendez, lâches que vous êtes !

— Oui, descendez ! dit Raoul furieux en montrant le poing au château.

L'un des deux assaillants, celui qui allait tirer le coup de mousquet, répondit à ces cris par une exclamation de surprise, et, comme son compagnon voulait continuer l'attaque et ressaisissait le mousquet tout armé, celui qui venait de s'écrier releva l'arme, et le coup partit en l'air.

Athos et Raoul, voyant qu'on disparaissait de la plateforme, pensèrent qu'on allait venir à eux, et ils attendirent de pied ferme.

Cinq minutes ne s'étaient pas écoulées, qu'un coup de baguette sur le tambour appela les huit soldats de la garnison, lesquels se montrèrent sur l'autre bord du fossé avec leurs mousquets. A la tête de ces hommes se tenait un officier que le vicomte de Bragelonne reconnut pour celui qui avait tiré le premier coup de mousquet.

Cet homme ordonna aux soldats d'apprêter les armes.

— Nous allons être fusillés ! s'écria Raoul. L'épée à la main, du moins, et sautons le fossé ! Nous tuerons bien chacun un de ces coquins quand leurs mousquets seront vides.

Et déjà Raoul, joignant le mouvement au conseil, s'élançait, suivi d'Athos, lorsqu'une voix bien connue retentit derrière eux.

— Athos ! Raoul ! criait cette voix.

— D'Artagnan ! répondirent les deux gentilshommes.

— Armes bas, mordioux ! s'écria le capitaine aux soldats. J'étais bien sûr de ce que je disais, moi !

Les soldats relevèrent leurs mousquets.

— Que nous arrive-t-il donc ? demanda Athos. Quoi ! on nous fusille sans nous avertir ?

— C'est moi qui allais vous fusiller, répliqua d'Artagnan ; et, si le gouverneur vous a manqués, je ne vous eusse pas manqués, moi, chers amis. Quel bonheur que j'aie pris l'habitude de viser longtemps, au lieu de tirer d'instinct en visant ! J'ai cru vous reconnaître. Ah ! mes chers amis, quel bonheur !

Et d'Artagnan s'essuyait le front, car il avait couru vite, et l'émotion chez lui n'était pas feinte.

— Comment ! fit le comte, ce monsieur qui a tiré sur nous est le gouverneur de la forteresse ?

— En personne.

— Et pourquoi tirait-il sur nous ? que lui avons-nous fait ?

— Pardieu ! vous avez reçu ce que le prisonnier vous a jeté.

— C'est vrai !

— Ce plat… le prisonnier a écrit quelque chose dessus, n'est-ce pas ?

— Oui.

— Je m'en étais douté. Ah ! mon Dieu !

Et, d'Artagnan, avec toutes les marques d'une inquiétude mortelle, s'empara du plat pour en lire l'inscription. Quand il eut lu, la pâleur couvrit son visage.

— Oh ! mon Dieu ! répéta-t-il. Silence ! Voici le gouverneur qui vient.

— Et que nous fera-t-il ? Est-ce notre faute ?…

— C'est donc vrai ? dit Athos à demi-voix, c'est donc vrai ?

— Silence ! vous dis-je, silence ! Si l'on croit que vous savez lire, si l'on suppose que vous avez compris, je vous aime bien, chers amis, je me ferais tuer pour vous… mais…

— Mais… dirent Athos et Raoul.

— Mais je ne vous sauverais pas d'une éternelle prison, si je vous sauvais de la mort. Silence, donc ! silence encore !

Le gouverneur arrivait, ayant franchi le fossé sur une passerelle de planche.

— Eh bien ! dit-il à d'Artagnan, qui vous arrête ?

— Vous êtes des Espagnols, vous ne comprenez pas un mot de français, dit vivement le capitaine, bas, à ses amis. Eh bien ! reprit-il en s'adressant au gouverneur, j'avais raison, ces messieurs sont deux capitaines espagnols que j'ai connus à Ypres, l'an passé… Ils ne savent pas un mot de français.

— Ah ! fit le gouverneur avec attention.

Et il chercha à lire l'inscription du plat.

D'Artagnan le lui ôta des mains, en effaçant les caractères à coups de pointe d'épée.

— Comment ! s'écria le gouverneur, que faites-vous ? Je ne puis donc pas lire ?

— C'est le secret de l'État, répliqua nettement d'Artagnan, et, puisque vous savez, d'après l'ordre du roi, qu'il y a peine de mort contre quiconque le pénétrera, je vais, si vous le voulez, vous laisser lire et vous faire fusiller aussitôt après.

Pendant cette apostrophe, moitié sérieuse, moitié ironique, Athos et Raoul gardaient un silence plein de sang-froid.

— Mais il est impossible, dit le gouverneur, que ces messieurs ne comprennent pas au moins quelques mots.

— Laissez donc ! quand bien même ils comprendraient ce qu'on parle, ils ne liraient pas ce que l'on écrit. Ils ne le liraient même pas en espagnol. Un noble espagnol, souvenez-vous-en, ne doit jamais savoir lire.

Il fallut que le gouverneur se contentât de ces explications, mais il était tenace.

— Invitez ces messieurs à venir au fort, dit-il.

— Je le veux bien, et j'allais vous le proposer, répliqua d'Artagnan.

Le fait est que le capitaine avait une tout autre idée, et qu'il eût voulu voir ses amis à cent lieues. Mais force lui fut de tenir bon.

Il adressa en espagnol aux deux gentilshommes une invitation que ceux-ci acceptèrent.

On se dirigea vers l'entrée du fort, et, l'incident étant vidé, les huit soldats retournèrent à leurs doux loisirs, un moment troublés par cette aventure inouïe.

CCXXXVIII

CAPTIF ET GEÔLIERS

Une fois entrés dans le fort, et tandis que le gouverneur faisait quelques préparatifs pour recevoir ses hôtes :

— Voyons, dit Athos, un mot d'explication pendant que nous sommes seuls.

— Le voici simplement, répondit le mousquetaire. J'ai conduit à l'île un prisonnier que le roi défend qu'on voie ; vous êtes arrivés, il vous a jeté quelque chose par son guichet de fenêtre ; j'étais à dîner chez le gouverneur, j'ai vu jeter cet objet, j'ai vu Raoul le ramasser. Il ne me faut pas beaucoup de temps pour comprendre, j'ai compris, et je vous ai crus d'intelligence avec mon prisonnier. Alors...

— Alors vous avez commandé qu'on nous fusillât.

— Ma foi ! je l'avoue ; mais, si j'ai le premier sauté sur un mousquet, heureusement, j'ai été le dernier à vous mettre en joue.

— Si vous m'eussiez tué, d'Artagnan, il m'arrivait ce bonheur de mourir pour la maison royale de France ; et c'est un signe d'honneur de mourir par votre main, à vous, son plus noble et son plus loyal défenseur.

— Bon ! Athos, que me contez-vous là de la maison royale ? balbutia d'Artagnan. Comment ! vous, comte, un homme sage et bien avisé, vous croyez à ces folies écrites par un insensé ?

— Avec d'autant plus de raison, mon cher chevalier, que vous avez ordre de tuer ceux qui y croiraient, continua Raoul.

— Parce que, répliqua le capitaine des mousquetaires, parce que toute calomnie, si elle est bien absurde, a la chance presque certaine de devenir populaire.

— Non, d'Artagnan, reprit tout bas Athos, parce que le roi ne veut pas que le secret de sa famille transpire dans le peuple et couvre d'infamie les bourreaux du fils de Louis XIII.

— Allons, allons, ne dites pas de ces enfantillages-là, Athos, ou je vous renie pour un homme sensé. D'ailleurs, expliquez-moi comment Louis XIII aurait un fils aux îles Sainte-Marguerite ?

— Un fils que vous auriez conduit ici, masqué, dans le bateau d'un pêcheur, fit Athos, pourquoi pas ?

D'Artagnan s'arrêta.

— Ah ! ah ! dit-il, d'où savez-vous qu'un bateau pêcheur ?...

— Vous a amené à Sainte-Marguerite avec le carrosse qui renfermait le prisonnier ; avec le prisonnier que vous appelez monseigneur ? Oh ! je le sais, reprit le comte.

D'Artagnan mordit ses moustaches.

— Fût-il vrai, dit-il, que j'aie amené ici dans un bateau et avec un carrosse un prisonnier masqué, rien ne prouve que ce prisonnier soit un prince... un prince de la maison de France.

— Oh ! demandez cela à Aramis, répondit froidement Athos.

— A Aramis ? s'écria le mousquetaire interdit. Vous avez vu Aramis ?

— Après sa déconvenue à Vaux, oui ; j'ai vu Aramis fugitif, poursuivi, perdu, et Aramis m'en a dit assez pour que je croie aux plaintes que cet infortuné a gravées sur le plat d'argent.

D'Artagnan laissa pencher sa tête avec accablement.

— Voilà, dit-il, comme Dieu se joue de ce que les hommes appellent leur sagesse ! Beau secret que celui dont douze ou quinze personnes tiennent en ce moment les lambeaux !... Athos, maudit soit le hasard qui vous a mis en face de moi dans cette affaire ! car maintenant...

— Eh bien ! dit Athos avec sa douceur sévère, votre secret est-il perdu parce que je le sais ? n'en ai-je pas porté d'aussi lourds en ma vie ? Ayez donc de la mémoire, mon cher.

— Vous n'en avez jamais porté d'aussi périlleux, repartit d'Artagnan avec tristesse. J'ai comme une idée sinistre que tous ceux qui auront touché à ce secret mourront, et mourront mal.

— Que la volonté de Dieu soit faite, d'Artagnan ! Mais voici votre gouverneur.

D'Artagnan et ses amis reprirent aussitôt leurs rôles.

Ce gouverneur, soupçonneux et dur, était pour d'Artagnan d'une politesse allant jusqu'à l'obséquiosité. Il se contenta de faire bonne chère aux voyageurs et de les bien regarder.

Athos et Raoul remarquèrent qu'il cherchait souvent à les embarrasser par de soudaines attaques, ou à les saisir au dépourvu d'attention ; mais ni l'un ni l'autre ne se déconcerta. Ce qu'avait dit d'Artagnan put paraître vraisemblable, si le gouverneur ne le crut pas vrai.

On sortit de table pour aller se reposer.

— Comment s'appelle cet homme ? Il a mauvaise mine, dit Athos en espagnol à d'Artagnan.

— De Saint-Mars, répliqua le capitaine.

— Ce sera donc le geôlier du jeune prince ?

— Eh ! le sais-je ? Me voici peut-être à Sainte-Marguerite à perpétuité.

— Allons donc ! vous ?

— Mon ami, je suis dans la situation d'un homme qui trouve un trésor au milieu d'un désert. Il voudrait l'enlever, il ne peut ; il voudrait le laisser, il n'ose. Le roi ne me fera pas revenir, craignant qu'un autre ne surveille moins bien que moi ; il regrette de ne m'avoir plus, sentant bien que nul ne le servira de près comme moi. Au reste, il arrivera ce qu'il plaira à Dieu.

— Mais, fit observer Raoul, par cela même que vous n'avez rien de certain, c'est que votre état ici est provisoire, et vous retournerez à Paris.

— Demandez donc à ces messieurs, interrompit Saint-Mars, ce qu'ils venaient faire à Sainte-Marguerite.

— Ils venaient, sachant qu'il y avait un couvent de bénédictins à Saint-Honorat curieux à voir, et dans Sainte-Marguerite une belle chasse.

— A leur disposition, répliqua Saint-Mars, comme à la vôtre.

D'Artagnan remercia.

— Quand partent-ils ? ajouta le gouverneur.

— Demain, répondit d'Artagnan.

M. de Saint-Mars alla faire sa ronde, et laissa d'Artagnan seul avec les prétendus Espagnols.

— Oh ! s'écria le mousquetaire, voilà une vie et une société qui me conviennent peu. Je commande à cet homme, et il me gêne, mordioux !... Tenez, voulez-vous que nous fassions un coup de mousquet sur les lapins ? La promenade sera belle et peu fatigante. L'île n'a qu'une lieue et demie de longueur, sur une demi-lieue de large[1] ; un vrai parc. Amusons-nous.

— Allons où vous voudrez, d'Artagnan, non pour nous divertir, mais pour causer librement.

D'Artagnan fit un signe à un soldat qui comprit et apporta des fusils de chasse aux gentilshommes, et rentra au fort.

— Et maintenant, fit le mousquetaire, répondez un peu à la question que faisait ce noir Saint-Mars : Qu'êtes-vous venus faire aux îles Lérins ?

— Vous dire adieu.

— Me dire adieu ? Comment cela ? Raoul part ?

— Oui.

— Avec M. de Beaufort, je parie ?

— Avec M. de Beaufort. Oh ! vous devinez toujours, cher ami.

— L'habitude...

Pendant que les deux amis commençaient leur entretien, Raoul, la tête lourde, le cœur chargé, s'était assis sur des roches moussues, son

---

1. Dumas agrandit l'île qui, en effet, s'étend sur une longueur de 3 km et sur une largeur de 900 m environ.

mousquet sur les genoux, et, regardant la mer, regardant le ciel, écoutant la voix de son âme, il laissait peu à peu s'éloigner de lui les chasseurs.

D'Artagnan remarqua son absence.

— Il est toujours frappé, n'est-ce pas ? dit-il à Athos.

— A mort !

— Oh ! vous exagérez, je pense. Raoul est bien trempé. Sur tous les cœurs si nobles, il y a une seconde enveloppe qui fait cuirasse. La première saigne, la seconde résiste.

— Non, répondit Athos, Raoul en mourra.

— Mordioux ! fit d'Artagnan sombre.

Et il n'ajouta pas un mot à cette exclamation. Puis, un moment après :

— Pourquoi le laissez-vous partir ?

— Parce qu'il le veut.

— Et pourquoi n'allez-vous pas avec lui ?

— Parce que je ne veux pas le voir mourir.

D'Artagnan regarda son ami en face.

— Vous savez une chose, continua le comte en s'appuyant au bras du capitaine, vous savez que, dans ma vie, j'ai eu peur de bien peu de choses. Eh bien ! j'ai une peur incessante, rongeuse, insurmontable ; j'ai peur d'arriver au jour où je tiendrai le cadavre de cet enfant dans mes bras[1].

— Oh ! répondit d'Artagnan, oh !

— Il mourra, je le sais, j'en ai la conviction ; je ne veux pas le voir mourir.

— Comment ! Athos, vous venez vous poser en présence de l'homme le plus brave que vous dites avoir connu, de votre d'Artagnan, de cet homme sans égal, comme vous l'appeliez autrefois, et vous venez lui dire, en croisant les bras, que vous avez peur de voir votre fils mort, vous qui avez vu tout ce que l'on peut voir en ce monde ? Eh bien ! pourquoi avez-vous peur de cela, Athos ? L'homme, sur cette terre, doit s'attendre à tout, affronter tout.

— Écoutez, mon ami : après m'être usé sur cette terre dont vous parlez, je n'ai plus gardé que deux religions : celle de la vie, mes amitiés, mon devoir de père ; celle de l'éternité, l'amour et le respect de Dieu. Maintenant, j'ai en moi la révélation que, si Dieu souffrait qu'en ma présence mon ami ou mon fils rendît le dernier soupir... Oh ! non, je ne veux même pas vous dire cela, d'Artagnan.

— Dites ! dites !

— Je suis fort contre tout, hormis contre la mort de ceux que j'aime. A cela seulement il n'y a pas de remède. Qui meurt gagne, qui voit mourir perd. Non. Tenez : savoir que je ne rencontrerai plus jamais, jamais,

---

1. Dumas à son fils (Livourne, 22 juillet 1842) : « Que Dieu te garde de tout accident, car je crois que je me brûlerais la cervelle. »

sur la terre, celui que j'y voyais avec joie ; savoir que nulle part ne sera plus d'Artagnan, ne sera plus Raoul, oh !... je suis vieux, voyez-vous, je n'ai plus de courage ; je prie Dieu de m'épargner dans ma faiblesse ; mais, s'il me frappait en face, et de cette façon, je le maudirais. Un gentilhomme chrétien ne doit pas maudire son Dieu, d'Artagnan ; c'est bien assez d'avoir maudit un roi !

— Hum !... fit d'Artagnan, un peu bouleversé par cette violente tempête de douleurs.

— D'Artagnan, mon ami, vous qui aimez Raoul, voyez-le, ajouta-t-il en montrant son fils ; voyez cette tristesse qui ne le quitte jamais. Connaissez-vous rien de plus affreux que d'assister, minute par minute, à l'agonie incessante de ce pauvre cœur ?

— Laissez-moi lui parler, Athos. Qui sait ?

— Essayez ; mais, j'en ai la conviction, vous ne réussirez pas.

— Je ne lui donnerai pas de consolation, je le servirai.

— Vous ?

— Sans doute. Est-ce la première fois qu'une femme serait revenue sur une infidélité ? Je vais à lui, vous dis-je.

Athos secoua la tête et continua la promenade seul. D'Artagnan, coupant à travers les broussailles, revint à Raoul et lui tendit la main.

— Eh bien ! dit d'Artagnan à Raoul, vous avez donc à me parler ?

— J'ai à vous demander un service, répliqua Bragelonne.

— Demandez.

— Vous retournerez quelque jour en France ?

— Je l'espère.

— Faut-il que j'écrive à Mlle de La Vallière ?

— Non, il ne le faut pas.

— J'ai tant de choses à lui dire !

— Venez les lui dire, alors.

— Jamais !

— Eh bien ! quelle vertu attribuez-vous à une lettre que votre parole n'ait point ?

— Vous avez raison.

— Elle aime le roi, dit brutalement d'Artagnan ; c'est une honnête fille.

Raoul tressaillit.

— Et vous, vous qu'elle abandonne, elle vous aime plus que le roi peut-être, mais d'une autre façon.

— D'Artagnan, croyez-vous bien qu'elle aime le roi ?

— Elle l'aime à l'idolâtrie. C'est un cœur inaccessible à tout autre sentiment. Vous continueriez à vivre auprès d'elle, que vous seriez son meilleur ami.

— Ah ! fit Raoul avec un élan passionné vers cette espérance douloureuse.

— Voulez-vous ?

— Ce serait lâche.

— Voilà un mot absurde et qui me conduirait au mépris de votre esprit. Raoul, il n'est jamais lâche, entendez-vous, de faire ce qui est imposé par la violence majeure. Si votre cœur vous dit : « Va là, ou meurs » ; allez-y donc, Raoul. A-t-elle été lâche ou brave, elle qui vous aimait, en vous préférant le roi, que son cœur lui commandait impérieusement de vous préférer ? Non, elle a été la plus brave de toutes les femmes. Faites donc comme elle, obéissez à vous-même. Savez-vous une chose dont je suis sûr, Raoul ?

— Laquelle ?

— C'est qu'en la voyant de près avec les yeux d'un homme jaloux...

— Eh bien ?

— Eh bien ! vous cesserez de l'aimer.

— Vous me décidez, mon cher d'Artagnan.

— A partir pour la revoir ?

— Non, à partir pour ne la revoir jamais. Je veux l'aimer toujours.

— Franchement, reprit le mousquetaire, voilà une conclusion à laquelle j'étais loin de m'attendre.

— Tenez, mon ami, vous irez la revoir, vous lui donnerez cette lettre, qui, si vous la jugez à propos, lui expliquera comme à vous ce qui se passe dans mon cœur. Lisez-la, je l'ai préparée cette nuit. Quelque chose me disait que je vous verrais aujourd'hui.

Il tendit cette lettre à d'Artagnan, qui la lut :

Mademoiselle, vous n'avez pas tort à mes yeux en ne m'aimant pas. Vous n'êtes coupable que d'un tort, celui de m'avoir laissé croire que vous m'aimiez. Cette erreur me coûtera la vie. Je vous la pardonne, mais je ne me la pardonne pas. On dit que les amants heureux sont sourds aux plaintes des amants dédaignés. Il n'en sera point ainsi de vous, qui ne m'aimiez pas, sinon avec anxiété. Je suis sûr que, si j'eusse insisté près de vous pour changer cette amitié en amour, vous eussiez cédé par crainte de me faire mourir ou d'amoindrir l'estime que j'avais pour vous. Il m'est bien doux de mourir en vous sachant libre et satisfaite.

Aussi, combien vous m'aimerez quand vous ne me craindrez plus mon regard ou mon reproche ! Vous m'aimerez, parce que, si charmant que vous paraisse un nouvel amour, Dieu ne m'a fait en rien l'inférieur de celui que vous avez choisi, et que mon dévouement, mon sacrifice, ma fin douloureuse m'assurent à vos yeux une supériorité certaine sur lui. J'ai laissé échapper, dans la crédulité naïve de mon cœur, le trésor que je tenais. Beaucoup de gens me disent que vous m'aviez aimé assez pour en venir à m'aimer beaucoup. Cette idée m'enlève toute amertume et me conduit à ne regarder comme ennemi que moi seul.

Vous accepterez ce dernier adieu, et vous me bénirez de m'être réfugié dans l'asile inviolable où s'éteint toute haine, où dure tout amour.

Adieu, mademoiselle. S'il fallait acheter de tout mon sang votre bonheur, je donnerais tout mon sang. J'en fais bien le sacrifice à ma misère !

RAOUL, VICOMTE DE BRAGELONNE

— La lettre est bien, dit le capitaine. Je n'ai qu'une chose à lui reprocher.

— Dites-moi laquelle, s'écria Raoul.

— C'est qu'elle dit toute chose, hormis la chose qui s'exhale comme un poison mortel de vos yeux, de votre cœur ; hormis l'amour insensé qui vous brûle encore.

Raoul pâlit et se tut.

— Pourquoi n'avez-vous pas écrit seulement ces mots :

Mademoiselle,

Au lieu de vous maudire, je vous aime et je meurs.

— C'est vrai, dit Raoul avec une joie sinistre.

Et, déchirant sa lettre, qu'il venait de reprendre, il écrivit ces mots sur une feuille de ses tablettes :

Pour avoir le bonheur de vous dire encore que je vous aime, je commets la lâcheté de vous écrire, et, pour me punir de cette lâcheté, je meurs.

Et il signa.

— Vous lui remettrez ces tablettes, n'est-ce pas, capitaine ? dit-il à d'Artagnan.

— Quand cela ? répliqua celui-ci.

— Le jour, dit Bragelonne en montrant la dernière phrase, le jour où vous écrirez la date sous ces mots.

Et il s'échappa soudain et courut joindre Athos, qui revenait à pas lents.

Comme ils rentraient, la mer grossit, et, avec cette véhémence rapide des grains qui troublent la Méditerranée, la mauvaise humeur de l'élément devint une tempête.

Quelque chose d'informe et de tourmenté apparut à leurs regards sur le bord de la côte.

— Qu'est-ce cela ? dit Athos. Une barque brisée ?

— Ce n'est point une barque, dit d'Artagnan.

— Pardonnez-moi, fit Raoul, c'est une barque qui gagne rapidement le port.

— Il y a, en effet, une barque dans l'anse, une barque qui fait bien de s'abriter ici ; mais ce que montre Athos dans le sable... échoué...

— Oui, oui, je vois.

— C'est le carrosse que je jetai à la mer en abordant avec le prisonnier.

— Eh bien ! dit Athos, si vous m'en croyez, d'Artagnan, vous brûlerez le carrosse, afin qu'il n'en reste point de vestige ; sans quoi, les pêcheurs d'Antibes, qui ont cru avoir affaire au diable, chercheront à prouver que votre prisonnier n'était qu'un homme.

— Je loue votre conseil, Athos, et je vais cette nuit le faire exécuter, ou plutôt l'exécuter moi-même. Mais rentrons, car la pluie va tomber et les éclairs sont effrayants.

Comme ils passaient sur le rempart dans une galerie dont d'Artagnan avait la clef, ils virent M. de Saint-Mars se diriger vers la chambre habitée par le prisonnier.

Ils se cachèrent dans l'angle de l'escalier sur un signe de d'Artagnan.

— Qu'y a-t-il ? dit Athos.

— Vous allez voir. Regardez. Le prisonnier revient de la chapelle.

Et l'on vit, à la lueur des rouges éclairs, dans la brume violette qu'estompait le vent sur le fond du ciel, on vit passer gravement, à six pas derrière le gouverneur, un homme vêtu de noir et masqué par une visière d'acier bruni, soudée à un casque de même nature, et qui lui enveloppait toute la tête. Le feu du ciel jetait de fauves reflets sur cette surface polie, et ces reflets, voltigeant capricieusement, semblaient être les regards courroucés que lançait ce malheureux à défaut d'imprécations.

Au milieu de la galerie, le prisonnier s'arrêta un moment à contempler l'horizon infini, à respirer les parfums sulfureux de la tempête, à boire avidement la pluie chaude, et il poussa un soupir semblable à un rugissement.

— Venez, monsieur, dit de Saint-Mars brusquement au prisonnier, car il s'inquiétait déjà de le voir regarder longtemps au-delà des murailles. Monsieur, venez donc !

— Dites : « Monseigneur », cria de son coin Athos à Saint-Mars d'une voix tellement solennelle et terrible, que le gouverneur en frissonna des pieds à la tête.

Athos voulait toujours le respect pour la majesté tombée.

Le prisonnier se retourna.

— Qui a parlé ? demanda de Saint-Mars.

— Moi, répliqua d'Artagnan, qui se montra aussitôt. Vous savez bien que c'est l'ordre.

— Ne m'appelez ni monsieur ni monseigneur, dit à son tour le prisonnier avec une voix qui remua Raoul jusqu'au fond des entrailles ; appelez-moi *Maudit* !

Et il passa.

La porte de fer cria derrière lui.

— Voilà un homme malheureux ! murmura sourdement le mousquetaire, en montrant la chambre habitée par le prince.

CCXXXIX

LES PROMESSES

A peine d'Artagnan rentrait-il dans son appartement avec ses amis, qu'un des soldats du fort vint le prévenir que le gouverneur le cherchait.

La barque que Raoul avait aperçue à la mer, et qui semblait si pressée de gagner le port, venait à Sainte-Marguerite avec une dépêche importante pour le capitaine des mousquetaires.

En ouvrant le pli, d'Artagnan reconnut l'écriture du roi.

Je pense, *disait Louis XIV*, que vous aurez fini d'exécuter mes ordres, monsieur d'Artagnan ; revenez donc sur-le-champ à Paris me trouver dans mon Louvre.

— Voilà mon exil fini ! s'écria le mousquetaire avec joie ; Dieu soit loué, je cesse d'être geôlier !

Et il montra la lettre à Athos.

— Ainsi, vous nous quittez ? répliqua celui-ci avec tristesse.

— Pour nous revoir, cher ami, attendu que Raoul est un grand garçon qui partira bien seul avec M. de Beaufort et qui aimera mieux laisser revenir son père en compagnie de M. d'Artagnan que de le forcer à faire seul deux cents lieues pour regagner La Fère, n'est-ce pas, Raoul ?

— Certainement, balbutia celui-ci avec l'expression d'un tendre regret.

— Non, mon ami, interrompit Athos, je ne quitterai Raoul que le jour où son vaisseau aura disparu à l'horizon. Tant qu'il est en France, il n'est pas séparé de moi.

— A votre guise, cher ami ; mais nous quitterons du moins Sainte-Marguerite ensemble ; profitez de la barque qui va me ramener à Antibes.

— De grand cœur ; nous ne serons jamais assez tôt éloignés de ce fort et du spectacle qui nous a attristés tout à l'heure.

Les trois amis quittèrent donc la petite île, après les derniers adieux faits au gouverneur, et, dans les dernières lueurs de la tempête qui s'éloignait, ils virent pour la dernière fois blanchir les murailles du fort.

D'Artagnan prit congé de ses amis dans la nuit même, après avoir vu sur la côte de Sainte-Marguerite le feu du carrosse incendié par les ordres de M. de Saint-Mars, sur la recommandation que le capitaine lui avait faite.

Avant de monter à cheval, et comme il sortait des bras d'Athos :

— Amis, dit-il, vous ressemblez trop à deux soldats qui abandonnent leur poste. Quelque chose m'avertit que Raoul aurait besoin d'être maintenu par vous à son rang. Voulez-vous que je demande à passer en Afrique avec cent bons mousquets ? Le roi ne me refusera pas, je vous emmènerai avec moi.

— Monsieur d'Artagnan, répliqua Raoul en lui serrant la main avec effusion, merci de cette offre, qui nous donnerait plus que nous ne voulons, M. le comte et moi. Moi qui suis jeune, j'ai besoin d'un travail d'esprit et d'une fatigue de corps ; M. le comte a besoin du plus profond repos. Vous êtes son meilleur ami : je vous le recommande. En veillant sur lui, vous tiendrez nos deux âmes dans votre main.

— Il faut partir ; voilà mon cheval qui s'impatiente, dit d'Artagnan, chez qui le signe le plus manifeste d'une vive émotion était le changement d'idées dans un entretien. Voyons, comte, combien de jours Raoul a-t-il encore à demeurer ici ?

— Trois jours au plus.

— Et combien mettez-vous de temps pour rentrer chez vous ?

— Oh ! beaucoup de temps, répondit Athos. Je ne veux pas me séparer trop promptement de Raoul. Le temps le poussera bien assez vite de son côté, pour que je n'aide pas à la distance. Je ferai seulement des demi-étapes.

— Pourquoi cela, mon ami ? On s'attriste à marcher lentement, et la vie des hôtelleries ne sied plus à un homme comme vous.

— Mon ami, je suis venu sur les chevaux de la poste, mais je veux acheter deux chevaux fins. Or, pour les ramener frais, il ne serait pas prudent de leur faire faire plus de sept à huit lieues par jour.

— Où est Grimaud ?

— Il est arrivé avec les équipages de Raoul, hier au matin, et je l'ai laissé dormir.

— C'est à n'y plus revenir, laissa échapper d'Artagnan. Au revoir, donc, cher Athos, et, si vous faites diligence, eh bien ! je vous embrasserai plus tôt.

Cela dit, il mit son pied à l'étrier, que Raoul vint lui tenir.

— Adieu ! dit le jeune homme en l'embrassant.

— Adieu ! fit d'Artagnan, qui se mit en selle.

Son cheval fit un mouvement qui écarta le cavalier de ses amis.

Cette scène avait lieu devant la maison choisie par Athos aux portes d'Antibes, et où d'Artagnan, après le souper, avait commandé qu'on lui amenât ses chevaux.

La route commençait là, et s'étendait blanche et onduleuse dans les vapeurs de la nuit. Le cheval respirait avec force l'âpre parfum salin qui s'exhale des marécages.

D'Artagnan prit le trot, et Athos commença à revenir tristement avec Raoul.

Tout à coup ils entendirent se rapprocher le bruit des pas du cheval, et d'abord ils crurent à une de ces répercussions singulières qui trompent l'oreille à chaque circonflexion des chemins.

Mais c'était bien le retour du cavalier. D'Artagnan revenait au galop vers ses amis. Ceux-ci poussèrent un cri de joyeuse surprise, et le capitaine, sautant à terre comme un jeune homme, vint prendre dans ses deux bras les deux têtes chéries d'Athos et de Raoul.

Il les tint longtemps embrassés sans dire un mot, sans laisser échapper un soupir qui brisait sa poitrine. Puis, aussi rapidement qu'il était venu, il repartit en appuyant les deux éperons aux flancs du cheval furieux.

— Hélas ! dit le comte tout bas, hélas !

« Mauvais présage ! se disait de son côté d'Artagnan en regagnant le temps perdu. Je n'ai pu leur sourire. Mauvais présage ! »

Le lendemain, Grimaud était remis sur pied. Le service commandé par M. de Beaufort s'accomplissait heureusement. La flottille, dirigée sur Toulon par les soins de Raoul, était partie, traînant après elle, dans de petites nacelles presque invisibles, les femmes et les amis des pêcheurs et des contrebandiers, mis en réquisition pour le service de la flotte.

Le temps si court qui restait au père et au fils pour vivre ensemble semblait avoir doublé de rapidité, comme s'accroît la vitesse de tout ce qui penche à tomber dans le gouffre de l'éternité.

Athos et Raoul revinrent à Toulon, qui s'emplissait du bruit des chariots, du bruit des armures, du bruit des chevaux hennissants. Les trompettes sonnaient leurs marches, les tambours signalaient leur vigueur, les rues regorgeaient de soldats, de valets et de marchands.

Le duc de Beaufort était partout, activant l'embarquement avec le zèle et l'intérêt d'un bon capitaine. Il caressait ses compagnons jusqu'aux plus humbles ; il gourmandait ses lieutenants, même les plus considérables.

Artillerie, provisions, bagages, il voulut tout voir par lui-même ; il examina l'équipement de chaque soldat, s'assura de la santé de chaque cheval. On sentait que, léger, vantard, égoïste dans son hôtel, le gentilhomme redevenait soldat, le grand seigneur capitaine, vis-à-vis de la responsabilité qu'il avait acceptée.

Cependant, il faut bien le dire, quel que fût le soin qui présida aux apprêts du départ, on y reconnaissait la précipitation insouciante et l'absence de toute précaution qui font du soldat français le premier soldat du monde, parce qu'il en est le plus abandonné à ses seules ressources physiques et morales.

Toutes choses ayant satisfait ou paru satisfaire l'amiral, il fit à Raoul ses compliments et donna les derniers ordres pour l'appareillage, qui fut fixé au lendemain à la pointe du jour.

Il invita le comte et son fils à dîner avec lui. Ceux-ci prétextèrent quelques nécessités du service et se mirent à l'écart. Gagnant leur hôtellerie, située sous les arbres de la grande place[1], ils prirent leur repas à la hâte, et Athos conduisit Raoul sur les rochers qui dominent la ville, vastes montagnes grises d'où la vue est infinie, et embrasse un horizon liquide qui semble, tant il est loin, de niveau avec les rochers eux-mêmes.

La nuit était belle comme toujours en ces heureux climats. La lune, se levant derrière les rochers, déroulait comme une nappe argentée sur le tapis bleu de la mer. Dans la rade, manœuvraient silencieusement les vaisseaux qui venaient prendre leur rang pour faciliter l'embarquement.

La mer, chargée de phosphore, s'ouvrait sous les carènes des barques qui transbordaient les bagages et les munitions ; chaque secousse de la proue fouillait ce gouffre de flammes blanches, et de chaque aviron dégouttaient les diamants liquides.

On entendait les marins, joyeux des largesses de l'amiral, murmurer leurs chansons lentes et naïves. Parfois le grincement des chaînes se mêlait au bruit sourd des boulets tombant dans les cales. Ce spectacle et ces harmonies serraient le cœur comme la crainte, et le dilataient comme l'espérance. Toute cette vie sentait la mort.

Athos s'assit avec son fils sur les mousses et les bruyères du promontoire. Autour de leur tête passaient et repassaient les grandes chauves-souris, emportées dans l'effrayant tourbillon de leur chasse aveugle. Les pieds de Raoul dépassaient l'arête de la falaise et baignaient dans ce vide que peuple le vertige et qui provoque au néant.

Quand la lune fut levée en son entier, caressant de sa lumière les pitons voisins, quand le miroir de l'eau fut illuminé dans toute son étendue, et que les petits feux rouges eurent fait leur trouée dans les masses noires de chaque navire, Athos, rassemblant toutes ses idées, tout son courage, dit à son fils :

— Dieu a fait tout ce que nous voyons, Raoul ; il nous a faits aussi, pauvres atomes mêlés à ce grand univers ; nous brillons comme ces feux et ces étoiles, nous soupirons comme ces flots, nous souffrons comme ces grands navires qui s'usent à creuser la vague, en obéissant au vent qui les pousse vers un but, comme le souffle de Dieu nous pousse vers un port. Tout aime à vivre, Raoul, et tout est beau dans les choses vivantes.

— Monsieur, répliqua le jeune homme, nous avons là, en effet, un beau spectacle.

1. Dumas séjourna à Toulon du 17 mai au 15 juin 1835, dans une bastide appartenant à M. Lauvergne et située au fort Lamalgue : il y écrivit *Don Juan de Marana* (voir *Impressions de voyages. Une année à Florence*, « Toulon »).

— Comme d'Artagnan est bon ! interrompit tout de suite Athos, et comme c'est un rare bonheur que de s'être appuyé toute une vie sur un ami comme celui-là ! Voilà ce qui vous a manqué, Raoul.

— Un ami ? s'écria le jeune homme ; j'ai manqué d'un ami, moi ?

— M. de Guiche est un charmant compagnon, reprit le comte froidement ; mais je crois que, au temps où vous vivez, les hommes se préoccupent plus de leurs affaires et de leurs plaisirs que de notre temps. Vous avez cherché la vie isolée ; c'est un bonheur ; mais vous y avez perdu la force. Nous autres quatre, un peu sevrés de ces délicatesses qui font votre joie, nous avons trouvé bien plus de résistance quand paraissait le malheur.

— Je ne vous ai point arrêté, monsieur, pour dire que j'avais un ami, et que cet ami est M. de Guiche. Certes, il est bon et généreux, pourtant, et il m'aime. J'ai vécu sous la tutelle d'une autre amitié, monsieur, aussi précieuse, aussi forte que celle dont vous parlez, puisque c'est la vôtre.

— Je n'étais pas un ami pour vous, Raoul, dit Athos.

— Eh ! monsieur, pourquoi ?

— Parce que je vous ai donné lieu de croire que la vie n'a qu'une face, parce que, triste et sévère, hélas ! j'ai toujours coupé pour vous, sans le vouloir, mon Dieu ! les bourgeons joyeux qui jaillissent incessamment de l'arbre de la jeunesse ; en un mot, parce que, dans le moment où nous sommes, je me repens de ne pas avoir fait de vous un homme très expansif, très dissipé, très bruyant.

— Je sais pourquoi vous me dites cela, monsieur. Non, vous avez tort, ce n'est pas vous qui m'avez fait ce que je suis ; c'est cet amour qui m'a pris au moment où les enfants n'ont que des inclinations ; c'est la constance naturelle à mon caractère, qui, chez les autres créatures, n'est qu'une habitude. J'ai cru que je serais toujours comme j'étais ; j'ai cru que Dieu m'avait jeté sur une route toute défrichée, toute droite, bordée de fruits et de fleurs. J'avais au-dessus de moi votre vigilance, votre force. Je me suis cru vigilant et fort. Rien ne m'a préparé : je suis tombé une fois, et cette fois m'a ôté le courage pour toute ma vie. Il est vrai de dire que je m'y suis brisé. Oh ! non, monsieur, vous n'êtes dans mon passé que pour mon bonheur : vous n'êtes dans mon avenir que comme un espoir. Non, je n'ai rien à reprocher à la vie telle que vous me l'avez faite ; je vous bénis et je vous aime ardemment.

— Mon cher Raoul, vos paroles me font du bien. Elles me prouvent que vous agirez un peu pour moi, dans le temps qui va suivre.

— Je n'agirai que pour vous, monsieur.

— Raoul, ce que je n'ai jamais fait à votre égard, je le ferai désormais. Je serai votre ami, non plus votre père. Nous vivrons en nous répandant, au lieu de vivre en nous tenant prisonniers, lorsque vous serez revenu. Ce sera bientôt, n'est-ce pas ?

— Certes, monsieur, car une expédition pareille ne saurait être longue.

— Bientôt alors, Raoul, bientôt, au lieu de vivre modiquement sur mon revenu, je vous donnerai le capital de mes terres. Il vous suffira pour vous lancer dans le monde jusqu'à ma mort, et vous me donnerez, je l'espère avant ce temps, la consolation de ne pas laisser s'éteindre ma race.

— Je ferai tout ce que vous me commanderez, reprit Raoul fort agité.

— Il ne faudrait pas, Raoul, que votre service d'aide de camp vous conduisît à des tentatives trop hasardeuses. Vous avez fait vos preuves, on vous sait bon au feu. Rappelez-vous que la guerre des Arabes est une guerre de pièges, d'embuscades et d'assassinats[1].

— On le dit, oui, monsieur.

— Il y a toujours peu de gloire à tomber dans un guet-apens. C'est une mort qui accuse toujours un peu de témérité ou d'imprévoyance. Souvent même on ne plaint pas celui qui a succombé. Ceux qu'on ne plaint pas, Raoul, sont morts inutiles. De plus, le vainqueur rit, et, nous autres, nous ne devons pas souffrir que ces infidèles stupides triomphent de nos fautes. Vous comprenez bien ce que je veux vous dire, Raoul ? A Dieu ne plaise que je vous exhorte à demeurer loin des rencontres !

— Je suis prudent naturellement, monsieur, et j'ai beaucoup de bonheur, dit Raoul avec un sourire qui glaça le cœur du pauvre père ; car, se hâta d'ajouter le jeune homme, pour vingt combats où je me suis trouvé, je n'ai encore compté qu'une égratignure.

— Il y a, en outre, dit Athos, le climat qu'il faut craindre : c'est une laide fin que la fièvre. Le roi saint Louis priait Dieu de lui envoyer une flèche ou la peste avant la fièvre.

— Oh ! monsieur, avec de la sobriété, avec un exercice raisonnable...

— J'ai déjà obtenu de M. de Beaufort, interrompit Athos, que ses dépêches partiraient tous les quinze jours pour la France. Vous, son aide de camp, vous serez chargé de les expédier ; vous ne m'oublierez sans doute pas ?

— Non, monsieur, dit Raoul d'une voix étranglée.

— Enfin, Raoul, comme vous êtes bon chrétien, et que je le suis aussi, nous devons compter sur une protection plus spéciale de Dieu ou de nos anges gardiens. Promettez-moi que, s'il vous arrivait malheur en une occasion, vous penseriez à moi tout d'abord.

— Tout d'abord, oh ! oui.

— Et que vous m'appelleriez.

— Oh ! sur-le-champ.

— Vous rêvez à moi quelquefois, Raoul ?

— Toutes les nuits, monsieur. Pendant ma première jeunesse, je vous

---

1. L'actualité de la colonisation de l'Algérie explique ces remarques sur la guerre contre les Arabes, voir *Impressions de voyages. Le Véloce.*

voyais en songe, calme et doux, une main étendue sur ma tête, et voilà pourquoi j'ai toujours si bien dormi… *autrefois* !

— Nous nous aimons trop, dit le comte, pour que, à partir de ce moment où nous nous séparons, une part de nos deux âmes ne voyage pas avec l'un et l'autre de nous et n'habite pas où nous habiterons. Quand vous serez triste, Raoul, je sens que mon cœur se noiera de tristesse, et, quand vous voudrez sourire en pensant à moi, songez bien que vous m'enverrez de là-bas un rayon de votre joie.

— Je ne vous promets pas d'être joyeux, répondit le jeune homme ; mais soyez certain que je ne passerai pas une heure sans songer à vous ; pas une heure, je vous le jure, à moins que je ne sois mort.

Athos ne put se contenir plus longtemps ; il entoura de son bras le cou de son fils, et le tint embrassé de toutes les forces de son cœur.

La lune avait fait place au crépuscule ; une bande dorée montait à l'horizon, annonçant l'approche du jour.

Athos jeta son manteau sur les épaules de Raoul et l'emmena vers la ville, où fardeaux et porteurs, tout remuait déjà comme une vaste fourmilière.

A l'extrémité du plateau que quittaient Athos et Bragelonne, ils virent une ombre noire se balançant avec indécision et comme honteuse d'être vue. C'était Grimaud, qui, inquiet, avait suivi son maître à la piste et qui les attendait.

— Oh ! bon Grimaud, s'écria Raoul, que veux-tu ? Tu viens nous dire qu'il faut partir, n'est-ce pas ?

— Seul ? fit Grimaud en montrant Raoul à Athos d'un ton de reproche qui montrait à quel point le vieillard était bouleversé.

— Oh ! tu as raison ! s'écria le comte. Non, Raoul ne partira pas seul ; non, il ne restera pas sur une terre étrangère sans quelqu'un d'ami qui le console et lui rappelle tout ce qu'il aimait.

— Moi ? dit Grimaud.

— Toi ? Oui ! oui ! s'écria Raoul touché jusqu'au fond du cœur.

— Hélas ! dit Athos, tu es bien vieux, mon bon Grimaud !

— Tant mieux, répliqua celui-ci avec une profondeur de sentiment et d'intelligence inexprimable.

— Mais voilà que l'embarquement se fait, dit Raoul, et tu n'es point préparé.

— Si ! dit Grimaud en montrant les clefs de ses coffres mêlées à celles de son jeune maître.

— Mais, objecta encore Raoul, tu ne peux laisser M. le comte ainsi seul : M. le comte que tu n'as jamais quitté ?

Grimaud tourna son regard obscurci vers Athos, comme pour mesurer la force de l'un et de l'autre.

Le comte ne répondait rien.

— M. le comte aimera mieux cela, dit Grimaud.

— Oui, fit Athos avec sa tête.

En ce moment, les tambours roulèrent tous à la fois et les clairons emplirent l'air de chants joyeux.

On vit déboucher de la ville les régiments qui devaient prendre part à l'expédition.

Ils s'avançaient au nombre de cinq, composés chacun de quarante compagnies. Royal marchait le premier, reconnaissable à son uniforme blanc à parements bleus. Les drapeaux d'ordonnance écartelés en croix, violet et feuille morte, avec un semis de fleurs de lis d'or, laissaient dominer le drapeau colonel blanc avec la croix fleurdelisée.

Mousquetaires aux ailes, avec leurs bâtons fourchus à la main et les mousquets sur l'épaule ; piquiers au centre, avec leurs lances de quatorze pieds, marchaient gaiement vers les barques de transport qui les portaient en détail vers les navires.

Les régiments de Picardie, Navarre, Normandie et Royal-Vaisseau venaient ensuite[1].

M. de Beaufort avait su choisir. On le voyait lui-même au loin fermant la marche avec son état-major.

Avant qu'il pût atteindre la mer, une bonne heure devait s'écouler.

Raoul se dirigea lentement avec Athos vers le rivage, afin de prendre sa place au moment du passage du prince.

Grimaud, bouillonnant d'une ardeur de jeune homme, faisait porter au vaisseau amiral les bagages de Raoul.

Athos, son bras passé sous celui du fils qu'il allait perdre, s'absorbait dans la plus douloureuse méditation, s'étourdissant du bruit et du mouvement.

Tout à coup un officier de M. de Beaufort vint à eux pour leur apprendre que le duc manifestait le désir de voir Raoul à ses côtés.

— Veuillez dire au prince, monsieur, s'écria le jeune homme, que je lui demande encore cette heure pour jouir de la présence de M. le comte.

— Non, non, interrompit Athos, un aide de camp ne peut ainsi quitter son général. Veuillez dire au prince, monsieur, que le vicomte va se rendre auprès de lui.

L'officier partit au galop.

— Nous quitter ici, nous quitter là-bas, ajouta le comte, c'est toujours une séparation.

Il épousseta soigneusement l'habit de son fils, et lui passa la main sur les cheveux tout en marchant.

— Tenez, Raoul, dit-il, vous avez besoin d'argent ; M. de Beaufort mène grand train, et je suis certain que vous vous plairez, là-bas, à acheter

---

1. Le Royal-Régiment, les deux régiments de mousquetaires à cheval remontaient à 1635 ; les régiments de Picardie et Navarre étaient de « vieux régiments » d'infanterie qui dataient de 1557 et de 1558.

des chevaux et des armes, qui sont choses précieuses en ce pays[1]. Or, comme vous ne servez pas le roi ni M. de Beaufort, et que vous ne relevez que de votre libre arbitre, vous ne devez compter ni sur solde ni sur largesses. Je veux donc que vous ne manquiez de rien à Djidgelli. Voici deux cents pistoles. Dépensez-les, Raoul, si vous tenez à me faire plaisir.

Raoul serra la main de son père, et, au détour d'une rue, ils virent M. de Beaufort monté sur un magnifique genet blanc, qui répondait par de gracieuses courbettes aux applaudissements des femmes de la ville.

Le duc appela Raoul et tendit la main au comte. Il lui parla longtemps, avec de si douces expressions, que le cœur du pauvre père s'en trouva un peu réconforté.

Il semblait pourtant à tous deux, au père et au fils, que leur marche aboutissait au supplice. Il y eut un moment terrible, celui où, pour quitter le sable de la plage, les soldats et les marins échangèrent, avec leurs familles et leurs amis, les derniers baisers : moment suprême où, malgré la pureté du ciel, la chaleur du soleil, malgré les parfums de l'air et la douce vie qui circule dans les veines, tout paraît noir, tout paraît amer, tout fait douter de Dieu, en parlant par la bouche même de Dieu.

Il était d'usage que l'amiral s'embarquât le dernier avec sa suite ; le canon attendait, pour lancer sa formidable voix, que le chef eût mis un pied sur le plancher de son navire.

Athos, oubliant et l'amiral, et la flotte, et sa propre dignité d'homme fort, ouvrit les bras à son fils et l'étreignit convulsivement sur sa poitrine.

— Accompagnez-nous à bord, dit le duc ému ; vous gagnerez une bonne demi-heure.

— Non, fit Athos, non, mon adieu est dit. Je ne veux pas en dire un second.

— Alors, vicomte, embarquez, embarquez vite ! ajouta le prince voulant épargner les larmes à ces deux hommes dont le cœur se gonflait.

Et, paternellement, tendrement, fort comme l'eût été Porthos, il enleva Raoul dans ses bras et le plaça sur la chaloupe dont les avirons commencèrent à nager aussitôt sur un signe.

Lui-même, oubliant le cérémonial, sauta sur le plat-bord de ce canot, et le poussa, d'un pied vigoureux, en mer.

— Adieu ! cria Raoul.

Athos ne répliqua que par un signe ; mais il sentit quelque chose de brûlant sur sa main : c'était le baiser respectueux de Grimaud, le dernier adieu du chien fidèle.

Ce baiser donné, Grimaud sauta de la marche du môle sur l'avant

---

1. Dumas avait rapporté d'Afrique du Nord des armes figurant dans la collection qu'il avait disposée dans le « salon cachemire » de Monte-Cristo ; on y relevait deux pistolets arabes garnis en argent, sept sabres arabes, cinq poignards et yatagans, deux massues arabes.

d'une yole à deux avirons, qui vint se faire remorquer par un chaland servi de douze rames de galères.

Athos s'assit sur le môle, éperdu, sourd, abandonné.

Chaque seconde lui enleva un des traits, une des nuances du teint pâle de son fils. Les bras pendants, l'œil fixe, la bouche ouverte, il resta confondu avec Raoul dans un même regard, dans une même pensée, dans une même stupeur.

La mer emporta, peu à peu, chaloupes et figures jusqu'à cette distance où les hommes ne sont plus que des points, les amours des souvenirs.

Athos vit son fils monter l'échelle du vaisseau amiral, il le vit s'accouder au bastingage et se placer de manière à être toujours un point de mire pour l'œil de son père. En vain le canon tonna, en vain des navires s'élança une longue rumeur répondue sur terre par d'immenses acclamations, en vain le bruit voulut-il étourdir l'oreille du père, et la fumée noyer le but chéri de toutes ses aspirations : Raoul lui apparut jusqu'au dernier moment, et l'imperceptible atome, passant du noir au pâle, du pâle au blanc, du blanc à rien, disparut pour Athos, disparut bien longtemps après que, pour tous les yeux des assistants, avaient disparu puissants navires et voiles enflées.

Vers midi, quand déjà le soleil dévorait l'espace et qu'à peine l'extrémité des mâts dominait la ligne incandescente de la mer, Athos vit s'élever une ombre douce, aérienne, aussitôt évanouie que vue : c'était la fumée d'un coup de canon que M. de Beaufort venait de faire tirer pour saluer une dernière fois la côte de France.

La pointe s'enfonça à son tour sous le ciel, et Athos rentra péniblement à son hôtellerie.

CCXL

ENTRE FEMMES

D'Artagnan n'avait pu se cacher à ses amis aussi bien qu'il l'eût désiré.

Le soldat stoïque, l'impassible homme d'armes, vaincu par la crainte et les pressentiments, avait donné quelques minutes à la faiblesse humaine.

Aussi, quand il eut fait taire son cœur et calmé le tressaillement de ses muscles, se tournant vers son laquais, silencieux serviteur toujours aux écoutes pour obéir plus vite :

— Rabaud, dit-il, tu sauras que je dois faire trente lieues par jour.

— Bien, mon capitaine, répondit Rabaud.

Et, à partir de ce moment, d'Artagnan, fait à l'allure du cheval, comme un véritable centaure, ne s'occupa plus de rien, c'est-à-dire qu'il s'occupa de tout.

Il se demanda pourquoi le roi le rappelait ; pourquoi le Masque-de-Fer avait jeté un plat d'argent aux pieds de Raoul.

Quant au premier sujet, la réponse fut négative : il savait trop que, le roi l'appelant, c'était par nécessité ; il savait encore que Louis XIV devait éprouver l'impérieux besoin d'un entretien particulier avec celui qu'un si grand secret mettait au niveau des plus hautes puissances du royaume. Mais, quant à préciser le désir du roi, d'Artagnan ne s'en trouvait pas capable.

Le mousquetaire n'avait plus de doutes non plus sur la raison qui avait poussé l'infortuné Philippe à dévoiler son caractère et sa naissance. Philippe, enseveli à jamais sous son masque de fer, exilé dans un pays où les hommes semblaient servir les éléments ; Philippe, privé même de la société de d'Artagnan, qui l'avait comblé d'honneurs et de délicatesses, n'avait plus à voir que des spectres et des douleurs en ce monde, et le désespoir commençant à le mordre, il se répandait en plaintes, croyant que les révélations lui susciteraient un vengeur.

La façon dont le mousquetaire avait failli tuer ses deux meilleurs amis, la destinée qui avait si étrangement amené Athos en participation du secret d'État, les adieux de Raoul, l'obscurité de cet avenir qui allait aboutir à une triste mort ; tout cela renvoyait incessamment d'Artagnan à de lamentables prévisions, que la rapidité de la marche ne dissipait pas comme jadis.

D'Artagnan passait de ces considérations au souvenir de Porthos et d'Aramis proscrits. Il les voyait fugitifs, traqués, ruinés l'un et l'autre, laborieux architectes d'une fortune qu'il leur faudrait perdre ; et, comme le roi appelait son homme d'exécution en un moment de vengeance et de rancune, d'Artagnan tremblait de recevoir quelque commission dont son cœur eût saigné.

Parfois, montant les côtes, quand le cheval essoufflé enflait ses naseaux et développait ses flancs, le capitaine, plus libre de penser, songeait à ce prodigieux génie d'Aramis, génie d'astuce et d'intrigue, comme en avaient produit deux la Fronde et la guerre civile. Soldat, prêtre et diplomate, galant, avide et rusé, Aramis n'avait jamais pris les bonnes choses de la vie que comme marchepied pour s'élever aux mauvaises. Généreux esprit, sinon cœur d'élite, il n'avait jamais fait le mal que pour briller un peu plus. Vers la fin de sa carrière, au moment de saisir le but, il avait fait comme le patricien Fiesque, un faux pas sur une planche, et était tombé dans la mer[1].

---

1. Dumas avait adapté le *Fiesque* de Schiller en 1827 : *Fiesque de Lavagna*, drame en cinq actes et en vers, qui avait été refusé par la Comédie-Française et qui était resté inédit jusqu'à son édition par F. Bassan (A. Dumas, *Théâtre complet*, I. Minard, 1974) : « Verrina. — Aux vaisseaux ! *(Il s'avance jusqu'au bord de la mer.)* / Fiesque. — Passe donc ! /

Mais Porthos, ce bon et naïf Porthos ! Voir Porthos affamé, voir Mousqueton sans dorures, emprisonné peut-être ; voir Pierrefonds, Bracieux, rasés quant aux pierres, déshonorés quant aux futaies, c'étaient là autant de douleurs poignantes pour d'Artagnan, et, chaque fois qu'une de ces douleurs le frappait, il bondissait comme son cheval à la piqûre du taon sous les voûtes de feuillage.

Jamais l'homme d'esprit ne s'est ennuyé s'il a le corps occupé par la fatigue ; jamais l'homme sain de corps n'a manqué de trouver la vie légère si quelque chose a captivé son esprit. D'Artagnan, toujours courant, toujours rêvant, descendit à Paris, frais et tendre de muscles, comme l'athlète qui s'est préparé pour le gymnase.

Le roi ne l'attendait pas si tôt et venait de partir pour chasser du côté de Meudon[1]. D'Artagnan, au lieu de courir après le roi comme il eût fait au temps jadis, se débotta, se mit au bain et attendit que Sa Majesté fût revenue bien poudreuse et bien lasse. Il occupa les cinq heures d'intervalle à prendre, comme on dit, l'air de la maison, et à se cuirasser contre toutes les mauvaises chances.

Il apprit que le roi, depuis quinze jours, était sombre ; que la reine mère était malade et fort accablée ; que Monsieur, frère du roi, tournait à la dévotion ; que Madame avait des vapeurs, et que M. de Guiche était parti pour une de ses terres.

Il apprit que M. Colbert était rayonnant, que M. Fouquet consultait tous les jours un nouveau médecin, qui ne le guérissait point, et que sa principale maladie n'était pas de celles que les médecins guérissent, sinon les médecins politiques.

Le roi, dit-on à d'Artagnan, faisait à M. Fouquet la plus tendre mine, et ne le quittait plus d'une semelle[2] ; mais le surintendant, touché au cœur comme ces beaux arbres qu'un ver a piqués, dépérissait malgré le sourire royal, ce soleil des arbres de cour.

D'Artagnan apprit que Mlle de La Vallière était devenue indispensable au roi ; que le prince, durant ses chasses, s'il ne l'emmenait point, lui écrivait plusieurs fois, non plus des vers, mais, ce qui était bien pis, de la prose, et par pages.

Aussi voyait-on le *premier roi du monde*[3], comme disait la pléiade poétique d'alors, descendre de cheval *d'une ardeur sans seconde*, et, sur la forme de son chapeau, crayonner des phrases en phœbus, que

---

Verrina. — Non le prince a le pas *(Ils sont sur la planche.)* / Fiesque. — Verrina ! Que fais-tu ? Dieu !... ma pourpre... Elle tombe. / Verrina, *le précipitant dans la mer.* — Qu'elle soit le linceul et l'océan ta tombe. / Mort au tyran d'un jour. / Fiesque, *tombant.* — Grâce à mon assassin ! » (acte V, scène X).

1. Longtemps propriété des Guise, Meudon venait d'être acheté par Louvois, seigneur de Chaville.

2. « [Après la vente de sa charge], Sa Majesté lui redoubla ses caresses », abbé de Choisy, *op. cit.*

3. Voir Prologue des *Fâcheux*, vers 1.

M. de Saint-Aignan, aide de camp à perpétuité, portait à La Vallière, au risque de crever ses chevaux.

Pendant ce temps, les daims et les faisans prenaient leurs ébats, chassés si mollement que, disait-on, l'art de la vénerie courait risque de dégénérer à la cour de France.

D'Artagnan alors pensa aux recommandations du pauvre Raoul, à cette lettre de désespoir destinée à une femme qui passait sa vie à espérer, et, comme d'Artagnan aimait à philosopher, il résolut de profiter de l'absence du roi pour entretenir un moment Mlle de La Vallière.

C'était chose aisée : Louise, pendant la chasse royale, se promenait avec quelques dames dans une galerie du Palais-Royal, où précisément le capitaine des mousquetaires avait quelques gardes à inspecter.

D'Artagnan ne doutait pas que, s'il pouvait entamer la conversation sur Raoul, Louise ne lui donnât quelque sujet d'écrire une bonne lettre au pauvre exilé ; or, l'espoir, ou du moins la consolation pour Raoul, en une disposition du cœur comme celle où nous l'avons vu, c'était le soleil, c'était la vie de deux hommes qui étaient bien chers à notre capitaine.

Il s'achemina donc vers l'endroit où il savait trouver Mlle de La Vallière.

D'Artagnan trouva La Vallière fort entourée. Dans son apparente solitude, la favorite du roi recevait, comme une reine, plus que la reine peut-être, un hommage dont Madame avait été si fière, alors que tous les regards du roi étaient pour elle et commandaient tous les regards des courtisans.

D'Artagnan, qui n'était pas un muguet[1], ne recevait pourtant que caresses et gentillesses des dames ; il était poli comme un brave, et sa réputation terrible lui avait concilié autant d'amitié chez les hommes que d'admiration chez les femmes.

Aussi, en le voyant entrer, les filles d'honneur lui adressèrent-elles la parole. Elles débutèrent par des questions.

Où avait-il été ? Qu'était-il devenu ? Pourquoi ne l'avait-on pas vu faire, avec son beau cheval, toutes ces belles voltes qui émerveillaient les curieux au balcon du roi ?

Il répliqua qu'il arrivait du pays des oranges.

Ces demoiselles se mirent à rire. On était au temps où tout le monde voyageait, et où, pourtant, un voyage de cent lieues était un problème résolu souvent par la mort.

— Du pays des oranges ? s'écria Mlle de Tonnay-Charente ; de l'Espagne ?

---

1. *Muguet* : jeune élégant (sens introduit dans la langue au XVIᵉ siècle).

— Eh ! eh ! fit le mousquetaire.

— De Malte ? dit Montalais.

— Ma foi ! vous approchez, mesdemoiselles.

— C'est d'une île ? demanda La Vallière.

— Mademoiselle, dit d'Artagnan, je ne veux pas vous faire chercher : c'est du pays où M. de Beaufort s'embarque à l'heure qu'il est pour passer en Alger.

— Avez-vous vu l'armée ? demandèrent plusieurs belliqueuses.

— Comme je vous vois, répliqua d'Artagnan.

— Et la flotte ?

— J'ai tout vu.

— Avons-nous des amis par là ? fit Mlle de Tonnay-Charente froidement, mais de manière à attirer l'attention sur ce mot, d'une portée calculée.

— Mais, répliqua d'Artagnan, nous avons M. de La Guillotière, M. de Mouchy, M. de Bragelonne.

La Vallière pâlit.

— M. de Bragelonne ? s'écria la perfide Athénaïs. Eh quoi ! il est parti en guerre... lui ?

Montalais lui marcha sur le pied, mais vainement.

— Savez-vous mon idée ? continua-t-elle sans pitié en s'adressant à d'Artagnan.

— Non, mademoiselle, et je voudrais bien la savoir.

— Mon idée, c'est que tous les hommes qui vont faire cette guerre sont des désespérés que l'amour a traités mal, et qui vont chercher des Noires moins cruelles que ne l'étaient les Blanches.

Quelques dames se mirent à rire ; La Vallière perdait son maintien ; Montalais toussait à réveiller un mort.

— Mademoiselle, interrompit d'Artagnan, vous faites erreur quand vous parlez des femmes noires de Djidgelli ; les femmes, là-bas, ne sont pas noires ; il est vrai qu'elles ne sont pas blanches : elles sont jaunes.

— Jaunes !

— Eh ! n'en dites pas de mal ; je n'ai jamais vu de plus belle couleur à marier avec des yeux noirs et une bouche de corail.

— Tant mieux pour M. de Bragelonne ! fit Mlle de Tonnay-Charente avec insistance, il se dédommagera, le pauvre garçon.

Il se fit un profond silence sur ces paroles.

D'Artagnan eut le temps de réfléchir que les femmes, ces douces colombes, se traitent entre elles beaucoup plus cruellement que les tigres et les ours.

Ce n'était pas assez pour Athénaïs d'avoir fait pâlir La Vallière ; elle voulut la faire rougir.

Reprenant la conversation sans mesure :

— Savez-vous, Louise, dit-elle, que vous voilà un gros péché sur la conscience !

— Quel péché, mademoiselle ? balbutia l'infortunée en cherchant un appui autour d'elle sans le trouver.

— Eh ! mais, poursuivit Athénaïs, ce garçon vous était fiancé. Il vous aimait. Vous l'avez repoussé.

— C'est un droit qu'on a quand on est honnête femme, reprit Montalais d'un air précieux. Lorsqu'on sait ne devoir pas faire le bonheur d'un homme, mieux vaut le repousser.

Louise ne put pas comprendre si elle devait un blâme ou un remerciement à celle qui la défendait ainsi.

— Repousser ! repousser ! c'est fort bon, dit Athénaïs, mais là n'est pas le péché que Mlle de La Vallière aurait à se reprocher. Le vrai péché, c'est d'envoyer ce pauvre Bragelonne à la guerre ; à la guerre, où l'on trouve la mort.

Louise passa une main sur son front glacé.

— Et s'il meurt, continua l'impitoyable, vous l'aurez tué : voilà le péché.

Louise, à demi morte elle-même, vint en chancelant prendre le bras du capitaine des mousquetaires, dont le visage trahissait une émotion inaccoutumée.

— Vous aviez à me parler, monsieur d'Artagnan, dit-elle d'une voix altérée par la colère et la douleur. Qu'aviez-vous à me dire ?

D'Artagnan fit plusieurs pas dans la galerie, tenant Louise sous son bras ; puis, lorsqu'ils furent assez loin des autres :

— Ce que j'avais à vous dire, mademoiselle, répliqua-t-il, Mlle de Tonnay-Charente vient de vous l'exprimer brutalement, mais en entier.

Elle poussa un petit cri, et, navrée par cette nouvelle blessure, prit sa course comme ces pauvres oiseaux frappés à mort, qui cherchent l'ombre du hallier pour mourir.

Elle disparut par une porte, au moment où le roi entrait par une autre.

Le premier regard du prince fut pour le siège vide de sa maîtresse ; n'apercevant pas La Vallière, il fronça le sourcil ; mais aussitôt il vit d'Artagnan qui le saluait.

— Ah ! monsieur, dit-il, vous avez fait bonne diligence et je suis content de vous.

C'était l'expression superlative de la satisfaction royale. Bien des hommes devaient se faire tuer pour obtenir ce mot-là du roi.

Les filles d'honneur et les courtisans, qui avaient fait un cercle respectueux autour du roi à son entrée, s'écartèrent en le voyant chercher le secret avec son capitaine de mousquetaires.

Le roi prit les devants et emmena d'Artagnan hors de la salle, après avoir encore une fois cherché des yeux La Vallière, dont il ne comprenait point l'absence.

Une fois hors de la portée des oreilles curieuses :

— Eh bien ! dit-il, monsieur d'Artagnan, le prisonnier ?

— Dans sa prison, sire.

— Qu'a-t-il dit en chemin ?

— Rien, sire.

— Qu'a-t-il fait ?

— Il y a eu un moment où le pêcheur à bord duquel je passais à Sainte-Marguerite s'est révolté, et m'a voulu tuer. Le... le prisonnier m'a défendu au lieu d'essayer à s'enfuir.

Le roi pâlit.

— Assez, dit-il.

D'Artagnan s'inclina.

Louis se promena de long en large dans son cabinet.

— Vous étiez à Antibes, dit-il, quand M. de Beaufort y est venu ?

— Non, sire, je partais quand le duc est arrivé.

— Ah !

— Qu'avez-vous vu là-bas ?

— Beaucoup de gens, répliqua d'Artagnan avec froideur.

Le roi vit que d'Artagnan ne voulait pas parler.

— Je vous ai fait venir, monsieur le capitaine, pour vous dire d'aller préparer mes logements à Nantes.

— A Nantes ? s'écria d'Artagnan.

— En Bretagne.

— Oui, sire, en Bretagne. Votre Majesté fait ce long voyage de Nantes ?

— Les États s'y assemblent, répondit le roi. J'ai deux demandes à leur faire : j'y veux être.

— Quand partirai-je ? dit le capitaine.

— Ce soir... demain... demain au soir, car vous avez besoin de repos.

— Je suis reposé, sire.

— A merveille... Alors, entre ce soir et demain, à votre gré.

D'Artagnan salua comme pour prendre congé ; puis, voyant le roi très embarrassé :

— Le roi, dit-il, et il fit deux pas en avant, le roi emmène-t-il la cour ?

— Mais oui.

— Alors le roi aura besoin des mousquetaires, sans doute ?

Et l'œil pénétrant du capitaine fit baisser le regard du roi.

— Prenez-en une brigade, répliqua Louis.

— Voilà tout ?... Le roi n'a pas d'autres ordres à me donner ?

— Non... Ah !... Si fait !...

— J'écoute.

— Au château de Nantes, qui est fort mal distribué, dit-on, vous prendrez l'habitude de mettre des mousquetaires à la porte de chacun des principaux dignitaires que j'emmènerai.

— Des principaux ?

— Oui.

— Comme, par exemple, à la porte de M. de Lyonne ?

— Oui.

— De M. Le Tellier ?

— Oui.

— De M. de Brienne ?

— Oui.

— Et de M. le surintendant ?

— Sans doute.

— Fort bien, sire. Je serai parti demain.

— Oh ! encore un mot, monsieur d'Artagnan. Vous rencontrerez à Nantes M. le duc de Gesvres, capitaine des gardes. Ayez soin que vos mousquetaires soient placés avant que ses gardes n'arrivent.

— Oui, sire.

— Et si M. de Gesvres vous questionnait ?

— Allons donc, sire ! est-ce que M. de Gesvres me questionnera ?

Et cavalièrement, le mousquetaire tourna sur ses talons et disparut.

« A Nantes ! se dit-il en descendant les degrés. Pourquoi n'a-t-il pas osé dire tout de suite à Belle-Ile ? »

Comme il touchait à la grande porte, un commis de M. de Brienne courut après lui.

— Monsieur d'Artagnan ! dit-il, pardon...

— Qu'y a-t-il, monsieur Ariste ?

— C'est un bon que le roi m'a chargé de vous remettre.

— Sur votre caisse ? demanda le mousquetaire.

— Non, monsieur, sur la caisse de M. Fouquet.

D'Artagnan, surpris, lut le bon, qui était de la main du roi, et pour deux cents pistoles.

« Quoi ! pensa-t-il après avoir remercié gracieusement le commis de M. Brienne, c'est par M. Fouquet qu'on fera payer ce voyage-là ! Mordioux ! voilà du pur Louis XI. Pourquoi n'avoir pas fait ce bon sur la caisse de M. Colbert ? Il eût payé avec tant de joie ! »

Et d'Artagnan, fidèle à son principe de ne laisser jamais refroidir un bon à vue, s'en alla chez M. Fouquet pour toucher ses deux cents pistoles.

CCXLI

LA CÈNE

Le surintendant avait sans doute reçu avis du prochain départ pour Nantes, car il donnait un dîner d'adieu à ses amis.

Du bas de la maison jusqu'en haut, l'empressement des valets portant des plats, et l'activité des registres, témoignaient d'un bouleversement prochain dans la caisse et dans la cuisine.

D'Artagnan, son bon à la main, se présenta dans les bureaux, où cette réponse lui fut faite qu'il était trop tard pour toucher, que la caisse était fermée.

Il répondit par ce seul mot :

— Service du roi.

Le commis, un peu troublé, tant la mine du capitaine était grave, répliqua que c'était une raison respectable, mais que les habitudes de la maison étaient respectables aussi ; qu'en conséquence, il priait le porteur de repasser le lendemain.

D'Artagnan demanda qu'on lui fît voir M. Fouquet.

Le commis riposta que M. le surintendant ne se mêlait point de ces sortes de détails, et, brusquement, il ferma sa dernière porte au nez de d'Artagnan.

Celui-ci avait prévu le coup, et mis sa botte entre la porte et le chambranle, de sorte que la serrure ne joua point, et que le commis se rencontra encore nez à nez avec son interlocuteur. Aussi changea-t-il de thème pour dire à d'Artagnan, avec une politesse effrayée :

— Si Monsieur veut parler à M. le surintendant, qu'il aille aux antichambres ; ici sont les bureaux, où Monseigneur ne vient jamais.

— A la bonne heure ! dites donc cela ! répliqua d'Artagnan.

— De l'autre côté de la cour, fit le commis, enchanté d'être libre.

D'Artagnan traversa la cour, et tomba au milieu des valets.

— Monseigneur ne reçoit pas à cette heure, lui fut-il répondu par un drôle qui portait sur un plat de vermeil trois faisans et douze cailles.

— Dites-lui, fit le capitaine en arrêtant le valet par le bout de son plat, que je suis M. d'Artagnan, capitaine-lieutenant des mousquetaires de Sa Majesté.

Le valet poussa un cri de surprise et disparut.

D'Artagnan l'avait suivi à pas lents. Il arriva juste à temps pour trouver dans l'antichambre M. Pélisson, qui, un peu pâle, venait de la salle à manger et accourait aux renseignements.

D'Artagnan sourit.

— Ce n'est rien de fâcheux, monsieur Pélisson, rien qu'un petit bon à toucher.

— Ah ! fit en respirant l'ami de Fouquet.

Et il prit le capitaine par la main, l'attira derrière lui, et le fit entrer dans la salle, où bon nombre d'amis intimes entouraient le surintendant, placé au centre et enseveli dans un fauteuil à coussins.

Là se trouvaient réunis tous les épicuriens, qui, naguère, à Vaux, faisaient les honneurs de la maison, de l'esprit et de l'argent de M. Fouquet.

Amis joyeux, tendres pour la plupart, ils n'avaient pas fui leur protecteur à l'approche de l'orage, et, malgré les menaces du ciel, malgré le tremblement de terre, ils se tenaient là, souriants, prévenants, dévoués à l'infortune comme ils l'avaient été à la prospérité.

A la gauche du surintendant, Mme de Bellière ; à sa droite, Mme Fouquet : comme si, bravant la loi du monde et faisant taire toute raison des convenances vulgaires, les deux anges protecteurs de cet homme se réunissaient pour lui prêter, à un moment de crise, l'appui de leurs bras entrelacés.

Mme de Bellière était pâle, tremblante et pleine de respectueuses intentions pour Mme la surintendante, qui, une main sur la main de son mari, regardait anxieusement la porte par laquelle Pélisson allait amener d'Artagnan.

Le capitaine entra plein de courtoisie d'abord, et d'admiration ensuite, quand, de son regard infaillible, il eut deviné en même temps qu'embrassé la signification de toutes les physionomies.

Fouquet, se soulevant sur son fauteuil :

— Pardonnez-moi, dit-il, monsieur d'Artagnan, si je n'ai pas été vous recevoir comme venant au nom du roi.

Et il accentua ces derniers mots avec une sorte de fermeté triste qui pénétra d'effroi le cœur de ses amis.

— Monseigneur, répliqua d'Artagnan, je ne viens pas chez vous au nom du roi, si ce n'est pour réclamer le paiement d'un bon de deux cents pistoles.

Tous les fronts se déridèrent ; celui de Fouquet resta seul obscurci.

— Ah ! dit-il, monsieur, vous partez aussi pour Nantes, peut-être ?

— Je ne sais pas où je pars, monseigneur.

— Mais, dit Mme Fouquet rassérénée, vous ne partez pas si vite, monsieur le capitaine, que vous ne nous fassiez l'honneur de vous asseoir avec nous.

— Madame, ce serait un bien grand honneur pour moi ; mais je suis tellement pressé que, vous le voyez, j'ai dû me permettre d'interrompre votre repas pour faire payer ma cédule.

— A laquelle il sera fait réponse par de l'or, dit Fouquet en faisant un signe à son intendant, qui aussitôt partit avec le bon que lui tendait d'Artagnan.

— Oh! fit celui-ci, je n'étais pas inquiet du paiement : la maison est bonne.

Un douloureux sourire se dessina sur les traits pâlis de Fouquet.

— Vous souffrez? demanda Mme de Bellière.

— Votre accès? demanda Mme Fouquet.

— Rien, merci! répliqua le surintendant.

— Votre accès? fit à son tour d'Artagnan. Est-ce que vous êtes malade, monseigneur?

— J'ai une fièvre tierce qui m'a pris après la fête de Vaux.

— Quelque fraîcheur dans les grottes, la nuit?

— Non, non; une émotion, voilà tout.

— Le trop de cœur que vous avez mis à recevoir le roi, dit La Fontaine tranquillement, sans se douter qu'il lançait un sacrilège.

— On ne saurait mettre trop de cœur à recevoir le roi, dit doucement Fouquet à son poète.

— Monsieur a voulu dire le trop d'ardeur, interrompit d'Artagnan avec une franchise parfaite et beaucoup d'aménité. Le fait est, monseigneur, que jamais l'hospitalité ne fut pratiquée comme à Vaux.

Mme Fouquet laissa son visage exprimer clairement que, si Fouquet s'était bien conduit envers le roi, le roi ne rendait pas la pareille au ministre.

Mais d'Artagnan savait le terrible secret. Il le savait seul avec Fouquet ; ces deux hommes n'avaient pas, l'un le courage de plaindre l'autre, l'autre le droit d'accuser.

Le capitaine, à qui l'on apporta les deux cents pistoles, allait prendre congé, quand Fouquet, se levant, prit un verre et en fit donner un à d'Artagnan.

— Monsieur, dit-il, à la santé du roi, *quoi qu'il arrive* !

— Et à votre santé, monseigneur, *quoi qu'il arrive* ! dit d'Artagnan en buvant.

Il salua, sur ces paroles de mauvais augure, toute la compagnie, qui se leva dès qu'il eut fait son salut, et on entendit ses éperons et ses bottes jusque dans les profondeurs de l'escalier.

— J'ai cru un moment que c'était à moi et non à mon argent qu'il en voulait, dit Fouquet en essayant de rire.

— A vous! s'écrièrent ses amis, et pourquoi, mon Dieu?

— Oh! fit le surintendant, ne nous abusons pas, mes chers frères en Épicure ; je ne veux pas faire de comparaison entre le plus humble pécheur de la terre et le Dieu que nous adorons, mais, voyez-vous, il donna un jour à ses amis un repas qu'on appelle la Cène, et qui n'était qu'un dîner d'adieu comme celui que nous faisons en ce moment.

Un cri, douloureuse dénégation, partit de tous les coins de la table.

— Fermez les portes, dit Fouquet.

Et les valets disparurent.

— Mes amis, continua Fouquet en baissant la voix, qu'étais-je autrefois ? que suis-je aujourd'hui[1] ? Consultez-vous et répondez. Un homme comme moi baisse, par cela même qu'il ne s'élève plus ; que dira-t-on, quand il s'abaisse réellement ? Je n'ai plus d'argent, je n'ai plus de crédit, je n'ai plus que des ennemis puissants et des amis sans puissance.

— Vite ! s'écria Pélisson en se levant, puisque vous vous expliquez avec cette franchise, c'est à nous d'être francs aussi. Oui, vous êtes perdu ; oui, vous courez à votre ruine, arrêtez-vous. Et, tout d'abord, que nous reste-t-il en argent ?

— Sept cent mille livres, dit l'intendant.

— Du pain, murmura Mme Fouquet.

— Des relais, dit Pélisson, des relais, et fuyez.

— Où cela ?

— En Suisse, en Savoie, mais fuyez.

— Si Monseigneur fuit, dit Mme de Bellière, on dira qu'il était coupable et qu'il a eu peur.

— On dira plus, on dira que j'ai emporté vingt millions avec moi.

— Nous ferons des mémoires pour vous justifier, dit La Fontaine ; fuyez.

— Je resterai, dit Fouquet, et, d'ailleurs, tout ne me sert-il pas ?

— Vous avez Belle-Ile ! cria l'abbé Fouquet.

— Et j'y vais naturellement, en allant à Nantes, répondit le surintendant ; patience, donc, patience !

— Avant Nantes, que de chemin ! dit Mme Fouquet.

— Oui, je le sais bien, répliqua Fouquet ; mais qu'y faire ? Le roi m'appelle aux États. Je sais bien que c'est pour me perdre ; mais refuser de partir, c'est montrer de l'inquiétude.

— Eh bien ! j'ai trouvé le moyen de tout concilier, s'écria Pélisson. Vous allez partir pour Nantes.

Fouquet le regarda d'un air surpris.

— Mais avec des amis, mais dans votre carrosse jusqu'à Orléans, dans votre gabare jusqu'à Nantes ; toujours prêt à vous défendre si l'on vous attaque, à échapper si l'on vous menace ; en un mot, vous emporterez votre argent pour toute chance, et, tout en fuyant, vous n'aurez fait qu'obéir au roi ; puis, touchant la mer quand vous voudrez, vous embarquerez pour Belle-Ile, et, de Belle-Ile, vous vous élancerez où vous voudrez, pareil à l'aigle qui sort et prend l'espace quand on l'a débusqué de son aire.

---

1. « Fouquet n'étant plus maître de lui, au lieu d'opiner s'écria : "Je ne suis donc plus rien ?" », abbé de Choisy, *op. cit.*

Un assentiment unanime accueillit les paroles de Pélisson.

— Oui, faites cela, dit Mme Fouquet à son mari.

— Faites cela, dit Mme de Bellière.

— Faites ! faites ! s'écrièrent tous les amis.

— Je le ferai, répliqua Fouquet.

— Dès ce soir.

— Dans une heure.

— Sur-le-champ.

— Avec sept cent mille livres, vous recommencerez une fortune, dit l'abbé Fouquet. Qui nous empêchera d'armer des corsaires à Belle-Ile ?

— Et, s'il le faut, nous irons découvrir un nouveau monde, ajouta La Fontaine, ivre de projets et d'enthousiasme.

Un coup frappé à la porte interrompit ce concours de joie et d'espérance.

— Un courrier du roi ! cria le maître des cérémonies.

Alors il se fit un profond silence, comme si le message qu'apportait ce courrier n'était qu'une réponse à tous les projets enfantés l'instant d'avant.

Chacun attendit ce que ferait le maître, dont le front ruisselait de sueur, et qui, véritablement, souffrait de sa fièvre.

Fouquet passa dans son cabinet pour recevoir le message de Sa Majesté.

Il y avait, nous l'avons dit, un tel silence dans les chambres et dans tout le service, que l'on entendait la voix de Fouquet qui répondait :

— C'est bien, monsieur.

Cette voix était pourtant brisée par la fatigue, altérée par l'émotion.

Un instant après, Fouquet appela Gourville, qui traversa la galerie au milieu de l'attente universelle.

Enfin il reparut lui-même parmi ses convives, mais ce n'était plus le même visage, pâle et défait, qu'on lui avait vu au départ ; de pâle, il s'était fait livide, et, de défait, décomposé. Spectre vivant, il s'avançait les bras étendus, la bouche desséchée, comme l'ombre qui vient de saluer des amis d'autrefois.

A cette vue chacun se leva, chacun s'écria, chacun courut à Fouquet.

Celui-ci, regardant Pélisson, s'appuya sur la surintendante, et serra la main glacée de la marquise de Bellière.

— Eh bien ! fit-il d'une voix qui n'avait plus rien d'humain.

— Qu'arrive-t-il, mon Dieu ? lui dit-on.

Fouquet ouvrit sa main droite, qui était crispée, humide ; on y vit un papier sur lequel Pélisson se jeta épouvanté.

Il y lut les lignes suivantes de la main du roi :

Cher et aimé Monsieur Fouquet, donnez-nous, sur ce qui vous reste à nous, une somme de sept cent mille livres dont nous avons besoin ce jourd'hui pour notre départ.

Et, comme nous savons que votre santé n'est pas bonne, nous prions Dieu qu'il vous remette en santé et vous ait en sa sainte et digne garde.

LOUIS

La présente lettre est pour reçu.

Un murmure d'effroi circula dans la salle.

— Eh bien ! s'écria Pélisson à son tour, vous avez cette lettre ?

— J'ai le reçu, oui.

— Que ferez-vous, alors ?

— Rien, puisque j'ai le reçu.

— Mais...

— Si j'ai le reçu, Pélisson, c'est que j'ai payé, fit le surintendant avec une simplicité qui arracha le cœur aux assistants.

— Vous avez payé ? s'écria Mme Fouquet au désespoir. Alors nous sommes perdus !

— Allons, allons, plus de mots inutiles, interrompit Pélisson. Après l'argent, la vie. Monseigneur, à cheval, à cheval !

— Nous quitter ! crièrent à la fois les deux femmes, ivres de douleur.

— Eh ! monseigneur, en vous sauvant, vous nous sauvez tous. A cheval !

— Mais il ne peut se tenir ! Voyez.

— Oh ! si l'on réfléchit... dit l'intrépide Pélisson.

— Il a raison, murmura Fouquet.

— Monseigneur ! monseigneur ! cria Gourville en montant l'escalier par quatre degrés à la fois ; monseigneur !

— Eh bien ! quoi ?

— J'escortais, comme vous savez, le courrier du roi avec l'argent.

— Oui.

— Eh bien ! arrivé au Palais-Royal, j'ai vu...

— Respire un peu, mon pauvre ami, tu suffoques.

— Qu'avez-vous vu ? crièrent les amis impatients.

— J'ai vu les mousquetaires monter à cheval, dit Gourville.

— Voyez-vous ! s'écria-t-on, voyez-vous ! Y a-t-il un instant à perdre ?

Mme Fouquet se précipita par les montées en demandant ses chevaux.

Mme de Bellière s'élança pour la prendre dans ses bras et lui dit :

— Madame, au nom de son salut, ne témoignez rien, ne manifestez aucune alarme.

Pélisson courut pour faire atteler les carrosses.

Et, pendant ce temps, Gourville recueillit dans son chapeau ce que les amis pleurants et effarés purent y jeter d'or et d'argent, dernière offrande, pieuse aumône faite au malheur par la pauvreté.

Le surintendant, entraîné par les uns, porté par les autres, fut enfermé dans son carrosse. Gourville monta sur le siège et prit les rênes ; Pélisson contint Mme Fouquet évanouie.

Mme de Bellière eut plus de force ; elle en fut bien payée : elle recueillit le dernier baiser de Fouquet.

Pélisson expliqua facilement ce départ précipité par un ordre du roi qui appelait les ministres à Nantes.

CCXLII

DANS LE CARROSSE DE M. COLBERT

Ainsi que l'avait vu Gourville, les mousquetaires du roi montaient à cheval et suivaient leur capitaine.

Celui-ci, qui ne voulait pas avoir de gêne dans ses allures, laissa sa brigade aux ordres d'un lieutenant, et partit de son côté, sur des chevaux de poste, en recommandant à ses hommes la plus grande diligence.

Si rapidement qu'ils allassent, ils ne pouvaient arriver avant lui.

Il eut le temps, en passant devant la rue Croix-des-Petits-Champs[1], de voir une chose qui lui donna beaucoup à penser. Il vit M. Colbert sortant de sa maison pour entrer dans un carrosse qui stationnait devant la porte.

Dans ce carrosse, d'Artagnan aperçut des coiffes de femme, et, comme il était curieux, il voulut savoir le nom des femmes cachées par les coiffes.

Pour parvenir à les voir, car elles faisaient gros dos et fine oreille, il poussa son cheval si près du carrosse, que sa botte à entonnoir frotta le mantelet et ébranla tout, contenant et contenu.

Les dames, effarouchées, poussèrent, l'une un petit cri, auquel d'Artagnan reconnut une jeune femme, l'autre une imprécation à laquelle il reconnut la vigueur et l'aplomb que donne un demi-siècle.

Les coiffes s'écartèrent : l'une des femmes était Mme Vanel, l'autre était la duchesse de Chevreuse.

D'Artagnan eut plus vite vu que les dames. Il les reconnut et elles ne le reconnurent pas ; et, comme elles riaient de leur frayeur en se pressant affectueusement les mains :

« Bien ! se dit d'Artagnan, la vieille duchesse n'est plus aussi difficile qu'autrefois en amitiés ; elle fait la cour à la maîtresse de M. Colbert ! Pauvre M. Fouquet ! cela ne lui présage rien de bon. »

Et il s'éloigna. M. Colbert prit place dans le carrosse, et ce noble trio commença un pèlerinage assez lent vers le bois de Vincennes.

En chemin, Mme de Chevreuse déposa Mme Vanel chez monsieur son mari, et, restée seule avec Colbert, elle poursuivit sa promenade

---

1. Voir *Vingt Ans après*, chap. LIII, p. 966, note 1, et ci-dessus, chap. CLXXX, p. 294, note 3.

en causant d'affaires. Elle avait un fonds de conversation inépuisable, cette chère duchesse, et, comme elle parlait toujours pour le mal d'autrui, toujours pour son bien à elle, sa conversation amusait l'interlocuteur et ne laissait pas d'être pour elle d'un bon rapport.

Elle apprit à Colbert, qui l'ignorait, combien il était un grand ministre, et combien Fouquet allait devenir peu de chose.

Elle lui promit de rallier à lui, quand il serait surintendant, toute la vieille noblesse du royaume, et lui demanda son avis sur la prépondérance qu'il faudrait laisser prendre à La Vallière.

Elle le loua, elle le blâma, elle l'étourdit. Elle lui montra le secret de tant de secrets, que Colbert craignit un moment d'avoir affaire au diable.

Elle lui prouva qu'elle tenait dans sa main le Colbert d'aujourd'hui, comme elle avait tenu le Fouquet d'hier.

Et, comme, naïvement, il lui demandait la raison de cette haine qu'elle portait au surintendant :

— Pourquoi le haïssez-vous vous-même ? dit-elle.

— Madame, en politique, répliqua-t-il, les différences de systèmes peuvent amener des dissidences entre les hommes. M. Fouquet m'a paru pratiquer un système opposé aux vrais intérêts du roi.

Elle l'interrompit.

— Je ne vous parle plus de M. Fouquet. Le voyage que le roi fait à Nantes nous en rendra raison. M. Fouquet, pour moi, c'est un homme passé. Pour vous aussi.

Colbert ne répondit rien.

— Au retour de Nantes, continua la duchesse, le roi, qui ne cherche qu'un prétexte, trouvera que les États se sont mal comportés, qu'ils ont fait trop peu de sacrifices. Les États diront que les impôts sont trop lourds et que la surintendance les a ruinés. Le roi s'en prendra à M. Fouquet, et alors...

— Et alors ? dit Colbert.

— Oh ! on le disgraciera. N'est-ce pas votre sentiment ?

Colbert lança vers la duchesse un regard qui voulait dire : « Si on ne fait que disgracier M. Fouquet, vous n'en serez pas la cause. »

— Il faut, se hâta de dire Mme de Chevreuse, il faut que votre place soit toute marquée, monsieur Colbert. Voyez-vous quelqu'un entre le roi et vous, après la chute de M. Fouquet ?

— Je ne comprends pas, dit-il.

— Vous allez comprendre. Où vont vos ambitions ?

— Je n'en ai pas.

— Il était inutile alors de renverser le surintendant, monsieur Colbert. C'est oiseux.

— J'ai eu l'honneur de vous dire, madame...

— Oh ! oui, l'intérêt du roi, je sais ; mais, enfin, parlons du vôtre.

— Le mien, c'est de faire les affaires de Sa Majesté.

— Enfin, perdez-vous ou ne perdez-vous pas M. Fouquet ? Répondez sans détour.

— Madame, je ne perds personne.

— Je ne comprends pas alors pourquoi vous m'avez acheté si cher les lettres de M. Mazarin concernant M. Fouquet. Je ne conçois pas non plus pourquoi vous avez mis ces lettres sous les yeux du roi.

Colbert, stupéfait, regarda la duchesse, et, d'un air contraint :

— Madame, dit-il, je conçois encore moins comment, vous qui avez touché l'argent, vous me le reprochez.

— C'est que, fit la vieille duchesse, il faut vouloir ce qu'on veut, à moins qu'on ne puisse ce qu'on veut.

— Voilà, dit Colbert, démonté par cette logique brutale.

— Vous ne pouvez ? hein ? Dites.

— Je ne puis, je l'avoue, détruire auprès du roi certaines influences.

— Qui combattent pour M. Fouquet ? Lesquelles ? Attendez, que je vous aide.

— Faites, madame.

— La Vallière ?

— Oh ! peu d'influence, aucune connaissance des affaires et pas de ressort. M. Fouquet lui a fait la cour.

— Le défendre, ce serait l'accuser elle-même, n'est-ce pas ?

— Je crois que oui.

— Il y a encore une autre influence, qu'en dites-vous ?

— Considérable.

— La reine mère, peut-être ?

— Sa Majesté la reine mère a pour M. Fouquet une faiblesse bien préjudiciable à son fils.

— Ne croyez pas cela, fit la vieille en souriant.

— Oh ! fit Colbert avec incrédulité, je l'ai si souvent éprouvé !

— Autrefois ?

— Récemment encore, madame, à Vaux. C'est elle qui a empêché le roi de faire arrêter M. Fouquet[1].

— On n'a pas tous les jours le même avis, cher monsieur. Ce que la reine a pu vouloir récemment, elle ne le voudrait peut-être plus aujourd'hui.

— Pourquoi ? fit Colbert étonné.

— Peu importe la raison.

— Il importe beaucoup, au contraire ; car, si j'étais certain de ne pas déplaire à Sa Majesté la reine mère, tous mes scrupules seraient levés.

— Eh bien ! vous n'êtes pas sans avoir entendu parler de certain secret ?

— Un secret ?

_____
1. Voir ci-dessus, chap. CCXXI, p. 553, note 1.

— Appelez cela comme vous voudrez. Bref, la reine mère a pris en horreur tous ceux qui ont participé, d'une façon ou d'une autre, à la découverte de ce secret, et M. Fouquet, je crois, est un de ceux-là.

— Alors, fit Colbert, on pourrait être sûr de l'assentiment de la reine mère ?

— Je quitte à l'instant Sa Majesté, qui me l'a assuré.

— Soit, madame.

— Il y a plus : vous connaissez peut-être un homme qui était l'ami intime de M. Fouquet, M. d'Herblay, un évêque, je crois ?

— Évêque de Vannes.

— Eh bien ! ce M. d'Herblay, qui connaissait aussi ce secret, la reine mère le fait poursuivre avec acharnement.

— En vérité !

— Si bien poursuivre que, fût-il mort, on voudrait avoir sa tête pour être assuré qu'elle ne parlera plus.

— C'est le désir de la reine mère ?

— Un ordre.

— On cherchera ce M. d'Herblay, madame.

— Oh ! nous savons bien où il est.

Colbert regarda la duchesse.

— Dites, madame.

— Il est à Belle-Ile-en-Mer.

— Chez M. Fouquet ?

— Chez M. Fouquet.

— On l'aura !

Ce fut au tour de la duchesse à sourire.

— Ne croyez pas cela si facilement, dit-elle, et ne le promettez pas si légèrement.

— Pourquoi donc, madame ?

— Parce que M. d'Herblay n'est pas de ces gens qu'on prend quand on veut.

— Un rebelle, alors ?

— Oh ! nous autres, monsieur Colbert, nous avons passé toute notre vie à faire les rebelles, et, pourtant, vous le voyez bien, loin d'être pris, nous prenons les autres.

Colbert attacha sur la vieille duchesse un de ces regards farouches dont rien ne traduisait l'expression, et, avec une fermeté qui ne manquait point de grandeur :

— Le temps n'est plus, dit-il, où les sujets gagnaient des duchés à faire la guerre au roi de France. M. d'Herblay, s'il conspire, mourra sur un échafaud. Cela fera ou ne fera pas plaisir à ses ennemis, peu nous importe.

Et ce *nous*, étrange dans la bouche de Colbert, fit un instant rêver la duchesse. Elle se surprit à compter intérieurement avec cet homme.

Colbert avait ressaisi la supériorité dans l'entretien ; il voulut la garder.

— Vous me demandez, dit-il, madame, de faire arrêter ce M. d'Herblay ?

— Moi ? Je ne vous demande rien.

— Je croyais, madame ; mais, puisque je me suis trompé, laissons faire. Le roi n'a encore rien dit.

La duchesse se mordit les ongles.

— D'ailleurs, continua Colbert, quelle pauvre prise que celle de cet évêque ! Gibier de roi, un évêque ! oh ! non, non, je ne m'en occuperai même point.

La haine de la duchesse se découvrit.

— Gibier de femme, dit-elle, et la reine est une femme. Si elle veut qu'on arrête M. d'Herblay, c'est qu'elle a ses raisons. D'ailleurs, M. d'Herblay n'est-il pas ami de celui qui va tomber en disgrâce ?

— Oh ! qu'à cela ne tienne ! dit Colbert. On ménagera cet homme, s'il n'est pas l'ennemi du roi. Cela vous déplaît ?

— Je ne dis rien.

— Oui... vous le voulez voir en prison, à la Bastille, par exemple ?

— Je crois un secret mieux caché derrière les murs de la Bastille que derrière ceux de Belle-Ile.

— J'en parlerai au roi, qui éclaircira le point.

— En attendant l'éclaircissement, monsieur, l'évêque de Vannes se sera enfui. J'en ferais autant.

— Enfui ! lui ! et où s'enfuirait-il ? L'Europe est à nous, de volonté, sinon de fait.

— Il trouvera toujours un asile, monsieur. On voit bien que vous ignorez à qui vous avez affaire. Vous ne connaissez pas M. d'Herblay, vous n'avez pas connu Aramis. C'était un de ces quatre mousquetaires qui, sous le feu roi, ont fait trembler le cardinal de Richelieu, et qui, pendant la Régence, ont donné tant de souci à Mgr de Mazarin.

— Mais, madame, comment fera-t-il, à moins qu'il n'ait un royaume à lui ?

— Il l'a, monsieur.

— Un royaume à lui, M. d'Herblay ?

— Je vous répète, monsieur, que, s'il lui faut un royaume, il l'a ou il l'aura.

— Enfin, du moment que vous prenez un intérêt si grand à ce qu'il n'échappe pas, madame, ce rebelle, je vous assure, n'échappera pas.

— Belle-Ile est fortifiée, monsieur Colbert, et fortifiée par lui.

— Belle-Ile fût-elle aussi défendue par lui, Belle-Ile n'est pas imprenable, et, si M. l'évêque de Vannes est enfermé dans Belle-Ile, eh bien ! madame, on fera le siège de la place et on le prendra.

— Vous pouvez être bien certain, monsieur, que le zèle que vous déployez pour les intérêts de la reine mère touchera vivement Sa Majesté, et que vous en aurez une magnifique récompense ; mais que lui dirai-je de vos projets sur cet homme ?

— Qu'une fois pris il sera enfoui dans une forteresse d'où jamais son secret ne sortira.

— Très bien, monsieur Colbert, et nous pouvons dire qu'à dater de cet instant nous avons fait tous deux une alliance solide, vous et moi, et que je suis bien à votre service.

— C'est moi, madame, qui me mets au vôtre. Ce chevalier d'Herblay, c'est un espion de l'Espagne, n'est-ce pas ?

— Mieux que cela.

— Un ambassadeur secret ?

— Montez toujours.

— Attendez... le roi Philippe IV[1] est dévot. C'est... le confesseur de Philippe IV[1] ?

— Plus haut encore.

— Mordieu ! s'écria Colbert, qui s'oublia jusqu'à jurer en présence de cette grande dame, de cette vieille amie de la reine mère, de la duchesse de Chevreuse enfin. C'est donc le général des jésuites ?

— Je crois que vous avez deviné, répondit la duchesse.

— Ah ! madame, alors cet homme nous perdra tous si nous ne le perdons, et encore faut-il se hâter !

— C'est mon avis, monsieur ; mais je n'osais vous le dire.

— Et nous avons eu du bonheur qu'il se soit attaqué au trône, au lieu de s'attaquer à nous.

— Mais notez bien ceci, monsieur Colbert : jamais M. d'Herblay ne se décourage, et, s'il a manqué son coup, il recommencera. S'il a laissé échapper l'occasion de se faire un roi pour lui, il en fera tôt ou tard un autre, dont, à coup sûr, vous ne serez pas le Premier ministre.

Colbert fronça le sourcil avec une expression menaçante.

— Je compte bien que la prison nous réglera cette affaire-là d'une manière satisfaisante pour tous deux, madame.

La duchesse sourit.

— Si vous saviez, dit-elle, combien de fois Aramis est sorti de prison !

— Oh ! reprit Colbert, nous aviserons à ce qu'il n'en sorte pas cette fois-ci.

— Mais vous n'avez donc pas entendu ce que je vous ai dit tout à l'heure ? Vous ne vous rappelez donc pas qu'Aramis était un des quatre invincibles que redoutait Richelieu ? Et, à cette époque, les quatre mousquetaires n'avaient point ce qu'ils ont aujourd'hui : l'argent et l'expérience.

Colbert se mordit les lèvres.

---

1. Texte : « Philippe III » (mort en 1621). Nous corrigeons le lapsus.

— Nous renoncerons à la prison, dit-il d'un ton plus bas. Nous trouverons une retraite dont l'invincible ne puisse pas sortir.

— A la bonne heure, notre allié ! répondit la duchesse. Mais voici qu'il se fait tard ; est-ce que nous ne rentrons pas ?

— D'autant plus volontiers, madame, que j'ai mes préparatifs à faire pour partir avec le roi.

— A Paris ! cria la duchesse au cocher.

Et le carrosse retourna vers le faubourg Saint-Antoine, après la conclusion de ce traité qui livrait à la mort le dernier ami de Fouquet, le dernier défenseur de Belle-Ile, l'ancien ami de Marie Michon, le nouvel ennemi de la duchesse.

CCXLIII

LES DEUX GABARES

D'Artagnan était parti : Fouquet aussi était parti, et lui avec une rapidité que doublait le tendre intérêt de ses amis.

Les premiers moments de ce voyage, ou, pour mieux dire, de cette fuite, furent troublés par la crainte incessante de tous les chevaux, de tous les carrosses qu'on apercevait derrière le fugitif.

Il n'était pas naturel, en effet, que Louis XIV, s'il en voulait à cette proie, la laissât échapper ; le jeune lion savait déjà la chasse, et il avait des limiers assez ardents pour s'en reposer sur eux.

Mais, insensiblement, toutes les craintes s'évanouirent ; le surintendant, à force de courir, mit une telle distance entre lui et les persécuteurs que, raisonnablement, nul ne le pouvait atteindre. Quant à la contenance, ses amis la lui avaient faite excellente. Ne voyageait-il pas pour aller joindre le roi à Nantes, et la rapidité même ne témoignait-elle pas de son zèle.

Il arriva fatigué, mais rassuré, à Orléans, où il trouva, grâce aux soins d'un courrier qui l'avait précédé, une belle gabare à huit rameurs.

Ces gabares, en forme de gondoles, un peu larges, un peu lourdes, contenant une petite chambre couverte en forme de tillac et une chambre de poupe formée par une tente, faisaient alors le service d'Orléans à Nantes par la Loire ; et ce trajet, long de nos jours, paraissait alors plus doux et plus commode que la grande route avec ses bidets de poste ou ses mauvais carrosses à peine suspendus. Fouquet monta dans cette gabare, qui partit aussitôt. Les rameurs, sachant qu'ils avaient l'honneur de mener le surintendant des finances, s'escrimaient de leur mieux, et ce mot magique, les *finances*, leur promettait quelque bonne gratification dont ils voulaient se rendre dignes.

La gabare vola sur les flots de la Loire. Un temps magnifique, un de ces soleils levants qui empourprent les paysages, laissait au fleuve toute sa sérénité limpide. Le courant et les rameurs portèrent Fouquet comme les ailes portent l'oiseau ; il arriva devant Beaugency sans qu'aucun accident eût signalé le voyage.

Fouquet espérait arriver le premier de tous à Nantes ; là, il verrait les notables et se donnerait un appui parmi les principaux membres des États ; il se rendrait nécessaire, chose facile à un homme de son mérite, et retarderait la catastrophe, s'il ne réussissait pas à l'éviter entièrement.

— D'ailleurs, lui disait Gourville, à Nantes vous devinerez ou nous devinerons les intentions de vos ennemis ; nous aurons les chevaux prêts pour gagner l'inextricable Poitou, une barque pour gagner la mer, et, une fois en mer, Belle-Ile est le port inviolable. Vous voyez, en outre, que nul ne vous guette et que nul ne nous suit.

Il achevait à peine, que l'on découvrit de loin, derrière un coude formé par le fleuve, la mâture d'une gabare importante qui descendait.

Les rameurs du bateau de Fouquet poussèrent un cri de surprise en voyant cette gabare.

— Qu'y a-t-il ? demanda Fouquet.

— Il y a, monseigneur, répondit le patron de la barque, que c'est une chose vraiment extraordinaire, et que cette gabare marche comme un ouragan.

Gourville tressaillit et monta sur le tillac pour mieux voir.

Fouquet ne monta pas, lui ; mais il dit à Gourville avec une défiance contenue :

— Voyez donc ce que c'est, mon cher.

La gabare venait de dépasser le coude. Elle nageait si vite, que, derrière elle, on voyait frémir la blanche traînée de son sillage, illuminé des feux du jour.

— Comme ils vont ! répéta le patron, comme ils vont ! il paraît que la paie est bonne. Je ne croyais pas, ajouta le patron, que des avirons de bois pussent se comporter mieux que les nôtres ; mais, en voici là-bas qui me prouvent le contraire.

— Je crois bien ! s'écria un des rameurs ; ils sont douze et nous ne sommes que huit.

— Douze ! fit Gourville, douze rameurs ? Impossible !

Le chiffre de huit rameurs, pour une gabare, n'avait jamais été dépassé, même pour le roi.

On avait fait cet honneur à M. le surintendant bien plus encore par hâte que par respect.

— Que signifie cela ? dit Gourville en cherchant à distinguer, sous la tente qu'on apercevait déjà, les voyageurs, que l'œil le plus subtil n'eût pas encore réussi à reconnaître.

— Faut-il qu'ils soient pressés ! Car ce n'est pas le roi, dit le patron. Fouquet frissonna.

— A quoi voyez-vous que ce n'est pas le roi ? dit Gourville.

— D'abord, parce qu'il n'y a pas de pavillon blanc aux fleurs de lis, que la gabare royale porte toujours.

— Et ensuite, dit M. Fouquet, parce qu'il est impossible que ce soit le roi, Gourville, attendu que le roi était encore hier à Paris.

Gourville répondit au surintendant par un regard qui signifiait : « Vous y étiez bien vous-même. »

— Et à quoi voit-on qu'ils sont pressés ? ajouta-t-il pour gagner du temps.

— A ce que, monsieur, dit le patron, ces gens-là ont dû partir longtemps après nous, et qu'ils nous ont rejoints, ou à peu près.

— Bah ! fit Gourville, qui vous dit qu'ils ne sont point partis de Beaugency ou de Tours[1] même ?

— Nous n'avons vu aucune gabare de cette force, si ce n'est à Orléans. Elle vient d'Orléans, monsieur, et se dépêche.

M. Fouquet et Gourville échangèrent un coup d'œil.

Le patron remarqua cette inquiétude. Gourville, aussitôt pour lui donner le change :

— Quelque ami, dit-il, qui aura gagé de nous rattraper ; gagnons le pari, et ne nous laissons pas atteindre.

Le patron ouvrait la bouche pour répondre que c'était impossible, lorsque M. Fouquet, avec hauteur :

— Si c'est quelqu'un qui veut nous joindre, dit-il, laissons-le venir.

— On peut essayer, monseigneur, dit le patron timidement. Allons, vous autres, du nerf ! nagez !

— Non, dit M. Fouquet, arrêtez tout court, au contraire.

— Monseigneur, quelle folie ! interrompit Gourville en se penchant à son oreille.

— Tout court ! répéta M. Fouquet. Les huit avirons s'arrêtèrent, et, résistant à l'eau, imprimèrent un mouvement rétrograde à la gabare. Elle était arrêtée.

Les douze rameurs de l'autre ne distinguèrent pas d'abord cette manœuvre, car ils continuèrent à lancer l'esquif si vigoureusement, qu'il arriva tout au plus à portée de mousquet. M. Fouquet avait la vue mauvaise ; Gourville était gêné par le soleil, qui frappait ses yeux ; le patron seul, avec cette habitude et cette netteté que donne la lutte contre les éléments, aperçut distinctement les voyageurs de la gabare voisine.

— Je les vois ! s'écria-t-il, ils sont deux.

---

1. Texte : « Niort », qui n'est pas sur la Loire. Nous proposons Tours.

— Je ne vois rien, dit Gourville.

— Vous n'allez pas tarder à les distinguer ; en quelques coups d'aviron, ils seront à vingt pas de nous.

Mais ce qu'annonçait le patron ne se réalisa pas ; la gabare imita le mouvement commandé par M. Fouquet, et, au lieu de venir joindre ses prétendus amis, elle s'arrêta tout net sur le milieu du fleuve.

— Je n'y comprends plus rien, dit le patron.

— Ni moi, dit Gourville.

— Vous qui voyez si bien les gens qui mènent cette gabare, reprit M. Fouquet, tâchez de nous les peindre, patron, avant que nous en soyons trop loin.

— Je croyais en voir deux, répondit le batelier, je n'en vois plus qu'un sous la tente.

— Comment est-il ?

— C'est un homme brun, large d'épaules, court de cou.

Un petit nuage passa dans l'azur du ciel, et vint, à ce moment, masquer le soleil.

Gourville, qui regardait toujours, une main sur les yeux, put voir ce qu'il cherchait, et, tout à coup, sautant du tillac dans la chambre où l'attendait Fouquet :

— Colbert ! lui dit-il d'une voix altérée par l'émotion.

— Colbert ? répéta Fouquet. Oh ! voilà qui est étrange ; mais non, c'est impossible !

— Je le reconnais, vous dis-je, et lui-même m'a si bien reconnu, qu'il vient de passer dans la chambre de poupe. Peut-être le roi l'envoie-t-il pour nous faire revenir.

— En ce cas, il nous joindrait au lieu de rester en panne. Que fait-il là ?

— Il nous surveille sans doute, monseigneur.

— Je n'aime pas les incertitudes, s'écria Fouquet ; marchons droit à lui.

— Oh ! monseigneur, ne faites pas cela ! la gabare est pleine de gens armés.

— Il m'arrêterait donc, Gourville ? Pourquoi ne vient-il pas, alors ?

— Monseigneur, il n'est pas de votre dignité d'aller au-devant même de votre perte.

— Mais souffrir que l'on me guette comme un malfaiteur ?

— Rien ne dit qu'on vous guette, monseigneur ; soyez patient.

— Que faire, alors ?

— Ne vous arrêtez pas ; vous n'alliez aussi vite que pour paraître obéir avec zèle aux ordres du roi. Redoublez de vitesse. Qui vivra, verra !

— C'est juste. Allons ! s'écria Fouquet, puisque l'on demeure coi là-bas, marchons nous autres.

Le patron donna le signal, et les rameurs de Fouquet reprirent leur exercice avec tout le succès qu'on pouvait attendre de gens reposés.

A peine la gabare eut-elle fait cent brasses, que l'autre, celle aux douze rameurs, se remit en marche également[1].

Cette course dura tout le jour, sans que la distance grandît ou diminuât entre les deux équipages.

Vers le soir, Fouquet voulut essayer les intentions de son persécuteur. Il ordonna aux rameurs de tirer vers la terre comme pour opérer une descente.

La gabare de Colbert imita cette manœuvre et cingla vers la terre en biaisant.

Par le plus grand des hasards, à l'endroit où Fouquet fit mine de débarquer, un valet d'écurie du château de Langeais[2] suivait la berge fleurie en menant trois chevaux à la longe. Sans doute les gens de la gabare à douze rameurs crurent-ils que Fouquet se dirigeait vers des chevaux préparés pour sa fuite ; car on vit quatre ou cinq hommes, armés de mousquets, sauter de cette gabare à terre et marcher sur la berge, comme pour gagner du terrain sur les chevaux et le cavalier.

Fouquet, satisfait d'avoir forcé l'ennemi à une démonstration, se le tint pour dit, et recommença de faire marcher son bateau.

Les gens de Colbert remontèrent aussitôt dans le leur, et la course entre les deux équipages reprit avec une nouvelle persévérance.

Ce que voyant, Fouquet se sentit menacé de près, et, d'une voix prophétique :

— Eh bien ! Gourville, dit-il très bas, que disais-je à notre dernier repas, chez moi ? vais-je ou non à ma ruine ?

— Oh ! monseigneur.

— Ces deux bateaux qui se suivent avec autant d'émulation que si nous nous disputions, M. Colbert et moi, un prix de vitesse sur la Loire, ne représentent-ils pas bien nos deux fortunes, et ne crois-tu pas, Gourville, que l'un des deux fera naufrage à Nantes[3] ?

— Au moins, objecta Gourville, il y a encore incertitude ; vous allez paraître aux États, vous allez montrer quel homme vous êtes ; votre éloquence et votre génie dans les affaires sont le bouclier et l'épée qui vous serviront à vous défendre, sinon à vaincre. Les Bretons ne vous connaissent point, et, quand ils vous connaîtront, votre cause est gagnée. Oh ! que M. Colbert se tienne bien, car sa gabare est aussi exposée que la vôtre à chavirer. Les deux vont vite, la sienne plus que la vôtre, c'est vrai ; on verra laquelle arrivera la première au naufrage.

---

1. « Le jeune Brienne avait aussi pris une cabane à Orléans, et y avait donné place à un commis de Nouveau, général des postes. Ils virent passer l'une après l'autre les deux cabanes où étaient les ministres, magnifiques, et menées chacune par douze ou quinze rameurs. Le commis de la poste dit en les voyant passer : "L'une de ces deux cabanes fera naufrage à Nantes" », abbé de Choisy, *op. cit.* ; voir également Brienne, *Mémoires*.

2. Langeais, sur la rive droite de la Loire, à 24 km de Tours.

3. Voir ci-dessus, note 1.

Fouquet, prenant la main de Gourville :

— Ami, dit-il, c'est tout jugé ; rappelle-toi le proverbe : *Les premiers vont devant*. Eh bien ! Colbert n'a garde de me passer ! C'est un prudent, Colbert.

Il avait raison ; les deux gabares voguèrent jusqu'à Nantes, se surveillant l'une l'autre ; quand le surintendant aborda[1], Gourville espéra qu'il pourrait chercher tout de suite son refuge et faire préparer des relais.

Mais, au débarquer, la seconde gabare rejoignit la première, et Colbert, s'approchant de Fouquet, le salua sur le quai avec les marques du plus profond respect.

Marques tellement significatives, tellement bruyantes, qu'elles eurent pour résultat de faire accourir toute une population sur la Fosse.

Fouquet se possédait complètement ; il sentait qu'en ses derniers moments de grandeur il avait des obligations envers lui-même.

Il voulait tomber de si haut, que sa chute écrasât quelqu'un de ses ennemis.

Colbert se trouvait là, tant pis pour Colbert.

Aussi le surintendant, se rapprochant de lui, répondit-il avec ce clignement d'yeux arrogant qui lui était particulier :

— Quoi ! c'est vous, monsieur Colbert ?

— Pour vous rendre mes hommages, monseigneur, dit celui-ci.

— Vous étiez dans cette gabare ?

Il désigna la fameuse barque à douze rameurs.

— Oui, monseigneur.

— A douze rameurs ? dit Fouquet. Quel luxe, monsieur Colbert ! Un moment, j'ai cru que c'était la reine mère ou le roi.

— Monseigneur...

Et Colbert rougit.

— Voilà un voyage qui coûtera cher à ceux qui le paient, monsieur l'intendant, dit Fouquet. Mais, enfin, vous êtes arrivé. Vous voyez bien, ajouta-t-il un moment après, que, moi qui n'avais pas plus de huit rameurs, je suis arrivé avant vous.

Et il lui tourna le dos, le laissant indécis de savoir réellement si toutes les tergiversations de la seconde gabare avaient échappé à la première.

Au moins ne lui donnait-il pas la satisfaction de montrer qu'il avait eu peur.

Colbert, si fâcheusement secoué, ne se rebuta pas ; il répondit :

— Je n'ai pas été vite, monseigneur, parce que je m'arrêtais chaque fois que vous vous arrêtiez.

— Et pourquoi cela, monsieur Colbert ? s'écria Fouquet irrité de cette

---

1. Fouquet arriva à Nantes le 4 septembre 1661.

basse audace ; pourquoi puisque vous aviez un équipage supérieur au mien, ne me joigniez-vous ou ne me dépassiez-vous pas ?

— Par respect, fit l'intendant, qui salua jusqu'à terre.

Fouquet monta dans un carrosse que la ville lui envoyait, on ne sait pourquoi ni comment, et il se rendit à la Maison de Nantes, escorté d'une grande foule qui, depuis plusieurs jours, bouillonnait dans l'attente d'une convocation des États.

A peine fut-il installé, que Gourville sortit pour aller faire préparer les chevaux sur la route de Poitiers et de Vannes et un bateau à Paimbœuf.

Il fit avec tant de mystère, d'activité, de générosité ces différentes opérations, que jamais Fouquet, alors travaillé par son accès de fièvre, ne fut plus près du salut, sauf la coopération de cet agitateur immense des projets humains : le hasard.

Le bruit se répandit en ville, cette nuit, que le roi venait en grande hâte sur des chevaux de poste, et qu'il arriverait dans dix ou douze heures.

Le peuple, en attendant le roi, se réjouissait fort de voir les mousquetaires, fraîchement arrivés avec M. d'Artagnan, leur capitaine, et casernés dans le château, dont ils occupaient tous les postes en qualité de garde d'honneur.

M. d'Artagnan, qui était fort poli, se présenta vers dix heures chez le surintendant, pour lui offrir ses respectueux hommages, et, bien que le ministre eût la fièvre, bien qu'il fût souffrant et trempé de sueur, il voulut recevoir M. d'Artagnan, lequel fut charmé de cet honneur, comme on le verra par l'entretien qu'ils eurent ensemble.

CCXLIV

CONSEILS D'AMI

Fouquet s'était couché, en homme qui tient à la vie et qui économise le plus possible ce mince tissu de l'existence, dont les chocs et les angles de ce monde usent si vite l'irréparable ténuité.

D'Artagnan parut sur le seuil de la chambre et fut salué par le surintendant d'un bonjour très affable.

— Bonjour, monseigneur, répondit le mousquetaire ; comment vous trouvez-vous de ce voyage ?

— Assez bien. Merci.

— Et de la fièvre ?

— Assez mal. Je bois, comme vous voyez. A peine arrivé, j'ai frappé sur Nantes une contribution de tisane.

— Il faut dormir d'abord, monseigneur.

— Eh ! corbleu ! cher monsieur d'Artagnan, je dormirais bien volontiers...

— Qui vous en empêche ?

— Mais vous, d'abord.

— Moi ? Ah ! monseigneur...

— Sans doute. Est-ce que, à Nantes comme à Paris, vous ne venez pas au nom du roi ?

— Pour Dieu ! monseigneur, répliqua le capitaine, laissez donc le roi en repos ! Le jour où je viendrai de la part du roi pour ce que vous voulez me dire, je vous promets de ne pas vous faire languir. Vous me verrez mettre la main à l'épée, selon l'ordonnance, et vous m'entendrez dire du premier coup, de ma voix de cérémonie : « Monseigneur, au nom du roi, je vous arrête ! »

Fouquet tressaillit malgré lui, tant l'accent du Gascon spirituel avait été naturel et vigoureux. La représentation du fait était presque aussi effrayante que le fait lui-même.

— Vous me promettez cette franchise ? dit le surintendant.

— Sur l'honneur ! Mais nous n'en sommes pas là, croyez-moi.

— Qui vous fait penser cela, monsieur d'Artagnan ? Moi, je crois tout le contraire.

— Je n'ai entendu parler de quoi que ce soit, répliqua d'Artagnan.

— Eh ! eh ! fit Fouquet.

— Mais non, vous êtes un agréable homme, malgré votre fièvre. Le roi ne peut, ne doit s'empêcher de vous aimer au fond du cœur.

Fouquet fit la grimace.

— Mais M. Colbert ? dit-il. M. Colbert m'aime-t-il aussi autant que vous le dites ?

— Je ne parle point de M. Colbert, reprit d'Artagnan. C'est un homme exceptionnel, celui-là ! Il ne vous aime pas, c'est possible ; mais mordioux ! l'écureuil peut se garer de la couleuvre, pour peu qu'il le veuille.

— Savez-vous que vous me parlez en ami, répliqua Fouquet, et que, sur ma vie ! je n'ai jamais trouvé un homme de votre esprit et de votre cœur ?

— Cele vous plaît à dire, fit d'Artagnan. Vous attendez à aujourd'hui pour me faire un compliment pareil ?

— Aveugles que nous sommes ! murmura Fouquet.

— Voilà votre voix qui s'enroue, dit d'Artagnan. Buvez, monseigneur, buvez.

Et il lui offrit une tasse de tisane avec la plus cordiale amitié ; Fouquet la prit et le remercia par un bon sourire.

— Ces choses-là n'arrivent qu'à moi, dit le mousquetaire. J'ai passé dix ans sous votre barbe quand vous remuiez des tonnes d'or ; vous faisiez quatre millions de pension par an, vous ne m'avez jamais remarqué ;

et voilà que vous vous apercevez que je suis au monde, précisément au moment...

— Où je vais tomber, interrompit Fouquet. C'est vrai, cher monsieur d'Artagnan.

— Je ne dis pas cela.

— Vous le pensez, c'est tout. Eh bien ! si je tombe, prenez ma parole pour vraie, je ne passerai pas un jour sans me dire, en me frappant la tête : « Fou ! fou ! stupide mortel ! Tu avais M. d'Artagnan sous la main, et tu ne t'es pas servi de lui ! et tu ne l'as pas enrichi ! »

— Vous me comblez ! dit le capitaine ; je raffole de vous.

— Encore un homme qui ne pense pas comme M. Colbert, fit le surintendant.

— Que ce Colbert vous tient aux côtes ! C'est pis que votre fièvre.

— Ah ! j'ai mes raisons, dit Fouquet. Jugez-les.

Et il lui raconta les détails de la course des gabares et l'hypocrite persécution de Colbert.

— N'est-ce pas le meilleur signe de ma ruine ?

D'Artagnan devint sérieux.

— C'est juste, dit-il. Oui, cela sent mauvais, comme disait M. de Tréville.

Et il attacha sur Fouquet son regard intelligent et significatif.

— N'est-ce pas, capitaine, que je suis bien désigné ? N'est-ce pas que le roi m'amène bien à Nantes pour m'isoler de Paris, où j'ai tant de créatures, et pour s'emparer de Belle-Ile ?

— Où est M. d'Herblay, ajouta d'Artagnan.

Fouquet leva la tête.

— Quant à moi, monseigneur, poursuivit d'Artagnan, je puis vous assurer que le roi ne m'a rien dit contre vous.

— Vraiment ?

— Le roi m'a commandé de partir pour Nantes, c'est vrai ; de n'en rien dire à M. de Gesvres.

— Mon ami.

— A M. de Gesvres, oui, monseigneur, continua le mousquetaire, dont les yeux ne cessaient de parler un langage opposé au langage des lèvres. Le roi m'a commandé encore de prendre une brigade des mousquetaires, ce qui est superflu en apparence, puisque le pays est calme.

— Une brigade ? dit Fouquet en se levant sur un coude.

— Quatre-vingt-seize cavaliers, oui, monseigneur, le même nombre qu'on avait pris pour arrêter MM. de Chalais, de Cinq-Mars et Montmorency.

Fouquet dressa l'oreille à ces mots, prononcés sans valeur apparente.

— Et puis ? dit-il.

— Et puis d'autres ordres insignifiants, tels que ceux-ci : « Garder le château ; garder chaque logis ; ne laisser aucun garde de M. de Gesvres prendre faction. » De M. de Gesvres, votre ami.

— Et pour moi, s'écria Fouquet, quels ordres ?

— Pour vous, monseigneur, pas le plus petit mot.

— Monsieur d'Artagnan, il s'agit de me sauver l'honneur et la vie, peut-être ! Vous ne me tromperiez pas ?

— Moi !... et dans quel but ? Est-ce que vous êtes menacé ? Seulement, il y a bien, touchant les carrosses et les bateaux, un ordre...

— Un ordre ?

— Oui ; mais qui ne saurait vous concerner. Simple mesure de police.

— Laquelle, capitaine ? laquelle ?

— C'est d'empêcher tous chevaux ou bateaux de sortir de Nantes sans un sauf-conduit signé du roi.

— Grand Dieu ! mais...

D'Artagnan se mit à rire.

— Cela n'aura d'exécution qu'après l'arrivée du roi à Nantes ; ainsi, vous voyez bien, monseigneur, que l'ordre ne vous concerne en rien.

Fouquet devint rêveur, et d'Artagnan feignit de ne pas remarquer sa préoccupation.

— Pour que je vous confie la teneur des ordres qu'on m'a donnés, il faut que je vous aime et que je tienne à vous prouver qu'aucun n'est dirigé contre vous.

— Sans doute, dit Fouquet distrait.

— Récapitulons, dit le capitaine avec son coup d'œil chargé d'insistance : Garde spéciale et sévère du château dans lequel vous aurez votre logis, n'est-ce pas ? Connaissez-vous ce château ?... Ah ! monseigneur, une vraie prison ! Absence totale de M. de Gesvres, qui a l'honneur d'être de vos amis... Clôture des portes de la ville et de la rivière, sauf une passe, mais seulement quand le roi sera venu... Savez-vous bien, monsieur Fouquet, que si, au lieu de parler à un homme comme vous, qui êtes un des premiers du royaume, je parlais à une conscience troublée, inquiète, je me compromettrais à jamais ? La belle occasion pour quelqu'un qui voudrait prendre le large ! Pas de police, pas de gardes, pas d'ordres ; l'eau libre, la route franche, M. d'Artagnan obligé de prêter ses chevaux si on les lui demandait ! Tout cela doit vous rassurer, monsieur Fouquet ; car le roi ne m'eût pas laissé ainsi indépendant, s'il eût eu de mauvais desseins. En vérité, monsieur Fouquet, demandez-moi tout ce qui pourra vous être agréable : je suis à votre disposition ; et seulement, si vous y consentez, vous me rendrez un service ; celui de souhaiter le bonjour à Aramis et à Porthos, au cas où vous embarqueriez pour Belle-Ile, ainsi que vous avez le droit de le faire, sans désemparer, tout de suite, en robe de chambre, comme vous voilà[1].

1. « Fouquet fit marquer son logis à l'autre bout de la ville [à l'hôtel de Rougé, appartenant

Sur ces mots, et avec une profonde révérence, le mousquetaire, dont les regards n'avaient rien perdu de leur intelligente bienveillance, sortit de l'appartement et disparut.

Il n'était pas aux degrés du vestibule, que Fouquet, hors de lui, se pendit à la sonnette et cria :

— Mes chevaux ! ma gabare !

Personne ne répondit.

Le surintendant s'habilla lui-même de tout ce qu'il trouva sous sa main.

— Gourville !... Gourville !... cria-t-il tout en glissant sa montre dans sa poche.

Et la sonnette joua encore, tandis que Fouquet répétait :

— Gourville !... Gourville !...

Gourville parut, haletant, pâle.

— Partons ! partons ! cria le surintendant dès qu'il le vit.

— Il est trop tard ! fit l'ami du pauvre Fouquet.

— Trop tard ! pourquoi ?

— Écoutez !

On entendit des trompettes et un bruit de tambour devant le château.

— Quoi donc, Gourville ?

— Le roi qui arrive, monseigneur.

— Le roi ?

— Le roi, qui a brûlé étapes sur étapes ; le roi, qui a crevé des chevaux et qui avance de huit heures sur votre calcul.

— Nous sommes perdus ! murmura Fouquet. Brave d'Artagnan, va ! tu m'as parlé trop tard !

Le roi arrivait, en effet, dans la ville ; on entendit bientôt le canon du rempart et celui d'un vaisseau qui répondait du bas de la rivière.

Fouquet fronça le sourcil, appela ses valets de chambre et se fit habiller en cérémonie.

De sa fenêtre, derrière les rideaux, il voyait l'empressement du peuple et le mouvement d'une grande troupe qui avait suivi le prince sans que l'on pût deviner comment.

Le roi fut conduit au château en grande pompe, et Fouquet le vit mettre pied à terre sous la herse et parler bas à l'oreille de d'Artagnan, qui tenait l'étrier.

D'Artagnan, le roi étant passé sous la voûte, se dirigea vers la maison de Fouquet, mais si lentement, si lentement, en s'arrêtant tant de fois pour parler à ses mousquetaires, échelonnés en haie, que l'on eût dit qu'il comptait les secondes ou les pas avant d'accomplir son message.

à Mme du Plessis-Bellière]. On n'en devina pas d'abord la raison : on a su depuis qu'il y avait dans cette maison un aqueduc sous terre qui rendait à la rivière, et qu'il songeait à se sauver par là dans Belle-Ile, en cas qu'on vînt pour l'arrêter. Il était parti de Fontainebleau avec la fièvre tierce, et la fatigue du voyage avait redoublé son accès », abbé de Choisy, *op. cit.*

Fouquet ouvrit la fenêtre pour lui parler dans la cour.

— Ah ! s'écria d'Artagnan en l'apercevant, vous êtes encore chez vous, monseigneur.

Et ce *encore* suffit pour prouver à M. Fouquet combien d'enseignements et de conseils utiles renfermait la première visite du mousquetaire.

Le surintendant se contenta de soupirer.

— Mon Dieu, oui, monsieur, répondit-il ; l'arrivée du roi m'a interrompu dans les projets que j'avais.

— Ah ! vous savez que le roi vient d'arriver ?

— Je l'ai vu, oui, monsieur ; et, cette fois, vous venez de sa part ?...

— Savoir de vos nouvelles, monseigneur, et, si votre santé n'est pas trop mauvaise, vous prier de vouloir bien vous rendre au château.

— De ce pas, monsieur d'Artagnan, de ce pas.

— Ah ! dame ! fit le capitaine, à présent que le roi est là, il n'y a plus de promenade pour personne, plus de libre arbitre ; la consigne gouverne à présent, vous comme moi, moi comme vous.

Fouquet soupira une dernière fois, monta en carrosse, tant sa faiblesse était grande, et se rendit au château, escorté par d'Artagnan, dont la politesse n'était pas moins effrayante cette fois qu'elle n'avait été naguère consolante et gaie.

CCXLV

COMMENT LE ROI LOUIS XIV JOUA SON PETIT RÔLE

Comme Fouquet descendait de carrosse pour entrer dans le château de Nantes, un homme du peuple s'approcha de lui avec tous les signes du plus grand respect et lui remit une lettre.

D'Artagnan voulut empêcher cet homme d'entretenir Fouquet, et l'éloigna, mais le message avait été remis au surintendant. Fouquet décacheta la lettre et la lut ; en ce moment, un vague effroi que d'Artagnan pénétra facilement se peignit sur les traits du Premier ministre.

M. Fouquet mit le papier dans le portefeuille qu'il avait sous son bras, et continua son chemin vers les appartements du roi.

D'Artagnan, par les petites fenêtres pratiquées à chaque étage du donjon, vit, en montant derrière Fouquet, l'homme au billet regarder autour de lui sur la place et faire des signes à plusieurs personnes qui disparurent dans les rues adjacentes, après avoir elles-mêmes répété ces signes faits par le personnage que nous avons indiqué.

On fit attendre Fouquet un moment sur cette terrasse dont nous avons parlé, terrasse qui aboutissait au petit corridor après lequel on avait établi le cabinet du roi.

D'Artagnan alors passa devant le surintendant, que, jusque-là, il avait accompagné respectueusement, et entra dans le cabinet royal.

— Eh bien ? lui demanda Louis XIV, qui, en l'apercevant, jeta sur la table couverte de papiers une grande toile verte.

— L'ordre est exécuté, sire.

— Et Fouquet ?

— M. le surintendant me suit, répliqua d'Artagnan.

— Dans dix minutes, on l'introduira près de moi, dit le roi en congédiant d'Artagnan d'un geste.

Celui-ci sortit, et, à peine arrivé dans le corridor à l'extrémité duquel Fouquet l'attendait, fut rappelé par la clochette du roi.

— Il n'a pas paru étonné ? demanda le roi.

— Qui, sire ?

— *Fouquet*, répéta le roi sans dire monsieur, particularité qui confirma le capitaine des mousquetaires dans ses soupçons.

— Non, sire, répliqua-t-il.

— Bien.

Et, pour la seconde fois, Louis renvoya d'Artagnan.

Fouquet n'avait pas quitté la terrasse où il avait été laissé par son guide ; il relisait son billet ainsi conçu :

Quelque chose se trame contre vous. Peut-être n'osera-t-on au château ; ce serait à votre retour chez vous. Le logis est déjà cerné par les mousquetaires. N'y entrez pas ; un cheval blanc vous attend derrière l'esplanade.

M. Fouquet avait reconnu l'écriture et le zèle de Gourville. Ne voulant point que, s'il lui arrivait malheur, ce papier pût compromettre un fidèle ami, le surintendant s'occupait à déchirer ce billet en des milliers de morceaux éparpillés au vent hors du balustre de la terrasse.

D'Artagnan le surprit, regardant voltiger les dernières miettes dans l'espace.

— Monsieur, dit-il, le roi vous attend.

Fouquet marcha d'un pas délibéré dans le petit corridor où travaillaient MM. de Brienne et Rose, tandis que le duc de Saint-Aignan, assis sur une petite chaise, aussi dans le corridor, semblait attendre des ordres et bâillait d'une impatience fiévreuse, son épée entre les jambes.

Il sembla étrange à Fouquet que MM. de Brienne, Rose et de Saint-Aignan, d'ordinaire si attentifs, si obséquieux, se dérangeassent à peine lorsque lui, le surintendant, passa. Mais comment eût-il trouvé autre chose chez des courtisans, celui que le roi n'appelait plus que Fouquet ?

Il releva la tête, et, bien décidé à tout braver en face, entra chez le roi, après qu'une clochette qu'on connaît déjà l'eut annoncé à Sa Majesté.

Le roi, sans se lever, lui fit un signe de tête, et, avec intérêt :

— Eh ! comment allez-vous, monsieur Fouquet ? dit-il.

— Je suis dans mon accès de fièvre, répliqua le surintendant, mais tout au service du roi.

— Bien ; les États s'assemblent demain : avez-vous un discours prêt ? Fouquet regarda le roi avec étonnement.

— Je n'en ai pas, sire, dit-il ; mais j'en improviserai un. Je sais assez à fond les affaires pour ne pas demeurer embarrassé. Je n'ai qu'une question à faire : Votre Majesté me le permettra-t-elle ?

— Faites.

— Pourquoi Sa Majesté n'a-t-elle pas fait l'honneur à son Premier ministre de l'avertir à Paris ?

— Vous étiez malade ; je ne veux pas vous fatiguer.

— Jamais un travail, jamais une explication ne me fatigue, sire, et, puisque le moment est venu pour moi de demander une explication à mon roi...

— Oh ! monsieur Fouquet ! et sur quoi une explication ?

— Sur les intentions de Sa Majesté à mon égard.

Le roi rougit.

— J'ai été calomnié, repartit vivement Fouquet, et je dois provoquer la justice du roi à des enquêtes.

— Vous me dites cela bien inutilement, monsieur Fouquet ; je sais ce que je sais.

— Sa Majesté ne peut savoir les choses que si on les lui a dites, et je ne lui ai rien dit, moi, tandis que d'autres ont parlé maintes et maintes fois à...

— Que voulez-vous dire ? fit le roi, impatient de clore cette conversation embarrassante.

— Je vais droit au fait, sire, et j'accuse un homme de me nuire auprès de Votre Majesté.

— Personne ne vous nuit, monsieur Fouquet.

— Cette réponse, sire, me prouve que j'avais raison.

— Monsieur Fouquet, je n'aime pas qu'on accuse.

— Quand on est accusé !

— Nous avons déjà trop parlé de cette affaire.

— Votre Majesté ne veut pas que je me justifie ?

— Je vous répète que je ne vous accuse pas.

Fouquet fit un pas en arrière en faisant un demi-salut.

« Il est certain, pensa-t-il, qu'il a pris un parti. Celui qui ne peut reculer a seul une pareille obstination. Ne pas voir le danger dans ce moment, ce serait être aveugle ; ne pas l'éviter, ce serait être stupide. »

Il reprit tout haut :

— Votre Majesté m'a demandé pour un travail ?

— Non, monsieur Fouquet, pour un conseil que j'ai à vous donner.

— J'attends respectueusement, sire.

— Reposez-vous, monsieur Fouquet ; ne prodiguez plus vos forces : la session des États sera courte, et, quand mes secrétaires l'auront close, je ne veux plus que l'on parle affaires de quinze jours en France.

— Le roi n'a rien à me dire au sujet de cette assemblée des États ?

— Non, monsieur Fouquet.

— A moi, surintendant des finances ?

— Reposez-vous, je vous prie ; voilà tout ce que j'ai à vous dire.

Fouquet se mordit les lèvres et baissa la tête. Il couvait évidemment quelque pensée inquiète.

Cette inquiétude gagna le roi.

— Est-ce que vous êtes fâché d'avoir à vous reposer, monsieur Fouquet ? dit-il.

— Oui, sire, je ne suis pas habitué au repos.

— Mais vous êtes malade ; il faut vous soigner.

— Votre Majesté me parlait d'un discours à prononcer demain ?

Le roi ne répondit pas ; cette question brusque venait de l'embarrasser.

Fouquet sentit le poids de cette hésitation. Il crut lire dans les yeux du jeune prince un danger qui précipiterait sa défiance.

« Si je parais avoir peur, pensa-t-il, je suis perdu. »

Le roi, de son côté, n'était inquiet que de cette défiance de Fouquet.

— A-t-il éventé quelque chose ? murmurait-il.

« Si son premier mot est dur, pensa encore Fouquet, s'il s'irrite ou feint de s'irriter pour prendre un prétexte, comment me tirerai-je de là ? Adoucissons la pente. Gourville avait raison. »

— Sire, dit-il tout à coup, puisque la bonté du roi veille à ma santé à ce point qu'elle me dispense de tout travail, est-ce que je ne serai pas libre du conseil pour demain ? J'emploierais ce jour à garder le lit, et je demanderais au roi de me céder son médecin pour essayer un remède contre ces maudites fièvres.

— Soit fait comme vous désirez, monsieur Fouquet. Vous aurez le congé pour demain, vous aurez le médecin, vous aurez la santé.

— Merci, dit Fouquet en s'inclinant.

Puis, prenant son parti :

— Est-ce que je n'aurai pas, dit-il, le bonheur de mener le roi à Belle-Ile, chez moi ?

Et il regardait Louis en face pour juger de l'effet d'une pareille proposition.

Le roi rougit encore.

— Vous savez, répliqua-t-il en essayant de sourire, que vous venez de dire : *A Belle-Ile, chez moi* ?

— C'est vrai, sire.

— Eh bien ! ne vous souvient-il plus, continua le roi du même ton enjoué, que vous me donnâtes Belle-Ile ?

— C'est encore vrai, sire. Seulement, comme vous ne l'avez pas prise, vous en viendrez prendre possession.

— Je le veux bien.

— C'était, d'ailleurs, l'intention de Votre Majesté autant que la mienne, et je ne saurais dire à Votre Majesté combien j'ai été heureux et fier en voyant toute la maison militaire du roi venir de Paris pour cette prise de possession.

Le roi balbutia qu'il n'avait pas amené ses mousquetaires pour cela seulement.

— Oh ! je le pense bien, dit vivement Fouquet ; Votre Majesté sait trop bien qu'il lui suffit de venir seule, une badine à la main, pour faire tomber toutes les fortifications de Belle-Ile.

— Peste ! s'écria le roi, je ne veux pas qu'elles tombent, ces belles fortifications qui ont coûté si cher à élever. Non ! qu'elles demeurent contre les Hollandais et les Anglais. Ce que je veux voir à Belle-Ile, vous ne le devineriez pas, monsieur Fouquet : ce sont les belles paysannes, filles et femmes, des terres ou des grèves, qui dansent si bien et sont si séduisantes avec leurs jupes d'écarlate[1] ! On m'a fort vanté vos vassales, monsieur le surintendant. Tenez, faites-les-moi voir.

— Quand Votre Majesté voudra.

— Avez-vous quelque moyen de transport ? Ce serait demain si vous vouliez.

Le surintendant sentit le coup, qui n'était pas adroit, et il répondit :

— Non, sire : j'ignorais le désir de Votre Majesté, j'ignorais surtout sa hâte de voir Belle-Ile, et je ne me suis précautionné en rien.

— Vous avez un bateau à vous, cependant ?

— J'en ai cinq ; mais ils sont tous, soit au port, soit à Paimbœuf, et, pour les rejoindre ou les faire arriver, il faut au moins vingt-quatre heures. Ai-je besoin d'envoyer un courrier ? faut-il que je le fasse ?

— Attendez encore ; laissez finir la fièvre ; attendez à demain.

— C'est vrai... Qui sait si demain nous n'aurons pas mille autres idées ? répliqua Fouquet, désormais hors de doute et fort pâle.

Le roi tressaillit et allongea la main vers sa clochette ; mais Fouquet le prévint.

— Sire, dit-il, j'ai la fièvre ; je tremble de froid. Si je demeure un moment de plus, je suis capable de m'évanouir. Je demande à Votre Majesté la permission de m'aller cacher sous les couvertures.

— En effet, vous grelottez ; c'est affligeant à voir. Allez, monsieur Fouquet, allez. J'enverrai savoir de vos nouvelles.

---

1. « Le comte [de Brienne] arriva dans la maison à trois heures après-midi et trouva madame la surintendante avec Gourville dans une salle, qui faisait danser devant elle des paysannes de Belle-Ile », abbé de Choisy, *op. cit.*

— Votre Majesté me comble. Dans une heure, je me trouverai beaucoup mieux.

— Je veux que quelqu'un vous reconduise, dit le roi.

— Comme il vous plaira ; je prendrais volontiers le bras de quelqu'un.

— Monsieur d'Artagnan ! cria le roi en sonnant de sa clochette.

— Oh ! sire, interrompit Fouquet en riant d'un air qui fit froid au prince, vous me donnez un capitaine de mousquetaires pour me conduire à mon logis ? Honneur bien équivoque, sire ! Un simple valet de pied, je vous prie.

— Et pourquoi, monsieur Fouquet ? M. d'Artagnan me reconduit bien, moi !

— Oui ; mais, quand il vous reconduit, sire, c'est pour vous obéir, tandis que moi...

— Eh bien ?

— Moi, s'il me faut rentrer chez moi avec votre chef des mousquetaires, on dira que vous me faites arrêter.

— Arrêter ? répéta le roi, qui pâlit plus que Fouquet lui-même, arrêter ? Oh !...

— Eh ? que ne dit-on pas ! poursuivit Fouquet toujours riant ; et je gage qu'il se trouverait des gens assez méchants pour en rire !

Cette saillie déconcerta le monarque. Fouquet fut assez habile ou assez heureux pour que Louis XIV reculât devant l'apparence du fait qu'il méditait.

M. d'Artagnan, lorsqu'il parut, reçut l'ordre de désigner un mousquetaire pour accompagner le surintendant.

— Inutile, dit alors celui-ci : épée pour épée, j'aime autant Gourville, qui m'attend en bas. Mais cela ne m'empêchera pas de jouir de la société de M. d'Artagnan. Je suis bien aise qu'il voie Belle-Ile, lui qui se connaît si bien en fortifications.

D'Artagnan s'inclina, ne comprenant plus rien à la scène.

Fouquet salua encore, et sortit affectant toute la lenteur d'un homme qui se promène.

Une fois hors du château :

— Je suis sauvé ! dit-il. Oh ! oui, tu verras Belle-Ile, roi déloyal, mais quand je n'y serai plus.

Et il disparut.

D'Artagnan était demeuré avec le roi.

— Capitaine, lui dit Sa Majesté, vous allez suivre M. Fouquet à cent pas.

— Oui, sire.

— Il rentre chez lui. Vous irez chez lui.

— Oui, sire.

— Vous l'arrêterez en mon nom, et vous l'enfermerez dans un carrosse.

— Dans un carrosse ? Bien.

— De telle façon qu'il ne puisse, en route, ni converser avec quelqu'un, ni jeter des billets aux gens qu'il rencontrera.

— Oh ! voilà qui est difficile, sire.

— Non.

— Pardon, sire ; je ne puis étouffer M. Fouquet, et, s'il demande à respirer, je n'irai pas l'en empêcher en fermant glaces et mantelets. Il jettera par les portières tous les cris et les billets possibles.

— Le cas est prévu, monsieur d'Artagnan ; un carrosse avec un treillis obviera aux deux inconvénients que vous signalez.

— Un carrosse à treillis de fer ? s'écria d'Artagnan. Mais on ne fait pas un treillis de fer pour carrosse en une demi-heure, et Votre Majesté me recommande d'aller tout de suite chez M. Fouquet.

— Aussi le carrosse en question est-il tout fait.

— Ah ! c'est différent, dit le capitaine. Si le carrosse est tout fait, très bien, on n'a qu'à le faire aller.

— Il est tout attelé.

— Ah !

— Et le cocher, avec les piqueurs, attend dans la cour basse du château.

D'Artagnan s'inclina.

— Il ne me reste, ajouta-t-il, qu'à demander au roi en quel endroit on conduira M. Fouquet.

— Au château d'Angers, d'abord.

— Très bien.

— Nous verrons ensuite.

— Oui, sire.

— Monsieur d'Artagnan, un dernier mot : vous avez remarqué que, pour faire cette prise de Fouquet, je n'emploie pas mes gardes, ce dont M. de Gesvres sera furieux[1].

— Votre Majesté n'emploie pas ses gardes, dit le capitaine un peu humilié, parce qu'elle se défie de M. de Gesvres. Voilà !

— C'est vous dire, monsieur, que j'ai confiance en vous.

— Je le sais bien, sire ! et il est inutile de le faire valoir.

— C'est seulement pour arriver à ceci, monsieur, qu'à partir de ce moment, s'il arrivait que, par hasard, un hasard quelconque, M. Fouquet s'évadât... on a vu de ces hasards-là, monsieur...

— Oh ! sire, très souvent, mais pour les autres, pas pour moi.

— Pourquoi pas pour vous ?

— Parce que moi, sire, j'ai un instant voulu sauver M. Fouquet. Le roi frémit.

---

1. « Artagnan, capitaine lieutenant des mousquetaires, avait eu ordre du roi de l'arrêter au sortir du conseil, mais hors de l'enceinte du château, pour ne pas fâcher le capitaine des gardes du corps », abbé de Choisy, *op. cit.*

— Parce que, continua le capitaine, j'en avais le droit, ayant deviné le plan de Votre Majesté sans qu'elle m'en eût parlé, et que je trouvais M. Fouquet intéressant. Or, j'étais libre de lui témoigner mon intérêt, à cet homme.

— En vérité, monsieur, vous ne me rassurez point sur vos services !

— Si je l'eusse sauvé alors, j'étais parfaitement innocent : je dis plus, j'eusse bien fait, car M. Fouquet n'est pas un méchant homme. Mais il n'a pas voulu ; sa destinée l'a entraîné ; il a laissé fuir l'heure de la liberté. Tant pis ! Maintenant, j'ai des ordres, j'obéirai à ces ordres, et M. Fouquet, vous pouvez le considérer comme un homme arrêté. Il est au château d'Angers, M. Fouquet.

— Oh ! vous ne le tenez pas encore, capitaine[1] !

— Cela me regarde ; à chacun son métier, sire ; seulement, encore une fois, réfléchissez. Donnez-vous sérieusement l'ordre d'arrêter M. Fouquet, sire ?

— Oui, mille fois oui !

— Écrivez alors.

— Voici la lettre.

D'Artagnan la lut, salua le roi et sortit.

Du haut de la terrasse, il aperçut Gourville qui passait l'air joyeux, et se dirigeait vers la maison de M. Fouquet.

CCXLVI

LE CHEVAL BLANC ET LE CHEVAL NOIR

« Voilà qui est surprenant, se dit le capitaine : Gourville très joyeux et courant les rues, quand il est à peu près certain que M. Fouquet est en danger ; quand il est à peu près certain que c'est Gourville qui a prévenu M. Fouquet par le billet de tout à l'heure, ce billet qui a été déchiré en mille morceaux sur la terrasse, et livré aux vents par M. le surintendant.

« Gourville se frotte les mains, c'est qu'il vient de faire quelque habileté. D'où vient Gourville ?

« Gourville vient de la rue aux Herbes[2]. Où va la rue aux Herbes ? »

Et d'Artagnan suivit, sur le faîte des maisons de Nantes dominées

---

1. « [Artagnan] l'avait manqué d'un moment, parce qu'ayant vu descendre M. Le Tellier, il l'avait suivi au bout de la cour, où il s'était allé promener sous des arbres avec La Feuillade. Il lui demanda s'il n'y avait rien de changé : Le Tellier lui dit que non, et pendant ce temps-là Fouquet était passé », abbé de Choisy, op. cit.

2. La rue aux Herbes n'existe pas sur le plan de Nantes du XVIIIe siècle que nous avons consulté (Archives nationales, cartes et plans, NN 182/81). Pour gagner la route qui longeait la Loire, il fallait emprunter la porte Saint-Nicolas ; le chemin de Vannes prenait au nord, après le faubourg de Marchys.

par le château, la ligne tracée par les rues, comme il eût fait sur un plan topographique ; seulement au lieu de papier mort et plat, vide et désert, la carte vivante se dressait en relief avec des mouvements, les cris et les ombres des hommes et des choses.

Au-delà de l'enceinte de la ville, les grandes plaines verdoyantes s'étendaient bordant la Loire, et semblaient courir vers l'horizon empourpré, que sillonnaient l'azur des eaux et le vert noirâtre des marécages.

Immédiatement après les portes de Nantes, deux chemins blancs montaient en divergeant comme les doigts écartés d'une main gigantesque.

D'Artagnan, qui avait embrassé tout le panorama d'un coup d'œil en traversant la terrasse, fut conduit par la ligne de la rue aux Herbes à l'aboutissement d'un de ces chemins qui prenait naissance sous la porte de Nantes.

Encore un pas, et il allait descendre l'escalier de la terrasse pour rentrer dans le donjon, prendre son carrosse à treillis, et marcher vers la maison de Fouquet.

Mais l' hasard voulut que, au moment de se replonger dans l'escalier, il fût attiré par un point mouvant qui gagnait du terrain sur cette route.

« Qu'est cela ? se demanda le mousquetaire. Un cheval qui court, un cheval échappé sans doute ; comme il détale ! »

Le point mouvant se détacha de la route, et entra dans les pièces de luzerne.

« Un cheval blanc, continua le capitaine, qui venait de voir la couleur ressortir lumineuse sur le fond sombre, et il est monté ; c'est quelque enfant dont le cheval a soif, et l'emporte vers l'abreuvoir en diagonale. »

Ces réflexions, rapides comme l'éclair, simultanées avec la perception visuelle, d'Artagnan les avait déjà oubliées quand il descendit les premières marches de l'escalier.

Quelques parcelles de papier jonchaient les marches et étincelaient sur la pierre noircie des degrés.

« Eh ! eh ! se dit le capitaine, voici quelques-uns des fragments du billet déchiré par M. Fouquet. Pauvre homme ! il avait donné son secret au vent ; le vent n'en veut plus et le rapporte au roi. Décidément, pauvre Fouquet, tu joues de malheur ! la partie n'est pas égale ; la fortune est contre toi. L'étoile de Louis XIV obscurcit la tienne ; la couleuvre est plus forte ou plus habile que l'écureuil. »

D'Artagnan ramassa un de ces morceaux de papier toujours en descendant.

— Petite écriture de Gourville ! s'écria-t-il en examinant un des fragments du billet, je ne m'étais pas trompé.

Et il lut le mot *cheval*.

— Tiens ! fit-il.

Et il en examina un autre, sur lequel pas une lettre n'était tracée. Sur un troisième, il lut le mot *blanc*.

— *Cheval blanc*, répéta-t-il, comme l'enfant qui épelle. Ah ! mon Dieu ! s'écria le défiant esprit, cheval blanc !

Et, semblable à ce grain de poudre qui, brûlant, se dilate en un volume centuple, d'Artagnan, gonflé d'idées et de soupçons, remonta rapidement vers la terrasse.

Le cheval blanc courait, courait toujours dans la direction de la Loire, à l'extrémité de laquelle, fondue dans les vapeurs de l'eau, une petite voile apparaissait, balancée comme un atome.

— Oh ! oh ! cria le mousquetaire, il n'y a qu'un homme qui fuit pour courir aussi vite dans les terres labourées. Il n'y a qu'un Fouquet, un financier, pour courir ainsi en plein jour, sur un cheval blanc... Il n'y a que le seigneur de Belle-Ile pour se sauver du côté de la mer, quand il y a des forêts si épaisses dans les terres... Et il n'y a qu'un d'Artagnan au monde pour rattraper M. Fouquet, qui a une demi-heure d'avance, et qui aura joint son bateau avant une heure.

Cela dit, le mousquetaire donna ordre que l'on menât grand train le carrosse aux treillis de fer dans un bouquet de bois situé hors de la ville. Il choisit son meilleur cheval, lui sauta sur le dos, et courut par la rue aux Herbes, en prenant, non pas le chemin qu'avait pris Fouquet, mais le bord même de la Loire, certain qu'il était de gagner dix minutes sur le total du parcours, et de joindre, à l'intersection des deux lignes, le fugitif qui ne soupçonnerait pas d'être poursuivi de ce côté.

Dans la rapidité de la course, et avec l'impatience du persécuteur, s'animant comme à la chasse, comme à la guerre, d'Artagnan, si doux, si bon pour Fouquet, se surprit à devenir féroce et presque sanguinaire.

Pendant longtemps, il courut sans apercevoir le cheval blanc ; sa fureur prenait les teintes de la rage, il doutait de lui, il supposait que Fouquet s'était abîmé dans un chemin souterrain, ou qu'il avait relayé le cheval blanc par un de ces fameux chevaux noirs, rapides comme le vent, dont d'Artagnan, à Saint-Mandé, avait tant de fois admiré, envié la légèreté vigoureuse.

— A ces moments-là, quand le vent lui coupait les yeux et en faisait jaillir des larmes, quand la selle brûlait, quand le cheval, entamé dans sa chair vive, rugissait de douleur et faisait voler sous ses pieds de derrière une pluie de sable fin et de cailloux, d'Artagnan, se haussant sur l'étrier, et ne voyant rien sur l'eau, rien sous les arbres, cherchait en l'air, comme un insensé. Il devenait fou. Dans le paroxysme de sa convoitise, il rêvait chemins aériens, découverte du siècle suivant ; il se rappelait Dédale et ses vastes ailes, qui l'avaient sauvé des prisons de la Crète.

Un rauque soupir s'exhalait de ses lèvres. Il répétait, dévoré par la crainte du ridicule :

— Moi ! moi ! dupé par un Gourville, moi !... On dira que je vieillis, on dira que j'ai reçu un million pour laisser fuir Fouquet !

Et il enfonçait ses deux éperons dans le ventre du cheval ; il venait de faire une lieue en deux minutes. Soudain, à l'extrémité d'un pacage, derrière des haies, il vit une forme blanche qui se montra, disparut, et demeura enfin visible sur un terrain plus élevé.

D'Artagnan tressaillit de joie ; son esprit se rasséréna aussitôt. Il essuya la sueur qui ruisselait de son front, desserra ses genoux, libre desquels le cheval respira plus largement, et, ramenant la bride, modéra l'allure du vigoureux animal, son complice dans cette chasse à l'homme. Il put alors étudier la forme de la route, et sa position quant à Fouquet.

Le surintendant avait mis son cheval blanc hors d'haleine, en traversant les terres molles. Il sentait le besoin de gagner un sol plus dur, et tendait vers la route par la sécante la plus courte.

D'Artagnan, lui, n'avait qu'à marcher droit sous la rampe d'une falaise qui le dérobait aux yeux de son ennemi ; de sorte qu'il le couperait à son arrivée sur la route. Là s'entamerait la course réelle ; là s'établirait la lutte.

D'Artagnan fit respirer son cheval à pleins poumons. Il remarqua que le surintendant prenait le trot, c'est-à-dire qu'il faisait aussi souffler sa monture.

Mais on était trop pressé, de part et d'autre, pour demeurer longtemps à cette allure. Le cheval blanc partit comme une flèche quand il toucha un terrain plus résistant.

D'Artagnan baissa la main, et son cheval noir prit le galop. Tous deux suivaient la même route ; les quadruples échos de la course se confondaient ; M. Fouquet n'avait pas encore aperçu d'Artagnan.

Mais, à la sortie de la rampe, un seul écho frappa l'air, c'était celui des pas de d'Artagnan, qui roulait comme un tonnerre.

Fouquet se retourna ; il vit à cent pas derrière lui, en arrière, son ennemi, penché sur le cou de son coursier. Plus de doute ; le baudrier reluisant, la casaque rouge, c'était un mousquetaire ; Fouquet baissa la tête aussi, et son cheval blanc mit vingt pieds de plus entre son adversaire et lui.

« Oh ! mais, pensa d'Artagnan inquiet, ce n'est pas un cheval ordinaire que monte là Fouquet, attention ! » Et, attentif, il examina, de son œil infaillible, l'allure et les moyens de ce coursier.

Croupe ronde, queue maigre et tendue, jambes maigres et sèches comme des fils d'acier, sabots plus durs que du marbre.

Il éperonna le sien, mais la distance entre les deux resta la même.

D'Artagnan écouta profondément : pas un souffle du cheval ne lui parvenait, et, pourtant, il fendait le vent.

Le cheval noir, au contraire, commençait à râler comme un accès de toux.

« Il faut crever mon cheval, mais arriver », pensa le mousquetaire.

Et il se mit à scier la bouche du pauvre animal, tandis qu'avec ses éperons il fouillait sa peau sanglante.

Le cheval, désespéré, gagna vingt toises, et arriva sur Fouquet à la portée du pistolet.

« Courage ! se dit le mousquetaire, courage ! le blanc s'affaiblira peut-être ; et, si le cheval ne tombe pas, le maître finira par tomber. »

Mais cheval et homme restèrent droits, unis, prenant peu à peu l'avantage.

D'Artagnan poussa un cri sauvage qui fit retourner Fouquet, dont la monture s'animait encore.

— Fameux cheval ! enragé cavalier ! gronda le capitaine, holà ! mordioux, monsieur Fouquet, holà ! de par le roi !

Fouquet ne répondit pas.

— M'entendez-vous ? hurla d'Artagnan.

Le cheval venait de faire un faux pas.

— Pardieu ! répliqua laconiquement Fouquet.

Et de courir.

D'Artagnan faillit devenir fou ; le sang afflua bouillant à ses tempes, à ses yeux.

— De par le roi ! s'écria-t-il encore, arrêtez, ou je vous abats d'un coup de pistolet.

— Faites, répondit M. Fouquet volant toujours.

D'Artagnan saisit un de ses pistolets et l'arma, espérant que le bruit de la platine arrêterait son ennemi.

— Vous avez des pistolets aussi, dit-il, défendez-vous.

Fouquet se retourna effectivement au bruit, et, regardant d'Artagnan bien en face, ouvrit, de sa main droite, l'habit qui lui serrait le corps ; il ne toucha pas à ses fontes.

Il y avait vingt pas entre eux deux.

— Mordioux ! dit d'Artagnan, je ne vous assassinerai pas ; si vous ne voulez pas tirer sur moi, rendez-vous ! Qu'est-ce que la prison ?

— J'aime mieux mourir, répondit Fouquet ; je souffrirai moins.

D'Artagnan, ivre de désespoir, jeta son pistolet sur la route.

— Je vous prendrai vif, dit-il.

Et, par un prodige dont cet incomparable cavalier était seul capable, il mena son cheval à dix pas du cheval blanc ; déjà il étendait la main pour saisir sa proie.

— Voyons, tuez-moi ! c'est plus humain, dit Fouquet.

— Non ! vivant, vivant ! murmura le capitaine.

Son cheval fit un faux pas pour la seconde fois ; celui de Fouquet prit l'avance.

C'était un spectacle inouï, que cette course entre deux chevaux qui ne vivaient que par la volonté de leurs cavaliers.

Au galop furieux avaient succédé le grand trot, puis le trot simple.

Et la course paraissait aussi vive à ces deux athlètes harassés. D'Artagnan, poussé à bout, saisit le second pistolet et ajusta le cheval blanc.

— A votre cheval ! pas à vous ! cria-t-il à Fouquet.

Et il tira. L'animal fut atteint dans la croupe ; il fit un bond furieux et se cabra.

Le cheval de d'Artagnan tomba mort.

« Je suis déshonoré, pensa le mousquetaire, je suis un misérable ; par pitié, monsieur Fouquet, jetez-moi un de vos pistolets, que je me brûle la cervelle ! »

Fouquet se remit à courir.

— Par grâce ! par grâce ! s'écria d'Artagnan, ce que vous ne voulez pas en ce moment, je le ferai dans une heure ; mais ici, sur cette route, je meurs bravement, je meurs estimé ; rendez-moi ce service, monsieur Fouquet.

Fouquet ne répondit pas et continua de trotter.

D'Artagnan se mit à courir après son ennemi.

Successivement il jeta par terre son chapeau, son habit, qui l'embarrassaient, puis son fourreau d'épée, qui battait entre ses jambes.

L'épée à la main lui devint trop lourde, il la jeta comme le fourreau.

Le cheval blanc râlait ; d'Artagnan gagnait sur lui.

Du trot, l'animal, épuisé, passa au petit pas avec des vertiges qui secouaient sa tête ; le sang venait à sa bouche avec l'écume.

D'Artagnan fit un effort désespéré, sauta sur Fouquet, et le prit par la jambe en disant d'une voix entrecoupée, haletante :

— Je vous arrête au nom du roi : cassez-moi la tête, nous aurons tous deux fait notre devoir.

Fouquet lança loin de lui, dans la rivière, les deux pistolets dont d'Artagnan eût pu se saisir, et, mettant pied à terre :

— Je suis votre prisonnier, monsieur, dit-il ; voulez-vous prendre mon bras, car vous allez vous évanouir ?

— Merci, murmura d'Artagnan, qui effectivement, sentit la terre manquer sous lui et le ciel fondre sur sa tête[1].

---

1. L'arrestation de Fouquet (5 septembre 1661) fut moins mouvementée : « Artagnan tout éperdu courut dans la place qui est devant le château ; il demanda tout bas à Roze s'il n'avait point vu M. le surintendant : Roze lui dit qu'il était sorti du conseil. Il alla tout courant le chercher, et le trouva dans sa chaise, qui allait à la messe. Il lui envoya dire par Maupertuis qu'il eût bien voulu lui dire une parole. Le surintendant sortit aussitôt de sa chaise, et Artagnan sans perdre de temps lui dit : ''Monsieur, je vous arrête par ordre du roi.'' Il ne parut point étonné, et lui dit seulement : ''Mais, M. d'Artagnan, est-ce bien moi que vous voulez ? — Oui, monsieur, reprit d'Artagnan'' ; et sans plus de discours le fit monter dans un carrosse entouré de cent mousquetaires, qui le conduisirent sur-le-champ au château d'Angers », abbé de Choisy, *op. cit.* Voir également Brienne, *op. cit.*, et Courtilz de Sandras, *Mémoires de Monsieur d'Artagnan*, (chap. XXVII).

Et il roula sur le sable, à bout d'haleine et de forces.

Fouquet descendit le talus de la rivière, puisa de l'eau dans son chapeau, vint rafraîchir les tempes du mousquetaire, et lui glissa quelques gouttes fraîches entre les lèvres.

D'Artagnan se releva, cherchant autour de lui d'un œil égaré.

Il vit Fouquet agenouillé, son chapeau humide à la main et souriant avec une ineffable douceur.

— Vous ne vous êtes pas enfui ! cria-t-il. Oh ! monsieur, le vrai roi par la loyauté, par le cœur, par l'âme, ce n'est pas Louis du Louvre, ni Philippe de Sainte-Marguerite, c'est vous, le proscrit, le condamné !

— Moi qui ne suis perdu aujourd'hui que par une seule faute, monsieur d'Artagnan.

— Laquelle, mon Dieu ?

— J'aurais dû vous avoir pour ami. Mais comment allons-nous faire pour retourner à Nantes ? Nous en sommes bien loin.

— C'est vrai, fit d'Artagnan pensif et sombre.

— Le cheval blanc reviendra peut-être ; c'était un si bon cheval ! Montez dessus, monsieur d'Artagnan ; moi, j'irai à pied jusqu'à ce que vous soyez reposé.

— Pauvre bête ! blessée ! dit le mousquetaire.

— Il ira, vous dis-je, je le connais ; faisons mieux, montons dessus tous deux.

— Essayons, dit le capitaine.

Mais il n'eurent pas plutôt chargé l'animal de ce poids double, qu'il vacilla, puis se remit et marcha quelques minutes, puis chancela encore et s'abattit à côté du cheval noir, qu'il venait de joindre.

— Nous irons à pied, le destin le veut ; la promenade sera superbe, reprit Fouquet en passant son bras sous celui de d'Artagnan.

— Mordioux ! s'écria celui-ci, l'œil fixe, le sourcil froncé, le cœur gros. Vilaine journée !

Ils firent lentement les quatre lieues qui les séparaient du bois, derrière lequel les attendait le carrosse avec une escorte.

Lorsque Fouquet aperçut cette sinistre machine, il dit à d'Artagnan, qui baissait les yeux, comme honteux pour Louis XIV :

— Voilà une idée qui n'est pas d'un brave homme, capitaine d'Artagnan, elle n'est pas de vous. Pourquoi ces grillages ? dit-il.

— Pour vous empêcher de jeter des billets au-dehors.

— Ingénieux !

— Mais vous pouvez parler si vous ne pouvez pas écrire, dit d'Artagnan.

— Parler à vous !

— Mais... si vous voulez.

Fouquet rêva un moment ; puis, regardant le capitaine en face :

— Un seul mot, dit-il, le retiendrez-vous ?...

— Je le retiendrai.

— Le direz-vous à qui je veux ?

— Je le dirai.

— Saint-Mandé[1] ! articula tout bas Fouquet.

— Bien. Pour qui ?

— Pour Mme de Bellière ou Pélisson.

— C'est fait.

Le carrosse traversa Nantes et prit la route d'Angers.

CCXLVII

OÙ L'ÉCUREUIL TOMBE, OÙ LA COULEUVRE VOLE

Il était deux heures de l'après-midi. Le roi, plein d'impatience, allait de son cabinet à la terrasse, et quelquefois ouvrait la porte du corridor pour voir ce que faisaient ses secrétaires.

M. Colbert, assis à la place même où M. de Saint-Aignan était resté si longtemps le matin, causait à voix basse avec M. de Brienne.

Le roi ouvrit brusquement la porte, et, s'adressant à eux :

— Que dites-vous ? demanda-t-il.

— Nous parlons de la première séance des États, dit M. de Brienne en se levant.

— Très bien ! repartit le roi.

Et il rentra.

Cinq minutes après, le bruit de la clochette rappela Rose, dont c'était l'heure.

— Avez-vous fini vos copies ? demanda le roi.

— Pas encore, sire.

— Voyez donc si M. d'Artagnan est revenu.

— Pas encore, sire.

— C'est étrange ! murmura le roi. Appelez M. Colbert.

Colbert entra ; il attendait ce moment depuis le matin.

— Monsieur Colbert, dit le roi très vivement, il faudrait pourtant savoir ce que M. d'Artagnan est devenu.

Colbert, de sa voix calme :

— Où le roi veut-il que je le fasse chercher ? dit-il.

— Eh ! monsieur, ne savez-vous à quel endroit je l'avais envoyé ? répondit aigrement Louis.

---

1. Voir *Louis XIV et son siècle*, chap. XXXV (inspiré des *Mémoires* de Brienne) : « Au moment de l'arrestation, Fouquet n'avait dit que ces mots : "Ah ! Saint-Mandé ! Saint-Mandé !" Ce fut effectivement dans sa maison de Saint-Mandé que l'on trouva les papiers qui firent contre lui les principales charges. »

— Votre Majesté ne me l'a pas dit.

— Monsieur, il est de ces choses que l'on devine, et vous surtout, vous les devinez.

— J'ai pu supposer, sire ; mais je ne me serais pas permis de deviner tout à fait.

Colbert finissait à peine ces mots, qu'une voix bien plus rude que celle du roi interrompit la conversation commencée entre le monarque et le commis.

— D'Artagnan ! cria le roi tout joyeux.

D'Artagnan, pâle et de furieuse humeur, dit au roi :

— Sire, est-ce que c'est Votre Majesté qui a donné des ordres à mes mousquetaires ?

— Quels ordres ? fit le roi.

— Au sujet de la maison de M. Fouquet ?

— Aucun ! répliqua Louis.

— Ah ! ah ! dit d'Artagnan en mordant sa moustache. Je ne m'étais pas trompé ; c'est Monsieur.

Et il désignait Colbert.

— Quel ordre ? Voyons ! dit le roi.

— Ordre de bouleverser toute une maison, de battre les domestiques et officiers de M. Fouquet, de forcer les tiroirs, de mettre à sac un logis paisible ; mordioux ! ordre de sauvage[1] !

— Monsieur ! fit Colbert très pâle.

— Monsieur, interrompit d'Artagnan, le roi seul, entendez-vous, le roi seul a le droit de commander à mes mousquetaires ; mais, quant à vous, je vous le défends, et je vous le dis devant Sa Majesté ; des gentilshommes qui portent l'épée ne sont pas des bélîtres qui ont la plume à l'oreille.

— D'Artagnan ! d'Artagnan ! murmura le roi.

— C'est humiliant, poursuivit le mousquetaire ; mes soldats sont déshonorés. Je ne commande pas à des reîtres, moi, ou à des commis de l'intendance, mordioux !

— Mais qu'y a-t-il ? Voyons ! dit le roi avec autorité.

— Il y a, sire, que Monsieur, Monsieur, qui n'a pu deviner les ordres de Votre Majesté, et qui, par conséquent, n'a pas su que j'arrêtais M. Fouquet, Monsieur, qui a fait faire la cage de fer à son patron d'hier, a expédié M. de Boucherat[2] dans le logis de M. Fouquet, et que, pour enlever les papiers du surintendant, on a enlevé tous les meubles. Mes mousquetaires étaient autour de la maison depuis le matin. Voilà mes

---

1. « Le Tellier sortit du conseil le premier, et mit dans la main de Boucherat [...] qu'il trouva dans l'antichambre, un petit billet, en lui disant à l'oreille : "Lisez-vite, et exécutez." [Boucherat] descendit le degré, ouvrit son billet, et y lut ces mots : "Le roi vous ordonne d'aller tout-à-l'heure mettre le scellé chez M. le surintendant" », abbé de Choisy, *op. cit.*

2. Texte : « Roncherat », mais il s'agit de Louis Boucherat, voir note précédente.

ordres. Pourquoi s'est-on permis de les faire entrer dedans ? Pourquoi, en les forçant d'assister à ce pillage, les en a-t-on rendus complices ? Mordioux ! nous servons le roi, nous autres, mais nous ne servons pas M. Colbert !

— Monsieur d'Artagnan, dit le roi sévèrement, prenez garde, ce n'est pas en ma présence que de pareilles explications, faites sur ce ton, doivent avoir lieu.

— J'ai agi pour le bien du roi, dit Colbert d'une voix altérée ; il m'est dur d'être traité de la sorte par un officier de Sa Majesté, et cela sans vengeance, à cause du respect que je dois au roi.

— Le respect que vous devez au roi ! s'écria d'Artagnan, dont les yeux flamboyèrent, consiste d'abord à faire respecter son autorité, à faire chérir sa personne. Tout agent d'un pouvoir sans contrôle représente ce pouvoir, et, quand les peuples maudissent la main qui les frappe, c'est à la main royale que Dieu fait reproche, entendez-vous ? Faut-il qu'un soldat endurci depuis quarante années aux plaies et au sang vous donne cette leçon, monsieur ? faut-il que la miséricorde soit de mon côté, la férocité du vôtre ? Vous avez fait arrêter, lier, emprisonner des innocents !

— Les complices peut-être de M. Fouquet, dit Colbert.

— Qui vous dit que M. Fouquet ait des complices, et même qu'il soit coupable ? Le roi seul le sait, sa justice n'est pas aveugle. Quand il dira : « Arrêtez, emprisonnez telles gens », alors on obéira. Ne me parlez donc plus du respect que vous portez au roi, et prenez garde à vos paroles, si par hasard elles semblent renfermer quelques menaces, car le roi ne laisse pas menacer ceux qui le servent bien par ceux qui le desservent, et, au cas où j'aurais, ce qu'à Dieu ne plaise ! un maître aussi ingrat, je me ferais respecter moi-même.

Cela dit, d'Artagnan se campa fièrement dans le cabinet du roi, l'œil allumé, la main sur l'épée, la lèvre frémissante, affectant bien plus de colère encore qu'il n'en ressentait.

Colbert, humilié, dévoré de rage, salua le roi, comme pour lui demander la permission de se retirer.

Le roi, contrarié dans son orgueil et dans sa curiosité, ne savait encore quel parti prendre. D'Artagnan le vit hésiter. Rester plus longtemps eût été une faute ; il fallait obtenir un triomphe sur Colbert, et le seul moyen était de piquer si bien et si fort au vif le roi, qu'il ne restât plus à Sa Majesté d'autre sortie que de choisir entre l'un ou l'autre antagoniste.

D'Artagnan, donc, s'inclina comme Colbert ; mais le roi qui tenait, avant toute chose, à savoir des nouvelles bien exactes, bien détaillées, de l'arrestation du surintendant des finances, de celui qui l'avait fait trembler un moment, le roi, comprenant que la bouderie de d'Artagnan allait l'obliger à remettre à un quart d'heure au moins les détails qu'il brûlait de connaître ; Louis, disons-nous, oublia Colbert, qui n'avait rien à dire de bien neuf, et rappela son capitaine de mousquetaires.

— Voyons, monsieur, dit-il, faites d'abord votre commission, vous vous reposerez après.

D'Artagnan, qui allait franchir la porte, s'arrêta à la voix du roi, revint sur ses pas, et Colbert fut contraint de partir. Son visage prit une teinte de pourpre ; ses yeux noirs et méchants brillèrent d'un feu sombre sous leurs épais sourcils ; il allongea le pas, s'inclina devant le roi, se redressa à demi en passant devant d'Artagnan, et partit la mort dans le cœur.

D'Artagnan, demeuré seul avec le roi, s'adoucit à l'instant même, et, composant son visage :

— Sire, dit-il, vous êtes un jeune roi. C'est à l'aurore que l'homme devine si la journée sera belle ou triste. Comment, sire, les peuples que la main de Dieu a rangés sous votre loi augureront-ils de votre règne, si, entre vous et eux, vous laissez agir des ministres de colère et de violence ? Mais, parlons de moi, sire ; laissons une discussion qui vous paraît oiseuse, inconvenante, peut-être. Parlons de moi. J'ai arrêté M. Fouquet.

— Vous y avez mis le temps, fit le roi avec aigreur.

D'Artagnan regarda le roi.

— Je vois que je me suis mal exprimé, dit-il. J'ai annoncé à Votre Majesté que j'avais arrêté M. Fouquet ?

— Oui ; eh bien ?

— Eh bien ! j'aurais dû dire à Votre Majesté que M. Fouquet m'avait arrêté, ç'aurait été plus juste. Je rétablis donc la vérité : j'ai été arrêté par M. Fouquet.

Ce fut le tour de Louis XIV d'être surpris. D'Artagnan, de son coup d'œil si prompt, apprécia ce qui se passait dans l'esprit du maître. Il ne lui donna pas le temps de questionner. Il raconta avec cette poésie, avec ce pittoresque que lui seul possédait peut-être à cette époque, l'évasion de M. Fouquet, la poursuite, la course acharnée, enfin cette générosité inimitable du surintendant, qui pouvait fuir dix fois, qui pouvait tuer vingt fois l'adversaire attaché à sa poursuite, et qui avait préféré la prison, et pis encore, peut-être, à l'humiliation de celui qui voulait lui ravir sa liberté.

A mesure que le capitaine des mousquetaires parlait, le roi s'agitait, dévorant ses paroles et faisant claquer l'extrémité de ses ongles les uns contre les autres.

— Il en résulte donc, sire, à mes yeux du moins, qu'un homme qui se conduit ainsi est un galant homme et ne peut être un ennemi du roi. Voilà mon opinion, je le répète à Votre Majesté. Je sais que le roi va me dire, et je m'incline : « La raison d'État. » Soit ! c'est à mes yeux bien respectable. Mais je suis un soldat, j'ai reçu ma consigne ; la consigne est exécutée, bien malgré moi, c'est vrai ; mais elle l'est. Je me tais.

— Où est M. Fouquet en ce moment ? demanda Louis après un moment de silence.

— M. Fouquet, sire, répondit d'Artagnan, est dans la cage de fer que M. Colbert lui a fait préparer, et roule au galop de quatre vigoureux chevaux sur la route d'Angers.

— Pourquoi l'avez-vous quitté en route ?

— Parce que Sa Majesté ne m'avait pas dit d'aller à Angers. La preuve, la meilleure preuve de ce que j'avance, c'est que le roi me cherchait tout à l'heure... Et puis j'avais une autre raison.

— Laquelle ?

— Moi étant là, ce pauvre M. Fouquet n'eût jamais tenté de s'évader.

— Eh bien ? s'écria le roi avec stupéfaction.

— Votre Majesté doit comprendre, et comprend certainement, que mon plus vif désir est de savoir M. Fouquet en liberté. Je l'ai donné à un de mes brigadiers, le plus maladroit que j'aie pu trouver parmi mes mousquetaires, afin que le prisonnier se sauve[1].

— Êtes-vous fou, monsieur d'Artagnan ? s'écria le roi en croisant les bras sur sa poitrine ; dit-on de pareilles énormités quand on a le malheur de les penser ?

— Ah ! sire, vous n'attendez pas sans doute de moi que je sois l'ennemi de M. Fouquet, après ce qu'il vient de faire pour moi et pour vous ? Non, ne me le donnez jamais à garder si vous tenez à ce qu'il reste sous les verrous ; si bien grillée que soit la cage, l'oiseau finirait par s'envoler.

— Je suis surpris, dit le roi d'une voix sombre, que vous n'ayez pas tout de suite suivi la fortune de celui que M. Fouquet voulait mettre sur mon trône. Vous aviez là tout ce qu'il vous faut : affection et reconnaissance. A mon service, monsieur, on trouve un maître.

— Si M. Fouquet ne vous fût pas allé chercher à la Bastille, sire, répliqua d'Artagnan d'une voix fortement accentuée, un seul homme y fût allé, et, cet homme, c'est moi ; vous le savez bien, sire.

Le roi s'arrêta. Devant cette parole si franche, si vraie, de son capitaine des mousquetaires, il n'y avait rien à objecter. Le roi, en entendant d'Artagnan, se rappela le d'Artagnan d'autrefois, celui qui, au Palais-Royal, se tenait caché derrière les rideaux de son lit, quand le peuple de Paris, conduit par le cardinal de Retz, venait s'assurer de la présence du roi[2] ; d'Artagnan qu'il saluait de la main à la portière de son carrosse, lorsqu'il se rendait à Notre-Dame en rentrant à Paris[3] ; le soldat qui l'avait quitté à Blois[4] ; le lieutenant qu'il avait appelé près

---

1. « Le carrosse [...] vint bientôt. Je le fis environner par trente mousquetaires à la tête desquels était Cinq-Mars, qui est aujourd'hui gouverneur de Pignerol [que nous avons rencontré comme gouverneur de Sainte-Marguerite] », Courtilz de Sandras, *op. cit.*

2. Voir *Vingt Ans après*, chap. LV (remarquons que Retz n'y apparaît pas).

3. Voir *Vingt Ans après*, chap. XCVII-VIII.

4. Voir tome I de la présente édition, chap. XIV.

de lui, quand la mort de Mazarin lui rendait le pouvoir[1] ; l'homme qu'il avait toujours trouvé loyal, courageux et dévoué.

Louis s'avança vers la porte, et appela Colbert.

Colbert n'avait pas quitté le corridor où travaillaient les secrétaires. Colbert parut.

— Colbert, vous avez fait faire une perquisition chez M. Fouquet ?

— Oui, sire.

— Qu'a-t-elle produit ?

— M. de Boucherat, envoyé avec les mousquetaires de Votre Majesté, m'a remis des papiers, répliqua Colbert.

— Je les verrai... Vous allez me donner votre main.

— Ma main, sire !

— Oui, pour que je la mette dans celle de M. d'Artagnan. En effet, d'Artagnan, ajouta-t-il avec un sourire en se tournant vers le soldat, qui, à la vue du commis, avait repris son attitude hautaine, vous ne connaissez pas l'homme que voici ; faites connaissance.

Et il lui montrait Colbert.

— C'est un médiocre serviteur dans les positions subalternes, mais ce sera un grand homme si je l'élève au premier rang.

— Sire ! balbutia Colbert, éperdu de plaisir et de crainte.

— J'ai compris pourquoi, murmura d'Artagnan à l'oreille du roi : il était jaloux ?

— Précisément, et sa jalousie lui liait les ailes.

— Ce sera désormais un serpent ailé, grommela le mousquetaire avec un reste de haine contre son adversaire de tout à l'heure.

Mais Colbert, s'approchant de lui, offrit à ses yeux une physionomie si différente de celle qu'il avait l'habitude de lui voir ; il apparut si bon, si doux, si facile, ses yeux prirent l'expression d'une si noble intelligence, que d'Artagnan, connaisseur en physionomies, fut ému, presque changé dans ses convictions.

Colbert lui serrait la main.

— Ce que le roi vous a dit, monsieur, prouve combien Sa Majesté connaît les hommes. L'opposition acharnée que j'ai déployée, jusqu'à ce jour, contre des abus, non contre des hommes, prouve que j'avais en vue de préparer à mon roi un grand règne ; à mon pays, un grand bien-être. J'ai beaucoup d'idées, monsieur d'Artagnan ; vous les verrez éclore au soleil de la paix publique ; et, si je n'ai pas la certitude et le bonheur de conquérir l'amitié des hommes honnêtes, je suis au moins certain, monsieur, que j'obtiendrai leur estime. Pour leur admiration, monsieur, je donnerais ma vie.

Ce changement, cette élévation subite, cette approbation muette du

---

1. Voir tome I de la présente édition, chap. LIII.

roi, donnèrent beaucoup à penser au mousquetaire. Il salua fort civilement Colbert, qui ne le perdait pas de vue.

Le roi, les voyant réconciliés, les congédia, ils sortirent ensemble.

Une fois hors du cabinet, le nouveau ministre arrêtant le capitaine, lui dit :

— Est-il possible, monsieur d'Artagnan, qu'avec un œil comme le vôtre, vous n'ayez pas, du premier coup, à la première inspection, reconnu qui je suis ?

— Monsieur Colbert, reprit le mousquetaire, le rayon de soleil qu'on a dans l'œil empêche de voir les plus ardents brasiers. L'homme au pouvoir rayonne, vous le savez, et, puisque vous en êtes là, pourquoi continueriez-vous à persécuter celui qui vient de tomber en disgrâce et tomber de si haut ?

— Moi, monsieur ? dit Colbert. Oh ! monsieur, je ne le persécuterai jamais. Je voulais administrer les finances et les administrer seul, parce que je suis ambitieux, et que surtout j'ai la confiance la plus entière dans mon mérite ; parce que je sais que tout l'or de ce pays va me tomber sous la vue, et que j'aime à voir l'or du roi ; parce que, si je vis trente ans, en trente ans, pas un denier ne me restera dans la main ; parce que, avec cet or, moi, je bâtirai des greniers, des édifices, des villes, je creuserai des ports ; parce que je créerai une marine, j'équiperai des navires qui iront porter le nom de la France aux peuples les plus éloignés ; parce que je créerai des bibliothèques, des académies ; parce que je ferai de la France le premier pays du monde et le plus riche. Voilà les motifs de mon animosité contre M. Fouquet, qui m'empêchait d'agir. Et puis, quand je serai grand et fort, quand la France sera grande et forte, à mon tour, je crierai : « Miséricorde ! »

— Miséricorde ! avez-vous dit ? Alors demandons au roi sa liberté. Le roi ne l'accable aujourd'hui qu'à cause de vous.

Colbert releva encore une fois la tête.

— Monsieur, dit-il, vous savez bien qu'il n'en est rien, et que le roi a des inimitiés personnelles contre M. Fouquet ; ce n'est pas à moi de vous l'apprendre.

— Le roi se lassera, il oubliera.

— Le roi n'oublie jamais, monsieur d'Artagnan... Tenez, le roi appelle et va donner un ordre ; je ne l'ai pas influencé, n'est-ce pas ? Écoutez.

Le roi appelait en effet ses secrétaires.

— Monsieur d'Artagnan ? dit-il.

— Me voilà, sire.

— Donnez vingt de vos mousquetaires à M. de Saint-Aignan, pour qu'ils fassent garde à M. Fouquet.

D'Artagnan et Colbert échangèrent un regard.

— Et d'Angers, continua le roi, on conduira le prisonnier à la Bastille de Paris[1].

— Vous aviez raison, dit le mousquetaire au ministre.

— Saint-Aignan, continua le roi, vous ferez passer par les armes quiconque parlera bas, chemin faisant, à M. Fouquet.

— Mais moi, sire ? dit le duc.

— Vous, monsieur, vous ne parlerez qu'en présence des mousquetaires.

Le duc s'inclina et sortit pour faire exécuter l'ordre.

D'Artagnan allait se retirer aussi ; le roi l'arrêta.

— Monsieur, dit-il, vous irez sur-le-champ prendre possession de l'île et du fief de Belle-Ile-en-Mer.

— Oui, sire. Moi seul ?

— Vous prendrez autant de troupes qu'il en faut pour ne pas rester en échec, si la place tenait.

Un murmure d'incrédulité adulatrice se fit entendre dans le groupe des courtisans.

— Cela s'est vu, dit d'Artagnan.

— Je l'ai vu dans mon enfance, reprit le roi, et je ne veux plus le voir. Vous m'avez entendu ? Allez, monsieur, et ne revenez ici qu'avec les clefs de la place.

Colbert s'approcha de d'Artagnan.

— Une commission qui, si vous la faites bien, dit-il, vous dégrossit le bâton de maréchal.

— Pourquoi dites-vous ces mots : *Si vous la faites bien* ?

— Parce qu'elle est difficile.

— Ah ! en quoi ?

— Vous avez des amis dans Belle-Ile, monsieur d'Artagnan, et ce n'est pas facile, aux gens comme vous, de marcher sur le corps d'un ami pour parvenir.

D'Artagnan baissa la tête, tandis que Colbert retournait auprès du roi.

Un quart d'heure après, le capitaine reçut l'ordre écrit de faire sauter Belle-Ile en cas de résistance, et le droit de justice haute et basse sur tous les habitants ou *réfugiés*, avec injonction de n'en pas laisser échapper un seul.

« Colbert avait raison, pensa d'Artagnan ; mon bâton de maréchal de France coûterait la vie à mes deux amis. Seulement, on oublie que mes amis ne sont pas plus stupides que les oiseaux, et qu'ils n'attendent pas la main de l'oiseleur pour déployer leurs ailes. Cette main, je la leur montrerai si bien, qu'ils auront le temps de la voir. Pauvre Porthos !

---

1. Fouquet resta à Angers du 5 septembre au 1er décembre, date à laquelle d'Artagnan le transféra à Paris. Le 31 décembre, il entra à Vincennes, et ne fut mené à la Bastille que le 20 juin 1663.

pauvre Aramis ! Non, ma fortune ne vous coûtera pas une plume de l'aile. »

Ayant ainsi conclu, d'Artagnan rassembla l'armée royale, la fit embarquer à Paimbœuf, et mit à la voile sans perdre un moment.

CCXLVIII

BELLE-ILE-EN-MER

A l'extrémité du môle, sur la promenade que bat la mer furieuse au flux du soir, deux hommes, se tenant par le bras, causaient d'un ton animé et expansif, sans que nul être humain pût entendre leurs paroles, enlevées qu'elles étaient une à une par les rafales du vent, avec la blanche écume arrachée aux crêtes des flots.

Le soleil venait de se coucher dans la grande nappe de l'Océan, rougi comme un creuset gigantesque.

Parfois, l'un des hommes se tournait vers l'est, interrogeant la mer avec une sombre inquiétude.

L'autre, interrogeant les traits de son compagnon, semblait chercher à deviner dans ses regards. Puis, tous deux muets, tous deux agitant de sombres pensées, ils reprenaient leur promenade.

Ces deux hommes, tout le monde les a déjà reconnus, étaient nos proscrits, Porthos et Aramis, réfugiés à Belle-Ile depuis la ruine des espérances, depuis la déconfiture du vaste plan de M. d'Herblay.

— Vous avez beau dire, mon cher Aramis, répétait Porthos en aspirant vigoureusement l'air salin dont il gonflait sa puissante poitrine ; vous avez beau dire, Aramis, ce n'est pas une chose ordinaire que cette disparition, depuis deux jours, de tous les bateaux de pêche qui étaient partis. Il n'y a pas d'orage en mer. Le temps est resté constamment calme, pas la plus légère tourmente, et, eussions-nous essuyé une tempête, toutes nos barques n'auraient pas sombré. Je vous le répète, c'est étrange, et cette disparition complète m'étonne, vous dis-je.

— C'est vrai, murmura Aramis ; vous avez raison, ami Porthos. C'est vrai, il y a quelque chose d'étrange là-dessous.

— Et, de plus, ajouta Porthos, auquel l'assentiment de l'évêque de Vannes semblait élargir les idées, de plus, avez-vous remarqué que, si les barques avaient péri, il n'est revenu aucune épave au rivage ?

— Je l'ai remarqué comme vous.

— Remarquez-vous, en outre, que les deux seules barques qui restaient dans toute l'île et que j'ai envoyées à la recherche des autres...

Aramis interrompit ici son compagnon par un cri et par un mouvement si brusque, que Porthos s'arrêta comme stupéfait.

— Que dites-vous là, Porthos ! Quoi ! vous avez envoyé les deux barques...

— A la recherche des autres ; mais oui, répondit tout simplement Porthos.

— Malheureux ! qu'avez-vous fait ? Alors, nous sommes perdus ! s'écria l'évêque.

— Perdus !... Plaît-il ? fit Porthos effaré. Pourquoi perdus, Aramis ? pourquoi sommes-nous perdus ?

Aramis se mordit les lèvres.

— Rien, rien. Pardon, je voulais dire...

— Quoi ?

— Que, si nous voulions, s'il nous prenait fantaisie de faire une promenade en mer, nous ne le pourrions pas.

— Bon ! Voilà qui vous tourmente ? Beau plaisir, ma foi ! Quant à moi, je ne le regrette pas. Ce que je regrette ce n'est pas, certes, le plus ou moins d'agrément que l'on peut prendre à Belle-Ile ; ce que je regrette, Aramis, c'est Pierrefonds, c'est Bracieux, c'est le Vallon, c'est ma belle France : ici, l'on n'est pas en France, mon cher ami ; on est je ne sais où. Oh ! je puis vous le dire dans toute la sincérité de mon âme, et votre affection excusera ma franchise ; mais je vous déclare que je ne suis pas heureux à Belle-Ile ; non, vraiment, je ne suis pas heureux, moi !

Aramis soupira tout bas.

— Cher ami, répondit-il, voilà pourquoi il est bien triste que vous ayez envoyé les deux barques qui nous restaient à la recherche des bateaux disparus depuis deux jours. Si vous ne les eussiez pas expédiées pour faire cette découverte, nous fussions partis.

— Partis ! Et la consigne, Aramis ?

— Quelle consigne ?

— Parbleu ! la consigne que vous me répétiez toujours et à tout propos : que nous gardions Belle-Ile contre l'usurpateur ; vous savez bien.

— C'est vrai, murmura encore Aramis.

— Vous voyez donc bien, mon cher, que nous ne pouvons pas partir, et que l'envoi des barques à la recherche des bateaux ne nous préjudicie en rien.

Aramis se tut, et son vague regard, lumineux comme celui d'un goéland, plana longtemps sur la mer, interrogeant l'espace et cherchant à percer l'horizon.

— Avec tout cela, Aramis, continua Porthos, qui tenait à son idée, et qui y tenait d'autant plus que l'évêque l'avait trouvée exacte, avec tout cela, vous ne me donnez aucune explication sur ce qui peut être arrivé aux malheureux bateaux. Je suis assailli de cris et de plaintes partout où je passe ; les enfants pleurent en voyant les femmes se désoler, comme si je pouvais rendre les pères, les époux absents. Que supposez-vous, mon ami, et que dois-je leur répondre ?

— Supposons tout, mon bon Porthos, et ne disons rien.

Cette réponse ne satisfit point Porthos. Il se retourna en grommelant quelques mots de mauvaise humeur.

Aramis arrêta le vaillant soldat.

— Vous souvenez-vous, dit-il avec mélancolie, en serrant les deux mains du géant dans les siennes avec une affectueuse cordialité ; vous souvenez-vous, ami, qu'aux beaux jours de notre jeunesse, alors que nous étions forts et vaillants, les deux autres et nous, vous souvenez-vous, Porthos, que, si nous eussions eu bonne envie de retourner en France, cette nappe d'eau salée ne nous eût pas arrêtés ?

— Oh ! fit Porthos, six lieues !

— Si vous m'eussiez vu monter sur une planche, fussiez-vous resté à terre, Porthos ?

— Non, par Dieu point, Aramis ! Mais aujourd'hui, quelle planche il nous faudrait, cher ami, à moi surtout !

Et le seigneur de Bracieux jeta, en riant d'orgueil, un coup d'œil sur sa colossale rotondité.

— Est-ce que, sérieusement, vous ne vous ennuyez pas aussi un peu à Belle-Ile ? et ne préféreriez-vous pas les douceurs de votre demeure, de votre palais épiscopal de Vannes ? Allons, avouez-le.

— Non, répondit Aramis, sans oser regarder Porthos.

— Restons, alors, dit son ami avec un soupir qui, malgré les efforts qu'il fit pour le contenir, s'échappa bruyamment de sa poitrine. Restons, restons ! Et cependant, ajouta-t-il, et cependant, si on voulait bien, mais, là, bien nettement, si l'on avait une idée bien fixe, bien arrêtée de retourner en France, et que l'on n'eût pas de bateaux...

— Avez-vous remarqué une autre chose, mon ami ? c'est que, depuis la disparition de nos barques, depuis ces deux jours que nos pêcheurs ne sont pas revenus, il n'est pas abordé un seul canot sur les rivages de l'île ?

— Oui, certes, vous avez raison. Je l'ai remarqué aussi, moi, et l'observation était facile à faire ; car, avant ces deux jours funestes, nous voyions arriver ici barques et chaloupes par douzaines.

— Il faudra s'informer, fit tout à coup Aramis avec attention. Quand je devrais faire construire un radeau...

— Mais il y a des canots, cher ami ; voulez-vous que j'en monte un ?

— Un canot... un canot !... Y pensez-vous, Porthos ? Un canot pour chavirer ? Non, non, répliqua l'évêque de Vannes, ce n'est pas notre métier, à nous, de passer sur les lames. Attendons, attendons.

Et Aramis continuait de se promener avec tous les signes d'une agitation toujours croissante.

Porthos, qui se fatiguait à suivre chacun des mouvements fiévreux de son ami, Porthos, qui, dans son calme et sa croyance, ne comprenait rien à cette sorte d'exaspération qui se trahissait par des soubresauts continuels, Porthos l'arrêta.

— Asseyons-nous sur cette roche, lui dit-il ; placez-vous là, près de moi, Aramis, et, je vous en conjure une dernière fois, expliquez-moi, de manière à me le faire bien comprendre, expliquez-moi ce que nous faisons ici.

— Porthos... dit Aramis embarrassé.

— Je sais que le faux roi a voulu détrôner le vrai roi. C'est dit, c'est compris. Eh bien ?...

— Oui, fit Aramis.

— Je sais que le faux roi a projeté de vendre Belle-Ile aux Anglais. C'est encore compris.

— Oui.

— Je sais que, nous autres ingénieurs et capitaines, nous sommes venus nous jeter dans Belle-Ile, prendre la direction des travaux et le commandement des dix compagnies levées, soldées et obéissant à M. Fouquet, ou plutôt des dix compagnies de son gendre. Tout cela est encore compris.

Aramis se leva impatienté. On eût dit un lion importuné par un moucheron.

Porthos le retint par le bras.

— Mais je ne comprends pas, ce que, malgré tous mes efforts d'esprit, toutes mes réflexions, je ne puis comprendre, et ce que je ne comprendrai jamais, c'est que, au lieu de nous envoyer des troupes, au lieu de nous envoyer des renforts en hommes, en munitions et en vivres, on nous laisse sans bateaux, on laisse Belle-Ile, sans arrivages, sans secours ; c'est qu'au lieu d'établir avec nous une correspondance, soit par des signaux, soit par des communications écrites ou verbales, on intercepte toutes relations avec nous. Voyons, Aramis, répondez-moi, ou plutôt, avant de me répondre, voulez-vous que je vous dise ce que j'ai pensé, moi ? Voulez-vous savoir quelle a été mon idée, quelle imagination m'est venue ?

L'évêque leva la tête.

— Eh bien ! Aramis, continua Porthos, j'ai pensé, j'ai eu l'idée, je me suis imaginé qu'il s'était passé en France un événement. J'ai rêvé de M. Fouquet toute la nuit, j'ai rêvé de poissons morts, d'œufs cassés, de chambres mal établies, pauvrement installées. Mauvais rêves, mon cher d'Herblay ! malencontres que ces songes !

— Porthos, qu'y a-t-il là-bas ? interrompit Aramis en se levant brusquement et montrant à son ami un point noir sur la ligne empourprée de l'eau.

— Une barque ! dit Porthos ; oui, c'est bien une barque. Ah ! nous allons enfin avoir des nouvelles.

— Deux ! s'écria l'évêque en découvrant une autre mâture, deux ! trois ! quatre !

— Cinq ! fit Porthos à son tour. Six ! Sept ! Ah ! mon Dieu ! c'est une flotte ! mon Dieu ! mon Dieu !

— Nos bateaux qui rentrent probablement, dit Aramis inquiet malgré l'assurance qu'il affectait.

— Ils sont bien gros pour des bateaux de pêcheurs, fit observer Porthos ; et puis ne remarquez-vous pas, cher ami, qu'ils viennent de la Loire ?

— Ils viennent de la Loire... oui.

— Et, tenez, tout le monde ici les a vus comme moi ; voici que les femmes et les enfants commencent à monter sur les jetées.

Un vieux pêcheur passait.

— Sont-ce nos barques ? lui demanda Aramis.

Le vieillard interrogea les profondeurs de l'horizon.

— Non, monseigneur, répondit-il ; ce sont des bateaux-chalands du service royal.

— Des bateaux du service royal ! répondit Aramis en tressaillant. A quoi reconnaissez-vous cela ?

— Au pavillon.

— Mais, dit Porthos, le bateau est à peine visible ; comment, diable, mon cher, pouvez-vous distinguer le pavillon ?

— Je vois qu'il y en a un, répliqua le vieillard ; nos bateaux à nous, et les chalands du commerce n'en ont pas. Ces sortes de péniches qui viennent là, monsieur, servent ordinairement au transport des troupes.

— Ah ! fit Aramis.

— Vivat ! s'écria Porthos, on nous envoie du renfort, n'est-ce pas, Aramis ?

— C'est probable.

— A moins que les Anglais n'arrivent.

— Par la Loire ? Ce serait avoir du malheur, Porthos ; ils auraient donc passé par Paris ?

— Vous avez raison, ce sont des renforts, décidément, ou des vivres.

Aramis appuya sa tête dans ses mains et ne répondit pas.

Puis, tout à coup :

— Porthos, dit-il, faites sonner l'alarme.

— L'alarme ?... y pensez-vous ?

— Oui, et que les canonniers montent à leurs batteries ; que les servants soient à leurs pièces ; qu'on veille surtout aux batteries de côte.

Porthos ouvrit de grands yeux. Il regarda attentivement son ami, comme pour se convaincre qu'il était dans son bon sens.

— Je vais y aller, mon bon Porthos, continua Aramis de sa voix la plus douce ; je vais faire exécuter ces ordres, si vous n'y allez pas, mon cher ami.

— Mais j'y vais à l'instant même ! dit Porthos, qui alla faire exécuter l'ordre, tout en jetant des regards en arrière pour voir si l'évêque de Vannes ne se trompait point, et si, revenant à des idées plus saines, il ne le rappellerait pas.

L'alarme fut sonnée ; les clairons, les tambours retentirent, la grosse cloche du beffroi s'ébranla.

Aussitôt les digues, les môles se remplirent de curieux, de soldats ; les mèches brillèrent entre les mains des artilleurs, placés derrière les gros canons couchés sur leurs affûts de pierre. Quand chacun fut à son poste, quand les préparatifs de défense furent faits :

— Permettez-moi, Aramis, de chercher à comprendre, murmura timidement Porthos à l'oreille de l'évêque.

— Allez, mon cher, vous ne comprendrez que trop tôt, murmura d'Herblay à cette question de son lieutenant.

— La flotte qui vient là-bas, la flotte qui, voiles déployées, a le cap sur le port de Belle-Ile, est une flotte royale, n'est-il pas vrai ?

— Mais, puisqu'il y a deux rois en France, Porthos, auquel des deux rois cette flotte appartient-elle ?

— Oh ! vous m'ouvrez les yeux, repartit le géant, arrêté par cet argument.

Et Porthos, auquel cette réponse de son ami venait d'ouvrir les yeux, ou plutôt d'épaissir le bandeau qui lui couvrait la vue, se rendit au plus vite dans les batteries pour surveiller son monde et exhorter chacun à faire son devoir.

Cependant Aramis, l'œil toujours fixé à l'horizon, voyait les navires s'approcher. La foule et les soldats, montés sur toutes les sommités et les anfractuosités des rochers, pouvaient distinguer la mâture, puis les basses voiles, puis enfin le corps des chalands, portant à la corne le pavillon royal de France.

Il était nuit close lorsqu'une de ces péniches, dont la présence avait mis si fort en émoi toute la population de Belle-Ile, vint s'embosser à portée de canon de la place.

On vit bientôt, malgré l'obscurité, une sorte d'agitation régner à bord de ce navire, du flanc duquel se détacha un canot, dont trois rameurs, courbés sur les avirons, prirent la direction du port, et, en quelques instants, vinrent atterrir aux pieds du fort.

Le patron de cette yole sauta sur le môle. Il tenait une lettre à la main, l'agitait en l'air et semblait demander à communiquer avec quelqu'un.

Cet homme fut bientôt reconnu par plusieurs soldats pour un des pilotes de l'île. C'était le patron d'une des deux barques conservées par Aramis, et que Porthos, dans son inquiétude sur le sort des pêcheurs disparus depuis deux jours, avait envoyées à la découverte des bateaux perdus.

Il demanda à être conduit à M. d'Herblay.

Deux soldats, sur le signe d'un sergent, le placèrent entre eux et l'escortèrent.

Aramis était sur le quai. L'envoyé se présenta devant l'évêque de Vannes. L'obscurité était presque complète, malgré les flambeaux que portaient à une certaine distance les soldats qui suivaient Aramis dans sa ronde.

— Eh quoi ! Jonathas, de quelle part viens-tu ?

— Monseigneur, de la part de ceux qui m'ont pris.

— Qui t'a pris ?

— Vous savez, monseigneur, que nous étions partis à la recherche de nos camarades ?

— Oui. Après ?

— Eh bien ! monseigneur, à une petite lieue, nous avons été capturés par un chasse-marée du roi.

— De quel roi ? fit Porthos.

Jonathas ouvrit de grands yeux.

— Parle, continua l'évêque.

— Nous fûmes donc capturés, monseigneur, et réunis à ceux qui avaient été pris hier au matin.

— Qu'est-ce que cette manie de vous prendre tous ? interrompit Porthos.

— Monsieur, pour nous empêcher de vous le dire, répliqua Jonathas.

Porthos à son tour ne comprit pas.

— Et on vous relâche aujourd'hui ? demanda-t-il.

— Pour que je vous dise, monsieur, qu'on nous avait pris.

« De plus en plus trouble », pensa l'honnête Porthos.

Aramis, pendant ce temps, réfléchissait.

— Voyons, dit-il, une flotte royale bloque donc les côtes ?

— Oui, monseigneur.

— Qui la commande ?

— Le capitaine des mousquetaires du roi.

— D'Artagnan ?

— D'Artagnan ! dit Porthos.

— Je crois que c'est ce nom-là.

— Et c'est lui qui t'a remis cette lettre ?

— Oui, monseigneur.

— Approchez les flambeaux.

— C'est son écriture, dit Porthos.

Aramis lut vivement les lignes suivantes :

Ordre du roi de prendre Belle-Ile[1] ;

---

1. « L'on somma le gouverneur de Belle-Isle de se rendre. Il n'en voulut rien faire et se

Ordre de passer au fil de l'épée la garnison, si elle résiste ;
Ordre de faire prisonniers tous les hommes de la garnison ;
Signé : D'ARTAGNAN, qui, avant-hier, a arrêté M. Fouquet pour l'envoyer à la Bastille.

Aramis pâlit et froissa le papier en ses mains.

— Quoi donc ? demanda Porthos.

— Rien, mon ami ! rien ! Dis-moi, Jonathas ?

— Monseigneur !

— As-tu parlé à M. d'Artagnan ?

— Oui, monseigneur.

— Que t'a-t-il dit ?

— Que, pour des informations plus amples, il causerait avec Monseigneur.

— Où cela ?

— A son bord.

— A son bord ?

Porthos répéta :

— A son bord ?

— M. le mousquetaire, continua Jonathas, m'a dit de vous prendre tous deux, vous et M. l'ingénieur, dans mon canot, et de vous mener à lui.

— Allons-y, dit Porthos. Ce cher d'Artagnan !

Aramis l'arrêta.

— Êtes-vous fou ? s'écria-t-il. Qui vous dit que ce n'est pas un piège ?

— De l'autre roi ? riposta Porthos avec mystère.

— Un piège enfin ! C'est tout dire, mon ami.

— C'est possible ; alors, que faire ? Si d'Artagnan nous appelle, cependant...

— Qui vous dit que c'est d'Artagnan ?

— Ah ! alors... Mais son écriture...

— On contrefait une écriture. Celle-ci est contrefaite, tremblée.

— Vous avez toujours raison ; mais, en attendant, nous ne savons rien.

Aramis se tut.

— Il est vrai, dit le bon Porthos, que nous n'avons besoin de rien savoir.

— Que ferai-je, moi ? demanda Jonathas.

— Tu retourneras près de ce capitaine.

— Oui, monseigneur.

— Et tu lui diras que nous le prions de venir lui-même dans l'île.

— Je comprends, dit Porthos.

— Oui, monseigneur, répondit Jonathas ; mais, si ce capitaine refuse de venir à Belle-Ile ?...

---

moqua d'abord de toutes les menaces. On commença à former le siège autour des murailles, il rabattit peu à peu de sa fierté, mit la chose en négociation et se rendit bientôt », Courtilz de Sandras, *op. cit.*, chap. XXVII.

— S'il refuse, comme nous avons des canons, nous en ferons usage.

— Contre d'Artagnan ?

— Si c'est d'Artagnan, Porthos, il viendra. Pars, Jonathas, pars.

— Ma foi ! je ne comprends plus rien du tout, murmura Porthos.

— Je vais tout vous faire comprendre, cher ami, le moment en est venu. Asseyez-vous sur cet affût, ouvrez vos oreilles et écoutez-moi bien.

— Oh ! j'écoute, pardieu ! n'en doutez pas.

— Puis-je partir, monseigneur ? cria Jonathas.

— Pars, et reviens avec une réponse. Laissez passer le canot, vous autres !

Le canot partit pour aller rejoindre le navire.

Aramis prit la main de Porthos et commença les explications.

CCXLIX

LES EXPLICATIONS D'ARAMIS

— Ce que j'ai à vous dire, ami Porthos, va probablement vous surprendre, mais vous instruire aussi.

— J'aime à être surpris, dit Porthos avec bienveillance ; ne me ménagez donc pas, je vous prie. Je suis dur aux émotions ; ne craignez donc rien, parlez.

— C'est difficile, Porthos, c'est... difficile ; car, en vérité, je vous en préviens une seconde fois, j'ai des choses bien étranges, bien extraordinaires à vous dire.

— Oh ! vous parlez si bien, cher ami, que je vous écouterais pendant des journées entières. Parlez donc, je vous en prie, et, tenez, il me vient une idée : je vais, pour vous faciliter la besogne, je vais, pour vous aider à me dire ces choses étranges, vous questionner.

— Je le veux bien.

— Pourquoi allons-nous combattre, cher Aramis ?

— Si vous me faites beaucoup de questions semblables à celle-là, si c'est ainsi que vous voulez faciliter ma besogne, mon besoin de révélation, en m'interrogeant ainsi, Porthos, vous ne me faciliterez en rien. Bien au contraire, c'est précisément là le nœud gordien. Tenez, ami, avec un homme bon, généreux et dévoué comme vous l'êtes, il faut, pour lui et pour soi-même, commencer la confession avec bravoure. Je vous ai trompé, mon digne ami.

— Vous m'avez trompé ?

— Mon Dieu, oui.

— Était-ce pour mon bien, Aramis ?

— Je l'ai cru, Porthos ; je l'ai cru sincèrement, mon ami.

— Alors, fit l'honnête seigneur de Bracieux, vous m'avez rendu service, et je vous en remercie ; car, si vous ne m'aviez pas trompé, j'aurais pu me tromper moi-même. En quoi donc m'avez-vous trompé ? Dites.

— C'est que je servais l'usurpateur, contre lequel Louis XIV dirige en ce moment tous ses efforts.

— L'usurpateur, dit Porthos en se grattant le front, c'est... Je ne comprends pas trop bien.

— C'est l'un des deux rois qui se disputent la couronne de France.

— Fort bien !... Alors, vous serviez celui qui n'est pas Louis XIV ?

— Vous venez de dire le vrai mot, du premier coup.

— Il en résulte que...

— Il en résulte que nous sommes des rebelles, mon pauvre ami.

— Diable ! diable !... s'écria Porthos désappointé.

— Oh ! mais, cher Porthos, soyez calme, nous trouverons encore bien moyen de nous sauver, croyez-moi.

— Ce n'est pas cela qui m'inquiète, répondit Porthos ; ce qui me touche seulement, c'est ce vilain mot de rebelles.

— Ah ! voilà !...

— Et, de cette façon, le duché qu'on m'a promis...

— C'est l'usurpateur qui le donnait.

— Ce n'est pas la même chose, Aramis, fit majestueusement Porthos.

— Ami, s'il n'eût tenu qu'à moi, vous fussiez devenu prince.

Porthos se mit à mordre ses ongles avec mélancolie.

— Voilà, continua-t-il, en quoi vous avez eu tort de me tromper ; car ce duché promis, j'y comptais. Oh ! j'y comptais sérieusement, vous sachant homme de parole, mon cher Aramis.

— Pauvre Porthos ! Pardonnez-moi, je vous en supplie.

— Ainsi donc, insista Porthos sans répondre à la prière de l'évêque de Vannes, ainsi donc, je suis bien brouillé avec le roi Louis XIV ?

— J'arrangerai cela, mon bien bon ami, j'arrangerai cela. Je prendrai tout sur moi seul.

— Aramis !

— Non, non, Porthos, je vous en conjure, laissez-moi faire. Pas de fausse générosité ! pas de dévouement inopportun ! Vous ne saviez rien de mes projets. Vous n'avez rien fait par vous-même. Moi, c'est différent. Je suis seul l'auteur du complot. J'avais besoin de mon inséparable compagnon ; je vous ai appelé et vous êtes venu à moi, en vous souvenant de notre ancienne devise : « Tous pour un, un pour tous. » Mon crime, cher Porthos, est d'avoir été égoïste.

— Voilà une parole que j'aime, dit Porthos, et dès que vous avez agi uniquement pour vous, il me serait impossible de vous en vouloir. C'est si naturel !

Et, sur ce mot sublime, Porthos serra cordialement la main de son ami.

Aramis, en présence de cette naïve grandeur d'âme, se trouva petit. C'était la deuxième fois qu'il se voyait contraint de plier devant la réelle supériorité du cœur, bien plus puissante que la splendeur de l'esprit.

Il répondit par une muette et énergique pression à la généreuse caresse de son ami.

— Maintenant, dit Porthos, que nous nous sommes parfaitement expliqués, maintenant que je me suis parfaitement rendu compte de notre situation vis-à-vis du roi Louis, je crois, cher ami, qu'il est temps de me faire comprendre l'intrigue politique dont nous sommes les victimes ; car je vois bien qu'il y a une intrigue politique là-dessous.

— D'Artagnan, mon bon Porthos, d'Artagnan va venir, et vous la détaillera dans toutes ses circonstances : mais, excusez-moi : je suis navré de douleur, accablé par la peine, et j'ai besoin de toute ma présence d'esprit, de toute ma réflexion, pour vous sortir du mauvais pas où je vous ai si imprudemment engagé ; mais rien de plus clair désormais, rien de plus net que la position. Le roi Louis XIV n'a plus maintenant qu'un seul ennemi : cet ennemi, c'est moi, moi seul. Je vous ai fait prisonnier, vous m'avez suivi, je vous libère aujourd'hui, vous revolez vers votre prince. Vous le voyez, Porthos, il n'y a pas une seule difficulté dans tout ceci.

— Croyez-vous ? fit Porthos.

— J'en suis bien sûr.

— Alors pourquoi, dit l'admirable bon sens de Porthos, alors pourquoi, si nous sommes dans une aussi facile position, pourquoi, mon bon ami, préparons-nous des canons, des mousquets et des engins de toute sorte ? Plus simple, il me semble, est de dire au capitaine d'Artagnan : « Cher ami, nous nous sommes trompés, c'est à refaire ; ouvrez-nous la porte, laissez-nous passer, et bonjour ! »

— Ah ! voilà ! dit Aramis en secouant la tête.

— Comment, voilà ? Est-ce que vous n'approuvez pas ce plan, cher ami ?

— J'y vois une difficulté.

— Laquelle ?

— L'hypothèse où d'Artagnan viendrait avec de tels ordres, que nous soyons obligés de nous défendre.

— Allons donc ! nous défendre contre d'Artagnan ? Folie ! Ce bon d'Artagnan !...

Aramis secoua encore une fois la tête.

— Porthos, dit-il, si j'ai fait allumer les mèches et pointer les canons, si j'ai fait retentir le signal d'alarme, si j'ai appelé tout le monde à son poste sur les remparts, ces bons remparts de Belle-Ile que vous avez si bien fortifiés, c'est pour quelque chose. Attendez pour juger, ou plutôt, non, n'attendez pas...

— Que faire ?

— Si je le savais, ami, je l'eusse dit.

— Mais il y a une chose bien plus simple que de se défendre : un bateau, et en route pour la France, où...

— Cher ami, dit Aramis en souriant avec une sorte de tristesse, ne raisonnons pas comme des enfants ; soyons hommes pour le conseil et pour l'exécution. Tenez, voici qu'on hèle du port une embarcation quelconque. Attention, Porthos, sérieuse attention !

— C'est d'Artagnan, sans doute, dit Porthos d'une voix de tonnerre en s'approchant du parapet.

— Oui, c'est moi, répondit le capitaine des mousquetaires en sautant légèrement sur les degrés du môle.

Et il monta rapidement jusqu'à la petite esplanade où l'attendaient ses deux amis.

Une fois en chemin Porthos et Aramis distinguèrent un officier qui suivait d'Artagnan, emboîtant le pas dans chacun des pas du capitaine.

Le capitaine s'arrêta sur les degrés du môle, à moitié route. Son compagnon l'imita.

— Faites retirer vos gens, cria d'Artagnan à Porthos et à Aramis ; faites-les retirer hors de la portée de la voix.

L'ordre, donné par Porthos, fut exécuté à l'instant même.

Alors d'Artagnan, se tournant vers celui qui le suivait :

— Monsieur, lui dit-il, nous ne sommes plus ici sur la flotte du roi, où, en vertu de vos ordres, vous me parliez si arrogamment tout à l'heure.

— Monsieur, répondit l'officier, je ne vous parlais pas arrogamment ; j'obéissais simplement, mais rigoureusement, à ce qui m'a été commandé. On m'a dit de vous suivre, je vous suis. On m'a dit de ne pas vous laisser communiquer avec qui que ce soit sans prendre connaissance de ce que vous feriez : je me mêle à vos communications[1].

D'Artagnan frémit de colère, et Porthos et Aramis, qui entendaient ce dialogue, frémirent aussi, mais d'inquiétude et de crainte.

D'Artagnan, mâchant sa moustache avec cette vivacité qui décelait en lui l'état d'une exaspération la plus voisine d'un éclat terrible, se rapprocha de l'officier.

— Monsieur, dit-il d'une voix plus basse et d'autant plus accentuée, qu'elle affectait un calme profond et se gonflait de tempête, monsieur, quand j'ai envoyé un canot ici, vous avez voulu savoir ce que j'écrivais aux défenseurs de Belle-Ile. Vous m'avez montré un ordre ; à l'instant même, à mon tour, je vous ai montré le billet que j'écrivais. Quand le patron de la barque envoyée par moi fut de retour, quand j'ai reçu la réponse de ces deux messieurs (et il désignait de la main à l'officier Aramis

---

1. L'idée du personnage vient peut-être de Choisy : « Maupertuis [...] suivait la cour sans emploi ; et ce jour-là [arrestation de Fouquet] le roi lui avait ordonné de suivre d'Artagnan, et de faire tout ce qu'il commanderait. »

et Porthos), vous avez entendu jusqu'au bout le discours du messager. Tout cela était bien dans vos ordres ; tout cela est bien suivi, bien exécuté, bien ponctuel, n'est-ce pas ?

— Oui, monsieur, balbutia l'officier ; oui, sans doute, monsieur... mais...

— Monsieur, continua d'Artagnan en s'échauffant, monsieur, quand j'ai manifesté l'intention de quitter mon bord pour passer à Belle-Ile, vous avez exigé de m'accompagner ; je n'ai point hésité : je vous ai emmené. Vous êtes bien à Belle-Ile, n'est-ce pas ?

— Oui, monsieur ; mais...

— Mais... il ne s'agit plus de M. Colbert, qui vous a fait tenir cet ordre, ou de qui que ce soit au monde, dont vous suivez les instructions : il s'agit ici d'un homme qui gêne M. d'Artagnan, et qui se trouve avec M. d'Artagnan seul, sur les marches d'un escalier, que baignent trente pieds d'eau salée ; mauvaise position pour cet homme, mauvaise position, monsieur ! je vous en avertis.

— Mais, monsieur, si je vous gêne, dit timidement et presque craintivement l'officier, c'est mon service qui...

— Monsieur, vous avez eu le malheur, vous ou ceux qui vous envoient, de me faire une insulte. Elle est faite. Je ne peux m'en prendre à ceux qui vous cautionnent ; ils me sont inconnus, ou sont trop loin. Mais vous vous trouvez sous ma main, et je jure Dieu que, si vous faites un pas derrière moi, quand je vais lever le pied pour monter auprès de ces messieurs... je jure mon nom que je vous fends la tête d'un coup d'épée, et que je vous jette à l'eau. Oh ! il arrivera ce qu'il arrivera. Je ne me suis jamais mis que six fois en colère dans ma vie, monsieur, et les cinq fois qui ont précédé celle-ci, j'ai tué mon homme.

L'officier ne bougea pas ; il pâlit sous cette terrible menace, et répondit avec simplicité :

— Monsieur, vous avez tort d'aller contre ma consigne.

Porthos et Aramis, muets et frissonnants en haut du parapet, crièrent au mousquetaire :

— Cher d'Artagnan, prenez garde !

D'Artagnan les fit taire du geste, leva son pied avec un calme effrayant pour gravir une marche, et se retourna, l'épée à la main, pour voir si l'officier le suivait.

L'officier fit un signe de croix et marcha.

Porthos et Aramis, qui connaissaient leur d'Artagnan, poussèrent un cri et se précipitèrent pour arrêter le coup, qu'ils croyaient déjà entendre.

Mais d'Artagnan, passant l'épée dans la main gauche :

— Monsieur, dit-il à l'officier d'une voix émue, vous êtes un brave homme. Vous devez mieux comprendre ce que je vais vous dire maintenant, que ce que je vous ai dit tout à l'heure.

— Parlez, monsieur d'Artagnan, parlez, répondit le brave officier.

— Ces messieurs que nous venons voir, et contre lesquels vous avez des ordres, sont mes amis.

— Je le sais, monsieur.

— Vous comprenez si je dois agir avec eux comme vos instructions vous le prescrivent.

— Je comprends vos réserves.

— Eh bien ! permettez-moi de causer avec eux sans témoin.

— Monsieur d'Artagnan, si je cédais à votre demande, si je faisais ce dont vous me priez, je manquerais à ma parole ; mais, si je ne le fais pas, je vous désobligerai. J'aime mieux l'un que l'autre. Causez avec vos amis, et ne me méprisez pas, monsieur, de faire par amour pour vous, que j'estime et que j'honore, ne me méprisez pas de faire pour vous, pour vous seul, une vilaine action.

D'Artagnan, ému, passa rapidement ses bras au cou de ce jeune homme, et monta près de ses amis.

L'officier, enveloppé dans son manteau, s'assit sur les marches, couvertes d'algues humides.

— Eh bien ! dit d'Artagnan à ses amis, voilà la position ; jugez.

Ils s'embrassèrent tous trois. Tous trois se tinrent serrés dans les bras l'un de l'autre, comme aux beaux jours de la jeunesse.

— Que signifient toutes ces rigueurs ? demanda Porthos.

— Vous devez en soupçonner quelque chose, cher ami, répliqua d'Artagnan.

— Pas trop, je vous l'assure, mon cher capitaine ; car, enfin, je n'ai rien fait, ni Aramis non plus, se hâta d'ajouter l'excellent homme.

D'Artagnan lança au prélat un regard de reproche, qui pénétra ce cœur endurci.

— Cher Porthos ! s'écria l'évêque de Vannes.

— Vous voyez ce qu'on a fait, dit d'Artagnan : interception de tout ce qui vient de Belle-Ile, de tout ce qui s'y rend. Vos bateaux sont tous saisis. Si vous aviez essayé de fuir, vous tombiez entre les mains des croiseurs qui sillonnent la mer et qui vous guettent. Le roi vous veut et vous prendra.

Et d'Artagnan s'arracha furieusement quelques poils de sa moustache grise.

— Mon idée était celle-ci, continua d'Artagnan : vous faire venir à mon bord tous deux, vous avoir près de moi, et puis vous rendre libres. Mais, à présent, qui me dit qu'en retournant sur mon navire je ne rencontrerai pas un supérieur, que je ne trouverai pas des ordres secrets qui m'enlèvent mon commandement pour le donner à quelque autre que moi, et qui disposeront de moi et de vous sans nul espoir de secours ?

— Il faut demeurer à Belle-Ile, dit résolument Aramis, et je vous réponds, moi, que je ne me rendrai qu'à bon escient.

Porthos ne dit rien. D'Artagnan remarqua le silence de son ami.

— J'ai à essayer encore de cet officier, de ce brave qui m'accompagne, et dont la courageuse résistance me rend bien heureux; car elle accuse un honnête homme, lequel, encore que notre ennemi, vaut mille fois mieux qu'un lâche complaisant. Essayons, et sachons de lui ce qu'il a le droit de faire, ce que sa consigne lui permet ou lui défend.

— Essayons, dit Aramis.

D'Artagnan vint au parapet, se pencha vers les degrés du môle, et appela l'offficier, qui monta aussitôt.

— Monsieur, lui dit d'Artagnan, après l'échange des courtoisies les plus cordiales, naturelles entre gentilshommes qui se connaissent et s'apprécient dignement; monsieur, si je voulais emmener ces messieurs d'ici, que feriez-vous?

— Je ne m'y opposerais pas, monsieur; mais, ayant ordre direct, ordre formel, de les prendre sous ma garde, je les garderais.

— Ah! fit d'Artagnan.

— C'est fini! dit Aramis sourdement.

Porthos ne bougea pas.

— Emmenez toujours Porthos, dit l'évêque de Vannes; il saura prouver au roi, je l'y aiderai, et vous aussi, monsieur d'Artagnan, qu'il n'est pour rien dans cette affaire.

— Hum! fit d'Artagnan. Voulez-vous venir? voulez-vous me suivre, Porthos? le roi est clément.

— Je demande à réfléchir, dit Porthos noblement.

— Vous restez ici, alors?

— Jusqu'à nouvel ordre! s'écria Aramis avec vivacité.

— Jusqu'à ce que nous ayons eu une idée, reprit d'Artagnan, et je crois maintenant que ce ne sera pas long, car j'en ai déjà une.

— Disons-nous adieu, alors, reprit Aramis; mais, en vérité, cher Porthos, vous devriez partir.

— Non! dit laconiquement celui-ci.

— Comme il vous plaira, reprit Aramis, un peu blessé dans sa susceptibilité nerveuse, du ton morose de son compagnon. Seulement, je suis rassuré par la promesse d'une idée de d'Artagnan; idée que j'ai devinée, je crois.

— Voyons, fit le mousquetaire en approchant son oreille de la bouche d'Aramis.

Celui-ci dit au capitaine plusieurs mots rapides, auxquels d'Artagnan répondit:

— Précisément cela.

— Immanquable, alors, s'écria Aramis joyeux.

— Pendant la première émotion que causera ce parti pris, arrangez-vous, Aramis.

— Oh! n'ayez pas peur.

— Maintenant, monsieur, dit d'Artagnan à l'officier, merci mille fois ! Vous venez de vous faire trois amis à la vie, à la mort.

— Oui, répliqua Aramis.

Porthos seul ne dit rien et acquiesça de la tête.

D'Artagnan, ayant tendrement embrassé ses deux vieux amis, quitta Belle-Ile, avec l'inséparable compagnon que M. Colbert lui avait donné.

Ainsi, à part l'espèce d'explication dont le digne Porthos avait bien voulu se contenter, rien n'était changé en apparence au sort des uns et des autres.

— Seulement, dit Aramis, il y a l'idée de d'Artagnan.

D'Artagnan ne retourna point à son bord sans creuser profondément l'idée qu'il venait de découvrir.

Or, on sait que, lorsque d'Artagnan creusait, d'habitude il perçait à jour.

Quant à l'officier, redevenu muet, il lui laissa respectueusement le loisir de méditer.

Aussi, en mettant le pied sur son navire, embossé à une portée de canon de Belle-Ile, le capitaine des mousquetaires avait-il déjà réuni tous ses moyens offensifs et défensifs.

Il assembla immédiatement son conseil.

Ce conseil se composait des officiers qui servaient sous ses ordres.

Ces officiers étaient au nombre de huit :

Un chef des forces maritimes, un major dirigeant l'artillerie, un ingénieur, l'officier que nous connaissons, et quatre lieutenants.

Les ayant donc réunis dans la chambre de poupe, d'Artagnan se leva, ôta son feutre, et commença en ces termes :

— Messieurs, je suis allé reconnaître Belle-Ile-en-Mer et j'y ai trouvé bonne et solide garnison ; de plus, les préparatifs tout faits pour une défense qui peut devenir gênante. J'ai donc l'intention d'envoyer chercher deux des principaux officiers de la place pour que nous causions avec eux. Les ayant séparés de leurs troupes et de leurs canons, nous en aurons meilleur marché, surtout avec de bons raisonnements. Est-ce votre avis, messieurs ?

Le major de l'artillerie se leva.

— Monsieur, dit-il avec respect, mais avec fermeté, je viens de vous entendre dire que la place prépare une défense gênante. La place est donc, que vous sachiez, déterminée à la rébellion ?

D'Artagnan fut visiblement dépité par cette réponse ; mais il n'était pas homme à se laisser abattre pour si peu, et reprit la parole :

— Monsieur, dit-il, votre réponse est juste. Mais vous n'ignorez pas que Belle-Ile-en-Mer est un fief de M. Fouquet, et les anciens rois ont donné aux seigneurs de Belle-Ile le droit de s'armer chez eux.

Le major fit un mouvement.

— Oh ! ne m'interrompez point, continua d'Artagnan. Vous allez me dire que ce droit de s'armer contre les Anglais n'est pas le droit de s'armer contre son roi. Mais ce n'est pas M. Fouquet, je suppose, qui tient en ce moment Belle-Ile, puisque, avant-hier, j'ai arrêté M. Fouquet. Or, les habitants et défenseurs de Belle-Ile ne savent rien de cette arrestation. Vous la leur annonceriez vainement. C'est une chose si inouïe, si extraordinaire, si inattendue, qu'ils ne vous croiraient pas. Un Breton sert son maître et non pas ses maîtres ; il sert son maître jusqu'à ce qu'il l'ait vu mort. Or, les Bretons, que je sache, n'ont pas vu le cadavre de M. Fouquet. Il n'est donc pas surprenant qu'ils tiennent contre tout ce qui n'est pas M. Fouquet ou sa signature.

Le major s'inclina en signe d'assentiment.

— Voilà pourquoi, continua d'Artagnan, voilà pourquoi je me propose de faire venir ici, à mon bord, deux des principaux officiers de la garnison. Ils vous verront, messieurs ; ils verront les forces dont nous disposons ; ils sauront, par conséquent, à quoi s'en tenir sur le sort qui les attend en cas de rébellion. Nous leur affirmerons sur l'honneur que M. Fouquet est prisonnier, et que toute résistance ne lui saurait être que préjudiciable. Nous leur dirons que, le premier coup de canon tiré, il n'y a aucune miséricorde à attendre du roi. Alors, je l'espère du moins, ils ne résisteront plus. Ils se livreront sans combat, et nous aurons à l'amiable une place qui pourrait bien nous coûter cher à conquérir.

L'officier qui avait suivi d'Artagnan à Belle-Ile s'apprêtait à parler, mais d'Artagnan l'interrompit.

— Oui, je sais ce que vous allez me dire, monsieur ; je sais qu'il y a ordre du roi d'empêcher toute communication secrète avec les défenseurs de Belle-Ile, et voilà justement pourquoi j'offre de ne communiquer qu'en présence de tout mon état-major.

Et d'Artagnan fit à ses officiers un signe de tête qui avait pour but de faire valoir cette condescendance.

Les officiers se regardèrent comme pour lire leur opinion dans les yeux les uns des autres, avec intention de faire évidemment, après qu'ils se seraient mis d'accord, selon le désir de d'Artagnan. Et déjà celui-ci voyait avec joie que le résultat de leur consentement serait l'envoi d'une barque à Porthos et à Aramis, lorsque l'officier du roi tira de sa poitrine un pli cacheté qu'il remit à d'Artagnan.

Ce pli portait sur sa suscription le N° 1.

— Qu'est-ce encore ? murmura le capitaine surpris.

— Lisez, monsieur, dit l'officier avec une courtoisie qui n'était pas exempte de tristesse.

D'Artagnan, plein de défiance, déplia le papier et lut ces mots :

Défense à M. d'Artagnan d'assembler quelque conseil que ce soit, ou de délibérer d'aucune façon avant que Belle-Ile soit rendue, et que les prisonniers soient passés par les armes.

Signé : LOUIS

D'Artagnan réprima le mouvement d'impatience qui courait par tout son corps ; et avec un gracieux sourire :

— C'est bien, monsieur, dit-il, on se conformera aux ordres du roi.

CCL

SUITE DES IDÉES DU ROI
ET DES IDÉES DE M. D'ARTAGNAN

Le coup était direct, il était rude, mortel. D'Artagnan, furieux d'avoir été prévenu par une idée du roi, ne désespéra cependant pas, et, songeant à cette idée que lui aussi avait rapportée de Belle-Ile, il en augura un nouveau moyen de salut pour ses amis.

— Messieurs, dit-il subitement, puisque le roi a chargé un autre que moi de ses ordres secrets, c'est que je n'ai plus sa confiance, et j'en serais réellement indigne si j'avais le courage de garder un commandement sujet à tant de soupçons injurieux. Je m'en vais donc sur-le-champ porter ma démission au roi. Je la donne devant vous tous, en vous enjoignant de vous replier avec moi sur la côte de France, de façon à ne rien compromettre des forces que Sa Majesté m'a confiées. C'est pourquoi, retournez tous à vos postes, et commandez le retour ; d'ici à une heure, nous avons le flux. A vos postes, messieurs ! Je suppose, ajouta-t-il en voyant que tous obéissaient, excepté l'officier surveillant, que vous n'aurez pas d'ordres à objecter cette fois-ci ?

Et d'Artagnan triomphait presque en disant ces mots-là. Ce plan était le salut de ses amis. Le blocus levé, ils pouvaient s'embarquer tout de suite et faire voile pour l'Angleterre ou pour l'Espagne, sans crainte d'être inquiétés. Tandis qu'ils fuyaient, d'Artagnan arrivait auprès du roi, justifiait son retour par l'indignation que les défiances de Colbert avaient soulevée contre lui ; on le renvoyait en pleins pouvoirs, et il prenait Belle-Ile, c'est-à-dire la cage, sans prendre les oiseaux envolés.

Mais, à ce plan, l'officier opposa un deuxième ordre du roi. Il était ainsi conçu :

Du moment où M. d'Artagnan aura manifesté le désir de donner sa démission, il ne comptera plus comme chef de l'expédition, et tout officier placé sous ses ordres sera tenu de ne lui plus obéir. De plus, M. d'Artagnan, ayant perdu cette qualité de chef de l'armée envoyée contre Belle-Ile, devra partir immédiatement pour la France, en compagnie de l'officier qui lui aura remis le message, et qui le regardera comme un prisonnier dont il répond.

D'Artagnan pâlit, lui si brave et si insouciant. Tout avait été calculé avec une profondeur qui, pour la première fois depuis trente ans, lui rappela la solide prévoyance et la logique inflexible du grand cardinal.

Il appuya sa tête sur sa main, rêvant, respirant à peine.

« Si je mettais cet ordre dans ma poche, pensa-t-il, qui le saurait ou qui m'en empêcherait ? Avant que le roi en eût été informé, j'aurais sauvé ces pauvres gens là-bas. De l'audace, allons ! Ma tête n'est pas de celles qu'un bourreau fait tomber par désobéissance. Désobéissons ! »

Mais, au moment où il allait prendre ce parti, il vit les officiers autour de lui lire des ordres pareils, que venait de leur distribuer cet infernal agent de la pensée de Colbert.

Le cas de désobéissance était prévu comme les autres.

— Monsieur, lui vint dire l'officier, j'attends votre bon plaisir pour partir.

— Je suis prêt, monsieur, répliqua le capitaine en grinçant des dents.

L'officier commanda sur-le-champ un canot qui vint recevoir d'Artagnan.

Il faillit devenir fou de rage à cette vue.

— Comment, balbutia-t-il, fera-t-on ici pour diriger les différents corps ?

— Vous parti, monsieur, répliqua le commandant des navires, c'est à moi que le roi confie sa flotte.

— Alors, monsieur, riposta l'homme de Colbert en s'adressant au nouveau chef, c'est pour vous ce dernier ordre qui m'avait été remis. Voyons vos pouvoirs ?

— Les voici, dit le marin en exhibant une signature royale.

— Voici vos instructions, répliqua l'officier en lui remettant le pli.

Et, se tournant vers d'Artagnan :

— Allons, monsieur, dit-il d'une voix émue, tant il voyait de désespoir chez cet homme de fer, faites-moi la grâce de partir.

— Tout de suite, articula faiblement d'Artagnan, vaincu, terrassé par l'implacable impossibilité.

Et il se laissa glisser dans la petite embarcation, qui cingla vers la France avec un vent favorable, et menée par la marée montante. Les gardes du roi s'étaient embarqués avec lui.

Cependant, le mousquetaire conservait encore l'espoir d'arriver à Nantes assez vite, et de plaider assez éloquemment la cause de ses amis pour fléchir le roi.

La barque volait comme une hirondelle. D'Artagnan voyait distinctement la terre de France se profiler en noir sur les nuages blancs de la nuit.

— Ah ! monsieur, dit-il bas à l'officier, auquel, depuis une heure, il ne parlait plus, combien je donnerais pour connaître les instructions du nouveau commandant ! Elles sont toutes pacifiques, n'est-ce pas ?... et...

Il n'acheva pas ; un coup de canon lointain gronda sur la surface des flots, puis un autre, et deux ou trois plus forts.

— Le feu est ouvert sur Belle-Ile, répondit l'officier.

Le canot venait de toucher la terre de France.

CCLI

LES AIEUX DE PORTHOS

Lorsque d'Artagnan eut quitté Aramis et Porthos, ceux-ci rentrèrent au fort principal pour s'entretenir avec plus de liberté.

Porthos, toujours soucieux, gênait Aramis, dont l'esprit ne s'était jamais trouvé plus libre.

— Cher Porthos, dit celui-ci tout à coup, je vais vous expliquer l'idée de d'Artagnan.

— Quelle idée, Aramis ?

— Une idée à laquelle nous devrons la liberté avant douze heures.

— Ah ! vraiment, fit Porthos étonné. Voyons !

— Vous avez remarqué, par la scène que notre ami a eue avec l'officier, que certains ordres le gênent relativement à nous ?

— Je l'ai remarqué.

— Eh bien ! d'Artagnan va donner sa démission au roi, et pendant la confusion qui résultera de son absence, nous gagnerons au large, ou plutôt vous gagnerez au large, vous, Porthos, s'il n'y a possibilité de fuite que pour un.

Ici, Porthos secoua la tête, et répondit :

— Nous nous sauverons ensemble, Aramis, ou nous resterons ici ensemble.

— Vous êtes un généreux cœur, dit Aramis ; seulement votre sombre inquiétude m'afflige.

— Je ne suis pas inquiet, dit Porthos.

— Alors, vous m'en voulez ?

— Je ne vous en veux pas.

— Eh bien ! cher ami, pourquoi cette mine lugubre ?

— Je m'en vais vous le dire : je fais mon testament.

Et, en disant ces mots, le bon Porthos regarda tristement Aramis.

— Votre testament ? s'écria l'évêque. Allons donc ! vous croyez-vous perdu ?

— Je me sens fatigué. C'est la première fois, et il y a une habitude dans ma famille.

— Laquelle, mon ami ?

— Mon grand-père était un homme deux fois fort comme moi.

— Oh ! oh ! dit Aramis. C'était donc Samson, votre grand-père ?

— Non. Il s'appelait Antoine. Eh bien ! il avait mon âge, lorsque, partant pour la chasse un jour, il se sentit les jambes faibles, lui qui n'avait jamais connu ce mal.

— Que signifiait cette fatigue, mon ami ?

— Rien de bon, comme vous l'allez voir ; car, étant parti se plaignant toujours de ses jambes molles, il trouva un sanglier qui lui fit tête, le manqua de son coup d'arquebuse, et fut décousu par la bête. Il en est mort sur le coup.

— Ce n'est pas une raison pour que vous vous alarmiez, cher Porthos.

— Oh ! vous allez voir. Mon père était une fois fort comme moi. C'était un rude soldat de Henri III et de Henri IV, il ne s'appelait pas Antoine, mais Gaspard, comme M. de Coligny. Toujours à cheval, il n'avait jamais su ce que c'est que la lassitude. Un soir qu'il se levait de table, ses jambes lui manquèrent.

— Il avait bien soupé, peut-être ? dit Aramis ; et voilà pourquoi il chancelait.

— Bah ! un ami de M. de Bassompierre ? Allons, donc ! Non, vous dis-je. Il s'étonna de cette lassitude, et dit à ma mère, qui le raillait : « Ne croirait-on pas que je vais voir un sanglier, comme défunt M. du Vallon, mon père ? »

— Eh bien ? fit Aramis.

— Eh bien ! bravant cette faiblesse, mon père voulut descendre au jardin au lieu de se mettre au lit ; le pied lui manqua dès la première marche ; l'escalier était roide ; mon père alla tomber sur un angle de pierre dans lequel un gond de fer était scellé. Le gond lui ouvrit la tempe : il resta mort sur la place.

Aramis, levant les yeux sur son ami :

— Voilà deux circonstances extraordinaires, dit-il ; n'en inférons pas qu'il puisse s'en présenter une troisième. Il ne convient pas à un homme de votre force d'être superstitieux, mon brave Porthos ; d'ailleurs, où est-ce qu'on voit vos jambes fléchir ? Jamais vous n'avez été si roide et si superbe ; vous porteriez une maison sur vos épaules.

— En ce moment, dit Porthos, je me sens bien dispos ; mais, il y a un moment, je vacillais, je m'affaissais, et, depuis tantôt, ce phénomène, comme vous dites, s'est présenté quatre fois. Je ne vous dirai pas que cela me fit peur ; mais cela me contrariait ; la vie est une agréable chose. J'ai de l'argent ; j'ai de belles terres ; j'ai des chevaux que j'aime ; j'ai aussi des amis que j'aime : d'Artagnan, Athos, Raoul et vous.

L'admirable Porthos ne prenait pas même la peine de dissimuler à Aramis le rang qu'il lui donnait dans ses amitiés.

Aramis lui serra la main.

— Nous vivrons encore de nombreuses années, dit-il, pour conserver au monde des échantillons d'hommes rares. Fiez-vous à moi, cher ami : nous n'avons aucune réponse de d'Artagnan, c'est bon signe ; il doit avoir donné des ordres pour masser la flotte et dégarnir la mer. J'ai ordonné, moi, tout à l'heure, qu'on roulât une barque sur des rouleaux jusqu'à l'issue du grand souterrain de Locmaria, vous savez, où nous avons tant de fois fait l'affût pour les renards.

— Oui, et qui aboutit à la petite anse[1] par un boyau que nous avons découvert le jour où ce superbe renard s'échappa par là.

— Précisément. En cas de malheur, on nous cachera une barque dans ce souterrain ; elle doit y être déjà. Nous attendrons le moment favorable, et, pendant la nuit, en mer !

— Voilà une bonne idée, nous y gagnons quoi ?

— Nous y gagnons que nul ne connaît cette grotte, ou plutôt son issue, à part nous et deux ou trois chasseurs de l'île ; nous y gagnons que, si l'île est occupée, les éclaireurs, ne voyant pas de barque au rivage, ne soupçonneront pas qu'on puisse s'échapper et cesseront de surveiller.

— Je comprends.

— Eh bien ! les jambes ?

— Oh ! excellentes en ce moment.

— Vous voyez donc bien, tout conspire à nous donner le repos et l'espoir. D'Artagnan débarrasse la mer et nous fait libres. Plus de flotte royale ni de descente à craindre. Vive Dieu ! Porthos, nous avons encore un demi-siècle de bonnes aventures, et, si je touche la terre d'Espagne, je vous jure, ajouta l'évêque avec une énergie terrible, que votre brevet de duc n'est pas aussi aventuré qu'on veut bien le dire.

— Espérons, fit Porthos un peu ragaillardi par cette nouvelle chaleur de son compagnon.

Tout à coup, un cri se fit entendre :

— Aux armes !

Ce cri, répété par cent voix, vint, dans la chambre où les deux amis se tenaient, porter la surprise chez l'un et l'inquiétude chez l'autre.

Aramis ouvrit la fenêtre ; il vit courir une foule de gens avec des flambeaux. Les femmes se sauvaient, les gens armés prenaient leurs postes.

— La flotte ! la flotte ! cria un soldat qui reconnut Aramis.

— La flotte ? répéta celui-ci.

— A demi-portée de canon, continua le soldat.

— Aux armes ! cria Aramis.

— Aux armes ! répéta formidablement Porthos.

Et tous deux s'élancèrent vers le môle, pour se mettre à l'abri derrière les batteries.

---

1. Le village de Locmaria est situé à cinq cents mètres de l'anse de Port-Maria.

On vit s'approcher des chaloupes chargées de soldats ; elles prirent trois directions pour descendre sur trois points à la fois.

— Que faut-il faire ? demanda un officier de garde.

— Arrêtez-les ; et, si elles poursuivent, feu ! dit Aramis.

Cinq minutes après, la canonnade commença.

C'étaient les coups de feu que d'Artagnan avait entendus en abordant en France.

Mais les chaloupes étaient trop près du môle pour que les canons tirassent juste ; elles abordèrent ; le combat commença presque corps à corps.

— Qu'avez-vous, Porthos ? dit Aramis à son ami.

— Rien... les jambes... c'est vraiment incompréhensible... elles se remettront en chargeant.

En effet, Porthos et Aramis se mirent à charger avec une telle vigueur, ils animèrent si bien leurs hommes, que les royaux se rembarquèrent précipitamment sans avoir eu autre chose que des blessés qu'ils emportèrent.

— Eh ! mais Porthos, cria Aramis, il nous faut un prisonnier, vite, vite.

Porthos s'abaissa sur l'escalier du môle, saisit par la nuque un des officiers de l'armée royale qui attendait, pour s'embarquer, que tout son monde fût dans la chaloupe. Le bras du géant enleva cette proie, qui lui servit de bouclier pour remonter sans qu'un coup de feu fût tiré sur lui.

— Voici un prisonnier, dit Porthos à Aramis.

— Eh bien ! s'écria celui-ci en riant, calomniez donc vos jambes !

— Ce n'est pas avec mes jambes que je l'ai pris, répliqua Porthos tristement, c'est avec mon bras.

CCLII

LE FILS DE BISCARRAT

Les Bretons de l'île étaient tout fiers de cette victoire ; Aramis ne les encouragea pas.

— Ce qui arrivera, dit-il à Porthos, quand tout le monde fut rentré, c'est que la colère du roi s'éveillera avec le récit de la résistance, et que ces braves gens seront décimés ou brûlés quand l'île sera prise ; ce qui ne peut manquer d'advenir.

— Il en résulte, dit Porthos, que nous n'avons rien fait d'utile ?

— Pour le moment, si fait, répliqua l'évêque ; car nous avons un prisonnier duquel nous saurons ce que nos ennemis préparent.

— Oui, interrogeons ce prisonnier, fit Porthos, et le moyen de le faire parler est simple : nous allons souper, nous l'inviterons ; en buvant, il parlera.

Ce qui fut fait. L'officier, un peu inquiet d'abord, se rassura en voyant les gens auxquels il avait affaire.

Il donna, n'ayant pas peur de se compromettre, tous les détails imaginables sur la démission et le départ de d'Artagnan.

Il expliqua comment, après ce départ, le nouveau chef de l'expédition avait ordonné une surprise sur Belle-Ile. Là s'arrêtèrent ses explications.

Aramis et Porthos échangèrent un coup d'œil qui témoignait de leur désespoir.

Plus de fonds à faire sur cette brave imagination de d'Artagnan, plus de ressource, par conséquent, en cas de défaite.

Aramis, continuant son interrogatoire, demanda au prisonnier ce que les royaux comptaient faire des chefs de Belle-Ile.

— Ordre, répliqua celui-ci, de tuer pendant le combat et de pendre après.

Aramis et Porthos se regardèrent encore.

Le rouge monta au visage de tous deux.

— Je suis bien léger pour la potence, répondit Aramis ; les gens comme moi ne se pendent pas.

— Et moi, je suis bien lourd, dit Porthos ; les gens comme moi cassent la corde.

— Je suis sûr, fit galamment le prisonnier, que nous vous eussions procuré la faveur d'une mort à votre choix.

— Mille remerciements, dit sérieusement Aramis.

Porthos s'inclina.

— Encore ce coup de vin à votre santé, fit-il en buvant lui-même.

De propos en propos, le souper se prolongea ; l'officier, qui était un spirituel gentilhomme, se laissa doucement aller au charme de l'esprit d'Aramis et de la cordiale bonhomie de Porthos.

— Pardonnez-moi, dit-il si je vous adresse une question ; mais des gens qui en sont à leur sixième bouteille ont bien le droit de s'oublier un peu.

— Adressez, dit Porthos, adressez.

— Parlez, fit Aramis.

— N'étiez-vous pas, messieurs, vous deux, dans les mousquetaires du feu roi ?

— Oui, monsieur, et des meilleurs, s'il vous plaît, répliqua Porthos.

— C'est vrai : je dirais même les meilleurs de tous les soldats, messieurs, si je ne craignais d'offenser la mémoire de mon père.

— De votre père ? s'écria Aramis.

— Savez-vous comment je me nomme ?

— Ma foi ! non, monsieur ; mais vous me le direz, et...

— Je m'appelle Georges de Biscarrat.

— Oh ! s'écria Porthos à son tour, Biscarrat ! vous rappelez-vous ce nom, Aramis ?

— Biscarrat ?… rêva l'évêque. Il me semble…

— Cherchez bien, monsieur, dit l'officier.

— Pardieu ! ce ne sera pas long, fit Porthos. Biscarrat, dit Cardinal… un des quatre qui vinrent nous interrompre le jour où nous entrâmes dans l'amitié de d'Artagnan, l'épée à la main.

— Précisément, messieurs.

— Le seul, dit Aramis vivement, que nous ne blessâmes pas[1].

— Une rude lame, par conséquent, fit le prisonnier.

— C'est vrai, oh ! bien vrai, dirent les deux amis ensemble. Ma foi ! monsieur de Biscarrat, enchanté de faire la connaissance d'un aussi brave homme.

Biscarrat serra les deux mains que lui tendaient les deux anciens mousquetaires.

Aramis regarda Porthos, comme pour lui dire : « Voilà un homme qui nous aidera. » Et, sur-le-champ :

— Avouez, dit-il, monsieur, qu'il fait bon d'avoir été honnête homme.

— Mon père me l'a toujours dit, monsieur.

— Avouez, de plus, que c'est une triste circonstance que celle où vous vous trouvez de rencontrer des gens destinés à être arquebusés ou pendus, et de s'apercevoir que ces gens-là sont d'anciennes connaissances, de vieilles connaissances héréditaires.

— Oh ! vous n'êtes pas réservés à ce sort affreux, messieurs et amis, dit vivement le jeune homme.

— Bah ! vous l'avez dit.

— Je l'ai dit tout à l'heure, quand je ne vous connaissais pas ; mais, maintenant que je vous connais, je dis : Vous éviterez ce destin funeste, si vous le voulez.

— Comment, si nous le voulons ? s'écria Aramis, dont les yeux brillèrent d'intelligence en regardant alternativement son prisonnier et Porthos.

— Pourvu, continua Porthos en regardant à son tour, avec une noble intrépidité, M. de Biscarrat et l'évêque, pourvu qu'on ne nous demande pas de lâchetés.

— On ne vous demandera rien du tout, messieurs, reprit le gentilhomme de l'armée royale ; que voulez-vous qu'on vous demande ? Si l'on vous trouve, on vous tue, c'est chose arrêtée ; tâchez donc, messieurs, qu'on ne vous trouve pas.

— Je crois ne pas me tromper, fit Porthos avec dignité, mais il me semble bien que, pour nous trouver, il faut que l'on vienne nous quérir ici.

---

1. Voir *Les Trois Mousquetaires*, chap. V.

— En cela vous avez parfaitement raison, mon digne ami, reprit Aramis en interrogeant toujours du regard la physionomie de Biscarrat, silencieux et contraint. Vous voulez, monsieur de Biscarrat, nous dire quelque chose, nous faire quelque ouverture et vous n'osez pas, n'est-il pas vrai ?

— Ah ! messieurs et amis, c'est qu'en parlant je trahis la consigne ; mais, tenez, j'entends une voix qui dégage la mienne en la dominant.

— Le canon ! fit Porthos.

— Le canon et la mousqueterie ! s'écria l'évêque.

On entendait gronder au loin, dans les roches, ces bruits sinistres d'un combat qui ne dura point.

— Qu'est-ce que cela ? demanda Porthos.

— Eh ! pardieu ! s'écria Aramis, c'est ce dont je me doutais.

— Quoi donc ?

— L'attaque faite par vous n'était qu'une feinte, n'est-il pas vrai, monsieur ? et, pendant que vos compagnies se laissaient repousser, vous aviez la certitude d'opérer un débarquement de l'autre côté de l'île.

— Oh ! plusieurs, monsieur.

— Nous sommes perdus, alors, fit paisiblement l'évêque de Vannes.

— Perdus ! cela est possible, répondit le seigneur de Pierrefonds ; mais nous ne sommes pas pris ni pendus.

Et, en disant ces mots, il se leva de la table, s'approcha du mur et en détacha froidement son épée et ses pistolets, qu'il visita avec ce soin du vieux soldat qui s'apprête à combattre, et qui sent que sa vie repose en grande partie sur l'excellence et la bonne tenue de ses armes.

Au bruit du canon, à la nouvelle de la surprise qui pouvait livrer l'île aux troupes royales, la foule éperdue se précipita dans le fort. Elle venait demander assistance et conseil à ses chefs.

Aramis, pâle et vaincu, se montra entre deux flambeaux à la fenêtre qui donnait sur la grande cour, pleine de soldats qui attendaient des ordres, et d'habitants éperdus qui imploraient secours.

— Mes amis, dit d'Herblay d'une voix grave et sonore, M. Fouquet, votre protecteur, votre ami, votre père, a été arrêté par ordre du roi et jeté à la Bastille.

Un long cri de fureur et de menace monta jusqu'à la fenêtre où se tenait l'évêque, et l'enveloppa d'un fluide vibrant.

— Vengeons M. Fouquet ! crièrent les plus exaltés. A mort les royaux !

— Non, mes amis, répliqua solennellement Aramis, non, mes amis, pas de résistance. Le roi est maître dans son royaume. Le roi est le mandataire de Dieu. Le roi et Dieu ont frappé M. Fouquet. Humiliez-vous devant la main de Dieu. Aimez Dieu et le roi, qui ont frappé M. Fouquet. Mais ne vengez pas votre seigneur, ne cherchez pas à le venger. Vous vous sacrifieriez en vain, vous, vos femmes et vos enfants, vos biens et votre liberté. Bas les armes, mes amis ! bas les armes ! puisque le roi vous le commande, et retirez-vous paisiblement dans vos demeures. C'est moi qui vous le demande, c'est moi qui vous en prie, c'est moi qui, au besoin, vous le commande au nom de M. Fouquet.

La foule, amassée sous la fenêtre, fit entendre un long frémissement de colère et d'effroi.

— Les soldats de Louis XIV sont entrés dans l'île, continua Aramis. Désormais, ce ne serait plus entre eux et vous un combat, ce serait un massacre. Allez, allez et oubliez ; cette fois, je vous le commande au nom du Seigneur.

Les mutins se retirèrent lentement, soumis et muets.

— Ah çà ! mais que venez-vous donc de dire là, mon ami ? dit Porthos.

— Monsieur, dit Biscarrat à l'évêque, vous sauvez tous ces habitants, mais vous ne sauvez ni votre ami ni vous.

— Monsieur de Biscarrat, dit avec un accent singulier de noblesse et de courtoisie l'évêque de Vannes, monsieur de Biscarrat, soyez assez bon pour reprendre votre liberté.

— Je le veux bien, monsieur ; mais...

— Mais cela nous rendra service ; car, en annonçant au lieutenant du roi la soumission des insulaires, vous obtiendrez peut-être quelque grâce pour nous, en l'instruisant de la manière dont cette soumission s'est opérée.

— Grâce ! répliqua Porthos avec des yeux flamboyants, grâce ! qu'est-ce que ce mot-là !

Aramis toucha rudement le coude de son ami, comme il faisait aux beaux jours de leur jeunesse, alors qu'il voulait avertir Porthos qu'il avait fait ou qu'il allait faire quelque bévue. Porthos comprit et se tut soudain.

— J'irai, messieurs, répondit Biscarrat, un peu surpris aussi de ce mot de *grâce*, prononcé par le fier mousquetaire dont, quelques instants auparavant, il racontait et vantait avec tant d'enthousiasme les exploits héroïques.

— Allez donc, monsieur de Biscarrat, dit Aramis en le saluant, et, en partant, recevez l'expression de toute notre reconnaissance.

— Mais vous, messieurs, vous que je m'honore d'appeler mes amis, puisque vous avez bien voulu recevoir ce titre, que devenez-vous pendant ce temps ? reprit l'officier tout ému, en prenant congé des deux anciens adversaires de son père.

— Nous, nous attendons ici.

— Mais, mon Dieu !... l'ordre est formel !

— Je suis évêque de Vannes, monsieur de Biscarrat, et l'on ne passe pas plus par les armes un évêque que l'on ne pend un gentilhomme.

— Ah ! oui, monsieur, oui, monseigneur, reprit Biscarrat ; oui, c'est vrai, vous avez raison, il y a encore pour vous cette chance. Donc, je pars, je me rends auprès du commandant de l'expédition, du lieutenant du roi. Adieu donc, messieurs ; ou plutôt, au revoir !

En effet, le digne officier, sautant sur un cheval que lui fit donner Aramis, courut dans la direction des coups de feu qu'on avait entendus et qui, en amenant la foule dans le fort, avait interrompu la conversation des deux amis avec leur prisonnier.

Aramis le regarda partir, et demeura seul avec Porthos :

— Eh bien ! comprenez-vous ? dit-il.

— Ma foi, non.

— Est-ce que Biscarrat ne vous gênait pas ici ?

— Non, c'est un brave garçon.

— Oui ; mais la grotte de Locmaria, est-il nécessaire que tout le monde la connaisse ?

— Ah ! c'est vrai, c'est vrai, je comprends. Nous nous sauvons par le souterrain.

— S'il vous plaît, répliqua joyeusement Aramis. En route, ami Porthos ! Notre bateau nous attend, et le roi ne nous tient pas encore.

CCLIII

LA GROTTE DE LOCMARIA

Le souterrain de Locmaria était assez éloigné du môle pour que les deux amis dussent ménager leurs forces avant d'y arriver.

D'ailleurs, la nuit s'avançait ; minuit avait sonné au fort ; Porthos et Aramis étaient chargés d'argent et d'armes.

Ils cheminaient donc dans la lande qui sépare le môle de ce souterrain, écoutant tous les bruits et tâchant d'éviter toutes les embûches.

De temps en temps, sur la route qu'ils avaient soigneusement laissée à leur gauche, passaient des fuyards venant de l'intérieur des terres, à la nouvelle du débarquement des troupes royales.

Aramis et Porthos, cachés derrière quelque anfractuosité de rocher, recueillaient les mots échappés aux pauvres gens qui fuyaient tout tremblants, portant avec eux leurs effets les plus précieux, et tâchaient, en entendant leurs plaintes, d'en conclure quelque chose pour leur intérêt.

Enfin, après une course rapide, mais fréquemment interrompue par des stations prudentes, ils atteignirent ces grottes profondes dans lesquelles le prévoyant évêque de Vannes avait eu soin de faire rouler sur des cylindres une bonne barque capable de tenir la mer dans cette belle saison.

— Mon bon ami, dit Porthos après avoir respiré bruyamment, nous sommes arrivés, à ce qu'il me paraît ; mais je crois que vous m'avez parlé de trois hommes, de trois serviteurs qui devaient nous accompagner. Je ne les vois pas ; où sont-ils donc ?

— Pourquoi les verriez-vous, cher Porthos ? répondit Aramis. Ils nous attendent certainement dans la caverne, et sans nul doute, ils se reposent un moment après avoir accompli ce rude et difficile travail.

Aramis arrêta Porthos, qui se préparait à entrer dans le souterrain.

— Voulez-vous, mon bon ami, dit-il au géant, me permettre de passer le premier ? Je connais le signal que j'ai donné à nos hommes, et nos gens, ne l'entendant pas, seraient dans le cas de faire feu sur vous ou de vous lancer leur couteau dans l'ombre.

— Allez, cher Aramis, allez le premier, vous êtes tout sagesse et tout prudence, allez. Aussi bien, voilà cette fatigue dont je vous ai parlé qui me reprend encore une fois.

Aramis laissa Porthos s'asseoir à l'entrée de la grotte, et, courbant la tête, il pénétra dans l'intérieur de la caverne en imitant le cri de la chouette.

Un petit roucoulement plaintif, un cri à peine distinct, répondit dans la profondeur du souterrain.

Aramis continua sa marche prudente, et bientôt il fut arrêté par le même cri qu'il avait le premier fait entendre, et ce cri était lancé à dix pas de lui.

— Êtes-vous là, Yves ? fit l'évêque.

— Oui, monseigneur. Goennec est là aussi. Son fils nous accompagne.

— Bien. Toutes choses sont-elles prêtes ?

— Oui, monseigneur.

— Allez un peu à l'entrée des grottes, mon bon Yves, et vous y trouverez le seigneur de Pierrefonds, qui se repose, fatigué qu'il est de sa course. Et si, par hasard, il ne peut pas marcher, enlevez-le et l'apportez ici près de moi.

Les trois Bretons obéirent. Mais la recommandation d'Aramis à ses serviteurs était inutile. Porthos, rafraîchi, avait déjà lui-même commencé la descente, et son pas pesant résonnait au milieu des cavités formées et soutenues par les colonnes de silex et de granit.

Dès que le seigneur de Bracieux eut rejoint l'évêque, les Bretons allumèrent une lanterne dont ils s'étaient munis, et Porthos assura son ami qu'il se sentait désormais fort comme à l'ordinaire.

— Visitons le canot, dit Aramis, et assurons-nous d'abord de ce qu'il renferme.

— N'approchez pas trop la lumière, dit le patron Yves ; car, ainsi que vous avez bien voulu me le recommander, monseigneur, j'ai mis sous le banc de poupe, dans le coffre, vous savez, le baril de poudre et les charges de mousquet que vous m'aviez envoyés du fort.

— Bien, fit Aramis.

Et, prenant lui-même la lanterne, il visita minutieusement toutes les parties du canot avec les précautions d'un homme qui n'est ni timide ni ignorant en face du danger.

Le canot était long, léger, tirant peu d'eau, mince de quille, enfin de ceux que l'on a toujours si bien construits à Belle-Ile, un peu haut de bord, solide sur l'eau, très maniable, muni de planches qui, dans les temps incertains, forment une sorte de pont sur lequel glissent les lames, et qui peuvent protéger les rameurs.

Dans deux coffres bien clos, placés sous les bancs de proue et de poupe, Aramis trouva du pain, du biscuit, des fruits secs, un quartier de lard, une bonne provision d'eau dans des outres ; le tout formant des rations suffisantes pour des gens qui ne devaient jamais quitter la côte, et se trouvaient à même de se ravitailler si le besoin le commandait.

Les armes, huit mousquets et autant de pistolets de cavalier, étaient en bon état et toutes chargées. Il y avait des avirons de rechange en cas d'accident et cette petite voile appelée trinquette, qui aide la marche du canot en même temps que les rameurs nagent, qui est si utile lorsque la brise se fait sentir, et qui ne charge pas l'embarcation.

Lorsque Aramis eut reconnu toutes ces choses, et qu'il se fut montré content du résultat de son inspection :

— Consultons-nous, dit-il, cher Porthos, pour savoir s'il faut essayer de faire sortir la barque par l'extrémité inconnue de la grotte, en suivant la pente et l'ombre du souterrain, ou s'il vaut mieux, à ciel découvert, la faire glisser sur les rouleaux, par les bruyères, en aplanissant le chemin de la petite falaise, qui n'a pas vingt pieds de haut, et donne à son pied, dans la marée, trois ou quatre brasses de bonne eau sur un bon fond.

— Qu'à cela ne tienne, monseigneur ! répliqua le patron Yves respectueusement ; mais je ne crois pas que, par la pente du souterrain et dans l'obscurité où nous serons obligés de manœuvrer notre embarcation, le chemin soit aussi commode qu'en plein air. Je connais bien la falaise, et je puis vous certifier qu'elle est unie comme un gazon de jardin ; l'intérieur de la grotte, au contraire, est raboteux ; sans compter encore, monseigneur, que, à l'extrémité, nous trouverons le boyau qui mène à la mer, et peut-être le canot n'y passera pas.

— J'ai fait mes calculs, répondit l'évêque, et j'ai la certitude qu'il passerait.

— Soit ; je le veux bien, monseigneur, insista le patron ; mais Votre Grandeur sait bien que, pour le faire atteindre à l'extrémité du boyau, il faut lever une énorme pierre, celle sous laquelle passe toujours le renard, et qui ferme le boyau comme une porte.

— On la lèvera, dit Porthos ; ce n'est rien.

— Oh ! je sais que Monseigneur a la force de dix hommes, répliqua Yves ; seulement, c'est bien du mal pour Monseigneur.

— Je crois que le patron pourrait avoir raison, dit Aramis. Essayons du ciel ouvert.

— D'autant plus, monseigneur, continua le pêcheur, que nous ne saurions nous embarquer avant le jour, tant il y a de travail, et que, aussitôt que le jour paraîtra, une bonne vedette, placée sur la partie supérieure de la grotte, nous sera nécessaire, indispensable même, pour surveiller les manœuvres des chalands ou des croiseurs qui nous guetteraient.

— Oui, Yves, oui, votre raison est bonne ; on va passer sur la falaise.

Et les trois robustes Bretons allaient, plaçant leurs rouleaux sous la barque, la mettre en mouvement, lorsque des aboiements lointains de chiens se firent entendre dans la campagne. Aramis s'élança hors de la grotte ; Porthos le suivit.

L'aube teignait de pourpre et de nacre les flots et la plaine ; dans le demi-jour, on voyait les petits sapins mélancoliques se tordre sur les pierres, et de longues volées de corbeaux rasaient de leurs ailes noires les maigres champs de sarrasin.

Un quart d'heure encore et le jour serait plein ; les oiseaux, réveillés, l'annonçaient joyeusement par leurs chants à toute la nature.

Les aboiements qu'on avait entendus, et qui avaient arrêté les trois pêcheurs prêts à remuer la barque, et fait sortir Aramis et Porthos, se prolongeaient dans une gorge profonde, à une lieue environ de la grotte.

— C'est une meute, dit Porthos ; les chiens sont lancés sur une piste.

— Qu'est cela ? qui chasse en un pareil moment ? pensa Aramis.

— Et par ici, surtout, continua Porthos, par ici où l'on craint l'arrivée des royaux !

— Le bruit se rapproche. Oui, vous avez raison, Porthos, les chiens sont sur une trace.

— Eh ! mais ! s'écria tout à coup Aramis, Yves, Yves, venez donc !

Yves accourut, laissant là le cylindre qu'il tenait encore et qu'il allait placer sous la barque quand cette exclamation de l'évêque interrompit sa besogne.

— Qu'est-ce que cette chasse, patron ? dit Porthos.

— Eh ! monseigneur, répliqua le Breton, je n'y comprends rien. Ce n'est pas en un pareil moment que le seigneur de Locmaria chasserait. Non ; et, pourtant, les chiens...

— A moins qu'ils ne se soient échappés du chenil.

— Non, dit Goennec, ce ne sont pas là les chiens du seigneur de Locmaria.

— Par prudence, reprit Aramis, rentrons dans la grotte ; évidemment les voix approchent, et, tout à l'heure, nous saurons à quoi nous en tenir.

Ils rentrèrent ; mais ils n'avaient pas fait cent pas dans l'ombre qu'un bruit, semblable au rauque soupir d'une créature effrayée, retentit dans la caverne ; et, haletant, rapide, effrayé, un renard passa comme un éclair devant les fugitifs, sauta par-dessus la barque et disparut laissant après lui son fumet âcre, conservé quelques secondes sous les voûtes basses du souterrain.

— Le renard ! crièrent les Bretons avec la joyeuse surprise du chasseur.

— Maudits soyons-nous ! cria l'évêque, notre retraite est découverte.

— Comment cela ? dit Porthos ; avons-nous peur d'un renard ?

— Eh ! mon ami, que dites-vous donc, et que vous inquiétez-vous du renard ? Ce n'est pas de lui qu'il s'agit, pardieu ! Mais ne savez-vous pas, Porthos, qu'après le renard viennent les chiens, et qu'après les chiens viennent les hommes ?

Porthos baissa la tête.

On entendit, comme pour confirmer les paroles d'Aramis, la meute grondeuse arriver avec une effrayante vitesse sur la piste de l'animal.

Six chiens courants débouchèrent au même instant dans la petite lande, avec un bruit de voix qui ressemblait à la fanfare d'un triomphe.

— Voilà bien les chiens, dit Aramis, posté à l'affût derrière une lucarne pratiquée entre deux rochers ; quels sont les chasseurs, maintenant ?

— Si c'est le seigneur de Locmaria, répondit le patron, il laissera les chiens fouiller la grotte ; car il les connaît, et il n'y pénétrera pas lui-même, assuré qu'il sera que le renard sortira de l'autre côté ; c'est là qu'il ira l'attendre.

— Ce n'est pas le seigneur de Locmaria qui chasse, répondit l'évêque en pâlissant malgré lui.

— Qui donc alors ? dit Porthos.

— Regardez.

Porthos appliqua son œil à la lucarne et vit, au sommet du monticule, une douzaine de cavaliers qui poussaient leurs chevaux sur la trace des chiens, en criant : « Taïaut ! »

— Les gardes ! dit-il.

— Oui, mon ami, les gardes du roi.

— Les gardes du roi, dites-vous, monseigneur ? s'écrièrent les Bretons en pâlissant à leur tour.

— Et Biscarrat à leur tête, monté sur mon cheval gris, continua Aramis.

Les chiens, au même moment, se précipitèrent dans la grotte comme une avalanche, et les profondeurs de la caverne s'emplirent de leurs cris assourdissants.

— Ah ! diable ! fit Aramis reprenant tout son sang-froid à la vue de ce danger, certain, inévitable. Je sais bien que nous sommes perdus ; mais, au moins, il nous reste une chance : si les gardes qui vont suivre leurs chiens viennent à s'apercevoir qu'il y a une issue aux grottes, plus d'espoir ; car, en entrant ici, ils découvriront la barque et nous-mêmes.

Il ne faut pas que les chiens sortent du souterrain. Il ne faut pas que les maîtres y entrent.

— C'est juste, dit Porthos.

— Vous comprenez, ajouta l'évêque avec la rapide précision du commandement : il y a là six chiens, qui seront forcés de s'arrêter à la grosse pierre sous laquelle le renard s'est glissé, mais à l'ouverture trop étroite de laquelle ils seront, eux, arrêtés et tués.

Les Bretons s'élancèrent le couteau à la main.

Quelques minutes après, un lamentable concert de gémissements, de hurlements mortels ; puis, p' is rien.

— Bien, dit Aramis froi⊂ement. Aux maîtres, maintenant !

— Que faire ? dit Porthos.

— Attendre l'arrivée, se cacher et tuer.

— Tuer ? répéta Porthos.

— Ils sont seize, dit Aramis, du moins pour le moment.

— Et bien armés, ajouta Porthos avec un sourire de consolation.

— Cela durera dix minutes, dit Aramis. Allons !

Et, d'un air résolu, il prit un mousquet et mit son couteau de chasse entre ses dents.

— Yves, Goennec et son fils, continua Aramis, vont nous passer les mousquets. Vous Porthos, vous ferez feu à bout portant. Nous en aurons abattu huit avant que les autres s'en doutent, c'est certain ; puis tous, nous sommes cinq, nous dépêcherons les huit derniers le couteau à la main.

— Et ce pauvre Biscarrat ? dit Porthos.

Aramis réfléchit un moment.

— Biscarrat le premier, répliqua-t-il froidement. Il nous connaît.

CCLIV

LA GROTTE

Malgré l'espèce de divination qui était le côté remarquable du caractère d'Aramis, l'événement, subissant les chances des choses soumises au hasard, ne s'accomplit pas tout à fait comme l'avait prévu l'évêque de Vannes.

Biscarrat, mieux monté que ses compagnons, arriva le premier à l'ouverture de la grotte, et comprit que, renard et chiens, tout s'était engouffré là. Seulement, frappé de cette terreur superstitieuse qu'imprime naturellement à l'esprit de l'homme toute voie souterraine et sombre, il s'arrêta à l'extérieur de la grotte, et attendit que ses compagnons fussent réunis autour de lui.

— Eh bien ? lui demandèrent les jeunes gens tout essoufflés, et ne comprenant rien à son inaction.

— Eh bien ! on n'entend plus les chiens ; il faut que renard et meute soient engloutis dans ce souterrain.

— Ils ont trop bien mené, dit un des gardes, pour avoir perdu tout à coup la voie. D'ailleurs, on les entendrait rabâcher d'un côté ou de l'autre. Il faut, comme le dit Biscarrat, qu'ils soient dans cette grotte.

— Mais alors, dit un des jeunes gens, pourquoi ne donnent-ils plus de voix ?

— C'est étrange, dit un autre.

— Eh bien ! mais, fit un quatrième, entrons dans cette grotte. Est-ce qu'il est défendu d'y entrer, par hasard ?

— Non, répliqua Biscarrat. Seulement, il y fait noir comme dans un four, et l'on peut s'y rompre le cou.

— Témoins nos chiens, dit un garde, qui se le sont rompu, à ce qu'il paraît.

— Que diable sont-ils devenus ? se demandèrent en chœur les jeunes gens.

Et chaque maître appela son chien par son nom, le siffla de sa fanfare favorite, sans qu'un seul répondît, ni à l'appel, ni au sifflet.

— C'est peut-être une grotte enchantée, dit Biscarrat. Voyons.

Et mettant pied à terre, il fit un pas dans la grotte.

— Attends, attends, je t'accompagne, dit un des gardes voyant Biscarrat prêt à disparaître dans la pénombre.

— Non, répondit Biscarrat, il faut qu'il y ait quelque chose d'extraordinaire ; ne nous risquons donc pas tous à la fois. Si, dans dix minutes, vous n'avez point de mes nouvelles, vous entrerez, mais tous ensemble, alors.

— Soit, dirent les jeunes gens, qui ne voyaient point, d'ailleurs, pour Biscarrat grand danger à tenter l'entreprise ; nous t'attendons.

Et, sans descendre de cheval, ils firent un cercle autour de la grotte.

Biscarrat entra donc seul, et avança dans les ténèbres jusque sous le mousquet de Porthos.

Cette résistance que rencontrait sa poitrine l'étonna ; il allongea la main et saisit le canon glacé.

Au même instant, Yves levait sur le jeune homme un couteau, qui allait retomber sur lui de toute la force d'un bras breton, lorsque le poignet de fer de Porthos l'arrêta à moitié chemin.

Puis, comme un grondement sourd, cette voix se fit entendre dans l'obscurité :

— Je ne veux pas qu'on le tue, moi.

Biscarrat se trouvait pris entre une protection et une menace, presque aussi terribles l'une que l'autre.

Si brave que fût le jeune homme, il laissa échapper un cri, qu'Aramis comprima aussitôt, en lui mettant un mouchoir sur la bouche.

— Monsieur de Biscarrat, lui dit-il à voix basse, nous ne vous voulons pas de mal, et vous devez le savoir si vous nous avez reconnus ; mais, au premier mot, au premier soupir, au premier souffle, nous serons forcés de vous tuer comme nous avons tué vos chiens.

— Oui, je vous reconnais, messieurs, dit tout bas le jeune homme. Mais pourquoi êtes-vous ici ? qu'y faites-vous ? Malheureux ! malheureux ! je vous croyais dans le fort.

— Et vous, monsieur, vous deviez nous obtenir des conditions, ce me semble ?

— J'ai fait ce que j'ai pu, messieurs ; mais...

— Mais ?...

— Mais il y a des ordres formels.

— De nous tuer ?

Biscarrat ne répondit rien. Il lui en coûtait de parler de corde à des gentilshommes.

Aramis comprit le silence de son prisonnier.

— Monsieur Biscarrat, dit-il, vous seriez déjà mort si nous n'avions eu égard à votre jeunesse et à notre ancienne liaison avec votre père ; mais vous pouvez encore échapper d'ici en nous jurant que vous ne parlerez pas à vos compagnons de ce que vous avez vu.

— Non seulement je jure que je n'en parlerai point, dit Biscarrat, mais je jure encore que je ferai tout au monde pour empêcher mes compagnons de mettre le pied dans cette grotte.

— Biscarrat ! Biscarrat ! crièrent du dehors plusieurs voix qui vinrent s'engouffrer comme un tourbillon dans le souterrain.

— Répondez, dit Aramis.

— Me voici ! cria Biscarrat.

— Allez, nous nous reposons sur votre loyauté.

Et il lâcha le jeune homme.

Biscarrat remonta vers la lumière.

— Biscarrat ! Biscarrat ! crièrent les voix plus rapprochées.

Et l'on vit se projeter à l'intérieur de la grotte les ombres de plusieurs formes humaines.

Biscarrat s'élança au-devant de ses amis pour les arrêter, et les rejoignit comme ils commençaient à s'aventurer dans le souterrain.

Aramis et Porthos prêtèrent l'oreille avec l'attention de gens qui jouent leur vie sur un souffle d'air.

Biscarrat avait regagné l'entrée de la grotte, suivi de ses amis.

— Oh ! oh ! dit l'un d'eux en arrivant au jour, comme tu es pâle !

— Pâle ! s'écria un autre ; tu veux dire livide ?

— Moi ? fit le jeune homme essayant de rappeler toute sa puissance sur lui-même.

— Mais, au nom du Ciel, que t'est-il donc arrivé ? demandèrent toutes les voix.

— Tu n'as pas une goutte de sang dans les veines, mon pauvre ami, fit un autre en riant.

— Messieurs, c'est sérieux, dit un autre ; il va se trouver mal ; avez-vous des sels ?

Et tous éclatèrent de rire. Toutes ces interpellations, toutes ces railleries se croisaient autour de Biscarrat, comme se croisent au milieu du feu les balles dans une mêlée.

Il reprit ses forces sous ce déluge d'interrogations.

— Que voulez-vous que j'aie vu ? demanda-t-il. J'avais très chaud quand je suis entré dans cette grotte, j'y ai été saisi par le froid ; voilà tout.

— Mais les chiens, les chiens, les as-tu revus ? en as-tu entendu parler ? en as-tu eu des nouvelles ?

— Il faut croire qu'ils ont pris une autre voie, dit Biscarrat.

— Messieurs, dit un des jeunes gens, il y a, dans ce qui se passe, dans la pâleur et dans le silence de notre ami, un mystère que Biscarrat ne veut pas, ou ne peut sans doute pas révéler. Seulement, et c'est chose sûre, Biscarrat a vu quelque chose dans la grotte. Eh bien ! moi, je suis curieux de voir ce qu'il a vu, fût-ce le diable. A la grotte, messieurs ! à la grotte !

— A la grotte ! répétèrent toutes les voix.

Et l'écho du souterrain alla porter comme une menace à Porthos et à Aramis ces mots : « A la grotte ! à la grotte ! »

Biscarrat se jeta au-devant de ses compagnons.

— Messieurs ! messieurs ! s'écria-t-il, au nom du Ciel, n'entrez pas !

— Mais qu'y a-t-il donc de si effrayant dans ce souterrain ? demandèrent plusieurs voix.

— Voyons, parle, Biscarrat.

— Décidément, c'est le diable qu'il a vu, répéta celui qui avait déjà avancé cette hypothèse.

— Eh bien ! mais s'il l'a vu, s'écria un autre, qu'il ne soit pas égoïste, et qu'il nous le laisse voir à notre tour.

— Messieurs ! messieurs ! de grâce ! insista Biscarrat.

— Voyons, laisse-nous passer.

— Messieurs, je vous en supplie, n'entrez pas !

— Mais tu es bien entré, toi ?

Alors, un des officiers qui, d'un âge plus mûr que les autres, était resté en arrière jusque-là et n'avait rien dit, s'avança :

— Messieurs, dit-il d'un ton calme qui contrastait avec l'animation des jeunes gens, il y a là-dedans quelqu'un ou quelque chose qui n'est pas le diable, mais qui, quel qu'il soit, a eu assez de pouvoir pour faire taire nos chiens. Il faut savoir quel est ce quelqu'un ou ce quelque chose.

Biscarrat tenta un dernier effort pour arrêter ses amis ; mais ce fut un effort inutile. Vainement il se jeta au-devant des plus téméraires ; vainement il se cramponna aux roches pour barrer le passage, la foule des jeunes gens fit irruption dans la caverne, sur les pas de l'officier qui avait parlé le dernier, mais qui, le premier, s'était élancé l'épée à la main pour affronter le danger inconnu.

Biscarrat, repoussé par ses amis, ne pouvant les accompagner, sous peine de passer aux yeux de Porthos et d'Aramis pour un traître et un parjure, alla, l'oreille tendue et les mains encore suppliantes, s'appuyer contre les parois rugueuses d'un rocher, qu'il jugeait devoir être exposé au feu des mousquetaires.

Quant aux gardes, ils pénétraient de plus en plus avec des cris qui s'affaiblissaient à mesure qu'ils s'enfonçaient dans le souterrain.

Tout à coup, une décharge de mousqueterie, grondant comme un tonnerre, éclata sous les voûtes.

Deux ou trois balles vinrent s'aplatir sur le rocher auquel s'appuyait Biscarrat.

Au même instant, des soupirs, des hurlements et des imprécations s'élevèrent, et cette petite troupe de gentilshommes reparut, quelques-uns pâles, quelques-uns sanglants, tous enveloppés d'un nuage de fumée que l'air extérieur semblait aspirer du fond de la caverne.

— Biscarrat ! Biscarrat ! criaient les fuyards, tu savais qu'il y avait une embuscade dans cette caverne, et tu ne nous as pas prévenus !

— Biscarrat ! tu es cause que quatre de nous sont tués ; malheur à toi, Biscarrat !

— Tu es cause que je suis blessé à mort, dit un des jeunes gens en recueillant son sang dans sa main, et en le jetant au visage de Biscarrat ; que mon sang retombe sur toi !

Et il roula agonisant aux pieds du jeune homme.

— Mais, au moins, dis-nous qui est là ! s'écrièrent plusieurs voix furieuses.

Biscarrat se tut.

— Dis-le ou meurs ! s'écria le blessé en se relevant sur un genou, et en levant sur son compagnon un bras armé d'un fer inutile.

Biscarrat se précipita sur lui, ouvrant sa poitrine au coup ; mais le blessé retomba pour ne plus se relever, en poussant un soupir, le dernier.

Biscarrat, les cheveux hérissés, les yeux hagards, la tête perdue, s'avança vers l'intérieur de la caverne, en disant :

— Vous avez raison, mort à moi qui ai laissé assassiner mes compagnons ! je suis un lâche !

Et, jetant loin de lui son épée, car il voulait mourir sans se défendre, il se précipita, tête baissée, dans le souterrain.

Les autres jeunes gens l'imitèrent.

Onze, qui restaient de seize, plongèrent avec lui dans le gouffre.

Mais ils n'allèrent pas plus loin que les premiers : une seconde décharge en coucha cinq sur le sable glacé, et, comme il était impossible de voir d'où partait cette foudre mortelle, les autres reculèrent avec une épouvante qui peut mieux se peindre que s'exprimer.

Mais, loin de fuir comme les autres, Biscarrat, demeuré sain et sauf, s'assit sur un quartier de roc et attendit.

Il ne restait plus que six gentilshommes.

— Sérieusement, dit un des survivants, est-ce le diable ?

— Ma foi ! c'est bien pis, dit un autre.

— Demandons à Biscarrat ; il le sait, lui.

— Où est Biscarrat ?

Les jeunes gens regardèrent autour d'eux, et virent que Biscarrat manquait à l'appel.

— Il est mort ! dirent deux ou trois voix.

— Non pas, répondit un autre, je l'ai vu, moi, au milieu de la fumée, s'asseoir tranquillement sur un rocher ; il est dans la caverne, il nous attend.

— Il faut qu'il connaisse ceux qui y sont.

— Et comment les connaîtrait-il ?

— Il a été prisonnier des rebelles.

— C'est vrai. Eh bien ! appelons-le, et sachons par lui à qui nous avons affaire.

Et toutes les voix crièrent :

— Biscarrat ! Biscarrat !

Mais Biscarrat ne répondit point.

— Bon ! dit l'officier qui avait montré tant de sang-froid dans cette affaire, nous n'avons plus besoin de lui, voilà des renforts qui nous arrivent.

En effet, une compagnie des gardes, laissée en arrière par leurs officiers, que l'ardeur de la chasse avait emportés, soixante-quinze à quatre-vingts hommes à peu près, arrivait en bel ordre, guidée par le capitaine et le premier lieutenant. Les cinq officiers coururent au-devant de leurs soldats et, dans un langage dont l'éloquence est facile à concevoir, ils expliquèrent l'aventure et demandèrent secours.

Le capitaine les interrompit.

— Où sont vos compagnons ? demanda-t-il.

— Morts !

— Mais vous étiez seize !

— Dix sont morts, Biscarrat est dans la caverne, et nous voilà cinq.

— Biscarrat est donc prisonnier ?

— Probablement.

— Non, car le voici ; voyez.

En effet, Biscarrat apparaissait à l'ouverture de la grotte.

— Il nous fait signe de venir, dirent les officiers. Allons !

— Allons ! répéta toute la troupe.

— Monsieur, dit le capitaine s'adressant à Biscarrat, on m'assure que vous savez quels sont les hommes qui sont dans cette grotte et qui font cette défense désespérée. Au nom du roi, je vous somme de déclarer ce que vous savez.

— Mon capitaine, dit Biscarrat, vous n'avez plus besoin de me sommer, ma parole m'a été rendue à l'instant même, et je viens au nom de ces hommes.

— Me dire qu'ils se rendent ?

— Vous dire qu'ils sont décidés à se défendre jusqu'à la mort, si on ne leur accorde pas bonne composition.

— Combien sont-ils donc ?

— Ils sont deux, dit Biscarrat.

— Ils sont deux, et veulent nous imposer des conditions ?

— Ils sont deux, et nous ont déjà tué dix hommes, dit Biscarrat.

— Quels gens est-ce donc ? des géants ?

— Mieux que cela. Vous rappelez-vous l'histoire du bastion Saint-Gervais, mon capitaine ?

— Oui, où quatre mousquetaires du roi ont tenu contre toute une armée ?

— Eh bien ! ces deux hommes étaient de ces mousquetaires.

— Vous les appelez ?...

— A cette époque, on les appelait Porthos et Aramis. Aujourd'hui, on les appelle M. d'Herblay et M. du Vallon.

— Et quel intérêt ont-ils dans tout ceci ?

— Ce sont eux qui tenaient Belle-Ile pour M. Fouquet.

Un murmure court parmi les soldats à ces deux mots : « Porthos et Aramis. »

— Les mousquetaires ! les mousquetaires ! répétaient-ils.

Et, chez tous ces braves jeunes gens, l'idée qu'ils allaient avoir à lutter contre deux des plus vieilles gloires de l'armée faisait courir un frisson, moitié d'enthousiasme, moitié de terreur.

C'est qu'en effet ces quatre noms, d'Artagnan, Athos, Porthos et Aramis, étaient vénérés par tout ce qui portait une épée, comme dans l'Antiquité étaient vénérés les noms d'Hercule, de Thésée, de Castor et de Pollux.

— Deux hommes ! s'écria le capitaine, et ils nous ont tué dix officiers en deux décharges. C'est impossible, monsieur Biscarrat.

— Eh ! mon capitaine, répondit celui-ci, je ne vous dis point qu'ils n'ont pas avec eux deux ou trois hommes, comme les mousquetaires du bastion Saint-Gervais avaient avec eux trois ou quatre domestiques ; mais, croyez-moi, capitaine, j'ai vu ces gens-là, j'ai été pris par eux, je les connais ; ils suffiraient à eux seuls pour détruire tout un corps d'armée.

— C'est ce que nous allons voir, dit le capitaine, et cela dans un moment. Attention, messieurs !

Sur cette réponse, personne ne bougea plus, et chacun s'apprêta à obéir.

Biscarrat seul risqua une dernière tentative.

— Monsieur, dit-il à voix basse, croyez-moi, passons notre chemin ; ces deux hommes, ces deux lions que l'on va attaquer se défendront jusqu'à la mort. Ils nous ont déjà tué dix hommes ; ils en tueront encore le double, et finiront par se tuer eux-mêmes plutôt que de se rendre. Que gagnerons-nous à les combattre ?

— Nous y gagnerons, monsieur, la conscience de n'avoir pas fait reculer quatre-vingts gardes du roi devant deux rebelles. Si j'écoutais votre conseil, monsieur, je serais un homme déshonoré, et, en me déshonorant, je déshonorerais l'armée. En avant, vous autres !

Et il marcha le premier jusqu'à l'ouverture de la grotte.

Arrivé là, il fit halte.

Cette halte avait pour but de donner à Biscarrat et à ses compagnons le temps de lui dépeindre l'intérieur de la grotte. Puis, quand il crut avoir une connaissance suffisante des lieux, il divisa la compagnie en trois corps, qui devaient entrer successivement en faisant un feu nourri dans toutes les directions. Sans doute, à cette attaque, on perdrait cinq hommes encore, dix peut-être ; mais certes, on finirait par prendre les rebelles, puisqu'il n'y avait pas d'issue, et que, à tout prendre, deux hommes n'en pouvaient pas tuer quatre-vingts.

— Mon capitaine, demanda Biscarrat, je demande à marcher à la tête du premier peloton.

— Soit ! répondit le capitaine. Vous en avez tout l'honneur. C'est un cadeau que je vous fais.

— Merci ! répondit le jeune homme avec toute la fermeté de sa race.

— Prenez votre épée, alors.

— J'irai ainsi que je suis, mon capitaine, dit Biscarrat ; car je ne vais pas pour tuer, mais pour être tué.

Et, se plaçant à la tête du premier peloton, le front découvert et les bras croisés :

— Marchons, messieurs ! dit-il.

CCLV

UN CHANT D'HOMÈRE

Il est temps de passer dans l'autre camp et de décrire à la fois les combattants et le champ de bataille[1].

Aramis et Porthos s'étaient engagés dans la grotte de Locmaria pour y trouver le canot tout armé, ainsi que les trois Bretons leurs aides, et ils espéraient d'abord faire passer la barque par la petite issue du souterrain, en dérobant de cette façon leurs travaux et leur fuite.

L'arrivée du renard et des chiens les avait contraints de rester cachés.

La grotte s'étendait l'espace d'à peu près cent toises[2], jusqu'à un petit talus dominant une crique. Jadis temple des divinités païennes, alors que Belle-Ile s'appelait encore Calonèse, cette grotte avait vu s'accomplir plus d'un sacrifice humain dans ses mystérieuses profondeurs.

On pénétrait dans le premier entonnoir de cette caverne par une pente assez douce, au-dessus de laquelle des roches entassées formaient une arcade basse ; l'intérieur, mal uni quant au sol, dangereux par les inégalités rocailleuses de la voûte, se subdivisait en plusieurs compartiments, qui se commandaient l'un l'autre et se dominaient moyennant quelques degrés raboteux, rompus, soudés de droite et de gauche dans d'énormes piliers naturels.

Au troisième compartiment, la voûte était si basse, le couloir si étroit, que la barque eût à peine passé en touchant les deux murs ; néanmoins, dans un moment de désespoir, le bois s'assouplit, la pierre devient complaisante sous le souffle de la volonté humaine.

Telle était la pensée d'Aramis, lorsque, après avoir engagé le combat, il se décidait à la fuite, fuite assurément dangereuse, puisque tous les assaillants n'étaient pas morts, et que, en admettant la possibilité de mettre la barque en mer, on se fût enfui au grand jour, devant les vaincus, si intéressés, en reconnaissant leur petit nombre, à faire poursuivre leurs vainqueurs.

Quand les deux décharges eurent tué dix hommes, Aramis, habitué aux détours du souterrain, les alla reconnaître un à un, les compta, car la fumée l'empêchait de voir au-dehors, et sur-le-champ il commanda que le canot fût roulé jusqu'à la grosse pierre, clôture de l'issue libératrice.

---

1. « Avez-vous décrit l'intérieur de la grotte pour donner une idée du champ de bataille ? Pourquoi attendent-ils au lieu de fuir ? », Dumas à Maquet (29 novembre 1849). Voir en fin de volume, Correspondance, lettre 23.

2. Environ 200 m, la toise valant 1,942 m.

Porthos rassembla ses forces, prit le canot dans ses deux bras et le souleva, tandis que les Bretons faisaient courir les rouleaux avec rapidité.

On était descendu dans le troisième compartiment, on était arrivé à la pierre qui murait l'issue.

Porthos saisit cette pierre gigantesque à sa base, appuya dessus sa robuste épaule, et donna un coup qui fit craquer cette muraille. Une nuée de poussière tomba de la voûte avec les cendres de dix mille générations d'oiseaux de mer, dont les nids s'accrochaient comme un ciment à ce rocher.

Au troisième choc, la pierre céda, elle oscilla une minute. Porthos, s'adossant aux roches voisines, fit de son pied un arc-boutant qui chassa le bloc hors des entassements calcaires qui lui servaient de gonds et de scellements.

La pierre tombée, on aperçut le jour, radieux, qui se précipita dans ce souterrain par l'encadrement de la sortie, et la mer bleue apparut aux Bretons enchantés.

On commença dès lors à monter la barque sur cette barricade. Vingt toises encore et elle pouvait glisser dans l'Océan.

C'est pendant ce temps que la compagnie arriva, fut rangée par le capitaine et disposée pour l'escalade ou pour l'assaut.

Aramis surveillait tout pour favoriser les travaux de ses amis.

Il vit ce renfort, il compta les hommes, il se convainquit avec un seul coup d'œil de l'infranchissable péril où un nouveau combat les allait engager.

S'enfuir sur la mer au moment où le souterrain allait être envahi, impossible !

En effet, le jour, qui venait d'éclairer les deux derniers compartiments, eût montré aux soldats la barque roulant vers la mer, les deux rebelles à portée des mousquets et une de leurs décharges criblait le bateau, si elle ne tuait pas les cinq navigateurs.

En outre, en supposant tout, si la barque échappait avec les hommes qui la montaient, comment l'alarme ne serait-elle pas donnée ? comment un avis ne serait-il pas envoyé aux chalands royaux ? comment le pauvre canot, traqué sur mer et guetté sur terre, ne succomberait-il pas avant la fin du jour ?

Aramis, fouillant avec rage ses cheveux grisonnants, invoqua l'assistance de Dieu et l'assistance du démon.

Appelant Porthos, qui travaillait à lui seul plus que rouleaux et rouleurs :

— Ami, dit-il tout bas, il vient d'arriver un renfort à nos adversaires.

— Ah ! fit tranquillement Porthos ; que faire alors ?

— Recommencer le combat, fit Aramis, c'est encore chanceux.

— Oui, dit Porthos, car il est difficile que, sur deux, on ne tue pas

l'un de nous, et certainement, si l'un de nous était tué, l'autre se ferait
tuer aussi.

Porthos dit ces mots avec ce naturel héroïque qui, chez lui, grandissait
de toutes les forces de la matière.

Aramis sentit comme un coup d'éperon à son cœur.

— Nous ne serons tués ni l'un ni l'autre si vous faites ce que je vais
vous dire, ami Porthos.

— Dites.

— Ces gens vont descendre dans la grotte.

— Oui.

— Nous en tuerons une quinzaine, mais pas davantage.

— Combien sont-ils en tout ? demanda Porthos.

— Il leur est arrivé un renfort de soixante-quinze hommes.

— Soixante-quinze et cinq, quatre-vingts... Ah ! ah ! fit Porthos.

— S'ils font feu ensemble, ils nous cribleront de balles.

— Assurément.

— Sans compter, ajouta Aramis, que les détonations peuvent
occasionner des éboulements dans la caverne.

— Tout à l'heure, en effet, dit Porthos, un éclat de roche m'a un
peu déchiré l'épaule.

— Voyez-vous !

— Mais ce n'est rien.

— Prenons vite un parti. Nos Bretons vont continuer de rouler le canot
vers la mer.

— Très bien.

— Nous deux, nous garderons ici la poudre, les balles et les mousquets.

— Mais à deux, mon cher Aramis, nous ne tirerons jamais trois coups
ensemble, dit naïvement Porthos ; le moyen de la mousqueterie est
mauvais.

— Trouvez-en donc un autre.

— Je l'ai trouvé ! fit tout à coup le géant. Je vais me mettre en
embuscade derrière le pilier avec cette barre de fer, et, invisible,
inattaquable, lorsqu'ils seront entrés par flots, je laisse tomber ma barre
sur les crânes trente fois par minute ! Hein ! qu'en dites-vous, du projet ?
vous sourit-il ?

— Excellent, cher ami, parfait ! j'approuve fort ; seulement, vous
les effraierez, et la moitié restera dehors pour nous prendre par la famine.
Ce qu'il nous faut, mon bon ami, c'est la destruction entière de la troupe ;
un seul homme resté debout nous perd.

— Vous avez raison, mon ami ; mais comment les attirer, je vous
prie ?

— En ne bougeant pas, mon bon Porthos.

— Ne bougeons pas ; mais, quand ils seront tous bien réunis ?...

— Alors, laissez-moi faire, j'ai une idée.

— S'il en est ainsi, et que votre idée soit bonne... et elle doit être bonne, votre idée... je suis tranquille.

— En embuscade, Porthos, et comptez tous ceux qui entreront.

— Mais vous, que ferez-vous ?

— Ne vous inquiétez pas de moi ; j'ai ma besogne.

— J'entends des voix, ce me semble.

— Ce sont eux. A votre poste !... Tenez-vous à la portée de ma voix et de ma main.

Porthos se réfugia dans le second compartiment qui était absolument noir.

Aramis se glissa dans le troisième ; le géant tenait en main une barre de fer du poids de cinquante livres. Porthos maniait avec une facilité merveilleuse ce levier, qui avait servi à faire rouler la barque.

Pendant ce temps, les Bretons poussaient le canot jusqu'à la falaise.

Dans le compartiment éclairé, Aramis, baissé, caché, s'occupait à une manœuvre mystérieuse.

On entendit un commandement proféré à voix haute. C'était le dernier ordre du capitaine commandant. Vingt-cinq hommes sautèrent des roches supérieures dans le premier compartiment de la grotte, et, ayant pris terre, ils se mirent à faire feu.

Les échos grondèrent, des sifflements sillonnèrent la voûte, une fumée opaque emplit l'espace.

— A gauche ! à gauche ! cria Biscarrat, qui, dans son premier assaut, avait vu le passage de la seconde chambre, et qui, animé par l'odeur de la poudre, voulait guider ses soldats de ce côté.

La troupe se précipita effectivement à gauche ; le couloir allait se rétrécissant ; Biscarrat, les mains étendues, dévoué à la mort, marchait en avant des mousquets.

— Venez ! venez ! cria-t-il, je vois du jour !

— Frappez, Porthos ! cria la voix sépulcrale d'Aramis.

Porthos poussa un soupir, mais il obéit.

La barre de fer tomba d'aplomb sur la tête de Biscarrat, qui fut tué sans avoir achevé son cri. Puis le levier formidable se leva et s'abaissa dix fois en dix secondes et fit dix cadavres.

Les soldats ne voyaient rien ; ils entendaient des cris, des soupirs ; ils foulaient des corps, mais n'avaient pas encore compris, et montaient en trébuchant les uns sur les autres.

L'implacable barre, tombant toujours, anéantit le premier peloton sans qu'un seul bruit eût averti le deuxième, qui s'avançait tranquillement.

Seulement, ce second peloton, commandé par le capitaine, avait brisé un maigre sapin qui poussait sur la falaise, et de ses branches résineuses, tordues ensemble, le capitaine s'était fait un flambeau.

En arrivant à ce compartiment où Porthos, pareil à l'ange exterminateur, avait détruit tout ce qu'il avait touché, le premier rang recula d'épouvante. Nulle fusillade n'avait répondu à la fusillade des gardes, et cependant on heurtait un monceau de cadavres, on marchait littéralement dans le sang.

Porthos était toujours derrière son pilier.

Le capitaine, en éclairant, avec la lumière tremblante du sapin enflammé, cet effroyable carnage dont il cherchait vainement la cause, recula jusqu'au pilier derrière lequel était caché Porthos.

Alors une main gigantesque sortit de l'ombre, se colla à la gorge du capitaine, qui poussa un sourd râlement ; ses bras s'étendirent battant l'air, la torche tomba et s'éteignit dans le sang.

Une seconde après, le corps du capitaine tombait près de la torche éteinte, et ajoutait un cadavre de plus au monceau de cadavres qui barrait le chemin.

Tout cela s'était fait mystérieusement comme une chose magique. Au râlement du capitaine, les hommes qui l'accompagnaient s'étaient retournés ; ils avaient vu ses bras ouverts, ses yeux sortant de leur orbite ; puis, la torche tombée, ils étaient restés dans l'obscurité.

Par un mouvement irréfléchi, instinctif, machinal, le lieutenant cria :

— Feu !

Aussitôt une volée de coups de mousquet crépita, tonna, hurla dans la caverne en arrachant d'énormes morceaux aux voûtes.

La caverne s'éclaira un instant à cette fusillade, puis rentra immédiatement dans une obscurité rendue plus profonde encore par la fumée.

Il se fit alors un grand silence, troublé seulement par les pas de la troisième brigade, qui entrait dans le souterrain.

CCLVI

LA MORT D'UN TITAN[1]

Au moment où Porthos, plus habitué à l'obscurité que tous ces hommes venant du jour, regardait autour de lui pour voir si, dans cette nuit, Aramis ne lui ferait pas quelque signal, il se sentit doucement

---

1. « Je veux que la mort de Porthos ait toute la grandeur possible », Dumas à Maquet (début décembre 1849). L'assimilation de Porthos à un des Titans, fils de Gaïa et d'Ouranos, qui régnèrent sur les cieux avant d'être défaits par Zeus et les dieux (fils de l'un d'eux, Cronos), appartient à ce désir de magnification. Au cours de la Titanomachie, les Titans s'armèrent de gigantesques rochers arrachés aux montagnes.

toucher le bras, et une voix faible comme un souffle murmura tout bas à son oreille :

— Venez.

— Oh ! fit Porthos.

— Chut ! dit Aramis plus bas encore.

Et, au milieu du bruit de la troisième brigade qui continuait d'avancer, au milieu des imprécations des gardes restés debout, des moribonds râlant leur dernier soupir, Aramis et Porthos glissèrent inaperçus le long des murailles granitiques de la caverne.

Aramis conduisit Porthos dans l'avant-dernier compartiment, et lui montra, dans un renfoncement de la muraille, un baril de poudre pesant soixante à quatre-vingts livres, auquel il venait d'attacher une mèche.

— Ami, dit-il à Porthos, vous allez prendre ce baril, dont je vais, moi, allumer la mèche, et vous le jetterez au milieu de nos ennemis : le pouvez-vous ?

— Parbleu ! répliqua Porthos.

Et il souleva le petit tonneau d'une seule main.

— Allumez.

— Attendez, dit Aramis, qu'ils soient bien tous massés, et puis, mon Jupiter, lancez votre foudre au milieu d'eux.

— Allumez, répéta Porthos.

— Moi, continua Aramis, je vais joindre nos Bretons et les aider à mettre le canot à la mer. Je vous attendrai au rivage ; lancez ferme et accourez à nous.

— Allumez, dit une dernière fois Porthos.

— Vous avez compris ? dit Aramis.

— Parbleu ! dit encore Porthos, en riant d'un rire qu'il n'essayait pas même d'éteindre ; quand on m'explique, je comprends ; allez, et donnez-moi le feu.

Aramis donna l'amadou brûlant à Porthos, qui lui tendit son bras à serrer à défaut de la main.

Aramis serra de ses deux mains le bras de Porthos et se replia jusqu'à l'issue de la caverne, où les trois rameurs l'attendaient.

Porthos, demeuré seul, approcha bravement l'amadou de la mèche.

L'amadou, faible étincelle, principe premier d'un immense incendie, brilla dans l'obscurité comme une luciole volante, puis vint se souder à la mèche, qu'il enflamma, et dont Porthos activa la flamme avec son souffle.

La fumée s'était un peu dissipée, et, à la lueur de cette mèche pétillante, on put, pendant une ou deux secondes, distinguer les objets.

Ce fut un court mais splendide spectacle que celui de ce géant, pâle, sanglant et le visage éclairé par le feu de la mèche qui brûlait dans l'ombre.

Les soldats le virent. Ils virent ce baril qu'il tenait dans sa main. Ils comprirent ce qui allait se passer.

Alors, ces hommes, déjà pleins d'effroi à la vue de ce qui s'était accompli, pleins de terreur en songeant à ce qui allait s'accomplir, poussèrent tous à la fois un hurlement d'agonie.

Les uns essayèrent de s'enfuir, mais ils rencontrèrent la troisième brigade qui leur barrait le chemin ; les autres, machinalement, mirent en joue et firent feu avec leurs mousquets déchargés ; d'autres enfin tombèrent à genoux.

Deux ou trois officiers crièrent à Porthos pour lui promettre la liberté s'il leur donnait la vie.

Le lieutenant de la troisième brigade criait de faire feu ; mais les gardes avaient devant eux leurs compagnons effarés qui servaient de rempart vivant à Porthos.

Nous l'avons dit, cette lumière produite par le souffle de Porthos sur l'amadou et la mèche ne dura que deux secondes ; mais, pendant ces deux secondes, voici ce qu'elle éclaira : d'abord le géant grandissant dans l'obscurité ; puis, à dix pas de lui, un amas de corps sanglants, écrasés, broyés, au milieu desquels vivait encore un dernier frémissement d'agonie, qui soulevait la masse, comme une dernière respiration soulève les flancs d'un monstre informe expirant dans la nuit.

Chaque souffle de Porthos, en ravivant la mèche, envoyait sur cet amas de cadavres un ton sulfureux, coupé de larges tranches de pourpre.

Outre ce groupe principal, semé dans la grotte, selon que le hasard de la mort ou la surprise du coup les avait étendus, quelques cadavres isolés semblaient menacer par leurs blessures béantes.

Au-dessus de ce sol pétri d'une fange de sang, montaient, mornes et scintillants, les piliers trapus de la caverne, dont les nuances, chaudement accentuées, poussaient en avant les parties lumineuses.

Et tout cela était vu au feu tremblotant d'une mèche correspondant à un baril de poudre, c'est-à-dire à une torche, qui, en éclairant la mort passée, montrait la mort à venir.

Comme je l'ai dit, ce spectacle ne dura qu'une ou deux secondes. Pendant ce court espace de temps, un officier de la troisième brigade réunit huit hommes armés de mousquets, et, par une trouée, leur ordonna de faire feu sur Porthos.

Mais ceux qui recevaient l'ordre de tirer tremblaient tellement qu'à cette décharge trois gardes tombèrent, et que les cinq autres balles allèrent en sifflant rayer la voûte, sillonner la terre ou creuser les parois de la caverne.

Un éclat de rire répondit à ce tonnerre ; puis le bras du géant se balança, puis on vit passer dans l'air, pareille à une étoile filante, la traînée de feu.

Le baril, lancé à trente pas, franchit la barricade de cadavres, et alla tomber dans un groupe hurlant de soldats qui se jetèrent à plat ventre.

L'officier avait suivi en l'air la brillante traînée ; il voulut se précipiter sur le baril pour en arracher la mèche avant qu'elle n'atteignît la poudre qu'il recélait.

Dévouement inutile : l'air avait activé la flamme attachée au conducteur ; la mèche, qui, en repos, eût brûlé cinq minutes, se trouva dévorée en trente secondes, et l'œuvre infernale éclata.

Tourbillons furieux, sifflements du soufre et du nitre, ravages dévorants du feu qui creuse, tonnerre épouvantable de l'explosion, voilà ce que cette seconde, qui suivit les deux secondes que nous avons décrites, vit éclore dans cette caverne, égale en horreurs à une caverne de démons.

Les rochers se fendaient comme des planches de sapin sous la cognée. Un jet de feu, de fumée, de débris, s'élança du milieu de la grotte, s'élargissant à mesure qu'il montait. Les grands murs de silex s'inclinèrent pour se coucher dans le sable, et le sable lui-même, instrument de douleur lancé hors de ses couches durcies, alla cribler les visages avec ses myriades d'atomes blessants.

Les cris, les hurlements, les imprécations et les existences, tout s'éteignit dans un immense fracas ; les trois premiers compartiments devinrent un gouffre dans lequel retomba un à un, suivant sa pesanteur, chaque débris végétal, minéral ou humain.

Puis le sable et la cendre, plus légers, tombèrent à leur tour, s'étendant comme un linceul grisâtre et fumant sur ces lugubres funérailles.

Et maintenant, cherchez dans ce brûlant tombeau, dans ce volcan souterrain, cherchez les gardes du roi aux habits bleus galonnés d'argent.

Cherchez les officiers brillants d'or, cherchez les armes sur lesquelles ils avaient compté pour se défendre, cherchez les pierres qui les ont tués ; cherchez le sol qui les portait.

Un seul homme a fait de tout cela un chaos plus confus, plus informe, plus terrible que le chaos qui existait une heure avant que Dieu eût eu l'idée de créer le monde.

Il ne resta rien des trois premiers compartiments, rien que Dieu lui-même pût reconnaître pour son ouvrage.

Quant à Porthos, après avoir lancé le baril de poudre au milieu des ennemis, il avait fui, selon le conseil d'Aramis, et gagné le dernier compartiment, dans lequel pénétraient, par l'ouverture, l'air, le jour et le soleil.

Aussi, à peine eut-il tourné l'angle qui séparait le troisième compartiment du quatrième, qu'il aperçut à cent pas de lui la barque balancée par les flots ; là étaient ses amis ; là était la liberté ; là était la vie après la victoire.

Encore six de ses formidables enjambées, et il était hors de la voûte ; hors de la voûte, deux ou trois vigoureux élans, et il touchait au canot.

Soudain, il sentit ses genoux fléchir : ses genoux semblaient vides, ses jambes mollissaient sous lui.

— Oh ! oh ! murmura-t-il étonné, voilà que ma fatigue me reprend ; voilà que je ne peux plus marcher. Qu'est-ce à dire ?

A travers l'ouverture, Aramis l'apercevait et ne comprenait pas pourquoi il s'arrêtait ainsi.

— Venez, Porthos ! criait Aramis, venez ! venez vite !

— Oh ! répondit le géant en faisant un effort qui tendit inutilement tous les muscles de son corps, je ne puis.

En disant ces mots, il tomba sur ses genoux ; mais, de ses mains robustes, il se cramponna aux roches et se releva.

— Vite ! vite ! répéta Aramis en se courbant vers le rivage, comme pour attirer Porthos avec ses bras.

— Me voici, balbutia Porthos en réunissant toutes ses forces pour faire un pas de plus.

— Au nom du Ciel ! Porthos, arrivez ! arrivez ! le baril va sauter !

— Arrivez, monseigneur, crièrent les Bretons à Porthos, qui se débattait comme dans un rêve.

Mais il n'était plus temps : l'explosion retentit, la terre se crevassa, la fumée, qui s'élança par les larges fissures, obscurcit le ciel, la mer reflua comme chassée par le souffle du feu qui jaillit de la grotte comme de la gueule d'une gigantesque chimère ; le reflux emporta la barque à vingt toises, toutes les roches craquèrent à leur base, et se séparèrent comme des quartiers sous l'effort des coins ; on vit s'élancer une portion de la voûte enlevée au ciel comme par des fils rapides ; le feu rose et vert du soufre, la noire lave des liquéfactions argileuses, se heurtèrent et se combattirent un instant sous un dôme majestueux de fumée ; puis on vit osciller d'abord, puis se pencher, puis tomber successivement les longues arêtes de rocher que la violence de l'explosion n'avait pu déraciner de leurs socles séculaires ; ils se saluaient les uns les autres comme des vieillards graves et lents, puis se prosternaient couchés à jamais dans leur poudreuse tombe.

Cet effroyable choc parut rendre à Porthos les forces qu'il avait perdues ; il se releva, géant lui-même entre ces géants. Mais, au moment où il fuyait entre la double haie de fantômes granitiques, ces derniers, qui n'étaient plus soutenus par les chaînons correspondants, commencèrent à rouler avec fracas autour de ce Titan qui semblait précipité du ciel au milieu des rochers qu'il venait de lancer contre lui.

Porthos sentit trembler sous ses pieds le sol ébranlé par ce long déchirement. Il étendit à droite et à gauche ses vastes mains pour repousser les rochers croulants. Un bloc gigantesque vint s'appuyer à chacune de ses paumes étendues ; il courba la tête, et une troisième masse granitique vint s'appesantir entre ses deux épaules.

Un instant, les bras de Porthos avaient plié ; mais l'hercule réunit toutes ses forces, et l'on vit les deux parois de cette prison dans laquelle il était enseveli s'écarter lentement et lui faire place. Un instant, il apparut dans cet encadrement de granit comme l'ange antique du chaos ; mais, en écartant les roches latérales, il ôta son point d'appui au monolithe qui pesait sur ses fortes épaules, et le monolithe, s'appuyant de tout son poids, précipita le géant sur ses genoux.

Les roches latérales, un instant écartées, se rapprochèrent et vinrent ajouter leur poids au poids primitif, qui eût suffi pour écraser dix hommes.

Le géant tomba sans crier à l'aide ; il tomba en répondant à Aramis par des mots d'encouragement et d'espoir, car un instant, grâce au puissant arc-boutant de ses mains, il put croire que, comme Encelade, il secouerait ce triple poids. Mais, peu à peu, Aramis vit le bloc s'affaisser ; les mains crispées un instant, les bras roidis par un dernier effort, plièrent, les épaules tendues s'affaissèrent déchirées, et la roche continua de s'abaisser graduellement.

— Porthos ! Porthos ! criait Aramis en s'arrachant les cheveux, Porthos, où es-tu ? Parle !

— Là ! là ! murmurait Porthos d'une voix qui s'éteignait ; patience ! patience !

A peine acheva-t-il ce dernier mot : l'impulsion de la chute augmenta la pesanteur ; l'énorme roche s'abattit, pressée par les deux autres qui s'abattirent sur elle, et engloutit Porthos dans un sépulcre de pierres brisées.

En entendant la voix expirante de son ami, Aramis avait sauté à terre. Deux des Bretons le suivirent un levier à la main, un seul suffisant pour garder la barque. Les derniers râles du vaillant lutteur les guidèrent dans les décombres.

Aramis, étincelant, superbe, jeune comme à vingt ans, s'élança vers la triple masse, et de ses mains délicates, comme des mains de femme, leva par un miracle de vigueur un coin de l'immense sépulcre de granit. Alors, il entrevit dans les ténèbres de cette fosse l'œil encore brillant de son ami, à qui la masse soulevée un instant venait de rendre la respiration. Aussitôt les deux hommes se précipitèrent, se cramponnèrent au levier de fer, réunissant leur triple effort, non pas pour le soulever, mais pour le maintenir. Tout fut inutile : les trois hommes plièrent lentement avec des cris de douleur, et la rude voix de Porthos, les voyant s'épuiser dans une lutte inutile, murmura d'un ton railleur ces mots suprêmes venus jusqu'aux lèvres avec la suprême respiration :

— Trop lourd !

Après quoi, l'œil s'obscurcit et se ferma, le visage devint pâle, la main blanchit, et le Titan se coucha, poussant un dernier soupir[1].

---

1. La mort de Porthos rappelle celle de l'athlète Polydamas : « Polydamas, rival et ami [de Milon de Crotone], périt comme lui victime de sa témérité. Cet athlète, dans son enfance, avait étouffé sur le mont Olympe un lion monstrueux ; d'un seul coup il assommait un homme ; d'une main il arrêtait un char attelé de six coursiers. Un jour, tandis qu'il buvait dans

Avec lui s'affaissa la roche, que, même dans son agonie, il avait soutenue encore !

Les trois hommes laissèrent échapper le levier qui roula sur la pierre tumulaire.

Puis, haletant, pâle, la sueur au front, Aramis écouta, la poitrine serrée, le cœur prêt à se rompre.

Plus rien ! Le géant dormait de l'éternel sommeil, dans le sépulcre que Dieu lui avait fait à sa taille.

CCLVII

L'ÉPITAPHE DE PORTHOS

Aramis, silencieux, glacé, tremblant comme un enfant craintif, se releva en frissonnant de dessus cette pierre.

Un chrétien ne marche pas sur des tombes.

Mais, capable de se tenir debout, il était incapable de marcher. On eût dit que quelque chose de Porthos mort venait de mourir en lui.

Ses Bretons l'entourèrent ; Aramis se laissa aller à leurs étreintes, et les trois marins, le soulevant, l'emportèrent dans le canot.

Puis, l'ayant déposé sur le banc, près du gouvernail, ils forcèrent de rames, préférant s'éloigner en nageant à hisser la voile, qui pouvait les dénoncer.

Sur toute cette surface rasée de l'ancienne grotte de Locmaria, sur cette plage aplatie, un seul monticule attirait le regard. Aramis n'en put détacher ses yeux, et, de loin, en mer, à mesure qu'il gagnait le large, la roche menaçante et fière lui semblait se dresser, comme naguère se dressait Porthos, et lever au ciel une tête souriante et invincible comme celle de l'honnête et vaillant ami, le plus fort des quatre et cependant le premier mort.

Étrange destinée de ces hommes d'airain ! Le plus simple du cœur, allié au plus astucieux ; la force du corps guidée par la subtilité de l'esprit ; et, dans le moment décisif, lorsque la vigueur seule pouvait sauver esprit et corps, une pierre, un rocher, un poids vil et matériel, triomphait de la vigueur, et, s'écroulant sur le corps, en chassait l'esprit.

Digne Porthos ! né pour aider les autres hommes, toujours prêt à se sacrifier au salut des faibles, comme si Dieu ne lui eût donné la force

---

une grotte avec ses amis, la voûte s'ébranla, et les convives prirent la fuite. Polydamas demeura seul ; et, comptant sur ses forces, il voulut soutenir cette masse énorme ; mais le rocher, en s'écroulant, l'écrasa dans sa chute », C. A. Desmoustier, *Lettres à Émilie sur la mythologie*, première partie, lettre V.

que pour cet usage ; en mourant, il avait cru seulement remplir les conditions de son pacte avec Aramis, pacte qu'Aramis cependant avait rédigé seul, et que Porthos n'avait connu que pour en réclamer la terrible solidarité.

Noble Porthos ! A quoi bon les châteaux regorgeant de meubles, les forêts regorgeant de gibier, les lacs regorgeant de poissons, et les caves regorgeant de richesses ? à quoi bon les laquais aux brillantes livrées, et, au milieu d'eux, Mousqueton, fier du pouvoir délégué par toi ? O noble Porthos ! soucieux entasseur de trésors, fallait-il tant travailler à adoucir et dorer ta vie pour venir, sur une plage déserte, aux cris des oiseaux de l'Océan, t'étendre, les os écrasés sous une froide pierre ! fallait-il, enfin, noble Porthos, amasser tant d'or pour n'avoir pas même le distique d'un pauvre poète sur ton monument !

Vaillant Porthos ! Il dort sans doute encore, oublié, perdu, sous la roche que les pâtres de la lande prennent pour la toiture gigantesque d'un dolmen.

Et tant de bruyères frileuses, tant de mousse, caressées par le vent amer de l'Océan, tant de lichens vivaces ont soudé le sépulcre à la terre, que jamais le passant ne saurait imaginer qu'un pareil bloc de granit ait pu être soulevé par l'épaule d'un mortel.

Aramis, toujours pâle, toujours glacé, le cœur aux lèvres, Aramis regarda, jusqu'au dernier rayon du jour, la plage s'effaçant à l'horizon.

Pas un mot ne s'exhala de sa bouche, pas un soupir ne souleva sa poitrine profonde.

Les Bretons, superstitieux, le regardaient en tremblant. Ce silence n'était pas d'un homme, mais d'une statue.

Cependant, aux premières lignes grises qui descendirent du ciel, le canot avait hissé sa petite voile, qui, s'arrondissant au baiser de la brise et s'éloignant rapidement de la côte, s'élança bravement, le cap sur l'Espagne, à travers ce terrible golfe de Gascogne si fécond en tempêtes.

Mais, une demi-heure à peine après que la voile eut été hissée, les rameurs, devenus inactifs, se courbèrent sur leurs bancs, et, se faisant un garde-vue de leur main, se montrèrent les uns aux autres un point blanc qui apparaissait à l'horizon, aussi immobile que l'est en apparence une mouette bercée par l'insensible respiration des flots.

Mais ce qui eût semblé immobile à des yeux ordinaires marchait d'un pas rapide pour l'œil exercé du marin ; ce qui semblait stationnaire sur la vague rasait le flot.

Pendant quelque temps, voyant la profonde torpeur dans laquelle était plongé le maître, ils n'osèrent le réveiller, et se contentèrent d'échanger leurs conjectures d'une voix basse et inquiète. Aramis, en effet, si vigilant, si actif, Aramis, dont l'œil, comme celui du lynx, veillait sans cesse et voyait mieux la nuit que le jour, Aramis s'endormait dans le désespoir de son âme.

Une heure se passa ainsi, pendant laquelle le jour baissa graduellement, mais pendant laquelle aussi le navire en vue gagna tellement sur la barque, que Goennec, un des trois marins, se hasarda de dire assez haut :

— Monseigneur, on nous chasse !

Aramis ne répondit rien, le navire gagnait toujours.

Alors, d'eux-mêmes, les deux marins, sur l'ordre du patron Yves, abattirent la voile, afin que ce seul point, qui apparaissait sur la surface des flots, cessât de guider l'œil ennemi qui les poursuivait.

De la part du navire en vue, au contraire, la poursuite s'accéléra de deux nouvelles petites voiles que l'on vit monter à l'extrémité des mâts.

Malheureusement, on était aux plus beaux et aux plus longs jours de l'année, et la lune, dans toute sa clarté, succédait à ce jour néfaste. La balancelle[1] qui poursuivait la petite barque, vent arrière, avait donc une demi-heure encore de crépuscule, et toute une nuit de demi-clarté.

— Monseigneur ! monseigneur ! nous sommes perdus ! dit le patron ; regardez, ils nous voient quoique nous ayons cargué nos voiles.

— Ce n'est pas étonnant, murmura un des matelots, puisqu'on dit que, avec l'aide du diable, les gens des villes ont fabriqué des instruments avec lesquels ils voient aussi bien de loin que de près, la nuit que le jour.

Aramis prit au fond de la barque une lunette d'approche, la mit silencieusement au point, et, la passant au matelot :

— Tenez, dit-il, regardez !

Le matelot hésita.

— Tranquillisez-vous, dit l'évêque, il n'y a point péché et, s'il y a péché, je le prends sur moi.

Le matelot porta la lunette à son œil, et jeta un cri.

Il avait cru que, par un miracle, le navire, qui lui apparaissait à une portée de canon à peine, avait subitement et d'un seul bond franchi la distance.

Mais en retirant l'instrument de son œil, il vit que, sauf le chemin que la balancelle avait pu faire pendant ce court instant, il était encore à la même distance.

— Ainsi, murmura le matelot, ils nous voient comme nous les voyons ?

— Ils nous voient, dit Aramis.

Et il retomba dans son impassibilité.

— Comment ! ils nous voient ? fit le patron Yves. Impossible !

— Tenez, patron, regardez, dit le matelot.

Et il lui passa la lunette d'approche.

— Monseigneur m'assure, demanda le patron, que le diable n'a rien à faire dans tout ceci ?

Aramis haussa les épaules.

Le patron porta la lunette à son œil.

---

1. *Balancelle* : embarcation à une seule voile, l'avant et l'arrière étant pointus.

— Oh ! monseigneur, dit-il, il y a miracle : ils sont là ; il me semble que je vais les toucher. Vingt-cinq hommes au moins ! Ah ! je vois le capitaine à l'avant. Il tient une lunette comme celle-ci, et nous regarde... Ah ! il se retourne, il donne un ordre ; ils roulent une pièce de canon à l'avant ; ils la chargent, ils la pointent... Miséricorde ! ils tirent sur nous !

Et, par un mouvement machinal, le patron écarta sa lunette et les objets, repoussés à l'horizon, lui apparurent sous leur véritable aspect.

Le bâtiment était encore à la distance d'une lieue à peu près ; mais la manœuvre annoncée par le patron n'en était pas moins réelle.

Un léger nuage de fumée apparut au-dessous des voiles, plus bleu qu'elles et s'épanouissant comme une fleur qui s'ouvre ; puis, à un mille à peu près du petit canot, on vit le boulet découronner deux ou trois vagues, creuser un sillon blanc dans la mer, et disparaître au bout de ce sillon, aussi inoffensif encore que la pierre avec laquelle, en jouant, un écolier fait des ricochets.

C'était à la fois une menace et un avis.

— Que faire ? demanda le patron.

— Ils vont nous couler, dit Goennec ; donnez-nous l'absolution, monseigneur.

Et les marins s'agenouillèrent devant l'évêque.

— Vous oubliez qu'ils vous voient, dit celui-ci.

— C'est vrai, dirent les marins honteux de leur faiblesse. Ordonnez, monseigneur, nous sommes prêts à mourir pour vous.

— Attendons, dit Aramis.

— Comment, attendons ?

— Oui ; ne voyez-vous pas, comme vous le disiez tout à l'heure, que, si nous essayons de fuir, ils vont nous couler ?

— Mais peut-être, hasarda le patron, peut-être qu'à la faveur de la nuit nous pourrons leur échapper ?

— Oh ! dit Aramis, ils ont bien quelque feu grégeois pour éclairer leur route et la nôtre.

Et, en même temps, comme si le petit bâtiment eût voulu répondre à l'appel d'Aramis, un second nuage de fumée monta lentement au ciel, et du sein de ce nuage jaillit une flèche enflammée qui décrivit sa parabole, pareille à un arc-en-ciel, et vint tomber dans la mer, où elle continua de brûler, éclairant l'espace à un quart de lieue de diamètre.

Les Bretons se regardèrent épouvantés.

— Vous voyez bien, dit Aramis, que mieux vaut les attendre.

Les rames échappèrent aux mains des matelots, et la petite barque, cessant d'avancer, se berça immobile à l'extrémité des vagues.

La nuit venait, mais le bâtiment avançait toujours.

On eût dit qu'il redoublait de vitesse avec l'obscurité. De temps en temps, comme un vautour au cou sanglant dresse la tête hors de son nid, le formidable feu grégeois s'élançait de ses flancs et jetait au milieu de l'Océan sa flamme comme une neige incandescente.

Enfin, il arriva à la portée du mousquet.

Tous les hommes étaient sur le pont, l'arme au bras, les canonniers à leurs pièces ; les mèches brûlaient.

On eût dit qu'il s'agissait d'aborder une frégate et de combattre un équipage supérieur en nombre, et non de prendre un canot monté par quatre hommes.

— Rendez-vous ! s'écria le commandant de la balancelle, à l'aide de son porte-voix.

Les matelots regardèrent Aramis.

Aramis fit un signe de tête.

Le patron Yves fit flotter un chiffon blanc au bout d'une gaffe.

C'était une manière d'amener le pavillon.

Le bâtiment avançait comme un cheval de course.

Il lança une nouvelle fusée grégeoise, qui vint tomber à vingt pas du petit canot, et qui le mit en lumière mieux que n'eût fait un rayon du plus ardent soleil.

— Au premier signe de résistance, cria le commandant de la balancelle, feu !

Les soldats abaissèrent leurs mousquets.

— Puisqu'on vous dit qu'on se rend ! cria le patron Yves.

— Vivants ! vivants, capitaine ! crièrent quelques soldats exaltés ; il faut les prendre vivants.

— Eh bien ! oui, vivants, dit le capitaine.

Puis, se tournant vers les Bretons :

— Vous avez tous la vie sauve, mes amis ! cria-t-il, sauf M. le chevalier d'Herblay.

Aramis tressaillit imperceptiblement.

Un instant son œil se fixa sur les profondeurs de l'Océan, éclairé à sa surface par les dernières lueurs du feu grégeois, lueurs qui couraient aux flancs des vagues, jouaient à leurs cimes comme des panaches, et rendaient plus sombres, plus mystérieux et plus terribles encore les abîmes qu'elles couvraient.

— Vous entendez, monseigneur ? firent les matelots.

— Oui.

— Qu'ordonnez-vous ?

— Acceptez.

— Mais vous, monseigneur ?

Aramis se pencha plus avant, et joua du bout de ses doigts blancs et effilés avec l'eau verdâtre de la mer, à laquelle il souriait comme à une amie.

— Acceptez ! répéta-t-il.

— Nous acceptons, répétèrent les matelots ; mais quel gage aurons-nous ?

— La parole d'un gentilhomme, dit l'officier. Sur mon grade et sur mon nom, je jure que tout ce qui n'est point M. le chevalier d'Herblay aura la vie sauve. Je suis lieutenant de la frégate du roi *La Pomone*, et je me nomme Louis-Constant de Pressigny.

D'un geste rapide, Aramis, déjà courbé vers la mer, déjà à demi penché hors de la barque, d'un geste rapide, Aramis releva la tête, se dressa tout debout, et l'œil ardent, enflammé, le sourire sur les lèvres :

— Jetez l'échelle, messieurs, dit-il, comme si c'eût été à lui qu'appartînt le commandement.

On obéit.

Alors Aramis, saisissant la rampe de corde, monta le premier ; mais, au lieu de l'effroi que l'on s'attendait à voir paraître sur son visage, la surprise des marins de la balancelle fut grande, lorsqu'ils le virent marcher au commandant d'un pas assuré, le regarder fixement, et lui faire de la main un signe mystérieux et inconnu, à la vue duquel l'officier pâlit, trembla et courba le front.

Sans dire un mot, Aramis alors leva la main jusque sous les yeux du commandant, et lui fit voir le chaton d'une bague qu'il portait à l'annulaire de la main gauche.

Et, en faisant ce signe, Aramis, drapé dans une majesté froide, silencieuse et hautaine, avait l'air d'un empereur donnant sa main à baiser.

Le commandant, qui, un instant, avait relevé la tête, s'inclina une seconde fois avec les signes du plus profond respect.

Puis, étendant à son tour la main vers la poupe, c'est-à-dire vers sa chambre, il s'effaça pour laisser Aramis passer le premier.

Les trois Bretons, qui avaient monté derrière leur évêque, se regardaient stupéfaits.

Tout l'équipage faisait silence.

Cinq minutes après, le commandant appela le lieutenant en second, qui remonta aussitôt, en ordonnant de mettre le cap sur la Corogne.

Pendant qu'on exécutait l'ordre donné, Aramis reparut sur le pont et vint s'asseoir contre le bastingage.

La nuit était arrivée, la lune n'était point encore venue, et cependant Aramis regardait opiniâtrement du côté de Belle-Ile. Yves s'approcha alors du commandant, qui était revenu prendre son poste à l'arrière, et, bien bas, bien humblement :

— Quelle route suivons-nous donc, capitaine ? demanda-t-il.

— Nous suivons la route qu'il plaît à Monseigneur, répondit l'officier.

Aramis passa la nuit accoudé sur le bastingage.

Yves, en s'approchant de lui, remarqua, le lendemain, que cette nuit avait dû être bien humide, car le bois sur lequel s'était appuyée la tête de l'évêque était trempé comme d'une rosée.

Qui sait ! cette rosée, c'était peut-être les premières larmes qui fussent tombées des yeux d'Aramis !

Quelle épitaphe eût valu celle-là, bon Porthos[1] ?

CCLVIII

LA RONDE DE M. DE GESVRES

D'Artagnan n'était pas accoutumé à des résistances comme celle qu'il venait d'éprouver. Il revint à Nantes profondément irrité.

L'irritation, chez cet homme vigoureux, se traduisait par une impétueuse attaque, à laquelle peu de gens, jusqu'alors, fussent-ils rois, fussent-ils géants, avaient su résister.

D'Artagnan, tout frémissant, alla droit au château et demanda à parler au roi. Il pouvait être sept heures du matin, et, depuis son arrivée à Nantes, le roi était matinal.

Mais, en arrivant au petit corridor que nous connaissons, d'Artagnan trouva M. de Gesvres, qui l'arrêta fort poliment, en lui recommandant de ne pas parler haut, pour laisser reposer le roi.

— Le roi dort ? dit d'Artagnan. Je le laisserai donc dormir. Vers quelle heure supposez-vous qu'il se lèvera ?

— Oh ! dans deux heures, à peu près : le roi a veillé toute la nuit.

D'Artagnan reprit son chapeau, salua M. de Gesvres et retourna chez lui.

Il revint à neuf heures et demie. On lui dit que le roi déjeunait.

— Voilà mon affaire, répliqua-t-il, je parlerai au roi tandis qu'il mange.

M. de Brienne fit observer à d'Artagnan que le roi ne voulait recevoir personne pendant ses repas.

— Mais, dit d'Artagnan en regardant Brienne de travers, vous ne savez peut-être pas, monsieur le secrétaire, que j'ai mes entrées partout et à toute heure.

Brienne prit doucement la main du capitaine, et lui dit :

— Pas à Nantes, cher monsieur d'Artagnan ; le roi, en ce voyage, a changé tout l'ordre de sa maison.

---

1. Sur la tristesse que Dumas éprouva à devoir faire mourir Porthos, voir en fin de volume, Correspondance, lettre 25.

D'Artagnan, radouci, demanda vers quelle heure le roi aurait fini de déjeuner.

— On ne sait, fit Brienne.

— Comment, on ne sait ? Que veut dire cela ? On ne sait combien le roi met à manger ? C'est une heure, d'ordinaire, et, si j'admets que l'air de la Loire donne appétit, nous mettrons une heure et demie ; c'est assez, je pense ; j'attendrai donc ici.

— Oh ! cher monsieur d'Artagnan, l'ordre est de ne plus laisser personne dans ce corridor ; je suis de garde pour cela.

D'Artagnan sentit la colère monter une seconde fois à son cerveau. Il sortit bien vite, de peur de compliquer l'affaire par un coup de mauvaise humeur.

Comme il était dehors, il se mit à réfléchir.

« Le roi, dit-il, ne veut pas me recevoir, c'est évident ; il est fâché, ce jeune homme ; il craint les mots que je puis lui dire. Oui ; mais, pendant ce temps, on assiège Belle-Ile et l'on prend ou tue peut-être mes deux amis... Pauvre Porthos ! Quant à maître Aramis, celui-là est plein de ressources, et je suis tranquille sur son compte... Mais, non, non, Porthos n'est pas encore invalide, et Aramis n'est pas un vieillard idiot. L'un avec ses bras, l'autre avec son imagination, vont donner de l'ouvrage aux soldats de Sa Majesté. Qui sait ! si ces deux braves allaient refaire, pour l'édification de Sa Majesté Très Chrétienne, un petit bastion Saint-Gervais ?... Je n'en désespère pas. Ils ont canon et garnison.

« Cependant, continua d'Artagnan en secouant la tête, je crois qu'il vaudrait mieux arrêter le combat. Pour moi seul, je ne supporterais ni morgue ni trahison de la part du roi ; mais, pour mes amis, rebuffades, insultes, je dois subir tout. Si j'allais chez M. Colbert ? reprit-il. En voilà un auquel il va falloir que je prenne l'habitude de faire peur. Allons chez M. Colbert. »

Et d'Artagnan se mit bravement en route. Il apprit là que M. Colbert travaillait avec le roi au château de Nantes.

— Bon ! s'écria-t-il, me voilà revenu au temps où j'arpentais les chemins de chez M. de Tréville au logis du cardinal, du logis du cardinal chez la reine, de chez la reine chez Louis XIII. On a raison de dire qu'en vieillissant les hommes redeviennent enfants. Au château.

Il y retourna. M. de Lyonne sortait. Il donna ses deux mains à d'Artagnan et lui apprit que le roi travaillerait tout le soir, toute la nuit même, et que l'ordre était donné de ne laisser entrer personne.

— Pas même, s'écria d'Artagnan, le capitaine qui prend l'ordre ? C'est trop fort !

— Pas même, dit M. de Lyonne.

— Puisqu'il en est ainsi, répliqua d'Artagnan blessé jusqu'au cœur, puisque le capitaine des mousquetaires, qui est toujours entré dans la chambre à coucher du roi, ne peut plus entrer dans le cabinet ou dans la salle à manger, c'est que le roi est mort ou qu'il a pris son capitaine en disgrâce. Dans l'un et l'autre cas, il n'en a plus besoin. Faites-moi le plaisir de rentrer, vous, monsieur de Lyonne, qui êtes en faveur, et dites tout nettement au roi que je lui envoie ma démission.

— D'Artagnan, prenez garde ! s'écria de Lyonne.

— Allez, par amitié pour moi.

Et il le poussa doucement vers le cabinet.

— J'y vais, dit M. de Lyonne.

D'Artagnan attendit en arpentant le corridor.

Lyonne revint.

— Eh bien ! qu'a dit le roi ? demanda d'Artagnan.

— Le roi a dit que c'était bien, répondit de Lyonne.

— Que c'était bien ! fit le capitaine avec explosion : c'est-à-dire qu'il accepte ? Bon, me voilà libre. Je suis bourgeois, monsieur de Lyonne ; au plaisir de vous revoir ! Adieu, château, corridor, antichambre ! un bourgeois qui va enfin respirer vous salue.

Et, sans plus attendre, le capitaine sauta hors de la terrasse dans l'escalier où il avait retrouvé les morceaux de la lettre de Gourville. Cinq minutes après, il rentrait dans l'hôtellerie où, suivant l'usage de tous les grands officiers qui ont logement au château, il avait pris ce qu'on appelait sa chambre de ville.

Mais là, au lieu de quitter son épée et son manteau, il prit des pistolets, mit son argent dans une grande bourse de cuir, envoya chercher ses chevaux à l'écurie du château, et donna des ordres pour gagner Vannes pendant la nuit.

Tout se succéda selon ses vœux. A huit heures du soir, il mettait le pied à l'étrier, lorsque M. de Gesvres apparut à la tête de douze gardes devant l'hôtellerie.

D'Artagnan voyait tout du coin de l'œil ; il vit nécessairement ces treize hommes et ces treize chevaux ; mais il feignit de ne rien remarquer et continua d'enfourcher son cheval.

Gesvres arriva sur lui.

— Monsieur d'Artagnan ! dit-il tout haut.

— Eh ! monsieur de Gesvres, bonsoir !

— On dirait que vous montez à cheval ?

— Il y a plus, je suis monté, comme vous voyez.

— Cela se trouve bien que je vous rencontre.

— Vous me cherchiez ?

— Mon Dieu, oui.

— De la part du roi, je parie ?

— Mais oui.

— Comme moi, il y a deux ou trois jours, je cherchais M. Fouquet ?

— Oh !

— Allons, vous allez me faire des mignardises, à moi ? Peine perdue, allez ! dites-moi vite que vous venez m'arrêter.

— Vous arrêter ? Bon Dieu, non !

— Eh bien ! que faites-vous à m'aborder avec douze hommes à cheval ?

— Je fais une ronde.

— Pas mal ! Et vous me ramassez dans cette ronde ?

— Je ne vous ramasse pas, je vous trouve et vous prie de venir avec moi.

— Où cela ?

— Chez le roi.

— Bon ! dit d'Artagnan d'un air goguenard. Le roi n'a donc plus rien à faire ?

— Par grâce, capitaine, dit M. de Gesvres bas au mousquetaire, ne vous compromettez pas ; ces hommes vous entendent !

D'Artagnan se mit à rire et répliqua :

— Marchez. Les gens qu'on arrête sont entre les six premiers et les six derniers.

— Mais, comme je ne vous arrête pas, dit M. de Gesvres, vous marcherez derrière moi, s'il vous plaît.

— Eh bien ! fit d'Artagnan, voilà un bon procédé, duc, et vous avez raison ; car, si jamais j'avais eu à faire des rondes du côté de votre chambre de ville, j'eusse été courtois envers vous, je vous l'assure, foi de gentilhomme ! Maintenant, une faveur de plus. Que me veut le roi ?

— Oh ! le roi est furieux !

— Eh bien ! le roi, qui s'est donné la peine de se rendre furieux, prendra la peine de se calmer, voilà tout. Je n'en mourrai pas, je vous jure.

— Non ; mais...

— Mais on m'enverra tenir société à ce pauvre M. Fouquet ? Mordioux ! c'est un galant homme. Nous vivrons de compagnie, et doucement, je vous le jure.

— Nous voici arrivés, dit le duc. Capitaine, par grâce ! soyez calme avec le roi.

— Ah çà ? mais, comme vous êtes brave homme avec moi, duc ! fit d'Artagnan en regardant M. de Gesvres. On m'avait dit que vous ambitionniez de réunir vos gardes à mes mousquetaires ; je crois que c'est une fameuse occasion, celle-ci !

— Je ne la prendrai pas, Dieu m'en garde ! capitaine.

— Et pourquoi ?

— Pour beaucoup de raisons d'abord ; puis pour celle-ci, que, si je vous succédais aux mousquetaires après vous avoir arrêté...

— Ah ! vous avouez que vous m'arrêtez ?

— Non, non !

— Alors, dites rencontré. Si, dites-vous, vous me succédiez après m'avoir rencontré ?

— Vos mousquetaires, au premier exercice à feu, tireraient de mon côté par mégarde.

— Ah ! quant à cela, je ne dis pas non. Ces drôles m'aiment fort.

Gesvres fit passer d'Artagnan le premier, le conduisit directement au cabinet où le roi attendait son capitaine des mousquetaires, et se plaça derrière son collègue dans l'antichambre.

On entendait très distinctement le roi parler haut avec Colbert, dans ce même cabinet où Colbert avait pu entendre, quelques jours auparavant, le roi parler haut avec M. d'Artagnan.

Les gardes restèrent, en piquet à cheval, devant la porte principale, et le bruit se répandit peu à peu dans la ville que M. le capitaine des mousquetaires venait d'être arrêté par ordre du roi.

Alors, on vit tous ces hommes se mettre en mouvement, comme au bon temps de Louis XIII et de M. de Tréville ; des groupes se formaient, les escaliers s'emplissaient ; des murmures vagues, partant des cours, venaient en montant rouler jusqu'aux étages supérieurs, pareils aux rauques lamentations des flots à la marée.

M. de Gesvres était inquiet. Il regardait ses gardes qui, d'abord interrogés par les mousquetaires qui venaient se mêler à leurs rangs, commençaient à s'écarter d'eux en manifestant aussi quelque inquiétude.

D'Artagnan était, certes, bien moins inquiet que M. de Gesvres, le capitaine des gardes. Dès son entrée, il s'était assis sur le rebord d'une fenêtre, voyait toutes choses de son regard d'aigle, et ne sourcillait pas.

Aucun des progrès de la fermentation qui s'était manifestée au bruit de son arrestation ne lui avait échappé. Il prévoyait le moment où l'explosion aurait lieu ; et l'on sait que ses prévisions étaient certaines.

« Il serait assez bizarre, pensait-il, que, ce soir, mes prétoriens me fissent roi de France. Comme j'en rirais ! »

Mais, au moment le plus beau, tout s'arrêta. Gardes, mousquetaires, officiers, soldats, murmures et inquiétudes se dispersèrent, s'évanouirent, s'effacèrent ; plus de tempête, plus de menace, plus de sédition.

Un mot avait calmé les flots.

Le roi venait de faire crier par Brienne :

— Chut ! messieurs, vous gênez le roi.

D'Artagnan soupira.

— C'est fini, dit-il, les mousquetaires d'aujourd'hui ne sont pas ceux de Sa Majesté Louis XIII. C'est fini.

— Monsieur d'Artagnan chez le roi ! cria un huissier.

CCLIX

LE ROI LOUIS XIV

Le roi se tenait assis dans son cabinet, le dos tourné à la porte d'entrée. En face de lui était une glace dans laquelle, tout en remuant ses papiers, il lui suffisait d'envoyer un coup d'œil pour voir ceux qui arrivaient chez lui.

Il ne se dérangea pas à l'arrivée de d'Artagnan, et replia sur ses lettres et sur ses plans la grande toilette de soie verte qui lui servait à cacher ses secrets aux importuns.

D'Artagnan comprit le jeu et demeura en arrière ; de sorte qu'au bout d'un moment le roi, qui n'entendait rien et qui ne voyait que du coin de l'œil, fut obligé de crier :

— Est-ce qu'il n'est pas là, M. d'Artagnan ?

— Me voici, répliqua le mousquetaire en s'avançant.

— Eh bien ! monsieur, dit le roi en fixant son œil clair sur d'Artagnan, qu'avez-vous à me dire ?

— Moi, sire ? répliqua celui-ci, qui guettait le premier coup de l'adversaire pour faire une bonne riposte ; moi ? Je n'ai rien à dire à Votre Majesté, sinon qu'elle m'a fait arrêter et que me voici.

Le roi allait répondre qu'il n'avait pas fait arrêter d'Artagnan ; mais cette phrase lui parut être une excuse et il se tut.

D'Artagnan garda un silence obstiné.

— Monsieur, reprit le roi, que vous avais-je chargé d'aller faire à Belle-Ile ? Dites-le-moi, je vous prie.

Le roi, en prononçant ces mots, regardait fixement son capitaine.

Ici, d'Artagnan était trop heureux ; le roi lui faisait la partie si belle !

— Je crois, répliqua-t-il, que Votre Majesté me fait l'honneur de me demander ce que je suis allé faire à Belle-Ile ?

— Oui, monsieur.

— Eh bien ! sire, je n'en sais rien ; ce n'est pas à moi qu'il faut demander cela, c'est à ce nombre infini d'officiers de toute espèce, à qui l'on avait donné un nombre infini d'ordres de tous genres, tandis qu'à moi, chef de l'expédition, l'on n'avait ordonné rien de précis.

Le roi fut blessé ; il le montra par sa réponse.

— Monsieur, répliqua-t-il, on n'a donné des ordres qu'aux gens qu'on a jugés fidèles.

— Aussi m'étonné-je, sire, riposta le mousquetaire, qu'un capitaine comme moi, qui a valeur de maréchal de France, se soit trouvé sous les ordres de cinq ou six lieutenants ou majors, bons à faire des espions, c'est possible, mais nullement bons à conduire des expéditions de guerre. Voilà sur quoi je venais demander à Votre Majesté des explications, lorsque la porte m'a été refusée ; ce qui, dernier outrage fait à un brave homme, m'a conduit à quitter le service de Votre Majesté.

— Monsieur, repartit le roi, vous croyez toujours vivre dans un siècle où les rois étaient, comme vous vous plaigniez de l'avoir été, sous les ordres et à la discrétion de leurs inférieurs. Vous me paraissez trop oublier qu'un roi ne doit compte qu'à Dieu de ses actions.

— Je n'oublie rien du tout, sire, fit le mousquetaire, blessé à son tour de la leçon. D'ailleurs, je ne vois pas en quoi un honnête homme, quand il demande au roi en quoi il l'a mal servi, l'offense.

— Vous m'avez mal servi, monsieur, en prenant le parti de mes ennemis contre moi.

— Quels sont vos ennemis, sire ?

— Ceux que je vous envoyais combattre.

— Deux hommes ! ennemis de l'armée de Votre Majesté ! Ce n'est pas croyable, sire.

— Vous n'avez point à juger mes volontés.

— J'ai à juger mes amitiés, sire.

— Qui sert ses amis ne sert pas son maître.

— Je l'ai si bien compris, sire, que j'ai offert respectueusement ma démission à Votre Majesté.

— Et je l'ai acceptée, monsieur, dit le roi. Avant de me séparer de vous, j'ai voulu vous prouver que je savais tenir ma parole.

— Votre Majesté a tenu plus que sa parole ; car Votre Majesté m'a fait arrêter, dit d'Artagnan de son air froidement railleur ; elle ne me l'avait pas promis.

Le roi dédaigna cette plaisanterie et, venant au sérieux :

— Voyez, monsieur, dit-il, à quoi votre désobéissance m'a forcé.

— Ma désobéissance ! s'écria d'Artagnan rouge de colère.

— C'est le nom le plus doux que j'ai trouvé, poursuivit le roi. Mon idée, à moi, était de prendre et de punir des rebelles ; avais-je à m'inquiéter si les rebelles étaient vos amis ?

— Mais j'avais à m'en inquiéter, moi, répondit d'Artagnan. C'était une cruauté à Votre Majesté de m'envoyer prendre mes amis pour les amener à vos potences.

— C'était, monsieur, une épreuve que j'avais à faire sur les prétendus serviteurs qui mangent mon pain et doivent défendre ma personne. L'épreuve a mal réussi, monsieur d'Artagnan.

— Pour un mauvais serviteur que perd Votre Majesté, dit le mousquetaire avec amertume, il y en a dix qui ont, ce même jour, fait leurs preuves. Écoutez-moi, sire ; je ne suis pas accoutumé à ce service-là, moi. Je suis une épée rebelle quand il s'agit de faire le mal. Il était mal à moi d'aller poursuivre, jusqu'à la mort, deux hommes dont

M. Fouquet, le sauveur de Votre Majesté, vous avait demandé la vie.
De plus, ces deux hommes étaient mes amis. Ils n'attaquaient pas Votre
Majesté ; ils succombaient sous le poids d'une colère aveugle. D'ailleurs,
pourquoi ne les laissait-on pas fuir ? Quel crime avaient-ils commis ?
J'admets que vous me contestiez le droit de juger leur conduite. Mais,
pourquoi me soupçonner avant l'action ? pourquoi m'entourer
d'espions ? pourquoi me déshonorer devant l'armée ! pourquoi, moi,
dans lequel vous avez jusqu'ici montré la confiance la plus entière, moi
qui, depuis trente ans, suis attaché à votre personne et vous ai donné
mille preuves de dévouement, car, il faut bien que je le dise, aujourd'hui
que l'on m'accuse, pourquoi me réduire à voir trois mille soldats du
roi marcher en bataille contre deux hommes ?

— On dirait que vous oubliez ce que ces hommes m'ont fait ! dit le
roi d'une voix sourde, et qu'il n'a pas tenu à eux que je ne fusse perdu.

— Sire, on dirait que vous oubliez que j'étais là !

— Assez, monsieur d'Artagnan ; assez de ces intérêts dominateurs
qui viennent ôter le soleil à mes intérêts. Je fonde un État dans lequel
il n'y aura qu'un maître, je vous l'ai promis autrefois ; le moment est
venu de tenir ma promesse. Vous voulez être, selon vos goûts et vos
amitiés, libre d'entraver mes plans et de sauver mes ennemis ? Je vous
brise ou je vous quitte. Cherchez un maître plus commode. Je sais bien
qu'un autre roi ne se conduirait point comme je le fais, et qu'il se laisserait
dominer par vous, risque à vous envoyer un jour tenir compagnie à
M. Fouquet et aux autres ; mais j'ai bonne mémoire, et, pour moi, les
services sont des titres sacrés à la reconnaissance, à l'impunité. Vous
n'aurez, monsieur d'Artagnan, que cette leçon pour punir votre
indiscipline, et je n'imiterai pas mes prédécesseurs dans leur colère, ne
les ayant pas imités dans leur faveur. Et puis d'autres raisons me font
agir doucement envers vous : c'est que, d'abord, vous êtes un homme
de sens, homme de grand sens, homme de cœur, et que vous serez un
bon serviteur pour qui vous aura dompté ; c'est ensuite que vous allez
cesser d'avoir des motifs d'insubordination. Vos amis sont détruits ou
ruinés par moi. Ces points d'appui sur lesquels, instinctivement, reposait
votre esprit capricieux, je les ai fait disparaître. A l'heure qu'il est, mes
soldats ont pris ou tué les rebelles de Belle-Ile.

D'Artagnan pâlit.

— Pris ou tué ! s'écria-t-il. Oh ! sire, si vous pensiez ce que vous me
dites là, et si vous étiez sûr de me dire la vérité, j'oublierais tout ce qu'il
y a de juste, tout ce qu'il y a de magnanime dans vos paroles, pour vous
appeler un roi barbare et un homme dénaturé. Mais je vous les pardonne,
ces paroles, dit-il en souriant avec orgueil ; je les pardonne au jeune prince
qui ne sait pas, qui ne peut pas comprendre ce que sont des hommes
tels que M. d'Herblay, tels que M. du Vallon, tels que moi. Pris ou tué !
Ah ! ah ! sire, dites-moi, si la nouvelle est vraie, combien elle vous

coûte d'hommes et d'argent. Nous compterons après si le gain a valu l'enjeu.

Comme il parlait encore, le roi s'approcha de lui en colère, et lui dit :

— Monsieur d'Artagnan, voilà des réponses de rebelle ! Veuillez donc me dire, s'il vous plaît, quel est le roi de France ? En savez-vous un autre ?

— Sire, répliqua froidement le capitaine des mousquetaires, je me souviens qu'un matin vous avez adressé cette question, à Vaux, à beaucoup de gens qui n'ont pas su y répondre, tandis que moi j'y ai répondu. Si j'ai reconnu le roi ce jour-là, quand la chose n'était pas aisée, je crois qu'il serait inutile de me le demander, aujourd'hui que Votre Majesté est seule avec moi.

A ces mots, Louis XIV baissa les yeux. Il lui sembla que l'ombre du malheureux Philippe venait de passer entre d'Artagnan et lui, pour évoquer le souvenir de cette terrible aventure.

Presque au même moment, un officier entra, remit une dépêche au roi, qui, à son tour, changea de couleur en la lisant.

D'Artagnan s'en aperçut. Le roi resta immobile et silencieux, après avoir lu pour la seconde fois. Puis, prenant tout à coup son parti :

— Monsieur, dit-il, ce qu'on m'apprend, vous le sauriez plus tard ; mieux vaut que je vous le dise et que vous l'appreniez par la bouche du roi. Un combat a eu lieu à Belle-Ile.

— Ah ! ah ! fit d'Artagnan d'un air calme, pendant que son cœur battait à faire rompre sa poitrine. Eh bien ! sire ?

— Eh bien ! monsieur, j'ai perdu cent six hommes.

Un éclair de joie et d'orgueil brilla dans les yeux de d'Artagnan.

— Et les rebelles ? dit-il.

— Les rebelles se sont enfuis, dit le roi.

D'Artagnan poussa un cri de triomphe.

— Seulement, ajouta le roi, j'ai une flotte qui bloque étroitement Belle-Ile, et j'ai la certitude que pas une barque n'échappera.

— En sorte que, dit le mousquetaire rendu à ses sombres idées, si l'on prend ces deux messieurs ?...

— On les pendra, dit le roi tranquillement.

— Et ils le savent ? répliqua d'Artagnan, qui réprima un frisson.

— Ils le savent, puisque vous avez dû le leur dire, et que tout le pays le sait.

— Alors, sire, on ne les aura pas vivants, je vous en réponds.

— Ah ! fit le roi avec négligence et en reprenant sa lettre. Eh bien ! on les aura morts, monsieur d'Artagnan, et cela reviendra au même, puisque je ne les prenais que pour les faire pendre.

D'Artagnan essuya la sueur qui coulait de son front.

— Je vous ai dit, poursuivit Louis XIV, que je vous serais un jour maître affectionné, généreux et constant. Vous êtes aujourd'hui le seul homme d'autrefois qui soit digne de ma colère ou de mon amitié. Je ne vous ménagerai ni l'une ni l'autre selon votre conduite. Comprendriez-vous, monsieur d'Artagnan, de servir un roi qui aurait cent autres rois, ses égaux, dans le royaume ? Pourrais-je, dites-le-moi, faire avec cette faiblesse les grandes choses que je médite ? Avez-vous jamais vu l'artiste pratiquer des œuvres solides avec un instrument rebelle ? Loin de nous, monsieur, ces vieux levains des abus féodaux ! La Fronde, qui devait perdre la monarchie, l'a émancipée. Je suis maître chez moi, capitaine d'Artagnan, et j'aurai des serviteurs qui, manquant peut-être de votre génie, pousseront le dévouement et l'obéissance jusqu'à l'héroïsme. Qu'importe, je vous le demande, qu'importe que Dieu n'ait pas donné du génie à des bras et à des jambes ? C'est à la tête qu'il le donne, et à la tête, vous le savez, le reste obéit. Je suis la tête, moi !

D'Artagnan tressaillit.

Louis continua comme s'il n'avait rien vu, quoique ce tressaillement ne lui eût point échappé.

— Maintenant, concluons entre nous deux ce marché que je vous promis de faire, un jour que vous me trouviez bien petit, à Blois. Sachez-moi gré, monsieur, de ne faire payer à personne les larmes de honte que j'ai versées alors. Regardez autour de vous : les grandes têtes sont courbées. Courbez-vous comme elles, ou choisissez-vous l'exil qui vous conviendra le mieux. Peut-être, en y réfléchissant, trouverez-vous que ce roi est un cœur généreux qui compte assez sur votre loyauté pour vous quitter, vous sachant mécontent, quand vous possédez le secret de l'État. Vous êtes brave homme, je le sais. Pourquoi m'avez-vous jugé avant terme ? Jugez-moi à partir de ce jour, d'Artagnan, et soyez sévère tant qu'il vous plaira.

D'Artagnan demeurait étourdi, muet, flottant pour la première fois de sa vie. Il venait de trouver un adversaire digne de lui. Ce n'était plus de la ruse, c'était du calcul ; ce n'était plus de la violence, c'était de la force ; ce n'était plus de la colère, c'était de la volonté ; ce n'était plus de la jactance, c'était du conseil. Ce jeune homme, qui avait terrassé Fouquet, et qui pouvait se passer de d'Artagnan, dérangeait tous les calculs un peu entêtés du mousquetaire.

— Voyons, qui vous arrête ? lui dit le roi avec douceur. Vous avez donné votre démission ; voulez-vous que je vous la refuse ? Je conviens qu'il sera dur à un vieux capitaine de revenir sur sa mauvaise humeur.

— Oh ! répliqua mélancoliquement d'Artagnan, ce n'est pas là mon plus grave souci. J'hésite à reprendre ma démission, parce que je suis vieux en face de vous, et que j'ai des habitudes difficiles à perdre. Il vous faut désormais des courtisans qui sachent vous amuser, des fous qui sachent se faire tuer pour ce que vous appelez vos grandes œuvres. Grandes, elles le seront, je le sens ; mais, si par hasard j'allais ne pas les trouver telles ? J'ai vu la guerre, sire ; j'ai vu la paix ; j'ai servi Richelieu et Mazarin ; j'ai roussi avec votre père au feu de La Rochelle, troué de coups comme un crible, ayant fait peau neuve plus de dix fois, comme les serpents. Après les affronts et les injustices, j'ai un commandement qui était autrefois quelque chose, parce qu'il donnait le droit de parler comme on voulait au roi. Mais votre capitaine des mousquetaires sera désormais un officier gardant les portes basses. Vrai, sire, si tel doit être désormais l'emploi, profitez de ce que nous sommes bien ensemble pour me l'ôter. N'allez pas croire que j'aie gardé rancune ; non, vous m'avez dompté, comme vous dites ; mais, il faut l'avouer, en me dominant, vous m'avez amoindri ; en me courbant, vous m'avez convaincu de faiblesse. Si vous saviez comme cela va bien de porter haut la tête, et comme j'aurai piteuse mine à flairer la poussière de vos tapis ! Oh ! sire, je regrette sincèrement, et vous regretterez comme moi, ce temps où le roi de France voyait dans ses vestibules tous ces gentilshommes insolents, maigres, maugréant toujours, hargneux, mâtins qui mordaient mortellement les jours de bataille. Ces gens-là sont les meilleurs courtisans pour la main qui les nourrit ; ils la lèchent ; mais, pour la main qui les frappe, oh ! le beau coup de dent ! Un peu d'or sur les galons de ces manteaux, un peu de ventre dans les hauts-de-chausse, un peu de gris dans ces cheveux secs, et vous verrez les beaux ducs et pairs, les fiers maréchaux de France !

Mais pourquoi dire tout cela ? Le roi est mon maître, il veut que je fasse des vers, il veut que je polisse, avec des souliers de satin, les mosaïques de ses antichambres ; mordioux ! c'est difficile, mais j'ai fait plus difficile que cela. Je le ferai. Pourquoi le ferai-je ? Parce que j'aime l'argent ? J'en ai. Parce que je suis ambitieux ? Ma carrière est bornée. Parce que j'aime la cour ? Non. Je resterai, parce que j'ai l'habitude, depuis trente ans, d'aller prendre le mot d'ordre du roi, et de m'entendre dire :« Bonsoir, d'Artagnan », avec un sourire que je ne mendiais pas. Ce sourire, je le mendierai. Êtes-vous content, sire ?

Et d'Artagnan courba lentement sa tête argentée, sur laquelle le roi, souriant, posa sa blanche main avec orgueil.

— Merci, mon vieux serviteur, mon fidèle ami, dit-il. Puisque, à compter d'aujourd'hui, je n'ai plus d'ennemi, en France, il me reste à t'envoyer sur un champ étranger ramasser ton bâton de maréchal. Compte sur moi pour trouver l'occasion. En attendant, mange mon meilleur pain et dors tranquille.

— A la bonne heure ! dit d'Artagnan ému. Mais ces pauvres gens de Belle-Ile ? l'un surtout, si bon et si brave ?

— Est-ce que vous me demandez leur grâce ?

— A genoux, sire.

— Eh bien ! allez la leur porter, s'il en est temps encore. Mais vous vous engagez pour eux !

— J'engage ma vie !

— Allez. Demain, je pars pour Paris. Soyez revenu ; car je ne veux plus que vous me quittiez.

— Soyez tranquille, sire, s'écria d'Artagnan en baisant la main du roi.

Et il s'élança, le cœur gonflé de joie, hors du château, sur la route de Belle-Ile.

CCLX

LES AMIS DE M. FOUQUET

Le roi étant retourné à Paris, et avec lui d'Artagnan, qui, en vingt-quatre heures, ayant pris avec le plus grand soin toutes ses informations à Belle-Ile, ne savait rien du secret que gardait si bien le lourd rocher de Locmaria, tombe héroïque de Porthos.

Le capitaine des mousquetaires savait seulement ce que ces deux hommes vaillants, ce que ces deux amis, dont il avait si noblement pris la défense et essayé de sauver la vie, aidés de trois fidèles Bretons, avaient accompli contre une armée entière. Il avait pu voir, lancés dans la lande voisine, les débris humains qui avaient taché de sang les silex épars dans les bruyères.

Il savait aussi qu'un canot avait été aperçu bien loin en mer, et que, pareil à un oiseau de proie, un vaisseau royal avait poursuivi, rejoint et dévoré ce pauvre petit oiseau qui fuyait à tire-d'aile.

Mais là s'arrêtaient les certitudes de d'Artagnan. Le champ des conjectures s'ouvrait à cette limite. Maintenant, que fallait-il penser ? Le vaisseau n'était pas revenu. Il est vrai qu'un coup de vent régnait depuis trois jours ; mais la corvette était à la fois bonne voilière et solide dans ses membrures ; elle ne craignait guère les coups de vent, et celle qui portait Aramis eût dû, selon l'estime de d'Artagnan, être revenue à Brest, ou rentrer à l'embouchure de la Loire.

Telles étaient les nouvelles ambiguës, mais à peu près rassurantes pour lui personnellement, que d'Artagnan rapportait à Louis XIV, lorsque le roi, suivi de toute la cour, revint à Paris.

Louis, content de son succès, Louis, plus doux et plus affable depuis qu'il se sentait plus puissant, n'avait pas cessé un seul instant de chevaucher à la portière de Mlle de La Vallière.

Tout le monde s'était empressé de distraire les deux reines pour leur faire oublier cet abandon du fils et de l'époux. Tout respirait l'avenir ; le passé n'était plus rien pour personne. Seulement, ce passé venait comme une plaie douloureuse et saignante aux cœurs de quelques âmes tendres et dévouées. Aussi, le roi ne fut pas plutôt installé chez lui, qu'il en reçut une preuve touchante.

Louis XIV venait de se lever et de prendre son premier repas, quand son capitaine des mousquetaires se présenta devant lui. D'Artagnan était un peu pâle et semblait gêné.

Le roi s'aperçut, au premier coup d'œil, de l'altération de ce visage, ordinairement si égal.

— Qu'avez-vous donc, d'Artagnan ? dit-il.

— Sire, il m'est arrivé un grand malheur.

— Mon Dieu ! quoi donc ?

— Sire, j'ai perdu un de mes amis, M. du Vallon, à l'affaire de Belle-Ile.

Et, en disant ces mots, d'Artagnan attachait son œil de faucon sur Louis XIV, pour deviner en lui le premier sentiment qui se ferait jour.

— Je le savais, répliqua le roi.

— Vous le saviez et vous ne me l'avez pas dit ? s'écria le mousquetaire.

— A quoi bon ? Votre douleur, mon ami, est si respectable ! J'ai dû, moi, la ménager. Vous instruire de ce malheur qui vous frappait, d'Artagnan, c'était en triompher à vos yeux. Oui, je savais que M. du Vallon s'était enterré sous les rochers de Locmaria ; je savais que M. d'Herblay m'a pris un vaisseau avec son équipage pour se faire conduire à Bayonne. Mais j'ai voulu que vous appreniez vous-même ces événements d'une manière directe, afin que vous fussiez convaincu que mes amis sont pour moi respectables et sacrés, que toujours en moi l'homme s'immolera aux hommes, puisque le roi est si souvent forcé de sacrifier les hommes à sa majesté, à sa puissance.

— Mais, sire, comment savez-vous ?...

— Comment savez-vous vous-même, d'Artagnan ?

— Par cette lettre, sire, que m'écrit de Bayonne Aramis, libre et hors de péril !

— Tenez, fit le roi en tirant de sa cassette, placée sur un meuble voisin du siège où d'Artagnan était appuyé, une lettre copiée exactement sur celle d'Aramis, voici la même lettre, que Colbert m'a fait passer huit heures avant que vous receviez la vôtre... Je suis bien servi, je l'espère.

— Oui, sire, murmura le mousquetaire, vous étiez le seul homme dont la fortune fût capable de dominer la fortune et la force de mes deux amis. Vous avez usé, sire ; mais vous n'abuserez point, n'est-ce pas ?

— D'Artagnan, dit le roi, avec un sourire plein de bienveillance, je pourrais faire enlever M. d'Herblay sur les terres du roi d'Espagne et me le faire amener ici vivant pour en faire justice. D'Artagnan, croyez-le bien, je ne céderai pas à ce premier mouvement, bien naturel. Il est libre, qu'il continue d'être libre.

— Oh ! sire, vous ne resterez pas toujours aussi clément, aussi noble, aussi généreux que vous venez de vous le montrer à mon égard et à celui de M. d'Herblay ; vous trouverez auprès de vous des conseillers qui vous guériront de cette faiblesse.

— Non, d'Artagnan, vous vous trompez, quand vous accusez mon conseil de vouloir me pousser à la rigueur. Le conseil de ménager M. d'Herblay vient de Colbert lui-même.

— Ah ! sire, fit d'Artagnan stupéfait.

— Quant à vous, continua le roi avec une bonté peu ordinaire, j'ai plusieurs bonnes nouvelles à vous annoncer, mais vous les saurez, mon cher capitaine, du moment où j'aurai terminé mes comptes. J'ai dit que je voulais faire et que je ferais votre fortune. Ce mot va devenir une réalité.

— Merci mille fois, sire ; je puis attendre, moi. Je vous en prie, pendant que je vais et puis prendre patience, que Votre Majesté daigne s'occuper de ces pauvres gens, qui, depuis longtemps, assiègent votre antichambre, et viennent humblement déposer une supplique aux pieds du roi.

— Qui cela ?

— Des ennemis de Votre Majesté.

Le roi leva la tête.

— Des amis de M. Fouquet, ajouta d'Artagnan.

— Leurs noms ?

— M. Gourville, M. Pélisson et un poète, M. Jean de La Fontaine.

Le roi s'arrêta un moment pour réfléchir.

— Que veulent-ils ?

— Je ne sais.

— Comment sont-ils ?

— En deuil.

— Que disent-ils ?

— Rien.

— Que font-ils ?

— Ils pleurent.

— Qu'ils entrent, dit le roi en fronçant le sourcil[1].

D'Artagnan tourna rapidement sur lui-même, leva la tapisserie qui fermait l'entrée de la chambre royale, et cria dans la salle voisine :

— Introduisez !

Bientôt parurent à la porte du cabinet, où se tenaient le roi et son capitaine, les trois hommes que d'Artagnan avait nommés.

Sur leur passage régnait un profond silence. Les courtisans, à l'approche des amis du malheureux surintendant des finances, les courtisans, disons-nous, reculaient comme pour n'être pas gâtés par la contagion de la disgrâce et de l'infortune.

D'Artagnan, d'un pas rapide, vint lui-même prendre par la main ces

---

1. Significative de la fidélité des amis de Fouquet, cette scène est historiquement impossible, puisque Pellisson fut, le même jour que Fouquet, mené en prison où il composa son *Discours au roi*. Gourville, quant à lui, était en fuite (il fut condamné à mort par contumace). La Fontaine écrivit, en faveur de l'ancien surintendant, son *Élégie aux nymphes de Vaux* et son *Ode au roi* (1662).

malheureux qui hésitaient et tremblaient à la porte du cabinet royal ; il les amena devant le fauteuil du roi, qui, réfugié dans l'embrasure d'une fenêtre, attendait le moment de la présentation et se préparait à faire aux suppliants un accueil rigoureusement diplomatique.

Le premier des amis de Fouquet qui s'avança fut Pélisson. Il ne pleurait plus ; mais ses larmes n'avaient uniquement tari que pour que le roi pût mieux entendre sa voix et sa prière.

Gourville se mordait les lèvres pour arrêter ses pleurs par respect du roi. La Fontaine ensevelissait son visage dans son mouchoir, et l'on n'eût pas dit qu'il vivait, sans le mouvement convulsif de ses épaules soulevées par ses sanglots.

Le roi avait gardé toute sa dignité. Son visage était impassible. Il avait même conservé le froncement de sourcil qui avait paru quand d'Artagnan lui avait annoncé ses ennemis. Il fit un geste qui signifiait : « Parlez », et il demeura debout, couvant d'un regard profond ces trois hommes désespérés.

Pélisson se courba jusqu'à terre, et La Fontaine s'agenouilla comme on fait dans les églises.

Cet obstiné silence, troublé seulement par des soupirs et des gémissements si douloureux, commençait à émouvoir chez le roi, non pas la compassion, mais l'impatience.

— Monsieur Pélisson, dit-il d'une voix brève et sèche, monsieur Gourville, et vous, monsieur...

Et il ne nomma pas La Fontaine.

— Je verrais, avec un sensible déplaisir, que vous vinssiez me prier pour un des plus grands criminels que doive punir ma justice. Un roi ne se laisse attendrir que par les larmes ou par les remords : larmes de l'innocence, remords des coupables. Je ne croirai ni aux remords de M. Fouquet ni aux larmes de ses amis, parce que l'un est gâté jusqu'au cœur et que les autres doivent redouter de me venir offenser chez moi. C'est pourquoi, monsieur Pélisson, monsieur Gourville, et vous, monsieur... je vous prie de ne rien dire qui ne témoigne hautement du respect que vous avez pour ma volonté.

— Sire, répondit Pélisson tremblant à ces terribles paroles, nous ne sommes rien venus dire à Votre Majesté qui ne soit l'expression la plus profonde du plus sincère respect et du plus sincère amour qui sont dus au roi par tous ses sujets. La justice de Votre Majesté est redoutable ; chacun doit se courber sous les arrêts qu'elle prononce. Nous nous inclinons respectueusement devant elle. Loin de nous la pensée de venir défendre celui qui a eu le malheur d'offenser Votre Majesté. Celui qui a encouru votre disgrâce peut être un ami pour nous, mais c'est un ennemi de l'État. Nous l'abandonnerons en pleurant à la sévérité du roi.

— D'ailleurs, interrompit le roi, calmé par cette voix suppliante et ces persuasives paroles, mon Parlement jugera. Je ne frappe pas sans avoir pesé le crime. Ma justice n'a pas l'épée sans avoir eu les balances.

— Aussi avons-nous toute confiance dans cette impartialité du roi, et pouvons-nous espérer de faire entendre nos faibles voix, avec l'assentiment de Votre Majesté, quand l'heure de défendre un ami accusé aura sonné pour nous.

— Alors, messieurs, que demandez-vous ? dit le roi de son air imposant.

— Sire, continua Pélisson, l'accusé laisse une femme et une famille. Le peu de bien qu'il avait suffit à peine à payer ses dettes, et Mme Fouquet, depuis la captivité de son mari, est abandonnée par tout le monde. La main de Votre Majesté frappe à l'égal de la main de Dieu. Quand le Seigneur envoie la plaie de la lèpre ou de la peste à une famille, chacun fuit et s'éloigne de la demeure du lépreux ou du pestiféré. Quelquefois, mais bien rarement, un médecin généreux ose seul approcher du seuil maudit, le franchit avec courage et expose sa vie pour combattre la mort. Il est la dernière ressource du mourant ; il est l'instrument de la miséricorde céleste. Sire, nous vous supplions, à mains jointes, à deux genoux, comme on supplie la Divinité ; Mme Fouquet n'a plus d'amis, plus de soutiens ; elle pleure dans sa maison, pauvre et déserte, abandonnée par tous ceux qui en assiégeaient la porte au moment de la faveur ; elle n'a plus de crédit, elle n'a plus d'espoir ! Au moins, le malheureux sur qui s'appesantit votre colère reçoit de vous, tout coupable qu'il est, le pain que mouillent chaque jour ses larmes. Aussi affligée, plus dénuée que son époux, Mme Fouquet, celle qui eut l'honneur de recevoir Votre Majesté à sa table, Mme Fouquet, l'épouse de l'ancien surintendant des finances de Votre Majesté, Mme Fouquet n'a plus de pain !

Ici, le silence mortel qui enchaînait le souffle des deux amis de Pélisson fut rompu par l'éclat des sanglots, et d'Artagnan, dont la poitrine se brisait en écoutant cette humble prière, tourna sur lui-même, vers l'angle du cabinet, pour mordre en liberté sa moustache et comprimer ses soupirs.

Le roi avec conservé son œil sec, son visage sévère : mais la rougeur était montée à ses joues, et l'assurance de ses regards diminuait visiblement.

— Que souhaitez-vous ? dit-il d'une voix émue.

— Nous venons demander humblement à Votre Majesté, répliqua Pélisson, que l'émotion gagnait peu à peu, de nous permettre, sans encourir sa disgrâce, de prêter à Mme Fouquet deux mille pistoles, recueillies parmi tous les anciens amis de son mari, pour que la veuve ne manque pas des choses les plus nécessaires à la vie.

A ce mot de *veuve*, prononcé par Pélisson, quand Fouquet vivait encore, le roi pâlit extrêmement ; sa fierté tomba ; la pitié lui vint du cœur aux lèvres. Il laissa tomber un regard attendri sur tous ces gens qui sanglotaient à ses pieds.

— A Dieu ne plaise, répondit-il, que je confonde l'innocent avec le coupable ! Ceux-là me connaissent mal qui doutent de ma miséricorde envers les faibles. Je ne frapperai jamais que les arrogants. Faites, messieurs, faites tout ce que votre cœur vous conseillera pour soulager la douleur de Mme Fouquet. Allez, messieurs, allez.

Les trois hommes se relevèrent silencieux, l'œil aride. Les larmes s'étaient taries au contact brûlant de leurs joues et de leurs paupières. Ils n'eurent pas la force d'adresser un remerciement au roi, lequel, d'ailleurs, coupa court à leurs révérences solennelles en se retranchant vivement derrière son fauteuil.

D'Artagnan demeura seul avec le roi.

— Bien ! dit-il en s'approchant du jeune prince, qui l'interrogeait du regard ; bien, mon maître ! Si vous n'aviez pas la devise qui pare votre soleil, je vous en conseillerais une, quitte à la faire traduire en latin par M. Conrart : « Doux au petit, rude au fort ! »

Le roi sourit et passa dans la salle voisine, après avoir dit à d'Artagnan :

— Je vous donne le congé dont vous devez avoir besoin pour mettre en ordre les affaires de feu M. du Vallon, votre ami.

CCLXI

LE TESTAMENT DE PORTHOS

A Pierrefonds, tout était en deuil. Les cours étaient désertes, les écuries fermées, les parterres négligés.

Dans les bassins, s'arrêtaient d'eux-mêmes les jets d'eau, naguère épanouis, bruyants et brillants.

Sur les chemins, autour du château, venaient quelques graves personnages sur des mules ou sur des bidets de ferme. C'étaient les voisins de campagne, les curés et les baillis des terres limitrophes.

Tout ce monde entrait silencieusement au château, remettait sa monture à un palefrenier morne, et se dirigeait, conduit par un chasseur vêtu de noir, vers la grande salle, où, sur le seuil, Mousqueton recevait les arrivants.

Mousqueton avait tellement maigri depuis deux jours, que ses habits remuaient sur lui, pareils à ces fourreaux trop larges, dans lesquels dansent les fers des épées.

Sa figure couperosée de rouge et de blanc, comme celle de la Madone de Van Dyck[1], était sillonnée par deux ruisseaux argentés qui creusaient leur lit dans ses joues, aussi pleines jadis qu'elles étaient flasques depuis son deuil.

A chaque nouvelle visite, Mousqueton trouvait de nouvelles larmes, et c'était pitié de le voir étreindre son gosier de sa grosse main pour ne pas éclater en sanglots.

Toutes ces visites avaient pour but la lecture du testament de Porthos, annoncée pour ce jour, et à laquelle voulaient assister toutes les convoitises ou toutes les amitiés du mort, qui ne laissait aucun parent après lui.

Les assistants prenaient place à mesure qu'ils arrivaient, et la grande salle venait d'être fermée quand sonna l'heure de midi, heure fixée pour la lecture.

Le procureur de Porthos, et c'était naturellement le successeur de maître Coquenard, commença par déployer lentement le vaste parchemin sur lequel la puissante main de Porthos avait tracé ses volontés suprêmes.

Le cachet rompu, les lunettes mises, la toux préliminaire ayant retenti, chacun tendit l'oreille. Mousqueton s'était blotti dans un coin pour mieux pleurer, pour moins entendre.

Tout à coup, la porte à deux battants de la grande salle, qui avait été refermée, s'ouvrit comme par un prodige, et une figure mâle apparut sur le seuil, resplendissant dans la plus vive lumière du soleil.

C'était d'Artagnan, qui était arrivé seul jusqu'à cette porte, et, ne trouvant personne pour lui tenir l'étrier, avait attaché son cheval au heurtoir, et s'annonçait lui-même.

L'éclat du jour envahissant la salle, le murmure des assistants, et, plus que tout cela, l'instinct du chien fidèle, arrachèrent Mousqueton à sa rêverie. Il releva la tête, reconnut le vieil ami du maître, et, hurlant de douleur, vint lui embrasser les genoux en arrosant les dalles de ses larmes.

D'Artagnan releva le pauvre intendant, l'embrassa comme un frère, et ayant salué noblement l'assemblée, qui s'inclinait tout entière en chuchotant son nom, il alla s'asseoir à l'extrémité de la grande salle de chêne sculpté, tenant toujours la main de Mousqueton qui suffoquait et s'asseyait sur le marchepied.

Alors le procureur, qui était ému comme les autres, commença la lecture.

Porthos, après une profession de foi des plus chrétiennes, demandait pardon à ses ennemis du tort qu'il avait pu leur causer.

A ce paragraphe, un rayon d'inexprimable orgueil glissa des yeux de d'Artagnan. Il se rappelait le vieux soldat. Tous ces ennemis de Porthos, terrassés par sa main vaillante, il en supputait le nombre, et se disait

_____

1. _Le Christ pleuré par la Madone et par les anges_, conservé au musée du Louvre.

que Porthos avait fait sagement de ne pas détailler ses ennemis ou les torts causés à iceux, sans quoi la besogne eût été trop rude pour le lecteur.

Venait alors l'énumération suivante :

Je possède à l'heure qu'il est, par la grâce de Dieu :

1° Le domaine de Pierrefonds, terres, bois, prés, eaux, forêts, entourés de bons murs ;

2° Le domaine de Bracieux, château, forêts, terres labourables, formant trois fermes ;

3° La petite terre du Vallon, ainsi nommée, parce qu'elle est dans le vallon...

Brave Porthos !

4° Cinquante métairies dans la Touraine, d'une contenance de cinq cents arpents ;

5° Trois moulins sur le Cher, d'un rapport de six cents livres chacun ;

6° Trois étangs dans le Berri, d'un rapport de deux cents livres chacun.

Quant aux biens *mobiliers*, ainsi nommés, parce qu'ils ne peuvent se mouvoir, comme l'explique si bien mon savant ami l'évêque de Vannes...

D'Artagnan frissonna au souvenir lugubre de ce nom.

Le procureur continua imperturbablement :

... ils consistent :

1° En des meubles que je ne saurais détailler ici faute d'espace, et qui garnissent tous mes châteaux ou maisons, mais dont la liste est dressée par mon intendant...

Chacun tourna les yeux vers Mousqueton, qui s'abîma dans sa douleur.

2° En vingt chevaux de main et de trait que j'ai particulièrement dans mon château de Pierrefonds et qui s'appellent : *Bayard, Roland, Charlemagne, Pépin, Dunois, La Hire, Ogier, Samson, Milon, Nemrod, Urgande, Armide, Fastrade, Dalila, Rébecca, Yolande, Finette, Grisette, Lisette* et *Musette*[1].

3° En soixante chiens, formant six équipages, répartis comme il suit : le premier, pour le cerf ; le deuxième, pour le loup ; le troisième, pour le sanglier ; le quatrième, pour le lièvre, et les deux autres, pour l'arrêt ou la garde ;

4° En armes de guerre et de chasse renfermées dans ma galerie d'armes ;

5° Mes vins d'Anjou, choisis pour Athos, qui les aimait autrefois ; mes vins de Bourgogne, de Champagne, de Bordeaux et d'Espagne, garnissant huit celliers et douze caves en mes diverses maisons ;

6° Mes tableaux et statues qu'on prétend être d'une grande valeur, et qui sont assez nombreux pour fatiguer la vue.

---

1. La liste mêle le nom des héros de l'Antiquité (l'athlète Milon de Crotone), de la Bible (Samson, Nemrod, Dalila, Rébecca), du Moyen Age (Pépin, Charlemagne et Fastrade, troisième et cruelle épouse de celui-ci), de la chevalerie (Dunois et La Hire, compagnons de Jeanne d'Arc), de la chanson de geste (Roland, Ogier ; Bayard, cheval-fée de Renaud de Montauban), du roman de chevalerie (Armide de *La Jérusalem délivrée* ; Urgande, fée bienfaisante d'*Amadis des Gaules*.) Le texte imprime « Falstrade », sans doute par contamination avec Falstaff.

7º Ma bibliothèque, composée de six mille volumes tout neufs, et qu'on n'a jamais ouverts ;

8º Ma vaisselle d'argent, qui s'est peut-être un peu usée, mais qui doit peser de mille à douze cents livres, car je pouvais à grand-peine soulever le coffre qui la renferme, et ne faisais que six fois le tour de ma chambre en le portant.

9º Tous ces objets, plus le linge de table et de service, sont répartis dans les maisons que j'aimais le mieux...

Ici, le lecteur s'arrêta pour reprendre haleine. Chacun soupira, toussa et redoubla d'attention. Le procureur reprit :

J'ai vécu sans avoir d'enfants, et il est probable que je n'en aurai pas, ce qui m'est une cuisante douleur. Je me trompe cependant, car j'ai un fils en commun avec mes autres amis : c'est M. Raoul-Auguste-Jules de Bragelonne[1], véritable fils de M. le comte de La Fère.

Ce jeune seigneur m'a paru digne de succéder aux trois vaillants gentilshommes dont je suis l'ami et le très humble serviteur.

Ici, un bruit aigu se fit entendre. C'était l'épée de d'Artagnan, qui, glissant du baudrier, était tombée sur la planche sonore. Chacun tourna les yeux de ce côté, et l'on vit qu'une grande larme avait coulé des cils épais de d'Artagnan sur son nez aquilin, dont l'arête lumineuse brillait ainsi qu'un croissant enflammé au soleil.

C'est pourquoi, *continua le procureur*, j'ai laissé tous mes biens, meubles et immeubles, compris dans l'énumération ci-dessus faite, à M. le vicomte Raoul-Auguste-Jules de Bragelonne, fils de M. le comte de La Fère, pour le consoler du chagrin qu'il paraît avoir, et le mettre en état de porter glorieusement son nom...

Un long murmure courut dans l'auditoire.

Le procureur continua, soutenu par l'œil flamboyant de d'Artagnan, qui, parcourant l'assemblée, rétablit le silence interrompu.

A la charge, par M. le vicomte de Bragelonne, de donner à M. le chevalier d'Artagnan, capitaine des mousquetaires du roi, ce que ledit chevalier d'Artagnan lui demandera de mes biens.

A la charge, par M. le vicomte de Bragelonne, de faire tenir une bonne pension à M. le chevalier d'Herblay, mon ami, s'il avait besoin de vivre en exil.

A la charge, par M. le vicomte de Bragelonne, d'entretenir ceux de mes serviteurs qui ont fait dix ans de service chez moi, et de donner cinq cents livres à chacun des autres.

Je laisse à mon intendant Mousqueton tous mes habits de ville, de guerre et de chasse, au nombre de quarante-sept, dans l'assurance qu'il les portera jusqu'à les user pour l'amour et par souvenir de moi.

De plus, je lègue à M. le vicomte de Bragelonne mon vieux serviteur et fidèle ami Mousqueton, déjà nommé, à la charge par ledit vicomte de Bragelonne

---

1. Seule occurrence des trois prénoms de Bragelonne. Rappelons que Maquet se prénommait Jules-Auguste.

d'agir en sorte que Mousqueton déclare en mourant qu'il n'a jamais cessé d'être heureux.

En entendant ces mots, Mousqueton salua, pâle et tremblant ; ses larges épaules frissonnaient convulsivement ; son visage empreint d'une effrayante douleur, sortit de ses mains glacées, et les assistants le virent trébucher, hésiter, comme si, voulant quitter la salle, il cherchait une direction.

— Mousqueton, dit d'Artagnan, mon bon ami, sortez d'ici ; allez faire vos préparatifs. Je vous emmène chez Athos, où je m'en vais en quittant Pierrefonds.

Mousqueton ne répondit rien. Il respirait à peine, comme si tout, dans cette salle, lui devait être désormais étranger. Il ouvrit la porte et disparut lentement.

Le procureur acheva sa lecture, après laquelle s'évanouirent déçus, mais pleins de respect, la plupart de ceux qui étaient venus entendre les dernières volontés de Porthos.

Quant à d'Artagnan, demeuré seul après avoir reçu la révérence cérémonieuse que lui avait faite le procureur, il admirait cette sagesse profonde du testateur qui venait de distribuer si justement son bien au plus digne, au plus nécessiteux, avec des délicatesses que nul, parmi les plus fins courtisans et les plus nobles cœurs, n'eût pu rencontrer aussi parfaites.

En effet, Porthos enjoignait à Raoul de Bragelonne de donner à d'Artagnan tout ce que celui-ci demanderait. Il savait bien, ce digne Porthos, que d'Artagnan ne demanderait rien ; et, au cas où il eût demandé quelque chose, nul, excepté lui-même, ne lui faisait sa part.

Porthos laissait une pension à Aramis, lequel, s'il eût eu l'envie de demander trop, était arrêté par l'exemple de d'Artagnan ; et ce mot *exil*, jeté par le testateur sans intention apparente, n'était-il la plus douce, la plus exquise critique de cette conduite d'Aramis qui avait causé la mort de Porthos ?

Enfin, il n'était pas fait mention d'Athos dans le testament du mort. Celui-ci, en effet, pouvait-il supposer que le fils n'offrirait pas la meilleure part au père ? Le gros esprit de Porthos avait jugé toutes ces causes, saisi toutes ces nuances, mieux que la loi, mieux que l'usage, mieux que le goût.

« Porthos était un cœur », se dit d'Artagnan avec un soupir.

Et il lui sembla entendre un gémissement au plafond. Il pensa tout de suite à ce pauvre Mousqueton, qu'il fallait distraire de sa douleur.

A cet effet, d'Artagnan quitta la salle avec empressement pour aller chercher le digne intendant, puisque celui-ci ne revenait pas.

Il monta l'escalier qui conduisait au premier étage, et aperçut dans la chambre de Porthos un amas d'habits de toutes couleurs et de toutes étoffes, sur lesquels Mousqueton s'était couché après les avoir entassés lui-même.

C'était le lot du fidèle ami. Ces habits lui appartenaient bien ; ils lui avaient été bien donnés. On voyait la main de Mousqueton s'étendre sur ces reliques, qu'il baisait de toutes ses lèvres, de tout son visage, qu'il couvrait de tout son corps.

D'Artagnan s'approcha pour consoler le pauvre garçon.

— Mon Dieu, dit-il, il ne bouge plus ; il est évanoui !

D'artagnan se trompait ; Mousqueton était mort.

Mort, comme le chien qui, ayant perdu son maître, revient mourir sur son habit.

CCLXII

LA VIEILLESSE D'ATHOS

Pendant que tous ces événements séparaient à jamais les quatre mousquetaires, autrefois liés d'une façon qui paraissait indissoluble, Athos, demeuré seul après le départ de Raoul, commençait à payer son tribut à cette mort anticipée qu'on appelle l'absence des gens aimés.

Revenu à sa maison de Blois, n'ayant plus même Grimaud pour recueillir un pauvre sourire quand il passait dans les parterres, Athos sentait de jour en jour s'altérer la vigueur d'une nature qui, depuis si longtemps, semblait infaillible.

L'âge, reculé pour lui par la présence de l'objet chéri, arrivait avec ce cortège de douleurs et de gênes qui grossit à mesure qu'il se fait attendre. Athos n'avait plus là son fils pour s'étudier à marcher droit, à lever la tête, à donner le bon exemple ; il n'avait plus ces yeux brillants de jeune homme, foyer toujours ardent où se régénérait la flamme de ses regards.

Et puis, faut-il le dire ? cette nature, exquise par sa tendresse et sa réserve, ne trouvant plus rien qui contînt ses élans, se livrait au chagrin avec toute la fougue des natures vulgaires, quand elles se livrent à la joie.

Le comte de La Fère, resté jeune jusqu'à sa soixante-deuxième année, l'homme de guerre qui avait conservé sa force malgré les fatigues, sa fraîcheur d'esprit malgré les malheurs, sa douce sérénité d'âme et de corps malgré Milady, malgré Mazarin, malgré La Vallière, Athos était devenu un vieillard en huit jours, du moment qu'il avait perdu l'appui de son arrière-jeunesse.

Toujours beau, mais courbé, noble, mais triste, doux et chancelant sous ses cheveux blanchis, il recherchait, depuis sa solitude, les clairières par lesquelles le soleil venait trouer le feuillage des allées.

Le rude exercice de toute sa vie, il le désapprit quand Raoul ne fut plus là. Les serviteurs, accoutumés à le voir levé dès l'aube en toute saison, s'étonnèrent d'entendre sonner sept heures en été sans que leur maître eût quitté le lit.

Athos demeurait couché, un livre sous son chevet, et il ne dormait pas, et il ne lisait pas. Couché pour n'avoir plus à porter son corps, il laissait l'âme et l'esprit s'élancer hors de l'enveloppe et retourner à son fils ou à Dieu.

On fut bien effrayé quelquefois de le voir, pendant des heures, absorbé dans une rêverie muette, insensible ; il n'entendait plus le pas du valet plein de crainte qui venait au seuil de sa chambre épier le sommeil ou le réveil du maître. Il lui arrivait d'oublier que le jour était à moitié écoulé, que l'heure des deux premiers repas était passée. Alors on l'éveillait, il se levait, descendait sous son allée sombre, puis revenait un peu au soleil comme pour en partager une minute la chaleur avec l'enfant absent. Et puis la promenade lugubre, monotone, recommençait jusqu'à ce que, épuisé, il regagnât la chambre et le lit, son domicile préféré.

Pendant plusieurs jours, le comte ne dit pas une parole. Il refusa de recevoir les visites qui lui arrivaient, et, pendant la nuit, on le vit rallumer sa lampe et passer de longues heures à écrire ou à feuilleter des parchemins.

Athos écrivit une de ces lettres à Vannes, une autre à Fontainebleau : elles demeurèrent sans réponse. On sait pourquoi : Aramis avait quitté la France ; d'Artagnan voyageait de Nantes à Paris, de Paris à Pierrefonds. Son valet de chambre remarqua qu'il diminuait chaque jour quelques tours de sa promenade. La grande allée de tilleuls devint bientôt trop longue pour les pieds qui la parcouraient jadis mille fois en un jour. On vit le comte aller péniblement aux arbres du milieu, s'asseoir sur le banc de mousse qui échancrait une allée latérale, et attendre ainsi le retour des forces ou plutôt le retour de la nuit.

Bientôt cent pas l'exténuèrent. Enfin, Athos ne voulut plus se lever ; il refusa toute nourriture, et ses gens épouvantés, bien qu'il ne se plaignît pas, bien qu'il eût toujours le sourire aux lèvres, bien qu'il continuât à parler de sa douce voix, ses gens allèrent à Blois chercher l'ancien médecin de feu Monsieur, et l'amenèrent au comte de La Fère, de telle façon qu'il pût voir celui-ci sans être vu.

A cet effet, ils le placèrent dans un cabinet voisin de la chambre du malade et le supplièrent de ne pas se montrer dans la crainte de déplaire au maître, qui n'avait pas demandé de médecin.

Le docteur obéit ; Athos était une sorte de modèle pour les gentilshommes du pays ; le Blaisois se vantait de posséder cette relique sacrée des vieilles gloires françaises ; Athos était un bien grand seigneur, comparé à ces noblesses comme le roi en improvisait en touchant de son sceptre jeune et fécond les troncs desséchés des arbres héraldiques de la province.

On respectait, disons-nous, et l'on aimait Athos. Le médecin ne put souffrir de voir pleurer ses gens et de voir s'attrouper les pauvres du canton, à qui Athos donnait la vie et la consolation par ses bonnes paroles et ses aumônes. Il examina donc du fond de sa cachette les allures du mal mystérieux qui courbait et mordait de jour en jour plus mortellement un homme naguère encore plein de vie et d'envie de vivre.

Il remarqua sur les joues d'Athos le pourpre de la fièvre qui s'allume et se nourrit, fièvre lente, impitoyable, née dans un pli du cœur, s'abritant derrière ce rempart, grandissant de la souffrance qu'elle engendre, cause à la fois et effet d'une situation périlleuse.

Le comte ne parlait à personne, disons-nous, il ne parlait pas même seul. Sa pensée craignait le bruit, elle touchait à ce degré de surexcitation qui confine à l'extase. L'homme ainsi absorbé, quand il n'appartient pas encore à Dieu, n'appartient déjà plus à la terre.

Le docteur demeura plusieurs heures à étudier cette douloureuse lutte de la volonté contre une puissance supérieure. Il s'épouvanta de voir ces yeux toujours fixes, toujours attachés sur le but invisible ; il s'épouvanta de voir battre du même mouvement ce cœur dont jamais un soupir ne venait varier l'habitude ; quelquefois l'acuité de la douleur fait l'espoir du médecin.

Une demi-journée se passa ainsi. Le docteur prit son parti en homme brave, en esprit ferme : il sortit brusquement de sa retraite et vint droit à Athos, qui le vit sans témoigner plus de surprise que s'il n'eût rien compris à cette apparition.

— Monsieur le comte, pardon, dit le docteur en venant au malade les bras ouverts, mais j'ai un reproche à vous faire ; vous allez m'entendre.

Et il s'assit au chevet d'Athos, qui sortit à grand-peine de sa préoccupation.

— Qu'y a-t-il, docteur ? demanda le comte après un silence.

— Il y a que vous êtes malade, monsieur, et que vous ne vous faites pas traiter.

— Moi, malade ! dit Athos en souriant.

— Fièvre, consumption, affaiblissement, dépérissement, monsieur le comte !

— Affaiblissement ! répondit Athos. Est-ce possible ? Je ne me lève pas.

— Allons, allons, monsieur le comte, pas de subterfuges ! Vous êtes un bon chrétien.

— Je le crois, dit Athos.

— Vous donneriez-vous la mort ?

— Jamais, docteur.

— Eh bien ! monsieur, vous vous en allez mourant ; demeurer ainsi, c'est un suicide ; guérissez, monsieur le comte, guérissez !

— De quoi ? Trouvez le mal d'abord. Moi, jamais je ne me suis trouvé mieux, jamais le ciel ne m'a paru plus beau, jamais je n'ai plus chéri mes fleurs.

— Vous avez un chagrin caché.

— Caché ?... Non pas, j'ai l'absence de mon fils, docteur ; voilà tout mon mal ; je ne le cache pas.

— Monsieur le comte, votre fils vit, il est fort, il a tout l'avenir des gens de son mérite et de sa race ; vivez pour lui...

— Mais je vis, docteur. Oh ! soyez bien tranquille, ajouta-t-il en souriant avec mélancolie, tant que Raoul vivra, on le saura bien ; car, tant qu'il vivra, je vivrai.

— Que dites-vous ?

— Une chose bien simple. En ce moment, docteur, je laisse la vie suspendue en moi. Ce serait une tâche au-dessus de mes forces que la vie oublieuse, dissipée, indifférente, quand je n'ai pas là Raoul. Vous ne demandez point à la lampe de brûler quand l'étincelle n'y a pas attaché la flamme ; ne me demandez pas de vivre au bruit et à la clarté. Je végète, je me dispose, j'attends. Tenez, docteur, rappelez-vous ces soldats que nous vîmes tant de fois ensemble sur les ports où ils attendaient d'être embarqués ; couchés, indifférents, moitié sur un élément, moitié sur l'autre, ils n'étaient ni à l'endroit où la mer allait les porter, ni à l'endroit où la terre allait les perdre ; bagages préparés, esprit tendu, regards fixes, ils attendaient. Je le répète, ce mot, c'est celui qui peint ma vie présente. Couché comme ces soldats, l'oreille tendue vers ces bruits qui m'arrivent, je veux être prêt à partir au premier appel. Qui me fera cet appel ? la vie, ou la mort ? Dieu, ou Raoul ? Mes bagages sont prêts, mon âme est disposée, j'attends le signal... J'attends, docteur, j'attends !

Le docteur connaissait la trempe de cet esprit, il appréciait la solidité de ce corps ; il réfléchit un moment, se dit à lui-même que les paroles étaient inutiles, les remèdes absurdes, et il partit en exhortant les serviteurs d'Athos à ne le point abandonner un moment.

Athos, le docteur parti, ne témoigna ni colère ni dépit de ce qu'on l'avait troublé ; il ne recommanda même pas qu'on lui remît promptement les lettres qui viendraient : il savait bien que toute distraction qui lui arrivait était une joie, une espérance que ses serviteurs eussent payée de leur sang pour la lui procurer.

Le sommeil était devenu rare. Athos, à force de songer, s'oubliait quelques heures au plus dans une rêverie plus profonde, plus obscure, que d'autres eussent appelée un rêve. Ce repos momentané donnait cet oubli au corps, que fatiguait l'âme ; car Athos vivait doublement pendant ces pérégrinations de son intelligence. Une nuit, il songea que Raoul s'habillait dans une tente, pour aller à l'expédition commandée par

M. de Beaufort en personne. Le jeune homme était triste, il agrafait lentement sa cuirasse, lentement il ceignait son épée.

— Qu'avez-vous donc ? lui demanda tendrement son père.

— Ce qui m'afflige, c'est la mort de Porthos, notre si bon ami, répondit Raoul ; je souffre d'ici de la douleur que vous en ressentirez là-bas.

Et la vision disparut avec le sommeil d'Athos.

Au point du jour, un des valets entra chez son maître, et lui remit une lettre venant d'Espagne.

« L'écriture d'Aramis », pensa le comte.

Et il lut.

— Porthos est mort ! s'écria-t-il après les premières lignes. Ô Raoul, Raoul, merci ! tu tiens ta promesse, tu m'avertis !

Et Athos, pris d'une sueur mortelle, s'évanouit dans son lit sans autre cause que sa faiblesse.

CCLXIII

VISION D'ATHOS

Quand cet évanouissement d'Athos eut cessé, le comte, presque honteux d'avoir faibli devant cet événement surnaturel, s'habilla et demanda un cheval, bien décidé à se rendre à Blois, pour nouer des correspondances plus sûres, soit avec l'Afrique, soit avec d'Artagnan ou Aramis.

En effet, cette lettre d'Aramis instruisait le comte de La Fère du mauvais succès de l'expédition de Belle-Ile. Elle lui donnait, sur la mort de Porthos, assez de détails pour que le cœur si tendre et si dévoué d'Athos fût ému jusqu'en ses dernières fibres.

Athos voulut donc aller faire à son ami Porthos une dernière visite. Pour rendre cet honneur à son ancien compagnon d'armes, il comptait prévenir d'Artagnan, l'amener à recommencer le pénible voyage de Belle-Ile, accomplir en sa compagnie ce triste pèlerinage au tombeau du géant qu'il avait tant aimé, puis revenir dans sa maison, pour obéir à cette influence secrète qui le conduisait à l'éternité par ces chemins mystérieux.

Mais, à peine les valets, joyeux, avaient-ils habillé leur maître, qu'ils voyaient avec plaisir se préparer à un voyage qui devait dissiper sa mélancolie, à peine le cheval le plus doux de l'écurie du comte était-il sellé et conduit devant le perron, que le père de Raoul sentit sa tête s'embarrasser, ses jambes se rompre, et qu'il comprit l'impossibilité où il était de faire un pas de plus.

Il demanda à être porté au soleil ; on l'étendit sur son banc de mousse, où il passa une grande heure avant de reprendre ses esprits.

Rien n'était plus naturel que cette atonie après le repos inerte des derniers jours. Athos prit un bouillon pour se donner des forces, et trempa ses lèvres desséchées dans un verre plein du vin qu'il aimait le mieux, ce vieux vin d'Anjou, mentionné par le bon Porthos dans son admirable testament.

Alors, réconforté, libre d'esprit, il se fit amener son cheval ; mais il lui fallut l'aide des valets pour monter péniblement en selle.

Il ne fit point cent pas : le frisson s'empara de lui au détour du chemin.

— Voilà qui est étrange, dit-il à son valet de chambre, qui l'accompagnait.

— Arrêtons-nous, monsieur, je vous en conjure ! répondit le fidèle serviteur. Voilà que vous pâlissez.

— Cela ne m'empêchera pas de poursuivre ma route, puisque je suis en chemin, répliqua le comte.

Et il rendit les rênes à son cheval.

Mais soudain l'animal, au lieu d'obéir à la pensée de son maître, s'arrêta. Un mouvement dont Athos ne se rendit pas compte avait serré le mors.

— Quelque chose, dit Athos, veut que je n'aille pas plus loin. Soutenez-moi, ajouta-t-il en étendant les bras ; vite, approchez ! je sens tous mes muscles qui se détendent, et je vais tomber de cheval.

Le valet avait vu le mouvement fait par son maître en même temps qu'il avait reçu l'ordre. Il s'approcha vivement, reçut le comte dans ses bras, et, comme on n'était pas encore assez éloigné de la maison pour que les serviteurs, demeurés sur le seuil de la porte pour voir partir M. de La Fère, n'aperçussent pas ce désordre dans la marche ordinairement si régulière de leur maître, le valet de chambre appela ses camarades du geste et de la voix ; alors tous accoururent avec empressement.

A peine Athos eut-il fait quelques pas pour retourner vers sa maison, qu'il se trouva mieux. Sa vigueur sembla renaître, et la volonté lui revint de pousser vers Blois. Il fit faire une volte à son cheval. Mais, au premier mouvement de celui-ci, il retomba dans cet état de torpeur et d'angoisse.

— Allons, décidément, murmura-t-il, *on veut* que je reste chez moi.

Ses gens s'approchèrent ; on le descendit de cheval ; et tous le portèrent en courant vers sa maison. Tout fut bientôt préparé dans sa chambre ; ils le couchèrent dans son lit.

— Vous ferez bien attention, leur dit-il en se disposant à dormir, que j'attends aujourd'hui même des lettres d'Afrique.

— Monsieur apprendra sans doute avec plaisir que le fils de Blaisois est monté à cheval pour gagner une heure sur le courrier de Blois, répondit le valet de chambre.

— Merci ! répondit Athos avec son sourire de bonté.

Le comte s'endormit ; son sommeil anxieux ressemblait à une souffrance. Celui qui le veillait vit sur ses traits poindre, à plusieurs reprises, l'expression d'une torture intérieure. Peut-être Athos rêvait-il.

La journée se passa ; le fils de Blaisois revint ; le courrier n'avait pas apporté de nouvelles. Le comte calculait avec désespoir les minutes, il frémissait quand ces minutes avaient formé une heure. L'idée qu'on l'avait oublié là-bas lui vint une fois et lui coûta une atroce douleur au cœur.

Personne, dans la maison, n'espérait plus que le courrier arrivât, son heure était passée depuis longtemps. Quatre fois, l'exprès envoyé à Blois avait réitéré son voyage, et rien n'était venu à l'adresse du comte.

Athos savait que ce courrier n'arrivait qu'une fois par semaine. C'était donc un retard de huit mortels jours à subir.

Il commença la nuit avec cette douloureuse persuasion.

Tout ce qu'un homme malade et irrité par la souffrance peut ajouter de sombres suppositions à des probabilités déjà tristes, Athos l'entassa pendant les premières heures de cette mortelle nuit.

La fièvre monta ; elle envahit la poitrine, où le feu prit bientôt, suivant l'expression du médecin qu'on avait ramené de Blois au dernier voyage du fils de Blaisois.

Bientôt elle gagna la tête. Le médecin pratiqua successivement deux saignées qui la dégagèrent, mais qui affaiblirent le malade et ne laissèrent la force d'action qu'à son cerveau.

Cependant cette fièvre redoutable avait cessé. Elle assiégeait de ses derniers battements les extrémités engourdies ; elle finit par céder tout à fait lorsque minuit sonna.

Le médecin, voyant ce mieux incontestable, regagna Blois après avoir ordonné quelques prescriptions et déclaré que le comte était sauvé.

Alors commença, pour Athos, une situation étrange, indéfinissable. Libre de penser, son esprit se porta vers Raoul, vers ce fils bien-aimé. Son imagination lui montra les champs de l'Afrique aux environs de Djidgelli, où M. de Beaufort avait dû débarquer avec son armée.

C'étaient des roches grises toutes verdies en certains endroits par l'eau de la mer, quand elle vient fouetter la plage pendant les tourmentes et les tempêtes.

Au-delà du rivage, diapré de ces roches semblables à des tombes, montait en amphithéâtre, parmi les lentisques et les cactus, une sorte de bourgade pleine de fumée, de bruits obscurs et de mouvements effarés.

Tout à coup, du sein de cette fumée se dégagea une flamme qui parvint, bien qu'en rampant, à couvrir toute la surface de cette bourgade, et qui grandit peu à peu, englobant tout dans ses tourbillons rouges, pleurs, cris, bras étendus au ciel. Ce fut, pendant un moment, un pêle-mêle affreux de madriers s'écroulant, de lames tordues, de pierres calcinées, d'arbres grillés, disparus.

Chose étrange ! dans ce chaos où Athos distinguait des bras levés, où il entendait des cris, des sanglots, des soupirs, il ne vit jamais une figure humaine.

Le canon tonnait au loin, la mousqueterie pétillait, la mer mugissait, les troupeaux s'échappaient en bondissant sur les talus verdoyants. Mais pas un soldat pour approcher la mèche auprès des batteries de canon, pas un marin pour aider à la manœuvre de cette flotte, pas un pasteur pour ces troupeaux.

Après la ruine du village et la destruction des forts qui le dominaient, ruine et destruction opérées magiquement, sans la coopération d'un seul être humain, la flamme s'éteignit, la fumée recommença de monter, puis diminua d'intensité, pâlit et s'évapora complètement.

La nuit alors se fit dans ce paysage ; une nuit opaque sur terre, brillante au firmament ; les grosses étoiles flamboyantes qui scintillent au ciel africain brillaient sans rien éclairer qu'elles-mêmes autour d'elles.

Un long silence s'établit qui servit à reposer un moment l'imagination troublée d'Athos, et, comme il sentait que ce qu'il avait à voir n'était pas terminé, il appliqua plus attentivement les regards de son intelligence sur le spectacle étrange que lui réservait son imagination.

Ce spectacle continua bientôt pour lui.

Une lune douce et pâle se leva derrière les versants de la côte, et moirant d'abord des plis onduleux de la mer, qui semblait s'être calmée après les mugissements qu'elle avait fait entendre pendant la vision d'Athos, la lune, disons-nous, vint attacher ses diamants et ses opales aux broussailles et aux halliers de la colline.

Les roches grises, comme autant de fantômes silencieux et attentifs, semblèrent dresser leurs têtes verdâtres pour examiner aussi le champ de bataille à la clarté de la lune, et Athos s'aperçut que ce champ, entièrement vide pendant le combat, était maintenant jonché de corps abattus.

Un inexplicable frisson de crainte et d'horreur saisit son âme, quand il reconnut l'uniforme blanc et bleu des soldats de Picardie, leurs longues piques au manche bleu et leurs mousquets marqués de la fleur de lis à la crosse.

Quand il vit toutes les blessures béantes et froides regarder le ciel azuré, comme pour lui redemander les âmes auxquelles elles avaient livré passage.

Quand il vit les chevaux, éventrés, mornes, la langue pendante de côté hors des lèvres, dormir dans le sang glacé répandu autour d'eux, et qui souillait leurs housses et leurs crinières.

Quand il vit le cheval blanc de M. de Beaufort étendu, la tête fracassée, au premier rang sur le champ des morts.

Athos passa une main froide sur son front, qu'il s'étonna de ne pas trouver brûlant. Il se convainquit, par cet attouchement, qu'il assistait, comme un spectateur sans fièvre, au lendemain d'une bataille livrée sur le rivage de Djidgelli par l'armée expéditionnaire, qu'il avait vue quitter les côtes de France et disparaître à l'horizon, et dont il avait salué, de la pensée et du geste, la dernière lueur du coup de canon envoyé par le duc, en signe d'adieu à la patrie.

Qui pourra peindre le déchirement mortel avec lequel son âme, suivant comme un œil vigilant la trace de ces cadavres, les alla tous regarder les uns après les autres, pour reconnaître si parmi eux ne dormait pas Raoul ? Qui pourra exprimer la joie enivrante, divine, avec laquelle Athos s'inclina devant Dieu, et le remercia de n'avoir pas vu celui qu'il cherchait avec tant de crainte parmi les morts ?

En effet, tombés morts à leur rang, roidis, glacés, tous ces morts, bien reconnaissables, semblaient se tourner avec complaisance et respect vers le comte de La Fère, pour être mieux vus de lui pendant son inspection funèbre.

Cependant, il s'étonnait, voyant tous ces cadavres, de ne pas apercevoir les survivants.

Il en était venu à ce point d'illusion, que cette vision était pour lui un voyage réel fait par le père en Afrique, pour obtenir des renseignements plus exacts sur le fils.

Aussi, fatigué d'avoir tant parcouru de mers et de continents, il cherchait à se reposer sous une des tentes abritées derrière un rocher, et sur le sommet desquelles flottait le pennon blanc fleurdelisé.

Il chercha un soldat pour être conduit vers la tente de M. de Beaufort.

Alors, pendant que son regard errait dans la plaine, se tournant de tous les côtés, il vit une forme blanche apparaître derrière les myrtes résineux.

Cette figure était vêtue d'un costume d'officier : elle tenait en main une épée brisée ; elle s'avança lentement vers Athos, qui, s'arrêtant tout à coup et fixant son regard sur elle, ne parlait pas, ne remuait pas, et qui voulait ouvrir ses bras, parce que, dans cet officier silencieux et pâle, il venait de reconnaître Raoul.

Le comte essaya un cri, qui demeura étouffé dans son gosier. Raoul, d'un geste, lui indiquait de se taire en mettant un doigt sur sa bouche et en reculant peu à peu, sans qu'Athos vît ses jambes se mouvoir.

Le comte, plus pâle que Raoul, plus tremblant, suivit son fils en traversant péniblement bruyères et buissons, pierres et fossés. Raoul ne paraissait pas toucher la terre, et nul obstacle n'entravait la légèreté de sa marche.

Le comte, que les accidents de terrain fatiguaient, s'arrêta bientôt, épuisé. Raoul lui faisait toujours signe de le suivre. Le tendre père, auquel l'amour redonnait des forces, essaya un dernier mouvement et gravit la montagne à la suite du jeune homme, qui l'attirait par son geste et son sourire.

Enfin, il toucha la crête de cette colline, et vit se dessiner en noir, sur l'horizon blanchi par la lune, les formes aériennes, poétiques de Raoul. Athos étendait la main pour arriver près de son fils bien-aimé, sur le plateau, et celui-ci lui tendait aussi la sienne ; mais soudain, comme si le jeune homme eût été entraîné malgré lui, reculant toujours, il quitta la terre, et Athos vit le ciel briller entre les pieds de son enfant et le sol de la colline.

Raoul s'élevait insensiblement dans le vide, toujours souriant, toujours appelant du geste ; il s'éloignait vers le ciel.

Athos poussa un cri de tendresse effrayée ; il regarda en bas. On voyait un camp détruit, et, comme des atomes immobiles, tous ces blancs cadavres de l'armée royale.

Et puis, en relevant la tête, il voyait toujours, toujours, son fils qui l'invitait à monter avec lui.

CCLXIV

L'ANGE DE LA MORT

Athos en était là de sa vision merveilleuse, quand le charme fut soudain rompu par un grand bruit parti des portes extérieures de la maison.

On entendit un cheval galoper sur le sable durci de la grande allée, et les rumeurs des conversations les plus bruyantes et les plus animées montèrent jusqu'à la chambre où rêvait le comte.

Athos ne bougea pas de la place qu'il occupait ; à peine tourna-t-il sa tête du côté de la porte pour percevoir plus tôt les bruits qui arrivaient jusqu'à lui.

Un pas alourdi monta le perron ; le cheval, qui galopait naguère avec tant de rapidité, partit lentement du côté de l'écurie. Quelques frémissements accompagnaient ces pas qui, peu à peu, se rapprochaient de la chambre d'Athos.

Alors une porte s'ouvrit, et Athos, se tournant un peu du côté où venait le bruit, cria d'une voix faible :

— C'est un courrier d'Afrique, n'est-ce pas ?

— Non, monsieur le comte, répondit une voix qui fit tressaillir sur son lit le père de Raoul.

— Grimaud ! murmura-t-il.

Et la sueur commença de glisser le long de ses joues amaigries.

Grimaud apparut sur le seuil. Ce n'était plus le Grimaud que nous avons vu, jeune encore par le courage et par le dévouement, alors qu'il sautait le premier dans la barque destinée à porter Raoul de Bragelonne aux vaisseaux de la flotte royale.

C'était un sévère et pâle vieillard, aux habits couverts de poudre, aux rares cheveux blanchis par les années. Il tremblait en s'appuyant au chambranle de la porte, et faillit tomber en voyant de loin, et à la lueur des lampes, le visage de son maître.

Ces deux hommes, qui avaient tant vécu l'un avec l'autre en communauté d'intelligence et dont les yeux, habitués à économiser les expressions, savaient se dire silencieusement tant de choses ; ces deux vieux amis, aussi nobles l'un que l'autre par le cœur, s'ils étaient inégaux par la fortune et la naissance, demeurèrent interdits en se regardant. Ils venaient, avec un seul coup d'œil, de lire au plus profond du cœur l'un de l'autre.

Grimaud portait sur son visage l'empreinte d'une douleur déjà vieillie d'une habitude lugubre. Il semblait n'avoir plus à son usage qu'une seule traduction de ses pensées.

Comme jadis il s'était accoutumé à ne plus parler, il s'habituait à ne plus sourire.

Athos lut d'un coup d'œil toutes ces nuances sur le visage de son fidèle serviteur, et, du même ton qu'il eût pris pour parler à Raoul dans son rêve :

— Grimaud, dit-il, Raoul est mort, n'est-ce pas ?

Derrière Grimaud, les autres serviteurs écoutaient palpitants, les yeux fixés sur le lit du malade.

Ils entendirent la terrible question, et un silence effrayant la suivit.

— Oui, répondit le vieillard en arrachant ce monosyllabe de sa poitrine avec un rauque soupir.

Alors s'élevèrent des voix lamentables qui gémirent sans mesure et emplirent de regrets et de prières la chambre où ce père agonisant cherchait des yeux le portrait de son fils.

Ce fut pour Athos comme la transition qui le conduisit à son rêve.

Sans pousser un cri, sans verser une larme, patient, doux et résigné comme les martyrs, il leva les yeux au ciel afin d'y revoir, s'élevant au-dessus de la montagne de Djidgelli, l'ombre chère qui s'éloignait de lui au moment où Grimaud était arrivé.

Sans doute, en regardant au ciel, en reprenant son merveilleux songe, il repassa par les mêmes chemins où la vision à la fois si terrible et si douce l'avait conduit naguère ; car, après avoir fermé doucement les yeux, il les rouvrit et se mit à sourire : il venait de voir Raoul qui lui souriait à son tour.

Les mains jointes sur sa poitrine, le visage tourné vers la fenêtre, baigné par l'air frais de la nuit qui apportait à son chevet les arômes des fleurs et des bois, Athos entra, pour n'en plus sortir, dans la contemplation de ce paradis que les vivants ne voient jamais.

Dieu voulut sans doute ouvrir à cet élu les trésors de la béatitude éternelle, à l'heure où les autres hommes tremblent d'être sévèrement reçus par le Seigneur, et se cramponnent à cette vie qu'ils connaissent, dans la terreur de l'autre vie qu'ils entrevoient aux sombres et sévères flambeaux de la mort.

Athos était guidé par l'âme pure et sereine de son fils, qui aspirait l'âme paternelle. Tout pour ce juste fut mélodie et parfum, dans le rude chemin que prennent les âmes pour retourner dans la céleste patrie.

Après une heure de cette extase, Athos éleva doucement ses mains blanches comme la cire ; le sourire ne quitta point ses lèvres, et il murmura, si bas, si bas qu'à peine on l'entendit, ces deux mots adressés à Dieu ou à Raoul :

— *Me voici !*

Et ses mains retombèrent lentement comme si lui-même les eût reposées sur le lit.

La mort avait été commode et caressante à cette noble créature. Elle lui avait épargné les déchirements de l'agonie, les convulsions du départ suprême ; elle avait ouvert d'un doigt favorable les portes de l'éternité à cette grande âme digne de tous ses respects.

Dieu l'avait sans doute ordonné ainsi, pour que le souvenir pieux de cette mort si douce restât dans le cœur des assistants et dans la mémoire des autres hommes, trépas qui fit aimer le passage de cette vie à l'autre à ceux dont l'existence sur cette terre ne peut faire redouter le jugement dernier.

Athos garda même dans l'éternel sommeil ce sourire placide et sincère, ornement qui devait l'accompagner dans le tombeau. La quiétude de ses traits, le calme de son néant, firent douter longtemps ses serviteurs qu'il eût quitté la vie.

Les gens du comte voulurent emmener Grimaud, qui, de loin, dévorait ce visage pâlissant et n'approchait point, dans la crainte pieuse de lui apporter le souffle de la mort. Mais Grimaud, tout fatigué qu'il était, refusa de s'éloigner. Il s'assit sur le seuil, gardant son maître avec la vigilance d'une sentinelle, et jaloux de recueillir son premier regard au réveil, son dernier soupir à la mort.

Les bruits s'éteignaient dans toute la maison, et chacun respectait le sommeil du seigneur. Mais Grimaud, en prêtant l'oreille, s'aperçut que le comte ne respirait plus.

Il se souleva, ses mains appuyées sur le sol, et, de sa place, regarda s'il ne s'éveillerait pas un tressaillement dans le corps de son maître.

Rien ! la peur le prit ; il se leva tout à fait, et, au même moment, il entendit marcher dans l'escalier ; un bruit d'éperons heurtés par une épée, son belliqueux, familier à ses oreilles, l'arrêta comme il allait marcher vers le lit d'Athos.

Une voix plus vibrante encore que le cuivre et l'acier retentit à trois pas de lui.

— Athos ! Athos ! mon ami ! criait cette voix émue jusqu'aux larmes.

— Monsieur le chevalier d'Artagnan ! balbutia Grimaud.

— Où est-il ? continua le mousquetaire.

Grimaud lui saisit le bras dans ses doigts osseux, et lui montra le lit, sur les draps duquel tranchait déjà la teinte livide du cadavre.

Une respiration haletante, le contraire d'un cri aigu, gonfla la gorge de d'Artagnan.

Il s'avança sur la pointe du pied, frissonnant, épouvanté du bruit que faisaient ses pas sur le parquet, et le cœur déchiré par une angoisse sans nom. Il approcha son oreille de la poitrine d'Athos, son visage de la bouche du comte. Ni bruit ni souffle. D'Artagnan recula.

Grimaud, qui l'avait suivi des yeux et pour qui chacun de ses mouvements avait été une révélation, vint timidement s'asseoir au pied du lit, et colla ses lèvres sur le drap que soulevaient les pieds raidis de son maître.

Alors on vit de larges pleurs s'échapper de ses yeux rougis.

Ce vieillard au désespoir, qui larmoyait courbé sans proférer une parole, offrait le plus émouvant spectacle que d'Artagnan, dans sa vie d'émotions, eût jamais rencontré.

Le capitaine resta debout en contemplation devant ce mort souriant, qui semblait avoir gardé sa dernière pensée pour faire à son meilleur ami, à l'homme qu'il avait le plus aimé après Raoul, un accueil gracieux, même au-delà de la vie, et, comme pour répondre à cette suprême flatterie de l'hospitalité, d'Artagnan alla baiser Athos au front et, de ses doigts tremblants, lui ferma les yeux.

Puis il s'assit au chevet du lit, sans peur de ce mort qui lui avait été si doux et si bienveillant pendant trente-cinq années ; il se nourrit avidement des souvenirs que le noble visage du comte lui ramenait en foule à l'esprit, les uns fleuris et charmants comme ce sourire, les autres sombres, mornes et glacés, comme cette figure aux yeux clos pour l'éternité.

Tout à coup, le flot amer qui montait de minute en minute envahit son cœur, et lui brisa la poitrine. Incapable de maîtriser son émotion, il se leva, et, s'arrachant violemment de cette chambre, où il venait de trouver mort celui auquel il venait apporter la nouvelle de la mort de Porthos, il poussa des sanglots si déchirants, que les valets, qui semblaient n'attendre qu'une explosion de douleur, y répondirent par leurs clameurs lugubres, et les chiens du seigneur par leurs lamentables hurlements.

Grimaud fut le seul qui n'éleva pas la voix. Même dans le paroxysme de sa douleur, il n'eût pas osé profaner la mort, ni pour la première fois troubler le sommeil de son maître. Athos, d'ailleurs, l'avait habitué à ne parler jamais.

Au point du jour, d'Artagnan, qui avait erré dans la salle basse en se mordant les poings pour étouffer ses soupirs, d'Artagnan monta encore une fois l'escalier, et, guettant le moment où Grimaud tournerait la tête de son côté, il lui fit signe de venir à lui, ce que le fidèle serviteur exécuta sans faire plus de bruit qu'une ombre.

D'Artagnan redescendit suivi de Grimaud.

Une fois au vestibule, prenant les mains du vieillard :

— Grimaud, dit-il, j'ai vu comment le père est mort : dis-moi maintenant comment est mort le fils.

Grimaud tira de son sein une large lettre, sur l'enveloppe de laquelle était tracée l'adresse d'Athos. Il reconnut l'écriture de M. de Beaufort, brisa le cachet et se mit à lire en arpentant, aux premiers rayons du jour bleuâtre, la sombre allée de vieux tilleuls foulée par les pas encore visibles du comte qui venait de mourir.

CCLXV

BULLETIN

Le duc de Beaufort écrivait à Athos. La lettre destinée à l'homme n'arrivait qu'au mort. Dieu changeait l'adresse.

Mon cher comte, *écrivait le prince avec sa grande écriture d'écolier malhabile*, un grand malheur nous frappe au milieu d'un grand triomphe. Le roi perd un soldat des plus braves. Je perds un ami. Vous perdez M. de Bragelonne.

Il est mort glorieusement, et si glorieusement, que je n'ai pas la force de pleurer comme je voudrais.

Recevez mes tristes compliments, mon cher comte. Le Ciel nous distribue les épreuves selon la grandeur de notre cœur. Celle-là est immense, mais non au-dessus de votre courage.

Votre bon ami,

LE DUC DE BEAUFORT

Cette lettre renfermait une relation écrite par un des secrétaires du prince. C'était le plus touchant récit et le plus vrai de ce lugubre épisode qui dénouait deux existences.

D'Artagnan, accoutumé aux émotions de la bataille, et le cœur cuirassé contre les attendrissements, ne put s'empêcher de tressaillir en lisant le nom de Raoul, le nom de cet enfant chéri, devenu, comme son père, une ombre.

Le matin, *disait le secrétaire du prince*, M. le duc commanda l'attaque. Normandie et Picardie avaient pris position dans les roches grises dominées par le talus de la montagne, sur le versant de laquelle s'élèvent les bastions de Djidgelli.

Le canon, commençant à tirer, engagea l'action ; les régiments marchèrent pleins de résolution ; les piquiers avaient la pique haute ; les porteurs de mousquets avaient l'arme au bras. Le prince suivait attentivement la marche et le mouvement des troupes, qu'il était prêt à soutenir avec une forte réserve.

Auprès de Monseigneur étaient les plus vieux capitaines et ses aides de camp. M. le vicomte de Bragelonne avait reçu l'ordre de ne pas quitter Son Altesse.

Cependant le canon de l'ennemi, qui d'abord avait tonné indifféremment contre les masses, avait réglé son feu, et les boulets, mieux dirigés, étaient venus tuer quelques hommes autour du prince. Les régiments formés en colonne, et qui s'avançaient contre les remparts, furent un peu maltraités. Il y avait hésitation de la part de nos troupes, qui se voyaient mal secondées par notre artillerie. En effet, les batteries qu'on avait établies la veille n'avaient qu'un tir faible et incertain, en raison de leur position. La direction de bas en haut nuisait à la justesse des coups et de la portée.

Monseigneur, comprenant le mauvais effet de cette position de l'artillerie de siège, commanda aux frégates embossées dans la petite rade de commencer un feu régulier contre la place.

Pour porter cet ordre, M. de Bragelonne s'offrit tout d'abord ; mais Monseigneur refusa d'acquiescer à la demande du vicomte.

Monseigneur avait raison, puisqu'il aimait et voulait ménager ce jeune seigneur ; il avait bien raison, et l'événement se chargea de justifier sa prévision et son refus ; car, à peine le sergent que Son Altesse avait chargé du message sollicité par M. de Bragelonne fut-il arrivé au bord de la mer, que deux gros coups de longue escopette partirent des rangs de l'ennemi et vinrent l'abattre.

Le sergent tomba sur le sable mouillé qui but son sang.

Ce que voyant, M. de Bragelonne sourit à Monseigneur, lequel lui dit :

— Vous voyez, vicomte, je vous sauve la vie. Rapportez-le plus tard à M. le comte de La Fère, afin que, l'apprenant de vous, il m'en sache gré, à moi.

Le jeune seigneur sourit tristement et répondit au duc :

— Il est vrai, monseigneur, que, sans votre bienveillance, j'aurais été tué là-bas où est tombé ce pauvre sergent, et en un fort grand repos.

M. de Bragelonne fit cette réponse d'un tel air, que Monseigneur répliqua vivement :

— Vrai Dieu ! jeune homme, on dirait que l'eau vous en vient à la bouche : mais, par l'âme de Henri IV ! j'ai promis à votre père de vous ramener vivant, et, s'il plaît au Seigneur, je tiendrai ma parole.

M. de Bragelonne rougit, et, d'une voix plus basse :

— Monseigneur, dit-il, pardonnez-moi, je vous en prie ; c'est que j'ai toujours eu le désir d'aller aux occasions, et qu'il est doux de se distinguer devant son général, surtout quand le général est M. le duc de Beaufort.

Monseigneur s'adoucit un peu, et, se tournant vers ses officiers qui se pressaient autour de lui, donna différents ordres.

Les grenadiers des deux régiments arrivèrent assez près des fossés et des retranchements pour y lancer leurs grenades, qui firent peu d'effet.

Cependant, M. d'Estrées, qui commandait la flotte, ayant vu la tentative du sergent pour approcher des vaisseaux, comprit qu'il fallait tirer sans ordres et ouvrir le feu.

Alors les Arabes, se voyant frappés par les boulets de la flotte et par les ruines et les éclats de leurs mauvaises murailles, poussèrent des cris effrayants.

Leurs cavaliers descendirent la montagne au galop, courbés sur leurs selles, et se lancèrent à fond de train sur les colonnes d'infanterie, qui, croisant les piques, arrêtèrent cet élan fougueux. Repoussés par l'attitude ferme du bataillon, les Arabes vinrent de grande furie se rejeter vers l'état-major qui n'était point gardé en ce moment.

Le danger fut grand : Monseigneur tira l'épée ; ses secrétaires et ses gens l'imitèrent ; les officiers de sa suite engagèrent un combat avec ces furieux.

Ce fut alors que M. de Bragelonne put contenter l'envie qu'il manifestait depuis le commencement de l'action. Il combattit près du prince avec une vigueur de Romain, et tua trois Arabes avec sa petite épée.

Mais il était visible que sa bravoure ne venait pas d'un sentiment d'orgueil, naturel à tous ceux qui combattent. Elle était impétueuse, affectée, forcée même ; il cherchait à s'enivrer du bruit et du carnage.

Il s'échauffa de telle sorte, que Monseigneur lui cria d'arrêter.

Il dut entendre la voix de Son Altesse, puisque nous l'entendions, nous qui étions à ses côtés. Cependant il ne s'arrêta pas, et continua de courir vers les retranchements.

Comme M. de Bragelonne était un officier fort soumis, cette désobéissance aux ordres de Monseigneur surprit fort tout le monde, et M. de Beaufort redoubla d'instances, en criant :

— Arrêtez, Bragelonne ! Où allez-vous ? Arrêtez ! reprit Monseigneur, je vous l'ordonne.

Nous tous, imitant le geste de M. le duc, nous avions levé la main. Nous attendions que le cavalier tournât bride ; mais M. de Bragelonne courait toujours vers les palissades.

— Arrêtez, Bragelonne ! répéta le prince d'une voix très forte ; arrêtez, au nom de votre père !

A ces mots, M. de Bragelonne se retourna, son visage exprimait une vive douleur, mais il ne s'arrêtait pas ; nous jugeâmes alors que son cheval l'emportait.

Quand M. le duc eut deviné que le vicomte n'était plus maître de son cheval, et qu'il l'eut vu dépasser les premiers grenadiers, Son Altesse cria :

— Mousquetaires, tuez-lui son cheval ! Cent pistoles à qui mettra bas le cheval !

Mais de tirer sur la bête sans atteindre le cavalier, qui eût pu l'espérer ? Aucun n'osait. Enfin il s'en présenta un, c'était un fin tireur du régiment de Picardie, nommé La Luzerne, qui coucha en joue l'animal, tira et l'atteignit à la croupe, car on vit le sang rougir le pelage blanc du cheval. Seulement, au lieu de tomber, le maudit genet s'emporta plus furieusement encore.

Tout Picardie, qui voyait ce malheureux jeune homme courir à la mort, criait à tue-tête : « Jetez-vous en bas, monsieur le vicomte ! en bas, en bas, jetez-vous en bas ! »

M. de Bragelonne était un officier fort aimé dans toute l'armée.

Déjà le vicomte était arrivé à portée de pistolet du rempart ; une décharge partit et l'enveloppa de feu et de fumée. Nous le perdîmes de vue ; la fumée dissipée, on le revit à pied, debout ; son cheval venait d'être tué.

Le vicomte fut sommé de se rendre par les Arabes ; mais il leur fit un signe négatif avec sa tête, et continua de marcher aux palissades.

C'était une imprudence mortelle. Cependant toute l'armée lui sut gré de ne point reculer, puisque le malheur l'avait conduit si près. Il marcha quelques pas encore, et les deux régiments lui battirent des mains.

Ce fut encore à ce moment que la seconde décharge ébranla de nouveau les murailles, et le vicomte de Bragelonne disparut une seconde fois dans le tourbillon ; mais, cette fois, la fumée eut beau se dissiper, nous ne le vîmes plus debout. Il était couché, la tête plus bas que les jambes, sur les bruyères, et les Arabes commencèrent à vouloir sortir de leurs retranchements pour venir lui couper la tête ou prendre son corps, comme c'est la coutume chez les infidèles.

Mais Son Altesse M. le duc de Beaufort avait suivi tout cela du regard, et ce triste spectacle lui avait arraché de grands et douloureux soupirs. Il se mit donc à crier, voyant les Arabes courir comme des fantômes blancs parmi les lentisques :

— Grenadiers, piquiers, est-ce que vous leur laisserez prendre ce noble corps ?

En disant ces mots et en agitant son épée, il courut lui-même vers l'ennemi. Les régiments, s'élançant sur ses traces, coururent à leur tour en poussant des cris aussi terribles que ceux des Arabes étaient sauvages.

Le combat commença sur le corps de M. de Bragelonne, et fut si acharné, que cent soixante Arabes y demeurèrent morts, à côté de cinquante au moins des nôtres.

Ce fut un lieutenant de Normandie qui chargea le corps du vicomte sur ses épaules, et le rapporta dans nos lignes.

Cependant l'avantage se poursuivait ; les régiments prirent avec eux la réserve, et les palissades des ennemis furent renversées.

A trois heures, le feu des Arabes cessa ; le combat à l'arme blanche dura deux heures ; ce fut un massacre.

A cinq heures, nous étions victorieux sur tous les points ; l'ennemi avait abandonné ses positions, et M. le duc avait fait planter le drapeau blanc sur le point culminant du monticule.

Ce fut alors que l'on put songer à M. de Bragelonne, qui avait huit grands coups au travers du corps, et dont presque tout le sang était perdu.

Toutefois, il respirait encore, ce qui donna une joie inexprimable à Monseigneur, lequel voulut assister, lui aussi, au premier pansement du vicomte et à la consultation des chirurgiens.

Il y en eut deux d'entre eux qui déclarèrent que M. de Bragelonne vivrait. Monseigneur leur sauta au cou, et leur promit mille louis à chacun s'ils le sauvaient.

Le vicomte entendit ces transports de joie, et, soit qu'il fût désespéré, soit qu'il souffrît de ses blessures, il exprima par sa physionomie une contrariété qui donna beaucoup à penser, surtout à l'un de ses secrétaires, quand il eut entendu ce qui va suivre.

Le troisième chirurgien qui vint était le frère Sylvain de Saint-Cosme, le plus savant des nôtres. Il sonda les plaies à son tour et ne dit rien.

M. de Bragelonne ouvrait des yeux fixes et semblait interroger chaque mouvement, chaque pensée du savant chirurgien.

Celui-ci, questionné par Monseigneur, répondit qu'il voyait bien trois plaies mortelles sur huit, mais que si forte était la constitution du blessé, si féconde la jeunesse, si miséricordieuse la bonté de Dieu, que peut-être M. de Bragelonne en reviendrait-il, si toutefois il ne faisait pas le moindre mouvement.

Frère Sylvain ajouta, en se retournant vers ses aides :

— Surtout, ne le remuez pas même du doigt, ou vous le tuerez.

Et nous sortîmes tous de la tente avec un peu d'espoir.

Ce secrétaire, en sortant, crut voir un sourire pâle et triste glisser sur les lèvres du vicomte, lorsque M. le duc lui dit d'une voix caressante :

— Oh ! vicomte, nous te sauverons !

Mais le soir, quand on crut que le malade devait avoir reposé, l'un des aides entra dans la tente du blessé, et en ressortit en poussant de grands cris.

Nous accourûmes tous en désordre, M. le duc avec nous, et l'aide nous montra le corps de M. de Bragelonne par terre, en bas du lit, baigné dans le reste de son sang.

Il y a apparence qu'il avait eu quelque nouvelle convulsion, quelque mouvement fébrile, et qu'il était tombé ; que la chute qu'il avait faite avait accéléré sa fin, selon le pronostic de frère Sylvain.

On releva le vicomte ; il était froid et mort. Il tenait une boucle de cheveux blonds à la main droite, et cette main était crispée sur son cœur.

Suivaient les détails de l'expédition et de la victoire remportée sur les Arabes[1].

D'Artagnan s'arrêta au récit de la mort du pauvre Raoul.

— Oh ! murmura-t-il, malheureux enfant, un suicide !

Et, tournant les yeux vers la chambre du château où dormait Athos d'un sommeil éternel :

— Ils se sont tenu parole l'un à l'autre, dit-il tout bas. Maintenant, je les trouve heureux : ils doivent être réunis.

Et il reprit à pas lents le chemin du parterre.

Toute la rue, tous les environs s'emplissaient déjà de voisins éplorés qui se racontaient les uns aux autres la double catastrophe et se préparaient aux funérailles.

CCLXVI

LE DERNIER CHANT DU POÈME

Dès le lendemain, on vit arriver toute la noblesse des environs, celle de la province, partout où les messagers avaient eu le temps de porter la nouvelle.

D'Artagnan était resté enfermé sans vouloir parler à personne. Deux morts aussi lourdes tombant sur le capitaine, après la mort de Porthos, avaient accablé pour longtemps cet esprit jusqu'alors infatigable.

---

1. Prise de la ville le 23 juillet 1664. Voir la marquise de la Moussaye, *L'Avant-Garde de la conquête. Les Tentatives africaines du duc de Beaufort*, extrait de la *Revue maritime*, juillet 1939.

Excepté Grimaud, qui entra dans sa chambre une fois, le mousquetaire n'aperçut ni valets ni commensaux.

Il crut deviner au bruit de la maison, à ce train des allées et des venues, qu'on disposait tout pour les funérailles du comte. Il écrivit au roi pour lui demander un surcroît de congé.

Grimaud, nous l'avons dit, était entré chez d'Artagnan, s'était assis sur un escabeau, près de la porte, comme un homme qui médite profondément, puis, se levant, avait fait signe à d'Artagnan de le suivre.

Celui-ci obéit en silence. Grimaud descendit jusqu'à la chambre à coucher du comte, montra du doigt au capitaine la place du lit vide, et leva éloquemment les yeux au ciel.

— Oui, reprit d'Artagnan, oui, bon Grimaud, auprès du fils qu'il aimait tant.

Grimaud sortit de la chambre et arriva au salon, où, selon l'usage de la province, on avait dû disposer le corps en parade avant de l'ensevelir à jamais.

D'Artagnan fut frappé de voir deux cercueils ouverts dans ce salon ; il approcha, sur l'invitation muette de Grimaud, et vit dans l'un d'eux Athos, beau jusque dans la mort, et, dans l'autre Raoul, les yeux fermés, les joues nacrées comme le Pallas de Virgile[1], et le sourire sur ses lèvres violettes.

Il frissonna de voir le père et le fils, ces deux âmes envolées, représentés sur terre par deux mornes cadavres, incapables de se rapprocher, si près qu'ils fussent l'un de l'autre.

— Raoul ici ! murmura-t-il. Oh ! Grimaud, tu ne me l'avais pas dit !

Grimaud secoua la tête et ne répondit pas ; mais, prenant d'Artagnan par la main, il le conduisit au cercueil et lui montra, sous le fin suaire, les noires blessures par lesquelles avait dû s'envoler la vie.

Le capitaine détourna la vue, et, jugeant inutile de questionner Grimaud qui ne répondrait pas, il se rappela que le secrétaire de M. de Beaufort en avait écrit plus que lui, d'Artagnan, n'avait eu le courage d'en lire.

Reprenant cette relation de l'affaire qui avait coûté la vie à Raoul, il trouva ces mots qui formaient le dernier paragraphe de la lettre :

M. le duc a ordonné que le corps de M. le vicomte fût embaumé, comme cela se pratique chez les Arabes lorsqu'ils veulent que leurs corps soient portés dans la terre natale, et M. le duc a destiné des relais pour qu'un valet de confiance, qui avait élevé le jeune homme, pût ramener son cercueil à M. le comte de La Fère.

« Ainsi, pensa d'Artagnan, je suivrai tes funérailles, mon cher enfant, moi, déjà vieux, moi, qui ne vaux plus rien sur la terre, et je répandrai la poussière sur ce front que je baisais encore il y a deux mois. Dieu

---

1. *L'Énéide*, livre XI, vers 39 : « *Caput nivei fultum Pallantis.* »

l'a voulu. Tu l'as voulu toi-même. Je n'ai plus même le droit de pleurer ; tu as choisi ta mort ; elle t'a semblé préférable à la vie. »

Enfin, arriva le moment où les froides dépouilles de ces deux gentilshommes devaient être rendues à la terre.

Il y eut une telle affluence de gens de guerre et de peuple, que, jusqu'au lieu de la sépulture, qui était une chapelle dans la plaine, le chemin de la ville fut rempli de cavaliers et de piétons en habits de deuil.

Athos avait choisi pour sa dernière demeure le petit enclos de cette chapelle, érigée par lui aux limites de ses terres. Il en avait fait venir les pierres, sculptées en 1550, d'un vieux manoir gothique situé dans le Berry, et qui avait abrité sa première jeunesse[1].

La chapelle, ainsi réédifiée, ainsi transportée, riait sous un massif de peupliers et de sycomores. Elle était desservie chaque dimanche par le curé du bourg voisin, à qui Athos faisait une rente de deux cents livres à cet effet, et tous les vassaux de son domaine, au nombre d'environ quarante, les laboureurs et les fermiers avec leurs familles y venaient entendre la messe, sans avoir besoin de se rendre à la ville.

Derrière la chapelle s'étendait, enfermé dans deux grosses haies de coudriers, de sureaux et d'aubépines, ceintes d'un fossé profond, le petit clos inculte, mais joyeux dans sa stérilité, parce que les mousses y étaient hautes, parce que les héliotropes sauvages et les ravenelles y croisaient leurs parfums ; parce que sous les marronniers venait sourdre une grosse source, prisonnière dans une citerne de marbre, et que, sur des thyms, tout autour s'abattaient des milliers d'abeilles, venues de toutes les plaines voisines, tandis que les pinsons et les rouges-gorges chantaient follement sur les fleurs de la haie.

Ce fut là qu'on amena les deux cercueils, au milieu d'une foule silencieuse et recueillie.

L'office des morts célébré, les derniers adieux faits à ces nobles morts, toute l'assistance se dispersa, parlant par les chemins des vertus et de la douce mort du père, des espérances que donnait le fils et de sa triste fin sur le rivage d'Afrique.

Et peu à peu les bruits s'éteignirent comme les lampes allumées dans l'humble nef. Le desservant salua une dernière fois l'autel et les tombes fraîches encore ; puis, suivi de son assistant, qui sonnait une rauque clochette, il regagna lentement son presbytère.

D'Artagnan, demeuré seul, s'aperçut que la nuit venait.

Il avait oublié l'heure en songeant aux morts.

Il se leva du banc de chêne sur lequel il s'était assis dans la chapelle, et voulut, comme le prêtre, aller dire un dernier adieu à la double fosse qui renfermait ses amis perdus.

Une femme priait agenouillée sur cette terre humide.

---

1. Le drame donne le nom de ce village du Berry : Vitray.

D'Artagnan s'arrêta au seuil de la chapelle pour ne pas troubler cette femme, et aussi pour tâcher de voir quelle était l'amie pieuse qui venait remplir ce devoir sacré avec tant de zèle et de persévérance.

L'inconnue cachait son visage sous ses mains, blanches comme des mains d'albâtre. A la noble simplicité de son costume on devinait la femme de distinction. Au-dehors, plusieurs chevaux montés par des valets et un carrosse de voyage attendaient cette dame. D'Artagnan cherchait vainement à deviner ce qui la retardait.

Elle priait toujours ; elle passait souvent son mouchoir sur son visage. D'Artagnan comprit qu'elle pleurait.

Il la vit frapper sa poitrine avec la componction impitoyable de la femme chrétienne. Il l'entendit proférer à plusieurs reprises ce cri parti d'un cœur ulcéré : « Pardon ! pardon ! »

Et comme elle semblait s'abandonner tout entière à sa douleur, comme elle se renversait, à demi évanouie, au milieu de ses plaintes et de ses prières, d'Artagnan, touché par cet amour pour ses amis tant regrettés, fit quelques pas vers la tombe, afin d'interrompre le sinistre colloque de la pénitente avec les morts.

Mais aussitôt que son pied eut crié sur le sable, l'inconnue releva la tête et laissa voir à d'Artagnan un visage inondé de larmes, un visage ami.

C'était Mlle de La Vallière !

— M. d'Artagnan ! murmura-t-elle.

— Vous ! répondit le capitaine d'une voix sombre, vous ici ! Oh ! madame, j'eusse aimé mieux vous voir parée de fleurs dans le manoir du comte de La Fère. Vous eussiez moins pleuré, eux aussi, moi aussi !

— Monsieur ! dit-elle en sanglotant.

— Car c'est vous, ajouta l'impitoyable ami des morts, c'est vous qui avez couché ces deux hommes dans la tombe.

— Oh ! épargnez-moi !

— A Dieu ne plaise, mademoiselle, que j'offense une femme ou que je la fasse pleurer en vain ; mais je dois dire que la place du meurtrier n'est pas sur la tombe des victimes.

Elle voulut répondre.

— Ce que je vous dis là, ajouta-t-il froidement, je le disais au roi.

Elle joignit les mains.

— Je sais, dit-elle, que j'ai causé la mort du vicomte de Bragelonne.

— Ah ! vous le savez ?

— La nouvelle en est arrivée à la cour hier. J'ai fait, depuis cette nuit à deux heures, quarante lieues pour venir demander pardon au comte, que je croyais encore vivant, et pour supplier Dieu, sur la tombe de Raoul, qu'il m'envoie tous les malheurs que je mérite, excepté un seul. Maintenant, monsieur, je sais que la mort du fils a tué le père ; j'ai deux crimes à me reprocher ; j'ai deux punitions à attendre de Dieu.

— Je vous répéterai, mademoiselle, dit M. d'Artagnan, ce que m'a dit de vous, à Antibes, M. de Bragelonne, quand déjà il méditait sa mort :

« Si l'orgueil et la coquetterie l'ont entraînée, je lui pardonne en la méprisant. Si l'amour l'a fait succomber, je lui pardonne en lui jurant que jamais nul ne l'eût aimée autant que moi. »

— Vous savez, interrompit Louise, que, pour mon amour, j'allais me sacrifier moi-même ; vous savez si j'ai souffert quand vous me rencontrâtes perdue, mourante, abandonnée. Eh bien ! jamais je n'ai autant souffert qu'aujourd'hui, parce que alors j'espérais, je désirais, et qu'aujourd'hui je n'ai plus rien à souhaiter ; parce que ce mort entraîne toute ma joie dans sa tombe ; parce que je n'ose plus aimer sans remords, et que, je le sens, celui que j'aime, oh ! c'est la loi, me rendra les tortures que j'ai fait subir à d'autres.

D'Artagnan ne répondit rien ; il sentait trop bien qu'elle ne se trompait point.

— Eh bien ! ajouta-t-elle, cher monsieur d'Artagnan, ne m'accablez pas aujourd'hui, je vous en conjure encore. Je suis comme la branche détachée du tronc, je ne tiens plus à rien en ce monde, et un courant m'entraîne je ne sais où. J'aime follement, j'aime au point de venir le dire, impie que je suis, sur les cendres de ce mort, et je n'en rougis pas, et je n'en ai pas de remords. C'est une religion que cet amour. Seulement, comme plus tard vous me verrez seule, oubliée, dédaignée ; comme vous me verrez punie de ce que vous êtes destiné à punir, épargnez-moi dans mon éphémère bonheur ; laissez-le-moi pendant quelques jours, pendant quelques minutes. Il n'existe peut-être plus à l'heure où je vous parle. Mon Dieu ! ce double meurtre est peut-être déjà expié.

Elle parlait encore ; un bruit de voix et de pas de chevaux fit dresser l'oreille au capitaine.

Un officier du roi, M. de Saint-Aignan, venait chercher La Vallière de la part du roi, que rongeaient, dit-il, la jalousie et l'inquiétude.

De Saint-Aignan ne vit pas d'Artagnan, caché à moitié par l'épaisseur d'un marronnier qui versait l'ombre sur les deux tombeaux.

Louise le remercia et le congédia d'un geste. Il retourna hors de l'enclos.

— Vous voyez, dit amèrement le capitaine à la jeune femme, vous voyez, madame, que votre bonheur dure encore.

La jeune femme se releva d'un air solennel :

— Un jour, dit-elle, vous vous repentirez de m'avoir si mal jugée. Ce jour-là, monsieur, c'est moi qui prierai Dieu d'oublier que vous avez été injuste pour moi. D'ailleurs, je souffrirai tant, que vous serez le premier à plaindre mes souffrances. Ce bonheur, monsieur d'Artagnan, ne me le reprochez pas : il me coûte cher, et je n'ai pas payé toute ma dette.

En disant ces mots, elle s'agenouilla encore doucement et affectueusement.

— Pardon, une dernière fois, mon fiancé Raoul, dit-elle. J'ai rompu notre chaîne ; nous sommes tous deux destinés à mourir de douleur. C'est toi qui pars le premier : ne crains rien, je te suivrai. Vois seulement que je n'ai pas été lâche, et que je suis venue te dire ce suprême adieu. Le Seigneur m'est témoin, Raoul, que, s'il eût fallu ma vie pour racheter la tienne, j'eusse donné sans hésiter ma vie. Je ne pouvais donner mon amour. Encore une fois, pardon !

Elle cueillit un rameau et l'enfonça dans la terre, puis essuya ses yeux trempés de larmes, salua d'Artagnan et disparut.

Le capitaine regarda partir chevaux, cavaliers et carrosse, puis, croisant les bras sur sa poitrine gonflée :

— Quand sera-ce mon tour de partir ? dit-il d'une voix émue. Que reste-t-il à l'homme après la jeunesse, après l'amour, après la gloire, après l'amitié, après la force, après la richesse ?... Ce rocher sous lequel dort Porthos, qui posséda tout ce que je viens de dire ; cette mousse sous laquelle reposent Athos et Raoul, qui possédèrent bien plus encore !

Il hésita un moment, l'œil atone ; puis, se redressant :

— Marchons toujours, dit-il. Quand il en sera temps, Dieu me le dira comme il l'a dit aux autres.

Il toucha du bout des doigts la terre mouillée par la rosée du soir, se signa comme s'il eût été au bénitier d'une église et reprit seul, seul à jamais, le chemin de Paris.

ÉPILOGUE

Quatre ans après[1] la scène que nous venons de décrire, deux cavaliers bien montés traversèrent Blois au petit jour et vinrent tout ordonner pour une chasse à l'oiseau que le roi voulait faire dans cette plaine accidentée que coupe en deux la Loire, et qui confine d'un côté à Meung, de l'autre à Amboise.

C'était le capitaine des levrettes du roi et le gouverneur des faucons, personnages fort respectés du temps de Louis XIII, mais un peu négligés par son successeur.

Ces deux cavaliers, après avoir reconnu le terrain, s'en revenaient, leurs observations faites, quand ils aperçurent des petits groupes de soldats épars que des sergents plaçaient de loin en loin, aux débouchés des enceintes. Ces soldats étaient les mousquetaires du roi.

Derrière eux venait, sur un bon cheval, le capitaine, reconnaissable

---

1. Le dernier chapitre se terminait quelque deux mois après l'arrestation de Fouquet (5 septembre 1661), soit à la fin de l'année 1661. Nous serions donc à l'automne 1665, mais Dumas concentre dans l'Épilogue du roman des événements historiques, de date différente, mais marquant la prise du pouvoir de Louis XIV et de son ministre Colbert.

à ses broderies d'or. Il avait des cheveux gris, une barbe grisonnante. Il semblait un peu voûté, bien que maniant son cheval avec aisance, et regardait tout autour de lui pour surveiller.

— M. d'Artagnan ne vieillit pas, dit le capitaine des levrettes à son collègue le fauconnier ; avec dix ans de plus que nous, il paraît un cadet, à cheval.

— C'est vrai, répondit le capitaine des faucons, voilà vingt ans que je le vois toujours le même.

Cet officier se trompait : d'Artagnan, depuis quatre ans, avait pris douze années.

L'âge imprimait ses griffes impitoyables à chaque angle de ses yeux ; son front s'était dégarni, ses mains, jadis brunes et nerveuses, blanchissaient comme si le sang commençait à s'y refroidir.

D'Artagnan aborda les deux officiers avec la nuance d'affabilité qui distingue les hommes supérieurs. Il reçut en échange de sa courtoisie deux saluts pleins de respect.

— Ah ! quelle heureuse chance de vous voir ici, monsieur d'Artagnan ! s'écria le fauconnier.

— C'est plutôt à moi de vous dire cela, messieurs, répliqua le capitaine, car, de nos jours, le roi se sert plus souvent de ses mousquetaires que de ses oiseaux.

— Ce n'est pas comme au bon temps, soupira le fauconnier. Vous rappelez-vous, monsieur d'Artagnan, quand le feu roi volait la pie dans les vignes au-delà de Beaugency ? Ah ! dame ! vous n'étiez pas capitaine des mousquetaires dans ce temps-là, monsieur d'Artagnan.

— Et vous n'étiez qu'anspessades des tiercelets, reprit d'Artagnan avec enjouement. Il n'importe, mais c'était le bon temps, attendu que c'est toujours le bon temps quand on est jeune... Bonjour, monsieur le capitaine des levrettes !

— Vous me faites honneur, monsieur le comte, dit celui-ci.

D'Artagnan ne répondit rien. Ce titre de comte ne l'avait pas frappé : d'Artagnan était devenu comte depuis quatre ans.

— Est-ce que vous n'êtes pas bien fatigué de la longue route que vous venez de faire, monsieur le capitaine ? continua le fauconnier. C'est deux cents lieues, je crois, qu'il y a d'ici à Pignerol ?

— Deux cent soixante pour aller et autant pour revenir, dit tranquillement d'Artagnan.

— Et, fit l'oiseleur tout bas, *il* va bien ?

— Qui ? demanda d'Artagnan.

— Mais ce pauvre M. Fouquet, continua tout bas le fauconnier.

Le capitaine des levrettes s'était écarté par prudence.

— Non, répondit d'Artagnan, le pauvre homme s'afflige sérieusement ; il ne comprend pas que la prison soit une faveur, il dit que le Parlement l'avait absous en le bannissant, et que le bannissement c'est la liberté. Il ne se figure pas qu'on avait juré sa mort, et que, sauver sa vie des griffes du Parlement, c'est avoir trop d'obligation à Dieu.

— Ah ! oui, le pauvre homme a frisé l'échafaud, répondit le fauconnier ; on dit que M. Colbert avait déjà donné des ordres au gouverneur de la Bastille, et que l'exécution était commandée.

— Enfin ! fit d'Artagnan d'un air pensif et comme pour couper court à la conversation.

— Enfin ! répéta le capitaine des levrettes, en se rapprochant, voilà M. Fouquet à Pignerol[1], il l'a bien mérité ; il a eu le bonheur d'y être conduit par vous ; il avait assez volé le roi.

D'Artagnan lança au maître des chiens un de ses mauvais regards, et lui dit :

— Monsieur, si l'on venait me dire que vous avez mangé les croûtes de vos levrettes, non seulement je ne le croirais pas, mais encore, si vous étiez condamné pour cela, soit au fouet, soit au cachot, je vous plaindrais, et je ne souffrirais pas qu'on parlât mal de vous. Cependant, monsieur, si fort honnête homme que vous soyez, je vous affirme que vous ne l'êtes pas plus que ne l'était le pauvre M. Fouquet.

Après avoir essuyé cette verte mercuriale, le capitaine des chiens de Sa Majesté baissa le nez et laissa le fauconnier gagner deux pas sur lui auprès de d'Artagnan.

— Il est content, dit le fauconnier bas au mousquetaire ; on voit bien que les lévriers sont à la mode aujourd'hui ; s'il était fauconnier, il ne parlerait pas de même.

D'Artagnan sourit mélancoliquement de voir cette grande question politique résolue par le mécontentement d'un intérêt si humble ; il pensa encore un moment à cette belle existence du surintendant, à l'écroulement de sa fortune, à la mort lugubre qui l'attendait, et, pour conclure :

— M. Fouquet, dit-il, aimait les volières ?

— Oh ! monsieur, passionnément, reprit le fauconnier avec un accent de regret amer et un soupir qui fut l'oraison funèbre de Fouquet.

D'Artagnan laissa passer la mauvaise humeur de l'un et la tristesse de l'autre, et continua de s'avancer dans la plaine.

On voyait déjà au loin les chasseurs poindre aux issues du bois, les panaches des écuyères passer comme des étoiles filantes dans les clairières, et les chevaux blancs couper de leurs lumineuses apparitions les sombres fourrés des taillis.

— Mais, reprit d'Artagnan, nous ferez-vous une longue chasse ? Je

---

1. Le procès, ouvert le 14 novembre 1664, avait pris fin le 20 décembre : Fouquet avait été condamné au bannissement, mais le roi et Colbert avaient commué la peine en emprisonnement perpétuel. Le 22, d'Artagnan et Fouquet, dans un carrosse fermé, partent pour la forteresse de Pignerol, au sud-ouest de Turin où les attend le gouverneur, Saint-Mars (voir lettre de Mme de Sévigné à Pomponne). Ils arrivent à destination le 16 janvier 1665.

vous prierai de nous donner l'oiseau bien vite, je suis très fatigué. Est-ce un héron, est-ce un cygne ?

— L'un et l'autre, monsieur d'Artagnan, dit le fauconnier ; mais ne vous inquiétez pas, le roi n'est pas connaisseur ; il ne chasse pas pour lui ; il veut seulement donner le divertissement aux dames.

Ce mot *aux dames* fut accentué de telle sorte qu'il fit dresser l'oreille à d'Artagnan.

— Ah ! fit-il en regardant le fauconnier d'un air surpris.

Le capitaine des levrettes souriait, sans doute pour se raccommoder avec le mousquetaire.

— Oh ! riez, dit d'Artagnan ; je ne sais plus rien des nouvelles, moi ; j'arrive hier après un mois d'absence. J'ai laissé la cour triste encore de la mort de la reine mère[1]. Le roi ne voulait plus s'amuser depuis qu'il avait recueilli le dernier soupir d'Anne d'Autriche ; mais tout finit en ce monde. Eh ! bien il n'est plus triste, tant mieux !

— Et tout commence aussi, dit le capitaine des levrettes avec un gros rire.

— Ah ! fit pour la seconde fois d'Artagnan qui brûlait de connaître, mais à qui la dignité défendait d'interroger au-dessous de lui ; il y a quelque chose qui commence, à ce qu'il paraît ?

Le capitaine fit un clignement d'œil significatif. Mais d'Artagnan ne voulait rien savoir de cet homme.

— Verra-t-on le roi de bonne heure ? demanda-t-il au fauconnier.

— Mais, à sept heures, monsieur, je fais lancer les oiseaux.

— Qui vient avec le roi ? Comment va Madame ? Comment va la reine ?

— Mieux, monsieur.

— Elle a donc été malade ?

— Monsieur, depuis le dernier chagrin qu'elle a eu, Sa Majesté est demeurée souffrante.

— Quel chagrin ? Ne craignez pas de m'instruire, mon cher monsieur. J'arrive.

— Il paraît que la reine, un peu négligée depuis que sa belle-mère est morte, s'est plainte au roi, qui lui aurait répondu : « Est-ce que je ne couche pas chez vous toutes les nuits, madame ? Que vous faut-il de plus ? »

— Ah ! dit d'Artagnan, pauvre femme ! Elle doit bien haïr Mlle de La Vallière.

— Oh ! non, pas Mlle de La Vallière, répondit le fauconnier.

— Qui donc, alors ?

Le cor interrompit cet entretien. Il appelait les chiens et les oiseaux.

---

1. Anne d'Autriche mourut, après une longue agonie, le 20 janvier 1666 à cinq heures du matin.

Le fauconnier et son compagnon piquèrent aussitôt et laissèrent d'Artagnan seul au milieu du sens suspendu.

Le roi apparaissait au loin entouré de dames et de cavaliers.

Toute cette troupe s'avançait au pas, en bel ordre, les cors et les trompes animant les chiens et les chevaux.

C'était un mouvement, un bruit, un mirage de lumière dont maintenant rien ne donnera plus une idée, si ce n'est la menteuse opulence et la fausse majesté des jeux de théâtre.

D'Artagnan, d'un œil un peu affaibli, distingua derrière le groupe trois carrosses ; le premier était celui destiné à la reine. Il était vide.

D'Artagnan, qui ne vit pas Mlle de La Vallière à côté du roi, la chercha et la vit dans le second carrosse.

Elle était seule avec deux femmes qui semblaient s'ennuyer comme leur maîtresse.

A la gauche du roi, sur un cheval fougueux, maintenu par la main habile, brillait une femme de la plus éclatante beauté.

Le roi lui souriait, et elle souriait au roi.

Tout le monde riait aux éclats quand elle avait parlé.

« Je connais cette femme, pensa le mousquetaire ; qui donc est-elle ? »

Et il se pencha vers son ami le fauconnier, à qui il adressa cette question.

Celui-ci allait répondre, quand le roi, apercevant d'Artagnan :

— Ah ! comte, dit-il, vous voilà donc revenu. Pourquoi ne vous ai-je pas vu ?

— Sire, répondit le capitaine, parce que Votre Majesté dormait quand je suis arrivé, et qu'elle n'était pas éveillée quand j'ai pris mon service ce matin.

— Toujours le même, dit à haute voix Louis satisfait. Reposez-vous, comte, je vous l'ordonne. Vous dînerez avec moi aujourd'hui.

Un murmure d'admiration enveloppa d'Artagnan comme une immense caresse. Chacun s'empressait autour de lui. Dîner avec le roi, c'était un honneur que Sa Majesté ne prodiguait pas comme Henri IV.

Le roi fit quelques pas en avant, et d'Artagnan se sentit arrêté par un nouveau groupe au milieu duquel brillait Colbert.

— Bonjour, monsieur d'Artagnan, lui dit le ministre avec une affable politesse ; avez-vous fait bonne route ?

— Oui, monsieur, dit d'Artagnan en saluant sur le cou de son cheval.

— J'ai entendu le roi vous inviter à sa table pour ce soir, continua le ministre, et vous y trouverez un ancien ami à vous.

— Un ancien ami à moi ? demanda d'Artagnan, plongeant avec douleur dans les flots sombres du passé, qui avaient englouti pour lui tant d'amitiés et tant de haines.

— M. le duc d'Alaméda, qui est arrivé ce matin d'Espagne, reprit Colbert.

— Le duc d'Alaméda ? fit d'Artagnan en cherchant.

— Moi ! fit un vieillard blanc comme la neige et courbé dans son carrosse, qu'il faisait ouvrir pour aller au-devant du mousquetaire.

— Aramis ! cria d'Artagnan, frappé de stupeur.

Et il laissa, inerte qu'il était, le bras amaigri du vieux seigneur se pendre en tremblant à son col.

Colbert, après avoir observé un instant en silence, poussa son cheval et laissa les deux anciens amis en tête à tête.

— Ainsi, dit le mousquetaire en prenant le bras d'Aramis, vous voilà, vous, l'exilé, le rebelle, en France ?

— Et je dîne avec vous chez le roi, fit en souriant l'évêque de Vannes. Oui, n'est-ce pas, vous vous demandez à quoi sert la fidélité en ce monde ? Tenez, laissons passer le carrosse de cette pauvre La Vallière. Voyez comme elle est inquiète ! comme son œil flétri par les larmes suit le roi qui va là-bas à cheval !

— Avec qui ?

— Avec Mlle de Tonnay-Charente, devenue Mme de Montespan[1], répondit Aramis.

— Elle est jalouse, elle est donc trompée ?

— Pas encore, d'Artagnan, mais cela ne tardera pas.

Ils causèrent ensemble tout en suivant la chasse, et le cocher d'Aramis les conduisit si habilement, qu'ils arrivèrent au moment où le faucon, pillant l'oiseau, le forçait à s'abattre et tombait sur lui.

Le roi mit pied à terre, Mme de Montespan l'imita. On était arrivé devant une chapelle isolée, cachée de gros arbres dépouillés déjà par les premiers vents de l'automne. Derrière cette chapelle était un enclos fermé par une porte de treillage.

Le faucon avait forcé la proie à tomber dans l'enclos attenant à cette petite chapelle, et le roi voulut y pénétrer pour prendre la première plume, selon l'usage.

Chacun fit cercle autour du bâtiment et des haies, trop petits pour recevoir tout le monde.

D'Artagnan retint Aramis, qui voulait descendre du carrosse comme les autres, et, d'une voix brève :

— Savez-vous, Aramis, dit-il, où le hasard nous a conduits ?

— Non, répondit le duc.

— C'est ici que reposent des gens que j'ai connus, dit d'Artagnan, ému par un triste souvenir.

---

1. Françoise-Athénaïs de Rochechouart avait épousé Henri-Louis de Pardaillan de Gondrin, marquis de Montespan, en 1663 ; dame du palais de la reine, elle ne devint la maîtresse du roi qu'en 1668.

Aramis, sans rien deviner et d'un pas tremblant, pénétra dans la chapelle par une petite porte que lui ouvrit d'Artagnan.

— Où sont-ils ensevelis ? dit-il.

— Là, dans l'enclos. Il y a une croix, vous voyez, sous ce petit cyprès. Le petit cyprès est planté sur leur tombe ; n'y allez pas ; le roi s'y rend en ce moment, le héron y est tombé.

Aramis s'arrêta et se cacha dans l'ombre. Ils virent alors, sans être vus, la pâle figure de La Vallière, qui, oubliée dans son carrosse, avait d'abord regardé mélancoliquement à sa portière ; puis, emportée par la jalousie, s'était avancée dans la chapelle, où, appuyée sur un pilier, elle contemplait dans l'enclos le roi souriant, qui faisait signe à Mme de Montespan d'approcher et de ne pas avoir peur.

Mme de Montespan s'approcha ; elle prit la main que lui offrait le roi, et celui-ci, arrachant la première plume du héron que le faucon venait d'étrangler, l'attacha au chapeau de sa belle compagne.

Elle, alors, souriant à son tour, baisa tendrement la main qui lui faisait ce présent.

Le roi rougit de plaisir ; il regarda Mme de Montespan avec le feu du désir et de l'amour.

— Que me donnerez-vous en échange ? dit-il.

Elle cassa un des panaches du cyprès et l'offrit au roi, enivré d'espoir.

— Mais, dit tout bas Aramis à d'Artagnan, le présent est triste, car ce cyprès ombrage une tombe.

— Oui, et cette tombe est celle de Raoul de Bragelonne, dit d'Artagnan tout haut ; de Raoul, qui dort sous cette croix auprès d'Athos son père.

Un gémissement retentit derrière eux. Ils virent une femme tomber évanouie. Mlle de La Vallière avait tout vu, et elle venait de tout entendre.

— Pauvre femme ! murmura d'Artagnan, qui aida ses femmes à la déposer dans son carrosse, à elle désormais de souffrir.

Le soir, en effet, d'Artagnan s'asseyait à la table du roi auprès de M. Colbert et de M. le duc d'Alaméda.

Le roi fut gai. Il fit mille politesses à la reine, mille tendresses à Madame, assise à sa gauche et fort triste. On se fût cru au temps calme, alors que le roi guettait dans les yeux de sa mère l'aveu ou le désaveu de ce qu'il venait de dire.

De maîtresses, à ce dîner, il n'en fut pas question. Le roi adressa deux ou trois fois la parole à Aramis, en l'appelant M. l'ambassadeur, ce qui augmenta la surprise que ressentait déjà d'Artagnan de voir son ami le rebelle si merveilleusement bien en cour.

Le roi, en se levant de table, offrit la main à la reine, et fit un signe à Colbert, dont l'œil épiait celui du maître.

Colbert prit à part d'Artagnan et Aramis. Le roi se mit à causer avec sa sœur, tandis que Monsieur, inquiet, entretenait la reine d'un air préoccupé, sans quitter sa femme et son frère du coin des yeux.

La conversation entre Aramis, d'Artagnan et Colbert roula sur des sujets indifférents. Ils parlèrent des ministres précédents ; Colbert raconta Mazarin et se fit raconter Richelieu.

D'Artagnan ne pouvait revenir de voir cet homme au sourcil épais, au front bas, contenir tant de bonne science et de joyeuse humeur. Aramis s'étonnait de cette légèreté d'esprit qui permettait à un homme grave de retarder avec avantage le moment d'une conversation plus sérieuse, à laquelle personne ne faisait allusion, bien que les trois interlocuteurs en sentissent l'imminence.

On voyait, aux mines embarrassées de Monsieur, combien la conversation du roi et de Madame le gênait. Madame avait presque les yeux rouges ; allait-elle se plaindre ? allait-elle faire un petit scandale en pleine cour ?

Le roi la prit à part, et, d'un ton si doux, qu'il dut rappeler à la princesse ces jours où on l'aimait pour elle :

— Ma sœur, lui dit-il, pourquoi ces beaux yeux ont-ils pleuré ?

— Mais, sire... dit-elle.

— Monsieur est jaloux, n'est-ce pas, ma sœur ?

Elle regarda du côté de Monsieur, signe infaillible qui avertit le prince qu'on s'occupait de lui.

— Oui... fit-elle.

— Écoutez-moi, reprit le roi, si vos amis vous compromettent, ce n'est pas la faute de Monsieur.

Il dit ces mots avec une telle douceur, que Madame, encouragée, elle qui avait tant de chagrins depuis longtemps, faillit éclater en pleurs, tant son cœur se brisait.

— Voyons, voyons, chère petite sœur, dit le roi, contez-nous ces douleurs-là ; foi de frère ! j'y compatis, foi de roi ! j'y mettrai un terme.

Elle releva ses beaux yeux ; et, avec mélancolie :

— Ce ne sont pas mes amis qui me compromettent, dit-elle, ils sont absents ou cachés ; on les a fait prendre en disgrâce à Votre Majesté, eux si dévoués, si bons, si loyaux.

— Vous me dites cela pour Guiche, que j'avais exilé sur la demande de Monsieur[1] ?

— Et qui, depuis cet exil injuste, cherche à se faire tuer une fois par jour !

---

1. Guiche fut exilé une première fois en avril 1662 en Lorraine, où il alla commander les troupes du roi en qualité de lieutenant général ; une seconde fois en septembre 1663, date à laquelle il se rendit en Pologne pour combattre contre les Turcs ; une troisième fois en Hollande (1665-1668) où il écrivit ses mémoires. La chronologie voudrait qu'il s'agît ici de ce troisième exil.

— Injuste, dites-vous, ma sœur ?

— Tellement injuste, que si je n'eusse pas eu pour Votre Majesté le respect mêlé d'amitié que j'ai toujours...

— Eh bien ?

— Eh bien ! j'eusse demandé à mon frère Charles, sur qui je puis tout...

Le roi tressaillit.

— Quoi donc ?

— Je lui eusse demandé de vous faire représenter que Monsieur et son favori, M. le chevalier de Lorraine, ne doivent pas impunément se faire les bourreaux de mon honneur et de mon bonheur.

— Le chevalier de Lorraine, dit le roi, cette sombre figure ?

— Est mon mortel ennemi. Tant que cet homme vivra dans ma maison, où Monsieur le retient et lui donne tout pouvoir, je serai la dernière femme de ce royaume.

— Ainsi, dit le roi avec lenteur, vous appelez votre frère d'Angleterre un meilleur ami que moi ?

— Les actions sont là, sire.

— Et vous aimiez mieux aller demander secours à...

— A mon pays ! dit-elle avec fierté ; oui, sire.

Le roi lui répondit :

— Vous êtes petite-fille de Henri IV comme moi, mon amie. Cousin et beau-frère, est-ce que cela ne fait pas bien la monnaie du titre de frère germain ?

— Alors, dit Henriette, agissez.

— Faisons alliance.

— Commencez.

— J'ai, dites-vous, exilé injustement Guiche ?

— Oh ! oui, fit-elle en rougissant.

— Guiche reviendra.

— Bien.

— Et, maintenant, vous dites que j'ai tort de laisser dans votre maison le chevalier de Lorraine, qui donne contre vous de mauvais conseils à Monsieur ?

— Retenez bien ce que je vous dis, sire ; le chevalier de Lorraine, un jour... Tenez, si jamais je finis mal, souvenez-vous que d'avance j'accuse le chevalier de Lorraine... c'est une âme capable de tous les crimes !

— Le chevalier de Lorraine ne vous incommodera plus, c'est moi qui vous le promets.

— Alors ce sera un vrai préliminaire d'alliance, sire ; je le signe... Mais, puisque vous avez fait votre part, dites-moi quelle sera la mienne ?

— Au lieu de me brouiller avec votre frère Charles, il faudrait me faire son ami plus intime que jamais.

— C'est facile.

— Oh ! pas autant que vous croyez ; car, en amitié ordinaire, on s'embrasse, on se fête, et cela coûte seulement un baiser ou une réception, frais faciles ; mais en amitié politique...

— Ah ! c'est une amitié politique ?

— Oui, ma sœur, et alors, au lieu d'accolades et de festins, ce sont des soldats qu'il faut servir tout vivants et tout équipés à son ami ; des vaisseaux qu'il faut lui offrir tout armés avec canons et vivres. Il en résulte qu'on n'a pas toujours ses coffres disposés à faire de ces amitiés-là.

— Ah ! vous avez raison, dit Madame... les coffres du roi d'Angleterre sont un peu sonores depuis quelque temps.

— Mais vous, ma sœur, vous qui avez tant d'influence sur votre frère, vous obtiendrez peut-être ce qu'un ambassadeur n'obtiendra jamais.

— Il faut pour cela que j'allasse à Londres, mon cher frère.

— J'y avais bien pensé, repartit vivement le roi, et je m'étais dit qu'un voyage semblable vous donnerait un peu de distraction.

— Seulement, interrompit Madame, il est possible que j'échoue. Le roi d'Angleterre a des conseillers dangereux.

— Des conseillères, voulez-vous dire ?

— Précisément. Si, par hasard, Votre Majesté avait l'intention, je ne fais que supposer, de demander à Charles II son alliance pour une guerre...

— Pour une guerre ?

— Oui. Eh bien ! alors, les conseillères du roi, qui sont au nombre de sept, Mlle Stewart, Mlle Wells, Mlle Gwynn, miss Orchay, Mlle Zunga, miss Davis et la comtesse de Castelmaine[1], représenteront au roi que la guerre coûte beaucoup d'argent ; qu'il vaut mieux donner des bals et des soupers dans Hampton-Court que d'équiper des vaisseaux de ligne à Portsmouth et à Greenwich.

— Et alors, votre négociation manquera ?

— Oh ! ces dames font manquer toutes les négociations qu'elles ne font pas elles-mêmes.

— Savez-vous l'idée que j'ai eue, ma sœur ?

— Non. Dites.

— C'est qu'en cherchant bien autour de vous, vous eussiez peut-être trouvé une conseillère à emmener près du roi, et dont l'éloquence eût paralysé le mauvais vouloir des sept autres.

— C'est, en effet, une idée, sire, et je cherche.

— Vous trouverez.

— Je l'espère.

— Il faudrait une jolie personne : mieux vaut un visage agréable qu'un difforme, n'est-ce pas ?

— Assurément.

---

1. Voir Dictionnaire. Contemporains.

— Un esprit vif, enjoué, audacieux ?

— Certes.

— De la noblesse... autant qu'il en faut pour s'approcher sans gaucherie du roi. Assez peu pour n'être pas embarrassée de sa dignité de race.

— Très juste.

— Et... qui sût un peu l'anglais.

— Mon Dieu ! mais quelqu'un, s'écria vivement Madame, comme Mlle de Kéroualle, par exemple.

— Eh ! mais oui, dit Louis XIV, vous avez trouvé... c'est vous qui avez trouvé, ma sœur.

— Je l'emmènerai. Elle n'aura pas à se plaindre, je suppose.

— Mais non, je la nomme séductrice plénipotentiaire d'abord, et j'ajouterai les douaires au titre.

— Bien.

— Je vous vois déjà en route, chère petite sœur, et consolée de tous vos chagrins.

— Je partirai à deux conditions. La première, c'est que je saurai sur quoi négocier.

— Le voici. Les Hollandais, vous le savez, m'insultent chaque jour dans leurs gazettes et par leur attitude républicaine. Je n'aime pas les républiques.

— Cela se conçoit, sire.

— Je vois avec peine que ces rois de la mer, ils s'appellent ainsi, tiennent le commerce de la France dans les Indes, et que leurs vaisseaux occuperont bientôt tous les ports de l'Europe ; une pareille force m'est trop voisine, ma sœur.

— Ils sont vos alliés, cependant ?

— C'est pourquoi ils ont eu tort de faire frapper cette médaille que vous savez, qui représente la Hollande arrêtant le soleil, comme Josué[1], avec cette légende : *Le soleil s'est arrêté devant moi.* C'est peu fraternel, n'est-ce pas ?

— Je croyais que vous aviez oublié cette misère ?

— Je n'oublie jamais rien, ma sœur. Et si mes amis vrais, tels que votre frère Charles, veulent me seconder...

La princesse resta pensive.

— Écoutez : il y a l'empire des mers à partager, fit Louis XIV. Pour ce partage que subissait l'Angleterre, est-ce que je ne représenterai pas la seconde part aussi bien que les Hollandais ?

— Nous avons Mlle de Kéroualle pour traiter cette question-là, repartit Madame.

— Votre seconde condition, je vous prie, pour partir, ma sœur ?

---

1. Voir ci-dessus, chap. CLXIII.

— Le consentement de Monsieur, mon mari.

— Vous l'allez avoir.

— Alors, je suis partie, mon frère.

En écoutant ces mots, Louis XIV se retourna vers le coin de la salle où se trouvaient Colbert et Aramis avec d'Artagnan, et il fit avec son ministre un signe affirmatif.

Colbert brisa alors la conversation au point où elle se trouvait et dit à Aramis :

— Monsieur l'ambassadeur, voulez-vous que nous parlions affaires ?

D'Artagnan s'éloigna aussitôt par discrétion.

Il se dirigea vers la cheminée, à portée d'entendre ce que le roi allait dire à Monsieur, lequel, plein d'inquiétude, venait à sa rencontre.

Le visage du roi était animé. Sur son front se lisait une volonté dont l'expression redoutable ne rencontrait déjà plus de contradiction en France, et ne devait bientôt plus en rencontrer en Europe.

— Monsieur, dit le roi à son frère, je ne suis pas content de M. le chevalier de Lorraine. Vous, qui lui faites l'honneur de le protéger, conseillez-lui de voyager pendant quelques mois[1].

Ces mots tombèrent avec le fracas d'une avalanche sur Monsieur, qui adorait ce favori et concentrait en lui toutes ses tendresses.

Il s'écria :

— En quoi le chevalier a-t-il pu déplaire à Votre Majesté ?

Il lança un furieux regard à Madame.

— Je vous dirai cela quand il sera parti, répliqua le roi impassible. Et aussi quand Madame, que voici, aura passé en Angleterre.

— Madame en Angleterre ! murmura Monsieur saisi de stupeur.

— Dans huit jours, mon frère, continua le roi, tandis que, nous deux, nous irons où je vous dirai[2].

Et le roi tourna les talons après avoir souri à son frère pour adoucir l'amertume de ces deux nouvelles.

Pendant ce temps-là, Colbert causait toujours avec M. le duc d'Alaméda.

— Monsieur, dit Colbert à Aramis, voici le moment de nous entendre. Je vous ai raccommodé avec le roi, et je devais bien cela à un homme de votre mérite ; mais, comme vous m'avez quelquefois témoigné de l'amitié, l'occasion s'offre de m'en donner une preuve. Vous êtes d'ailleurs plus français qu'espagnol. Aurons-nous, répondez-moi franchement, la neutralité de l'Espagne, si nous entreprenons contre les Provinces-Unies ?

— Monsieur, répliqua Aramis, l'intérêt de l'Espagne est bien clair.

---

1. Le chevalier ne fut arrêté (il sera emprisonné au château d'If) et exilé qu'en janvier 1670.
2. Madame ne s'embarqua pour Douvres que le 25 mai 1670 pour y négocier un traité secret avec Charles II.

Brouiller avec l'Europe les Provinces-Unies contre lesquelles subsiste l'ancienne rancune de leur liberté conquise, c'est notre politique ; mais le roi de France est allié des Provinces-Unies. Vous n'ignorez pas ensuite que ce serait une guerre maritime, et que la France n'est pas, je crois, en état de la faire avec avantage.

Colbert, se retournant à ce moment, vit d'Artagnan qui cherchait un interlocuteur pendant les apartés du roi et de Monsieur.

Il l'appela.

Et tout bas à Aramis :

— Nous pouvons causer avec M. d'Artagnan, dit-il.

— Oh ! certes, répondit l'ambassadeur.

— Nous étions à dire, M. d'Alaméda et moi, fit Colbert, que la guerre avec les Provinces-Unies serait une guerre maritime.

— C'est évident, répondit le mousquetaire.

— Et qu'en pensez-vous, monsieur d'Artagnan ?

— Je pense que, pour faire cette guerre maritime, il nous faudrait une bien grosse armée de terre.

— Plaît-il ? fit Colbert qui croyait avoir mal entendu.

— Pourquoi une armée de terre ? dit Aramis.

— Parce que le roi sera battu sur mer s'il n'a pas les Anglais avec lui, et que, battu sur mer, il sera vite envahi, soit par les Hollandais dans les ports, soit par les Espagnols sur terre.

— L'Espagne neutre ? dit Aramis.

— Neutre tant que le roi sera le plus fort, repartit d'Artagnan.

Colbert admira cette sagacité, qui ne touchait jamais à une question sans l'éclairer à fond.

Aramis sourit. Il savait trop que, en fait de diplomates, d'Artagnan ne reconnaissait pas de maître.

Colbert, qui, comme tous les hommes d'orgueil, caressait sa fantaisie avec une certitude de succès, reprit la parole :

— Qui vous dit, monsieur d'Artagnan, que le roi n'a pas de marine ?

— Oh ! je ne me suis pas occupé de ces détails, répliqua le capitaine. Je suis un médiocre homme de mer. Comme tous les gens nerveux, je hais la mer, j'ai idée qu'avec des vaisseaux, la France étant un port de mer à deux cents têtes, on aurait des marins.

Colbert tira de sa poche un petit carnet oblong, divisé en deux colonnes. Sur la première, étaient des noms de vaisseaux ; sur la seconde, des chiffres résumant le nombre de canons et d'hommes qui équipaient ces vaisseaux.

— J'ai eu la même idée que vous, dit-il à d'Artagnan, et je me suis fait faire un relevé des vaisseaux, que nous avons additionnés. Trente-cinq vaisseaux.

— Trente-cinq vaisseaux ! C'est impossible ! s'écria d'Artagnan.

— Quelque chose comme deux mille pièces de canon, fit Colbert. C'est ce que le roi possède en ce moment. Avec trente-cinq vaisseaux on fait trois escadres, mais j'en veux cinq.

— Cinq ! s'écria Aramis.

— Elles seront à flot avant la fin de l'année, messieurs ; le roi aura cinquante vaisseaux de ligne. On lutte avec cela, n'est-ce pas ?

— Faire des vaisseaux, dit d'Artagnan, c'est difficile, mais possible. Quant à les armer, comment faire ? En France, il n'y a ni fonderies, ni chantiers militaires.

— Bah ! répondit Colbert d'un air épanoui, depuis un an et demi, j'ai installé tout cela, vous ne savez donc pas ? Connaissez-vous M. d'Infreville ?

— D'Infreville ? répliqua d'Artagnan ; non.

— C'est un homme que j'ai découvert. Il a une spécialité, il sait faire travailler des ouvriers. C'est lui qui, à Toulon, fait fondre des canons et tailler des bois de Bourgogne. Et puis, vous n'allez peut-être pas croire ce que je vais vous dire, monsieur l'ambassadeur : j'ai eu encore une idée.

— Oh ! monsieur, fit Aramis civilement, je vous crois toujours.

— Figurez-vous que, spéculant sur le caractère des Hollandais nos alliés, je me suis dit : Ils sont marchands, ils sont amis avec le roi, ils seront heureux de vendre à Sa Majesté ce qu'ils fabriquent pour eux-mêmes. Donc, plus on achète... Ah ! il faut que j'ajoute ceci : J'ai Forant... Connaissez-vous Forant, d'Artagnan ?

Colbert s'oubliait. Il appelait le capitaine *d'Artagnan* tout court, comme le roi. Mais le capitaine sourit.

— Non, répliqua-t-il, je ne le connais pas.

— C'est encore un homme que j'ai découvert, une spécialité pour acheter. Ce Forant m'a acheté trois cent cinquante mille livres de fer en boulets, deux cent mille livres de poudre, douze chargements de bois du Nord, des mèches, des grenades, du brai[1], du goudron, que sais-je, moi ? avec une économie de sept pour cent sur ce que me coûteraient toutes ces choses fabriquées en France.

— C'est une idée, répondit d'Artagnan, de faire fondre des boulets hollandais qui retourneront aux Hollandais.

— N'est-ce pas ? avec perte.

Et Colbert se mit à rire d'un gros rire sec. Il était ravi de sa plaisanterie.

— De plus, ajouta-t-il, ces mêmes Hollandais font au roi, en ce moment, six vaisseaux sur le modèle des meilleurs de leur marine. Destouches... Ah ! vous ne connaissez pas Destouches, peut-être ?

— Non, monsieur.

— C'est un homme qui a le coup d'œil assez singulièrement sûr pour dire, quand il sort un navire sur l'eau, quels sont les défauts et les qualités de ce navire. C'est précieux cela, savez-vous ! La nature est vraiment

---

1. *Brai* : résidu de la distillation des goudrons, utilisé pour renforcer l'étanchéité des navires.

bizarre. Eh bien ! ce Destouches m'a paru devoir être un homme utile dans un port, et il surveille la construction de six vaisseaux de soixante-dix-huit que les Provinces font construire pour Sa Majesté. Il résulte de tout cela, mon cher monsieur d'Artagnan, que le roi, s'il voulait se brouiller avec les Provinces, aurait une bien jolie flotte. Or, vous savez mieux que personne si l'armée de terre est bonne.

D'Artagnan et Aramis se regardèrent, admirant le mystérieux travail que cet homme avait opéré depuis peu d'années.

Colbert les comprit, et fut touché par cette flatterie, la meilleure de toutes.

— Si nous ne le savions pas en France, dit d'Artagnan, hors de France on le sait encore moins.

— Voilà pourquoi je disais à M. l'ambassadeur, fit Colbert, que l'Espagne promettant sa neutralité, l'Angleterre nous aidant...

— Si l'Angleterre vous aide, dit Aramis, je m'engage pour la neutralité de l'Espagne.

— Touchez là, se hâta de dire Colbert avec sa brusque bonhomie. Et, à propos d'Espagne, vous n'avez pas la Toison d'or, monsieur d'Alaméda. J'entendais le roi dire l'autre jour qu'il aimerait à vous voir porter le grand cordon de Saint-Michel.

Aramis s'inclina.

« Oh ! pensa d'Artagnan, et Porthos qui n'est plus là ! Que d'aunes de ruban pour lui dans ces largesses ! Bon Porthos ! »

— Monsieur d'Artagnan, reprit Colbert, à nous deux. Vous aurez, je le parie, du goût pour mener les mousquetaires en Hollande. Savez-vous nager ?

Et il se mit à rire comme un homme agité de belle humeur.

— Comme une anguille, répliqua d'Artagnan.

— Ah ! c'est qu'on a de rudes traversées de canaux et de marécages, là-bas, monsieur d'Artagnan, et les meilleurs nageurs s'y noient.

— C'est mon état, répondit le mousquetaire, de mourir pour Sa Majesté. Seulement, comme il est rare qu'à la guerre on trouve beaucoup d'eau sans un peu de feu, je vous déclare à l'avance que je ferai mon possible pour choisir le feu. Je me fais vieux, l'eau me glace ; le feu réchauffe, monsieur Colbert.

Et d'Artagnan fut si beau de vigueur et de fierté juvénile en prononçant ces paroles, que Colbert, à son tour, ne put s'empêcher de l'admirer.

D'Artagnan s'aperçut de l'effet qu'il avait produit. Il se rappela que le bon marchand est celui qui fait priser haut sa marchandise lorsqu'elle a de la valeur. Il prépara donc son prix d'avance.

— Ainsi, dit Colbert, nous allons en Hollande ?

— Oui, répliqua d'Artagnan ; seulement...

— Seulement ?... fit Colbert.

— Seulement, répéta d'Artagnan, il y a dans tout la question d'intérêt et la question d'amour-propre. C'est un beau traitement que celui de capitaine de mousquetaires ; mais, notez ceci : nous avons maintenant les gardes du roi et la maison militaire du roi. Un capitaine des mousquetaires doit, ou commander à tout cela, et alors il absorberait cent mille livres par an pour frais de représentation et de table...

— Supposez-vous, par hasard, que le roi marchande avec vous ? dit Colbert.

— Eh ! monsieur, vous ne m'avez pas compris, répliqua d'Artagnan, sûr d'avoir emporté la question d'intérêt ; je vous disais que moi, vieux capitaine, autrefois chef de la garde du roi, ayant le pas sur les maréchaux de France, je me vis, un jour de tranchée, deux égaux, le capitaine des gardes et le colonel commandant les Suisses. Or, à aucun prix, je ne souffrirais cela. J'ai de vieilles habitudes, j'y tiens.

Colbert sentit le coup. Il y était préparé, d'ailleurs.

— J'ai pensé à ce que vous me disiez tout à l'heure, répondit-il.

— A quoi, monsieur ?

— Nous parlions des canaux et des marais où l'on se noie.

— Eh bien ?

— Eh bien ! si l'on se noie, c'est faute d'un bateau, d'une planche, d'un bâton.

— D'un bâton si court qu'il soit, dit d'Artagnan.

— Précisément, fit Colbert. Aussi, je ne connais pas d'exemple qu'un maréchal de France se soit jamais noyé.

D'Artagnan pâlit de joie, et, d'une voix mal assurée :

— On serait bien fier de moi dans mon pays, dit-il, si j'étais maréchal de France ; mais il faut avoir commandé en chef une expédition pour obtenir le bâton.

— Monsieur, lui dit Colbert, voici dans ce carnet, que vous méditerez, un plan de campagne que vous aurez à faire observer au corps de troupes que le roi met sous vos ordres pour la campagne, au printemps prochain.

D'Artagnan prit le livre en tremblant, et ses doigts rencontrant ceux de Colbert, le ministre serra loyalement la main du mousquetaire.

— Monsieur, lui dit-il, nous avions tous deux une revanche à prendre l'un sur l'autre. J'ai commencé ; à votre tour !

— Je vous fais réparation, monsieur, répondit d'Artagnan, et vous supplie de dire au roi que la première occasion qui me sera offerte comptera pour une victoire, ou verra ma mort.

— Je fais broder dès à présent, dit Colbert, les fleurs de lis d'or de votre bâton de maréchal.

Le lendemain de ce jour, Aramis, qui partait pour Madrid afin de négocier la neutralité de l'Espagne, vint embrasser d'Artagnan à son hôtel. Les deux amis se tinrent longtemps unis sur le cœur l'un de l'autre.

— Aimons-nous pour quatre, dit d'Artagnan, nous ne sommes plus que deux.

— Et tu ne me verras peut-être plus, cher d'Artagnan, dit Aramis ; si tu savais comme je t'ai aimé ! Je suis vieux, je suis éteint, je suis mort.

— Mon ami, dit d'Artagnan, tu vivras plus que moi, la diplomatie t'ordonne de vivre ; mais, moi, l'honneur me condamne à mort.

— Bah ! les hommes comme nous, monsieur le maréchal, dit Aramis, ne meurent que rassasiés, de joie et de gloire.

— Ah ! répliqua d'Artagnan avec un triste sourire, c'est qu'à présent je ne me sens plus d'appétit, monsieur le duc.

Ils s'embrassèrent encore, et, deux heures après, ils étaient séparés.

LA MORT DE M. D'ARTAGNAN[1]

Contrairement à ce qui arrive toujours, soit en politique, soit en morale, chacun tint ses promesses et fit honneur à ses engagements.

Le roi appela M. de Guiche et chassa M. le chevalier de Lorraine ; de telle façon que Monsieur en fit une maladie.

Madame partit pour Londres, où elle s'appliqua si bien à faire goûter à Charles II, son frère, les conseils politiques de Mlle de Kéroualle, que l'alliance entre la France et l'Angleterre fut signée, et que les vaisseaux anglais, lestés par quelques millions d'or français, firent une terrible campagne contre les flottes des Provinces-Unies.

Charles II avait promis à Mlle de Kéroualle un peu de reconnaissance pour ses bons conseils : il la fit duchesse de Portsmouth.

Colbert avait promis au roi des vaisseaux, des munitions et des victoires. Il tint parole, comme on sait.

Enfin Aramis, celui de tous sur les promesses duquel on pouvait le moins compter, écrivit à Colbert la lettre suivante, au sujet des négociations dont il s'était chargé à Madrid :

Monsieur Colbert,

J'ai l'honneur de vous expédier le R.P. d'Oliva, général par intérim de la Société de Jésus, mon successeur provisoire.

Le révérend père vous expliquera, monsieur Colbert, que je garde la direction de toutes les affaires de l'ordre qui concernent la France et l'Espagne ; mais que je ne veux pas conserver le titre de général, qui jetterait trop de lumière sur la marche des négociations dont Sa Majesté Catholique veut bien me charger. Je reprendrai ce titre par l'ordre de Sa Majesté quand les travaux que j'ai entrepris,

---

1. Sur la volonté du directeur du *Siècle* d'inclure la mort de d'Artagnan dans le roman, voir en fin de volume, Correspondance, lettres 28 et 29.

de concert avec vous, pour la plus grande gloire de Dieu et de son Église, seront menés à bonne fin.

Le R.P. d'Oliva vous instruira aussi, monsieur, du consentement que donne S.M.C. à la signature d'un traité qui assure la neutralité de l'Espagne, dans le cas d'une guerre entre la France et les Provinces-Unies.

Ce consentement serait valable, même si l'Angleterre, au lieu de se porter active, se contentait de demeurer neutre.

Quant au Portugal, dont nous avions parlé vous et moi, monsieur, je puis vous assurer qu'il contribuera de toutes ses ressources à aider le roi Très Chrétien dans sa guerre.

Je vous prie, monsieur Colbert, de me vouloir garder votre amitié, comme aussi de croire à mon profond attachement, et de mettre mon respect aux pieds de Sa Majesté Très Chrétienne.

Signé : DUC D'ALAMÉDA

Aramis avait donc tenu plus qu'il n'avait promis ; il restait à savoir comment le roi, M. Colbert et M. d'Artagnan seraient fidèles les uns aux autres.

Au printemps[1], comme l'avait prédit Colbert, l'armée de terre entra en campagne.

Elle précédait, dans un ordre magnifique, la cour de Louis XIV, qui, parti à cheval, entouré de carrosses pleins de dames et de courtisans, menait à cette fête sanglante l'élite de son royaume.

Les officiers de l'armée n'eurent, il est vrai, d'autre musique que l'artillerie des forts hollandais ; mais ce fut assez pour un grand nombre, qui trouvèrent dans cette guerre les honneurs, l'avancement, la fortune ou la mort.

M. d'Artagnan partit, commandant un corps de douze mille hommes, cavalerie et infanterie, avec lequel il eut ordre de prendre les différentes places qui sont les nœuds de ce réseau stratégique qu'on appelle la Frise.

Jamais armée ne fut conduite plus galamment à une expédition. Les officiers savaient que le maître, aussi prudent, aussi rusé qu'il était brave, ne sacrifierait ni un homme ni un pouce de terrain sans nécessité.

Il avait les vieilles habitudes de la guerre : vivre sur le pays, tenir le soldat chantant, l'ennemi pleurant.

Le capitaine des mousquetaires du roi mettait sa coquetterie à montrer qu'il savait l'état. On ne vit jamais occasions mieux choisies, coups de main mieux appuyés, fautes de l'assiégé mieux mises à profit. L'armée de d'Artagnan prit douze petites places en un mois.

Il en était à la treizième, et celle-ci tenait depuis cinq jours. D'Artagnan fit ouvrir la tranchée sans paraître supposer que ces gens-là pussent jamais se rendre.

Les pionniers et les travailleurs étaient, dans l'armée de cet homme, un corps rempli d'émulation, d'idées et de zèle, parce qu'il les traitait

---

1. Le printemps 1673.

en soldats, savait leur rendre la besogne glorieuse, et ne les laissait jamais tuer que quand il ne pouvait faire autrement.

Aussi fallait-il voir l'acharnement avec lequel se retournaient les marécageuses glèbes de la Hollande. Ces tourbières et ces glaises fondaient, aux dires des soldats, comme le beurre aux vastes poêles des ménagères frisonnes.

M. d'Artagnan expédia un courrier au roi pour lui donner avis des derniers succès ; ce qui redoubla la belle humeur de Sa Majesté et ses dispositions à bien fêter les dames.

Ces victoires de M. d'Artagnan donnaient tant de majesté au prince, que Mme de Montespan ne l'appela plus que Louis l'Invincible.

Aussi, Mlle de La Vallière, qui n'appelait le roi que Louis le Victorieux, perdit-elle beaucoup de la faveur de Sa Majesté. D'ailleurs, elle avait souvent les yeux rouges, et, pour un invincible, rien n'est aussi rebutant qu'une maîtresse qui pleure, alors que tout sourit autour de lui. L'astre de Mlle de La Vallière se noyait à l'horizon dans les nuages et les larmes.

Mais la gaieté de Mme de Montespan redoublait avec les succès du roi, et le consolait de toute autre disgrâce. C'était à d'Artagnan que le roi devait cela.

Sa Majesté voulut reconnaître ces services ; il écrivit à M. Colbert :

Monsieur Colbert, nous avons une promesse à remplir envers M. d'Artagnan, qui tient les siennes. Je vous fais savoir qu'il est l'heure de s'y exécuter. Toutes provisions à cet égard vous seront fournies en temps utile.

LOUIS

En conséquence, Colbert, qui retenait près de lui l'envoyé de d'Artagnan, remit à cet officier une lettre de lui, Colbert, pour d'Artagnan, et un petit coffre de bois d'ébène incrusté d'or, qui n'était pas fort volumineux en apparence, mais qui sans doute était bien lourd, puisqu'on donna au messager une garde de cinq hommes pour l'aider à le porter.

Ces gens arrivèrent devant la place qu'assiégeait M. d'Artagnan[1] vers le point du jour, et ils se présentèrent au logement du général.

Il leur fut répondu que M. d'Artagnan, contrarié d'une sortie que lui avait faite la veille le gouverneur, homme sournois, et dans laquelle on avait comblé les ouvrages, tué soixante-dix-sept hommes et commencé à réparer une brèche, venait de sortir avec une dizaine de compagnies de grenadiers pour faire relever les travaux.

L'envoyé de M. Colbert avait ordre d'aller chercher M. d'Artagnan partout où il serait, à quelque heure que ce fût du jour ou de la nuit. Il s'achemina donc vers les tranchées, suivi de son escorte, tous à cheval.

On aperçut en plaine découverte M. d'Artagnan avec son chapeau

---

1. Maëstricht (que Dumas ne nomme pas) fut investi le 10 juin 1673.

galonné d'or, sa longue canne et ses grands parements dorés. Il mâchonnait sa moustache blanche, et n'était occupé qu'à secouer, avec sa main gauche, la poussière que jetaient sur lui en passant les boulets qui effondraient le sol.

Aussi, dans ce terrible feu qui remplissait l'air de sifflements, voyait-on les officiers manier la pelle, les soldats rouler les brouettes, et les vastes fascines, s'élevant portées ou traînées par dix à vingt hommes, couvrir le front de la tranchée, rouverte jusqu'au cœur par cet effort furieux du général animant ses soldats.

En trois heures, tout avait été rétabli. D'Artagnan commençait à parler plus doucement. Il fut tout à fait calmé quand le capitaine des pionniers vint lui dire, le chapeau à la main, que la tranchée était logeable.

Cet homme eut à peine achevé de parler, qu'un boulet lui coupa une jambe et qu'il tomba dans les bras de d'Artagnan.

Celui-ci releva son soldat, et, tranquillement, avec toutes sortes de caresses, il le descendit dans la tranchée, aux applaudissements enthousiastes des régiments.

Dès lors, ce ne fut plus une ardeur, mais un délire ; deux compagnies se dérobèrent et coururent jusqu'aux avant-postes, qu'elles eurent culbutés en un tour de main. Quand leurs camarades, contenus à grand-peine par d'Artagnan, les virent logés sur les bastions, ils s'élancèrent aussi, et bientôt un assaut furieux fut donné à la contrescarpe, d'où dépendait le salut de la place.

D'Artagnan vit qu'il ne lui restait qu'un moyen d'arrêter son armée, c'était de la loger dans la place ; il poussa tout le monde sur deux brèches que les assiégés s'occupaient à réparer ; le choc fut terrible. Dix-huit compagnies y prirent part, et d'Artagnan se porta avec le reste à une demi-portée de canon de la place, pour soutenir l'assaut par échelons.

On entendait distinctement les cris des Hollandais poignardés sur leurs pièces par les grenadiers de d'Artagnan ; la lutte grandissait de tout le désespoir du gouverneur[1], qui disputait pied à pied sa position.

D'Artagnan, pour en finir et faire éteindre le feu qui ne cessait point, envoya une nouvelle colonne, qui troua comme une vrille les portes encore solides, et l'on aperçut bientôt sur les remparts, dans le feu, la course effarée des assiégés poursuivis par les assiégeants.

C'est à ce moment que le général, respirant et plein d'allégresse, entendit, à ses côtés, une voix qui lui disait :

— Monsieur, s'il vous plaît, de la part de M. Colbert.

Il rompit le cachet d'une lettre qui renfermait ces mots :

Monsieur d'Artagnan, le roi me charge de vous faire savoir qu'il vous a nommé maréchal de France, en récompense de vos bons services et de l'honneur que vous faites à ses armes.

---

1. M. de Fariaux, baron de Mande.

Le roi est charmé, monsieur, des prises que vous avez faites ; il vous commande, surtout, de finir le siège que vous avez commencé, avec bonheur pour vous et succès pour lui.

D'Artagnan était debout, le visage échauffé, l'œil étincelant. Il leva les yeux pour voir les progrès de ses troupes sur ces murs tout enveloppés de tourbillons rouges et noirs.

— J'ai fini, répondit-il au messager. La ville sera rendue dans un quart d'heure.

Il continua sa lecture.

Le coffret, monsieur d'Artagnan, est mon présent à moi. Vous ne serez pas fâché de voir que, tandis que vous autres, guerriers, vous tirez l'épée pour défendre le roi, j'anime les arts pacifiques à vous orner des récompenses dignes de vous.

Je me recommande à votre amitié, monsieur le maréchal, et vous supplie de croire à toute la mienne.

COLBERT

D'Artagnan, ivre de joie, fit un signe au messager qui s'approcha, son coffret dans les mains. Mais au moment où le maréchal allait s'appliquer à le regarder, une forte explosion retentit sur les remparts et appela son attention du côté de la ville.

— C'est étrange, dit d'Artagnan, que je ne voie pas encore le drapeau du roi sur les murs et qu'on n'entende pas battre la chamade.

Il lança trois cents hommes frais, sous la conduite d'un officier plein d'ardeur, et ordonna qu'on battît une autre brèche.

Puis, plus tranquille, il se retourna vers le coffret que lui tendait l'envoyé de Colbert. C'était son bien ; il l'avait gagné.

D'Artagnan allongeait le bras pour ouvrir ce coffret, quand un boulet, parti de la ville, vint broyer le coffre entre les bras de l'officier, frappa d'Artagnan en pleine poitrine, et le renversa sur un talus de terre, tandis que le bâton fleurdelisé, s'échappant des flancs mutilés de la boîte, venait en roulant se placer sous la main défaillante du maréchal.

D'Artagnan essaya de se relever. On l'avait cru renversé sans blessures. Un cri terrible partit du groupe de ses officiers épouvantés : le maréchal était couvert de sang ; la pâleur de la mort montait lentement à son noble visage.

Appuyé sur les bras qui, de toutes parts, se tendaient pour le recevoir, il put tourner une fois encore ses regards vers la place, et distinguer le drapeau blanc à la crête du bastion principal ; ses oreilles, déjà sourdes aux bruits de la vie, perçurent faiblement les roulements du tambour qui annonçaient la victoire.

Alors serrant de sa main crispée le bâton brodé de fleurs de lis d'or, il abaissa vers lui ses yeux qui n'avaient plus la force de regarder au ciel, et il tomba en murmurant ces mots étranges, qui parurent aux soldats surpris autant de mots cabalistiques, mots qui avaient jadis représenté tant de choses sur la terre, et que nul, excepté ce mourant[1], ne comprenait plus :

— Athos, Porthos, au revoir. — Aramis, à jamais, adieu !

Des quatre vaillants hommes dont nous avons raconté l'histoire, il ne restait plus qu'un seul corps : Dieu avait repris les âmes.

---

1. D'Artagnan fut tué le 25 juin 1673.

DOCUMENTS

DOCUMENTS

AVERTISSEMENT DE L'ÉDITEUR

Nous donnons ici le plan du *Vicomte de Bragelonne* en respectant scrupuleusement l'orthographe et les graphies particulières du manuscrit (« s » pour « ts », par exemple). Les italiques indiquent les ajouts, et les doubles barres obliques les ajouts dans ces ajouts. Les termes ou phrases barrés sont reportés en notes de bas de page. Les folios du manuscrit figurent entre crochets ainsi que les chapitres de la présente édition auxquels correspond le déroulement du plan.

L'orthographe et les graphies particulières ont également été respectées pour la correspondance relative à l'œuvre.

[F° 74, r°]   Plan du *Vicomte de Bragelonne*

Complet[1]

Dix feuilles doubles

1.

[F° 76, r°] Blois. La rue du château — Le château, par qui il était habité. Une chambre de ce château où deux jeunes filles caquètent, et écrivent une lettre au moment où l'une de ces jeunes filles[2] un cheval passe au galop. La j[e] fille jette un cri. C'est Raoul, dit-elle [I].

Le jeune homme entre dans la cour du château, annoncer le vicomte de Bragelonne envoyé par M. le Prince. La cour est partie : le messager a un jour d'avance sur elle. Il apporte une lettre du Prince fourrier du roi pour le voyage. Le roi désire s'arrêter un jour à Blois. Gaston accepte. Caractère de Gaston. Il demande des nouvelles de toute la cour, de MMlles de Mancini, du cardinal. Bragelonne répond à tout cela et prend congé — à la porte Montalais [II].

Montalais fait passer Raoul par le petit escalier du château, elle l'emmène dans sa chambre où il trouve La Vallière. Reconnaissance, tendresses & M[e] de St-Rémy monte... cherche sa fille... le bruit s'est répandu que le roi arrivait & Bragelonne se cache.

Après le départ de La Vallière Montalais & Bragelonne qui file par le petit escalier [III] et sort de Blois où déjà la nouvelle s'est répandue. Sa rentrée chez son père [IV]. C'est surtout dans les auberges qu'elle a son retentissement [V].

Dans l'hôtellerie de[3] un jeune homme est à sa fenêtre depuis le matin.

* B.N., Ms., n.a.fr. 11 917, f°s 74-90.
1. Barré : « fragmens ».
2. Barré : « signe Louise de La Vallière ».
3. Nom de l'hôtellerie laissé en blanc.

Il attend — Il voit la physionomie de la ville changer, et au moment où il va sonner pour savoir, l'hôte entre, fort poli — Toute la scène dans laquelle il paie le 1ᵉʳ jour de loyer avec les deux dernières pièces d'or — le second jour avec un diamant qu'il fait vendre **[VI]** — au moment où l'hôte en rapporte le prix, la nuit est venue, le roi entre dans la ville. Le jeune homme ferme la fenêtre, l'hôte s'en étonne, un vieillard est sur la porte, c'est Parry **[VII]**.

Au bout d'une heure, le jeune hom[me]¹

[Fᵒ 76, vᵒ]²

Mazarin *qui annonce le départ de ses nièces pour demain matin pour Brouage*, la Reine Anne, Louis XIV, M. de Condé. Le roi qui s'ennuie et qui revient à son appartement tandis que l'on reste dans la grande salle du château. Tout le côté du cardinal gardé admirablement — presque pas de service chez le roi **[VIII]**.

Cependant l'étranger de l'hôtel est venu au château. Il demande l'entrée au lieutenant de garde qui lui refuse. Il se nomme il est Charles II d'Angleterre. On l'introduit dans le cabinet du roi. Scène entre les deux rois — le prince anglais demande un million à son frère pour opérer sa restauration ; il le supplie — Attendez, dit Louis XIV **[IX]**.

Il va chez Mazarin qui s'est mis au lit et qui compte sur son registre les sommes dont il dispose — Mazarin refuse positivement **[X]**. Louis XIV revient attristé. Charles II lui demande alors deux cents uniformes français qui vaudront comme effet moral le million dont il ne peut disposer. Louis retourne auprès de Mazarin, qui le renvoie encore avec un refus *motivé par une spirituelle politique*. Charles II sort désespéré.

Décidément, dit le lieutenant des gardes, il est temps de prendre parti — mais attendons encore une épreuve — Celle-là sera la dernière **[XI]** — En rentrant le roi lui dit : — Qui est de service demain ? — Moi, toujours moi, Sire — Demain donc³ attendez à la petite porte *et* aussitôt que les chevaux d'un carrosse que vous y verrez seront attelés, avertissez-moi. — que ce carrosse ne parte pas sans que j'aie parlé aux personnes qui doivent partir — Sire il peut venir plusieurs carrosses, je risquerais fort de désobéir à Votre Majesté, qu'Elle veuille bien préciser la consigne, quelles armes sont peintes sur ce carrosse — les armes de Mᵍʳ le Cardinal. — Quelles personnes dans la voiture ? — ... des dames... **[XII]**

[Fᵒ 77, rᵒ]   **[2.]**

Au pont de Blois — ⁴ Olympe, Marie — Instructions données par le roi à d'Artagnan — Arrivée des carrosses — Scène entre le roi et Marie — Vous êtes roi, vous pleurez & je pars *Le roi raconte qu'il s'est jeté aux genoux du Cardinal, qu'il l'a imploré* **[XIII]**

1. Le bas de la feuille a été déchiré.
2. Barré : « garde. Celle-ci répond que le roi est chez son oncle. »
3. Barré : « M. d'Artagnan ».
4. Barré : « Hortense ».

D'Artagnan à l'écart — retour — La démission de d'Artagnan — Les motifs sur lesquels il s'appuie. Reproches, tout le déroulement du roman depuis Buckingham — Le roi lui rappelle qu'il a oublié le jour au Palais-Royal où il se tenait au chevet — D'Artagnan persiste, — le roi lui fera régler sa pension — Ils se quittent **[XIV]**. Le roi *prie le Cardinal de* donner ses ordres de départ pour Poitiers — et lui annonce par une lettre que rien ne s'oppose plus au mariage et qu'il a pris congé de sa nièce.

Le lendemain au point du jour — l'hôtellerie — le roi Charles II paie et part. Départ triste **[XV]** — devant la maison d'Athos Grimaud regarde Raoul qui part : au moment où les deux cavaliers passent, Grimaud reconnaît Parry, le roi, et salue un genou à terre — Quel est cet homme ? dit Charles II. Parry reconnaît Grimaud — C'est le serviteur du comte de La Fère & — Le roi entre dans la maison. Athos se promène, le roi s'avance et lui offre la main — Reconnaissance — Charles II raconte son malheur récent — Alors, dit Athos, que V.M. veuille bien demeurer avec moi et m'entendre — Le million, Athos n'ayant pas perdu de vue l'Angleterre, guettant le moment favorable, s'étant informé où était le roi — alors que faut-il faire demande Charles II. Cet argent n'aura-t-il pas été dérobé dans les guerres, et comment moi-même me hasarderai-je avec un vieux serviteur — Si Votre Majesté l'a pour agréable je vais l'accompagner[1]. — Grimaud selle son cheval. — Comment, vous partez aussi ? — C'est mon habitude. — Mais je suis pauvre ? — V.M. est plus riche que moi elle a un million — Athos prend tout ce qu'il possède et accompagne le roi Charles II *On laisse Blaisois seul*[2] **[XVI]**.

[F° 77, v°][3] D'Artagnan arrive deux heures après & demande Athos, il trouve Blaisois. Celui-ci lui annonce dans le plus pur français que le comte est parti *on ne sait où*[4].

1. Barré : « Athos monte à cheval, écrit à Bragelonne et part avec Charles II. »
2. Barré : « et à ce moment il voit entrer d'Artagnan dans la maison.
« Ses excuses au roi de le quitter pour aller au devant d'un homme qui étant comme chez lui pénètrerait sans être annoncé — Si S.M. le permet, je vais le recevoir dans la pièce voisine. »
3. Barré : « D'Artagnan. Athos. D'Artagnan a une idée — Voilà ce qui lui est arrivé la veille — Il était de garde, un homme est venu, c'était Charles II. Tout ce qui s'est passé. Refus de ce pleutre de Mazarin pour le million et les 200 gentilshommes — J'ai voulu voir, j'ai donné ma démission, je suis libre, veux-tu venir en Angleterre avec moi. Je cours après le roi Charles — Que lui veux-tu ? — Je veux le restaurer — C'est bien le diable si celui-là ne me donne pas quelque chose. — Que lui demanderas-tu, le commandement de ses gardes, & ? — Non, cent mille livres, une fois payées pour revenir en Angleterre avec 5000 livres de rente vivre en bon bourgeois avec Planchet. Le roi Charles II sort. — J'accepte, Monsieur. »
4. Barré : « pour Paris. Il part pour Paris[a] et descend chez Planchet[b]. Toute son explication avec Planchet[c] qui est épicier-banquier — et fait l'escompte. D'Artagnan a placé chez lui vingt mille livres — Son idée de Restauration — il présente l'affaire à Planchet comme un placement et finit par le convaincre. Planchet y mettre du sien, on ira chercher Porthos & Aramis, l'un à Pierrefonds, l'autre à Noisy sa résidence. Athos n'est pas chez lui à Paris on ignore ce qu'il est devenu. La ».
a. Surcharge : « Noisy ».
b. Surcharge : « Aramis ».
c. Surcharge barrée : « Bazin ».

Il s'en va trouver Aramis dans le voisinage de Vaux — Bazin annonce que M. d'Herblay vient d'être nommé évêque de Vannes par la protection de M. Fouquet et qu'il espère que ce n'est pas pour le déranger que d'Artagnan revient [XVII] — D'Artagnan désespère et va trouver Porthos à Pierrefonds. Plus de Porthos — Mousqueton est dans une chaise ronde enchâssé hermétiquement, deux hommes le roulent il est resplendissant — Il ne sait ce qu'est devenu son maître — Celui-ci a reçu une lettre d'Aramis qui le prie de venir le trouver avant l'équinoxe — Porthos s'est hâté pour que l'équinoxe n'arrivât pas avant lui [XVIII]. Désespéré d'Artagnan revient à Paris — chez Planchet, épicier-banquier. Il lui propose une affaire, un placement avantageux à 400 pour 100 [XIX] — histoire du placement — Il avait voulu proposer l'affaire à Porthos & Aramis mais il n'a trouvé ni l'un ni l'autre. Planchet accepte mais ne veut pas partir. Il a toute confiance en d'Artagnan. Ils font un traité ensemble — l'un et l'autre fournissent 20 000 livres — ils partageront les bénéfices avec cette réserve d'un tiers en sus pour d'Artagnan qui met sa peau.

[F° 78, r°] Planchet trouve la chose juste [XX].

D'Artagnan rêve à l'exécution — Il lui faut cinquante hommes — ses méditations jusqu'à ce qu'ils se réduisent à dix & il ne leur dira rien [XXI].

Il arrive à La Haye. Il s'informe du roi qui est à Scheveningen. Il frète une barque, parmi ses hommes, il a quatre matelots. Ils passent en Angleterre [XXII].

Le camp de Monk — à Newcastle — Monk n'a rien à manger. Des pêcheurs arrivent — Un inconnu fait demander un rendez-vous à Monk — C'est Athos —

Difficultés à pénétrer — à l'annonce du Français, d'Artagnan et ses hommes disparaissent [XXIII] — Entrevue de Monk & d'Athos — Athos est un gentilhomme qui a habité Newcastle et qui a enterré là une forte somme. Il vient lui demander l'autorisation de la retirer. Monk surpris le lui accorde, le fait souper avec lui [XXIV] — Après le souper on se dirige vers l'abbaye — Découverte du trésor [XXV] — Sous la voûte même des souterrains, Athos en présence du trésor fait ses propositions à Monk — Monk répond : à tout autre homme que vous je donnerais le choix entre une prison et l'expulsion — mais à vous j'expliquerai les causes de mon refus — Je ne connais pas le roi Charles, et j'attendrai pour le connaître — mais pour que vous ne soyez pas suspect en vous éloignant, attendez 8 jours, j'aurai l'honneur de prendre congé de vous. Il lui donne des hommes, & deux chevaux pour faire emporter les deux barils d'or.

Monk revient seul [XXVI].

Le lendemain Athos vient chercher son épée, on l'arrête. Le général a disparu [XXVII].

Le roi Charles attend des nouvelles. D'Artagnan arrive et demande audience. Il a entendu dire à Blois que Monk refusait de s'aboucher avec le roi & que tout dépendait de cette entrevue — Il l'amène **[XXVIII]** — Scène où Monk annonce qu'il n'a rien à dire au roi, qu'on le tient, et qu'il ne parlera plus même dût-on le tuer — Le roi remercie d'Artagnan, réfléchit un moment, prend la main de Monk, Venez avec moi, Monsieur — Suivez-nous, M. d'Artagnan.

Vous êtes libre — ce gentilhomme qui vous reconduira en Angleterre est sous la sauvegarde de votre honneur **[XXIX]**.

Monk à son camp. Rendez-vous avec Athos — Portez cette lettre au roi — Il garde d'Artagnan **[XXX]**.

[F° 78, v°][1] Monk marche sur Londres — prend la ville — s'empare de tout — à un jour donné on apprend le débarquement de Charles II. Monk se rend à lui **[XXXI]** — Fêtes de la restauration — Charles II à Londres / avec Me Henriette et sa sœur / Restauration **[XXXII]** — Athos, la Toison d'or — d'Artagnan les 300 000 livres **[XXXIII]** —[2]

[F° 79, r°]   3.

Le Canal, la présentation **[XXXV]**.

Adieux de d'Artagnan à Monk **[XXXVI]**.

Traversée, arrivée en France **[XXXVII]**. D'Artagnan chez Planchet — Partage **[XXXVIII]**.

Le jeu de Mazarin, le roi, la reine, Philippe. Toutes les nouvelles fabriquées sur l'évasion de Charles II de La Haye. On raille le pauvre roi. Mazarin laisse dire — Le roi même, circonspect mais ignorant. Bernouin vient annoncer un messager du roi d'Angleterre — Mazarin donne ses cartes à M. de Guiche et passe derrière son rideau dans un cabinet **[XXXIX]**.

Athos, Mazarin, toutes les propositions du mariage.

Retour au jeu de Mazarin. Guiche a gagné 500 000 écus **[XL]**, Mazarin les donne à Monsieur qui partage avec M. de Lorraine en lui expliquant *qu'il se marie* **[XLII]**.

Mazarin. Guénaud. Combien vivrai-je ? **[XLIII]**.

Mazarin. Le théatin. Conseil de rendre les 40 millions **[XLV]**.

Mazarin. Colbert qui assure que le roi rendra **[XLVI]**.

Le roi, Anne d'Autriche, Fouquet **[XLVII]**.

Mazarin mourant, le roi **[XLVIII]**.

Le roi, Colbert **[XLIX]**.

Le roi reçoit l'argent, nomme ses ministres et fait appeler M. d'Artagnan **[L]**.

---

1. Barré : « La lettre rendue au roi contient ces mots : "Sire". »

2. Barré : « Retour chez Planchet. Partage.

« Le roi est marié — Le Cardinal se meurt. Projets de mariage de Monsieur, Philippe, duc d'Anjou, avec Henriette — Formation de la maison de Madame. »

[Fº 80, rº] **[4.]**

Entrée à Belle-Isle. Porthos — Les fortifications **[LXIX]** — dîner — L'imprimerie — l'architecte de Fouquet — J'irai demain à Vannes[1] **[LXX]**. — Ils vont à Vannes — Aramis en procession — Il bénit ses amis qu'il aperçoit sur son passage **[LXXI]** — Réception au palais épiscopal — diplomatie de d'Artagnan et d'Aramis **[LXXII]**.

Porthos est parti pendant la nuit — Votre duché-pairie est au bout de la route.

Le lendemain d'Artagnan & Aramis déjeunent — on cherche Porthos — il est sorti dès le matin pour aller chasser — D'Artagnan le cherche partout — même à Belle-Isle où on lui dit qu'il est retourné — Aramis l'a promené — Porthos n'est pas plus à Belle-Isle qu'ailleurs — on m'a trompé, dit d'Artagnan. Il retourne à Vannes — plus d'Aramis — Il court sur Paris — Il a perdu deux jours — et se dit : Je ne suis qu'un niais **[LXXIII]**.

Arrivée[2] d'Aramis chez Fouquet *On va voir Porthos qui est couché raide*. Émoi d'Aramis — L'affaire est grave, j'arrive — Toute l'histoire de ce que d'Artagnan a pu faire contre Fouquet — Aramis demande où en sont les affaires de Paris — Allez trouver le roi, dit Aramis, car Porthos ne doit avoir qu'une heure sur moi — moi, une heure sur d'Artagnan — D'Artagnan seul est jeune encore — Allez vite chez le roi **[LXXIV]**.

Le roi et Colbert — façon dont Colbert raconte l'émeute, et les rebellions de Fouquet, pour exciter le roi — Alors il faut le faire arrêter, dit Louis XIV. — Non, car il est procureur gᵃˡ et a pour lui le Parlement — Il faut en outre épuiser toutes les ressources de Fouquet. Vous avez une occasion — La dot & le mariage de Monsieur — demandez à monsieur Fouquet un[3] million.

Fouquet arrive — Il raconte toute la fortification de Belle-Isle — et finit par offrir Belle-Isle au roi. Le roi lui demande un million, Il répond que c'est bien peu, et que dans trois jours, il tiendra deux millions à la disposition du roi (900 000 livres chez Colbert).

On annonce au roi, devant Colbert & Fouquet, l'arrivée d'un messager — M. d'Herblay ne m'avait pas trompé **[LXXV]**.

Le roi — Colbert, d'Artagnan. Le roi congédie Colbert.

D'Artagnan, le roi — désappointement de d'Artagnan lorsqu'il apprend que le roi sait tout et qu'on lui a remis Belle-Isle — Il se croit disgracié — Le roi lui donne le brevet de capitaine des Mousquetaires — non seulemᵗ pʳ Belle-Isle mais pour l'affaire de la place de Grève.

[Fº 80, vº] — Mais je n'étais pas seul, dit d'Artagnan — Je sais — Vous savez ? — Oui, on me l'a raconté — un jeune homme ? — Le fils d'un de mes amis — Vous seriez donc aise de le voir — Oui, sire — Il

---

1. Barré : « pourquoi faire — pour voir Aramis ».
2. Barré : « de Porthos ».
3. Barré : « deux ».

est là — Le roi permet que je t'embrasse, dit d'Artagnan — Le roi prend Raoul à son service — J'y suis déjà, dit Raoul qui raconte au roi que son père l'a mené dans les caveaux de St-Denis, &. A la sortie de d'Artagnan le courrier de Blois apprend la nouvelle de la mort.

Blois. *Gaston est mort* [LXXVI].

Les 2 millions ont été faits[1]. Formation de la maison de la j[e] princesse. Mademoiselle de Montalais[2] s'agite beaucoup pour être demoiselle d'honneur — La duchesse douairière *le lui* offre[3] [LXXVII]. Montalais enchantée fait part de son bonheur à La Vallière. Celle-ci se met à pleurer — C'est Raoul que tu regrettes[4]. La Vallière s'en défend — Elle est nommée demoiselle d'honneur par le crédit de Montalais [LXXXVIII].

Au Havre [LXXXIII]. Réception de la princesse [LXXXIV] — les seigneurs anglais[5]. Guiche et les Français regard[t] de travers les Anglais[6] [LXXXV]. Pendant la route les progrès de l'amour de Guiche et de Buckingham [LXXXVI-VIII] — Accueil fait à celui-ci par Anne d'Autriche [XCII] — La cérémonie à Paris — Présentation des demoiselles d'honneur le soir — Le roi trouve Madame extrêm[t] embellie. Le chevalier a monté la tête à Monsieur. Raoul dans la foule des gentilshommes — il voit La Vallière parmi les d[lles] d'honneur.

Raoul, La Vallière. Il lui propose de l'épouser [LXXXIX].

Raoul, son père [XC]. La demande faite au roi — réponse du roi[7] [XCIII]. Coquetterie de Mad[e] pour le roi [CXII]. Amour du roi pour Madame. Jalousie de Monsieur — Anne d'Autriche entre ses 2 enfans + + Jalousie de Monsieur. Il va trouver sa mère [CIX]. Anne d'Autriche avertit le roi [CX]. Le roi amoureux de Madame [CXI]. Madame accepte cet amour[8]. Projet fait par le roi & Madame que l'amour prétendu de S.M. tombe sur quelqu'un. Mad[e] veut quelqu'un d'insignifiant. On choisit La Vallière [CXII].

Fêtes de Fontainebleau [CXIII] — La Vallière avouant à Montalais qu'elle ne comprend pas qu'on aime quelqu'un quand on a vu le roi [CXV].

Fouquet — à qui le roi a demandé 2 autres millions pour les fêtes de Fontainebleau croyant qu'il ne s'est rien fait d'aussi beau. Il faudrait, dit Colbert, qui a ordonnancé mesquinement ces fêtes, que M. Fouquet donnât une fête au roi dans sa belle maison de Vaux — C'est convenu, répond Fouquet [CXX].

[F[o] 81, r[o]] Athos, d'Artagnan descendent l'escalier — Baisemaux en bas — son embarras, ce qu'il raconte à d'Artagnan pour surseoir la dette d'Aramis [XCV].

1. Barré : « Réception de la j[e] princesse ».
2. Barré : « Malicorne ».
3. Barré : « à La Vallière une charge ».
4. Barré : « ce n'est pas Raoul que tu regrettes, c'est le roi. »
5. Barré : « Anne d'Autriche regardant le fils de Buckingham. »
6. Barré : « après présentation ».
7. Barré : « les fêtes de Fontainebleau ».
8. Ajout figurant sur le f° 81 r°.

Le jeu du roi — Colbert, le roi — demande d'argent à Fouquet. Coquetteries de Madame avec Guiche, Bickingham & le roi.

Fouquet, Aramis — embarras d'argent — J'allais vous en demander — Pourquoi ? — pour notre protégé Besmaux, 150,000 liv. en 3 paiements [XCVI].

Aramis à la Bastille, *ce que fait Besmaux pour les prisonniers, sa cuisine,* & [XCVII] Argent donné — Reconnaissance de Besmaux [XCVIII] — Visite aux prisonniers — Seldon, Marchialy [XCIX].

Fouquet, Mad[e] de Bellière — elle vend ses bijoux & se donne à cette condition [CI, CII].

Buckingham, de Vardes — duel à la marée montante [CIII] — chez Madame — Amour de Guiche. Il n'a plus de rival à craindre — Il se livre[1]. Ses extravagances encouragées [CIV].

[F° 82, r°][2]   **[5.]**

La nuit

Chez le roi St-Aignan, le roi[3]

Fouquet fait prévenir S.M. que vu l'heure il n'a pas l'espoir d'être reçu — Au contraire, dit le roi, et il le fait introduire.

— *Laisse-nous, dit le roi à St-Aignan & informe-toi*

Gracieux accueil fait à Fouquet[4] *et à l'évêque* de Vannes que le roi a fait mander pour recevoir ses remerciements [CXXI].

Pendant que le roi cause avec Fouquet, St-Aignan a été rejoindre Guiche [CXXII]. Il surprend Montalais sur une échelle causant avec[5] quelqu'un. Ce quelqu'un est Manicamp qui inquiet de la façon dont Guiche sera reçu, n'ayant pas voulu s'aventurer en même tems que lui, est venu lentement[6] — Il a fait demander un rendez-vous à Montalais — quand il a passé on voit paraître Malicorne. Manicamp demande le chemin des apartemens de Guiche — Montalais le lui indique — Manicamp ne se reconnaîtra jamais. Montalais serait forcée de le conduire — Mais

---

1. Barré : « jalousie ».

2. Le début de la feuille, sans être barré, est repris, et donc annulé, sous le titre « La Nuit », après que le scripteur a tracé une ligne horizontale au travers de la page : « [a] Le roi très occupé de La Vallière avec St-Aignan, on parle de Bragelonne — on e   laisante — St-Aignan dit au roi que c'est Guiche qui a fait entrer La Vallière chez Madame — Fouquet qui s'est présenté n'a pas été reçu.

« Le lendemain lever du roi *on sent que Colbert a précédé Fouquet* Fouquet, bonne mine du roi à Fouquet — celui-ci ne parle pas de sa fête à Vaux. Il présente au roi M. d'Herblay pour le remercier de sa nomination. [b] Le roi aborde lui-même la question & s'invite — pour dans six semaines. »

a. Barré : « Fouquet chez le roi *il n'est pas reçu* ».

b. Barré : « Le chapeau de M. Mazarin est vacant. »

3. Barré : « on parle de Bragelonne, on plaisante ».

4. Barré : « présentation ».

5. Barré : « Malicorne ».

6. Barré : « avec Malicorne ».

St-Aignan paraît : ne vous dérangez pas, Mlle, restez avec M. Malicorne
— J'ai vu 3 secrets que je garderai aussi bien l'un que l'autre **[CXXIII]**.

[F° 82, v°] Conversation de Malicorne et de Montalais — leurs petites
affai- res, leurs projets — Montalais pressée, Mlle de Tonnay-Charente a
q.q. chose à lui dire. Malicorne s'impatiente — le métier qu'on lui fait faire
depuis 8 jours, les feux d'artifice, & le fatigue — Il logeait dans une
auberge dont on vient de le chasser + +[1] *L'intérieur de l'auberge*
où on ne reçoit personne a été décrit par Malicorne — Mais au moment
où Aramis sort du Palais, s'avance vers l'auberge dit un mot de passe
et on lui donne une chambre L'histoire du général malade. — Je ne puis
pourtant pas moi loger dehors — La voix de St-Aignan : Venez M.
Malicorne, je vais vous loger. Montalais se sauve d'une façon drôle
[CXXIV].

L'affaire du général malade — Le confesseur, le malade, les aspirans,
le médecin jésuite **[CXXVI]** — Il reste avec un confesseur[2]. Alors les uns
après les autres comparaissent devant lui — qui donnent des renseignemens
sur les 4 principales puissances de l'Europe. Aramis passe le 4e, donne un
papier plié[3], parce qu'il ne veut rien révéler à haute voix ni devant personne
— Le général reste seul avec son confesseur — lit, et brûle, puis il fait rappeler
Aramis, lui passe sa bague au doigt, lui donne un brevet tout signé et meurt
après avoir donné les ordres **[CXXVII]**.

Le lendemain[4] Montalais et La Vallière causent de l'événemt de la veille[5].
Adieux de Bragelonne à La Vallière — Arrivée de Tonnay-Charente — qui
va parler de la volonté de Madame pour faire croire au roi qu'on l'a mystifié
[CXXVIII].

Bragelonne rencontre Guiche qui le mène prendre congé de Monsieur.
Guiche bien reçu de Monsieur lui demande **[f° 83, r°]** un office pr
Malicorne. Mr est très joyeux. Il se figure qu'il va aimer sa femme, et il
mène Guiche chez Madame *de force* **[CXXX]**.

Chez Madame — le roi toujours galant **[CXXX]** — on fait croire au roi
qu'il a été mystifié — l'aventure racontée voilée — elles savaient avoir été
suivies, &... Trouble et dépit du roi, la contenance des 3 femmes le persuade
qu'il a été leur jouet. Le roi se retire chez lui de très bonne heure **[CXXXI]**.
Un instant après billet de La Vallière qui supplie le roi de lui indiquer une
audience pour le lendemain.

Le roi passe un manteau et prend St-Aignan avec lui et va chez Mlle
de La Vallière **[CXXXII]**. Toute la scène où elle se jette aux pieds du roi,
lui disant qu'elle l'aime et ne l'a pas mystifié — qu'elle l'aime depuis
qu'elle l'a vu à Blois, & lui demande de se retirer dans un couvent. Le

---

1. Ajout appelé par « + », sur la même feuille.
2. Barré : « et donne des ordres terribles qui indiquent le pouvoir d'un roi ».
3. Barré : « et se retire ».
4. Barré : « Guiche et Mr n'est plus jaloux et il fait bon accueil à son...
« Le lendemain soir, St-Aignan, Guiche, Bragelonne [illisible]. St-Aignan triomphant
toujours raconte. »
5. Barré : « Le lendemain ».

roi devenant entreprenant. La Vallière pâle, se défend. Elle n'a pas été coquette — Le roi se retire en lui baisant la main **[CXXXIII]**.

Le lendemain, la promenade de l'orage — le roi nu tête sous l'arbre avec La Vallière **[CXXXVI]**.

Le soir la loterie — les pendans d'oreilles à La Vallière **[CXXXIX]**.

[Fº 84, rº] **[6.]**

Le soir même Fouquet & Aramis. Lettre écrite par Fouquet à Mlle de La Vallière, selon ce qui a été convenu entre Aramis & Fouquet la veille, toute leur conversation qu'on sente qu'il faut qu'il y ait sur le trône un homme dévoué à Fouquet — mais ce ne sera pas le roi — ce sera un autre — On sent le Masque de fer — la ressemblance du nom, des conditions, de convenance qui peuvent remplacer l'un par l'autre — Le roi, dit Fouquet, ne m'a pas parlé des fêtes — Il vous en parlera demain. **[CXXXIV]**

Le lendemain — Fouquet — Le roi — départ pour la promenade, l'orage **[CXXX]** — Fouquet, Aramis dans une grotte d'où ils vont voir Louis nu-tête & Mlle de La Vallière sous un arbre *Le roi paternel pr La Vallière, et la trouvant simple de parure — La Vallière refusant tout ce qu'il lui offre parce que cela ferait peine à Madame, à la reine, &.*

Toute la conversation de Fouquet et d'Aramis — Aramis déclare à Fouquet qu'il faut être non plus l'amant mais l'ami & le très humble serviteur de La Vallière **[CXXXVI]**.

Fouquet, La Vallière — offres, excuses — La Vallière ne sait ce qu'il veut dire. Elle n'a rien reçu — Fouquet prend cette réponse pour de la simple discrétion — Serait-elle coquette? pourrait-on être réellement rival du roi — Aramis l'engage à se défier **[CXXXVII]**.

Le soir, chez la reine-mère — Commencement de sa maladie — La loterie, — ardeur des femmes pour gagner la parure — le roi la donne à La Vallière — Effet général **[CXXXIX]**.

Ce que faisait d'Artagnan — comment il rêvait. Conversation entre Planchet et d'Artagnan — comment Planchet se désennuie lorsqu'il va s'ennuyer — ce qui arrive tous les 15 jours — la maison de campagne et des réticences **[CXL]** — Visite de d'Artagnan à Baisemaux **[CXLI]** — de d'Artagnan à Porthos — ce que fait Porthos chez Fouquet *à St-Mandé*. On attend des nouvelles d'Aramis — qui doit le présenter au roi — D'Artagnan offre à Porthos de le présenter au roi — Porthos accepte **[CXLII]**.

A Fontainebleau la maison de Planchet — Son ménage **[CXLIV]** — la vue si gaie de la forêt d'un côté, du cimetière de l'autre — l'enterrement du franciscain seul et abandonné comme un chien **[CXLV]** — Vie de Porthos & de Planchet avec d'Artagnan dans cette maison — découverte & soupçons d'Artagnan **[CXLVI]**.

Fouquet parle du chapeau pour Aramis au roi — présentation — de son côté d'Artagnan présente Porthos — Effet produit sur Fouquet et Aramis.

[F° 84, v°] D'Artagnan rappelant au roi qu'il a toujours voulu présenter du Vallon et qu'il ne saurait mieux choisir son temps qu'en présence de M. de Vannes, qui sait comment a été fortifiée Belle-Isle — Demandez à M. de Vannes — Comment ! un prêtre — Oh ! sachez ce que c'est que ce prêtre, c'est un ancien officier, &... — Vous aurez le chapeau, M., dit le roi à Aramis — le roi invite Porthos à dîner **[CXLVII]**.

Scène entre Aramis et d'Artagnan seuls — explication — Comment, mon cher d'Artagnan, vous avez voulu nous enlever le plaisir d'offrir Belle-Isle au roi ! Vous êtes donc pour M. Colbert — Ma foi, non, dit d'Artagnan — Eh bien... moi je suis à M. Fouquet par reconnaissance. Je suis un pauvre évêque, il a eu soin de moi — est-ce que vous ne seriez pas son homme ? — Je serai l'homme du roi — vous êtes tous pour vous & pour un autre que le roi — quand un de ceux-là sera tombé, il faudra qu'on l'arrête, c'est ma charge — Aramis pince ses lèvres et s'en va **[CXLVIII]**.

Amours du roi et de La Vallière *vers faits par St-Aignan pour les deux* Jalousie de Madame — Madame à Guiche **[CXLIX]** — Lettre de Bragelonne à Guiche au sujet de de Vardes **[CL]** — Arrivée de de Vardes à Paris — Querelle avec Guiche **[CLI]** — autre duel dans lequel Guiche perd deux doigts — à cheval **[CLII]**. *Souper chez le roi. Au dessert, St-Aignan raconte la* b[ataille] + [1] + Souper chez le roi. Porthos, d'Artagnan. Le roi tient tête à Porthos **[CLIII]**. St-Aignan *qui arrive tard avec les vers de La Vallière* raconte le malheur de Guiche — il donne des soupçons au roi — Le roi fait dire à son médecin de passer chez Guiche — Il ordonne à d'Artagnan d'aller faire une perquisition sur le lieu de l'accident **[CLIV]** — D'Artagnan revient faire son rapport circonstancié — Il reconstruit tout l'événement[2] **[CLV]**. Le roi fait chercher Manicamp. Manicamp raconte avec aplomb le choc du sanglier **[CLVI]** — le médecin a été envoyé chez son confrère et vient rendre compte de la blessure qui est d'une balle — Le roi se fâche contre Manicamp et donne l'ordre de l'arrêter — Manicamp ne vient pas nommer de Vardes. St-Aignan déclare à Manicamp qu'il le dira au roi. Le roi ordonne d'arrêter Vardes, de donner une garde à Guiche. Un mot de Manicamp qui excite la curiosité du roi **[CLVII]** — Le roi reste seul avec Manicamp qui raconte au roi comment Guiche s'est battu pour La Vallière — Le roi lui recommande de rassurer Guiche et de propager la fable du sanglier. Le roi rappelle d'Artagnan et lui dit qu'il s'est trompé — D'Artagnan en convient, il n'avait qu'une lanterne **[CLVIII]**.

Le roi ordonne le départ pour Paris le lendemain pour recevoir les ambassadeurs. Montalais attend Manicamp — l'emmène chez Madame. Manicamp lui affirme que c'est pour elle que Guiche s'est battu **[CLIX]** — Visite de Madame chez Guiche **[CLX]**.

---

1. L'ajout suivant occupe le f° 86, v°.
2. Barré : « rapport du médecin sur la blessure ».

Retour à Paris // Malicorne a inventé de mettre un cheval de main pour Monsieur, il l'offre au roi — le soleil // Le roi à la portière de La Vallière — les 2 reines — M. & Madame dans leur carrosse. Scène entre le roi et La Vallière. Amour **[CLXI]**.

La jeune reine[1] *et la reine-mère, mot d'Anne d'Autriche pour consoler sa fille, arrivée de Madame.* Conspiration contre La Vallière **[CLXII]**. La Reine-mère mande La Vallière[2]

Semonce à La Vallière.

Le roi chez La Vallière le même soir — Il la trouve triste — elle ne veut rien lui avouer. Il a des soupçons sur Bragelonne. Il la quitte **[CLXIII]**.

Madame a vu sortir le roi de chez La Vallière. Elle entre et lui déclare qu'elle doit quitter le château. La Vallière est à genoux — elle entend tout cela à genoux et dit : Adieu, vous m'indiquez ce que je dois faire puisque je suis à genoux.

Madame renvoie La Vallière **[CLXIV]** — La Vallière à Chaillot — Le Roi à Chaillot — Le roi ramène La Vallière — & va chez Madame **[CLXVIII]** — Madame traite durement le roi — Celui-ci plie et finit par demander en grâce à sa belle-sœur de garder La Vallière — Celle-ci y consent **[CLXIX]**.

Mais elle multiplie les difficultés autour des 2 amans. Ils ne peuvent se voir seuls. Intrigues de Malicorne **[CLXX]**, de Montalais, & — de de Vardes — de Vardes s'explique avec Mᵉ de Soissons.

[Fº 85, rº] St-Aignan offre sa chambre au roi **[CLXXV]**.

[7.]

[Fº 86, rº] Le matin — fuite de La Vallière au crépuscule — rencontre d'Artagnan qui la mène à Chaillot **[CLXV]**.

Ce qu'avait fait le roi en rentrant. Colbert et les médailles de la Hollande **[CLXVI]**.

Le roi court le matin après La Vallière, ne la trouve pas, rentre furieux chez lui — réception des ambassadeurs — aigreur du roi à mesure que ceux-ci s'excusent. D'Artagnan a une de ces médailles — il la montre au roi — il pousse à la guerre — quand le roi a repris la conversation avec les ambassadeurs — d'Artagnan raconte à St-Aignan que La Vallière est entrée en religion — Le roi se retourne et vient à d'Artagnan pour avoir des explications — Mot de la reine-mère — réponse du roi — d'Artagnan a des chevaux tout sellés **[CLXVII]** — Il conduit le roi avec Malicorne, Manicamp, un page.

Le roi à Chaillot — débats de La Vallière — Scène d'amour — Il la ramène à Paris et lui propose une maison. Elle refuse **[CLXVIII]**. Il va trouver Madame et la supplie de reprendre La Vallière — Je la traiterai comme une fille à vous — Le roi pleure, Madame consent **[CLXIX]**.

---

1. Barré : « Madame ».
2. Barré : « La Vallière renvoyée ».

Madame multiplie les difficultés autour des amans. Intrigues de Montalais, Malicorne, & **[CLXX]**.

St-Aignan prête une chambre au roi — le portrait *(prétexte)* — le peintre **[CLXXV]** — un jour M. St-Aignan ne vient pas — & le peintre abrège sa séance.

[1] Raoul *à Londres* **[CLXXVI]** il a été renvoyé vite par Charles II qui a reçu de Mad[e] une lettre **[CLXXVII]**.

Fouquet rend l'argent à Me de Bellière — il vend sa charge de [[2]] sans en parler à Aramis.

[F° 86, v°3]

[F° 87, r°] Aramis et Madame de Chevreuse — on affleure la question de l'enfant d'Anne d'Autriche [4] **[CLXXIX]**.

[F° 88, r°]   **[8.]**

Madame de Chevreuse chez Colbert. Situation de Fouquet[5]. Colbert examine les pièces de mad[e] de Chèvreuse et traite avec elle à cent mille écus *elle demande en outre à Colbert de lui ménager une entrevue avec la reine — Impossible pour des raisons l'inimitié qui existe entre elles et la santé de la reine, son cancer + + — Raison de plus j'ai connu en Belgique une femme du Béguinage de Bruges qui m'a indiqué un remède — et puis j'irai masquée c'est d'ailleurs à prendre ou à laisser. Cinq cent mille francs sans[6] l'entrevue — trois cent mille sans cela* **[CLXXX]**.

L'entrevue de la reine et de Chevreuse masquée — Il y a un cancer moral dont V.M. doit souffrir — histoire des deux jumeaux. La reine s'écrie qu'une amie l'a trahie — Elle lève son masque **[CLXXXII]** *— et demande cent mille écus* **[CLXXXIII]**.

M. Vanel dans le cabinet de Colbert. M. Vanel[7] à qui Colbert donne l'idée de devenir procureur général et promet les quatorze cent mille francs — Il faudra se hâter de le faire signer, dit Vanel. — Au contraire, tâchez seulement qu'il vous donne la main **[CLXXXI]**.

Soirée chez Fouquet à St-Mandé — les Épicuriens. Ils se sont réunis, cotisés — La Fontaine a fait un conte libertin — la somme monte à cinquante-mille livres — Fouquet rit et les remercie **[CLXXXIV]** — On lui parle de vendre sa charge. On a trouvé un acquéreur — Arrivée de Vanel, le marché conclu. La poignée de main donnée **[CLXXXV]**.

Fouquet envoie à Paris chez l'orfèvre —[8] Me de Bellière *est priée* à

---

1. Barré : « Retour de ».
2. Laissé en blanc.
3. Reproduit avec le f° 84, v°, dont il constituait un ajout.
4. Barré : « séparation ».
5. Barré : « Fouquet, les amis de Fouquet, il parle de sa charge de procureur. »
6. Barré : « le secret ».
7. Barré : « n'a rien signé ».
8. Barré : « il envoie prier ».

souper. Il raconte l'histoire de la générosité de son amie — On fête
M⁰ de Bellière — l'argenterie a servi au souper. Arrivée d'Aramis qui veut
parler à Fouquet [CLXXXVI].

Aramis et Fouquet, Aramis raconte sa scène avec M^de de Chevreuse —
Fouquet surpris. (1) (1) *Ce sont les 13 millions que Colbert a donnés à Louis*
XIV — Mazarin les avait fait placer sous le nom de M. Fouquet et il avait
donné une décharge à Fouquet. Cette décharge a été volée[1]. Mazarin a volé
Fouquet en lui faisant payer des sommes dont il a fait voler les reçus. Fouquet
rit et explique cela à Aramis.

— Alors cherchez vite la décharge de M. de Mazarin.

La décharge ne se trouve pas — Heureusement vous êtes procureur général
— Je ne le suis plus depuis trois heures — Comment ? — J'ai vendu par
l'entremise de Gourville + + — *Vous aviez donc besoin d'argent* — oui,
pour rendre à M⁰ de Bellière laquelle m'avait si généreusement prêté —
Combien avait-elle prêté — *1 200 000 f.* — *Cela ne doit pas vous inquiéter*
— *J'ai fait un bon à vue croyant toucher la somme à six heures* — *Je paierai*
votre bon.

[2] — *C'est un* piège que l'on vous a tendu — heureusement que j'arrive
à temps puisque vous ne signez que demain — J'ai donné ma parole —
Reprenez-la — Impossible. — Lutte des amis et de Fouquet sur la religion
de la parole donnée — J'espère par la conciliation — A qui avez-vous vendu
— A M. Vanel — Le mari de votre ancienne maîtresse — Lui-même — De
votre ancienne maîtresse qui est la nouvelle maîtresse de Colbert —
Stupéfaction de Fouquet. On annonce M. Vanel — il est six heures du matin
[CLXXXVII].

Toute la scène de Vanel qui ne veut accepter aucune indemnité, à aucun
prix — Il a apporté l'acte tout préparé — Il y a l'acte et la minute — La
minute tombe de la poche de Vanel, elle est de la main de Colbert[3].
Fouquet signe malgré tout — il signe sur la minute même [f⁰ 88, v⁰] écrite
par Colbert. Vanel sort — A présent, dit Aramis, il ne faut plus s'occuper
que d'une chose — Laquelle — Votre fête de Vaux — Quoi, sans argent,
vous me proposez de dépenser 4 millions. — Vingt s'il le faut — je les donnerai
— à une condition, c'est que quand vous aurez fait le programme de la fête,
vous m'en confierez l'exécution — Soit [CLXXXVIII].

Raoul chez Guiche — Guiche arrivé depuis deux jours de Fontainebleau.
Il est venu sans être bien vigoureux. Il ne sait que ce que dit tout le monde
à Fontainebleau — l'orage, les promenades, & — mais il le renvoie à
d'Artagnan et s'il lui a écrit, c'était pour qu'il surveillât lui-même ses affaires
— Montalais arrive — On annonce que quelqu'un veut voir Guiche qui passe
dans la chambre à côté — Raoul croit reconnaître la voix de Montalais. Il
ne veut la questionner chez Guiche et pense que par d'Artagnan il arrivera
toujours à d'Artagnan [CLXXXIX]. Il y court.

---

1. Barré : « Fouquet cherche dans ses cartons, les reçus ont disparu — Vous voyez quelle
inimitié et comme vous seriez perdu si vous n'étiez pas heureusement procureur. »

2. Barré : « — A qui ? — à M. Vanel, c'est ».

3. Barré : « signez, dit Aramis — Fouquet signe ».

Chez d'Artagnan. Il le questionne — D'Artagnan dit toute sorte de choses sur les menuisiers, le portrait, & — mais rien de précis : quant à Mlle de Montalais, il se charge d'une lettre pour elle. On annonce Mlle de Montalais — qui vient chercher Raoul de la part de Madame **[CXC]**.

Madame — Raoul **[CXCI]**, l'affaire des clés — la trappe — la visite dans l'apartement — tout le supplice de Raoul & de Madame dans ce charmant logis de l'amour du roi & de La Vallière.

Raoul laisse dans la serrure un billet dans lequel il prie St-Aignan d'attendre un de ses amis ce jour Porthos[1] **[CXCII]**.

Porthos chez St-Aignan — Il accuse celui-ci de trois griefs — le déménagement — le portrait — la trappe — St-Aignan ne nie rien et accepte **[CXCIV]**. (Bragelonne a choisi Porthos, sûr qu'il n'arrangera pas l'affaire **[CXIII]**.

Fouquet invitant le roi et Colbert. Colbert, le roi **[CXCV]**, *puis* Saint-Aignan chez le roi **[XCVI]** — Arrivée d'Athos — Athos qui n'a pas douté que le roi n'ait été fidèle à sa promesse — Sa scène avec le roi. Le roi appelle M. d'Artagnan quand Athos est sorti **[CXCVII]**.

Athos, Bragelonne. Retour — douleur du j[e] homme — Athos lui dit que le roi vient d'avouer sa liaison avec La Vallière — C'est lui qui a fait tout, portrait, escalier, & — Arrivée de d'Artagnan qui se gratte le nez et demande à dire un mot en particulier à **[CC]**. Athos — il vient l'arrêter *et le fait monter en voiture*[2]. *Bragelonne chez lui,* **[CXCVIII, CXIX]** *Bragelo., La Vallière*

En chemin, il lui dit — nous allons fbg St-Antoine — A la Bastille ? dit Athos — Oui — mais nous pouvons n'y pas aller si vous voulez — Si fait, je tiens à être arrêté — Ses raisons — Le roi abuse — Dieu me vengera **[CCI]**. D'Artagnan le mène chez Baisemaux qui va souper + + *Aramis, Baisemaux — ils sont surpris par l'arrivée d'Artagnan & Athos.*

Je vous amène à souper M. le comte de La Fère, j'étais invité et je ne puis, mais voici un convive à ma place, je serai ici dans 2 heures **[CCII]**.

D'Artagnan, le roi — Scène où il redemande la liberté d'Athos. La liberté est accordée à la condition que le comte retournera à Blois à l'instant même **[CCIII]**.

Retour à la Bastille — Les deux ordres donnés successivement à Baisemaux **[CCIV]** — Au sortir **[f° 89, r°]** de la Bastille le carrosse est suivi par deux cavaliers — D'Artagnan les reconnaît bien — à la Barrière les deux cavaliers arrêtent la voiture — Athos appelle Raoul, d'Artagnan appelle Porthos — tout s'explique. Raoul accompagne son père à Blois *Raoul demande à son père de revoir encore La Vallière — Plus tard, dit Athos, à présent ce serait dangereux* Porthos et d'Artagnan reviennent à Paris **[CCV]**.

Aramis seul avec Baisemaux — leur conversation — Vous êtes agrégé à une société secrète — Moi ? — Vous — Il lui demande différentes choses

---

1. Barré : « Raoul rentre chez lui *adresse* une lettre d'appel à St-Aignan et charge Porthos de la remettre[a]. La lettre accuse St-Aignan d'avoir compromis La Vallière. »

a. Barré : « Raoul et St-Aignan ».

2. Barré : « Il lui offre de le faire évader. »

relatives à la Bastille et finit par demander à voir le prisonnier — Difficultés faites par Baisemaux. Aramis[1] demande si dans cette agrégation Baisemaux ne s'est pas engagé à laisser entrer à la Bastille en une circonstance donnée un confesseur pour un prisonnier *malade*[2] *C'est vrai dit Baisemeaux — Eh bien je suis ce confesseur. Mais il n'y a pas de prisonnier* malade. *En ce moment on vient annoncer que le 2*[e] *Bertaudière est malade. Surprise de Baisemaux*[3] Baisemaux[4] *Comment saviez-vous ?... — L'ordre sait tout — et devine tout. Baisemaux obéit* **[CCVI]**.

Aramis va voir le prisonnier.

Aramis. Le jeune homme *qui est couché et fait le malade — Je suis le confesseur que vous annonçait un billet caché dans votre pain. Il lui révèle sa naissance et lui montre le portrait du roi, et sa face dans une glace.* A sa sortie Aramis donne à Baisemaux quittance de 50,000 livres de la part de M. Fouquet qui est généreux **[CCVII]**.

[F° 90, r°]   **[9.]**

Le Vicomte de Bragelonne

Chez le tailleur du roi — Molière en garçon-tailleur — Porthos, d'Artagnan **[CCIX]** — puis Aramis avec Lebrun — on veut avoir le dessin des habits que portera le roi pour lui faire la surprise de son portrait — Aramis & Porthos **[CCX, CCXI]**.

Aramis retourne à St-Mandé, où il trouve les Épicuriens travaillant pour la fête — Molière ayant fait ses *Fâcheux*. Pélisson son prologue, La Fontaine &.

Aramis et Fouquet — M[de] de Bellière, & — ordre donné par Fouquet à ses serviteurs de Vaux d'obéir en tout point à l'abbé d'Herblay **[CCXII]**. La Bastille — Aramis soupe chez Baisemaux — un ordre arrive d'élargir Seldon — Baisemaux retarde jusqu'au lendemain — Aramis efface le nom & y substitue celui de Marchialy **[CCXIII]** — Pourquoi retardez-vous, dit Aramis, ce pauvre prisonnier sera heureux de sortir tout de suite — Mais il n'a personne pour l'escorter — J'ai une voiture — et l'emmènerai — Mettez en liberté Seldon, dit Baisemaux — Non, Marchialy — Seldon — Non — Et Aramis montre l'ordre — Surprise de Baisemaux — Explication — ordre intimé par Aramis général des Jésuites — Le prisonnier est délivré **[CCXIV]** — *Avez-vous reçu, dit Aramis, ce cahier que je vous ai fait passer sur les renseignements touchant tout le monde qui vous entourera — pouvez-vous être roi demain ?*

— Oui.

Voyage d'Aramis et du jeune homme. La liberté offerte en route avec mille pistoles pour aller vivre dans le Bas-Poitou au milieu des

---

1. Barré : « les lève en se déclarant supérieur ».
2. Barré : « et le ».
3. Barré : « Voici son nom sur cet ordre, ordre du général signé du cachet du généralat. »
4. Barré : « obéit ».

marais — ou la couronne de France dès le lendemain. On risque dans le
1er cas de mourir des fièvres — dans le second de mourir empoisonné ou
étranglé — Laissez-moi, dit le jer homme consulter la voix que Dieu laisse
parler dans la nature libre [CCXV] — Il descend, regarde le ciel, aspire l'air,
et après q.q. instans — Allons, dit-il, où l'on trouve la couronne de
France.

*Maintenant, dit Aramis, faisons nos conditions. Cardinal, 1er ministre
— et pape* [CCXVI].

Vaux — description complète. Préparatifs & — Le roi à l'horizon
[CCXVII].

Le voyage qu'a fait le roi [CCXVIII].

Réception qui [est] faite au roi par Fouquet [CCXIX]. Jalousie & colère
du roi.

— Dites-moi donc, M. Colbert comment M. Fouquet a tant d'argent pour
me donner des fêtes.

Les lettres de M. de Mazarin et Me de Chevreuse données au roi par Colbert
[CCXX].

La Vallière, le roi — Le roi veut faire arrêter Fouquet. Colbert l'y pousse,
La Vallière s'y oppose[1] et obtient qu'on n'arrêtera pas Fouquet. Le roi resté
seul trouve ce billet de Fouquet qui avait disparu à Fontainebleau [CCXXI]
— Fureur jalouse du roi — il fait venir d'Artagnan.

Le roi ordonne à d'Artagnan d'arrêter Fouquet *et* de lui rendre compte
aussitôt que [f° 90, v°] l'arrestation sera faite — Gardez-le à vue dans sa
chambre, la nuit porte conseil [CCXXII].

Aramis dans la chambre à côté avec Philippe — A peine le roi *resté seul*
épuisé par la colère s'est jeté sur son lit[2], le lit cède et descend, la lumière
s'éteint — le roi se trouve dans un cachot souterrain — Sa surprise. Deux
hommes masqués sont près de lui — le font lever — monter dans un carrosse
et conduisent à la Bastille *sans que personne ait vu sortir le carrosse qui part
du souterrain même.*

Baisemaux, Aramis — Rendez-moi l'ordre Marchialy — voici l'ordre
Seldon — faites sortir ce dernier — Le tour est fait. Ordres sévères donnés
sur Marchialy [CCXXIII].

Le roi seul dans la prison. Son désespoir [CCXXIV].

La nuit de[3] d'Artagnan et de Fouquet qui a demandé après Aramis toute
la nuit [CCXXV].

La nuit du *faux* roi dans le lit royal — Au matin, d'Artagnan *se préparant
à* entrer chez le roi pour lui demander ses ordres — quand Aramis à la porte
annonce que le roi un peu souffrant ne recevra que les grandes entrées —
quant à M. Fouquet voilà l'ordre de le mettre en toute liberté [CCXXVI].

Aramis et Fouquet[4] — Je suis chez moi ! — vous aurez Belle-Isle ! prenez
quatre heures pour vous mettre hors de la portée du roi.

---

1. Barré : « Colbert fait tenir au roi ».
2. Barré : « il a refusé son ».
3. Barré : « le lendemain ».
4. Barré : « Celui-ci ».

Fouquet furieux part pour Paris tandis que Porthos et Aramis partent pour Belle-Isle [CCXXVII].

Fouquet à la Bastille — pourparlers avec Baisemaux — Celui-ci l'accompagne chez le roi [CCXXVIII] Scène de Fouquet et du roi — La vie sauve pour tout le monde, demande Fouquet — Non, s'écrie le roi, excepté pour mon frère — J'ai prévu le cas, dit Fouquet, les misérables qui ont porté la main sur V.M. sont en sûreté dans Belle-Isle [CCXXIX].

Le petit-lever mystérieux — Le faux roi mis en présence de la reine-mère, de la reine, de La Vallière, de Monsieur, de Madame, de d'Artagnan — Sa merveilleuse perspicacité qui vient de cette étude des notes d'Aramis. Il n'hésite pas, chacun est persuadé (faire le lever du roi comme si c'était celui de Louis XIV).

C'est à ce moment même que le vrai roi paraît. Il enfonce un volet d'un coup de poing ! s'écrie ! Vous aussi ma mère ! reconnaissez donc le roi ! — Et vous M. d'Artagnan ! D'Artagnan hésite — Voyez de nous deux celui qui est le plus pâle — D'Artagnan marche droit à Philippe — Monsieur ! vous êtes mon prisonnier [CCXXX].

[Fº 75, rº]   [10.]

Athos à Blois avec Bragelonne [CCXXXI]. Porthos & Aramis. Porthos duc. Confidence entière d'Aramis à Athos, donnez-moi vos deux meilleurs chevaux, la poste a manqué, les chevaux étant retenus par M. de Beaufort, Ils partent pour Belle-Isle [CCXXXII].

Le jeune homme a demandé à partir avec Aramis. Non dit Athos on ne se bat pas contre le roi — je vous chercherai autre chose.

M. de Beaufort chez Athos.

Il va partir pour Gigelly et vient faire ses adieux à son vieil ami. Bragelonne demande à devenir chevalier de Malte et à suivre M. de Beaufort [CCXXXIII].

Athos fait les préparatifs de départ de son fils — et le conduit à Paris.

Là, Guiche, Madame, Malicorne [CCXXXIV], & — Athos ne trouvant pas d'Artagnan s'informe chez Planchet. Planchet s'est retiré — il part pour Fontainebleau. Il ignore ce qu'est devenu d'Artagnan.

Seulement il l'a vu rentrer très affairé, prendre une carte de France, et Athos retrouve pointées sur cette carte toutes les étapes de Paris à Cannes[1] [CCXXXV].

Voyage à Antibes où Athos reconduit Bragelonne. Bragelonne demande à voir d'Artagnan pour lui dire adieu [CCXXXVI]. Comme il n'a que lui pour faire parvenir une lettre à La Vallière, Guiche étant exilé par Monsieur, Bragelonne en cause avec d'Artagnan [CCXXXVIII].

Il faut trouver comment d'Artagnan et Athos se rencontreront aux îles Ste-Marguerite — le plat d'argent trouvé par le paysan en présence d'Athos [CCXXXVII].

---

1. Barré : « Toulon ».

Lettre de Raoul à La Vallière[1] **[CCXXXVIII]**. — *d'Artagnan se croit pour toujours à Ste-Marguerite* quand tout à coup lettre du roi qui rappelle le mousquetaire. Athos reste pour assister au départ de son fils **[CCXXXIX]**— le Masque de fer passe devant eux allant à la messe **[CCXXXVIII]**. Effet de cette vision sur Athos. D'Artagnan part pour Paris. Départ de la flotte. Adieux du père & du fils **[CCXXXIX]**.

D'Artagnan chez le roi — projet de voyage à Nantes — Je vous emmène, M. d'Artagnan[2]. Lettre remise par d'Artagnan à La Vallière **[CCXL]**. Une dernière réunion des Épicuriens — Fouquet faisant ses adieux prévoit son sort — M^de de Bellière **[CCXLI]** — le voyage **[CCXLIII]**.

Toute une armée qui suit pour aller à Belle-Isle.

Arrestation de Fouquet à Nantes **[CCXLVI]**.

Siège de Belle-Isle — Mort de Porthos — fuite d'Aramis. Prise de Belle-Isle **[CCXLVII, CCXLVIII]** — Colbert ministre.

Épilogue

Mort de Raoul annoncée par un rêve **[CCLXIII]** — Grimaud au réveil — Mort d'Athos[3] **[CCLXIV]**. D'Artagnan seul au convoi **[CCLXVI]**.

---

1. Barré : « Son départ avec l'expédition. D'Artagnan et Athos vont revenir ensemble. »
2. Barré : « Fouquet, ses amis ».
3. Barré : « dans les bras [de] ».

1. TRAITÉ DUMAS / GIRARDIN / VÉRON

[Paris, 26 mars 1845]

Voir *Vingt Ans après*, Correspondance, lettre 3.

2. A ÉMILE DE GIRARDIN*

[Paris, 26 mars 1845]

Cher Émile,
La combinaison va à Véron.
Je vous demanderai jusqu'au mois de juin, par exemple, pour écouler tout ce qui me reste à faire, cinq volumes de *Monte-Cristo* et six volumes au *Siècle*[1]. Puis à partir de ce moment je vous donnerai pendant cinq ans à chacun dix volumes à 4,000 francs l'un, et je vous appartiendrai exclusivement.
Soyez chez Véron de une heure à deux heures.

A vous
Alexandre Dumas

3. A EUGÈNE-THÉODORE TROUPENAS**

[Paris, v. 15 juillet 1845]

Mon cher Troupenas[2]
J'ai trouvé un moyen de me mettre tout de suite à *Bragelonne*[3] ; c'est de

---

* Publ., *La Gazette des tribunaux*, 6 février 1847.
1. D'après le traité, ces six volumes sont ceux du *Vicomte de Bragelonne*, qui, en cours de rédaction, doublera.
** Aut., Société des Amis d'A. Dumas, 37/4.
2. Eugène-Théodore Troupenas, éditeur théâtral, avait acquis de Dumas, le 4 juillet 1845, le droit de reproduire les œuvres de l'écrivain, dans un journal ou en supplément à un journal, pour une durée de cinq ans à partir du 1er septembre. Le 14 octobre, Troupenas et son associé Masset sous-traitent ce droit avec *Le Siècle*.
3. *Le Vicomte de Bragelonne* ne fut publié dans *Le Siècle* qu'à partir du 20 octobre 1847.

donner *Fabien*[1] à Girardin en échange des *Mémoires d'un médecin* : autorisez-moi à donner *Fabien* et vous toucherez de Girardin et de la librairie jusqu'à la concurrence de la somme que vous avez reçue.

A moins que vous ne veuilliez considérer que je suis remboursé de mon apport de *Monte-Cristo* par la restitution de *Fabien*.

En tout cas chargez Fellens[2] de vos intérêts dans cette affaire qui me permettrait de vous donner *Bragelonne* dans deux mois.

A vous

Alex Dumas

L'affaire est assez importante pour que vous décidiez avant votre départ.

4. LE SIÈCLE, 2 août 1845

Nous terminons aujourd'hui la publication de *Vingt Ans après*, suite ou plutôt *deuxième partie* des *Trois Mousquetaires*. Nos lecteurs n'apprendront pas sans un vif plaisir qu'il nous reste à publier la troisième partie de la trilogie, où le talent de M. Alexandre Dumas s'est déployé avec tant d'éclat : intérêt puissant, verve entraînante, esprit, grâce, vigueur, imagination féconde, érudition variée, excellent comique, style brillant et pittoresque, toutes qualités éminentes dont la réunion a été si rare dans tous les temps, et qui font de l'auteur un des écrivains les plus remarquables qu'ait possédé notre littérature. Nous ferons reconnaître ultérieurement l'époque de la publication et l'étendue de cette *troisième partie* qui sera intitulée *Dix Ans plus tard, ou le Vicomte de Bragelonne*, et qui paraît appelée à continuer l'immense succès des deux premières.

5. LE SIÈCLE, 23 et 24 septembre 1845

Par suite de notre traité avec M. Alexandre Dumas, le feuilleton quotidien du *Siècle* publiera dans un délai très rapproché :

1° *Le Vicomte de Bragelonne, ou Dix Ans plus tard*, deuxième suite des *Trois Mousquetaires*.

2° *Fabien*, roman en 5 volumes.

3° *Une amazone*.

Ces trois ouvrages sont *complètement inédits* et ne pourront pas être reproduits par aucun autre journal.

---

1. *Fabien*, roman en 4 vol., acheté par Dujarrier, directeur de *La Presse*, faisait partie, après la mort du journaliste (11 mars 1845), de sa succession ; après la résiliation du traité Dujarrier-Dumas (9 juillet 1845), ce dernier proposa le roman à Girardin qui, le jugeant « inférieur », le refusa, puis à Véron qui lui aurait dit : « Disposez de *Fabien* et débarrassez-vous avec lui d'un de vos traités » (voir *Gazette des tribunaux*, 30 juillet 1847). Porté au *Siècle*, sa publication fut annoncée dans ce journal le 21 septembre 1845. Dumas affirme l'avoir brûlé. Il pourrait s'agir d'un roman de jeunesse de Dumas fils endossé par son père.

2. Jean-Baptiste Fellens, associé de L.-P. Dufour, donnera des éditions illustrées des *Trois Mousquetaires*, de *Vingt Ans après*, du *Comte de Monte-Cristo*, ainsi que l'édition dite du Cabinet de lecture des *Mémoires d'un médecin. Joseph Balsamo* (vol. 1-4). Il éditait également *L'Écho des feuilletons*.

En outre, par un traité en date du mois d'août dernier, *Le Siècle* a acquis le *droit exclusif* de réimprimer les *Œuvres complètes* que M. Alexandre Dumas a publiées jusqu'à ce moment (environ 200 volumes in-octavo), mais encore tout ce qu'il publiera *pendant dix années, à partir de ce jour.*

Sur les 200 volumes déjà existants, plus de *cent* n'ont paru dans aucun journal ou n'ont été publiés que dans des *revues.*

En conséquence de ce traité, nous offrirons à nos abonnés, *à titre de prime gratuite*, dans une réimpression accessoire, la *réunion* d'ouvrages que cet écrivain si spirituel, si fécond et si dramatique n'a pu et ne pourra faire paraître qu'*isolément* dans d'autres publications.

Nous donnerons, dans un prochain numéro, l'ordre de réimpression des ouvrages qui composeront cette collection, si importante par le nombre et par leur valeur littéraire.

Elle sera publiée, par suppléments au journal dans un format commode, qui permettra d'en faire une belle collection de bibliothèque.

Ces supplémens paraîtront à de courts intervalles, à partir de la fin du présent mois.

Nous commencerons par la *première partie* de *Monte-Cristo*, dont le *Journal des débats* publie en ce moment la deuxième partie[1], et que nous donnerons entièrement dans le courant du trimestre. Viendra ensuite *La Reine Margot*, roman dont le succès est encore tout récent.

5 bis. LE SIÈCLE, 30 septembre et 1ᵉʳ octobre 1845

[...] Viendront ensuite *Le Vicomte de Bragelonne, ou Dix Ans plus tard*, roman en cinq ou six volumes de M. Alexandre Dumas, troisième et dernière partie de cette intéressante, spirituelle et dramatique trilogie, dont les deux premières (*Les Trois Mousquetaires* et *Vingt Ans après*) ont obtenu un grand et légitime succès.

6. A LOUIS PERRÉE*

A Monsieur le directeur du *Siècle*[2]

[Monte-Cristo, v. 29 août 1847]

Mon ami,

Voulez-vous, pour moi, prendre un engagement formel, pour la fin du

---

1. La publication commence le 28 septembre 1845.

* Publ., *Le Siècle*, 30 août 1847.

2. A la une du *Siècle*, la lettre est précédée d'un article non signé (Louis Desnoyers ?), intitulé « Le Vicomte de Bragelonne » : « Nous pouvons aujourd'hui annoncer d'une manière certaine à nos abonnés l'époque précise où nous commencerons la publication du *Vicomte de Bragelonne*, par M. Alexandre Dumas. Nous sommes heureux de leur donner l'assurance que cette époque est très prochaine. C'est vers la fin de septembre que nous pourrons être en mesure d'offrir à leur légitime impatience cette troisième partie d'une trilogie dont les deux premières (*Les Mousquetaires* et *Vingt Ans après*) ont connu la double consécration qui fait les réputations durables : le succès d'estime après celui de vogue, le succès de réflexion après celui de curiosité. Voilà pourquoi ces deux romans, quoique publiés d'hier, ont déjà pris leur rang définitif parmi les meilleurs de notre littérature, tandis que tant d'autres

mois de septembre, avec nos bons et chers abonnés du *Siècle*, qui m'ont fait mes plus beaux et mes meilleurs succès ?

— Je leur reviens après deux ou trois campagnes à l'étranger, et vais tâcher de renouer avec eux, par l'intermédiaire du *Vicomte de Bragelonne*, une de ces bonnes connaissances qui font les amis.

A vous, mon cher Perrée, et de tout cœur.

Alexandre Dumas

7. A AUGUSTE MAQUET*

[Monte-Cristo, septembre 1847]

Tout cela est excellent. Vous inventez tous les jours quelque chose, et cette belle jeunesse contrastera[1] bien avec nos vieux.

8. LE SIÈCLE, 24 septembre 1847

[...] Nous commencerons ensuite[2], c'est-à-dire dès la *première huitaine d'octobre*, la publication du *Vicomte de Bragelonne*, par M. Alexandre Dumas, roman faisant suite aux *Trois Mousquetaires* et à *Vingt Ans après*, que, selon les prévisions de l'auteur, il égalera pour le moins en étendue, comme, d'après les nôtres, il doit les égaler en succès. Conformément à la promesse qu'il avait faite directement à nos abonnés, dans sa lettre du 30 août dernier, l'illustre écrivain vient de remettre en nos mains le commencement de son manuscrit. Aucun nouveau délai ne peut donc être apporté à la publication de cet ouvrage, dont les deux premières parties ont déjà pris rang, dans l'opinion des gens de goût, parmi les chefs-d'œuvre de notre littérature.

_____

productions n'obtenaient qu'un éphémère retentissement. C'est qu'en effet, dans les arts surtout, pour laisser une empreinte ineffaçable dans la mémoire du public, il ne suffit pas de frapper fort : il faut frapper juste. Quand on ne s'adresse qu'aux vulgaires appétits des lecteurs, sa curiosité se blase d'autant plus promptement qu'on l'a plus vivement excitée. L'esprit seul, ce don si rare, même en France, où, si vraiment il court les rues, c'est une preuve que fort peu l'attrapent ; l'esprit, cette qualité suprême dont l'auteur des *Trois Mousquetaires* est si richement doué ; l'esprit, ce précieux mélange de bon sens et de bon goût, doit servir de complément à toutes les autres qualités, car il peut seul communiquer aux œuvres de l'imagination ce piquant et cette délicatese d'intérêt, sans grossièreté comme sans fadeur, qui le fait justement survivre à l'engoûment du moment.

« Voilà, du reste, la lettre que nous recevons de l'illustre romancier, au sujet de cet ouvrage, dont l'étendue, nous l'avons dit ailleurs, égalera pour le moins celle des deux précédents. Quoique cette lettre soit d'une nature intime, nous croyons devoir la faire connaître à nos abonnés, avec le consentement du signataire, afin de les mettre à même de juger, par leurs propres yeux, du degré de certitude qu'elle a dû donner à notre espérance. »

* Publ., G. Simon, *Histoire d'une collaboration*, p. 116.

1. Le futur utilisé pour l'apparition des « vieux » mousquetaires laissent supposer qu'il s'agit des premières pages du roman dans lesquelles apparaissent à Blois les jeunes Louise de La Vallière, Aure de Montalais et Raoul.

2. Après *La Conquête d'une mansarde* de Saintine.

9. A AUGUSTE MAQUET*

[Monte-Cristo, ?]

Mon cher ami,

Les *Plaisirs de Porthos* sont quelque chose de merveilleux.

Encore aujourd'hui un coup de collier dans *Bragelonne* afin que nous puissions y revenir lundi ou mardi et finir le 2ᵉ volume[1].

Puis ce soir, demain, après-demain et lundi, Dam ! du *Balsamo* comme s'il en pleuvait.

J'attends les notaires et tout le bataclan aujourd'hui.

A vous
Alex Dumas

Monsieur Maquet
Croissy

10. A AUGUSTE MAQUET**

[Monte-Cristo, v. 15 novembre 1847]

Cher ami,

Par grâce de la copie — Nous voilà rejoints par *La Presse*[2].

Tout à vous
Alex Dumas

Ne pouvons-nous tous les jours faire 35 pages de *Balsamo* et 35 de *Bragelonne*.

11. A AUGUSTE MAQUET***

[Paris, v. 10 décembre 1847][3]

Mon ami,

Il ne faut pas je crois que Colbert voie le Roi avant qu'il lui dénonce

---

* Aut., B.N., n.a.fr. 11 917, fᵒˢ 195-196 (mentions sur l'aut. : « Bragelonne. Balsamo. 48 »). — Publ. partielle (première phase), Gustave Simon, *Histoire d'une collaboration*, p. 117.

1. *Les Plaisirs de Porthos*, chap. XVIII dans l'édition standard, constitue le chap. IV du deuxième volume de la publication en feuilleton, imprimé dans *Le Siècle* le 26 novembre 1847 (publication du deuxième volume entre le 23 novembre et le 9 décembre).

** Aut., B.N., n.a.fr. 11 917, fᵒ 225 (107) (mention sur l'aut. : « Balsamo-Bragelonne »).

2. La publication de *Joseph Balsamo* dans *La Presse*, qui s'achèvera le 22 janvier 1848, connaît une interruption entre le 19 et le 30 novembre : peut-être faut-il y rattacher ce billet.

*** Aut., B.N., n.a.fr. 11 917, fᵒˢ 223-224 (105/114) (mention sur l'aut. : « Bragelonne Balsamo »). — Publ., Gustave Simon, *Histoire d'une collaboration*, p. 114-115, repris par H. Clouard, *Alexandre Dumas*, p. 363-364.

3. La confession de Mazarin (« La confession d'un homme de bien », chap. XLV), les avis d'Anne d'Autriche et de Fouquet (« Comment Anne d'Autriche donna un conseil à Louis XIV, et comment M. Fouquet lui en donna un autre », chap. XLVI) appartiennent au troisième volume, imprimé dans *Le Siècle* entre le 16 décembre 1847 et le 20 janvier 1848 (XLV = 3ᵉ vol. ; XVIII : 14 janvier ; XLVII = 3ᵉ vol. ; XX : 19 janvier) ; l'entrée de Colbert (« La première apparition de Colbert », chap. XLIX) est le premier chapitre du

l'existence des 15 millions. Son entrée de fouine y perdrait. Je vais faire la confession de Mazarin. Je vais faire toute la scène de l'argent. Je vais faire le testament.

Il me faudrait une bonne biographie de Mazarin — et puis n'est-ce pas dans Brienne que toute cette histoire de testament est relatée[1].

Il faut peindre l'inquiétude de Mazarin pendant les trois jours que le testament reste chez le Roi.

Ne serait-ce pas bien que ce fût Fouquet qui lui donnât le conseil de refuser pour laisser le roi sans ressource — il est vrai que le conseil ôterait de la grandeur au refus mais ce serait un bon moyen de dessiner Fouquet qui jusqu'ici est resté derrière le rideau.

Fouquet conseillerait de rendre — Anne d'Autriche de garder. Louis XIV avec son libre-arbitre se déciderait pour le parti le plus noble — Cela sauverait tout.

Ce qu'il y a de plus clair c'est qu'il faut que nous nous voyions pour jeter de la limpidité dans tout cela.

Mais je crois Mazarin avouant tous ses petits méfaits, toutes ses petites roueries les unes après les autres — et ne parlant aucunement de ses vols — un bon type surtout quand le théatin aborderait la question d'argent.

Comme il n'a pas de secrets pour Colbert, Colbert resterait dans la ruelle pendant la confession.

Croyez-vous bien dessiner le théatin et voulez-vous faire la scène — Si vous ne la sentez pas, je la ferai.

Mais je la crois bonne et importante.

Faites du *Balsamo* mon ami et venez me rejoindre au théâtre sur le midi.

A vous
Alex Dumas

12. LE SIÈCLE, 14 novembre 1847

Des raisons de santé passagères[2] et sans gravité n'ayant pas encore permis à M. Alexandre Dumas de revoir les épreuves du *troisième volume* du *Vicomte de Bragelonne*[3], nous croyons devoir retarder, *mais de quelques jours seulement*, la publication de ce troisième volume, afin de pouvoir le faire paraître, ainsi que les suivants, avec toute la régularité convenable et sans fâcheuse interruption.

---

quatrième volume, imprimé dans *Le Siècle* entre le 26 janvier et le 24 février 1848. La présence de Dumas au Théâtre-Historique se justifie par les répétitions de *Hamlet, prince de Danemark*, dont la première représentation eut lieu le 15 décembre 1847 : cette lettre doit la précéder de quelques jours.

1. *Mémoires inédits de Louis-Henri de Loménie, comte de Brienne, secrétaire d'État sous louis XIV, publiés sur les manuscrits autographes avec un essai sur les mœurs et sur les usages du XVIIᵉ siècle*, par F. Barrière. Ponthieu et Cie, 1828, 2 vol.

2. « Je suis au lit affreusement malade d'une grippe qui me tient la tête et la poitrine », lettre à Odilon Barrot, 27 novembre 1847, *Journal des débats*, 2 décembre 1847.

3. La publication du roman est interrompue du 9 au 16 décembre, date à laquelle commence la troisième partie.

13. A AUGUSTE MAQUET*

[Monte-Cristo, 1er janvier 1848][1]

Je vous souhaite une année moins rude que celle qui vient de s'écouler.

Où en sommes-nous ? Nous n'avons plus de plan de *Balsamo*, plus de copie des *Mousquetaires* ; voulez-vous de moi cette nuit, ou demain soir, ou la nuit prochaine.

14. A AUGUSTE MAQUET**

[Paris, 23 février 1848][2]

Cher ami,

Avez-vous pu travailler au milieu de tout ce tumulte.

Il serait bien important que vous puissiez m'envoyer 200 de vos pages d'ici à vendredi soir.

J'aurai fini un vol. samedi dans la journée[3]. J'écris en même temps à Hostein pour lui donner le conseil de ne pas jouer ce soir.

Il me semble que ce serait une insulte à la chose publique.

A vous
Alex Dumas

15. LE SIÈCLE, 11 avril 1848

M. Alexandre Dumas, se présentant au choix des électeurs[4] pour l'Assemblée nationale, et les soins de sa candidature ne lui permettant pas en ce moment de se livrer à ses travaux habituels, nous a prié d'interrompre la publication du *Vicomte de Bragelonne*, que nous reprendrons.

16. LE SIÈCLE, 29 juillet 1848

Nous venons de recevoir de M. Alexandre Dumas la fin du manuscrit du *Vicomte de Bragelonne*[5]. Nous sommes donc en mesure de reprendre très incessamment la publication de ce roman si intéressant que la gravité des circonstances nous a seule fait interrompre.

---

* Publ., G. Simon, *Histoire d'une collaboration*, p. 65.

1. Les vœux de Dumas, la conjonction de *Joseph Balsamo* (qui à cette date en est au chap. LXXXVII — actuel chap. CLIV et se terminera le 22 janvier 1848) et des *Mousquetaires*. *Troisième partie. Le Vicomte de Bragelonne* (dont la troisième partie, commencée le 16 décembre, en était le 31 décembre au chap. X, le chap. XI n'étant publié que le 4 janvier) font proposer cette date.

** Aut., B.N., n.a.fr., 11 917, f° 261 (mention sur l'aut. : « Révolution de février »).

2. Une lettre à A. Bixio, conservée à la B.N., n.a.fr. 22 736, f⁰ˢ 114-115 (« [...] le 23 février, [j']écrivai[s] à Hostein : Ne jouez pas ce soir ce serait insulter à la douleur publique »), autorise à proposer cette datation.

3. Le dernier feuilleton du quatrième volume du *Vicomte de Bragelonne* est imprimé le 24 février ; le cinquième volume débute le 3 mars, c'est vraisemblablement celui que Dumas compte terminer samedi (26 février).

4. La publication s'est interrompue avec la fin du cinquième volume, le 31 mars, et ne reprendra que bien après les élections générales à la Constituante (23 avril).

5. La publication n'est reprise que le 28 septembre.

17. NOTE DE MAQUET*

Siècle   14 mars 1849

Vicomte de Bragelonne

Il y a eu duel, on veut le cacher au roi Louis XIV. On lui fait accroire que les coups de feu tirés ont été tirés à l'affût.

— A l'affût de quel animal ! (demande le roi).

— Du sanglier, Sire.

— Et quelle idée a eue Guiche d'aller comme cela tout seul à l'affût du sanglier ? [...] Il avait donc eu connaissance de la bête ?

— Oui, Sire. Des paysans l'avaient vue dans leurs pommes de terre[1].

[lettre de Maquet à Dumas, 14 mars 1849]

Cher ami, est-ce possible ? *Pommes de terre* ! sous Louis XIV ! et la fleur de parmentière à la boutonnière de Louis XVI ?

[*Le Siècle*, 15 mars 1849]

Par une erreur de copiste une faute s'est glissée dans notre feuilleton d'hier ; au lieu de *pommes de terre*, lisez *pommes d'amour*[2].

18. LOUIS PERRÉE A AUGUSTE MAQUET**

Le Siècle
Journal quotidien   Paris, le 1er juin 1849
politique et littéraire
Rue du Croissant, 16
Hôtel Colbert
M. Louis Perrée
Directeur général

Mon cher Maquet,

Je vous ai dit qu'il y avait mille francs à la caisse à votre disposition ; aussi venez les prendre quand vous voudrez.

Laissez-moi seulement vous dire que je ne peux comme vous le désirez mettre vos comptes au dehors de ceux de Dumas puisque c'est à lui que je suis obligé de par la loi et les oppositions de payer tout ce qui est dû.

Bragelonne fini, je vous promets de prendre des arrangements tels que vous puissiez sans aucune difficulté compter sur ce qui doit vous revenir.

---

* Publ., G. Simon, *Histoire d'une collaboration*, p. 119-120.

1. Chap. CLVI, « L'affût ». Dans le feuilleton, il constitue le chap. IV du dixième volume, publié effectivement le 14 mars 1849.

2. Note que nous n'avons pas retrouvée à cette date, ni les jours suivants, dans *Le Siècle*. La correction n'a pas été effectuée au cours de l'impression en volumes : toutes les éditions conservent l'anachronisme.

** Aut., B.N., n.a.fr. 11 917, f° 369.

Adieu et merci de votre bonne volonté.

Tout à vous
L. Perrée

19. LOUIS PERRÉE A AUGUSTE MAQUET*

Journal *Le Siècle*   [Paris,] 20 août 1849
Louis Perrée, directeur-gérant

Mon cher Maquet,

Les jours passent, et je ne vois rien venir. Je me suis cependant expliqué assez franchement avec vous pour pouvoir compter sur votre empressement à nous livrer la fin du *Vicomte de Bragelonne*. Fixez-moi, je vous en prie, un jour qui nous permette d'annoncer la reprise d'une manière positive[1].

Je me suis occupé de la permission que vous désirez pour visiter le château de Vaux ; il faudrait vous adresser à M. Cenac, ancien chef de division au ministère du commerce, qui est actuellement chargé des affaires de la famille Sébastiani. M. Cenac demeure rue de Monsieur, n° 2. La famille tient surtout à ce qu'on n'exploite pas dans la publicité la triste célébrité qui s'est attachée à cette propriété depuis la mort du duc et de la duchesse de Praslin[2]. J'ai dit qu'il ne s'agissait pour vous de visiter le château et le parc qu'au point de vue des souvenirs historiques du temps de Fouquet. On m'a dit qu'en le disant, vous obtiendrez sans peine l'autorisation que vous désirez.

Voilà, mon cher Maquet, le résultat de mes démarches. Prouvez-moi, vous aussi, votre bonne volonté en m'envoyant de la copie, beaucoup de copie, et surtout le mot fin après lequel je soupire.

Mille amitiés
Perrée

20. LUDOVIC D'HORBOURG[3] A AUGUSTE MAQUET**

[Paris, v. 30 octobre 1849]

Permettez-moi de vous remercier de l'émotion délicieuse que vous m'avez procurée en me donnant la douce joie de lire les adieux d'Athos et de son fils[4].

J'ai écrit ces quatre lignes avec deux grosses larmes dans les yeux.

---

* Publ., G. Simon, *Histoire d'une collaboration*, p. 121-122.

1. *Le Vicomte de Bragelonne* s'est interrompu le 12 juillet 1849 à la fin du douzième volume (actuel chap. CCVII). Il ne reprendra que le 5 septembre.

2. Le duc de Choiseul-Praslin, amant de l'institutrice de ses enfants, avait assassiné son épouse, Fanny Sébastiani le 17 août 1847 ; décrété d'arrestation le 20, il s'était empoisonné, mourant quatre jours plus tard dans sa prison du Luxembourg.

** Publ., *Gazette des tribunaux*, 21 janvier 1858.

3. Louis, dit Ludovic d'Horbourg (Paris, 27 octobre 1808-Motevidéo, v. 1852), fils reconnu, en 1827, de Frédéric-Amédée, comte d'Horbourg, avait, « tout vêtu de deuil », apporté en 1847 à Dumas un ceinturon de sabre que son père avait fait faire avec la peau d'un serpent tué en Égypte par le général Dumas, son compagnon d'armes. Dumas l'avait gardé auprès de lui comme secrétaire, fonction qu'il remplira jusqu'en 1851.

4. Les adieux d'Athos et de Raoul (« Les promesses », chap. CCXXXIX) sont imprimés dans *Le Siècle* des 1er et 2 novembre 1849. Ce billet précède de peu l'impression.

21. LUDOVIC D'HORBOURG A AUGUSTE MAQUET*

[Paris, v. 20 novembre 1849][1]

Il est neuf heures. Je pense que vous allez arriver. M. Perrée crie famine ; il m'a secoué hier comme un pauvre prunier. Veuillez, je vous prie, songer à ce pauvre *Siècle*, qui est réduit à demander sa pâture à M...

22. LOUIS PERRÉE A AUGUSTE MAQUET**

Journal *Le Siècle*   Paris, le 26 novembre 1849
Rue du Croissant, 16
Louis Perrée
Directeur-Gérant

Mon cher Maquet,

Vous m'avez prié de vous faire connaître quelles étaient mes intentions relativement à ce qui pourrait vous revenir sur *Le Vicomte de Bragelonne*.

Comme je vous l'ai annoncé en vous remettant les 1 000 f. dont vous aviez, m'aviez-vous dit, un besoin urgent[2], je vous payais d'avance volontairement à titre de concession le 14e volume, si 14e volume il y avait, Dumas ayant renoncé à rien toucher.

Vous n'ignorez pas qu'aux termes de mon traité avec Alexandre Dumas, les volumes qu'il devait me fournir avaient été stipulés à 4 375 lignes de *60 si.* à la ligne. En fait et depuis longtemps, les lignes se sont trouvées réduites à *52 si.*, ce serait donc environ un huitième à ajouter au nombre de lignes pour avoir l'équivalent des 4 375 de la contenance stipulée au traité, de plus ce traité restait muet à l'égard des bouts de lignes. En l'interprétant à la rigueur, ce que j'aurais parfaitement le droit de faire, j'aurais à compter le nombre de lettres et à le diviser par 60, pour savoir de combien de lignes je me trouve débiteur vis-à-vis de Dumas. Ces difficultés avaient été réglées à l'amiable entre Dumas et moi, et nous étions convenus de fixer les lignes au chiffre de *30 si.*, pleines ou non, et de doubler le nombre de lignes que devait contenir chaque volume[3] ; mais cette convention m'avait été faite entre nous qu'à la condition que *Le Vicomte de Bragelonne* n'excèderait pas 13 volumes ; Dumas s'étant engagé à ne rien réclamer pour le 14e volume, si les nécessités de son sujet ne lui permettaient pas de se restreindre comme il l'espérait. Je ne manquerai pas de réclamer l'exécution de cet engagement vis-à-vis des cessionnaires de Dumas qui veulent profiter

---

* Aut., ? Publ., *Gazette des tribunaux*, 21 janvier 1858.
1. Deux interruptions signalent la fin de la publication en feuilleton du *Vicomte de Bragelonne* : du 18 au 26 novembre 1849 et du 13 au 25 décembre 1849, mais, pour cette dernière, Dumas en rend compte dans une « Lettre au directeur du *Siècle* », imprimée dans ce journal le 19 décembre, et datée de Villers-Cotterêts (voir lettres 25, 26, 27).
** Aut., B.N., n.a.fr. 11 917, f°s 370-371.
2. Le 1er juin 1849. Voir lettre 18.
3. Cette convention explique sans doute le mode de publication en feuilleton adopté à partir du dixième volume (12 mars 1849) : les volumes comprennent désormais deux parties.

d'une signification qu'ils m'ont faite et dont Dumas s'était engagé à me rapporter main-levée. Je pourrais également vous l'opposer puisqu'elle est toute à notre avantage, mais là n'est pas la question.

Il ne m'en coûtera jamais de reconnaître le service que vous aurez pu nous rendre en terminant *Le Vicomte de Bragelonne*. Mais si vis-à-vis de vous je consens à ne pas calculer rigoureusement la contenance des volumes, je ne puis du moins excéder les limites de la dernière transaction.

Pour savoir ce qui vous reviendrait, il s'agit donc d'établir combien *Le Vicomte de Bragelonne* ferait de volumes, en prenant pour base la transaction faite avec Dumas et sans tenir compte provisoirement de l'engagement pris de livrer gratuitement ce qui excèderait treize volumes.

Au 31 octobre dernier, la publication du *Vicomte de Bragelonne* s'élevait à 114,334 demi-lignes de *30 si.*, ou plutôt de moitié de la justification du *Siècle* à cette époque, qui au lieu de *60 si.* n'en contenait que 52. Je laisse encore momentanément de côté cette différence qui a cependant son importance puisqu'elle représente un volume sur huit. 114,334 demi-lignes, nous donnent 57,167 lignes, soit à raison de 4, 375 lignes par volumes, treize volumes et 292 lignes. Vous voyez qu'il vous resterait encore à nous fournir pour compléter le 14ᵉ volume dont vous êtes soldé 4,083 lignes. En admettant, je le répète encore, que la transaction entre Dumas et moi ne soit pas contestée par ses ayants-droits, et que je ne réclame rien pour la différence entre le nombre de lettres contenues dans la ligne du *Siècle* et celui stipulé au traité.

La justification nouvelle contient *36 si.* au lieu de 60, c'est-à-dire qu'il faut dix lignes actuelles du *Siècle* pour en faire six anciennes, soit pour compléter les 4,083 lignes anciennes qui nous manquent, 6,805 lignes nouvelles.

Bragelonne a fait depuis le 1ᵉʳ novembre 3,584 lignes. Ce serait donc 3,221 lignes qu'il y aurait encore à fournir pour compléter le 14ᵉ volume, ce qui équivaut environ à neuf feuilletons.

Je vous avais prévenu de ce fait lorsque vous m'avez demandé les derniers mille francs. Je compte sur votre loyauté pour nous remettre le plus tôt possible ces derniers feuilletons, tout prêt à vous solder la différence si ce quatorzième volume devait être dépassé, mais je vous le répète, il ne s'agit ici que d'une concession purement facultative de ma part, que je suis enchanté de faire pour vous, mais qui ne peut modifier en rien le droit que j'avais de régler facultativement avec Dumas le prix des volumes qui ont dépassé le chiffre de huit.

Dans la confiance que vous nous livrerez les derniers feuilletons sans interruption, recevez l'assurance de mes sentiments distingués.

L. Perrée

22 bis. LOUIS PERRÉE A AUGUSTE MAQUET*

Je vous remets ci-après l'état des paiements qui vous ont été faits certifiés à n. caisse par des quittances toutes signées de votre main.

---

* Aut., B.N., n.a.fr. 11 917, f° 372.

État des sommes payées à Mr Maquet
Par la caisse du j^{al} *Le Siècle*

1847	29 octobre	1,000	
48	25 janvier	2,000	
	29 février	1,000	
	22 mars		1,000
	25 mai		2,000
	3 juin		1,000
	27 juin		1,000
	21 septembre		500
	6 octobre		500
1849	2 juin		1,000
	23 juin		1,000
	7 septembre		1,000
	30 octobre	1,000	
	Total		14,000

L. Perrée

23. A AUGUSTE MAQUET*

[29 novembre 1849]

Cher ami,

Le feuilleton est arrivé trop tard.

Je voudrais voir celui de demain.

Avez-vous décrit l'intérieur de la grotte[1] pour donner une idée du champ de bataille ?

Pourquoi attendent-ils — au lieu de fuir ?

A vous
Alex Dumas

24. A AUGUSTE MAQUET**

[Paris, début décembre 1849][2]

Je désire que la mort de Porthos ait toute la grandeur possible.

---

* Aut., B.N., n.a.fr. 11 917, f° 199 (51) (mention sur l'aut. : « Bragelonne-mort de Porthos »). Publ., G. Simon, *Histoire d'une collaboration*, p. 116.

1. « La grotte de Locmaria », chap. CCLIII (treizième volume), est publiée le 4 décembre 1849. Dumas évoque donc ici le feuilleton précédent, imprimé le 30 novembre 1849, qu'il n'a pu, semble-t-il, récrire : ce billet pourrait donc être de la veille de l'impression, le 29 novembre 1849.

** Publ., *Gazette des tribunaux*, 21 janvier 1858 ; *Le Droit*, 16 novembre 1859.

2. La mort de Porthos (« La mort d'un titan », chap. CCLVI) est relatée dans le feuilleton du 12 décembre 1849 (un laps de temps très court sépare écriture et publication pour la fin de *Bragelonne*).

25. A LOUIS PERRÉE*

A Monsieur le directeur du *Siècle*

Villers-Coterets, 19 décembre 1849

Mon cher Perrée,

Vous me grondez de m'être reposé quelques jours et vous avez raison, puisque ce repos, vous avez la bonté de me le dire du moins, est préjudiciable au plaisir de vos abonnés. Mais que voulez-vous ! on ne se sépare pas d'un ami de six ans, avec lequel on a vécu tous les jours, qui n'avait pas de secrets pour vous, d'un ami dont la bonté était devenue proverbiale, on n'enterre pas cet ami, on ne prononce pas une oraison funèbre sur sa tombe sans un de ces déchirements d'esprit et de cœur qui pour un instant abattent les forces et vous imposent le besoin d'aller nous retremper quelques heures parmi d'autres amis par bonheur restés vivans et avec lesquels je me suis consolé en déplorant la perte commune que nous avions faite.

Par l'ami mort, je désigne Porthos.

Par les amis vivans, mes bons et chers compatriotes de Villers-Coterets.

Pauvre Porthos ! il m'a semblé, je ne sais si c'est une illusion de mon cœur ou de mon orgueil, il m'a semblé que le jour où vous avez fait part à la France de son trépas, un voile de deuil s'était étendu sur Paris. On s'était figuré, n'est-ce pas, que nos quatre héros étaient immortels, et quand on a vu tomber le plus fort et peut-être le meilleur de tous, on a senti instinctivement que la mort n'entrerait pas pour si peu dans ce quadrille de géans, et que l'un au tombeau, les autres ne tarderaient pas à l'y suivre.

Croyez-moi, mon cher ami, le métier de romancier et d'auteur dramatique a certes bien ses plaisirs, ses joies, ses orgueils surtout, mais comme il a ses tristesses aussi, et je le répète, une de ces tristesses-là, tristesse incompréhensible peut-être pour quelques-uns, mais réelle, mais profonde, mais infinie pour moi, c'est d'avoir donné le jour à un personnage, de l'avoir élevé, choyé, vu grandir, de l'avoir conduit toujours bon, franc et loyal, au milieu des vicissitudes d'une aventureuse vie, et au jour venu de sentir l'implacable nécessité, la nécessité aux coins de fer, comme disaient les anciens, qui vient vous sommer de rendre à la terre, c'est-à-dire à l'oubli, ce doux rêve de votre imagination dont vous vous étiez habitué à être le compagnon, le conseiller, le père. J'ai donc à mon grand regret perdu Porthos, et mon regret est d'autant plus grand, qu'il était trop connu, le bon et brave mousquetaire, pour que jamais fantôme de mon imagination revête sa vieille casaque, couvre sa tête de son large feutre, sa main de sa lourde épée. — Porthos est donc mort tout entier, sans héritier, sans sucesseur, sans équivalent pour l'avenir.

Dors donc, bon Porthos ! dors en paix, sous les rochers druidiques de Locmaria !

Dors, moi j'ai été te pleurer sous les vieux chênes de la forêt de Villers-

---

* Publ., *Le Siècle*, 22 décembre 1849.

Coterets, auprès des amis de ma jeunesse, morte et ensevelie comme toi, sous des rochers peut-être encore plus lourds que les tiens.

Heureux celui qui est né dans une ville de province, et plus la ville sera petite, plus je le dis heureux. Celui-là a un berceau, des souvenirs, une patrie.

Le Parisien n'a rien de tout cela, il a une rue, voilà tout, et encore supposez qu'il soit né rue Rambuteau ou rue Coquenard : comment, après une absence d'un an, reconnaîtra-t-il la rue Rambuteau ou la rue Coquenard dans la rue Barbès ou dans la rue Lamartine ?

Le Parisien aura donc tout perdu, même sa rue.

Mais la petite ville où l'on est né, la fontaine qui ornait la grande place, le parc qui l'entourait, les fleurs du printemps, les feuilles de l'été, les fêtes de l'automne, les neiges de l'hiver, tout cela, tout est un souvenir vivant au fond du cœur, une espèce de trésor pareil à ceux des kalifes des *Mille et Une Nuits*, et dans lequel on ne descend que pour y prendre une pierre précieuse, qu'on laisse tomber royalement dans la main du voyageur qui passe.

J'ai deux religions : Dieu et l'art. J'ai eu deux amours : ma mère, mon pays.

Ma mère, — sa bonté, sa tendresse, ses soins de tous les momens, son abnégation de toutes les heures, son dévouement de toutes les minutes, cela ne se décrit pas, cela se pleure.

Mon pays, c'est autre chose.

Figurez-vous une petite ville cachée comme un nid d'oiseau au milieu d'une forêt qui, pareille à un oiseau, chantait quand j'étais enfant depuis le lever du jour jusqu'au coucher du soleil, et qui aujourd'hui se tait ou plutôt semble se taire. Pourquoi ? Parce que peut-être j'ai quarante ans de plus qu'alors. Mettez un vieillard et un enfant au bord de l'Océan, et demandez à chacun d'eux ce que disent les flots ; l'enfant répondra : ils chantent ; le vieillard dira : ils se plaignent.

Aussi, lorsque je retourne dans ce pays que j'aime tant, est-il bien rare que j'y rentre comme un voyageur ordinaire. Non, du plus loin que j'aperçois son long clocher pointu tout revêtu d'une cuirasse d'ardoises, je fais arrêter la voiture et je descends. Alors je retrouve quelque chemin, quelque sentier, quelque faux-fuyant[1], que ne remarque pas même en passant le voyageur que je quitte, et qui, pour moi, conduit à ce monde de souvenirs qui font les fantastiques horizons du passé. Je prends donc ce sentier, dans lequel je ne m'engage qu'avec une sorte de respect. Je salue le brin d'herbe auquel tremble une goutte de rosée, je dis bonjour à la fleur autour de laquelle bourdonne une abeille, et il me semble que l'herbe s'incline, que la fleur sourit et que, lorsque je suis passé, fleur et brin d'herbe se penchent l'un vers l'autre et se disent :

— Tu sais ? c'est lui.

Jugez, mon cher ami, si, à mon aspect, l'herbe et la fleur se disent de pareilles choses, jugez ce que disent les gens de la ville.

Voyez-vous, lorsque je rentre dans cette ville, où je rentre si rarement,

---

1. *Faux-fuyant* : sentier dans les bois.

les portes s'ouvrent, les habitans des maisons apparaissent sur le seuil. Chacun fait un pas au devant de moi la bouche ouverte, la main étendue. Alors je m'arrête, j'étends les deux mains, je deviens le centre d'un groupe qui va grossissant au fur et à mesure que j'avance, de sorte qu'arrivant où je vais, j'ai la ville toute entière pour cortège, depuis les vieillards qui m'ont vu naître jusqu'aux enfans qui m'aperçoivent pour la première fois.

Merci, frères ; merci, amis ; merci, première partie de moi-même ; merci, vous à qui je pense à chaque malheur qui me frappe, à chaque bonheur qui m'arrive, à chaque succès que j'obtiens, — car je sais que de près vous me regardez du cœur et des yeux, que de loin vous me suivez des yeux et du cœur.

Eh bien, mon ami, voilà pourquoi j'ai interrompu la fin de notre épopée, pour aller me retremper à ce qui est pour moi la source de toute force, à la patrie. Vous vous rappelez, n'est-ce pas, cette vieille fable d'Antée, toujours jeune comme ce qui est beau, d'Antée, qui reprenait une nouvelle vigueur à chaque fois qu'il touchait la terre, et qu'Hercule fut forcé de tenir suspendu entre ses bras pour le vaincre et pour l'étouffer ?

Et maintenant vous croyez que j'en ai fini avec vous, parce que je vous ai dit où je suis et ce que j'y suis venu faire. Non, non, très cher, vous n'en serez pas quitte à si bon marché. J'ai une histoire à vous raconter, une histoire dont les racines remontent aux premiers jours de ma jeunesse, une histoire de chasse que vous permettrez au *Journal des Chasseurs* de reproduire, n'est-ce pas, attendu que, tout à l'envers des histoires de chasse ordinaires, — elle est vraie d'un bout à l'autre.

Il faut vous dire qu'il y a aux environs de Villers-Coterets une race toute particulière, race de gardes et de braconniers, selon que le gouvernement ou les particuliers utilisent leur aptitude sauvage ou la laissent reposer. Cette race porte dans tous les pays du monde cette physionomie particulière dont Natty Bas-de-Cuir[1], l'enfant privilégié de ce grand poète transatlantique qu'on appelle Cooper, est le type. On les reconnaît en général à leur tête un peu inclinée en avant, à leur pas toujours égal, à leur geste rapide de bas en haut, lent de haut en bas, à la brièveté de leur parole, à la mobilité de leur regard, à la fermeté de leur attitude.

Ils ont la tête un peu inclinée, parce qu'avec leur tête inclinée ils ouvrent à travers les branches un passage au reste de leur corps. Ils ont le pas égal, parce que l'égalité du pas sauve la plus longue course de la fatigue ; ils ont le geste rapide de bas en haut, parce qu'ils portent rapidement le fusil à leur épaule ; ils ont le geste lent de haut en bas, parce qu'ils abaissent lentement leur fusil après avoir tiré ; ils ont la parole brève, parce que les longs discours sont inutiles, sont entendus du gibier, qu'ils effraient, et font perdre au chasseur un temps précieux ; ils ont le regard mobile, parce qu'au moindre bruit, le regard se porte du côté où vient ce bruit. Enfin, ils ont une attitude ferme, parce qu'ils savent qu'il n'est aucun danger dont ne les tire facilement leur adresse, leur patience, leur intrépidité.

---

1. Natty Bumppo, surnommé Bas-de-Cuir, est le personnage principal des *Leatherstocking Tales* de James Fenimore Cooper : *Les Pionniers* (1823), *Le Dernier des Mohicans* (1826), *La Prairie* (1827), *Le Guide* (1840), *Les Tueurs de daims* (1841).

Mon père, qui se connaissait en hommes, avait choisi un de ces hommes-là pour mon éducation de chasseur. Ce fut ce maître qui développa, tout jeune en moi, cet instinct forestier que vingt-cinq ans de séjour dans la capitale, non-seulement n'ont pu détruire, mais même ont eu peine à atténuer.

Cet homme s'appelait Mocquet et demeurait à un petit village nommé Taillefontaine. Ce village était éloigné de deux lieues du petit château que nous habitions[1].

C'était un homme à part que ce Mocquet. Je vais essayer de vous le faire connaître.

Il avait une femme et huit ou dix enfants, qu'il nourrissait avec son fusil.

Entendons-nous et expliquons ce que nous voulons dire par ces mots : avec son fusil.

Mocquet aimait la chair du corbeau, qu'il prononçait *corbeu*. Mocquet avait une façon de prononcer qui n'appartenait qu'à lui : il disait *pierges* pour pièges, et *bêtes fausses* pour bêtes fauves.

En effet, il était assez difficile de faire comprendre à Mocquet ce qu'était une bête fauve ; tandis que Mocquet expliquait très clairement ce que c'était qu'une *bête fausse*.

— Une bête fausse, disait Mocquet, c'est une bête rusée qui surprend le gibier par derrière, qui saute sur lui à l'improviste, qui l'étrangle avant qu'il ait eu le temps de se défendre et qui lui suce le sang quand il est mort.

Pour Mocquet, le renard, la fouine, le putois, la belette, étaient donc des *bêtes fausses* ou des *bêtes puantes*.

Quant à la seconde dénomination, il prenait moins de peine à vous l'expliquer qu'il ne faisait de la première. Il vous mettait la bête sous le nez et il vous disait :

— Sentez plutôt.

Après avoir senti, on était convaincu.

Mocquet affectionnait donc tout particulièrement les *corbeux*, et Mocquet les aimant, toute la famille les aimait aussi. On ne se nourrissait que de corbeaux chez Mocquet. Et comme le corbeau, surtout quand il a passé cent ans, est un animal coriace et long à cuire, à quelqu'heure du jour qu'on entrât chez Mocquet, on trouvait donc une douzaine de corbeaux en train de rôtir ou de bouillir.

— Oh ! général, disait Mocquet à mon père mourant d'un cancer à l'estomac, laissez là toutes les potions de vos imbéciles de médecins, prenez-moi rien que du bouillon de *corbeux*, et dans un mois vous m'en direz de bonnes nouvelles.

Mocquet, comme Bas-de-Cuir, était fort économe de poudre et de plomb ; il employait toutes sortes de ruses pour que ses deux coups de fusil lui

---

1. Mocquet apparaît dans *Mes Mémoires*, que Dumas a commencés le 18 octobre 1847 et qu'il rédigeait alors, chap. XVI et XVII : il y raconte un de ses cauchemars, repris dans *Le Meneur de loup* (Alexandre Cadot, 1857 ; préoriginale, *Le Siècle*, 2-30 octobre 1857). Voir aussi *Le Cauchemar de Mocquet*. *Voyage à la lune*, causerie du *Monte-Cristo*, 8 octobre 1857 (*Causeries*, 1860, t. II, p. 71-105). Sur le château des Fossés que la famille Dumas habite en 1804-1805, voir *Mes Mémoires*, Robert Laffont, collection « Bouquins », t. II, p. 1247.

produisissent le plus de *corbeux* possible. A cet effet, et comme il faisait la chasse aux corbeaux le soir et le matin, voici la manière dont il s'y prenait :

Les corbeaux vont presque toujours par volées ; le soir il remarquait les arbres où les corbeaux allaient se *branchir*. Branchir est un infinitif de la façon de Mocquet ; il l'avait substitué comme plus euphonique à l'infinitif *brancher*, qu'il n'a jamais admis.

Mocquet remarquait donc les arbres où les *corbeux* avaient l'habitude de se *branchir*, et quand ils étaient *branchis*, il ôtait ses souliers pour ne pas faire de bruit, et, pas à pas, plus léger que le loup qui s'approche de la bergerie, il arrivait dans l'arbre, cherchant la société la plus épaisse, et lâchait ses deux coups de fusil à la fois.

Presque toujours à cette double détonation tombaient dix ou douze corbeaux ; c'était la nourriture du lendemain.

Il y avait encore un autre cas où Mocquet non-seulement ôtait ses souliers, mais encore relevait son pantalon : c'était quand il avait des fourrés d'épines à traverser.

— Pourquoi ôtez-vous vos souliers et relevez-vous votre pantalon, Mocquet ? lui demandai-je un jour.

— Tiens, me répondit Mocquet, je n'ai pas envie d'user mes souliers et de déchirer mon pantalon.

Quant à la chasse du matin, elle était non moins originale et encore plus productive.

Mocquet savait d'avance quel cultivateur des environs avait du fumier à répandre aux champs et l'heure de la nuit à laquelle ce fumier devait être répandu.

Mocquet se mettait sur la route et suivait le charretier ; le charretier ne lui demandait pas pourquoi il suivait la charrette, il le savait bien.

Arrivé à l'endroit de la plaine où le fumier devait être répandu, Mocquet se couchait toujours sans rien dire. C'était l'homme le plus silencieux de la terre que Mocquet. Il ne répondait qu'aux interrogations, et encore pas toujours.

Mocquet se couchait donc, le charretier le couvrait de fumier ; puis, tout à l'entour de Mocquet, ou plutôt devant lui, il répandait le reste de la charretée.

Après quoi il s'en allait, lui, ses chevaux et sa charrette en disant : C'est les *corbeux* qui ne se doutent pas que Mocquet est là et qui vont être un peu attrapés.

Comme on voit, Mocquet, plus heureux que M. Marle[1], avait fait des élèves en philologie : en effet, comment supposer qu'un homme qui avait peut-être tué trois ou quatre mille corbeaux dans sa vie ne sût pas prononcer le mot *corbeau* !

L'aurore venait ; tous les êtres créés s'éveillaient avec elle, et les corbeaux plus particulièrement encore que les autres. Leur masse noire s'élevait dans

---

1. Sur C. L. Marle, qui publiait le *Journal grammatical et didactique de la langue française*, voir *Mes Mémoires*, chap. CVI.

les airs comme un vaste éventail, tourbillonnait, puis venait s'abattre sur le fumier nouvellement répandu.

Mocquet n'avait qu'à porter son fusil à son épaule et à lâcher ses deux coups à la fois. Nous l'avons déjà dit, c'était sa méthode, et comme l'avait judicieusement pensé le charretier philologue, les corbeaux étaient bien attrapés.

Il en restait douze, quinze, quelquefois plus, non pas sur le carreau, mais sur le fumier.

C'était la nourriture du surlendemain.

Mocquet avait donc deux jours et deux nuits à vaquer à ses affaires.

Les affaires de Mocquet, c'était d'aller tuer dans la forêt de Compiègne le plus de faisans possible.

C'étaient surtout les nuits sans étoiles, les nuits sans lune, les nuits pluvieuses, qui étaient les belles nuits de Mocquet. Quand il entendait les larges gouttes des orages d'été ou des bourrasques d'hiver, s'abattre sur son toit de chaume ou fouetter ses volets mal joints, il se tournait vers l'endroit de sa chambre où sur un peu de paille étendue dormait son fils aîné, l'enfant de sa prédilection, son élève chéri.

— Eh ! Quiau ? disait-il.

Dans le vocabulaire de Mocquet, *Quiau* avait remplacé petit.

L'enfant tressaillait à l'appel, et déjà braconnier jusqu'au fond de l'âme, s'asseyait sur son derrière et se frottait les yeux.

— Heim ? répondait-il.

— Entends-tu ? il bruine.

— Alors nous allons chasser.

— Oui, alerte !

L'enfant était déjà sur pied.

— Ah ! bon ! faisait-il. Brrrou.

Cinq minutes après, Mocquet et son fils étaient sur la route de la forêt de Compiègne. On était bien sûr que les gardes ne sortiraient point par un pareil temps. Oh ! alors, on s'en donnait ; ce n'était plus aux corbeaux qu'on allait, c'était aux faisans, on savait où ils étaient *branchis*, et pif et paf, comme dit M. Scribe dans son opéra des *Huguenots*, les faisans tombaient plus drus que la grêle.

Dans une seule nuit, Mocquet en rapporta soixante-dix.

Un jour, Mocquet...

Pardon, cher ami, je vous écrirais jusqu'à demain, moi.

Mais voilà que le temps se lève, comme on dit chez nous, voilà qu'à cette pluie que Mocquet aimait tant, succède un rayon de soleil, triste, honteux, hasardé, filtrant entre deux nuages, et que mes amis m'appellent pour aller faire aussi une chasse.

Dieu me donne le coup d'œil de Mocquet, et demain j'aurai des merveilles à vous raconter.

Au revoir donc, très cher, et à demain pour les merveilles promises.

Tout à vous,

Alexandre Dumas

26. A LOUIS PERRÉE*

A Monsieur le directeur du *Siècle*

Villers-Coterets, ce 20 décembre 1849

Mon cher Perrée,

Permettez-moi de commencer ma lettre comme ce roi d'impuissante mémoire qu'on appelait, je crois, Charles II :

« Madame, il fait grand vent et j'ai tué six loups[1]. »

Seulement ce ne sont point six loups que j'ai tués, mais trois chevreuils ; vous voyez que je ne suis pas élève trop indigne de mon maître Mocquet.

La tournure de ma phrase m'ayant tout naturellement ramené à lui, je vous dirai donc qu'un jour Mocquet — Mocquet père, bien entendu —, nous nous occuperons du fils tout à l'heure. — Je vous disais donc qu'un jour Mocquet vint faire sa visite à mon père. — C'était un dimanche, et tous les dimanches Mocquet venait nous faire sa visite. C'était un dimanche et il gelait très fort. Bon nombre de canards s'étaient abattus dans la vallée, et tout particulièrement mon père avait suivi un vol de douze de ces oiseaux qui, après le tournoiement de rigueur, s'étaient posés sur le bord du ru qui alimentait un petit étang donnant sous nos fenêtres.

Mon père indiqua la place où s'étaient abattus les douze canards, et Mocquet partit en promettant de les rapporter tous les douze.

En effet, au premier départ, Mocquet en abattit un de chaque coup, puis il regarda avec attention la remise ; puis, la remise vue, il s'apprêta à recharger son fusil.

Ce fut alors qu'il s'aperçut qu'il lui manquait une chose assez nécessaire pour accomplir cette opération : c'était du papier.

Mocquet n'était pas embarrassé pour si peu ; il prit de la mousse qui croissait au bord du ru, et rechargea son fusil avec de la mousse.

Malheureusement cette mousse était mouillée et le froid si intense que pendant le trajet qui séparait le départ des canards de leur remise, la mousse gela. — Les fusils de Mocquet n'étaient point des canons de Paris. — Quand Mocquet mettait quinze francs à un fusil, c'était beaucoup ; il en résulta qu'au premier feu, le canon creva, lui emporta deux doigts et lui déchira le troisième.

Mocquet suivit avec une grande attention le vol des canards, s'assura de leur remise, puis s'occupa de sa main.

Elle était dans un déplorable état ; mais il gelait si fort que le froid, à ce qu'assura Mocquet, avait séché une partie de la douleur ; pour faire disparaître le reste, Mocquet trempa son mouchoir dans le ru, enveloppa sa main dans son mouchoir et s'en revint au château.

Mon père avait entendu les trois coups, et à la façon dont avait résonné le troisième, il avait compris qu'un accident était arrivé. Il venait donc au devant de Mocquet, quand Mocquet apparut sur le seuil de la grande porte.

---

* Publ., *Le Siècle*, 23 décembre 1849.
1. Voir V. Hugo, *Ruy Blas*, acte II, scène III.

A la vue du canon éventré, à la vue de la main enveloppée d'un mouchoir sanglant, il devina ce qui s'était passé ; se fit livrer la main de Mocquet, reconnut le dommage, et le jugea assez considérable pour envoyer chercher Raynal[1], le chirurgien en vogue à Villers-Coterets.

Le courrier partait à cheval, laissait son cheval au docteur, et revenait à pied. Or, comme il n'y avait qu'une lieue des Fossés à Villers-Coterets ; qu'une lieue avec un bon cheval se fait en huit minutes ; que Raynal, par heureuse chance, se trouvait à la maison, Raynal au bout de vingt minutes était près du blessé.

Il jugea l'amputation nécessaire. On rogna l'annulaire et le médium de Mocquet d'une phalange. On lui rafistola l'index, qui n'était pas trop détérioré, et on lui banda la main.

Mocquet avait senti le bien que lui avait fait l'eau glacée ; il alla donc tremper sa main mutilée dans un seau qu'il tira du puits, après quoi il rentra dans la cuisine.

— Mon Dieu, mon cher Mocquet, dit mon père, qui avait, en se trouvant mal deux ou trois fois, tout soldat qu'il était, assisté à l'opération. Mon Dieu, mon cher Mocquet, quel malheur !

— Oh ! oui, général, répondit Mocquet, c'en est un de malheur. Si ça ne m'était pas arrivé, je les tuais tous les douze comme je vous l'avais promis, mais il n'y a pas de temps perdu.

— Comment, il n'y a pas de temps perdu ! Que voulez-vous donc dire, Mocquet ?

— Je veux dire, général, que vous allez me prêter un fusil, attendu, voyez-vous, que le mien il en a assez, et que je vais retourner aux canards.

— Comment ! vous allez retourner aux canards ?

— Eh ! oui, général, j'ai vu la remise ; seulement donnez-moi du papier. Ah ! la gueuse de mousse ! je m'en souviendrai.

Et Mocquet prit un des cinq ou six fusils de mon père, et secouant la tête à toutes ses observations, il partit.

Vers le soir, il rentra avec neuf canards, lesquels, réunis aux deux qu'il avait rapportés le matin, formaient le chiffre onze. Il s'en fallait d'un qu'il eût ramassé tout le vol, malheur qu'il attribuait justement à l'accident qui lui était arrivé et dont il paraissait bien autrement affecté que de l'accident lui-même.

Les malheurs vont par troupe, dit un proverbe russe. Un chien modèle que possédait Mocquet, vrai chien de braconnier, moitié courant, moitié braque, qui chassait un lièvre douze heures de suite et qui portait le nom caractéristique de Louchonneau, trépassa, je ne saurais dire de quelle maladie.

Un autre eût remplacé Lonchonneau par un animal de même espèce ; mais Mocquet avait songé depuis longtemps que s'il perdait jamais Louchonneau, il utiliserait les dispositions de son fils.

Vous voyez, mon ami, que nous arrivons tout doucement au Mocquet actuellement existant et dont la dernière aventure est destinée à faire la principale fabulation de mon récit.

---

1. Jean Raynal, né le 13 juillet 1768, n'était qu'officier de santé. Il avait épousé le 10 juillet 1797 Victorine Richoux. Voir *Mes Mémoires*, chap. LX.

Mocquet fils fut donc élevé à la dignité de chien courant.

Mocquet fils, comme tout fils de braconnier, grand coureur de marettes et de pipées, avait reçu du ciel la faculté d'imiter avec sa voix le cri de tous les animaux. Mocquet fils imitait le chant du rossignol et de la fauvette. Il ne lui fallut pas grand temps, on le comprend bien, pour imiter l'aboiement d'un chien.

Rameau, qui faisait pendre ses chiens quand ils aboyaient faux, n'aurait eu que des louanges à donner à Mocquet fils, qui aboyait parfaitement juste.

Voici comment la chasse se faisait : l'hiver avait été et demeurait fort neigeux ; Mocquet père partait avec son fils, qui se tenait à quelques pas derrière lui, comme doit faire un chien bien dressé ; puis, quand le père apercevait sur la neige une passée de lièvre, il la faisait voir à son fils ; celui-ci clignait de l'œil d'une façon qui voulait dire : C'est bien, on la voit. Mocquet père formait une enceinte, reconnaissait que l'animal n'était pas sorti de l'enceinte, devinait son débouché, se plaçait à vingt pas de ce débouché, et donnait le signal à son fils resté sur la passée, en imitant soit le cri du corbeau, soit celui du geai.

Aussitôt Mocquet fils partait sur la piste, suivant les tours et les détours que l'animal avait faits, sans perdre une seconde sa trace, japant bellement comme un chien qui relève ; puis à la vue, redoublant de voix et de célérité ; l'animal lancé, rusait parfois un instant, mais presque toujours allait passer au débouché où l'attendait Mocquet père. Il va sans dire que c'était un lièvre mort.

C'était un joli coup de fusil qu'un lièvre, comme disait Mocquet ; cela se vendait cinquante sous aux bourgeois, quarante-cinq sous aux aubergistes.

Il résulta de cet apprentissage de Mocquet fils, que lorsque Mocquet père mourut, il mourut certain de laisser un digne héritier de son adresse et de son nom.

Ce fut vers ce temps que je vins à Paris[1], mon cher Perrée, et que, quelque admiration que j'eusse pour Mocquet, avec lequel j'avais fort braconné dans ma jeunesse, je le perdis de vue.

Mais à peine arrivé dans ma ville natale, il y a deux jours, le premier bruit qui m'accueillit fut le bruit du dernier exploit de Mocquet.

Mocquet venait de tuer un cerf dix cors, avec des circonstances qui donnaient à cet exploit un tel pittoresque que je ne puis résister au désir de vous raconter ce grand événement.

Laissez-moi d'abord expliquer à ceux de nos lecteurs qui ne seraient pas familiers avec la science de Gaston Phœbus et de Fouilloux[2], ce que c'est qu'un cerf dix cors.

Le cerf ne prend son bois d'ordinaire qu'à dix-huit mois ; le premier bois qui pousse, pousse avec un seul andouiller près de la racine, quelquefois même sans andouiller. Le cerf porteur de ce bois s'appelle un daguet. Il a deux ans.

---

1. Dumas quitte Villers-Cotterêts pour s'installer à Paris le 5 avril 1823.

2. Gaston III de Foix, surnommé Phébus (1331-1391) est l'auteur d'un *Traité de la chasse* ; Jacques Fouilloux (1521-1580) est l'auteur du « bréviaire du veneur », *La Vénerie, contenant plusieurs préceptes et des remèdes pour guérir les chiens de diverses maladies* (1561).

Chaque année le bois du cerf tombe et repousse avec un andouiller de plus. Aux andouillers on connaît l'âge du cerf.

Un cerf de trois ans est ce qu'on appelle une deuxième tête, et ainsi de suite. Arrivé aux dix andouillers, le cerf est dix cors.

Il y a des bois de cerfs qui ont jusqu'à douze et quatorze andouillers ; il y en a dont les andouillers sont inégaux ou qui ont un andouiller de plus à un bois qu'à l'autre.

C'est ce qu'on appelle une *tête bizarde,* — que votre prote ne me fasse pas dire bizarre, mon ami —, je serais accepté par les académiciens, mais je serais perdu parmi les chasseurs.

Les bois du cerf, si longs qu'ils soient, troisième tête, dix cors, têtes bizardes, mettent quatre ou cinq mois à repousser, littéralement ils allongent à vue d'œil.

Or, pour en revenir à Mocquet, Mocquet s'était aperçu qu'un tas de pommes, qu'il avait mis rancir dans son verger afin de les préparer à faire de meilleur cidre, diminuait à vue d'œil. Mocquet, qui habite aujourd'hui le village d'Oigny, où il est garde d'un vieil ami à moi, M. Gibert, Mocquet soupçonna d'abord les enfans du village ; mais c'est un si terrible rafraîchissement que les pommes à cidre, qu'il revint bientôt sur cette première idée. D'ailleurs, en faisant, après une nuit où il avait plu, le tour de son tas de pommes, il reconnut d'abord, à son grand étonnement et aussitôt à sa grande joie, le pas d'un cerf dix cors.

Mocquet n'avait pas besoin, vous le pensez bien, de voir le bois d'un cerf pour connaître l'âge de l'animal. Mocquet vous dira, et moi-même je vous le dirai si l'occasion s'en présente, à la simple inspection de la trace de l'animal sur le sable, sur la terre détrempée ou sur la neige, l'âge de l'animal, si c'est un mâle ou une femelle, si la femelle est pleine, de combien elle est pleine, si elle a mis bas récemment, si elle nourrit encore, etc., etc. Tous ces détails sont dans la trace plus ou moins profonde, dans le sabot plus ou moins ouvert de l'animal. C'est l'enfance de l'art.

Mocquet reconnut donc que son voleur de pommes était un cerf dix cors.

Dès lors Mocquet fut comme maître corbeau, il ne se sentit plus de joie.

Dès la prochaine nuit, Mocquet résolut de se mettre à l'affût. Mais comme il n'avait pas d'abri, comme il craignait qu'un objet nouveau traîné dans le verger n'intimidât le cerf, Mocquet avisa un petit pommier, et comme le vent d'hiver en courbant l'arbre eût pu le jeter à terre, il se mit à cheval sur une branche et se lia au corps de l'arbre.

Sans doute faisait-il trop de lune, ou peut-être le vent était-il mauvais ; tant il y eut que pendant quatorze nuits le cerf ne parut point.

Mocquet demeura *branchi* pendant ces quatorze nuits, calme et sans un mouvement d'impatience, voyant se lever chaque matin l'aurore, comme il convient à un homme vertueux, et se disant chaque matin :

— Bah ! une nuit ou l'autre, il faut bien qu'il vienne.

Enfin la quinzième nuit...

Permettez-moi, mon cher ami, d'interrompre mon récit, comme faisait Scheherazade, c'est-à-dire au moment le plus intéressant. Seulement, ce n'est pas pour moi... le jour qui paraît... c'est l'heure de la poste qui est arrivée.

Or, il est deux heures fatales : l'une revient chaque jour, l'autre, hélas ! ne vient qu'une fois. Tous les hommes sont égaux devant ces deux heures.

L'une est l'heure de la poste, comme je vous l'ai dit ; l'autre est l'heure de la mort.

La première de ces deux heures vous porte mes souhaits, et ces souhaits sont que la seconde heure arrive pour vous, vos parents et vos amis le plus tard possible.

A demain donc la suite des aventures de Mocquet et de son cerf dix cors.

Tout à vous,

Alexandre Dumas

27. A LOUIS PERRÉE*

[Villers-Cotterêts, 21 décembre 1848]

A Monsieur le directeur du *Siècle*

Mon cher Perrée,

Je comptais vous écrire hier soir, mais l'homme propose et Dieu dispose.

Or, Dieu avait disposé de ma soirée en inspirant l'idée à mes bons et chers compatriotes de venir me donner une sérénade, tandis que je dînais en famille chez un vieil ami à moi.

Cette sérénade m'était offerte par la musique de la garde nationale, qui tout à coup, avec sa puissante voix de cuivre, interrompit notre causerie, et pendant deux heures nous entraîna à sa suite dans le monde enchanté de Berlioz, d'Auber et de Rossini.

Je présentai à MM. les exécutans mon ami Mocquet, qui avait bien ses droits à cette sérénade, et la larme au coin de l'œil et le verre à la main, nous laissâmes tout naïvement s'écouler la soirée, sans que je songeasse même à mon pauvre Mocquet, toujours *branchi* sur son pommier.

Ce n'est que ce matin en me réveillant que je pense à lui et à vous, et que je reprends la plume, comme on dit encore chez moi, pour vous donner de mes nouvelles.

Mocquet s'était donc mis à l'affût pendant quatorze nuits sans être plus heureux que sœur Anne, quand la quinzième nuit, nuit sombre, nuit sans lune, nuit sans étoiles, nuit où l'on ne voyait pas à dix pas devant soi, il crut entendre du côté de son tas de pommes le bruit de deux machoires ruminantes.

Il fixa ses yeux de braconnier, yeux de lynx, yeux de chat, yeux de hibou, sur le point, où se faisait entendre le bruit, et distingua dans la nuit obscure une silhouette plus obscure encore que la nuit, qu'il crut reconnaître pour celle de son dix cors.

L'extrémité du canon de fusil de Mocquet était orné d'un guidon de papier qui, blanchissant dans l'ombre, lui permettait de diriger le coup.

---

* Publ., *Le Siècle*, 24 décembre 1849.

Mocquet visa comme il put et lâcha la détente.

L'ombre sur laquelle il avait tiré fit un bond gigantesque, s'élança dans la direction de Bourg-Fontaine et disparut.

Il n'était pas dans les habitudes de Mocquet de manquer un animal, quel qu'il fût. Mais un cerf, comme chacun sait, emporte parfaitement une balle, même deux balles.

L'étonnement de Mocquet passa donc avec la réflexion, et il pensa justement qu'il n'en était qu'au premier acte du drame nocturne qu'il allait jouer avec le mangeur de pommes.

En conséquence Mocquet fit comme le cerf, prit ses jambes à son cou, se munit d'une lanterne, fourra une boîte d'allumettes chimiques dans sa poche et tira un de ses chiens du chenil.

Comme la mémoire de ce dernier mérite de passer à la postérité, nous le présenterons à nos lecteurs sous le nom euphonique de Roquador.

Mocquet tira donc Roquador de son chenil, lui passa une laisse au col, et sa lanterne au bouton de sa veste, son fusil sous le bras, Roquador en laisse, il s'achemina vers le tas de pommes.

Arrivé là, il attacha Roquador à un pommier, fit pétiller une allumette chimique et alluma sa lanterne.

La terre était molle et il vit parfaitement la trace du cerf.

Seulement à cette trace il manquait un pied : ou il avait cassé une jambe au cerf ou il avait affaire à un cerf *tricycle*.

Comme la dernière supposition était trop phénoménale pour être adoptée, surtout par Mocquet, sans un mûr examen au moins, Mocquet s'en tint à la jambe cassée, et s'en remettant au nez de Roquador du soin de le mener sur la piste du cerf, il éteignit sa lanterne afin de n'être pas vu par les gardes, détacha Roquador et, sans le lâcher, le mit en limier sur la trace d'un animal.

Roquador, pour indiquer qu'il était à son affaire, donna deux ou trois coups de gueule que Mocquet réprima en tirant vivement à lui la laisse. Roquador comprit l'avertissement et se tut.

Mais tout en se taisant, Roquador n'en suivit que plus ardemment la piste, tirant son maître de toute la force de ses épaules et de temps en temps lui indiquant par un petit grognement que tout allait bien.

En effet, au bout d'une lieue et demie à peu près, Roquador s'arrêta : il était en face du cerf, et le cerf paraissait décidé à faire tête. — Depuis plus d'une heure on était dans la forêt.

Mocquet tira une allumette, alluma sa lanterne, examina les localités et aperçut le cerf acculé au milieu d'un roncier. Mocquet posa sa lanterne à terre, dirigea la clarté du côté de l'animal, et reculant de quelques pas, il lui envoya une seconde balle.

Le cerf fit un bond et disparut.

Roquador, auquel, pour tirer plus commodément, son maître avait été obligé de rendre la liberté, s'élança sur les traces du cerf.

Mocquet souffla sa lanterne, chargea son fusil et s'élança à son tour sur les traces de son chien.

Ce n'était pas chose difficile ; Roquador, débarrassé de sa laisse, chassait à voix, et alourdi par une seconde blessure, le cerf ne s'éloignait pas bien rapidement.

Au bout d'une demi-heure, les aboiements redoublés de Roquador indiquèrent à Mocquet que le cerf tenait de nouveau.

Mocquet accourut tout hors d'haleine, alluma sa lanterne, éclaira la scène du mieux qu'il put et s'apprêta à lâcher son troisième coup.

Seulement, au moment où il portait le doigt sur la gâchette, le cerf, qui, à la lueur de la lanterne qui l'éclairait, pouvait lui-même distinguer son ennemi Roquador, fonça sur lui.

Une troisième balle que lui envoya Mocquet ne l'arrêta point, et au cri de douleur que poussa son chien, Mocquet put comprendre qu'il venait de faire connaissance avec les andouillers du cerf.

Ce cri de douleur troubla tellement Mocquet que sa seconde ou plutôt sa quatrième balle envoyée au cerf au moment où il fuyait l'atteignit dans la culotte au lieu de l'atteindre au col, au flanc, ou dans quelque partie vitale.

Cette quatrième balle ne fit que hâter la course de l'animal, qui en deux bonds s'élança hors du cercle de lumière projeté par la lanterne et disparut dans les profondeurs de la forêt.

Mocquet suivit des yeux le cerf jusqu'à ce qu'il l'eût perdu de vue et courut à Roquador.

Roquador était au plus bas ; l'andouiller l'avait percé de part en part du côté cour, au côté jardin, comme on dit au théâtre, et les entrailles sortaient des deux côtés.

Mocquet prit Roquador dans ses bras, éteignit sa lanterne et reprit tout courant le chemin de sa maison.

Vous me demanderez, mon cher ami, ce que Mocquet allait chercher à sa maison.

Il allait chercher son second chien. Seulement il y avait deux lieues de la maison à l'endroit de la forêt où se trouvait Mocquet.

Il fit ces deux lieues en quarante minutes, coucha délicatement Roquador sur la paille fraîche, lâcha Tanbeau, lui passa la laisse du blessé au cou, et se remit à la poursuite de son cerf.

Vous voyez qu'au nombre des vertus qu'il a reçues du ciel, Mocquet peut hardiment compter la persévérance.

Tanbeau, digne frère de Roquador, reprit la piste et conduisit Mocquet au premier champ de bataille, et du premier champ de bataille au second.

Mocquet y trouva sa lanterne et son fusil qu'il avait cachés dans un buisson, et, à peu près sûr que le cerf ne pouvait pas être bien loin, il lâcha Tanbeau sur la piste.

Mocquet ne se trompait pas. A une demi-lieue à peu près de l'endroit où il venait d'être lâché, Tanbeau donna un tel volume aux sons harmonieux de sa voix, qu'il fut facile à Mocquet de comprendre que pour la troisième fois le cerf faisait tête au chien.

Mocquet accourut, ralluma sa lanterne et fut la poser à l'endroit qu'il crut le plus favorable.

Mais pendant qu'il accomplissait cette opération, le cerf, qui en était arrivé à connaître son véritable ennemi, et qui, grâce à la lanterne, voyait encore mieux Mocquet que Mocquet ne le voyait, le cerf chargea Mocquet, lequel, d'instinct, lui envoya ses deux coups de fusil, puis ne vit plus rien, attendu que le cerf avait mis les pieds sur la lanterne, l'avait éteinte ; puis ne sentit plus rien, attendu que le cerf lui avait donné un coup de tête dans la poitrine, à la suite duquel il s'était évanoui.

Nous n'essaierons pas de rendre compte de la scène : Mocquet lui-même avoue n'y avoir vu que trente-six chandelles, et ces trente-six chandelles, il paraît cela du moins, n'éclairaient pas assez pour que Mocquet distinguât les détails, trop minimes pour ne pas se fondre dans l'ensemble.

Ce que Mocquet peut dire, c'est que lorsqu'il revint à lui, il trouva Tanbeau gravement assis sur son derrière, le cerf mort et Roquador expiré.

Roquador s'était relevé de dessus la paille, avait, perdant ses entrailles tout le long du chemin, suivi son maître, et était venu rendre le dernier soupir auprès de lui.

Mocquet se releva ; son bras droit pendait, complètement démis à l'épaule.

Puis, s'étant relevé, Mocquet s'orienta, avisa qu'il avait fait trois ou quatre lieues à travers la forêt, que le village de Soucy était plus près que celui d'Oigny, et au lieu de retourner à Oigny, il s'achemina vers la ferme de M. Gibert, où il fit atteler une charrette, afin d'aller chercher son cerf.

Deux heures après, le cerf faisait son entrée triomphale dans la cour de la ferme. Il était atteint de sept balles : pas un des coups de Mocquet n'avait été perdu. Alors Mocquet songea à lui. Il alla, non chez un chirurgien — Mocquet ne croit pas aux chirurgiens, depuis que Raynal a coupé deux doigts à son père, — Mocquet alla chez un rebouteur.

Si vous voulez prononcer comme Mocquet, prononcez comme Mocquet, prononcez un *rebouteux*.

Vous ne savez peut-être pas ce que c'est qu'un rebouteur, mon cher ami : c'est un homme qui remet les bras et les jambes démis comme on ôte les bottes, c'est-à-dire en appuyant son pied contre votre pied et en tirant de toute sa force jusqu'à ce que l'articulation fasse CRAC.

Quand l'articulation a fait CRAC, la jambe ou le bras s'est remis.

Il va sans dire que les restes mortels de Roquador avaient été déposés dans la charrette à côté du cadavre du cerf, et qu'ils furent religieusement rendus à la terre, notre mère commune, à l'angle d'un mur de la ferme de M. Gibert.

Que la terre te soit légère, brave et fidèle Roquador !

Voilà, mon cher ami, l'histoire que j'avais à vous raconter ; voilà, outre mes trois chevreuils, ce que je vous rapporte de Villers-Coterets.

En outre, vous recevrez demain les huit ou dix derniers feuilletons de *Bragelonne*, que vous pourrez reprendre pour ne plus l'interrompre.

Sur ce, profitant de ce que nous sommes en république et de ce que, grâce à cet état de choses, chacun peut prendre non-seulement le titre qui lui convient, mais encore la formule qu'il lui plaît ; sur ce, dis-je, j'adopte, en attendant mieux, la formule royale, et prie Dieu qu'il vous ait, vous et mes bien-aimés lecteurs, en sa sainte et digne garde.

Tout à vous,

Alexandre Dumas

28. LOUIS PERRÉE A AUGUSTE MAQUET*

Journal *Le Siècle*   [Paris, jeudi 10 janvier 1850][1]
Rue du Croissant, 16
Louis Perrée, directeur-gérant

Il faut, mon cher ami, que vous soyez maudit du ciel et de la terre. Il faut que vous ayez assassiné votre père et votre mère, il faut que…, pour avoir une vieille sorcière de cuisinière comme celle que vous avez.

Je vous ai attendu jusqu'à six heures :il faut absolument que vous nous fassiez la mort de d'Artagnan pour demain. Je coupe les quinze dernières lignes, pour vous bien plus que pour nous. Cela ne pouvait pas finir ainsi. Pour Dieu, faites le dernier feuilleton et je serai grand comme Louis XIV à Versailles, pas à Blois.

Adieu, nous comptons sur vous.

L. Perrée

29. LOUIS DESNOYERS A AUGUSTE MAQUET**

[Paris, jeudi 10 janvier 1850][2]

Mon cher ami,

Perrée est allé chez vous pour vous prier de faire encore un feuilleton sur la mort de d'Artagnan. Il pense qu'il est impossible de ne consacrer que quelques lignes à ce personnage qui, en définitive, est le plus important de l'ouvrage et même de la trilogie. Je suis de son avis. Dans la confiance où nous sommes que vous penserez de même, Perrée arrête le chapitre de ce soir à ces mots : *Ils s'embrassèrent encore, et deux heures après ils étaient séparés.*

(La fin à demain)

Il est bien entendu d'ailleurs que vous ne travaillerez pas en vain et que Perrée vous offre un dédommagement très convenable du temps que vous passerez à cette besogne. Soyez donc assez bon pour envoyer ce chapitre demain aussi tôt que possible à Dumas.

A vous de cœur
Louis Desnoyers
Jeudi soir

Monsieur Maquet
Rue de Bondy, 46

---

* Publ., G. Simon, *Histoire d'une collaboration*, p. 122.
1. Sur la datation, voir lettre suivante.
** Publ., G. Simon, *Histoire d'une collaboration* : p. 122-123.
2. L'Épilogue se termine par la phrase citée par Louis Desnoyers dans *Le Siècle* du 11 janvier ; *Épilogue. La Mort de d'Artagnan* est imprimé le jour suivant. La mention, « jeudi soir », permet de dater avec exactitude.

30. Arrêté des comptes de Maquet au 10 février 1850*

Bragelonne

1847

1ᵉ 8bre[1]	1,000	*25 7bre*	
29 id.	1,000	*20 8bre*	
29 id.	1,000	*24 id.*	

1848

25 jᵉʳ	1,000	
21 fév.	1,000	
mars	1,000	
avril	1,000	
16 mai	1,000	
9 juin	0,500	au lieu de mille 500 prêtés pour la vente +
fin id.	1,000	
27 7bre	500	
6 8bre	500	

1849

juin	1,000	
23 id.	1,000	
7bre	850	au lieu de mille 150 prêtés pour la chasse
8bre	1,000	
Xbre	500	
	500	
	15,350	
	150	de la chasse rendus
	15,500	
gratification de service	700	
	16,200	

+ Les 500 f. prêtés pour la vente ont été rendus sur les avances faites par Dulong mais ces avances n'ont pas été couvertes, en sorte que je me trouve débiteur chez Dulong et chez Porcher de sommes dont j'engage Dumas à tâcher de me faire libérer parce que mes droits d'auteurs seraient atteints.

---

* Aut., B.N., n.a.fr. 11 918, f° 21. Nous avons publié intégralement ce relevé de compte dans la correspondance relative au *Collier de la reine*, Robert Laffont, collection « Bouquins », 1990, p. 1189.

1. 7bre, 8bre, Xbre, pour : septembre, octobre, décembre.

31. A AUGUSTE MAQUET*

[Paris, début janvier 1851][1]

J'étais venu pour faire du plan de *Bragelonne*. J'ai fait les deux 1ers tableaux de la 2e partie[2].

Pouvez-vous venir demain. Apportez-moi Mme de Lafayette[3], et si vous avez une Histoire d'Angleterre, Restauration de Charles II[4].

A vous,
Alex Dumas

32. NOTE DE DUMAS**

Bon pour copie de quinze tableaux de *Une restauration, ou la Fin des Mousquetaires.*

Soixante-quinze francs.

Paris, ce 21 janvier 1851
Alex Dumas

Dumas 37,50
Maquet 37,50

33. A AUGUSTE MAQUET***

[Paris, 24 janvier 1851]

Mon cher Maquet,

Je viens en votre nom et au mien de traiter avec l'Ambigu pour *Bragelonne*, livrable au 20 février et *Morcerf*[5] livré tout de suite.

---

* Aut., B.N., n.a.fr. 11 917, f° 144 (mention sur l'aut. : « Courant de 1851 2e partie de Bragelonne »).

1. La copie d'*Une restauration* est réglée le 21 janvier 1851, cependant, lorsque Dumas traite avec l'Ambigu, *Bragelonne* n'est livrable que le 20 février. Sans doute, la première version avait-elle besoin d'être remaniée.

2. L'adaptation du *Vicomte de Bragelonne* comptait deux parties : *La Cour de Louis XIV ou le Vicomte de Bragelonne et Mlle de la Vallière* et *La Fin des mousquetaires.* Voir le traité avec Raphaël Félix du 15 décembre 1859.

3. *Histoire de Madame Henriette d'Angleterre*. Elle figurait dans la *Collection de Mémoires relatifs à l'histoire de France*, par Petitot et Monmerqué, 1828, t. LXIV, et dans la *Nouvelle Collection de Mémoires relatifs à l'histoire de France*, par Michaud et Poujoulat, 1839, 3e série, t. VIII.

4. Il peut s'agir de l'*Histoire de la Grande-Bretagne* de Hume (*History of Great Britain*). La restauration de Charles II appartient au 1er volume. Signalons également l'*Histoire d'Angleterre* de Roujoux et Alfred Mainget, dont une nouvelle édition avait été publiée en livraisons entre le 15 novembre 1843 et le 15 novembre 1844 (librairie de Ch. Hingray).

** Aut., B.N., n.a.fr. 11 917, f° 139. Publ., G. Simon, *Histoire d'une collaboration*, p. 171.

*** Aut., B.N., n.a.fr. 11 917, f° 138 (mention sur aut. : « 24 janvier 1851 » — Dumas traite au nom de Maquet de *Bragelonne* avec l'Ambigu. Barré : « preuve de la reconnaissance de la dette de Dumas »). Publ., G. Simon, *Histoire d'une collaboration*, p. 172 (premier paragraphe).

5. *Le Comte de Morcerf*, drame en cinq actes et dix tableaux, est représenté au théâtre de l'Ambigu-Comique le 1er avril 1851. Il est joué jusqu'au 6 mai, soit trente-six représentations.

Comme ces messieurs n'ont pas voulu reconnaître nos primes du Théâtre-Historique, je vous délègue dès aujourd'hui, et vous prie de le faire signifier à Dulong[1] et à l'Ambigu deux tiers des droits au lieu de moitié.

Sur cette différence vous prélèverez vos cinq cents francs par mois, et vos cinq cents francs prélevés vous appliquerez à nos comptes personnels la différence.

Vous avez bien entendu moitié des billets au taux ordinaire.

Vous aurez en outre à toucher pour les appliquer à nos comptes 500 fr. de prime par chaque trente représentations d'*Ascanio*[2] et par chaque 30 représentations de *La Barrière de Clichy*[3].

Portez-vous bien et aimez-moi.

A vous,

Alex Dumas

24 janvier 1851.

34. A AUGUSTE MAQUET*

[Paris, 28 février 1851][4]

Cher ami,

Thibaudeau[5] me presse de sorte que je fais le 1er tableau. Chargez-vous de Truschen.

Scène 1re

Truschen et Planchet dans l'arrière-boutique. Planchet sort pour surveiller le chargement de la surintendance.

Scène 2e

Truschen seule.

Scène III

Truschen, d'Artagnan entrant par une petite porte.

Truschen remonte dans la chambre après une petite scène avec d'Artagnan.

---

1. Le receveur dramatique.

2. *Benvenuto Cellini*, drame en cinq actes et huit tableaux, tiré du roman *Ascanio*, écrit, comme la pièce, en collaboration avec Paul Meurice, n'est représenté pour la première fois, au théâtre de la Porte-Saint-Martin, que le 1er avril 1852, avec un immence succès.

3. *La Barrière de Clichy*, drame militaire en cinq actes et quatorze tableaux, est représenté au Théâtre-National le 21 avril 1851, et tient l'affiche jusqu'au 4 juillet ; des représentations supplémentaires ont lieu les 26 août et 7, 18, 29 septembre, soit au total soixante-dix-neuf représentations.

* Aut., B.N., n.a.fr. 11 917, fos 140-141 (mention sur l'autographe : « 28 fév. *Planchet et Cie*, tiré de *Bragelonne* pour le th. des Variétés. [1re de *Valéria* : 28 février] »). Publ., G. Simon, *Histoire d'une collaboration*, p. 172.

4. Maquet date ce billet en se référant à la première de *Valéria* à laquelle se rapporte le post-scriptum de Dumas.

5. Directeur du théâtre des Variétés. Cette comédie-vaudeville en un acte ne sera pas montée, « à cause des engagements que le théâtre des Variétés eût été contraint de faire pour un ouvrage hors de son cadre », G. Simon, *Histoire d'une collaboration*, p. 175.

Scène IV

D'Artagnan, Planchet.

D'Artagnan dit qu'il n'a pas vu Truschen et commence son affaire avec Planchet.

Tâcher de ramener Truschen à la fin.

A vous

Alex Dumas

[1] Vous savez que je ne sors pas, mon ami. Ne m'en veuillez donc pas. J'applaudirai de cœur tout en travaillant.

A vous

[adresse] M. Maquet

Courez ferme.

35. A AUGUSTE MAQUET*

[Paris, mars 1851]

Mon cher Maquet,

J'ai une certaine somme au *Pays*[2] — On va régulariser le traité afin que vous puissiez toucher directement.

J'activerai ce moment le plus possible afin que nous puissions nous remettre au travail.

Vous pourriez en attendant chercher une fin à *Monte-Cristo*[3] — quelque chose dans le genre du *Comte Herman*[4], mais ce sera toujours bien difficile à faire.

En tout cas préparez-vous au *Comte de Vermandois*[5].

Mille et mille tendresses

---

1. Ajouté en tête de lettre, verticalement.

*. Aut., B.N., n.a.fr. 11 917, f° 272 [129] (mention sur l'aut. : « sur la suite de *Monte-Cristo* »).

2. Le premier roman que Dumas donnera au *Pays*, *Dieu et Diable (Conscience l'innocent)* ne sera imprimé dans le journal qu'entre le 26 février et le 7 avril 1852, alors que Dumas s'est exilé à Bruxelles.

3. *Villefort*, drame en cinq actes et dix tableaux, quatrième (et dernière partie) de *Monte-Cristo*, est représenté à l'Ambigu-Comique le 8 mai 1851.

4. *Le Comte Hermann*, drame en cinq actes, auquel Dumas attachait le plus grand prix, avait été donné au Théâtre-Historique le 22 novembre 1849. Il était interprété par Mélingue, Laferrière et Rouvière.

5. Voir *Louis XIV et son siècle*, note EE, dans laquelle Dumas résume les systèmes relatifs au *Masque de fer*. Dans *Le Mousquetaire* du 17 janvier 1854, Dumas annonce une suite au *Vicomte de Bragelonne*, intitulée *Le Maréchal-Ferrant*. *Le Comte de Vermandois* eût-il été une suite du *Vicomte de Bragelonne*, vingt ans après, dans laquelle serait intervenu le survivant des mousquetaires, Aramis ?

36. A AUGUSTE MAQUET*

[Paris, avril/mai 1851][1]

Mon cher ami,

Le principal en ce moment est que la pièce soit faite et c'était surtout de la pièce que je voulais vous parler.

Je crois qu'il ne faut pas prévenir le Prince du masque pour en faire une scène terrible dans la prison, il croira d'abord être réintégré seulement, puis en outre il aura ce surcroît de douleur.

A vous
Alex Dumas

Je préviens monsieur Maquet que M[r]. Dumas n'ira pas à Bougival demain matin, et qu'il ferait bien, je crois, de revenir à Paris lui-même, Mr Dumas ne devant pas sortir.

Son tout dévoué
Hirschler[2]

37. NOTE DE DUMAS**

Bon pour la somme de vingt-cinq francs pour copie de cinq tableaux du drame *Fin des Mousquetaires*.

Paris, le 22 mai 1851.

A. Maquet
12,50

Alex Dumas
12,50

38. MATHAREL DE FIENNES A AUGUSTE MAQUET***

[Paris,] 22 janvier 1858

Mon cher Maquet,

Deux lignes pour vous dire que je viens de lire le compte rendu de votre

---

* Aut., B.N., n.a.fr. 11 917, f° 143 (mention sur l'aut. : « Mr. Maquet était cette année à Bougival »). Publ., G. Simon, *Histoire d'une collaboration*, p. 171 (sans le P.-S. de Hirschler).

1. Nous rattachons cette lettre à la copie des cinq tableaux de la *Fin des Mousquetaires* du 22 mai 1851. D'autre part on peut remarquer une similitude entre les lettres 34 et 36 : l'impossibilité pour Dumas de sortir (crainte d'une prise de corps ?).

2. Dans *Alexandre Dumas à la Maison d'or*, P. Audebrand trace un portrait de Gustave Simon Hirschler et décrit son rôle auprès de Dumas : « M. Hirschler, un Sémite d'une très grande habileté en affaires et qui [...] s'entendait à changer en vingt-quatre heures le dénuement en abondance. Encore jeune, de taille moyenne, la figure astucieuse, l'œil vif, la parole douce, presque mielleuse, doué d'une activité infatigable, ne se laissant jamais décourager par les obstacles, cet Israélite du quartier Saint-Martin aurait pu passer pour être le lieutenant d'Alexandre Dumas [...]. Après la déconfiture de son patron [1850], il s'était déjà occupé de démêler l'écheveau fort embrouillé de ses intérêts. C'était lui qui, pendant l'hégire en Belgique, s'était chargé du soin d'aller parlementer avec les créanciers, les gens d'affaires, les huissiers, les juges du tribunal de commerce et les syndics. A l'époque du retour, c'était lui encore, [...] qui arrangeait les choses, arrivait à rendre le repos au rêveur », p. 52-53. Hirschler apparaît aux côtés de l'écrivain jusqu'aux dernières années de celui-ci.

** Aut., B.N., n.a.fr. 11 917, f° 142.

*** Publ., G. Simon, *Histoire d'une collaboration*, p. 118-119.

procès[1] et que mon témoignage peut rectifier une erreur. En 1849 — je ne puis pas préciser la date — *Le Siècle* publiait *Le Vicomte de Bragelonne*. Perrée était absent et je le remplaçais. On m'avertit à six heures du soir que le feuilleton qu'on était allé chercher à Saint-Germain, chez Alexandre Dumas, était perdu. Il fallait au *Siècle* son feuilleton, le feuilleton est dans sa charte. Les deux auteurs m'étaient connus, l'un habitait à Saint-Germain, l'autre à Paris. J'allai trouver celui qui était le plus facile à joindre. Vous alliez vous mettre à table. Vous eûtes la bonté de laisser là votre dîner et vous vîntes vous installer dans le cabinet de la direction. Je vous vois encore à l'œuvre. Vous écriviez entre une tasse de bouillon et un verre de vin de Bordeaux que vous teniez de la munificence du *Siècle*. De sept heures à minuit, les feuillets se succédèrent, je les passais de quart d'heure en quart d'heure aux compositeurs. A une heure du matin, le journal était tiré avec son *Bragelonne*.

Le lendemain on m'apporta le feuilleton de Saint-Germain qui avait été retrouvé sur la route. Entre le texte Maquet et le texte Dumas il y avait une trentaine de mots qui n'étaient pas absolument les mêmes, sur 500 lignes qui composaient le feuilleton.

Voilà la vérité. Faites de cette déclaration ce que vous voudrez.

Matharel de Fiennes

P.S. — Mes souvenirs pouvaient être taxés d'inexactitude. J'ai fait constater les faits par le gérant du journal, par le chef de la composition et par le correcteur.

———————

Correcteur au *Siècle* en 1849, je certifie avoir corrigé le feuilleton indiqué sur la copie de M. Maquet.

Talrich

———————

Gérant responsable du journal *Le Siècle*, à cette époque, je certifie que les faits relatés ci-contre sont exacts.

23 janvier 1858
Fougère

———————

Chef de la composition à cette époque, je certifie que le feuilleton du jour a été composé sur la copie de M. Maquet.

23 janvier 1858
Voivenelle

[adresse] M. Maquet, 12, rue de Bruxelles
[cachet postal] 23 janvier 1858

———————

1. Audiences des 20 et 21 janvier 1858 : Maquet demande à être reconnu coauteur des romans écrits en collaboration avec Dumas. Le 3 février, la demande de Maquet est jugée irrecevable.

39. A JEAN-BAPTISTE PORCHER* [1]

[Paris, début décembre 1859] [2]

Mon cher Porcher,

Ou prends-moi ce billet de Fournier [3], ce que tu peux faire je crois sans crainte dans ce moment-ci, ou endosse-le-moi.

Je viens de traiter avec lui de *Monte-Cristo* en une soirée et de *Bragelonne* [4].

Je t'embrasse sur une joue et madame Porcher de l'autre [5].

A toi
Alex Dumas

40. NOËL PARFAIT A DUMAS**

[Paris, septembre 1860]

[...] Au lieu de laisser Raphaël colporter ces pièces sans résultat, aux dépens de ton amour-propre et de ta réputation, ne vaudrait-il pas mieux prendre un parti qui, à mon avis, ferait autant d'honneur à ta loyauté qu'il serait profitable à tes intérêts ? Ne vaudrait-il pas mieux, pour ces pièces, *comme pour toutes celles que peuvent fournir encore tes romans avec Maquet*, prendre le collaborateur le plus naturel, celui qui, après toi, connaît le mieux la matière, c'est-à-dire Maquet lui-même ? Votre collaboration a toujours été si heureuse, que je verrais là un regain assuré de quelques centaines de mille francs, et cela vaut bien la peine d'y songer, cher prodigue !

Je sais bien que cette proposition, faite ainsi *ex-abrupto*, peut soulever de ta part certaines observations, à cause des démêlés que tu as eus avec

---

* Aut., Collection Eugène Rossignol. Publ. (annotation de Fernande Bassan), *Cahiers Alexandre Dumas*, n° 13, 1984, p. 82.

1. Jean-Baptiste André Porcher (La Châtre, 30 novembre 1792 - Paris, 23 janvier 1864), coiffeur à Paris, devint claqueur, chef de claque, enfin revendeur des billets d'auteurs de théâtre, installé d'abord 41, rue du Faubourg-Saint-Martin, puis 6, rue de Lancry. A sa mort, Dumas, dont il avait acquis l'amitié, figurera parmi ses créanciers irrécupérables.

2. *Le Monte-Cristo*, n° 33, 1er décembre 1859 : « Voici [...] les représentations que je charge de rappeler à votre souvenir : Au théâtre de la Porte-Saint-Martin, douze tableaux : *Marchiali, ou la Fin des mousquetaires* [...], en grande pompe, le théâtre de M. Fournier [...] refera deux cents mille francs avec *Monte-Cristo*, revu, corrigé et diminué. »

3. Jean-Marc-Louis Fournier, dit Marc Fournier (Genève, 25 novembre 1815 - Saint-Mandé, 5 février 1879) collabora à plusieurs journaux et fit jouer des mélodrames avant de prendre en 1851 la direction de la Porte-Saint-Martin qu'il conservera jusqu'en 1868.

4. *Monte-Cristo*, drame en deux soirées, 5 actes et 10 tableaux, et 5 actes et 6 tableaux (2 et 3 février 1848) avait été réduit en une soirée dès le 24 août 1848, et joué quarante-quatre fois : six fois en août, dix-neuf en septembre, quatre en octobre, sept en novembre, une en décembre, sept en juillet 1949. Il sera repris à la Gaîté le 26 avril et le 21 mai 1855, en deux soirées, sous les titres *Monte-Cristo* (25 représentations) et *Le Retour du Pharaon* (27 représentations) ; la reprise en une soirée aura lieu à la Gaîté le 12 novembre 1862 (52 représentations). *Marchiali, ou la Fin des mousquetaires* pourrait être le remaniement effectué au deuxième drame de 1851, afin qu'il fût joué par les frères jumeaux, les Lyonnet (V.-H. et A. Lyonnet, *Souvenirs et anecdotes*. Ollendorff, 1888).

5. Alix Renique de Cambier (1807-1887) avait épousé Jean-Baptiste Porcher, qui était veuf, le 29 mars 1828. Après la mort de son mari, elle continuera l'affaire de revente de billets.

** Extrait cité dans la lettre de Parfait à Maquet du 6 octobre 1860 ; voir ci-dessous, lettre 42.

Maquet ; mais je me suis dit tout ce que tu pourras te dire, et, en définitive, je persiste dans mon idée ; je crois fermement, sincèrement, mon ami, qu'en te conseillant ce retour vers Maquet, je te donne un bon conseil, et qu'aucun de ceux qui t'aiment réellement ne me désapprouvera. Dis un mot et l'affaire se fera, je l'espère.

A qui plus qu'à toi appartient-il de céder à un bon mouvement, d'abjurer noblement tout esprit de rancune ? J'aurais toujours été étonné, moi qui te connais bien, de te voir soutenir tous ces procès contre Maquet, si je n'en avais attribué la cause à un mauvais entourage. Sors enfin des griffes des hommes d'affaires ; redeviens toi-même, c'est-à-dire le bon, l'excellent Dumas toujours prêt à rouvrir sa main et son cœur à ceux mêmes qui peuvent lui paraître l'avoir un instant méconnu ! [...]

41. A NOËL PARFAIT*

[Naples, septembre 1860]

[...] Montre à Maquet ta propre lettre, et dis-lui, en lui serrant la main, que rien ne pouvait me faire plus de plaisir que ta proposition [...].

42. NOËL PARFAIT A AUGUSTE MAQUET**

Paris, 6 octobre 1860

Mon cher Maquet,

Dumas, en quittant la France au mois d'avril dernier, a laissé entre les mains de M. Raphaël Félix, spécialement chargé de ses affaires théâtrales, le manuscrit de plusieurs pièces tirées de romans qu'il a faits en collaboration avec vous[1]. La plupart de ces pièces, écrites un peu à la hâte, ont, paraît-il, besoin d'être retouchées, remaniées ou refondues, et l'absence prolongée de Dumas empêche que, pour ce travail, on ne puisse recourir à lui-même. Le cas est prévu dans le traité avec M. Raphaël Félix, et des collaborateurs éventuels y sont nominativement désignés[2] ; mais ces collaborateurs, parmi lesquels vous ne figurez point, ou élèvent des prétentions inadmissibles, ou reculent devant la responsabilité à prendre. Dans cette occurrence, voici ce que j'ai cru devoir écrire à Dumas, en ma double qualité d'ami et de fondé de pouvoir : [voir ci-dessus, lettre 40].

Sur la page même où je lui écrivais cela, Dumas s'est empressé de me répondre : [voir ci-dessus, lettre 41].

Je viens donc aujourd'hui, mon cher Maquet — au nom de Dumas, qui m'a laissé une procuration générale chez Mᵉ Le Monnyer, notaire à Paris

---

* Extrait cité dans la lettre de Parfait à Maquet du 6 octobre 1860 ; voir ci-dessous, lettre 42.
** Aut., B.N., n.a.fr. 11 917, fᵒˢ 363-364. Publ., G. Simon, *Histoire d'une collaboration*, p. 166-169.
1. Le traité est conservé à la B.N., n.a.fr. 11 918, fᵒˢ 59-69. Nous le reproduisons dans la correspondance relative à *La Dame de Monsoreau* (à paraître).
2. Alexandre Dumas fils, Lockroy, Parfait, Dennery, Marc-Fournier, Victor Séjour. Voir B.N., n.a.fr. 11 918, fᵒ 67 vᵒ.

— vous offrir de collaborer à toutes les pièces non encore représentées qui pourront être tirées des romans que vous avez faits avec lui, Dumas. Il est bien entendu que vous aurez, dans ces pièces, la même part des droits que celle qui vous était attribuée dans les pièces qui vous sont déjà communes. La correspondance que je vous ai soumise vous montre dans quel esprit de conciliation cette démarche est faite, et je crois connaître assez vos sentiments pour espérer que vous l'accueillerez avec empressement et avec joie. Je serai bien heureux, pour ma part, si j'ai pu contribuer à faire cesser de regrettables dissensions entre deux hommes que j'aime également, et qui auraient dû rester toujours unis par le cœur aussi bien que par le talent.

Tout à vous
Noël Parfait

[adresse] M. Auguste Maquet   [cachet postal] 7 oct. 60
Rue de Bruxelles
Paris.

43. NOËL PARFAIT A AUGUSTE MAQUET*

Paris, 30 novembre 1860

Mon cher Maquet,

Dumas étant venu passer quelques jours à Paris, je lui ai mis sous les yeux copie de la lettre que je vous avais écrite le 6 octobre dernier pour vous offrir, en son nom, la collaboration dans toutes les pièces, non encore représentées, qui pourraient être tirées des romans que vous avez composés ensemble[1].

---

* Aut., B.N., n.a.fr. 11 917, f° 365. Publ., G. Simon, *Histoire d'une collaboration*, p. 169-170.

1. Romans adaptés : *Le Chevalier d'Harmental* (*Le Chevalier d'Harmental*, Théâtre-Historique, 26 juillet 1849 ; *Le Capitaine La Jonquière*, Théâtre-Historique, 23 septembre 1850) ; *Sylvandire* (*Sylvandire* de Leuven et Vanderbuch, Palais-Royal, 7 juin 1845) ; *Les Trois Mousquetaires* (*La Jeunesse des Mousquetaires*, Théâtre-Historique, 17 février 1849) ; *Une fille du Régent* (*Une fille du Régent*, Comédie-Française, 1er avril 1846) ; *Le Comte de Monte-Cristo* (*Monte-Cristo*, première et seconde soirée, Théâtre-Historique, 2 et 3 février 1848) ; *Le Comte de Morcerf* (*Villefort*, Ambigu-Comique, 1er avril et 8 mai 1851) ; *La Reine Margot* (*La Reine Margot*, Théâtre-Historique, 20 février 1847), *La Guerre des femmes* (*La Guerre des femmes*, Théâtre-Historique, 1er octobre 1949), *Vingt Ans après* (*Les Mousquetaires*, Ambigu-Comique, 27 octobre 1845), *Le Chevalier de Maison-Rouge* (*Le Chevalier de Maison-Rouge*, Théâtre-Historique, 3 août 1847).

D'autre part, le traité de Dumas avec Raphaël Félix (15 décembre 1859) porte plusieurs pièces, achevées ou à achever, tirées des romans écrits en collaboration avec Maquet : « 42. *La Fin des Mousquetaires*, tiré du roman de ce nom de Monsieur Alexandre Dumas père [*Le Prisonnier de la Bastille. Fin des Mousquetaires.* Théâtre impérial du Cirque, 22 mars 1861]. 43. *La Cour de Louis XIV ou le Vicomte de Bragelonne et Mlle de La Vallière*, tiré du roman *Le Vicomte de Bragelonne* de Monsieur Alexandre Dumas père. 44. *Joseph Balsamo*, tiré du roman de ce nom de Monsieur Alexandre Dumas père. 45. *La Maison Planchet & Cie*, tiré du roman déjà énoncé *Le Vicomte de Bragelonne*. 46. *Olympe de Clèves*, tiré du roman de ce nom de M. Alexandre Dumas père. 47. *Jean du Bary* [tiré de *Joseph Balsamo*]. Les droits d'auteur de M. Alexandre Dumas sur ces 6 pièces sont entiers et intacts... 50. *La Dame de Monsoreau*, tiré du roman de ce nom de M. Alexandre Dumas père, collaborateur : Maquet, droits d'auteur de M. Alexandre Dumas : moitié [*La Dame de Monsoreau*, Ambigu-Comique, 19 novembre 1860]. »

Tout en approuvant le contenu de cette lettre, Dumas m'a fait observer que, du nombre des pièces en question devait être excepté le drame tiré du *Vicomte de Bragelonne* sous le titre de *Marchiali ou la Fin des Mousquetaires*, et cela pour la raison que, d'une part, ce drame est complètement achevé, et que, d'autre part, il fait l'objet d'un traité conclu antérieurement à ses offres de collaboration.

Veuillez donc, mon ami, tenir compte de cette réserve et regarder le présent avis comme une annexe ou un post-scriptum à ma lettre du 6 octobre.

A vous de tout cœur,
Noël Parfait

44. CHARLES-MARIE DE CHILLY[1] A AUGUSTE MAQUET*

Ambigu Comique
Administration
Boulevard Saint-Martin, 2

Paris, le 3 jvier 1861

Mon cher Maquet,

J'entends dire partout qu'on va jouer au théâtre du Cirque impérial un *Vicomte de Bragelonne*.

Vous avez donc oublié qu'à l'époque où les artistes de l'Ambigu étaient en société, vous et Dumas nous avez lu un drame en deux parties tiré de votre roman *Le Vicomte de Bragelonne ou la Vieillesse des Mousquetaires*?

Des changements jugés indispensables en avaient fait ajourner la représentation, et pour faire face aux besoins du théâtre vous nous avez donné *Le Vicomte de Morcerf* et *Villefort*.

Notre départ de la direction a seul empêché que nous donnions suite au projet.

Je me demande pourquoi, vous décidant à faire jouer cet ouvrage, vous n'avez pas pensé au théâtre auquel il était destiné primitivement.

Est-il encore temps?

Votre bien affectionné
De Chilly
Directeur du théâtre de l'Ambigu

Ainsi, *Le Bâtard de Mauléon*, *Les Quarante-Cinq*, *Le Collier de la reine*, *Ange Pitou*, *La Tulipe noire* et *Ingénue* sont les seuls romans écrits en collaboration avec Maquet à n'avoir pas fait l'objet d'une adaptation théâtrale.

1. Charles-Marie de Chilly (Stenay, 2 décembre 1807-Paris, 11 juin 1872) était un ancien acteur qui avait participé à la création de *Christine ou Fontainebleau, Stockholm et Rome* (Odéon, 30 mars 1830), rôle du comte Magnus de La Gardie avant d'être l'un des comédiens-directeurs du théâtre de l'Ambigu-Comique où furent donnés *Les Mousquetaires* (27 octobre 1845, rôle de Mordaunt), *Le Comte de Morcerf* 1er avril 1851), *Villefort* (8 mai 1851, rôle de Villefort), *Le Vampire* (20 décembre 1851). En 1867, il fut associé à la direction de l'Odéon.

* Aut., B.N., n.a.fr. 11 917, f° 93. Publ., G. Simon, *Histoire d'une collaboration*, p. 177-178.

45. V. VERNER A AUGUSTE MAQUET*

Monsieur Maquet,

Vous faites appel à mes souvenirs à propos du *Vicomte de Bragelonne*. Je me souviens en effet qu'à l'époque de notre direction, M[r]. Dumas et vous nous avez lu *La Vieillesse des Mousquetaires ou le Vicomte de Bragelonne*, drame en deux parties, tiré de votre roman.

Mais comme les changements nécessaires à l'ouvrage et demandés par quelques-uns de nous, pouvaient prendre trop de temps, vous nous avez donné *Le Comte de Morcerf*, qui a pris la place destinée au *Vicomte de Bragelonne*.

Daignez agréer, Monsieur Maquet, mes respectueuses civilités.

V. Verner

Paris le 7 janvier 1861   21, rue de Paris à Belleville.

46. AUGUSTE MAQUET A EDMOND LACROIX**

[Janvier 1861]

Il ne s'agit pas de savoir si un jugement a reconnu M. Dumas seul propriétaire des ouvrages qu'il a faits en collaboration avec M. Maquet, et si, par conséquent, M. Dumas a eu le droit de tirer d'un de ces romans une pièce de théâtre.

Le jugement en question est du 3 février 1858.

Or, en 1851, M. Maquet a écrit avec M. Dumas trois pièces de théâtre tirées du roman *Le Vicomte de Bragelonne*. L'une de ces pièces formant deux drames, *Le Vicomte de Bragelonne* et *La Vieillesse des Mousquetaires*, chaque partie en 5 actes et plusieurs tableaux ; la troisième pièce sous ce titre *La Maison Planchet et Cie*.

Les deux premières pièces ont été présentées à l'Ambigu-Comique et reçues au nom de M. Dumas et au nom de M. Maquet par les artistes sociétaires alors directeurs de ce théâtre.

La troisième (*La Maison Planchet*), écrite aussi en 1851, était demandée au théâtre des Variétés par M. Thibaudeau, toujours au nom des deux collaborateurs.

Nous offrons l'attestation de M. de Chilly, et celle de M. Verner, les seuls sociétaires vivants aujourd'hui, qui déclarent que la pièce en deux parties, *Le Vicomte de Bragelonne, Vieillesse des Mousquetaires*, leur a été lue par MM. Dumas et Maquet lorsqu'ils étaient directeurs de l'Ambigu.

Nous produisons la lettre de M. Dumas qui annonce à M. Maquet, le 24 janvier 1851, qu'il vient de traiter en leurs deux noms avec l'Ambigu pour la représentation du *Vicomte de Bragelonne* en deux parties.

Mais ces trois ouvrages, composés par M. Maquet et par M. Dumas, n'ayant pu être représentés alors, soit à cause des trops grandes dépenses

---

* Aut., B.N., n.a.fr. 11 917, f° 382. Publ., G. Simon, *Histoire d'une collaboration*, p. 178-179.

** Aut., B.N., n.a.fr. 11 917, f°s 325-326. Publ., G. Simon, *Histoire d'une collaboration*, p. 173-177.

qu'ils eussent nécessitées (l'Ambigu n'était pas riche alors, en 1851), soit à cause des engagements d'acteurs que le théâtre des Variétés eût été contraint de faire pour un ouvrage hors de son cadre, ces trois ouvrages, disons-nous sont restés dans le portefeuille des deux collaborateurs, ou plutôt dans celui de M. Dumas seul, qui les avait repris aux théâtres.

Et pendant neuf ans, M. Maquet n'en a plus entendu parler. M. Dumas avait fait faillite doublement, la collaboration était rompue ; on allait plaider, on plaidait.

Tout à coup, M. Dumas fait recevoir en 1860 au théâtre du Cirque un drame annoncé d'abord par les journaux et le théâtre lui-même, sous le titre : *Le Vicomte de Bragelonne*. Déjà, même, on avait offert cette pièce à la Porte-Saint-Martin sous le titre : *Marchiali, Vieillesse des Mousquetaires* ; l'affaire n'avait pas eu de suites.

Mais. M. Maquet, qui déjà était averti de se tenir sur ses gardes, commença de s'inquiéter en apprenant que le drame s'annonçait au Cirque. Il manifesta son étonnement à quelques personnes, notamment à M. Noël Parfait, fondé de pouvoir de M. Dumas.

Presque aussitôt, une note émanée du théâtre du Cirque parut dans les journaux, annonçant que *Le Vicomte de Bragelonne* était retiré pour être remplacé par un autre drame, encore de M. Dumas, et *sur lequel aucune réclamation de collaboration ne pourrait être exercée*. Ce drame aurait pour titre : *Les Jumeaux de la Reine*.

C'est alors qu'une étrange opération s'accomplit dans le laboratoire du Cirque. On refondit purement et simplement la pièce primitivement reçue sous le titre *Vicomte de Bragelonne ou Marchiali*, on en supprima le personnage du Vicomte de Bragelonne, on changea le titre et *Le Prisonnier de la Bastille* fit son apparition.

Mais à ces mots : *Le Prisonnier de la Bastille*, l'affiche ajoutait ceci : *Fin des Mousquetaires*, qui éclaire absolument la question. C'est en effet la *Fin des Mousquetaires*, ou *Le Vicomte de Bragelonne*, ou *Marchiali*, l'une de ces trois pièces composées en 1851 par MM. Maquet et Dumas d'après leur roman du *Vicomte de Bragelonne*. C'est cette même pièce reçue à l'Ambigu en 1851, offerte à la Porte-Saint-Martin en 1859, puis, donnée en 1860 au Cirque.

Elle a été dénaturée, hachée, tronquée, gâtée ; elle a été sifflée par suite de ces honteuses mutilations, mais elle n'est pas moins l'une des trois pièces, peut-être deux, peut-être trois pièces, faites par MM. Dumas et Maquet en 1851 et demeurées dans le portefeuille de M. Dumas seul à cette époque.

Que si l'on en doute, on verra ces trois pièces énoncées dans l'énumération des ouvrages exploités en commun par une société Raphaël Félix et Dumas, sous les n° 42, 43 et 45, que M. Dumas désigne ainsi :

Œuvres inédites de M. Dumas sans collaboration avec ce nota : *Les droits d'auteur de M. Dumas père sur ces six pièces sont entiers et intacts.*

Cet acte de société enregistré à Paris, 4ᵉ bureau, le 21 Xbre 1859, déclare donc comme appartenant en toute propriété à M. Dumas six drames inédits dont suivent les titres :

42. *La Fin des Mousquetaires.*

43. *La Cour de Louis XIV ou le Vicomte de Bragelonne et La Vallière.*

44. *La Maison Planchet & C*ie*,* tiré du roman *Le Vicomte de Bragelonne.*

47. AUGUSTE MAQUET A EDMOND LACROIX*

mardi matin [12 mars 1861]

Mon cher ami, nous n'aurons pas longtemps à attendre.

Hier lundi l'affiche portait :

« Vendredi 15 mars, 1re repon de
                Le Prisonnier de la Bastille.
                        Fin des *Mousquetaires.* »

Aujourd'hui, réclame dans les journaux.

Je vous envoie celle du *Moniteur*[1].

Ainsi, plus d'hésitation, marchons[2].

A vous.

A. Maquet

---

* Aut., B.N., n.a.fr. 11 917, f° 349. Publ., G. Simon, *Histoire d'une collaboration,* p. 179-180.

1. La coupure est conservée à la B.N., *id.,* f° 350 : « Théâtre impérial du Cirque. — Le 15 mars aura lieu la 1re représentation du *Prisonnier de la Bastille,* fin des *Mousquetaires,* avec M. Laferrière, Mlle Page, MM. Luguet, Jenneval, Clément, Just, Colbrun, Maurice, Coste et Boutin pour principaux interprètes. Depuis le Théâtre-Historique, jamais pièce n'avait réuni aux boulevards semblable ensemble d'excellents artistes. »

2. Une double signification d'huissiers succède à cette lettre :

I. Signification de A. Maquet à A. Dumas et H. Hostein : « L'an mil huit cent soixante et un le treize mars.

« A la requête de Mr Auguste Maquet, homme de lettres, demeurant à Paris, rue de Bruxelles n° 12.

« Pour lequel domicile est élu à Paris, rue de Choiseul, en l'étude de Me Lacroix, avoué près le Tribunal civil de la Seine.

« J'ai, François-Félix Vacher, huissier près le Tribunal civil de la Seine séant à Paris, y demeurant rue Vivienne n° 1 soussigné, dit et déclaré à

« 1° Mr Alexandre Dumas, homme de lettres demeurant à Paris rue de Vintimille n° 13, au domicile de Mr Noël Parfait, son mandataire, demeurant à Paris cité Malesherbes n° 17 où étant et parlant au concierge de la maison ;

« 2° Mr Hippolyte Hostein, directeur du théâtre du Cirque, rue des Fossés-du-Temple, où étant et parlant au concierge dudit théâtre ;

« Que Mr Maquet a fait en collaboration avec Mr Alexandre Dumas une série d'ouvrages dramatiques tirés de leur roman *Le Vicomte de Bragelonne* et embrassant l'ensemble de cette composition ;

« Que ces ouvrages dramatiques n'ont pas été jusqu'à ce jour représentés ;

« Que cependant Mr Maquet a appris que le théâtre du Cirque a annoncé sur son affiche du onze courant la représentation pour le quinze courant d'un drame ayant pour titre *Le Prisonnier de la Bastille ; fin des mousquetaires,* et tiré du roman *Le Vicomte de Bragelonne* ;

« Que Mr Alexandre Dumas n'a point le droit de faire représenter cette pièce à l'exclusion de Mr Maquet et au mépris des droits de collaboration qui sont acquis à ce dernier.

« Pour quoi j'ai, huissier susdit et soussigné, déclaré à MM. Alexandre Dumas et Hostein que Mr Maquet s'oppose à la représentation dudit ouvrage.

« Et fait réserve expresse de tous les droits, comme aussi de tous dommages-intérêts pour le préjudice qui lui est causé.

« A ce que les susnommés n'en ignorent et je leur ai en parlant comme dessus.

48. LOUIS PERRAGALLO A EDMOND LACROIX*

L. Perragallo   Paris, le 26 juin 1861
Agent général des auteurs
et compositeurs dramatiques
30, rue Saint-Marc
Paris

Mon cher Monsieur,
    Le Prisonnier de la Bastille a été représenté trente-neuf fois au Th. du Cirque Impérial et la recette de ces représentations a été de *cent treize mille*

« Le coût est de cinq francs 20 c. Vacher » (aut., B.N., n.a.fr. 11 918, f° 77. Mentions : « Enregistré à Paris le quatorze mars 1861. Reçu 2 f. 20 c. — P^al 2 / cop. 1 / enregist. 2 20/5 20/T. 1 10/6 30 »).

II. Signification de H. Hostein à A. Maquet : « L'an mil huit cent soixante et un le quinze mars.

« A la requête de Mr Hostein, directeur du théâtre [ce mot en marge] Cirque impérial, demeurant audit théâtre à Paris, boulevard du Temple.

« Pour lequel domicile est élu à Paris, rue Montmartre n° 33, en l'étude de Me Coulon, avoué près le Tribunal civil de première instance de la Seine ;

« J'ai, Charles-Laurent Jumelle-Girault, huissier près le Tribunal civil de première instance du département de la Seine séant à Paris, y demeurant rue Saint-Martin n° 260, soussigné, déclaré à Mr Auguste Maquet, homme de lettres, demeurant à Paris rue de Bruxelles n° 12 où étant et parlant à une femme à son service ;

« En réponse à la signification faite à nous requérant le treize mars courant

« Que Mr Hostein a traité le treize août 1860 avec M. Alexandre Dumas pour la représentation au théâtre impérial du Cirque, d'une pièce sous ce titre : *Le Prisonnier de la Bastille ; fin des mousquetaires*, extrait du roman *Le Vicomte de Bragelonne* ;

« Que Mr Dumas s'est déclaré le seul auteur de ladite pièce ;

« Que dès le deux mai 1860 un acte signifié aux directeurs des théâtres leur a fait connaître la liste des ouvrages composés soit par Mr Dumas tout seul, soit en collaboration ;

« Qu'en tête de la liste des ouvrages désignés comme étant faits sans collaborateurs figure le drame qui va être représenté au Cirque impérial ;

« Que la pièce a été notoirement distribuée & répétée, qu'elle a été montée à grands frais depuis plus de quatre mois et qu'elle est parvenue jusqu'à la veille de la représentation [la première eut lieu le 22 mars] sans réclamation aucune, qu'au dernier instant Mr Maquet se présente comme le collaborateur de Mr Alexandre Dumas & s'oppose à la représentation.

« Qu'en ce qui touche cette revendication Mr Hostein n'entend & ne peut en aucune façon s'en rendre juge ; qu'en ce qui touche la défense de jouer la pièce elle est contraire à l'équité puisque la représentation est dans l'intérêt de tous & qu'elle ne nuit en rien à Mr Maquet dont les droits se trouvent réservés ;

« Qu'en présence d'un conflit et la collaboration fût-elle reconnue l'opposition de Mr Maquet est contraire aux usages dramatiques qui ne permettent pas à un auteur de retirer par le seul fait de sa volonté l'ouvrage que son collaborateur entend maintenir dans un théâtre.

« Pour quoi j'ai signifié à Mr. Maquet que Mr Hostein entend passer outre aux défenses à lui signifiées sous la réserve la plus formelle de tous dommages-intérêts.

« A ce qu'il n'en ignore et je lui ai domicile et parlant comme dessus laissé & délivré la présente copie.

                    « Coût cinq francs 40 c.
                    « Jumelle Girault

« Mr Auguste Maquet
« 12 rue de Bruxelles » (aut., B.N., n.a.fr. 11 918, f° 76).
* Aut., B.N., n.a.fr. 11 917, f. 366.

six cent quatre-vingt-quinze francs. M. Raphaël Félix ayant remanié la pièce,
M. Dumas n'a eu à toucher que sept pour cent soit 7,958 f. 56 c.

Mille amitiés
L. Perragallo

[adresse] Monsieur Ed. Lacroix
avoué

49. AUGUSTE MAQUET A EDMOND LACROIX*

samedi matin [6 juillet 1861]

Cher ami,
Les tableaux que vous m'avez communiqués ne sont qu'une compilation
de certains chapitres du roman, c'est-à-dire une paraphrase verbeuse et
maladroite de la pièce en 2 parties de 1851.

Cette compilation a-t-elle été faite pour isoler le drame *Marchiali* du
drame *Vicomte de Bragelonne* ? Peut-être ; mais elle ne reproduit pas
moins tous les traits principaux de la pièce de 1851, de même que cette autre
compilation nommée *Le Prisonnier de la Bastille* reproduit en les défigurant
honteusement, et les pièces de 1851, et ces mêmes *Jumeaux de la Reine*.

Je suis plus affermi que jamais dans le désir d'écarter toute discussion
de détails misérables pour arriver à la position de ces questions :

1° M. M... a-t-il fait avec D... en 1851 un drame intitulé la *Fin des
Mousquetaires* ?

2° Les différentes altérations qu'on a fait subir par fraude ou par sottise
à ce drame, ont-elles substitué un autre sujet au sujet de la pièce de 1851.

3° Enfin est-il possible aujourd'hui à M. Maquet, à M. D. lui-même de
faire représenter au *Cirque* une pièce intitulée : *Fin des Mousquetaires* ?

Et voilà. Le tribunal fera le reste.

Veuillez, bon ami, renvoyer à Nogent les tableaux et au besoin cette lettre
avec toutes mes amitiés.

Je souffre toujours horriblement.

A vous
A. Maquet

J'enverrai de Mèremont à Nogent la lettre qu'il m'a demandée.

50. AUGUSTE MAQUET A NOËL PARFAIT**

Mèremont, 6 j^{llet} [1861]

Mon cher camarade,
Je suis bien surpris de ce que vous m'apprenez. Comment est-il possible
que M. Dumas prétende que les manuscrits du *Vicomte de Bragelonne* et
de la fin des *Mousquetaires* doivent être entre mes mains ? Ils n'y ont jamais

---

* Aut., B.N., n.a.fr. 11 917, f°s 354-355. Publ., G. Simon, *Histoire d'une collaboration*,
p. 180-181.
** Aut., B.N., n.a.fr. 11 917, f° 336 (copie).

été depuis 1851 et sont au contraire restés entre les mains de M. Dumas puisqu'ils figurent au nombre des ouvrages vendus en 1860 à M. Raphaël Félix comme appartenant à M. Dumas *seul* et *sans collaborateur*.

Croyez en mes sincères amitiés.

A. Maquet

M. Dumas avait gardé de même les manuscrits de *La Dame de Monsoreau*, quatre tableaux de *Balsamo*, les seuls faits, *La Maison Planchet et Cie*. Il garde toujours les manuscrits et le sait bien.

51. ACTE SOUS SEING PRIVÉ*

[Paris, 30 décembre 1861]

Entre les soussignés

M. Alexandre Dumas père, homme de lettres, demeurant actuellement à Naples, d'une part,

et M. Auguste Maquet, homme de lettre, demeurant à Paris, rue de Bruxelles, n° 10, d'autre part.

a été exposé, convenu et arrêté ce qui suit.

Une contestation s'est élevée entre les susnommés à l'occasion de la pièce jouée au Théâtre du Cirque, ayant pour titre *Le Prisonnier de la Bastille*.

M. Maquet prétendant avoir un droit de co-propriété sur le drame représenté au Théâtre du Cirque, ayant pour titre *Le Prisonnier de la Bastille*, a formé opposition entre les mains de M. Peragallo et de M. Porcher sur M. Dumas et assigné ce dernier devant le Tribunal civil de la Seine, pour voir dire qu'il serait fait attribution de la moitié des droits d'auteur.

Par jugement de la première Chambre du Tribunal civil de la première instance de la Seine du 10 juillet dernier, M. Maquet a été débouté de sa demande.

Il allait interjetter appel de ce jugement lorsque les parties se sont rapprochées et ont arrêté à titre de transaction sur procès les conventions suivantes :

M. Dumas reconnaît que M. Maquet a droit à la moitié des droits d'auteur lui revenant sur la pièce *Le Prisonnier de la Bastille*, et qu'en conséquence il pourra toucher directement cette moitié des mains de MM. Peragalo et Porcher.

Il est toutefois expliqué que les droits à toucher chez M. Peragallo sont réduits à sept pour cent, le surplus appartenant directement à titre de garantie aux créanciers de M. Dumas représenté par M. Lefrançois, commissaire à l'exécution de son concordat.

Les frais d'instance seront supportés pour ceux par lui faits par M. Maquet. Ceux faits par M. Dumas et dûs à M. Degournay, avoué, seront prélevés par ce dernier sur la moitié revenant à M. Dumas dans les droits d'auteur.

---

* Aut., B.N., n.a.fr. 11 918, f°s 74-75. La date de cet acte sous seing privé, non daté et non signé, est donné par la lettre suivante.

L'enregistrement des présentes sera à la charge de celle des parties qui y donnera lieu.

Les parties déclarent qu'elles transigent sur le point spécial relatif à la contestation sus-énoncée, mais qu'elles n'entendent en aucune façon nuire ni préjudicier à aucuns droits respectifs.

Il est bien entendu que M. Dumas continuera seul à être porté sur les affiches et brochures pour la pièce dont [il] s'agit.

Fait double à Naples le   pour M. Dumas et à Paris le   pour M. Maquet.

52. AUGUSTE MAQUET A AUGUSTE LEFRANÇOIS*

Paris, 2 janvier 1862

Monsieur,

Il est entendu entre nous, que la somme que je toucherai par suite de l'attribution qui m'est faite par l'acte s. seing privé du 30 Xbre 1861 de moitié des droits d'auteur de la pièce *Le Prisonnier de la Bastille* sera par moi imputée sur ce qui m'est encore dû aux termes du jugement du Tribunal du Commerce de la Seine du 28 juin 1860.

Cette somme devra donc diminuer d'autant la dette de M. Dumas envers moi.

Il est d'ailleurs bien entendu qu'après le paiem[t] intégral des 16 000 & fr. restant dûs sur ce jugement, je n'aurai plus rien à prétendre dans les droits d'auteur afférents au *Prisonnier de la Bastille*.

J'ai l'honneur de vous saluer.

A. Maquet

A M. Lefrançois

---

* Aut., B.N., n.a.fr. 11 917, f° 324 (brouillon, août 1861, f° 337).

I.

Sur le *Masque de fer*

Paul de Saint-Victor affirmait que jamais Dieu de l'Inde n'avait subi tant de métempsycoses et tant d'avatars que le Masque de fer, avant de se fixer en la personne du comte Mattioli, secrétaire d'État du duc de Mantoue, « tandis que, seul contre tous, comme d'Artagnan, Alexandre Dumas résistait aux efforts de vingt savants, et que Le Vicomte de Bragelonne — *rajeunissant la légende du frère de Louis XIV, mise en circulation par Voltaire et raffermie par la Révolution — faisait rentrer dans leur poussière les pièces d'archives que les érudits avaient exhumées[1]. »*

Si Dumas a, en toute connaissance de cause, contrebalancé la vérité historique en créant un mensonge romanesque qui lui a semblé contenir une vérité poétique, Le Vicomte de Bragelonne *n'est pas sa première rencontre avec la légende. Lors de son pèlerinage vers l'Italie de 1835, après avoir quitté Toulon, il a fait halte au golfe Juan[2]. « En face de nous, à l'horizon, étaient les îles de Sainte-Marguerite.*

« Les îles Sainte-Marguerite, comme on le sait, servirent pendant neuf ans, de prison au Masque de fer. »

Rédigeant cinq ans plus tard ses Impressions de voyage (Une année à Florence[3]), *il évoque le prisonnier : après un avertissement au lecteur[4], il énumère, avec humour, les neuf systèmes sur l'homme au masque de fer, se gardant bien de prendre parti.*

---

1. F. Funck-Brentano, *Légendes et archives de la Bastille*, Librairie Hachette, 1902, p. 112.
2. Le 16 juin 1835.
3. Écrits à Florence, les deux volumes d'*Impressions de voyage*, allant d'Arles à Nice sont destinés à la *Revue des Deux Mondes* et envoyés à Buloz le 4 novembre 1840, avec possibilité de ne pas imprimer : *La Chasse aux chastres* et *Le Masque de fer*. L'éditeur de Dumas propose alors *Le Masque de fer* au journal *Le Siècle* qui le publie les 19 et 21 février 1841. Originale : *Une année à Florence*, Paris, Dumont 1841, premier volume (enregistrement dans la *Bibliographie de la France* : 2 octobre 1841).
4. « Nos lecteurs peuvent sauter par-dessus le chapitre suivant, que j'intercale par conscience, et pour satisfaire la curiosité de ceux qui, comme moi, se baigneraient dans le golfe Juan. Ils n'y perdront qu'une dissertation historique médiocrement amusante. »

Un passage du texte des Impressions de voyage *est repris, presque sans changement, au chapitre XLVIII de* Louis XIV et son siècle, *compilation historique rédigée par Dumas à la demande des éditeurs Dufour et Fellens, et illustrée par les « premiers artistes de Paris* [1] *». Dumas rejette un résumé des différents systèmes (il en dénombre quatorze) en note, et hasarde cette fois-ci une hypothèse : après Voltaire, il penche maintenant pour un fils adultérin d'Anne d'Autriche et de Mazarin, frère aîné de Louis XIV* [2].

Pourtant, à l'heure de tracer le plan du Vicomte de Bragelonne, *Dumas choisit délibérément la version de Soulavie élaborée pour sa* Relation de la naissance & de l'éducation du Prince infortuné, soustrait par les Cardinaux de Richelieu & Mazarin à la Société ; & renfermé par ordre de Louis XIV. Composée par le Gouverneur de ce prince au lit de la mort, *qui figure dans les (apocryphes)* Mémoires du Maréchal duc de Richelieu pour servir à l'histoire des cours de Louis XIV, de la Régence du duc d'Orléans, de Louis XV, et à celle des 14 premières années du règne de Louis XVI, ouvrage composé dans la bibliothèque, et sous les yeux du maréchal [...] d'après les portefeuilles, correspondances et mémoires [...] de plusieurs seigneurs, ministres et militaires, ses contemporains. *Non qu'il la croie vraie, mais parce qu'elle offre, dans sa structure antithétique, une trame splendide sur laquelle il pourra, largement et généreusement, peindre son tableau.*

L'HOMME AU MASQUE DE FER*

Tout calcul fait, il y a neuf systèmes sur l'homme au masque de fer. Nous laissons au lecteur le soin de choisir celui qui lui paraîtra le plus vraisemblable ou qui lui sera le plus sympathique.

PREMIER SYSTÈME

L'auteur du premier système est anonyme. Le système est venu tout fait de la Hollande, sans doute sous le patronage du roi Guillaume. Tel qu'il est, le voici : Le Cardinal de Richelieu, tout fier de voir sa nièce Parisiatis aimée de Gaston, duc d'Orléans, frère du roi, proposa à ce prince de devenir sérieusement son neveu. Mais le fils de Henri IV, qui voulait bien de mademoiselle Parisiatis pour maîtresse, trouva si impertinent que le premier ministre osât la lui proposer pour femme, qu'il répondit à cette proposition

---

1. La première des soixante livraisons hebdomadaires est enregistrée par la *Bibliographie de la France* le 9 mars 1844 ; la trentième et dernière du premier volume, le 7 décembre 1844 ; la soixantième et dernière le 8 novembre 1845. Édition originale : *Louis XIV et son siècle*, Paris, chez MM. J.-B. Fellens et L.-P. Dufour, 1844-1845. Les illustrations sont gravées par Lesestre, Brugnot, Hébert, Pisan, Piaud, Trichon, Bernard, Brevière, A. Vien, Duhardin, d'après Rouargue, Marckl, Th. Guérin, Wattier, Valentin.

2. Voir ci-après II.

* Préoriginale : *Le Siècle* (19 et 21 février 1841). Originale : *Une année à Florence*, Paris, Dumont, 1841, premier volume (enregistrement dans la *Bibliographie de la France* le 2 octobre 1841). Nous adoptons le texte des *Œuvres complètes* publiées chez Lévy, après l'avoir amendé en nous inspirant de la leçon de la préoriginale.

par un soufflet. Le cardinal était rancunier, mais, comme il n'y avait pas moyen de traiter le frère du roi en Bouteville ou en Montmorency, il s'entendit avec sa nièce et le père Joseph pour tirer de Gaston une autre vengeance : ne pouvant lui faire tomber la tête de dessus les épaules, il résolut de lui faire choir la couronne de dessus la tête.

La perte de cette couronne devait être d'autant plus sensible à Gaston que Gaston croyait déjà la tenir ; il y avait quelque vingt-deux ou vingt-trois ans que son frère aîné était marié, et la France attendait encore un dauphin.

Voici ce qu'imagina Richelieu, toujours dans le système de l'anonyme hollandais.

Un jeune homme, nommé le C.D.R., était amoureux, depuis plusieurs années, de la femme de son roi. Cet amour, auquel la reine n'avait point paru insensible, n'avait point échappé aux regards jaloux de Richelieu, qui, amoureux lui-même d'Anne d'Autriche, s'en était inquiété jusqu'au moment où il jugea à propos d'en tirer parti.

Un soir, le C.D.R. reçut un billet d'une main inconnue, dans lequel on lui disait que, s'il voulait se rendre à un endroit indiqué, et se laisser bander les yeux, on le conduirait dans un lieu où il désirait être présenté depuis longtemps. Le jeune homme était aventureux et brave : il se trouva au rendez-vous, se laissa bander les yeux, et lorsque le bandeau lui tomba du front, il était dans l'appartement d'Anne d'Autriche qu'il aimait.

Le lendemain elle alla trouver le cardinal et lui dit : « Vous avez enfin gagné votre méchante cause ; mais prenez-y garde, monsieur le prélat, et faites en sorte que je trouve cette miséricorde et cette bonté céleste dont vous m'avez flattée par vos pieux sophismes : ayez soin de mon âme ! »

L'auteur anonyme attribue à cette aventure la naissance de Louis XIV, fils de Louis XIII, par voie de transubstantiation. La brochure, qui se terminait là, annonçait une suite qui n'a point été publiée. Mais comme l'anonyme hollandais ajoutait que cette suite serait la *fatale catastrophe du C.D.R.*, on prétendit que la catastrophe fut la découverte que fit Louis XIII des amours de la reine, et que le prix dont le C.D.R. les paya fut une prison perpétuelle avec application d'un masque de fer.

Le C.D.R. était ou le comte de Rivière ou le comte de Rochefort.

Ce système, à notre avis, sent trop le pamphlet pour avoir besoin d'être réfuté.

DEUXIÈME SYSTÈME

Celui-ci est de Sainte-Foix[1], et, s'il n'a pas le mérite de la vraisemblance, il a au moins celui de l'originalité. Sainte-Foix, comme on le sait, était un homme de beaucoup d'imagination, qui n'aimait pas les *bavaroises* et qui trouvait mauvais que les autres les aimassent. Il en résultait qu'il déjeunait ordinairement avec des côtelettes et du vin de Champagne, et qu'il avait le tort d'écrire l'histoire après avoir déjeuné.

---

1. *Lettre de M. de Saint-Foix au sujet de l'homme au masque de fer*, Amsterdam, Paris, Vente, 1768, in-12, 44 p.

Un jour Sainte-Foix lut dans l'histoire de Hume[1], que le duc de Montmouth n'avait point été exécuté comme on l'avait dit, mais qu'un de ses partisans qui lui ressemblait fort, ce qui cependant n'était pas facile à rencontrer, avait consenti à mourir à sa place, tandis que le fils naturel de Charles II, chez lequel on avait respecté le sang royal, tout illégitime qu'il fût, avait été transféré secrètement en France pour y subir une prison perpétuelle[2].

A ce passage, Sainte-Foix, toujours en quête du romanesque, ouvrit de grands yeux et découvrit un petit volume anonyme et apocryphe intitulé : *Amours de Charles II et de Jacques II, rois d'Angleterre*. Dans ce petit volume il était dit : « La nuit d'après la prétendue exécution du duc de Montmouth, le roi, accompagné de trois hommes, vint lui-même le tirer de la tour. On lui couvrit la tête d'une espèce de capuchon, et le roi et les trois hommes entrèrent avec lui dans le carrosse. »

Un autre témoignage, bien plus important que celui du colonel Helton, dans la bouche duquel l'auteur du petit volume met ce récit, était encore invoqué par Sainte-Foix. Ce témoignage était celui du père Saunders, confesseur de Jacques II. En effet, le père Tournemine étant allé, avec le père Saunders, rendre visite à la duchesse de Montmouth, après la mort de cet ex-roi, il échappa à la duchesse de dire : « Quant à moi, je ne pardonnerai jamais au roi Jacques d'avoir laissé exécuter le duc de Montmouth, au mépris du serment qu'il avait fait sur l'hostie, près du lit de mort de Charles II, qui lui avait recommandé de ne jamais ôter la vie à son frère naturel, même en cas de révolte. » Mais à ces mots, le père Saunders interrompit la duchesse en lui disant : « Madame la duchesse, le roi Jacques a tenu son serment. »

Selon Sainte-Foix, l'homme au masque de fer ne serait donc autre que le duc de Montmouth, sauvé de l'échafaud par Jacques II, à qui Louis XIV aurait prêté presqu'en même temps les îles Sainte-Marguerite pour son frère, et Saint-Germain pour lui.

TROISIÈME SYSTÈME

Le système de Sainte-Foix avait été établi pour battre en brèche le système de Lagrange-Chancel[3], qui prétendait, sur le dire de M. de Lamothe-Guérin, gouverneur des îles Sainte-Marguerite en 1718, c'est-à-dire à l'époque où lui-même y était détenu, que l'homme au masque de fer était le fameux duc de Beaufort, disparu en 1669 au siège de Candie. Voici la version de Lagrange-Chancel :

Dès l'année 1664, M. de Beaufort était déjà, par son insubordination et sa légèreté, tombé dans la disgrâce, sinon apparente, du moins réelle, de Louis XIV, qui pardonnait avec une égale difficulté le bonheur qu'on avait eu de lui plaire, ou le malheur qu'on avait eu de lui déplaire. Or, M. de

---

1. David Hume, *History of Great Britain* (*Histoire de la Grande-Bretagne*), 1754-1761.
2. Les deux paragraphes suivants ne figurent pas dans le feuilleton du *Siècle*.
3. Lagrange-Chancel, lettre à Fréron.

Beaufort ne lui avait jamais plu, le grand roi ne voulant pas de rivaux, fût-ce aux halles.

Vers le commencement de 1669, M. de Beaufort reçut de Colbert l'ordre de soutenir Candie, assiégée par les Turcs. Sept jours après son arrivée, c'est-à-dire le 26 juin, le duc de Beaufort fit une sortie ; mais, emporté par son courage ou par son cheval, il ne reparut pas. A cette occasion, Navailles, son collègue dans le commandement de l'escadre française, se contente de dire, page 245, livre IV de ses Mémoires[1] : « Le duc de Beaufort rencontra sur son chemin un gros de Turcs qui pressait quelques-unes de nos troupes, il se mit à leur tête, et combattit avec beaucoup de valeur ; mais il fut abandonné, et l'on n'a jamais pu savoir depuis ce qu'il était devenu. »

Selon Lagrange-Chancel, le duc de Beaufort aurait été enlevé, non par les soldats du sublime empereur, mais par les agens du roi très chrétien, et au lieu d'avoir eu la tête coupée, il l'aurait eue, ce qui ne valait guère mieux, enfermée à perpétuité dans un masque de fer.

QUATRIÈME SYSTÈME

Ce quatrième système, qui n'était pas loin non plus d'être celui de Voltaire, avait été répandu avec un prodigieux succès par l'auteur anonyme *des Mémoires pour servir à l'histoire de Perse*[2]. Comme l'*Histoire amoureuse des Gaules*[3], les *Mémoires pour servir à l'histoire de Perse* racontent des anecdotes de la cour de France. Le roi y est appelé *Cha-Abbas*, le dauphin *Sephi-Mirza*, le comte de Vermandois *Giafer*, et le duc d'Orléans *Ali-Homajou*. Quant à la Bastille, elle était désignée sous le nom de *la forteresse d'Ispahan*, et les îles Sainte-Marguerite sous le nom de *la citadelle d'Ormus*.

Voici maintenant l'anecdote réduite à ses vrais noms :

Louis de Bourbon, comte de Vermandois, était, comme on le sait, fils naturel de Louis XIV et de mademoiselle de Lavallière. Comme à tous ses bâtards, Louis XIV lui portait une grande amitié, si bien que cette amitié ayant changé l'orgueil qui était propre au jeune prince en insolence, il s'oublia, dans une discussion avec le dauphin, jusqu'à lui donner un soufflet. C'était là un de ces outrages à la majesté royale que Louis XIV ne pouvait pardonner, même à un de ses bâtards. Aussi, toujours selon les *Mémoires pour servir à l'histoire de Perse, Giafer*, ou le comte de Vermandois, fut-il envoyé en Flandre, où pour lors on faisait la guerre. Or, à peine fut-il au camp, où il arriva si bien prêché par sa mère, qu'on croyait, dit mademoiselle de Montpensier, qu'il se fût fait un honnête homme, que le 12 du mois de

---

1. *Mémoires du duc de Navailles et de la Valette*, Paris, Vve de C. Badin, 1701. Texte : « Il rencontra en chemin... »

2. *Mémoires secrets pour servir à l'Histoire de Perse*, 1745, in-12 ; 1759, in-18 (donnant les clefs du roman). Le roman fut attribué à Réséguier, à Pecquet, à la Beaumelle (par Voltaire). Il serait de Mme de Vieux-Maisons. Voltaire rejette ce système : « Ce n'était sûrement pas le comte de Vermandois », Voltaire, *Supplément au Siècle de Louis XIV, Œuvres complètes*, Garnier frères, tome XV, p. 107-108. Voir également *Dictionnaire philosophique*, « Ana, anecdotes », *Œuvres complètes*, tome XV, p. 204.

3. *L'Histoire amoureuse des Gaules*, roman satirique de Bussy-Rabutin, parut en 1665.

novembre au soir[1] il se trouva mal, et mourut le 19. Ce malheur, dit mademoiselle de Montpensier, arriva à la suite d'une orgie où il avait trop bu d'eau-de-vie. Les autres Mémoires parlèrent de fièvre maligne ou de peste. Mais l'auteur du 4ᵉ système prétendit que ces bruits n'avaient été répandus que pour éloigner les curieux de la tente du jeune prince, qui était, non pas mort, mais seulement endormi à l'aide d'un narcotique et qui ne se réveilla qu'un masque de fer sur le visage.

Selon le même auteur, Ali-Homajou, c'est-à-dire Philippe II, régent de France, était allé faire une visite au comte de Vermandois, à la Bastille, vers le commencement de 1723 ; il était résulté de cette visite la résolution de rendre la liberté au prisonnier, lorsque la même année, le régent mourut d'une apoplexie foudroyante. Il en résulta que le pauvre Giafer resta dans la forteresse d'Ispahan, dont ce n'était guère d'ailleurs la peine de sortir, attendu qu'à cette époque il devait avoir à peu près soixante-cinq ans.

CINQUIÈME SYSTÈME

Celui-ci appartient au baron d'Heiss, ancien capitaine au régiment d'Alsace. Il était développé dans une lettre écrite de Phalsbourg, et datée du 28 juin 1770. Cette lettre fut publiée dans l'*Histoire abrégée de l'Europe*[2]. Voici l'analyse de cette lettre :

Selon le baron d'Heiss, le duc de Mantoue avait dessein de vendre sa capitale au roi de France, lorsqu'il en fut détourné par son secrétaire Matthioli, lequel lui persuada, au contraire, de s'unir à la ligue qui, dans ce moment, se formait contre Louis XIV. Le roi, qui croyait déjà tenir Mantoue, vit donc cette ville importante lui échapper, et ayant su par quel conseil, il résolut de se venger du conseiller. En conséquence, sur l'ordre du roi, le malheureux Matthioli aurait été invité par le marquis d'Arey, ambassadeur de France, à une grande chasse à deux ou trois lieues de Turin, et là, tandis qu'il suivait l'ambassadeur dans un sentier perdu, douze cavaliers l'auraient enlevé, *masqué*, et conduit à Pignerol. Mais, comme cette forteresse était trop voisine de l'Italie, il serait passé de là successivement à Exilles, aux îles Sainte-Marguerite et enfin à la Bastille, où il serait mort.

Ce système, qui n'était pas plus déraisonnable que les autres, n'obtint cependant jamais grande faveur. Cette idée que l'homme au masque de fer était un étranger et un subalterne, n'ayant pas suffi pour éveiller une grande curiosité.

SIXIÈME SYSTÈME

Celui-ci n'a point de parrain. C'est un de ces bruits vagues comme il en court par le monde, sans qu'on sache d'où ils viennent, ni où ils vont. Aussi ne le citons-nous que pour mémoire.

---

1. 1683. Voir *Mémoires de Mademoiselle de Montpensier*, quatrième partie (Michaud et Poujoulat, tome quatrième, p. 515).
2. *Journal encyclopédique*, 15 août 1770, p. 132-138.

Selon ce système, l'homme au masque de fer ne serait autre que le second fils du protecteur, c'est-à-dire Henri Cromwel, qui disparut de la scène du monde sans que jamais personne sût par quelle coulisse, ou par quelle trappe. Mais pourquoi eût-on masqué et emprisonné Henri, lorsque Richard, son frère aîné, vivait publiquement et tranquillement en France ?

SEPTIÈME SYSTÈME

Le septième système est tiré d'un ouvrage in-8°, publié en 1789 par M. Dufey de l'Yonne, et intitulé *La Bastille* ou *Mémoires pour servir à l'histoire du gouvernement français, depuis le* XIVe *siècle jusqu'à la fin du* XVIIIe[1]. Tout l'échafaudage de ce système, qui, du reste, a tout l'intérêt du romanesque et de la poésie, s'appuie sur ce passage des Mémoires de madame de Motteville : « La reine, dans cet instant, surprise de se voir seule, et apparemment importunée par quelque sentiment trop passionné du duc de Buckingham, s'écria et appela son écuyer, et le blâma de l'avoir quittée[2]. »

Selon M. Dufey, ce cri d'appel poussé par Anne d'Autriche fut le dernier. Le duc de Buckingham, de plus en plus amoureux, fut de plus en plus apprécié, comme le prouve l'histoire des ferrets de diamants ; si bien que Louis XIII eut un fils qu'il ne connut jamais, mais que Louis XIV découvrit, et auquel, pour l'honneur de sa mère, il donna un masque.

D'après M. Dufey de l'Yonne, la mort sanglante de Buckingham aurait bien pu être une expiation de son bonheur, et il n'est pas loin de croire que le couteau de Felton était non seulement de manufacture française, mais encore de fabrique royale.

HUITIÈME SYSTÈME

Celui-ci, mis sous le patronage du maréchal de Richelieu, appartient très probablement en toute propriété à Soulavie, son secrétaire. Il serait, dit ce dernier, emprunté à un manuscrit retrouvé dans les cartons du duc après sa mort, et intitulé : *Relation de la naissance et de l'éducation du prince infortuné soustrait par les cardinaux Richelieu et Mazarin à la société, et renfermé par ordre de Louis XIV. Composée par le gouverneur de ce prince, à son lit de mort*[3].

---

1. *La Bastille, mémoires pour servir à l'histoire secrète du gouvernement français depuis le* XIVe *siècle jusqu'en 1789*, par Dufey de l'Yonne (Pierre-Joseph-Spiridion), Paris, au Bureau de l'Encyclopédie, 1833, in-8°, 383 p.

2. Mme de Motteville, *Mémoires*, première partie (Michaud et Poujoulat, tome dixième, p. 19).

3. *Relation de la naissance & de l'éducation du Prince infortuné, soustrait par les Cardinaux de Richelieu & Mazarin à la Société, & renfermé par ordre de Louis XIV. Composée par le Gouverneur de ce prince au lit de la mort*, dans *Mémoires du maréchal duc de Richelieu pour servir à l'histoire des cours de Louis XIV, de la Régence du duc d'Orléans, de Louis XV, et à celle des 14 premières années du règne de Louix XVI, ouvrage composé dans la bibliothèque, et sous les yeux du maréchal [...] d'après les portefeuilles, correspondances et mémoires [...] de plusieurs seigneurs, ministres et militaires, ses contemporains* (attribué à J.L. Soulavie), Londres, J. de Boffe ; Paris, P. Buisson, 1790, 4 vol. in-8°, tome III, p. 75-85.

Ce gouverneur anonyme racontait que ce prince, qu'il avait élevé et gardé jusqu'à la fin de ses jours, était un frère jumeau de Louis XIV, né le 5 septembre 1638, à huit heures et demie du soir, pendant le souper du roi, et au moment où on était loin de s'attendre, après la naissance de Louis XIV, qui avait eu lieu à midi, à un second accouchement. Cependant ce second accouchement avait été prédit par des pâtres, qui avaient dit par la ville que, si la reine accouchait de deux dauphins, ce serait un grand signe de calamité pour la France. Ces bruits, de si bas qu'ils fussent partis, n'en étaient pas moins venus aux oreilles du superstitieux Louix XIII, qui alors avait fait venir Richelieu, et l'avait consulté sur cette prophétie, à laquelle, sans y croire cependant, Richelieu avait répondu que, ce cas échéant, il fallait soigneusement cacher le second venu des deux enfants, parce qu'il pourrait vouloir être roi. Louis XIII avait à peu près oublié cette prédiction, lorsque la sage-femme vint lui annoncer, à sept heures du soir, que, selon toutes les probabilités, la reine allait mettre au jour un second enfant. Louis XIII, qui avait senti la justesse du conseil du cardinal, réunit aussitôt l'évêque de Meaux, le chancelier, le sieur Honorat et la sage-femme, et leur dit, avec cet accent qui annonce qu'on est disposé à tenir ce que l'on promet, que le premier qui révélerait le mystère de son second accouchement paierait la révélation de sa tête. Les assistants jurèrent tout ce que le roi voulut ; et à peine le serment était-il fait, que la reine, accomplissant la prophétie des bergers, accoucha d'un second dauphin, lequel fut remis à la sage-femme et élevé en secret, destiné qu'il était à remplacer le dauphin, si le dauphin venait à mourir, tandis que, au contraire, il était condamné d'avance à l'obscurité, si le dauphin continuait de vivre.

La sage-femme éleva le second dauphin comme son fils, le faisant passer aux yeux de ses voisins pour le bâtard d'un grand seigneur dont on lui payait grassement la pension ; mais à l'époque où l'enfant eut atteint sa sixième année, un gouverneur arriva chez dame Perronnette, c'était le nom de la sage-femme, et la somma de lui remettre l'enfant, qu'il devait continuer d'élever en secret *comme un fils de roi*. L'enfant et le gouverneur partirent pour la Bourgogne.

Là, l'enfant grandit inconnu, mais cependant portant sur son visage une telle ressemblance avec Louis XIV, qu'à chaque instant le gouverneur tremblait qu'il ne fût reconnu. Le jeune homme atteignit ainsi l'âge de dix-neuf ans, effrayant son vieux mentor par les idées étranges qui lui passaient parfois à travers la tête comme des éclairs, lorsqu'un beau jour, au fond d'une cassette mal fermée et qu'on avait eu l'imprudence de laisser à sa portée, il trouva une lettre de la reine Anne d'Autriche qui lui révélait sa véritable naissance. Quoique possesseur de cette lettre, le jeune homme résolut de se procurer une nouvelle preuve. Sa mère parlait de cette ressemblance miraculeuse avec Louis XIV, qui effrayait tant le pauvre gouverneur. Le jeune homme résolut de se procurer un portrait du roi son frère, afin de juger lui-même de cette ressemblance. Une servante d'auberge se chargea d'en acheter un à la ville voisine ; ce portrait confirma tout ce qu'avait dit la lettre. Le prince se reconnut, ne fit qu'un bond de sa chambre à celle du gouverneur, et lui montrant le portrait de Louis XIV : « Voilà mon frère ! » lui dit-il. Et ramenant les yeux sur lui-même : — « Et voilà qui je suis ! »

Le gouverneur ne perdit pas de temps et écrivit à Louix XIV, qui, de son côté, fit bonne diligence, et, courrier par courrier, l'ordre arriva d'enfermer dans la même prison le gouverneur et l'élève. Puis, comme, même à travers les grilles d'une prison, on pouvait reconnaître la contre-épreuve du grand roi, le grand roi ordonna que le visage de son frère fût, à compter de cette heure, couvert d'un masque de fer assez habilement travaillé pour que, sans le quitter jamais, il pût voir, respirer et manger. Cette recommandation toute fraternelle aurait, d'après Soulavie, été exécutée de point en point.

C'est cette donnée qu'ont adoptée, pour faire leur beau drame du *Masque de fer*, MM. Fournier et Arnoult, ce qui n'a pas peu contribué, avec le talent de Lockroy, à lui donner, de nos jours, une parfaite popularité[1].

NEUVIÈME SYSTÈME

Celui-ci est notre contemporain et date de 1837. Il a été émis par notre confrère le Bibliophile P.-L. Jacob[2]. Selon lui, l'homme au masque de fer ne serait autre que le malheureux Fouquet, qui, profitant des adoucissements donnés à sa prison pour exécuter une tentative d'évasion, aurait été puni de cette tentative par la nouvelle de sa mort officiellement répandue, et par l'application de cette ingénieuse machine, dont l'invention, dans ce cas encore, appartiendrait au grand roi.

Comme le livre dans lequel notre ami a développé ce nouveau système est dans les mains de tout le monde, nous y renvoyons pour plus amples détails.

Il y a encore deux autres petits *systèmes* : l'un ferait du masque de fer le patriarche Arwedicks, enlevé, selon le manuscrit de monsieur de Bonac, pendant l'ambassade de monsieur de Féréol, à Constantinople[3] ; l'autre serait un malheureux écolier puni par les jésuites d'un distique latin fait contre leur ordre, et à qui, sur la recommandation de ces bons pères, Louis XIV aurait bien voulu servir de geôlier et de bourreau[4].

Ajoutons, pour dernier *système*, celui qui consiste à ne croire à rien et à dire que le Masque de fer n'a jamais existé.

Maintenant, après les conjectures, voici les certitudes :

Ce fut dans l'intervalle du 2 mars 1680 au 1er septembre 1681 que

1. *L'Homme au masque de fer*, drame en cinq actes et prologue, de Narcisse Fournier et Auguste Arnoult (collaborateurs de Maquet pour l'*Histoire de la Bastille*), représenté à l'Odéon le 3 août 1831 ; voir Dumas, *Mes Mémoires*, chap. CCXIV.

2. *Histoire de l'homme au masque de fer*, par Paul-L. Jacob, bibliophile, Paris, V. Magen, 1837, in-8°, 324 p.

3. Voir *L'Homme au masque de fer, mémoire historique* [...] *où l'on démontre que ce prisonnier fut une victime des Jésuites, par feu le chevalier de Taulès* [Pierre, chevalier de Taulès]... *suivi d'une correspondance inédite de Voltaire avec M. de Taulès sur Le Siècle de Louis XIV*, Paris, Peytieux, 1825, in-8°, 43 p.

4. Il s'agit de François Seldon qui apparaît dans *Le Vicomte de Bragelonne*. Voir *Histoire de la Bastille depuis sa fondation, 1374, jusqu'à sa destruction, 1789*, par MM. Arnoult et Alboize [et Maquet], Paris, 26, rue Notre-Dame-des-Victoires, 1844, 8 tomes en 4 volumes.

l'homme au masque de fer parut à Pignerol, d'où il fut transporté à Exilles, lorsque monsieur de Saint-Mars passa de cette première forteresse à la seconde. Il y resta six ans ; et monsieur de Saint-Mars, ayant eu en 1687 le gouvernement des îles Sainte-Marguerite, s'y fit suivre par son prisonnier, dont il était condamné lui-même à rester l'ombre. En arrivant dans ces îles, Saint-Mars écrivit à monsieur de Louvois, le 20 janvier 1687 : « Je donnerai si bien mes ordres pour la garde de mon prisonnier, que je puis vous en répondre pour son entière sûreté[1]. »

En effet, ce bon monsieur de Saint-Mars avait fait exécuter tout exprès pour lui une prison modèle ; cette prison, selon Piganiol de la Force[2], n'était éclairée que par une seule fenêtre regardant la mer, et ouverte à quinze pieds au-dessus du chemin de ronde. Cette fenêtre, outre les premiers barreaux, était défendue par trois grilles de fer placées entre les soldats de garde et le prisonnier.

Aux îles Sainte-Marguerite, monsieur de Saint-Mars entrait rarement dans la chambre de son prisonnier, de peur que quelque indiscret écoutât leur conversation. En conséquence, il se tenait ordinairement sur la porte ouverte, et de cette façon pouvait, tout en causant, voir des deux côtés du corridor si personne ne venait. Un jour qu'il causait ainsi, le fils d'un de ses amis, qui était venu passer quelques jours dans l'île, cherchant monsieur de Saint-Mars pour lui demander l'autorisation de prendre un bateau qui le conduisît à terre, l'aperçut de loin sur le seuil d'une chambre. Sans doute en ce moment la conversation entre le prisonnier et monsieur de Saint-Mars était des plus animées, car ce dernier n'entendit les pas du jeune homme que lorsqu'il fut près de lui. Il se rejeta en arrière, referma la porte vivement et demanda, tout pâlissant, au jeune homme s'il n'avait rien vu ni entendu. Le jeune homme, pour toute réponse, lui démontra que de la place où il était la chose était presque impossible. Alors seulement monsieur de Saint-Mars se remit ; mais il n'en fit pas moins le même jour partir le jeune homme, en écrivant à son père pour lui raconter la cause du renvoi, et en ajoutant : « Peu s'en est fallu que cette aventure n'ait coûté cher à votre fils, et je vous le renvoie de peur de quelque nouvelle imprudence[3]. »

Un autre jour, il arriva que le Masque de fer, qui était servi en argenterie, écrivit quelques lignes sur un plat, au moyen d'un clou qu'il s'était procuré, et jeta ce plat à travers sa fenêtre et les triples grilles. Un pêcheur trouva

---

1. *Traité des différentes sortes de preuves qui servent à établir la vérité de l'histoire*, par le R.P. Henri Griffet, Liège, J.F. Bassompierre, 1769, in-12, chap. XIV, dans lequel est reproduit le journal de Junca.

2. *Nouvelle description de la France, dans laquelle on voit le gouvernement général de ce royaume, celui de chaque province en particulier et la description des villes, maisons royales, châteaux et monuments les plus remarquables* [...], Paris, T. Legros fils, 1718, 6 vol. (la Provence figure au tome III).

3. Voir *Voyage littéraire de Provence, contenant tout ce qui peut donner une idée de l'état ancien et moderne des villes, [...] histoire naturelle [...] et cinq lettres sur les trouvères et les troubadours*, par M. P.D.L. (abbé Jean-Pierre Papon), Paris, Barrois l'aîné, 1780, in-12, XIX-456 p.

ce plat au bord de la mer, et pensant qu'il ne pouvait provenir que de l'argenterie du château, le rapporta au gouverneur.

— Avez-vous lu ce qui est écrit sur ce plat ? demanda monsieur de Saint-Mars.

— Je ne sais pas lire, répondit le pêcheur.

— Quelqu'un l'a-t-il vu entre vos mains ?

— Je l'ai trouvé à l'instant même, et je l'ai apporté à Votre Excellence en le cachant sous ma veste, de peur qu'on ne me prît pour un voleur.

Monsieur de Saint-Mars réfléchit un instant ; puis, faisant signe au pêcheur de se retirer :

— Allez, lui dit-il, vous êtes bien heureux de ne pas savoir lire[1] !

L'année suivante, un garçon de chirurgie, qui fit une trouvaille à peu près semblable, fut moins heureux que le pêcheur. Il vit flotter sur l'eau quelque chose de blanc et le ramassa ; c'était une chemise très fine, sur laquelle, à défaut de papier et à l'aide d'un mélange de suie et d'eau et d'un os de poulet taillé en manière de plume, le prisonnier avait écrit toute son histoire. Monsieur de Saint-Mars lui fit alors la même question qu'au pêcheur ; le garçon de chirurgie répondit qu'il savait lire, il est vrai, mais que, pensant que les lignes tracées sur cette chemise pouvaient renfermer quelque secret d'État, il s'était bien gardé de les lire. Monsieur de Saint-Mars le renvoya d'un air pensif, et le lendemain on trouva le pauvre garçon mort dans son lit.

Vers le même temps, le domestique qui servait l'homme au masque de fer étant trépassé, une pauvre femme se présenta pour le remplacer ; mais monsieur de Saint-Mars lui ayant dit qu'il fallait qu'elle partageât éternellement la prison du maître au service de qui elle allait entrer, et qu'à partir de ce jour elle cessât de voir son mari et ses enfants, elle refusa de souscrire à de pareilles conditions, et se retira[2].

En 1698, l'ordre arriva à monsieur de Saint-Mars de transférer son prisonnier à la Bastille. On comprend que pour un voyage aussi long les précautions redoublèrent. L'homme au masque de fer fut placé dans une litière qui précédait la voiture de monsieur de Saint-Mars. Cette litière était entourée de plusieurs hommes à cheval qui avaient l'ordre de tirer sur le prisonnier à la moindre tentative qu'il ferait, ou pour parler, ou pour fuir. En passant à sa terre de Palteau, monsieur de Saint-Mars s'y arrêta un jour et une nuit. Le dîner eut lieu dans une salle basse dont les fenêtres donnaient sur la cour. A travers ces fenêtres, on pouvait voir le geôlier et le captif prendre leurs repas. L'homme au masque de fer tournait le dos aux fenêtres ; il était de grande taille, vêtu de brun, et mangeait avec son masque, duquel s'échappaient par-derrière quelques mèches de cheveux blancs. Monsieur de Saint-Mars était assis en face de lui et avait un pistolet de chaque côté de son assiette ; un seul valet les servait et fermait la porte à double tour chaque fois qu'il entrait ou qu'il sortait.

---

1. Voltaire, *Le Siècle de Louis XIV*.
2. Voir abbé Papon, *op. cit.*

Le soir, monsieur de Saint-Mars se fit dresser un lit de camp et coucha en travers de la porte, dans la même chambre que son prisonnier[1].

Le lendemain on repartit, et les mêmes précautions furent prises. Les voyageurs arrivèrent à la Bastille le jeudi 18 septembre 1698, à trois heures de l'après-midi. L'homme au masque de fer fut mis dans la tour de la Bazinière en attendant la nuit ; puis, la nuit venue, monsieur Dujonca le conduisit lui-même dans la troisième chambre de la tour de la Bertaudière, laquelle chambre, dit le journal de monsieur Dujonca, avait été meublée de toutes choses. Le sieur Rosarges, qui venait des îles Sainte-Marguerite à la suite de monsieur de Saint-Mars, était, ajoute le même journal, chargé de servir et de soigner ledit prisonnier, qui était nourri par le gouverneur.

Néanmoins, en souvenir de la chemise trouvée sur le bord de la mer, c'était le gouverneur qui le servait à table, et qui, après le repas, lui enlevait son linge. En outre il avait reçu la défense la plus expresse de parler à personne ni de montrer sa figure à qui que ce fût dans les courts instants de répit que lui donnait le gouverneur en ouvrant lui-même la serrure qui fermait son masque. Dans le cas où il eût osé contrevenir à l'une ou l'autre de ces défenses, les sentinelles avaient ordre de tirer sur lui.

Ce fut ainsi que le malheureux prisonnier resta à la Bastille depuis le 18 septembre 1698[2] jusqu'au 19 novembre 1703. A la date de ce jour, on trouve cette note dans le même journal : « Le prisonnier inconnu, *toujours masqué d'un masque de velours noir*[3], s'étant trouvé hier un peu plus mal en sortant de la messe, est mort aujourd'hui sur les dix heures du soir, sans avoir eu une grande maladie. Monsieur Giraut, notre aumônier, le confessa hier. Surpris par la mort, il n'a pu recevoir les sacrements, et notre aumônier l'a exhorté un moment avant que de mourir. Il a été enterré, le mardi 20 novembre à quatre heures du soir dans le cimetière de Saint-Paul. Son enterrement a coûté quarante livres. »

Maintenant, voici ce que l'on a retrouvé sur les registres de sépulture de l'église Saint-Paul :

« L'an 1703, le 19 novembre, Marchialy, âgé de quarante-cinq ans ou environ, est décédé dans la Bastille, duquel le corps a été inhumé dans le cimetière de Saint-Paul, sa paroisse, le 20 dudit mois, en présence de monsieur Rosarges, major de la Bastille, et de monsieur Reih, chirurgien de la Bastille qui ont signé. »

Mais ce que ne dit ni le registre de la prison ni le registre de la Bastille, c'est que les précautions prises pendant sa vie poursuivirent ce malheureux après sa mort. Son visage fut défiguré avec du vitriol, afin qu'en cas d'exhumation on ne pût le reconnaître ; puis on brûla tous ses meubles, on dépava sa chambre, on effondra les plafonds, on fouilla tous les coins et recoins, on regratta et reblanchit les murailles ; enfin, on leva les uns après

---

1. D'après une lettre de M. de Formanoir de Palteau à Fréron, publiée dans *L'Année littéraire* du 30 juin 1768.

2. *Le Siècle* imprime par erreur 1689.

3. La couleur et l'amour du terrible auront sans doute fait prendre ce masque pour un masque de fer. (Note de Dumas.)

les autres tous les carreaux, de peur qu'il eût caché quelque billet ou quelque marque qui pût faire connaître son nom.

Du 19 novembre 1703 au 14 juillet 1789, tout continua de rester dans l'obscurité, tant les murs de la Bastille étaient épais, tant ses portes de fer étaient bien fermées ; puis, un jour, il arriva que ces murs furent renversés à coups de canon, ces portes enfoncées à coups de hache, et que les cris de liberté retentirent jusqu'au plus profond de ces cachots où tout semblait mort, jusqu'à l'écho qui dut hésiter à les répéter.

Les premiers soins du peuple vainqueur furent pour les vivants : huit prisonniers seulement furent retrouvés dans la sombre et sinistre forteresse. Le bruit courut alors que, quelques jours auparavant, plus de soixante autres avaient été transportés dans les bastilles de l'État.

Puis, après la préoccupation envers les vivants, vint la curiosité pour les morts ; parmi les grandes ombres qui apparaissaient au milieu des ruines de la Bastille, se dressait, plus gigantesque et plus sombre que les autres, le fantôme voilé du Masque de fer. Aussi courut-on à la cour de la Bertaudière qu'on savait avoir été habitée cinq ans par ce malheureux ; mais on eut beau chercher sur les murailles, sur les vitres, sous les carreaux, on eut beau déchiffrer tout ce que l'oisiveté, la résignation ou le désespoir avaient pu tracer de sentences, de prières ou de malédictions sur ces mystérieuses archives que les condamnés se léguaient en mourant les uns aux autres : toute recherche fut inutile, et le secret du masque de fer continua de demeurer entre lui et ses bourreaux.

Tout à coup cependant de grands cris retentirent dans la cour. L'un des vainqueurs avait découvert le grand registre de la Bastille sur lequel était mentionnée la date de l'entrée et de la sortie des prisonniers, et qui avait été inventé et établi par le major Chevalier. Le registre fut porté à l'Hôtel-de-Ville, où l'assemblée municipale voulut chercher elle-même le secret de la royauté si longtemps caché. On l'ouvrit à l'année 1698. Le folio 120, correspondant au jeudi 18 septembre, avait été déchiré. Le feuillet de l'entrée manquant, on se reporta à la date de sortie. Le feuillet correspondant au 19 novembre 1703 manquait comme celui du 18 septembre, et cette double lacération bien constatée, tout espoir fut à jamais perdu de découvrir le secret de l'Homme au masque de fer.

II.

Louis XIV et son siècle

Chapitre XLVIII

[...] Presque au temps où ces deux morts royales[1] étaient burinées par l'histoire, le curé de l'église Saint-Paul, à Paris, écrivait sur ses registres cette simple indication du décès d'un des prisonniers de la Bastille : « L'an 1703, le 19 novembre, Marchialy, âgé de quarante-cinq ans ou environ, est décédé dans la Bastille, duquel le corps a été inhumé dans le cimetière de Saint-Paul, sa paroisse, le 20 dudit mois, en présence de M. Rosarges, major, et de M. Reilhe, chirurgien-major de la Bastille, qui ont signé. »

Ce Marchialy n'était autre, dit-on, que le fameux personnage connu sous le nom de l'*Homme au masque de fer*, dont on s'occupa si peu à cette époque, et dont on a fait si grand bruit depuis. Ce fut Voltaire qui sonna la cloche d'éveil à propos de ce prisonnier d'État, dont, à notre tour, nous allons dire quelques mots. Commençons par ce qu'il y a de positif, c'est-à-dire par les chiffres et les dates que nous donne l'histoire ; après elles les certitudes viendront les conjectures.

Ce fut dans l'intervalle du 2 mars 1680 au 1er septembre 1681, sans qu'on puisse indiquer précisément le jour ni le mois de son entrée, que l'homme au masque de fer apparut à Pignerol. Bientôt M. de Saint-Mars, gouverneur de cette forteresse, ayant été nommé gouverneur de celle d'Exilles, emmena son prisonnier avec lui. Enfin, en 1687, ayant eu le gouvernement des îles Sainte-Marguerite, il s'y fit encore suivre par le malheureux dont il était condamné lui-même à devenir l'ombre. Il existe une lettre de lui, adressée à M. de Louvois, en date du 20 janvier 1687, dans laquelle on trouve ce passage : *Je donnerai si bien mes ordres pour la garde de mon prisonnier, que je puis vous en répondre pour entière sûreté.*

M. de Saint-Mars, comme l'indique le fragment de lettre que nous venons de mettre sous les yeux de nos lecteurs, attachait une grande importance

---

1. Celle de Jacques II et de Guillaume III.

à la conservation de son prisonnier. Il fit donc construire, à son intention, une prison modèle. Cette prison, selon Pignatol de la Force, n'était éclairée que par une seule fenêtre, regardant la mer et ouverte à quinze pieds au-dessus du chemin de ronde. Cette fenêtre, outre les premiers barreaux, était défendue par trois grilles de fer.

Rarement M. de Saint-Mars entrait dans la chambre de son prisonnier ; car il eût fallu refermer la porte derrière lui, et il craignait que quelque indiscret n'écoutât à cette porte. En conséquence, il se tenait ordinairement sur le seuil. Placé de cette façon, il pouvait, tout en causant avec le prisonnier, voir, aux deux côtés du corridor, si personne ne s'approchait. Cependant, un jour qu'il causait ainsi, le fils d'un de ses amis, qui était venu passer quelques jours dans l'île, cherchant M. de Saint-Mars pour lui demander l'autorisation de prendre un bateau qui le conduisît à terre, monta, tout en le cherchant, dans le corridor, et l'aperçut de loin sur le seuil d'une chambre. En ce moment, sans doute la conversation était des plus animées entre le prisonnier et M. de Saint-Mars, car ce dernier n'entendit les pas du jeune homme que lorsque celui-ci fut tout près de lui. En l'apercevant, il se rejeta vivement en arrière, referma la porte, et demanda, tout pâlissant, à l'indiscret visiteur, s'il n'avait rien vu et entendu. Pour toute réponse, le jeune homme lui démontra que, de la place où il se trouvait, c'était chose parfaitement impossible. Alors seulement le gouverneur se remit ; mais il n'exigea pas moins que le même jour le jeune homme quittât les îles Sainte-Marguerite, et il écrivit à son père pour lui raconter la cause du renvoi, en ajoutant ces mots : — Peu s'en est fallu que cette aventure n'eût coûté cher à votre fils, et je m'empresse de vous le renvoyer de peur de quelque nouvelle imprudence.

On comprend que, de la part du prisonnier, le désir de s'échapper devait être au moins égal à la peur qu'avait M. de Saint-Mars qu'il n'y réussît. Plusieurs tentatives furent essayées : l'une d'elles nous a été transmise dans tous ses détails. Un jour, le Masque de Fer, qui était servi en vaisselle d'argent, écrivit, au moyen d'un clou, quelques lignes sur un plat, et le jeta à travers les grilles de sa fenêtre. Un pêcheur trouva ce plat au bord de la mer, et, pensant avec raison qu'il ne pouvait provenir que de l'argenterie du château, il le rapporta au gouverneur. M. de Saint-Mars examina le plat, et vit avec terreur l'inscription qui y était gravée. — Avez-vous lu ce qui est écrit là ? dit le gouverneur en montrant l'inscription au pêcheur. — Je ne sais pas lire, répondit celui-ci. — Ce plat a-t-il passé en d'autres mains que les vôtres ? demanda encore M. de Saint-Mars. — Non, car je l'ai trouvé à l'instant même, et je l'ai apporté à Votre Excellence en le cachant sous ma veste de peur qu'on ne me prît pour un voleur.

M. de Saint-Mars demeura un instant pensif, puis faisant signe au pêcheur de se retirer : — Allez, lui dit-il, vous êtes bien heureux de ne savoir pas lire.

Une anecdote à peu près pareille, mais dont le principal acteur eut moins de bonheur, arriva quelques temps après. Un garçon de chirurgie vit, en se baignant, flotter quelque chose de blanc sur la mer. Il nagea vers cet objet, le ramena à bord et l'examina. C'était une chemise de toile très fine, sur laquelle, à l'aide d'un mélange de suie et d'eau qui remplaçait l'encre, et d'un os de poulet taillé en manière de plume, le prisonnier avait écrit toute son histoire. Il s'empressa de porter cette chemise au gouverneur. M. de Saint-Mars lui fit alors la même question qu'il avait adressée au pêcheur. L'apprenti chirurgien répondit qu'il savait lire, il est vrai, mais que, pensant que les lignes tracées sur ce linge pouvaient renfermer quelque secret d'État, il s'était bien gardé de jeter les yeux dessus. M. de Saint-Mars le renvoya alors sans lui rien recommander : mais le lendemain on le trouva mort dans son lit.

Le Masque de Fer avait un domestique qui le servait. Ce domestique était prisonnier comme lui et aussi sévèrement gardé que lui. Il mourut : une pauvre femme se présenta pour le remplacer. Mais M. de Saint-Mars l'ayant prévenue que, si elle désirait cette place, il fallait qu'elle partageât éternellement la prison du maître au service de qui elle allait entrer, et qu'elle renonçât pour jamais à revoir son mari et ses enfants, elle refusa de souscrire à de si dures conditions et se retira.

En 1698, l'ordre arriva à M. de Saint-Mars de transférer son prisonnier à la Bastille. On comprend que, pour un voyage de deux cent quarante lieues, les précautions durent redoubler. L'homme au masque de fer fut placé dans une litière qui s'avançait précédée de la voiture de M. de Saint-Mars et entourée de plusieurs hommes à cheval qui avaient ordre de tirer sur le prisonnier à la moindre tentative qu'il ferait ou pour parler ou pour fuir. En passant près d'une terre qui lui appartenait, et qu'on appelait Palteau, M. de Saint-Mars s'arrêta un jour et une nuit. Le dîner eut lieu dans une salle basse dont les fenêtres donnaient sur la cour. A travers ces fenêtres, on pouvait voir le gouverneur et le prisonnier prendre leur repas. Seulement l'homme au masque de fer tournait le dos aux fenêtres. Il était de haute taille, vêtu de brun, et mangeait avec son masque, duquel s'échappaient par derrière quelques mèches de cheveux blancs. M. de Saint-Mars était assis en face de lui et avait un pistolet de chaque côté de son assiette. Un seul valet les servait et fermait la porte à double tour chaque fois qu'il entrait dans la salle ou qu'il en sortait. La nuit venue, M. de Saint-Mars se fit dresser un lit de camp dans la chambre de son prisonnier, et coucha en travers de la porte. Le lendemain, au point du jour, on se remit en route en prenant les mêmes précautions. Enfin, les voyageurs arrivèrent à la Bastille le 18 septembre 1698 à trois heures après midi.

L'homme au masque de fer fut conduit aussitôt dans la tour de la Basinière où il attendit la nuit. Puis, la nuit venue, M. Dujonca, alors gouverneur de la forteresse, le conduisit lui-même dans la troisième chambre de la tour de la Bertaudière, laquelle chambre, dit le journal de M. Dujonca, avait été meublée de toutes les choses nécessaires à la commodité du prisonnier. Le sieur Rosarges, qui venait des îles Sainte-Marguerite à la suite de M. de Saint-Mars, était chargé de servir et de soigner le prisonnier, qui était nourri de la table du gouverneur.

Néanmoins, en souvenir, sans doute, de la chemise trouvée au bord de la mer, c'était le gouverneur lui-même qui servait le prisonnier à table, et qui après le repas lui enlevait son linge. En outre, le malheureux captif avait reçu défense expresse de parler à personne ou d'ouvrir devant qui que ce fût la serrure qui fermait son masque. Au cas où il eût contrevenu à l'une ou à l'autre de ces défenses, les sentinelles avaient ordre de tirer sur lui.

Ce fut ainsi que le mystérieux captif demeura enfermé à la Bastille jusqu'au 19 novembre 1703. A la date de ce jour, on lit dans le journal que nous avons déjà cité la note suivante : « Le prisonnier inconnu, toujours masqué d'un masque de velours noir, s'étant trouvé hier un peu plus mal en sortant de la messe, est mort cejourd'hui sur les dix heures du soir sans avoir eu grande maladie. M. Giraud, notre aumônier, le confessa hier. Surpris par la mort, il n'a pu recevoir les sacrements ; mais notre aumônier l'a exhorté un instant avant qu'il mourût. Il a été enterré le mardi 20 novembre à quatre heures après midi dans le cimetière Saint-Paul notre paroisse ; son enterrement a coûté 40 livres. » Sans doute cette note fut écrite après coup, car on remarquera qu'elle annonce à la date du 19 que le prisonnier a été enterré le 20.

Mais ce que ne disent ni le journal de la Bastille ni le registre de l'église Saint-Paul, c'est que les précautions qui entourèrent le malheureux captif pendant sa vie, le poursuivirent après sa mort. Son visage fut défiguré avec du vitriol, afin qu'en cas d'exhumation on ne pût le reconnaître. Puis on brûla tous ses meubles, on effondra les plafonds, on fouilla tous les coins et recoins, on gratta et reblanchit les murailles, on leva enfin les uns après les autres tous les carreaux, de peur qu'il n'eût caché quelque billet ou quelque indice qui pût faire connaître son vrai nom. A partir de ce moment, tout est doute et obscurité. Cependant les rois régnants conservèrent le secret de cette affaire jusqu'au roi Louis XVI, qui, interrogé à ce sujet, dit-on, par Marie-Antoinette, répondit : « C'est l'honneur de notre aïeul Louis XIV que nous gardons[1]. »

Lorsque, le 14 juillet 1789, la Bastille tomba devant le canon populaire, les premiers soins des vainqueurs furent pour les vivants. On trouva huit prisonniers dans la sombre et sinistre forteresse, et le bruit courut que plus de soixante avaient été transportés dans les autres bastilles de l'État. Puis, après la sympathie pour les vivants, vint la curiosité pour les morts.

Parmi les grandes ombres qui apparaissaient au milieu des ruines fumantes de la Bastille, se dressait, plus sombre et plus gigantesque que les autres, le fantôme voilé du Masque de Fer. Aussi courut-on à la tour de la Bertaudière qu'on savait avoir été habitée cinq ans par le malheureux captif. Mais on eut beau chercher sur les murailles, sur les vitres, sur les carreaux ; on eut beau déchiffrer tout ce que l'oisiveté, la résignation ou le désespoir avaient

---

1. Les *Mémoires* de Mme Campan, livre premier, chap. V, contredisent cette version : « [Louis XVI] avait promis à la reine de lui communiquer ce qu'il découvrirait relativement à l'histoire de l'homme au masque de fer : il pensait, d'après ce qu'il avait entendu dire, que ce masque de fer n'était devenu un sujet si inépuisable de conjectures que par l'intérêt que la plume d'un écrivain célèbre [Voltaire] avait fait naître sur la détention d'un prisonnier d'État qui n'avait que des goûts et des habitudes bizarres.

« J'étais auprès de la reine lorsque le roi ayant terminé ses recherches, lui dit qu'il n'avait rien trouvé dans les papiers d'analogue à l'existence de ce prisonnier, qu'il en avait parlé à M. de Maurepas [...] et que [celui-ci] l'avait assuré que c'était simplement un prisonnier d'un caractère très dangereux par son esprit d'intrigue et sujet du duc de Mantoue. »

pu tracer de sentences, de prières ou de malédictions sur ces mystérieuses archives que les condamnés se léguaient les uns aux autres, toute recherche fut inutile, et le secret du Masque de Fer continua de rester un mystère entre lui et ses bourreaux. Alors on songea à ce registre de la Bastille sur lequel était mentionnée la date de l'entrée et de la sortie des prisonniers. On l'ouvrit à l'année 1698, le folio 120, correspondant au jeudi 18 septembre, avait été déchiré. Ce feuillet sur lequel devait être consignée l'entrée du fameux prisonnier manquant, on se reporta à la date de sa sortie ; mais le feuillet correspondant au 19 novembre 1703 avait disparu comme celui du 18 septembre 1698. Cette double lacération bien constatée, tout espoir fut perdu à jamais de découvrir le secret du Masque de Fer.

Napoléon voulut à son tour pénétrer l'impénétrable secret ; il ordonna des recherches, mais toute pièce positive avait disparu. Ce fut alors qu'on se lança dans le champ des conjectures, et que les différents systèmes qui ont été tant débattus depuis, furent établis sans que la probabilité d'aucun d'eux puisse équivaloir à la moindre certitude. Nous sommes loin d'avoir la prétention d'ajouter un système à ceux que le lecteur trouvera dans notre appendice (EE) ; nous prions seulement qu'on se rappelle ce que nous avons dit à propos de la naissance de Louis XIV et des relations bien connues de la reine Anne d'Autriche avec Mazarin[1]. M. de Richelieu prétendait que le Masque de Fer était un frère jumeau de Louis XIV dérobé à l'accouchement public de la reine à Saint-Germain ; ne serait-il pas plus probable encore de croire à la naissance d'un frère aîné qui aurait vu le jour dans quelqu'une de ces mystérieuses chambres du Louvre dont Mazarin avait la clef secrète ?

Note EE

On compte déjà plus de douze systèmes relatifs au Masque de Fer.

1° Suivant les uns, ce serait un fils d'Anne d'Autriche qu'elle aurait eu secrètement d'un certain C.D.R. (comte de Rivière ou de Rochefort), par les soins du cardinal de Richelieu, qui voulait, dit-on, faire pièce à Gaston en faisant naître à son frère Louis XIII.

2° Selon Sainte-Foix, ce serait le duc de Montmouth, fils naturel de Charles II, roi d'Angleterre, lequel, au lieu d'être exécuté après sa révolte contre Jacques II, aurait été transporté en France et enfermé avec un masque de velours noir sur le visage.

3° Lagrange-Chancel prétend que c'était le fameux duc de Beaufort, le roi des halles, que nous avons vu disparaître au siège de Candie en 1669.

4° Ce serait le comte de Vermandois, fils naturel de Louis XIV et de mademoiselle de la Vallière, qui n'aurait point été frappé d'une mort prématurée, comme nous l'avons dit[2], mais qui aurait été enfermé par

---

1. *Louis XIV et son siècle*, chap. V : « On assurait que la reine aurait été parfaitement convaincue que la stérilité n'était pas de son fait, par une première grossesse dont elle se serait aperçue vers l'année 1636. Cette grossesse, disait-on toujours, avait été heureusement cachée au roi, et peut-être ce premier enfant disparu reparaîtra-t-il plus tard un masque de fer sur le visage. »

2. *Louis XIV et son siècle*, chap. XLIII.

Louis XIV pour avoir donné un soufflet au Dauphin. Ce système paraissait sourire à Voltaire.

5° Suivant une version peu accréditée, il est vrai, ce serait le nommé Matthioli, secrétaire du duc de Mantoue, que Louis XIV aurait fait arrêter et enfermer pour le punir d'avoir détourné son souverain du projet qu'il manifestait de céder sa capitale au roi de France.

6° Suivant une autre version, encore moins accréditée que la précédente, ce serait Henri Cromwell, le second fils du protecteur, lequel disparut subitement de la scène du monde sans qu'on ait jamais pu savoir ce qu'il était devenu.

7° Dufey de l'Yonne soupçonnait que ce pouvait bien être un fils d'Anne d'Autriche et de Buckingham.

8° Le duc de Richelieu, ou du moins Soulavie son secrétaire, croyait que c'était un frère jumeau de Louis XIV, lequel serait né à Saint-Germain, le 5 septembre 1638, à huit heures du soir, c'est-à-dire huit heures après la naissance de Louis XIV.

9° Notre contemporain le bibliophile Jacob (Paul Lacroix) a émis l'opinion que le Masque de Fer pourrait bien être le malheureux Fouquet, qui aurait été puni d'une tentative d'évasion par l'application d'un masque perpétuel.

10° M. de Taulès, consul général en Syrie, a publié un gros volume pour démontrer que ce personnage n'est autre que le patriarche arménien Arwedicks, que les Jésuites auraient fait enlever parce qu'il s'opposait à leurs vues.

11° On a encore prétendu que c'était un malheureux écolier que Louis XIV, à la recommandation des Jésuites, punissait ainsi d'un distique latin fait contre l'ordre de ces bons pères[1].

12° D'autres soupçonnent que c'était un fils de Louis XIV et de sa belle-sœur, Madame Henriette d'Angleterre, duchesse d'Orléans ; mais on n'appuie cette conjecture d'aucune preuve.

13° Suivant la tradition qui s'est perpétuée, assure-t-on, dans la famille royale, relativement à ce personnage, ce serait le premier fruit des relations d'Anne d'Autriche avec Mazarin, lequel aurait vu le jour à l'époque où Louis XIII se tenait éloigné de sa femme ; de là la nécessité de l'élever d'abord secrètement, puis de l'enfermer par raison d'État. Louis XIV lui-même, suivant cette version, serait le fruit des mêmes relations ; mais les précautions ayant été prises pour que Louis XIII pût s'attribuer cette paternité, la reine s'était trouvée affranchie de tout mystère à l'endroit de son second enfant[2].

14° Enfin, en présence de tant de systèmes contradictoires, les sceptiques en sont venus à se demander si l'homme au masque de fer ne serait pas un personnage imaginaire.

---

1. Dans le texte précédent, les n°s 10, 11 et 14 sont exposés dans le « neuvième système ».

2. Voltaire, *Supplément au Siècle de Louis XIV*. *Œuvres complètes*, Garnier frères, tome XV, p. 107-108 ; également *Dictionnaire philosophique*, « Ana, anecdotes », *Œuvres complètes*, tome XV, p. 204.

Voir, pour de plus amples détails, *Une année à Florence*, par Alexandre Dumas, l'*Homme au masque de fer*, par le chevalier de Taulès ; le *Masque de fer*, roman précédé d'une dissertation intéressante par le bibliophile Jacob, etc., etc.

Nous avons reçu récemment, au sujet du Masque de Fer, une lettre qui renferme des détails assez curieux ; la voici en partie :

« CHAMPANHAC[1], *ancien capitaine d'artillerie*, à M. Alexandre DUMAS.

« Yssingeaux (Haute-Loire), le 4 mars 1845.

« Monsieur,

« Vous serez passablement surpris de voir arriver une lettre timbrée de la Haute-Loire ; mais votre surprise pourra cesser, lorsque je vous annoncerai que l'opinion que vous avez émise sur l'homme au masque de fer se trouve confirmée par le malheureux prisonnier lui-même, par ses gravures (sur la pierre), que j'ai vues dans la prison et dont je suis bien aise de vous donner connaissance.

« En 1794 (cinquante-un ans, c'est déjà bien vieux), j'étais en garnison à Cannes, en face des îles Marguerite ; j'allai plusieurs fois faire visite à quelques officiers de la 117ᵐᵉ demi-brigade qui occupaient ce poste et qui étaient mes compatriotes… Ils s'empressèrent de me faire visiter la prison de l'homme au masque de fer, qui était ordinairement fermée, et j'y entrai plusieurs fois.

« Cette prison est tout à fait sur le bord de la mer, elle est de forme carrée et a environ vingt-quatre pieds sur chaque face. Les murs ont trois pieds d'épaisseur, elle est éclairée par une fenêtre assez grande, à laquelle sont adaptés trois grillages en fer de robuste structure, l'un à l'intérieur, l'autre au milieu du mur et le troisième du côté de la mer.

« Le parement du mur est, à l'intérieur, construit en pierre de taille de couleur jaunâtre et d'un grain un peu gros. Cette pierre me parut moins dure que le granit vrai. La hauteur de la prison est de douze pieds environ, elle est très saine, mais c'est une prison.

« Voici actuellement les remarques que j'y fis, et qui sont le sujet de cette lettre.

« En entrant on voit de suite l'effigie de l'homme au masque de fer. La tête est à peu près de grandeur naturelle, elle est en profil et présente la joue droite, le cou et la naissance de l'épaule. La couleur noire du masque est extrêmement saillante et fixe de suite l'attention. Elle est gravée sur la pierre, à la profondeur de trois lignes environ.

« Sur le mur à gauche (autant qu'il m'en souvient) on lit cette inscription latine, également gravée sur la pierre :

HIC DOLOR,
HIC LUCTUS PERPETUUS.

« Les lettres ont à peu près deux pouces de hauteur et sont parfaitement formées.

Enfin (et c'est ici l'objet principal) sur un troisième mur est gravée une balance dont les bassins peuvent avoir sept à huit pouces de diamètre. Le fléau est presque

---

1. Texte : « Champanhat ». Il s'agit de Louis-Antoine Champanhac (1769-1853) dont la mairie d'Yssingeaux nous a fait parvenir l'acte de décès : « Hier [25 mars 1853], à onze heures du matin, M. Champanhac Louis Antoine, époux de Gaisne Élisabeth, ancien officier d'artillerie, ancien avoué, est décédé dans son domicile, rue de l'Hôpital à Yssingeaux, âgé de quatre-vingt-quatre ans. »

perpendiculaire et non horizontal, de manière que l'un des bassins est *en bas*, et l'autre *en haut*. Le premier est percé par une épée à forte poignée et soulève l'autre bassin, sur lequel on voit une couronne très bien dessinée et gravée. Cette couronne est légère et paraît s'envoler.

« A ma seconde visite dans cette prison, je dis à mes camarades : ''Le prisonnier, par ces gravures, nous indique son origine, et la cause de sa disgrâce... C'est un prince auquel la force et la violence ont enlevé une couronne, et il verse des pleurs perpétuels.''

« Cette explication parut assez naturelle à mes amis, et comme nous n'étions pas très versés en histoire et en littérature, nous en restâmes là. Depuis cette époque j'ai lu divers articles de littérature et de critique sur cet étrange prisonnier, et notamment en dernier lieu le feuilleton que vous avez fait à son égard[1], et je demeure convaincu comme vous que ce malheureux prince était un frère aîné de Louis XIV », etc.

---

1. D'après la date, il pourrait s'agir de la livraison de *Louis XIV et son siècle*.

I. Manuscrits

1. Ms. ^{1x} : John Rylands University Library, université de Manchester, Grande-Bretagne. 9 f^{os}. Quatrième volume, f°s 1-9 : « La première apparition de Colbert ». Il est tout entier de la main de Dumas.

2. Ms. ^{1xx} : Houghton Library, Harvard University, ms. fr., 12 f^{os}. Quatrième volume, f°s 49bis-60. Il est constitué par le chap. LIV : « Les Maisons de M. Fouquet ». Les f°s 53-55 ont reçu une première pagination raturée : 54-56. Il est de la main de Dumas.

3. Ms. ¹ : Bibliothèque nationale, n.a.fr. 14 993, f°s 36-143. Cinquième volume, f°s 7-15 et 24-121. (Les f°s 16-23 manquent ; anomalies dans la pagination : 57 manquant, 47bis et 114bis ; en tout, 108 f^{os}.) Le manuscrit comprend les chapitres LXVII : « Comment d'Artagnan fit connaissance avec un poète qui s'était fait imprimeur pour que ses vers fussent imprimés » (f°s 7-15) ; LXIX : « Où le lecteur sera sans doute aussi étonné que le fut d'Artagnan de retrouver une ancienne connaissance » (f°s 24-30) ; LXX : « Où les idées de d'Artagnan, d'abord fort troublées, commencent à s'éclaircir un peu » (f°s 31-39) ; LXXI : « Une procession à Vannes » (f°s 40-47) ; LXXII : « La grandeur de l'évêque de Vannes » (f°s 47bis-56) ; LXXIII : « Où Porthos commence à être fâché d'être venu avec d'Artagnan » (f°s 57-69) ; LXXIV : « Où d'Artagnan court, où Porthos ronfle, où Aramis conseille » (f°s 70-76) ; LXXV : « Où M. Fouquet agit » (f°s 77-85) ; LXXVI : « Où d'Artagnan finit par mettre la main sur son brevet de capitaine » (f°s 86-93) ; LXXVII : « Un amoureux et une maîtresse » (f°s 94-100) ; LXXVIII : « Où l'on voit enfin reparaître la véritable héroïne de cette histoire » (f°s 101-108) ; LXXIX : « Malicorne et Manicamp » (f°s 109-114) ; LXXX : « Manicamp et Malicorne » (f°s 114bis-121). Il est en entier de la main de Dumas.

4. Ms. ² : Pierpont Morgan Library, New York, MA 127. Cinquième volume, f°s 7-78 (numérotation barrée ; manquent les f°s 23 et 76 ; en tout

71 f°s). Il s'agit d'une copie de la main de deux copistes (secrétaires de Dumas?) : 1er copiste : f°s 7-68 et 78 ; 2e copiste : f°s 69-77. Chaque feuille est partagée en deux par un trait horizontal, portant, de part et d'autre, un nombre : 1 à 32, 193 à 200, 33 à 53, 154 à 163 ; les demi-feuilles ainsi obtenues font l'objet d'une pagination particulière qui repart à chaque nouveau chapitre. Le manuscrit comprend les chapitres : LXVII, « Comment d'Artagnan fit connaissance avec un poète qui s'était fait imprimeur pour que ses vers fussent imprimés » (à partir de : « Ce chariot renfermait... », f°s 7-15 [2-17] ; LXVIII, « D'Artagnan continue ses investigations » (jusqu'à : « ... par où diable » : le f° 23 manque ; f°s 16-22 [III, 1-14]) ; LXIX, « Où le lecteur sera sans doute aussi étonné que le fut d'Artagnan de retrouver une ancienne connaissance » (f°s 24-30 [IV, 1-14]) ; LXX, « Où les idées de d'Artagnan, d'abord fort troublées, commencent à s'éclaircir un peu » (f°s 31-39 [V, 1-17]) ; LXXI, « Une procession à Vannes » (f°s 39-46 [VI, 1-16]) ; LXXII, « La grandeur de l'évêque de Vannes » (f°s 47bis-56 [VII, 1-20]) ; LXXIII, « Où Porthos commence à être fâché d'être venu avec d'Artagnan » (f°s 57-69 [VIII, 1-25]) ; LXXIV, « Où d'Artagnan court, où Porthos ronfle, où Aramis conseille » (jusqu'à « ... un valet de chambre s'occupa... » ; le f° 76 manque, f°s 70-75 [IX, 1-12]) ; LXXV, « Où Fouquet agit » (jusqu'à « — Les projets de M. Fouquet, sire ? — Oui. », f°s 77-78 [X, 1-3]).

Le ms. de la Bibliothèque nationale et celui de la Pierpont Morgan Library, qui présentent deux versions de mêmes chapitres (LXVII, LXIX-LXXV), constituent le seul témoignage que nous connaissions de manuscrits multiples pour une même œuvre, alors que l'exploitation des romans, en particulier la publication rapide à l'étranger, supposait cette multiplication du texte.

Quels sont les rapports et les fonctions des deux ms. ? On remarque d'abord une étroite parenté dans la pagination : LXVII (Ms.1, Ms.2 : 7-15), LXIX (Ms.1, Ms.2 : 24-30), LXX (Ms.1, Ms.2 : 31-39), LXXI (Ms.1 : 40-47 ; Ms.2 : 39-46), LXXII (Ms.1, Ms.2 : 47bis-56), LXXIII (Ms.1, Ms.2 : 57-69), LXXIV (Ms.1, Ms.2 : 70-[76]).

La presque similitude qu'on observe dans la pagination des chapitres se retrouve à chaque feuille, ce qui permet d'avancer que Ms.2 est une copie de Ms.1 ; quelques inadvertances (noms propres, en particulier), habituelles à la copie, renforcent cette assurance.

Cependant, Ms.2 n'est pas une copie intégrale de Ms.1 : il contient un certain nombre de variantes et un ajout important (descriptif des fortifications de Belle-Isle), retenus par le texte définitif dont il est plus proche que Ms.1 ; d'autre part, les indications chiffrées portées sur Ms.2 semblent prouver qu'il a été utilisé pour l'impression. Les chiffres romains, ajoutés à la tête de chaque chapitre, correspondent à la publication du cinquième volume dans Le Siècle : il est donc probable que Ms.2 a servi pour l'impression du feuilleton, bien que nous ne puissions rendre compte des autres indications chiffrées.

Une dernière question reste en suspens : Dumas est-il à l'origine des variantes de Ms.2 ou a-t-il simplement recommandé à ses secrétaires de corriger ce qu'il leur semblait devoir l'être ? Compte tenu de la multiplicité et de l'urgence du travail à fournir, nous pencherions plutôt vers la seconde hypothèse, sans toutefois apporter d'éléments de réponse.

5. M²*bis* : Detroit Public Library, Rare Book Room. 29 f°ˢ appartenant à quatre chapitres différents du *Vicomte de Bragelonne*. Il s'agit d'une copie de la main de deux copistes :

Troisième volume, f°ˢ [135]-142. Ces huit folios correspondent au chap. XLVIII, « L'agonie » (à partir de « Mais ce n'était point cela que Mazarin... »). Chaque feuille est partagée en trois par deux traits horizontaux, portant, de part et d'autre, un nombre : 166 à 173 ; les tiers de feuilles ainsi obtenus font l'objet d'une pagination particulière (6 à 25). Au bas du f° 142 : « fin du 3ᵉ volume. Incessamment le 4ᵉ ». 1ᵉʳ copiste : 135, 137 à 142 ; 2ᵉ copiste : 136.

Quatrième volume, f°ˢ 1-8. Ces huit folios correspondent au chapitre suivant (XLIX) : « La première apparition de Colbert » (jusqu'à « ... le doux parfum des fleurs. »). Chaque feuille, sauf la première, est partagée en deux par un trait horizontal (2-6) ou en trois par deux traits horizontaux (7-8), portant, de part et d'autre, un nombre : 164, 165, puis 181 à 186 ; les demis et les tiers de feuilles ainsi obtenus font l'objet d'une pagination particulière (2 à 17). Les demi-feuilles numérotées 7 et 18 (f°ˢ 4 et 9) manquent. Le ms. est tout entier de la main du 1ᵉʳ copiste. Le ms. complet de ce chapitre de la main de Dumas, est conservé à la John Rylands University Library of Manchester (Ms¹).

Quatrième volume, f°ˢ 15-20. Ces six folios correspondent au chap. LI, « Une passion » (jusqu'à « ... fit Raoul pâle d'angoisses. — C'est cela. »). Chaque feuille, sauf la première, est partagée en deux par un trait horizontal, portant, de part et d'autre, un nombre : 188 à 192 ; les demi-feuilles ainsi obtenues font l'objet d'une pagination particulière (16 à 24). Le ms. est tout entier de la main du 1ᵉʳ copiste.

Cinquième volume, f°ˢ 78-84. Il correspond au chap. LXXV, « Où M. Fouquet agit » (de « On les nomme crimes de lèse-majesté... » à » ... Le roi se retourna pour regarder Colbert. »). Chaque feuille, sauf la première, est partagée en deux par un trait horizontal, portant, de part et d'autre, un nombre : 175 à 180 ; les demi-feuilles ainsi obtenues font l'objet d'une pagination particulière (4 à 16). 1ᵉʳ copiste : f°ˢ 80, 82 ; 2ᵉ copiste : 78, 79, 81, 83, 84. Ce manuscrit continue immédiatement le ms. de la Pierpont Morgan Library.

Les remarques que nous avons faites sur la fonction de M² valent également pour les quatre fragments ci-dessus qui appartiennent à la même copie manuscrite du roman.

II. Publication en feuilleton

Le Siècle : 20 octobre 1847-12 janvier 1850.
• *Les Mousquetaires*. Troisième partie. *Le Vicomte de Bragelonne*.

Premier volume : 20 octobre-12 novembre 1847 (chap. I-XIV).

Deuxième volume : 23 novembre-9 décembre 1847 (chap. I à XIII = XV à XXVII).

Troisième volume : 16 décembre 1847-20 janvier 1848 (chap. I à XXI = XXVIII à XLVIII).

Quatrième volume : 26 janvier-24 février 1848 (chap. I à XVIII = XLIX à LXV).

Cinquième volume : 3-31 mars 1848 (chap. I à XIV = LXVI à LXXX).

Sixième volume : 28 septembre-26 octobre 1848 (chap. I à XIV = LXXXI à XCIV).

Septième volume, première partie : 1ᵉʳ-25 novembre 1848 (chap. I à XIII = XCIV à CVI) ; deuxième partie : 1ᵉʳ-21 décembre 1848 (chap. XIV à XXVII = CVII à CXX).

Huitième volume : 4-27 janvier 1849 (chap. I à XV = CXXI à CXXXIII).

Neuvième volume : 6 février-7 mars 1849 (chap. I à XX = CXXXIV à CLII).

Dixième volume, première partie : 12-23 mars 1849 (chap. I à XI = CLIII à CLXIII) ; deuxième partie : 28 mars-6 avril 1849 (chap. XII à XVIII = CLXIV à CLXX).

Onzième volume : 14 avril-8 mai 1849 (chap. I à XVII = CLXXI à CLXXXVII).

Douzième volume, première partie : 7-21 juin 1849 (chap. I à XI = CLXXXVIII à CXCVIII) ; deuxième partie : 23 juin-12 juillet 1849 (chap. XII à XX = CXCIX à CCVII).

Treizième volume, première partie : 5 septembre-12 octobre 1849 (chap. I à XXIII = CCVIII à CCXXX) ; deuxième partie : 18 octobre 1849 (chap. XXIV = CCXXXI).

A partir du 19 octobre 1849, les chapitres ne sont plus numérotés. La suite du *Vicomte de Bragelonne* est imprimée dans *Le Siècle* les 19, 20, 23, 24, 25, 26, 30, 31 octobre ; les 1ᵉʳ, 2, 6, 7, 8, 10, 13, 14, 15, 16, 17, 27, 28, 29, 30 novembre ; les 4, 6, 10, 12, 13, 25, 26, 27, 28, 29 décembre 1849 ; les 2, 4, 5, 8 janvier 1850 ; l'Épilogue les 9, 10, 11 et 12 janvier.

III. Édition originale

Le Vicomte de Bragelonne, ou Dix Ans plus tard, suite des *Trois Mousquetaires* et de *Vingt Ans après*, par Alexandre Dumas. Paris, Michel Lévy frères, 1848-1850, 26 vol. in-8° (impr. de E. Dépée à Sceaux).

Vol. 1 : chap. I, « La lettre » à XII, « Le roi et le lieutenant », 1848, 322 p.

Vol. 2 : chap. I, « Marie de Mancini » à XI, « Où l'auteur est forcé, bien malgré lui, de faire un peu d'histoire », 1848, 326 p.

Vol. 3 : chap. I, « Le trésor » à XIII, « Sur le canal », 1848, 326 p.

Vol. 4 : chap. I, « Comment d'Artagnan tira, comme eût fait une fée, une maison de plaisance d'une boîte de sapin » à XIV, « La première apparition de Colbert », 1848, 308 p.

Vol. 5 : chap. I, « Le premier jour de la royauté de Louis XIV » à XIV, « Le cabaret de l'Image-de-Notre-Dame », 1849, 325 p.

Vol. 6 : chap. I, « Vive Colbert ! » à XIII, « Où Porthos commence à être fâché d'être venu avec d'Artagnan » (XI, XII, « La grandeur de l'évêque de Vannes »), 1849, 318 p.

Vol. 7 : chap. I, « Où Porthos commence à être fâché d'être venu avec d'Artagnan (suite) » à XIII, « Au Hâvre », 1849, 317 p.

Vol. 8 : chap. I, « En mer » à XII, « Où Sa Majesté Louis XIV ne trouve Mlle de La Vallière ni assez riche ni assez jolie pour un gentilhomme du rang du vicomte de Bragelonne », 1849, 311 p.

Vol. 9 : chap. I, « Une foule de coups d'épée dans l'eau » à IX, « L'argenterie de Mme de Bellière », 1849, 306 p.

Vol. 10 : chap. I, « La dot » à XI, « Ce que l'on prend en chassant aux papillons », 1849, 319 p.

Vol. 11 : chap. I, « Le ballet des Saisons » à X, « Fontainebleau à deux heures du matin », 1849, 317 p.

Vol. 12 : chap. I, « Le labyrinthe » à XIII, « Histoire d'une naïade et d'une dryade », 1849, 301 p.

Vol. 13 : chap. I, « Suite de l'histoire d'une naïade et d'une dryade » à X, « La loterie », 1849, 318 p.

Vol. 14 : chap. I, « Malaga » à XII, « Montalais et Malicorne », 1849, 311 p.

Vol. 15 : chap. I, « Montalais et Malicorne (suite) » à XII, « Le voyage », 1850, 305 p.

Vol. 16 : chap. I, « Trium-Féminat » à XII, « La promenade aux flambeaux », 1850, 327 p.

Vol. 17 : chap. I, « L'apparition » à IX, « Chez la reine mère », 1850, 305 p.

Vol. 18 : chap. I, « Deux amies » à XIII, « Le déménagement, la trappe et le portrait », 1850, 317 p.

Vol. 19 : chap. I, « Rivaux politiques » à XII, « Le prisonnier », 1850, 307 p.

Vol. 20 : chap. I, « Le prisonnier (suite) » (II, « Le prisonnier (suite) ») à IX, « Le général de l'ordre », 1850, 299 p.

Vol. 21 : chap. I, « Le tentateur » à XII, « L'ombre de M. Fouquet (suite) », 1850, 307 p.

Vol. 22 : chap. I, « Le matin » à XII, « L'inventaire de Planchet » (III, « L'ami du roi (suite) » ; VII, « Le faux roi (suite) »), 1850, 305 p.

Vol. 23 : chap. I, « L'inventaire de M. de Beaufort » à XI, « Conseils d'ami », 1850, 300 p.

Vol. 24 : chap. I, « Comment le roi Louis XIV joua son petit rôle » à IX, « La grotte de Locmaria », 1850, 277 p.

Vol. 25 : chap. I, « La grotte » à X, « Vision d'Athos », 1850, 275 p.

Vol. 26 : chap. I, « L'ange de la mort » à « La mort de M. d'Artagnan », 1850, p. 1-178. Le volume est complété par *Histoire contemporaine*, p. 179-292.

Enregistrement dans la *Bibliographie de la France* : 3 juin 1848 (volumes 1, 2, 3, 4, 5, 6) ; 17 février 1849 (volumes 7, 8) ; 4 août 1849 (volumes 11, 12, 13, 14) ; 19 janvier 1850 (volumes 15, 16, 17, 18) ; 30 mars 1850 (volumes 19, 20, 21, 22, 23, 24, 25, 26).

IV. Éditions françaises au XIXᵉ siècle

1. A l'étranger

Le Vicomte de Bragelonne. New York, F. Gaillardet, bureau du *Courrier des États-Unis*, 1847, 839 p., double colonne. Complété par (« Mocquet » [841]-849). Semaine littéraire du *Courrier des États-Unis*, XVIIIᵉ série. Volume 4, en sept parties.

2. Contrefaçons

Bruxelles, Librairie de Tarride, 1847-1850, 25 vol. **1847**, vol. 1 : 146 p. **1848**, vol. 2 à 10 : 155 p., 135 p., 136 p., 151 p., 141 p., 134 p., 126 p., 125 p., 128 p. **1849**, vol. 11 à 24 : 138 p., 125 p., 125 p., 128 p., 126 p., 130 p., 129 p., 144 p., 143 p., 151 p., 139 p., 142 p., 132 p., 148 p. **1850**, vol. 25 : 161 p.

Les huit premiers volumes : Librairie de la rue de la Fourche, 1847-1848. Librairie du Panthéon, 1851.

Bruxelles, Alph./Alp./Alphonse Lebègue, 1848-1850, 18 vol. **1848**, vol. 1 à 6 : 139 p., 118 p., 123 p., 136 p., 147 p., 128 p. **1849**, vol. 7 à 17 : 144 p., 167 p., 148 p., 148 p., 147 p., 148 p., 138 p., 148 p., 145 p., 136 p., 127 p. **1850**, vol. 18 : 82 p.

Bruxelles et Leipzig, C. Muquardt, 1848-1850, 16 vol. **1848**, vol. 1 à 4 : 185 p., 179 p., 177 p., 179 p. **1849**, vol. 5 à 11 : 171 p., 159 p., 176 p., 172 p., 179 p., 177 p., 172 p. **1850**, vol. 12 à 16 : 177 p., 176 p., 156 p., 168 p., 164 p.

Bruxelles, Meline, Cans et compagnie ; Leipzig, J.P. Meline, 1848-1850, 13 vol. **1848**, vol. 1 à 4 : 283 p., 285 p., 263 p., 276 p. **1849**, vol. 5 à 10 : 283 p., 277 p., 284 p., 279 p., 278 p., 257 p. **1850**, vol. 11 à 13 : 251 p., 281 p., 329 p.

La Haye, les héritiers Doorman ; Bruxelles, Livourne, Meline, Cans et compagnie, 16 vol. **1848**, vol. 1 à 4 : 185 p., 179 p., 177 p., 179 p. **1848-1849**, vol. 5 : 171 p. **1849**, vol. 6 à 11 : 159 p., 176 p., 172 p., 179 p., 177 p., 172 p. **1850**, vol. 12 à 16 : 177 p., 176 p., 156 p., 168 p., 164 p.

Bruxelles, Meline, Cans et compagnie, 1850 (Œuvres d'Alex. Dumas. Tome dixième) : *Les Trois Mousquetaires. Vingt Ans après. Le Vicomte de Bragelonne.*

Bruxelles, Livourne, Meline, Cans et compagnie, 1851, 675 p., double colonne (297-675).

3. En France

Le Vicomte de Bragelonne, ou Dix Ans plus tard, complément des *Trois Mousquetaires* et de *Vingt Ans après*. Nouvelle édition. Michel Lévy, 1851, 6 vol. : 351 p., 344 p., 352 p., 356 p., 348 p., 330 p. Calmann-Lévy : nombreuses réimpressions.

Le Vicomte de Bragelonne. Dufour et Mulat, 1851, 2 vol. : 548 p., 556 p. Publié d'abord en 70 livraisons. 33 + 25 illustrations de Philippoteaux et Piaud, gravées par Léchard, Piaud, Pouget, Trichon, 1853.

Le Vicomte de Bragelonne. Dufour et Mulat, édition illustrée par J.-A. Beaucé, Philippoteaux, etc. Chez Marescq et Cie, 1852, 479 p., double colonne, 1853. Lécrivain et Toubon, s.d. [1861] Legrand et Crouzet, s. d. [1872]. Calmann-Lévy, 1897. Calmann-Lévy, 3 vol., s. d.

Le Vicomte de Bragelonne, complément des *Trois Mousquetaires* et de *Vingt Ans après*. Michel Lévy frère, s. d. [1852], 549 p., double colonne (Musée littéraire du *Siècle*).

Le Vicomte de Bragelonne. Complément des *Trois Mousquetaires* et de *Vingt Ans après*. Seule édition complète publiée dans ce format. Michel Lévy frères, 1854, 486 p., double colonne.

D'Artagnan le mousquetaire, sa vie aventureuse, ses duels... S. Rançon et Cie, s. d. [1860], 80 p., double colonne.

Le Vicomte de Bragelonne, complément des *Trois Mousquetaires* et de *Vingt Ans après*. Calmann-Lévy, 1874, 2 vol., 289 p., 261 p., double colonne. Nombreuses réimpressions.

Le Vicomte de Bragelonne. Librairie illustrée, s. d. [1876], 811 p.

Les Trois Mousquetaires. Vingt Ans après. Le Vicomte de Bragelonne. Jules Rouff et Cie, s. d. [1887-1891], 2328 p. (*Le Vicomte de Bragelonne* : p. 1165-2328).

V. Éditions françaises au XXᵉ siècle

1. *Le Vicomte de Bragelonne.* A. Le Vasseur et Cie, [s. d.], 605 p. Illustrations de J. Désandre et A. de Neuville. (Alexandre Dumas illustré, broché 2, relié 2.)

2. *Le Vicomte de Bragelonne, ou Dix Ans plus tard.* Louis Conard, 1927-1929, 6 vol. : 472 p., 468 p., 474 p., 482 p., 476 p., 450 p. Illustrations de Fred-Money, gravées sur bois par Victor Dutertre.

3. *Le Vicomte de Bragelonne.* Calmann-Lévy, s. d., 5 vol. : 560 p., 569 p., 576 p., 575 p., 573 p. (collection Nelson).

4. *Le Vicomte de Bragelonne.* Calmann-Lévy, 1948, 1792 p. en quatorze parties (1. « Le Vicomte de Bragelonne » ; 2. « Un audacieux coup de main » ; 3. « Le lever du Soleil » ; 4. « Mission secrète » ; 5. « Fêtes et rivalités » ; 6. « Amour et ambition » ; 7. « Le moine mystérieux » ; 8. « Une fatale lettre d'amour » ; 9. « Un duel dans la mer » ; 10. « La dame masquée parle » ; 11. « L'énigmatique prisonnier » ; 12. « Le sosie du roi » ; 13. « Le Masque de fer » ; 14. « La fin des Quatre »).

5. *Le Vicomte de Bragelonne.* Calmann-Lévy, 1949, 2275 p.

6. *Le Vicomte de Bragelonne.* Édition abrégée. Illustrations de Philippe Ledoux. Hachette, 1951, 2 vol. (Bibliothèque verte).

7. *Le Vicomte de Bragelonne.* Calmann-Lévy, 1952, 6 vol.

8. *Le Vicomte de Bragelonne*, d'après le film de Fernando Cerchio. Tours, Mame, 1955, 128 p.

9. *Le Vicomte de Bragelonne.* Agence parisienne de distribution, 1956, 1002 p.

10. *Le Vicomte de Bragelonne.* Ambassade du Livre, 1959, 1917 p. (Les Amis du Club international du Livre. Club du Livre choisi.)

11. *Le Vicomte de Bragelonne.* Verviers, Gérard et Cie, 1960, 3 vol. : 576 p., 559 p., 594 p. (Marabout Géant, G.21/22/23).

12. *Le Vicomte de Bragelonne, ou Dix Ans plus tard.* Le Livre de poche, 1961-1962, 4 vol. : 626 p., 625 p., 626 p., 633 p. (n°s 781, 786, 787, 792). Présenté par Paul Morand.

13. *Le Vicomte de Bragelonne.* Club français du Livre, 1962, 1458 p. (Romans, 289). Illustrations de Jean Daniel.

14. *Le Vicomte de Bragelonne.* Hachette, 1963, 512 p. (Bibliothèque verte, Double 5). Illustrations de François Batet.

15. *Le Vicomte de Bragelonne.* Lausanne, éditions Rencontre, s. d. [1965], 6 vol. : 467 p., 456 p., 488 p., 465 p., 425 p. Préface de Gilbert Sigaux. Cercle du Bibliophile, 1965, 6 vol. : 472 p., 461 p., 459 p., 495 p., 471 p., 429 p. Club de l'honnête homme, 1981-1982.

16. *Le Vicomte de Bragelonne.* Boutan, Marguin, 1965, 5 vol. : 344 p., 338 p., 344 p., 336 p., 340 p. Illustrations hors-texte de Saint-Justh.

17. *Le Vicomte de Bragelonne.* Club français du Livre, 1965-1966, 6 vol. Préface par André Maurois.

18. *Le Vicomte de Bragelonne.* Éditions de l'Érable, 1967-1968, 6 vol. : 320 p., 310 p., 319 p., 360 p., 351 p., 359 p.

19. *Le Vicomte de Bragelonne ou Dix Ans plus tard.* J'ai lu, 2 vol., 1988 (Roman, 2298-2299).

VI. Traductions

1. Angleterre

The Vicomte de Bragelonne, or Ten Years later, being the completion of *The Three Musketeers* and *Twenty Years after*. London, Routledge, Warne and Routledge, 1860.

The Vicomte de Bragelonne, or Ten Years later. London, New York, G. Routledge & Co., 2 vol. : VII-679 p., VII-600 p. Nombreuses rééditions.

The Vicomte de Bragelonne. With twenty illustrations. London, John Dicks, s. d. [1895], 221 p., double colonne.

The Vicomte of Bragelonne. London, New York, Merril and Baker, s. d., 5 vol. (Beaux-arts Edition. The works of Alexandre Dumas in 32 volumes. With Full-Page Illustrations. Vol. 28-32.)

The Vicomte de Bragelonne; the Son of Athos, or Ten Years later. A new translation by Henry L. Williams. Blackburn, Bolton and Scarborough, R. Denham, s. d., 419 p. (The Cambridge Library).

La Fortune de d'Artagnan, an episode from *The Vicomte de Bragelonne*. Edited with introduction and notes by Arthur R. Ropes. Cambridge University Press, 1897, XVI-344 p. (Pitt Press Series).

The Vicomte de Bragelonne, with eight full-page illustrations by Frank T. Merril. London, Newcastle-on-Tyne, The Walter Scott Publishing Co., s. d. [1903], 685 p. (The World's Great Novels).

Louise de La Vallière (volume II de *The Vicomte de Bragelonne*), with eight full-page illustrations by Frank T. Merrill. London, Newcastle-on-Tyne, The Walter Scott Publishing Co., s. d. [1903], 649 p. (The World's Great Novels).

The Man in the Iron Mask (volume III de *The Vicomte of Bragelonne*), with eight full-page illustrations by Frank T. Merrill. London, Felling-on-Tyne, New York, The Walter Scott Publishing Co., s. d. [1903], 640 p. (The World's Great Novels).

The Vicomte of Bragelonne or Ten Years later, newly translated by Alfred Allinson. London, Methuen & Co., s. d. [1904], deux parties (I. « Louise de La Vallière » ; II. « The man in the iron mask »), VIII-468 p., X-501 p., double colonne (The novels of Alexandre Dumas). With four coloured illustrations by Frank Adams, s. d. [1905].

Vicomte de Bragelonne. London, William Nicholson & Sons Limited, s. d. [1905], 419 p.

The Vicomte de Bragelonne. The Man in the Iron Mask. With all the original illustrations. Printed in England for the British Bazaar Company, s. d., 419 p. et 670 p.

Vicomte de Bragelonne. Louise de La Vallière, or the Love of Bragelonne. The Man in a Iron Mask. London, R. E. King & Co., s. d., [1906-1907], 419 p., 460 p. et 398 p. Réimpr., 1910.

Vicomte de Bragelonne, with coloured frontispieces and black and white illustrations by Edward Read. London, Waverley Publishing Company, s. d., 5 vol. (The Works of Alexandre Dumas).

2. États-Unis

Bragelonne, the Son of Athos ; or Ten Years later. Being the conclusion of *The Three Guardsmen* and *Twenty Years after.* Translated by Thomas Williams. New York, W. E. Dean, 1848, 288 p., double colonne.

Bragelonne, the son of Athos ; or Ten Years later. The third series of *The Three Guardsmen. — The Iron Mask ; or the Feats and Adventures of Raoul de Bragelonne.* The fourth series of *The Three Guardsmen. — Louise de La Vallière* ; or, the second series and conclusion of *The Iron Mask.* Being the final end of *The Three Guardsmen, Twenty Years after, Bragelonne* and *The Iron Mask.* Translated from the French by Thomas Pederson, esq. Philadelphia, T. B. Peterson & brothers, s. d. [1850-1851], 288 p., 429 p., 191 et 198 p., double colonne. Rééd., [1873], [1884].

The Vicomte de Bragelonne ; or Ten Years later. Being the completion of *The Three Guardsmen* and *Twenty Years after.* New York, George Munro, publisher, 1879, 4 vol. : 90 p., 89 p., 79 p., 80 p., triple colonne (The Seaside Library, vol. XXXII, n° 664).

The Vicomte de Bragelonne, the Son of Athos ; or Ten Years later. A continuation of *The Three Musketeers* and *Twenty Years after. — Louise de La Vallière ; or The Love of Bragelonne. — The Man in an Iron Mask.* A new revised translation by H. Llewellyn Williams. New York, M. J. Ivers & Co., 1892, 419 p., 459 p., 479 p. (American series, n° 298, 299, 301) New York, The F. M. Lupton publishing company, s. d. [1892] (The Elite series, n° 17, 9, 17). New York, The Phoenix publishing company, 1892/New York, The Federal Book Company, [1892] (*The Vicomte de Bragelonne, the Son of Athos; or Ten Years later*). New York, Street and Smith, s. d. et The F. M. Lupton publishing Co. (Arrow Library, n° 102).

Louise de La Vallière. New York, R. F. Fenno & Company, s. d. [1892], 433 p.

The Vicomte de Bragelonne. — Ten Years later, being a continuation of *The Vicomte of Bragelonne. — Louise de La Vallière*, being a continuation of *Ten Years later. — The Man in an Iron Mask*, being a continuation of *Louise de La Vallière*. New York, George Munro's Sons, publishers, s. d. [1893], 488 p., 489 p., 486 p. et 442 p. (Seaside Library. Pocket Edition, n° 2064-2067.) New York, George Munro's Sons [1898], *The Vicomte de Bragelonne* (Ivy series, n° 44).

The Vicomte de Bragelonne or Ten Years later. New York, Peter Fenelon Collier, Publisher, 1893, 2 vol. (The Works of Alexandre Dumas. Copiously illustrated with elegant pen and ink and wood engravings... Vol. 3-4.)

The Vicomte de Bragelonne. New York, The Athenaeum club, s. d., six parties en 3 vol. (Athenaeum Edition. The romances of Alexandre Dumas. Illustrated. Vol. 8-10.)

The Vicomte de Bragelonne. New York, E. R. Du Mont, 1894, 5 vol. (The romances of Alexandre Dumas. Limited edition.).

The Vicomte de Bragelonne. Boston, Estes and Lauriat, 1893, 5 vol. (Dumas' Romances. International limited edition. Vol. 5-9.)

The Vicomte de Bragelonne. Boston, New York, The C. T. Brainard Publishing Co., 2 vol. en 1 (Works of Alexandre Dumas. Édition de luxe. Vol. 15.)

The Vicomte de Bragelonne. New York, Boston, H. M. Caldwell Co., s. d. [1895], 512 p. (Library of famous book by famous author).

Vicomte de Bragelonne. New York, G. D. Sproul, 1896, 3 vol. (The romances of Alexandre Dumas).

Viscount de Bragelonne. — Louise de La Vallière. — The Man in the Iron Mask; or The Prisoner of the Bastille. Chicago, M. A. Donohue & Co., s. d., 419 p., 459 p. et 478 p. Chicago, Donohue, Henneberry & Co. (Ideal Library).

Vicomte de Bragelonne; or Ten Years later. Boston, L.C. Page, s. d., 5 vol.: 487 p., 483 p., 514 p., 517 p., 467 p.

The Vicomte de Bragelonne, or Ten Years later [illustré]. Philadelphia, New York, John Wanamaker, s. d., 5 vol.: 512 p., 499 p., 512 p., 517 p., 464 p.

The Vicomte de Bragelonne. Ten Years later. New York, A. L. Burt Co. [1901]. (The Works of Alexandre Dumas. Standard edition. Vol. 11.)

The Vicomte de Bragelonne. New York, Fred de Fau & Co., s. d., 5 vol. (The works of Alexandre Dumas. Vol. 28-32.)

The Vicomte de Bragelonne. Boston, Little, Brown and Co., 1893-1897, 6 vol. (The romances of Alexandre Dumas. Illustrated library edition.)

Vicomte de Bragelonne. New York, Thomas Y. Crowell & Co., s. d., 3 vol. (The works of Alexandre Dumas, with introduction by J. Walker McSpadden. Vol. 6-8.)

The Vicomte de Bragelonne. — *Louise de La Vallière.* — *The Man in the Iron Mask*, New York, The Century Co. (The works of Alexandre Dumas. Vol. 5-7.)

The Vicomte de Bragelonne. — *Ten Years later.* — *Louise de La Vallière.* — *The Man in the Iron Mask.* New York, P. F. Collier and son, 1904, 4 vol. (The works of Alexandre Dumas. Illustrated by drawings on wood... Vol. 14-17.)

D'Artagnan Romances. The Vicomte de Bragelonne. — *Ten Years after.* — *Louise de La Vallière.* — *The Man in the Iron Mask.* New York, The Nottingham Society, s. d., 4 vol. (The works of Alexandre Dumas. Édition de luxe. Vol. 2-5.)

The Vicomte de Bragelonne. New York, Philadelphia, Chicago, The Nottingham Society, s. d., 3 vol. (The works of Alexandre Dumas. Édition de luxe. Vol. 12-14.)

The Vicomte de Bragelonne. New York, Society of English and French Literature, s. d., 5 vol. (Works of Alexandre Dumas).

The Vicomte de Bragelonne, or Ten Years later. — *Louise de La Vallière*, being volume II of *The Vicomte de Bragelonne.* — *The Man in an Iron Mask*, being volume III of *The Vicomte de Bragelonne.* New York, Thomas Nelson and Sons, s. d. [1908], 860 p., 862 p., 578 p.

3. Espagne

El Vizconde de Bragelonne, o los Mosqueteros. Paris, Rosa y Bouret, 1864, 6 vol.

4. Italie

Il visconte di Bragelonne. Prima versione italiana, Milano, Borroni e Scotti, 1850, 18 vol. Réimp. : 1854-1855, 6 vol.

Il visconte di Bragelonne, Palermo, Tripodo e Frascona, 1852-1853, 6 t. en 2 vol.

Il visconte di Bragelonne, Milano, Ernesto Oliva, 1855.

Il visconte di Bragelonne, Milano, Griocchi, 1865, 6 vol.

Il visconte di Bragelonne, Milano, Cioffi, 1891, 2 vol.

Il visconte di Bragelonne, Milano, Sonzogno, 1891, 800 p. Réimp. : Soc. édit. Sonzogno, 1897.

Il visconte di Bragelonne. Verzione di Fr. Gandini, Milano, Pagnoni, 1892, 6 vol.

Il visconte di Bragelonne ; romanzo storico, Milano, Bietti, 1900, 2 vol.

Il visconte di Bragelonne ; romanzo storico, Milano, Soc. ed. Sonzogno, 1906, 803 p. Réimp. : Sonzogno, 1914.

Il visconte di Bragelonne ; romanzo storico, Milano, Soc. edit. Milanese, 1909, 3 vol.

La Maschera di ferro, Milano, Soc. ed. La Milano, 1911, 192 p.

Il visconte di Bragelonne, Milano, Sonzogno, 1922, 48 fac., 784 p.

Il visconte di Bragelonne, Sancasciano-Pesa, Stianti, 1922, 3 vol.

Il visconte di Bragelonne. Seguito dei *Tri moschettieri* e dei *Vent'anni dopo*, Firenze, Nerbini, 1928, fasc.

Il visconte di Bragelonne, Firenze, Salani, 1929, 2 vol.

Il visconte di Bragelonne. Seguito dei *Tri moschettieri* e dei *Vent'anni dopo*, Milano, Sonzogno, 1930, 441 p.

Il visconte di Bragelonne. Illustrazioni di Gustavino, Milano, Bietti, 1934, 2 vol. : 326 p., 316 p. Réimp. : 1935.

Il visconte di Bragelonne, ovvero Dieci anni piu tardi. Traduzione Tomaso Monicelli, Milano, Rizzoli, 1937-1938, 3 vol. : 603 p., 700 p., 400 p. (I Grandi Romanzi di A.D.)

Il visconte di Bragelonne. Romanzo storico, Milano, casa edit. Aurora, 1938, 2 vol. : 317 p., 318 p.

La Maschera di ferro. Traduzione di Ugo Caimpenta, Milano, T.E.L., 1941, 256 p.

Il visconte di Bragelonne, Firenze, Nerbini, 1947, 639 p.

Il visconte di Bragelonne. Illustrazioni di Giulio Bertoletti. Traduzione di Attilio Rovinelli, Milano, Ed. Carroccio, 1954, 136 p.

Il visconte di Bragelonne. Traduzione e reduzione di D. Virgili, Bologna, Ediz. Capitol, 1959.

Il visconte di Bragelonne. Versione per ragazzi. Illustrazioni di Togliato. Traduzione et reduzione di F. Piranezi, Milano, F. Lli, 1959, 233 p.

Il visconte di Bragelonne. A cura di Francesco Perri. Illustrazioni di D. Natoli, Milano, Edit. A.M.Z., 1962, 168 p.

Il visconte di Bragelonne. Traduzione A. Rovinelli, Bologna, Carroccio, 1963, 208 p.

Il visconte di Bragelonne, Milano, Europea editrice, 1967.

5. Danemark

Musketerernes sidste Bedrifter eller Ti aar efter, København, A. Christiansen, 1900-1902, 6 vol. : 74 p., 92 p., 122 p., 130 p., 130 p., 66 p. Illustré.

Musketerernes sidste Bedrifter eller Ti aar efter, København, Ch. Flor, 1909, 2 vol. : 638 p. chacun.

Musketerernes sidste Bedrifter eller Ti aar efter, København, Ch. Flor, 1912, 4 vol. : 208 p., 208 p., 208 p., 208 p.

Musketerernes sidste Bedrifter eller Ti aar efter, København, Gyldendal, 1931, 2 vol. : 468 p., 484 p.

6. Norvège

Musketerener siste Bedrifter, Bergen, A/S Chr. Brynilden & Co., 1946, 3 vol. : 241 p., 350 p., 551 p.

Musketerener siste Bedrifter, Oslo, Ernst G. Mortensens Forlag, 1952, 3 vol. : 324 p., 324 p., 318 p. Illustré.

7. Suède

Vicomte de Bragelonne, Stockholm, L. J. Hierta, 1848-1849, 4 vol. : 372 p., 360 p., 316 p., 607 p.

Vicomte de Bragelonne, Stockholm, Looström & K., 1881-1882, 6 vol. : 246 p., 246 p., 250 p., 240 p., 236 p., 227 p.

Vicomte de Bragelonne, Stockholm, L. J. Hierta, 1882, 2 vol. : 412 p., 416 p. Réimp. : 1894, 1902.

Vicomte de Bragelonne, Stockholm, Svithiod, 2 vol. : 411 p., 415 p. Réimp. : 1911.

Vicomte de Bragelonne, Stockholm, B. Wahlström, 1921, 2 vol. : 411 p., 415 p.

Vicomte de Bragelonne, Stockholm, B. Wahlström, 1925-1926, 2 vol. : 477 p., 461 p.

Vicomte de Bragelonne, Stockholm, Fröléen & Co., 1926, 4 vol. : 702 p., 693 p., 644 p., 662 p.

Vicomte de Bragelonne, Malmö, Grafiska Bugrån, 1929, 4 vol. : 252 p., 253 p., 253 p., 250 p.

Vicomte de Bragelonne, Malmö, Handels A/B Norden, 1931, 4 vol. : 799 p. chacun.

Vicomte de Bragelonne, Malmö, Handels A/B Norden, 1940, 4 vol. : 317 p., 311 p., 307 p., 305 p. Illustré.

Vicomte de Bragelonne, Stockholm, Reuter & Reuter, 1942, 2 vol. : 477 p.

Vicomte de Bragelonne, Malmö, Handels A/B Norden, 1945, 4 vol. : 292 p., 290 p., 288 p., 277 p.

Vicomte de Bragelonne, Stockholm, Lindqvist, 1950, 2 vol. : 205 p., 191 p.

VII. Adaptations théâtrales

1. Manuscrits

Louis XIV et sa cour (1851). Société des amis d'Alexandre Dumas, Port-Marly. Manuscrit autographe des tableaux I et II, photocopie (don de M. Joseph Maestre-Molla, janvier 1980), 65 pages. Premier tableau : Blois — le château, 10 scènes. Deuxième tableau : le port du Havre, 14 scènes.

Vieillesse des mousquetaires (*La Mort de Porthos*) (1851). Prague, ministère de l'Agriculture, fonds Metternich, ms. n° 24, Théâtre. Fragments de *La Mort de Porthos*, 22 pages, 20, 7 × 27, numérotées recto verso : trois tableaux. Premier tableau : f°ˢ 2-13 (manquent 8, 10, 12) : une salle du Louvre, 10 scènes ; personnages : Le roi, Anne d'Autriche, Fouquet, Mazarin, la nourrice du roi, Colbert, un huissier (donation et mort de Mazarin). Deuxième tableau : f°ˢ [1-13] (seuls les f°ˢ 5, 7, 9, 11 sont paginés) : au Louvre, 7 scènes ; personnages : le roi, d'Artagnan, Colbert, Fouquet (mission donnée à d'Artagnan d'aller observer les fortifications de Belle-Isle, la somme qui lui est allouée). Troisième tableau : f°ˢ 1-13 (seule la numérotation impaire apparaît) : le cabinet de M. Fouquet ;

personnages : Fouquet, Mme de Bellière, Mme Vanel, Gourville, l'abbé Fouquet (les traitants condamnés à mort ; complot pour les enlever).

Le Prisonnier de la Bastille ou Fin des Mousquetaires. Archives nationales, F 18 975 : ms. présenté à la censure.

2. Édition

Paris, Michel Lévy frères, s. d. [1861], 23 p. double colonne (Théâtre contemporain illustré), 1865, 1867.

3. Représentations

Le Prisonnier de la Bastille. Fin des Mousquetaires, drame en cinq actes et neuf tableaux, par Alexandre Dumas. Musique de M. Groot. Décors de MM. Cambon, Chérot, Chanet, Daran, Poisson et Fromont. Représenté pour la première fois, à Paris, au Théâtre impérial du Cirque, le 22 mars 1861.

• Représentations : du 22 mars au 30 avril 1861, soit trente-neuf représentations.

• Distribution : Laferrière (Marchiali, Louis XIV), Jenneval (d'Artagnan), Clément-Just (Athos), Maurice Coste (Aramis), Verner (Porthos), H. Luguet (Fouquet), Colbrun (Malicorne), Boutin (Montlezun), Mangin (Vanel), Paul Roche (Wardes), Esclozas (Saint-Aignan), Pizzera (François), Néraut (un huissier), Faillot (un courtisan). — Mmes Adèle Page (La Vallière), Clarisse Miroy (Anne d'Autriche), Thaïs-Petit (Henriette), Geoffroy (Montalais), Lagrange (Mme de Chevreuse), Marguerite (Athénaïs), Victoire (une demoiselle d'honneur).

BIBLIOGRAPHIE

LISTE DES ABRÉVIATIONS

B.A.A.A.D. : Bulletin de l'Association des Amis d'Alexandre Dumas, *deviendra, à partir de 1978* : B.S.A.A.D. : Bulletin de la Société des Amis d'Alexandre Dumas

B.B. : Bulletin du bibliophile

C.D. : Cahiers Dumas

E.U.R. : Europe

M.L. : Magazine littéraire

R.H.L.F. : Revue d'histoire littéraire de la France

R.D.D.M. : Revue des deux mondes

T.R. : Table ronde

U.G.E. : Union générale d'éditions

1871

BARTLING H., « A. Dumas père und seine Schriften », *Unsere Zeit*, VII, 1.

BIGELOW J., « A breakfast with A.D. », *Scribner's Magazine*, I, p. 597-600.

COOKE J. E., « Alexandre Dumas », *Appleton's Journal*, VI.

F., N., « Autobiographies littéraires. Alexandre Dumas et ses Mémoires », *Revue Britannique*, 9ᵉ série, tome III : 349-401 (article repris de la *Quartely Review*).

HAYWARD A., « Alexandre Dumas père », *The Quarterly Review*, CXXI.

JANIN J., *Alexandre Dumas*, Librairie des bibliophiles, 94 p.

MONGE L. de, « La mort d'A.D. », *Revue générale*, Bruxelles, I, p. 93-98.

NODIER C., « Prospectus pour les œuvres complètes de Dumas père », *Bulletin du bibliophile*, p. 537-542.

PHILLIPS B., « A reminiscence of Alexandre Dumas », *The Galaxy*, XII, p. 503-508, « The theatrical experiences of the late Alex. Dumas », *Dublin University Magazine*, LXXVII, p. 241-263.

1872

ASSELINEAU C., *Bibliographie romantique, catalogue anecdotique et pittoresque des éditions originales*, P. Rouquette.

DELAIR P., *L'Éloge d'Alexandre Dumas* (aux matinées de la Gaîté, 17 décembre 1871), Alphonse Lemerre, 33 p.

VILLEMESSANT H. de, *Mémoires d'un journaliste*, E. Dentu, 2ᵉ série, « Les hommes de mon temps », p. 219-295.

« The dashing exploit of A.D.m 1830 », *All the Year Round*, XXVIII.

1873

BROWNE J.H., « A few french celebrities », *Harper's Magazine*, XLVII, p. 833-843.

FOUCHER P., *Les Coulisses du passé*, E. Dentu, p. 435-493.

FITZGERALD P., *Life and Adventures of Alexander Dumas*, Londres, Tinsley Brothers, 2 vol., 302, 314 p.

SAINTE-BEUVE, *Premiers Lundis*, II, Calmann-Lévy, p. 390-401.

X., « Alexandre Dumas », *Blackwood's Magazine*, CXIV, p. 111-130.

X, « Balzac and Dumas. The cookery of Dumas », *All the year round*, XXIX.

1874

BERNARD D., « Alexandre Dumas père et fils », *La Restauration*, septembre.

BORNIER H. de, *Le Monument d'Alexandre Dumas*, poésie. Ollendorff, 8 p.

CLARETIE J., « A.D. et le théâtre », *Le Soir*, 12 janvier.

COOKE J.E., « Dumas' Way of Working », *Appleton's Journal*, XI.

DUBARRY A., *Quatre Célébrités : saint Janvier et son miracle, Masaniello, Alexandre Dumas père, Rosambeau*, librairie de la Société des gens de lettres, p. 105-254.

GAUTIER T., *Portraits contemporains. Littérateurs, peintres, sculpteurs, artistes dramatiques*, Charpentier.

Histoire du romantisme, Charpentier.

HUGO C., *Les Hommes de l'exil*, A. Lemerre, p. 72-103.

1875

BRUNT J., *Choses et autres. Esquisses, impressions et souvenirs*, Alphonse Lemerre, p. 335-347.

CLARETIE J., *La Vie moderne au théâtre*, G. Barba, 2ᵉ série.

CHARPENTIER J., *La Littérature française au XIXᵉ siècle*, Garnier frères, p. 180-181.

RHODES A., « Alexandre Dumas », *The Galaxy*, XX, p. 29-40.

1876

HEYLLI G. d', « M. Salvador et Dumas père. — Alexandre Dumas cuisinier », *La Gazette anecdotique*, I, 15 août, 15 octobre, p. 92-94, p. 197-200.

« Un billet de Charles Nodier à Dumas. — Rien de nouveau sous le soleil », *La Gazette anecdotique*, II, p. 345-346.

TULOU F., *Frédéric Lemaître. Souvenirs*, Baur, p. 7, 9-13.

VILLEMESSANT H. de, *Mémoires d'un journaliste*, E. Dentu, 5ᵉ série (scènes intimes), p. 206-210, 234-248.

X., « The novel factory of A.D. », *Appleton's Journal*, XV.

1877

CHAMBRILLAN comtesse Lionel de (Céleste Mogador), *Un deuil au bout du monde*, Librairie nouvelle, p. 1-3, 180, 204-207.

JANIN J., *Critique dramatique*, Librairie des bibliophiles, 4 vol.

X., « Dumas père, candidat politique », *Gazette anecdotique*, 30 avril, I, 8, p. 229-231.

1878

BERNARD D., « Alexandre Dumas », *L'Union*, 6 janvier.

DUMAS A. (fils), *Entr'actes*, Calmann-Lévy, II, p. 349-350.

HOSTEIN H., *Historiettes et souvenirs d'un homme de théâtre*, E. Dentu, p. 5-7, 11-22, 45-46, 281-311.

MONTIFAUD M. de, *Les Romantiques*, imp. Reiff, p. 30-35, portrait gravé.

ROYER A., *Histoire du théâtre contemporain en France et à l'étranger depuis 1800 jusqu'à 1875*, Paul Ollendorff, I, p. 69-74, 106-135 (v. L'École romantique, A.D.).

SAINTSBURY G., « Alexandre Dumas », *Fortnightly Revue*, XXX, p. 527-542.

1879

KARR A., *Le Livre de bord. Souvenirs*, Calmann-Lévy.

TIVIER H., *Histoire de la littérature française*, Delagrave, p. 489.

X., *Famous French Writers*, New York.

X., « Alexandre Dumas », *Argosy*, XXVII, p. 445-452.

1880

FOURNIER É., *Souvenirs poétiques de l'école romantique. 1825-1840*, Laplace, Sanchez et Cie, p. 117-121, portrait.

PARRAN A., « Pétrus Borel, Alex. Dumas. Études bibliographiques », *Mémoire de la Société scientifique d'Alais*.

POLLOCK W., « Alexandre Dumas », *Nineteenth Century*, VIII, p. 653-671 (déjà publ. in *Appleton's Journal*, XXIV, 1875).

1881

AYRALULT H., « Alexandre Dumas as a Hero », *Potter's American Monthly*, XVI.

CLARETIE J., « Alexandre Dumas père, homme politique », *La Nouvelle Revue*, VIII, 15 janvier, p. 396-412.

GANDERAX L., « Le drame populaire : Monte-Cristo, les premières armes de Richelieu », *R.D.D.M.*, XLVIII, p. 215-225.

JAMES H., « Goethe and Dumas », *The Nation*, New York, XVII.

MATTHEWS J. B., *French Dramatists of the 19th Century*, New York, Ch. Scribner's sons, p. 46-47.

« The dramas of the elder Dumas », *Atlantic Monthly*, XLVIII, p. 363-395.

PARRAN A., *Romantiques. Éditions originales, vignettes, documents inédits ou peu connus. Pétrus Borel. Alexandre Dumas. Alais*, p. 13-72, portrait d'A.D.

TOPIN M., *Romanciers contemporains*, Didier, p. 55-68.

1882

BANVILLE T. de, *Petites Études. Mes souvenirs*, Charpentier, p. 404-410 (XXXVI).

CLARETIE J., *Alexandre Dumas fils*, A. Quantin.

DUCAMP M., *Souvenirs littéraires*, Hachette, 1882-1883, I, p. 48, 158 ; II, p. 246-263.

GLINEL C., « Alex. Dumas et son œuvre, notes biographiques et bibliographiques », *Bulletin de la Société académique de Laon*.

SAINTSBURY B., *A Short Story of French Literature*, Oxford.

SAMSON, Mémoires, Paul Ollendorff, p. 254-263, 294-299.

1883

ABOUT E., « Discours lu à l'inauguration du Monument », *Le Figaro*, 4 novembre.

AICARD J., *La Comédie-Française à Alexandre Dumas*, 4 novembre, Paul Ollendorff, 14 p.

BIRÉ E., *Victor Hugo avant 1830*, J. Gervais, p. 478-483.

BERNADILLE, « Alexandre Dumas », *Le Moniteur universel*, 5 novembre.

CHAMPFLEURY J.F., *Les Vignettes romantiques. Histoire de l'art et de la littérature (1825-1840)*, 150 vignettes, E. Dentu, p. 47-48, 113, 117-118, 162-163, 277, 311, 323, 328, 352, 411-415.

DORCHAIN A., *Alexandre Dumas*, poésie dite à l'Odéon le 4 novembre 1883, A. Lemerre, 16 p.

FERRY G., *Les Dernières Années d'Alexandre Dumas (1864-1870)*, Calmann-Lévy, 351 p.

SÉCHAN C., *Souvenirs d'un homme de théâtre, 1831-1855*, Calmann-Lévy, p. 319-322.

VIEL-CASTEL H. comte de, *Mémoires sur le règne de Napoléon III, 1851-1864*, 1883-1886, 6 vol.

WEISS J.-J., « Le drame populaire de cape et d'épée », *Revue politique et littéraire*, 10 février.

X., « Les dernières années de Dumas père », *Gazette anecdotique*, 15 mars.

X., « Notes et impressions (A. Dumas père) », *Revue politique et littéraire*, 24 novembre.

1884

CLAUDIN G., *Mes souvenirs. Les boulevards, 1840-1870*, Calmann-Lévy, p. 31-32, 177-179.

CLÉMENT-JANIN M.-H., *Dédicaces et lettres autographes*, Dijon, Darantière, p. 69, 89-90.

GLINEL C., *Alexandre Dumas et son œuvre. Notes biographiques et bibliographiques*, Reims, F. Michaud, XXIX, 519 p.

JAURGAIN J. de, *Troisvilles, d'Artagnan et les Trois Mousquetaires. Études biographiques et héraldiques*, H. Champion, 98 p. Rééd. (augmentée et refondue) : 1910, VIII, 273 p.

PARRAN A., « Victor Hugo et Alexandre Dumas », *Annuaire de la Société des amis des livres*.

PIFTEAU B., *Alexandre Dumas en bras de chemise*, L. Vanier, 72 p.

UZANNE O., « Alexandre Dumas », *Le Livre*, 10 novembre.

VITU A., *Les Mille et Une Nuits du théâtre*, Paul Ollendorff, 1884-1894, 9 vol.

X., *Le Monument d'Alexandre Dumas, œuvre de Gustave Doré*. Librairie des bibliophiles, X, 97 p.

1885

ALBERT P., *La Littérature française au XIXᵉ siècle*, Hachette, II, p. 203-219.

AUDEBRAND P., *Petits Mémoires d'une stalle d'orchestre*, Jules Lévy.

BLAZE DE BURY H., *Mes études et mes souvenirs. Alexandre Dumas, sa vie, son temps, son œuvre*, Calmann-Lévy, IV, 348 p.

BRUNETIÈRE F., « Alexandre Dumas », *R.D.D.M.*, 1ᵉʳ août, LXX, p. 695-705.

CHALLAMEL A., *Souvenirs d'un hugolâtre. La génération de 1830*, J. Lévy, p. 30, 34-40, 160, 335.

DAVROUX A., *Douze Célébrités du département de l'Aisne*, Saint-Quentin, imp. J. Moureau, p. 81-136.

DUVAL A., *Souvenirs, 1829-1830*, Plon-Nourrit, p. 20, 65, 169-170, 243-247, 252-253.

HITCHMAN F., « Alex. Dumas and his plagiarisms », *National Review*, Londres, IV, p. 387-402.

HOUSSAYE A., *Les Confessions*, E. Dentu, 1885-1891, I, II, III, p. 226, 233, 288-289 ; IV, p. 310-311, 387.

MICHAUX A., *Souvenirs personnels sur Alexandre Dumas*, Soissons, Marchal et Billard, 150 p.

PARODI A., *Le Théâtre en France (la tragédie, la comédie, le drame)*, Hennuyer, p. 210-223 (Scribe et Dumas).

X., *Catalogue de portraits*, librairie Roblin, nᵒˢ 404-423 (avril).

1886

BADÈRE C., *Mes mémoires*, imp. Alcan-Lévy, p. 46-49.

COURMEAUX E., *Alexandre Dumas*, Châlons-sur-Marne.

GLINEL C., « Alexandre Dumas et l'Académie française », *Le Livre*, p. 289-297.

« A. Dumas intime. Mélanie Waldor et Belle Krelsamer », *id.*, oct.

HOUSSAYE A., *Comédiens sans le savoir*, Librairie illustrée, p. 313.

LEGOUVÉ E., *Soixante Ans de souvenirs*, Hetzel, 1886-1887, I, p. 14, 31, 189, 192 ; II, p. 31-32, 41-42.

MARMOTTAN P., *Les Statues de Paris*, H. Laurens.

MOREAU E., « L'histoire du théâtre », *Revue d'art dramatique*, I, p. 13-27.

PARRAN C., « Notice sur l'édition originale de *La Tour de Nesle* », *Le Livre*.

X., « Les droits d'auteur d'A.D. – A.D. et l'Académie française », *Le Livre bibliographique moderne*, 10 février, 10 novembre, p. 98-99, 604-605.

1887

CHERVILLE G. de, « Alexandre Dumas à Bruxelles », *Le Temps* 12, 19, 21 avril.

DERÔME L., *Causeries d'un ami des livres. Les éditions originales des romantiques*, Rouveyre, I, p. 100-109.

FERRY G., « Souvenirs sur la mère d'un auteur dramatique (Alexandre Dumas), *Revue d'art dramatique*, V, p. 342-351.

GLINEL C., « Alex. Dumas intime. Ida Ferrier », *Le Livre*, VIII, p. 97-111.

GONCOURT J. et E. de, *Journal*, Charpentier, I ; III, p. 19-20.

LE COCQ DE LAUTREPPE, « At home with A.D. », *The Critic*, XII.

LELIÉE F., *Nos gens de lettres. Leur vie intérieure. Leurs rivalités. Leurs conditions*, préface de Paul Bourget, Calmann-Lévy, p. 111, 115-116, 125-126, 175, 183, 190.

MEETKERKE C.E., «Alexandre Dumas», *Argosy*, Londres, XLIV, p. 409-414.

NAUROY C., «La dame aux perles», *Le Curieux*, janvier.

PAVIE V., *Œuvres choisies*, Perrin, II, p. 117-141.

RACOT A., *Portraits d'aujourd'hui*, Librairie illustrée, p. 17-29 (Victor Hugo et A.D.).

1888

AUDEBRAND P., *Alexandre Dumas à la Maison d'or. Souvenirs de la vie littéraire*, Calmann-Lévy, 365 p.

«Alexandre Dumas et Octave Feuillet», *Revue-Magasin*, 8 juillet.

BARBEY D'AUREVILLY, *Le Théâtre contemporain*, A. Quantin, I *(La Reine Margot)*.

FERRY G., «Les derniers drames d'Alexandre Dumas», *Revue d'art dramatique*, XI, p. 139-158.

LEMAÎTRE J., *Impressions de théâtre*, 3ᵉ série, Lecène-Oudin, p. 185-196.

LIONNET H. ET A., *Souvenirs et anecdotes*, Ollendorff, p. 122, 174-175, 202-203, 295-299, 312-315.

1889

DELANNOY G., «Les deux Dumas», *Revue universelle illustrée*, février.

FABRE F., *Norine*, G. Charpentier, p. 285-300.

FAGUET É., *Notes sur le théâtre contemporain*, Lecène-Oudin, II, p. 1-16.

GLINEL C., «L'œuvre poétique d'Alexandre Dumas», *Le Livre*, mars, p. 6-96.

LANG A., «Alexandre Dumas», *Scribner's Magazine*, VI, p. 259-270.

LEMAITRE J., *Impressions de théâtre*, Lecène-Oudin, 4ᵉ série, p. 83-109 *(Henri III et sa Cour)*.

MUHLFELD L., «La vérité historique au théâtre», *Revue d'art dramatique*, XIII, p. 42-46.

PÉLISSIER G., *Les Mouvements littéraires au XIXᵉ siècle*, Hachette, p. 189-190, 236-237.

POUGIN A., «Le théâtre historique d'Alexandre Dumas», *Revue d'art dramatique*, XIII (1ᵉʳ mars), p. 257-273.

RASHE, C. de, «Un bal costumé chez Alexandre Dumas (mardi gras 1833), rue Saint-Lazare, cité d'Orléans. Récit inédit de Paul Lacroix», *L'Intermédiaire des chercheurs curieux*, nᵒ 500, 10 mars, p. 157-160.

Un ancien magistrat, *La Phalange chrétienne des hommes célèbres*.

WEISS J.-J., *Le Théâtre et les mœurs*, Calmann-Lévy, p. 17-66.

WILSON H.S., «Dumas' *Henri III et sa Cour*», *Gentleman's Magazine*, XLIII.

1890

BLASHFIELD E.H. et E.W., «The Paris of the *Three Musketeers*», *Scribner's Magazine*, VIII, p. 135-155.

GLINEL C., « Sur un fragment de la tragédie de *Phèdre* d'Alexandre Dumas père », *Bulletin de la Société académique de Laon*.

« *L'Écossais*, drame inédit d'A. Dumas », *Revue biblio-iconographique*, p. 10-11.

JEANROY-FÉLIX V., *Histoire de la littérature française sous la Monarchie de Juillet*, Bloud et Barral, p. 281-292, 327-337, 383-389.

PETIT DE JULEVILLE L., *Le Théâtre en France. Histoire de la littérature dramatique depuis ses origines jusqu'à nos jours*, A. Colin, p. 379-384 ; nombreuses rééditions.

TULOU F., *Nouvelle galerie des enfants célèbres*, Garnier, p. 190-210.

UZANNE O., « Portraits et charges d'Alex. Dumas père », *Le Livre moderne*, II ; p. 321-338.

X., « A chronological list of Dumas' historical novels », *The Library Journal*, XV.

1891

ALBERT M., *La Littérature française sous la Révolution, l'Empire et la Restauration (1789-1830)*, Lecène-Oudin, p. 319-330.

BIRÉ E., *Victor Hugo après 1830*, Perrin, I, p. 26-2, 102-10, 108, 116. II, p. 118, 230.

LINTILHAC E., *Précis historique et critique de la littérature française*, André Guédon, 1891-1894.

PERGAMENI H., « Le théâtre politique en France au XIXᵉ siècle », *Revue de Belgique*, LXCII, p. 305-327.

SAINTSBURY G., *Essays on French Novelists*, Perceval, Londres.

1892

AUDEBRAND P., *Petits Mémoires du XIXᵉ siècle*, Calmann-Lévy, p. 70-83, 144, 201-202.

BRUNETIÈRE F., *Les Époques du théâtre français*, Conférences de l'Odéon, Calmann-Lévy, p. 319-348.

LEMAITRE J., *Impressions de théâtre*, Lecène-Oudin, 6ᵉ série, p. 155-168.

X., « Alexandre Dumas and Hans Christian Andersen », *The Century Magazine*, mars.

X., *La Censure sous Napoléon III*, Albert Savine.

1893

DOUMIC R., *De Scribe à Ibsen*, Delaplane, p. 27-30 *(Henri III et sa Cour)*, p. 39-47 *(Kean)*, rééd. : Perrin, 1897.

« Sur une édition des *Trois Mousquetaires* », *La Revue bleue*, 30 décembre.

GALDEMAR A., « Comment naissent les vocations (Alexandre Dumas fils) », *Le Gaulois*, 25 août, p. 1-2.

« L'auteur des *Trois Mousquetaires*. Souvenirs d'Alexandre Dumas fils », *Le Gaulois*, 7 décembre, p. 1-2.

HOUSSAYE A., « Le général Turr et Alexandre Dumas », *Le Gaulois*, 17 octobre, p. 1.

LARROUMET G., « Alexandre Dumas père », *Revue des cours et conférences*, 5 août (*id., La Vie contemporaine*, 15 novembre 1894).

LUCAS H., « Hippolyte Lucas et son temps (choix de lettres inédites) », *Revue de Bretagne, de Vendée et d'Anjou*, août, p. 184.

PARIGOT H., « Le Théâtre d'hier. Études dramatiques, littéraires et sociales, Lecène-Oudin.

SPONCK M., « L'optimisme de M. Alexandre Dumas », *Les Débats*, 3 juin.

TILLET J. du, « Le père Dumas », *Les Débats*, 20 novembre.

WEISS J.-J., *Trois années de théâtre. A propos du théâtre*, Calmann-Lévy, p. 145-151, 182-196, 209-214.

1894

CLAUDIN G., « *Les Trois Mousquetaires* d'Alexandre Dumas », *Le Monde illustré*, 27 janvier.

DELAFOSSE J., « A propos des *Trois Mousquetaires* », *Le Figaro*, 2 janvier.

DUMAS A. (fils), « *Les Trois Mousquetaires*. Lettre d'Alexandre fils », *Revue encyclopédique*, p. 4-6.

GRENIER É., *Souvenirs littéraires*, A. Lemerre, p. 74-76, *passim*.

LENÔTRE G., *Le Vrai Chevalier de Maison-Rouge*, Perrin, 329 p.

SAINTSBURY G., « The historical novels, II, Scott and Dumas », *Macmillan's Magazine*, LXX, p. 321-330.

X., « *Les Trois Mousquetaires* », *Revue encyclopédique*, p. 4-8.

1895

BRANDES G., *Samlede Skrifter*, Copenhague, VII, p. 173-178 (rééd. : 1901).

GLINEL C., « *La Jeunesse de Louis XIV* et *La Jeunesse de Louis XV* », *Bulletin de la Société académique de Laon*.

KASPERLES G., « Ein Gespräch von Heine und Alexandre Dumas père », *Die Gegenwart*, XXVII.

KÖRNER E., BARTHÉLEMY-SAINT-HILAIRE J., « Alexandre Dumas », *Illustriert Zeitung*, 2737.

LEMAITRE J., *Impressions de théâtre*, Lecène-Oudin, 8e série, p. 101-106.

LUCAS H. (fils), « Alexandre Dumas », *Les Matinées espagnoles*, 30 juin.

MEETKERKE, C.E., « The two Dumas », *The Argosy*, LXIV.

NEBOUT P., *Le Drame romantique*, Lecène-Oudin.

PARIGOT H., « Alexandre Dumas : *Charles VII chez ses grands vassaux* », *Revue des cours et conférences*, IV, p. 232-240.

« Alexandre Dumas père », *Revue des cours et conférences*, p. 95-96 (*La Revue de Paris*, 1er août, IV, p. 610-630).

POINCARÉ R., « Alexandre Dumas », *La Revue de Paris*, 15 décembre, VI, p. 729-749.

TILLET J. du, « Alexandre Dumas », *La Revue bleue*, IV, p. 701-702, 707-712.

1896

CRAWFORD E., « The elder Dumas », *The Century Magazine*, XXIX, p. 726-733.

ESTRÉE P. d', « Les Dumas et leurs ancêtres inconnus », *Revue des revues*, XVIII, 1ᵉʳ juillet.

GILBERT E., *Le Roman en France pendant le XIXᵉ siècle*, Plon-Nourrit, p. 102-107.

LEGOUVÉ E., « Les trois Dumas », *Le Temps*, 7 janvier.

LEMAITRE J., *Impressions de théâtre (Les Mousquetaires ou Vingt Ans après)*, Lecène-Oudin, 9ᵉ série, p. 142.

MAUREL A., *Les Trois Dumas : le général, Alexandre Dumas père et fils*, Librairie illustrée.

MEETKERKE C.E., « The two Dumas », *Argosy* (Londres), LXI, p. 156-161.

PARIGOT H., « La genèse d'*Antony* », *La Revue de Paris*, 16 août, p. 696, 725.

1897

ALBASTELLA S., « Alexandre Dumas père et le ménage Hugo », *Le Figaro*, 12 janvier.

DASH comtesse, *Mémoires des autres. Souvenirs anecdotiques sur mes contemporains*, Librairie illustrée, 1896-1897, III, p. 108, 113-119, 163, 218-221, 223, 243, 250 ; IV, p. 58-60, 106, 147-148 ; V, p. 23, 27 ; VI, p. 27, 93-94, 181-227.

DESCHAMPS G., *La Vie et les Livres*, Armand Colin, 4ᵉ série, p. 37-55.

JULLIEN A., *Le Romantisme et l'Éditeur Renduel*, Fasquelle, p. 179-180.

MAXWELL sir H., « The real d'Artagnan », *Blackwood's Magazine*, juin.

RATTAZZI H., « L'aventurière des colonies » (préface), *Nouvelle Revue internationale*, 8 et 9-10 (15-30 mai), p. 625.

1898

BENETT E.A., « Alexandre Dumas père », *Academy*, LV.

CARAFA R., duc d'Andria, « Une aventure d'Alexandre Dumas à Naples », *La Revue de Paris*, 1ᵉʳ décembre, VI, P. 592-609.

DAVIDSON A.F., « Alexandre Dumas père », *Macmillan's Magazine*, LXXIX.

GLINEL C., « Le théâtre inconnu d'Alexandre Dumas père », *Revue icono-bibliographique*, décembre 1898-janvier 1899, p. 7-15.

LEGOUVÉ E., *Dernier travail. Derniers souvenirs*, Hetzel, p. 309-311.

LENIENT C., *La Comédie en France au XIXᵉ siècle*, Hachette, II, p. 184-223.

MAIGRON L., *Le Roman historique à l'époque romantique. Essai sur l'influence de Walter Scott*, Hachette, p. 164, 353-354, *passim*.

MEUNIER G., *Le Bilan littéraire du XIXᵉ siècle*, Fasquelle, p. 98, 119-124, 151, 250.

PARIGOT H., *Le Drame d'Alexandre Dumas, études dramatiques, littéraires et sociales*, Calmann-Lévy, 443 p.

PERGAMENI H., *Cours sur le théâtre français au XIXᵉ siècle*, Bruxelles, Moreau.

PERRENS F.T., *Histoire sommaire de la littérature française au XIXᵉ siècle*, L. Henry May, p. 25, 93-96, 106, 296-300, 346, 364-365.

ROBERT P., « Sur Alexandre Dumas père », *La Revue bleue*, 10 septembre, X, p. 350-351.

SOUDAY P., « Alexandre Dumas en Sorbonne », *Le Temps*, 17 juin, p. 3.

WELLS B., *A Century of French Fiction*, New York, Dodd, Mead.

1899

BRENNAN G., « The real d'Artagnan », *Macmillan's Magazine*, LXXX.

CARPENTER G., « Why Alexandre Dumas' novels last », *Forum*, juin, XXVII, p. 502-512.

CLARETIE J., « Souvenirs littéraires. Dumas père et Maquet », *Les Annales politiques et littéraires*, 8 octobre.

DEMOGEOT J., *Histoire de la littérature française depuis ses origines jusqu'à nos jours*, Hachette, p. 660-661.

DES GRANGES C., « Le drame d'Alexandre Dumas », *La Quinzaine*, 1er août.

EYSSETTE A., « Deux romans inédits d'Alexandre Dumas père », *Le Gaulois*, 9 août.

GARNETT R.S., « The Dumas's discoveries in the Caucasus », *The Academy*, 25 novembre - 2 décembre.

HOME G., « The Dumas romances », *The Academy*, 2 décembre.

MORILLOT P., « Le théâtre romantique. *Antony* », *Revue des cours et conférences*, VIII, p. 257-267.

MULLIN E.H., « The Dumas cycle », *The Book-Buyer*, XVI.

PETIT DE JULLEVILLE L., *Histoire de la langue et de la littérature françaises*, A. Colin.

SHAW M., « Alexandre Dumas père. Mes souvenirs de lui », *La Nouvelle Revue*, 1er août, CXIX, p. 448-473.

X., « The travels of Dumas », *The Quarterly Review*, CLXXXIX, p. 76-103.

X., « The authorship of *La Boule de Neige* », *Academy*, LVII.

1900

CUVILLIER-FLEURY A.A., *Journal intime*, publ. par E. Bertin, Plon, 1900-1903.

FRÉDÉRIX, *Trente Ans de critique. Chroniques dramatiques*, Hetzel, II.

GLINEL C., « Alexandre Dumas auteur de préfaces », *Bulletin de la Société académique de Laon*.

MAIGRON L., « Le roman historique. Alex. Dumas », *Revue de Belgique*, 15 janvier.

PARDO-BAZAN E., « La literatura moderna en Francia. El romantisco. Segundo periodo », Madrid, *España Moderna*, 1er avril, CXXXVI, p. 21-42.

PÉLISSON J., « Victor Hugo, George Sand et Alexandre Dumas à Cognac », *Revue de Saintonge et d'Aunis*, p. 221-222.

PLION A., *Un romancier populaire: Alexandre Dumas*, Compiègne, Lefebvre, 71 p.

1901

AUDEBRAND P., « Cent ans de roman français », *La Revue*, 15 février.

BRISSON A., *Portraits intimes*, A. Colin, II, p. 231, 284 ; III, p. 71-73 ; IV, p. 114, *passim*.

LACOUR L., « La femme dans le théâtre du XIXᵉ siècle (Hugo, Dumas père, Dumas fils, Musset, Augier, Ibsen) », *Revue d'art dramatique*, XI, p. 662.

LHUILLIER T., « Les ancêtres d'Alexandre Dumas dans la Brie », *L'Amateur d'autographes*, 15 mai.

LONGHAYE R.P. L., *Le Dix-Neuvième siècle. Esquisses littéraires et morales (1830-1850)*, Victor Retaux, II, p. 102-106, 273-278.

PARIGOT H., *Les Grands Écrivains de la France. Alexandre Dumas*, Hachette, 187 p., portrait.

RICAUT D'HÉRICAULT C., *Ceux que j'ai connus, ceux que j'ai aimés*, J. Buguet, p. 105-111.

SARCEY F., *Quarante Ans de théâtre*, J. Strauss, IV, p. 59-114 *(Henri III et sa Cour, Antony, Charles VII chez ses grands vassaux, La Tour de Nesle, Mademoiselle de Belle-Isle)*.

M.S., « Vers inédits d'Alexandre Dumas », *La Revue hebdomadaire*, 7 décembre.

1902

ALBERT M., *Les Théâtres des boulevards*, Société française d'imprimerie et de librairie, p. 290-291, 310-312, 323-330, 335-375.

AUBRAY G., « L'héritage d'Alexandre Dumas », *Le Mois littéraire*, octobre-novembre.

BANDI G., *I Mille : da Genova a Capua*, Florence, Salani, p. 201-202.

BRISSON A., « Alexandre Dumas cuisinier », *Le Salut public* (Lyon), 4 mai.

CHESTERTON G.K., « Alexandre Dumas », *The Bookman*, XV, juillet, p. 446-450.

CLARETIE J., *Profils de théâtre*, Gaultier-Margnier, p. 8, 23-27, *passim*. « Alexandre Dumas intime », *Revue Mame*, 27 juillet.

COLLECTIF, *Conférences sur l'idéal dans le positivisme, sur le peuple dans la vie & dans l'œuvre d'Alexandre Dumas et sur les Dieppois à la Floride au XVIᵉ siècle. Faites l'une le 13 août 1902 par le F.L. Les autres le 27 août et le 10 septembre 1902 par le F. A la R.L. le Phare de la Liberté Or. de Dieppe*, Dieppe, imprimerie de « L'Impartial de Dieppe », p. 33-52.

DAVIDSON A. F., *A. Dumas père, His Life and Works*, Westminster, Constable, XV, 426 p., portrait.

DESCHAMPS G., « Alexandre Dumas, L'Estoile, Brantôme », *Le Temps*, 28 décembre.

DES GRANGES C., « La comédie et les mœurs sous la Restauration et la Monarchie de Juillet », *Le Correspondant*, CCVIII, p. 890-925 ; CCIX, p. 221-249, 703-734.

DOUMIC R., « Alexandre Dumas père », *R.D.D.M.*, VII, 15 janvier, p. 446-457.

DUBOIS-DESAULLE G., « Une mission scientifique de Dumas père », *La Nouvelle Revue*, 15 juillet, p. 187-198.

FALBO J.C., « Il Centenario di D. padre », *Cronache musicali*, 15 juillet.

FEBVRE F., « Souvenirs personnels sur Alexandre Dumas », *Le Gaulois*, 4 juillet, p. 1-2.

FOSSÉ D'ARCOSSE A., *Le Centenaire d'A.D., 1802-1902. Feuillets détachés*, Soissons, impr. de *L'Argus soissonnais*, 80 p.

FOURCAUD L. de, « Pour le centenaire d'A.D. », *Le Gaulois*, 10 juillet.

GALDEMAR A., « L'illustrateur de *La Dame de Monsoreau*, Maurice Leloir », *Le Gaulois du dimanche*, 29-30 novembre.

GALTIER J., « Le centenaire d'Alexandre Dumas. Le dernier collaborateur d'Alexandre Dumas, Paul Meurice. Alexandre Dumas raconté par son fils », *Le Temps*, 1er juillet.

GLINEL C., « Notes sur Alexandre Dumas », *Revue hebdomadaire*, 12 juillet, p. 129-150, 323.

« Un projet de voyage d'Alexandre Dumas père autour de la Méditerranée », *Revue biblio-iconographique*, avril, p. 181-185.

« Alexandre Dumas père homme politique », *Revue hebdomadaire*, 4 janvier, p. 1-17.

GRAPPE G., « Alexandre Dumas père. Notes sur un centenaire », *La Revue bleue*, 26 juillet, p. 113-116.

GRIBBLE F., « Alexandre Dumas the Elder », *Fortnightly Review*, LXXVIII, juillet, p. 66-75 ; *The Critic*, XLI, p. 61-69.

IVES G.B., « The elder Dumas », *Atlantic Monthly*, XC, décembre, p. 841-849.

L.H., « Alexandre Dumas père », *Über Land und Meer*, 1.

HAUTERIVE E. d', « Le centenaire d'Alexandre Dumas », *Le Gaulois du dimanche*, 5-6 juillet.

HOUSSAYE H., « Le général Alexandre Dumas », *Les Annales,* 13 juillet.

HUGO V., « Alexandre Dumas père jugé par Victor Hugo », *La Semaine française*, 9 mars.

LAPAUZE H., « Une amie d'Alexandre Dumas », *Le Gaulois*, 5 juillet.

LARROUMET G., « Le centenaire d'Alexandre Dumas. Dumas fils et Dumas père », *Le Temps*, Chronique théâtrale, 14 et 21 juillet.

LECOMTE L. H., *Alexandre Dumas (1802-1870). Sa vie intime. Ses œuvres*, J. Tallandier, 283 p., 8 figures.

LENÔTRE G., « Le centenaire d'Alexandre Dumas », *Le Monde illustré*, 5 juillet, p. 2-7.

MALET G., « Dumas père », *La Gazette de France*, 7, 8, 9 juillet.

MEAULLE F., « Alexandre Dumas », *Le Monde moderne*, août.

NORDAU M., « Études littéraires », *La Grande Revue*, 1er septembre.

PARIGOT H., « Pour Alexandre Dumas », *La Quinzaine*, 1er février.

« A.D. et l'histoire », *La Revue de Paris*, IV, p. 401-431, 15 juillet.

PROUVES G. de, *Catalogue raisonné des œuvres d'Alexandre Dumas*, Calmann-Lévy, 36 p., portrait.

ROCHE P., « Le centenaire d'A.D. à Villers-Cotterêts », *Le Gaulois*, 7 juin.

SALOMON M., « Le surmenage d'Alexandre Dumas père », *La Gazette de France*, 16 janvier ; *La Semaine française*, 23 mars.

SOUTHWICK W.L., « The centenary of Alexandre Dumas », *Pall Mall Magazine*, avril, XXVII (id. : *Littel's Living Age*, CCXXXIV).

SPURR H.A., *The Life and Writings of Alexandre Dumas (1802-1870)*, Londres, Dent, 392 p., figure ; New York, A. Stokes, XI, 380 p.

SWINBURNE, « The centenary of Alexandre Dumas père », *Nineteenth Century*, LII, p. 177-178.

X., « Vers retrouvés d'Alexandre Dumas à Victor Hugo », *Le Gaulois du dimanche*, 12-13 juillet.

X., « Le centenaire d'Alexandre Dumas. Comment travaillait A.D. La santé d'A.D. père. A.D. père et la médecine », *La Chronique médicale*, 15 juillet, p. 448-452.

X., « L'assassinat de Bussy d'Amboise raconté par Alexandre Dumas », *Le Gaulois du dimanche*, 29-30 novembre.

X., *Alexandre Dumas en images*, Nillsson, 40 p.

X., « Alexandre Dumas, malade et médecin », *Chronique médicale*, 15 septembre, p. 606-608.

1903

DOUMIC R., *Hommes et idées du XIXᵉ siècle*, Perrin.

DUBOSC G., « Les Dumas. Les ancêtres de Dumas d'après des documents inédits des archives », *Revue des revues*, XLVI, p. 80-87.

FERRY G., « Les derniers jours d'Alexandre Dumas », *Revue des revues*, XLVI, 5 juin, p. 88-104.

« A.D. et le parti républicain », *Revue politique et parlementaire*.

GARNETT R.S., « The new Dumas », *The Academy*, 5 septembre.

GRIERSON F., « Alexandre Dumas père », *The Critic*, New York, XLIII, p. 65-70.

GLINEL C., « Une collaboration célèbre. Alexandre Dumas et Auguste Maquet », *Revue biblio-iconograpique*, avril.

HANSEN J., *Alexandre Dumas, une force de la nature*, Luxembourg, 34 p.

HERMANT A., *Alphonse Daudet, Alexandre Dumas, Émile Zola, Honoré de Balzac, Arsène Houssaye, discours*, P. Ollendorff, 87 p.

LE ROY A., « Le théâtre et les mœurs. Au temps du romantisme. *Henri III et sa Cour* », *La Revue bleue*, 4 avril.

MÉNIÈRE P. docteur, *Mémoires anecdotiques sur les salons du second Empire. Journal du docteur Prosper Ménière*, publié par son fils E. Ménière, Plon, p. 7, 260, 311.

PIQUEMAL A., « Le général Alexandre Dumas et le général Nicolas Badelaune. Campagne de 1794 dans les Alpes », *La Nouvelle Revue*, 15 janvier, XIX, 3, p. 205-228.

TALMEUR M., « Le roman-feuilleton et l'esprit populaire », *R.D.D.M.*, XVII, p. 205-228.

VAN THIEME E., « Alexandre Dumas », *Tidspiegel*, décembre.

WÜRSBACH W. von, « Alexandre Dumas père », *Allgemeine Zeitung, Beilage*, 165.

X., « Novels falsely ascribed to Dumas », *Academy*, LXV.

X., « Some talk of Alexandre Dumas », *Cornhill Magazine*, LXXXVII.

1904

AUDEBRAND P., *Romanciers et viveurs au XIXᵉ siècle*, Calmann-Lévy, p.38.

BRISSON A., « Une page inédite de Dumas père (causerie théâtrale) », *Annales politiques et littéraires*, 22 mai, p. 320-330.

« Alexandre Dumas père inconnu. Le labeur de Dumas », *Annales politiques et littéraires*, 4, 18 septembre.

GLINEL C., *François Buloz ennuyé par Alexandre Dumas*, Laon, éditions du *Journal de l'Aisne*, 21 p.

GROSMAN K., « Le roman historique (Alexandre Dumas père) », *Atheneum*, Varsovie, novembre.

LAFOND P., « Les châteaux des *Trois Mousquetaires* », *La Renaissance latine*, 15 avril.

LERROUX A., *Historia de Garibaldi. Entresacada de sus memorias autobiográficas y de los escritos de Alejandro Dumas*, Barcelone, Lopez, 264 p.

LE ROY A., *L'Aube du théâtre romantique*, Ollendorff, p. 53-110, 452-473.

NOZIÈRE F., *Madame Dorval*, Félix Alcan, p. 46-53, 72, 124, *passim*.

ORINO C. d', *Contes d'au-delà sous la dictée des esprits*, Félix Juven, p. 48-54 (Les Angoisses du grand cardinal), 87-99 (Un rêve de quarante ans), 205-211 (Marie-Antoinette).

1905

ADERER A., *Hommes et choses de théâtre*, Calmann-Lévy, p. 53-62.

GLINEL C., « François Buloz ennuyé par Alexandre Dumas père », *Bulletin de la Société académique de Laon*, XXI, p. 87-105.

PARIGOT H., *Pages choisies des grands écrivains. Alexandre Dumas*, avec une introduction par H.P., Armand Colin, Calmann-Lévy, XXXIII-382 p.

POUMEROL A., « Villers-Cotterêts avant les funérailles d'Alexandre Dumas (1872) », *Bulletin de la Société historique régionale de Villers-Cotterêts*, p. 19-27.

« Une jeunesse inédite d'Alexandre Dumas », *id.*, p. 34-44.

X., « Musée Alexandre Dumas. État des principaux dons », *Bulletin de la Société historique régionale de Villers-Cotterêts*, p. 62-71.

1906

BEAUNIER, A., *Les Souvenirs d'un peintre*, Charpentier-Fasquelle, 1906, p. 117.

CASTRE, F., « Dumas et l'unité italienne », p. 227-236.

CLARETIE J., « Alexandre Dumas père homme politique », *Le Gaulois du dimanche*, 13 mai.

DALGADO D.J., *Mémoires sur la vie de l'abbé Faria. Explication de la charmante légende du château d'If dans le roman de Monte-Cristo*, Henri Jouve, X-124 p.

FAGUET É., « *La Tulipe noire* », *La Revue latine*, V, p. 602-609.

GOURMONT J. de, « Littérature », *Le Mercure de France*, 1ᵉʳ juin, p. 638.

MAZEL H., *Ce qu'il faut lire dans sa vie*, éditions du Mercure de France.

SALOMON M., « Le salon de Mme Charles Nodier », *La Revue de Paris*, 15 septembre.

SHAW M., *Illustres et inconnus. Souvenirs de ma vie*, Fasquelle, p. 36, 178-223.

SPURR H., « A. Dumas portfolio (I. The Three Musketeers. II. The personal Dumas. III. Dumas and the theater), *The Bookman*, janvier, février, mars.

X., « Dumas père as an occultist », *Broad Views*, juillet.

X., « A.D. père jugé par son fils. Une lettre de D. fils. Trois lettres inédites de D. père », *Le Gaulois*, 12 juin.

1907

DES GRANGES C. M., *Le Romantisme et la Critique. La presse littéraire sous la Restauration (1815-1830)*, Mercure de France, p. 116, 127, 133, 135, 362-364.

ESTÈVE M., « Alexandre Dumas roi de Naples », *Le Gaulois*, 13 juillet.

GARNETT R.S., « The true history of Monte Cristo », *Fortnightly Review*, octobre.

GLINEL C., « Trois manuscrits d'Alexandre Dumas père », *Revue biblio-iconographique*, n° 3, mars ; n° 4, avril, p. 163-167.

ROCH E., « Le général Alexandre Dumas. Comment il devint l'hôte puis l'allié d'une famille cotterézienne », *Bulletin de la Société historique régionale de Villers-Cotterêts*, année 1906/1907, p. 86-105.

« Les hôtelleries cotteréziennes aux XVIIᵉ et XVIIIᵉ siècles », *ibid.*, p. 11-84 (A.D., p. 19, 32-35).

1908

ARNAULT A.-V., *Souvenirs d'un sexagénaire*, édité par Auguste Dietrich, III, p. 30-31, 303.

BRADFORD G., « Alexandre Dumas père », *Atlantic Monthly*, CI, p. 841-850.

DE AMICIS, E., *Ritratti letterari*, Milano, Treves, 332 p.

GRAPPE G., *Dans le jardin de Sainte-Beuve. Essais*, Stock, p. 137-162.

PAVIE A., *Médaillons romantiques*, Émile-Paul, p. 16, 118, 128-129, 232-234, 314, 317.

SALOMON M., *Charles Nodier et le groupe romantique*, d'après des documents inédits, Perrin.

1909

GLINEL C., « Les auteurs de *La Tour de Nesle* et les droits de chacun d'eux (Gaillardet et A.D.) », *Bulletin de la Société académique de Laon*, XXXIII, 1905-1909, p. 146-151.

HANOTEAU J., « Lettres inédites. Un roman d'amour. A. Dumas père et Rachel », *Le Gaulois*, 18 décembre 1909.

LECIGNE C., « A. Dumas père (1802-1870) », *Les Contemporains*, 19 décembre, 16 p.

PASCAL F., « Splendeurs et misères des gens de lettres », *Le Correspondant*, 25 janvier.

STEFANI, S., *Alessandro Dumas, traduttore di Dante*.

X., « Alexandre Dumas amoureux de Rachel », *L'Amateur d'autographes*, 8 septembre.

1910

DUPUY E., *Alfred de Vigny, ses amitiés, son rôle littéraire*, Société française d'imprimerie et de librairie, I.

FLEISCHMANN H., *Rachel intime*, d'après ses lettres d'amour et des documents nouveaux, Charpentier et Fasquelle.

1912

R.B., « La place des trois Dumas », *Le Temps*, 6 février.

BERGERAT É., « Les trois Dumas », *Les Annales*, 19 mai.

BRISSON A., *Le Théâtre*, librairie des Annales, 7ᵉ série.

CLARETIE J., « A propos d'*Antony* d'Alexandre Dumas », *Le Temps*, 22 mars.

CROZE M.-C., « Une héroïne romantique : Mélanie Waldor », *La Nouvelle Revue*, 15 mai, p. 167-183.

HERMANT A., *Essais de critique*, Bernard Grasset, p. 55-67.

HÉRON E., « La première de *La Reine Margot* au Théâtre-Historique », *La Quinzaine*, 29 septembre, p. 19-20.

JANIN J., « La première d'*Antony* », *Les Annales romantiques*, IX, p. 212-218.

MOUTON L., *Bussy d'Amboise et Mme de Montsoreau*, d'après des documents inédits, Hachette, VI-358 p.

SAMARAN C., *D'Artagnan, capitaine des mousquetaires du roi, histoire véridique d'un héros de roman*, Calmann-Lévy, 351 p.

STROWSKI F., *Tableau de la littérature française au XIXᵉ et au XXᵉ siècle*, Mellotée.

X., « Lettre à l'acteur Laferrière sur *Antony* », *L'Amateur d'autographes*.

1913

FRANCHI, A., *Dumas e Garibaldi : documenti inediti*.

PITOLLET C., « Lamartine et Dumas père parrains littéraires de Jean Reboul de Nimes », *Zeitschrift für französische Sprache und Literatur*, p. 403-409.

1914

BALABINE V., *Journal de Victor Balabine*, publié par Ernest Daudet : *Paris de 1842 à 1852. La cour, la société, les mœurs*, Émile-Paul, I (1842-1847), p. 142-143, 275, 287-288.

BRUCHARD H. de, « Il faut lire Alexandre Dumas », *Revue critique des livres et des idées*, XXIV, 25 janvier, p. 175-188.

HARTE B., *Stories and Poems and Other Collected Writings*, Boston.

LANG A. Mrs, « With Dumas in Derbyshire », *British Review*, V, 2, 3, février, mars, p. 238-250, 407-414.

MARIE A., *Gérard de Nerval. Le poète, l'homme,* Hachette.

MATHOREZ J., « Histoire de Chicot, bouffon de Henri III », *Bulletin du bibliophile,* 15 juin.

RUFFINI F., *Camilio di Cavour e Mélanie Waldor,* Turin, Fratelli Bocca.

« Bret Harte's favourite book », *The Bookman* (New York), octobre.

1915

ROBERTSON NICOLL W. sir (Claudius Clear), « Was Aramis a lost soul ? », *The British Weekly,* 12 mars.

1916

BAGUENAULT DE PUCHESSE G., « Les Quarante-Cinq », *Revue du XVIᵉ siècle,* IV, p. 16-21.

BRISSON A., « Reprise de *Charles II et Buckingham* », *Le Temps,* 14 février.

ROBERTSON NICOLL W. sir, « The servants of the Musketeers », *The British Weekly,* 24 août.

ROND-POINT, « Was Sherlock Holmes a child of d'Artagnan », *The British Weekly,* 30 mars.

1917

BANVILLE T. de, *Critiques,* Fasquelle, p. 99-103.

MARSAN J., « *L'Écolier de Cluny* et *La Tour de Nesle.* Un drame inédit de Roger de Beauvoir », *Revue d'histoire littéraire de la France,* XXIV, p. 227-234.

PELTIER P., « La terreur prussienne et Dumas père », *Le Mercure de France,* CXX, 1ᵉʳ mars, p. 66-75.

RODOCANACHI E., « Notes secrètes de la police de Venise sur Byron, Lamennais, Montalembert et Dumas. »

X., « Alexandre Dumas père contre *La Presse* et *Le Constitutionnel* », *Revue des grands procès contemporains,* janvier-février, 1916-1917.

1918

ANTONIA-TRAVERSI C., « Maison Alex. Dumas et Cie », *Nuova Antologica,* CXCXVII, p. 157-170.

BRISSON A., *Le Théâtre pendant la guerre,* Hachette (*La Jeunesse des Mousquetaires.* La collaboration Dumas-Maquet).

« Auguste Maquet et Alexandre Dumas », *Conferencia,* 2, 1ᵉʳ janvier.

FERT L., « Alexandre Dumas à Villers-Cotterêts », *Le Gaulois,* 1ᵉʳ juin.

GILBERT P., *Essais de critique,* H. Champion, II, p. 424-429.

1919

BRIGGS DAVENPORT R., « The d'Artagnan legend in Normandy », *Fortnightly Review,* novembre.

LENÔTRE G., « Alexandre Dumas père : I. La conquête et le règne. II. Mousquetaires et autres fantômes », *R.D.D.M.,* XLIX, 1ᵉʳ-15 février, p. 647-677, 862-889.

NARSY R., « Auguste Maquet et Dumas père », *Les Débats,* 21 octobre.

PAILLERON M., *François Buloz et ses amis. I. La vie littéraire sous Louis-Philippe*, Calmann-Lévy, p. 11-14, 40, 47, 88-89.

SAINTSBURY G., *History of the French Novel*, Londres, Macmillan, II, p. 323-342.

SIMON G., *Histoire d'une collaboration. Alexandre Dumas et Auguste Maquet*, documents inédits, portraits et fac-similés, Georges Crès et Cie, 204 p.

« Dix années de collaboration. Alexandre Dumas et Auguste Maquet », *Revue de Paris*, 1er, 15 mai.

1920

ABOUT E., « L'improvisation chez A.D. », *Le Gaulois*, 4 décembre.

AUBERT H., « Alexandre Dumas anecdotique », *Bibliothèque universelle* et *Revue suisse*, octobre, p. 326, novembre, p. 215-237.

J.B., « Le cinquantenaire de Dumas », *Le Temps*, 5 décembre.

BERSAUCOURT A. de, « Alexandre Dumas, le gastronome », *Le Gaulois*, 4 décembre.

BERTAUT J., « Alexandre Dumas, directeur de journal », *Le Gaulois*, 4 décembre.

COQUELIN L., « Histoire d'une collaboration (Auguste Maquet et Alexandre Dumas) », *Le Larousse mensuel*, janvier.

DAMBRUS C., « Les centenaires : Alexandre Dumas et M. Paul Souday », *La Démocratie nouvelle*, 25 décembre.

FERT L., « Alexandre Dumas précurseur de Gabriele D'Annunzio », *Le Gaulois*, 18 décembre (supplément littéraire).

HUGO V., « Une lettre de V.H. », *Le Gaulois*, 4 décembre.

LANSON G., *Esquisse d'une histoire de la tragédie française*, Honoré Champion, p. 181 (rééd., 1927).

LEGRAND-CHARBRIER, « Faut-il relire *Les Trois Mousquetaires* ? », *Le Gaulois*, 4 décembre.

PAILLERON M.-L., *François Buloz et ses amis. II. La Revue des Deux Mondes et la Comédie-française*, Calmann-Lévy, p. 229-263.

« Le cinquantenaire de Dumas père », *L'Opinion*, 4 décembre.

RICHEPIN J., « A Alexandre Dumas », *Le Gaulois*, 4 décembre.

SANDERS L., « D'Artagnan and Milady, originals of the characters », *Cornhill Magazine*, août, CCXC (id. : *Littel's Living Age*).

VILLEMESSANT H. de, « Quelques mots de Dumas », *Le Gaulois*, 4 décembre.

X., « Lettres d'A.D. au général Jacqueminot ; de Dumas fils sur la mort de son père », *Le Gaulois*, 4 décembre.

X., « Histoire d'une collaboration. Alex. Dumas et Auguste Maquet », *Polybiblion*, XC, p. 195.

1921

BOYER D'AGEN, « Lettres inédites », de et à Marceline Desbordes-Valmore, éd. par B. d'A., *Revue mondiale*, CXLII, 1er avril, p. 265-267.

BRUN L., « Alexandre Dumas père », *La Nouvelle Revue*, 15 novembre.

CANAT R., *La Littérature française au XIXe siècle*, Payot, I, p. 70-71.

DARK S., « D'Artagnan », *John O'London's Weekly*, 16 avril.

GIRARD H., *Un bourgeois dilettante à l'époque romantique : Émile Deschamps*, H. Champion.

HALFLANTS P., *Le Romantisme*, Bruxelles, De Lauroy.

LATHAM, E., « Dumas père et ses continuateurs », *Le Mercure de France*, 15 novembre, p. 238-245.

LE BRETON A., « Le théâtre romantique de Dumas père à Dumas fils », *Revue des cours et conférences*, XXIII, 15 décembre, p. 102, 30 décembre, p. 308-321 ; 15 janvier, p. 408-426.

MONIN docteur, « Alexandre Dumas père clinicien ès lettres », *La Chronique médicale*, 1er novembre, p. 343.

1922

GARNETT R.S., « The Maquet-Dumas case. — Dumas and Maquet », *The Times Literary Supplement*, 22 juin, 20 juillet, p. 21-22, 31, 34-46.

GINISTY P., *France d'antan. Le théâtre romantique*, A. Morance, p. 11-12.

Anthologie du journalisme du XVIIe siècle à nos jours, Delagrave, II, p. 15-18 *(Le Mousquetaire)*.

METTERNICH P., *Souvenirs de la princesse Pauline de Metternich, 1859-1871*, Plon, p. 146-159.

1923

EVANS D.-O., *Le Drame moderne à l'époque romantique (1827-1850)*, La Vie universitaire, p. 126-132, 132-159, 159-164, *passim*. (Rééd. : Slatkine reprints, 1974.)

Les problèmes d'actualité au théâtre à l'époque romantique (1817-1850), La Vie universitaire, p. 21-27, 69-75, *passim*.

LARAT J., *La Tradition et l'exotisme dans l'œuvre de Charles Nodier*, E. Champion, 4e partie, II, III, p. 400-405, 412-413, 433.

MOREAU P., « De Dumas père à Dumas fils », *R.D.D.M.*, XV, 1er juin, p. 684-698.

PAILLERON M.-L., *François Buloz et ses amis. III. Les derniers romantiques*, Perrin, p. 205, 235-237.

1924

BÉDIER J., HAZARD P., *Histoire illustrée de la littérature française*, Larousse, II.

BERSAUCOURT A. de, « Dumas père et Dumas fils », *L'Opinion*, 1er août, p. 11-12.

COTE-DARLY, *Alexandre Dumas et la franc-maçonnerie*, Collection du symbolisme, 47 p.

LANSON G., *Histoire illustrée de la littérature française*, Hachette, II, p. 281-287, 292.

MONDA M., « Dumas père plagié par Coppée », *Les Maîtres de la plume*, 15 février, 15, p. 14-15.

PAILLERON M.-L., *François Buloz et ses amis. IV. Les Écrivains du second Empire*, Perrin, p. 86-88, 126, 127, 244.

RAYMOND J., « Les écrivains candidats aux élections. Alexandre Dumas père », *Le Figaro*, 10 mai.

X., « Comment se documentait Alexandre Dumas père, médicalement parlant », *La Chronique médicale*, 1ᵉʳ avril.

1925

DES GRANGES C.-M., *Histoire de la littérature française des origines à 1920*, Hatier, p. 829-831, 940-942 (*Id.*, ... *des origines à 1930*, Hatier, 1931).

EVANS D.-O., *Le Théâtre pendant la période romantique (1827-1848)*, Presses universitaires.

FONTANEY A., *Journal intime*, publié avec une introduction de René Jasinski, Les Presses françaises, p. 3, 12, 15, 37, 73, 93-94, 115-120, 188-190, 205, 212.

JAMES H., *Notes and Reviews*, Cambridge, Dunster House.

LÉON J., *Dictionnaire pratique des connaissances religieuses*, Letouzey, fac. IX.

MALO H., *La Gloire du vicomte de Launay. Delphine Gay de Girardin*, Émile-Paul.

MARSAN J., *La Bataille romantique*, Hachette.

TRUFFIER J., *Mélingue*, Félix Alcan, p. 15-16, 25-26, 33-36, 44-58, 60-64, *passim*. Rééd. : 1932.

1926

BOYD T., « My favourite fiction character : D'Artagnan », *The Bookman*, mars.

BRADFORD G., *A Naturalist of Souls*, Boston, New York, Houghton, Miffin Co., p. 179-208.

CORBEL H., « Dumas fils et sa mère », *18ᵉ Bulletin de la commission historique et artistique de Neuilly-sur-Seine*, 1980.

GEFFROY G., *Claude Monet, l'homme et l'œuvre*, G. Crès, I, 9 (rééd.).

GINISTY P., *Bocage*, F. Alcan, p. 46-63, 74-81, 88-90, 153-154 (rééd. : 1932).

MAYNIAL É., *Précis de littérature française*, Delagrave.

TOULET P.-J., *Notes de littérature*, Le Divan, p. 66-71.

TREICH L., *L'Esprit d'Alexandre Dumas*, Gallimard, p. 9-72, 171-188.

TRESSIDER SHEPPARD A., « Alexandre Dumas, an appreciation », *The Bookman*, juin.

X., « Alexandre Dumas », *Le Crapouillot*, août.

1927

ALBALAT A., *Gustave Flaubert et ses amis*, œuvres représentatives p. 34-36.

ARRIGON L.J., *Les Années romantiques de Balzac*, Perrin, p. 3, 25, 44, 69, 79.

BALDENSPERGER F., « La communion romantique sous le signe de W. Scott », *Revue de littérature comparée*.

BERSAUCOURT A. de, « Napoléon au théâtre », *La Revue mondiale*, CLXXVI, p. 13-23.

BONNEFON D. C., *Les Écrivains modernes de la France*, Fayard, p. 179-185.

FERT L., « Comment Edmond Kean inspira Dumas père », *Le Gaulois*, 18 octobre, p. 3.

FLERS R. de, « Alexandre Dumas père », *Conferencia*, 24, 5 décembre.

GALDEMAR A., « Shakespeare et Dumas », Le Gaulois, 15 décembre.

GORMAN H.S., « The real Musketeers », *The Bookman*, LXIV, p. 573-579.

MALO H., *Les Années de bohème de la duchesse d'Abrantès*, Émile-Paul, p. 117, 151-170.

MARSAN J., « Sur un manuscrit d'Alexandre Dumas », *Revue d'histoire littéraire de la France*, juillet-septembre, XXXIV, p. 436-440.

SÉCHÉ A., BERTAUT J., *La Passion romantique, Antony, Marion Delorme, Chatterton*, Fasquelle (bibl. Charpentier), p. 8-88.

SILVAIN, *Frédérick Lemaître*, Félix Alcan.

SOURIAU M., *Histoire du romantisme*, Spes, II.

TALMEYR M., *Souvenirs d'avant le déluge, 1870-1914*, Perrin, p. 100.

TRESSIDER SHEPPARD A., « Glorious Dumas once more », *The Bookman*, avril (supplément, décembre).

WILKE H., *Alexandre Dumas père als dramatiker*, Munich, Hilgert, 42 p.

WILLIAMS O., « *The Three Musketeers* : a defence of the novel of action », *Cornhill Magazine*, CXXXVI, p. 610-622.

X., « Dumas : history and romance », *The Times Literary Magazine*, 1ᵉʳ septembre.

1928

BENJAMIN R., *Souvenirs dramatiques et littéraires par A.D.*, Paris, Tallandier, XI, 261 p.

BERSAUCOURT A. de, « Alexandre Dumas et la réclame littéraire », *Les Nouvelles littéraires*, 21 juillet.

JOLLIVET G., *Souvenirs d'un Parisien*, Tallandier, p. 223-225.

LAGARENNE Mme de, « Alexandre Dumas père », *Fortnightly Review*, CXXX, p. 90-100.

LUCAS-DUBRETON J., *La Vie d'Alexandre Dumas père*, Gallimard, 254 p. « La figure d'Alexandre Dumas », *Le Gaulois*, 16 février, p. 3.

LYND S., « Dumas' world of romantic lovers », *T.P.'s Weekly*, 7 juillet.

MÉVIL A., « Alexandre Dumas, le duc d'Orléans et l'expédition de Rambouillet », *Les Débats*, 16 mars.

MONGREDIEN G., « Le premier Alexandre Dumas », *Les Nouvelles littéraires*, 25 février.

PASCAL F., « Les mémoires d'Alexandre Dumas » (publ. par Raymond Recouly), *Le Gaulois*, 21 janvier, p. 3.

REED F.W., « Dumas's Wandering Jew », *London Quarterly Review*, XXXVI, p. 207-219.

SARRAILH J., « Le voyage en Espagne d'Alexandre Dumas père », *Le Bulletin hispanique*, XXX, p. 298-328.

1929

ALMÉRAS H. d', *Alexandre Dumas et* les Trois Mousquetaires, Société française d'éditions littéraires et techniques, 113 p.

ATKINSON N., *Eugène Sue et le roman-feuilleton*, Nemours, André Lesot, p. 8-10, 24-31, 37-39, *passim*.

BARRÈS M., *Mes cahiers*, Plon.

BAUËR G., « La jeunesse d'Alexandre Dumas », *Annales politiques et littéraires*, 15 juillet-1er septembre.

CLÉMENT-JANIN, *Drames et comédies romantiques*, Le Goupy.

DARK S., « A Master's living gallery : the novels of Alexandre Dumas père », *T.P.'s Weekly*, 23 février.

ESTÈVE E., *Byron et le romantisme français*, Boivin.

GARNETT R.S., « Garibaldi and Dumas », *The Times Literary Supplement*.
« The story of my yacht », *Blackwood's Magazine*, mars-juin.
« Genius and the ghost, or Athos, Porthos and Aramis », *ibid.*, juillet.
« The story of my yacht », *Times Literary Supplement*, 21 février.

GORDMAN H. S., *The Incredible Marquis Alexandre Dumas*, New York, Farrar and Rinchard, 480 p.

LUDWIG A., « Hoffmann und Dumas », *Herring's Archiv*, CLV, p. 1-22.

MESSAC R., *Le « Detective novel » et l'influence de la pensée scientifique*, H. Champion.

MONVAL J., « Souvenirs de Fr. Coppée sur D. père », *Le Figaro*, 16 février.

NOUSSANNE H. de, *Franchises*, Éditions de la connaissance.

PAILLERON M., *Les Auberges romantiques*, Firmin-Didot, p. 100-102.

SMET R. de, *Le Théâtre romantique. Victor Hugo, Alexandre Dumas, Alfred de Vigny, Alfred de Musset avec un florilège de ces auteurs. Les œuvres représentatives*, p. 79-81, 87-96, *passim*.

VIENNET G., « Mémoires », *R.D.D.M.*, 1er septembre, p. 134-135.

WARE J., « Lorenzino de Medici on the french stage », *Cornhill Magazine*, juin.
« Les anachronismes d'Alexandre Dumas », *Le Petit Écho de la mode*, 13 août.

1930

DESCHAMPS G., « Alexandre Dumas pyrénéen », *Le Figaro*, 8 octobre.

DUBECH L., « Dumas père et Labiche », *Revue universelle*, 15 septembre. (V. *Le Figaro*, 3 mai).

DUMEZ H., « Un inédit d'A.D., publié par H.D. », *Le Petit Niçois*.

ESCHOLIER R., *Logis romantiques*, Les Horizons de la France, p. 145.

GALDEMAR A., « D'Artagnan. Ce que pensait Dumas fils », *Le Figaro*, 13 septembre, p. 6.

GARNETT R.S., « Edgar Allan Poe in Paris. — Dumas at Drury Lane », *Blackwood's Magazine*, février, avril.

GRIBBLE F., *Dumas Father and Son*, Londres, Eveleigh Nash & Grayson, 280 p.

X., « A Dumas'ms : did Edgar Allan Poe visit Dumas ? », *The Times Literary Supplement*, 21, 28 novembre.

1931

BEAUFILS É., « Le centenaire d'*Antony* », *Le Figaro*, 2 mai.

« Paul Foucher et Mélanie Waldor », *Le Mercure de France*, 1er octobre, 1er novembre.

CLÉMENT-JARNIN J.-H., « La grande querelle d'Alexandre Dumas et de Jules Janin », *Revue de la semaine*, 24 janvier.

CLOUARD H., « Le théâtre romantique d'Alexandre Dumas », *La Quinzaine critique*, 10, 25 août.

DÖLING E., *Alexandre Dumas père's Subjektivismus in seinen Dramen aus der Zeit der Romantik*, Halle, thèse, 100 p.

FLEURY M. de, « Relations. Alexandre Dumas », *Les Nouvelles littéraires*, 29 août.

RÉGIL C., « Alexandre Dumas en Algérie », *Revue mondiale*, 1er janvier.

TIERSOT J., *La Chanson populaire et les Écrivains romantiques*, Plon.

VAN DER PERRE P., « Remarques nouvelles sur quelques préfaçons belges. Les *Mémoires* d'Alexandre Dumas », *Bulletin du bibliophile*, août-septembre, p. 355-361.

VÉDÈRE X., « Alexandre Dumas à Bordeaux », *Revue philomatique de Bordeaux et du Sud-Ouest*, 1, p. 12-23.

1932

BATY G., CHAVANCE, R., *Vie de l'art théâtral*, Plon, p. 234-240.

BELLESSORT A., « Les voyages d'Alexandre Dumas », *R.D.D.M.*, XII, p. 651.

BRAY R., *Chronologie du romantisme*, Boivin, p. 210-215.

BRISSON P., « Les deux Dumas », *Le Temps*, 30 mai.

J.E.C., « Les amis d'Alexandre Dumas », *Le Temps*, 17 novembre.

CARR P., *Days with the French Romantics in the Paris of 1830*, Londres, Methuen, p. 9, 42-43, 52-54, 84-86, 120-125, 130-134, *passim*.

COUTET A., « L'histoire et la légende : sur les pas des *Trois Mousquetaires* », *L'Illustration*, 24 décembre.

DEGRANGE V., « Rachel et Dumas père », *Bulletin du bibliophile*, 20 novembre, 20 décembre, 20 janvier 1933.

GALSWORTHY J., « Dumas père », *English Review*, décembre.

LEVRAULT L., *Le Roman, des origines à nos jours*, Mellottée.

MOREAU P., *Le Romantisme*, De Gigord, p. 206-207, 409-414, *passim*.

PRAVIEL A., « Les nègres de Dumas père », *Lecture pour tous*, novembre.

REED F. W., « Rouget de Lisle and Roland », *London Quarterly and Holborn Review*, juillet.

SOULIÉ M., *Les Procès célèbres de l'Allemagne*, Payot.

VEUILLOT L., *Correspondance*, Lethouzey, VII, p. 166 ; VIII, p. 222 ; IX, p. 63, 65 ; XII, p. 37.

X., « Alexandre Dumas père. La gastronomie », *Le Crapouillot*, n° 1.

1933

CHACK P., « Banquet des Amis d'Alexandre Dumas père à Villers-Cotterêts, le 21 mai 1933. Allocution de M.P.C. », *Chronique de la Société des gens de lettres*, juin.

HUNT H. J., « Une querelle de journalistes sous Louis-Philippe. Alexandre Dumas père contre Buloz », *Le Mercure de France*, 1er juillet, p. 245, 1er août, p. 70-110.

LERMINE J. de, *Le Fils de Monte-Cristo*, Nelson, I (préface sur A.D.).

LUCAS-DUBRETON J., « Alexandre Dumas », *Le Crapouillot*, Noël.

MORAUD M., *Le Romantisme français en Angleterre de 1814 à 1848*, H. Champion.

PESLOUAN H. de (J. Lucas-Dubreton), *Mesdames Dumas père*, éditions des Portiques, 254 p.

PRAVIEL A., *Histoire vraie des Trois Mousquetaires*, Flammarion, p. 128.

« La vie authentique de M. le vicomte d'Artagnan », *Lectures pour tous*.

REED F.W., « Shakespeare and Dumas », *The Shakespeare Quarterly*, II. *A Bibliography of A. Dumas père*, Londres, Neuhuys, X-467 p.

SARRAILH J., *Enquêtes romantiques France-Espagne*, Les Belles-Lettres, p. 177-258.

SOULAINE P., « Alexandre Dumas et l'histoire », *La Province* (Mons), 21 juillet.

TRUFFIER J., « La gloire de Dumas père », *Le Figaro*, 14 juin.

X., « La Société Alexandre Dumas », *Le Figaro*, 17 février.

1934

ESCOFFIER M., *Le Mouvement romantique, 1788-1850. Essai de bibliographie synchronique et méthodique*, Maison du bibliophile, XL-XLII (n° catalogue des œuvres d'A.D.).

FALK B., *The Naked Lady, or Storm over Adah. A Biography of Adah Menken*, Londres, Hutchinson & Co.

NEWMAN B., *In the Trail of the Three Musketeers*, Londres, Herbert Jenkins, 312 p.

PEARCE G.R., *Dumas père*, Londres, Duckworth (« Great Lives »), 142 p.

REED F.W., « M. Dumas obliges ; the story of a romance with two endings », *The Colophon*, 7.

1935

MOSER F., *Vie et aventures de Céleste Mogador*, Albin-Michel.

TALVART H., PLACE J., *Bibliographie des auteurs modernes de 1800 à 1833*, Les Horizons de la France, V (Dumas à Flament).

1936

ASCOLI G., *Le Théâtre romantique*, C.D.U.

CHASSÉ C., « Alexandre Dumas et la Bretagne », *La Bretagne*, juin.

DESBON I., *Mes années d'enfance et de jeunesse. Mes Mémoires*, extraits réunis par I.D., Mesnil, 256 p.

MORIENVAL J., « L'empereur des nègres : Dumas père », *Le Correspondant*, 1936, 4 ; 1937, 1.

REED F.W., « Prescription for a collection », *The Colophon*, 1, juillet.

REICHART W. A., « Washington Irving as a source for Balzac and Dumas », *Modern Language Notes*, 51, p. 388-389.

1937

ABRY BERNES E., CROUZET J., LÉGER P., *Les Grands Écrivains de France illustrés*, morceaux choisis et analyses, XIXᵉ siècle (1800-1850), Henri Didier, Privat, 1419-1424.

ARTINIAN A., « Alexandre Dumas, director of excavations and museums », *Romantic Review*, 28, p. 342-345.

CROZE J.C., « Victor Hugo et Alexandre Dumas décorés », *Le Temps*, 25 juillet.

« Alexandre Dumas en Italie », *Le Temps*, 1ᵉʳ octobre.

CULOT J., *Préfaçons et contrefaçons belges (1816-1854)*, Bruxelles, Fernand, 88 p.

MILLE P., « L'imagination de Dumas père », *Le Temps*, 8 août.

1938

ALLÉVY M.-A., *Édition critique d'une mise en scène romantique. Indications générales pour la mise en scène d'Henri III et sa cour* par Albertin, directeur de la scène près le Théâtre-Français, librairie E. Droz.

LATHAM E., *Alexandre Dumas et Walter Scott*, Le Mercure de France.

LENÔTRE G., *En France jadis*, Grasset, p. 299-303 (A.D. cuisinier).

PIERRE A., « Alexandre Dumas père et le tsar Nicolas 1ᵉʳ. Histoire d'une décoration manquée », *Le Temps*, 17, 18, 19 novembre.

REED F. W., *Some Bibliographical Shares Among His Works*. « Dumas revises *The Three Musketeers* », *The Colophon*, 3.

SMITH F. P., « Un conte fantastique chez Irving, Borel et Dumas père », *Revue de littérature comparée*, p. 334-346.

THOMPSON JOHN A., *Alexandre Dumas and Spanish Romantic Drama*, Louisiana State University Press (Louisiana State University Studies, 37), IV, 229 p.

X., *Le Mousquetaire, bulletin de la Société des Amis d'A.D.*, Soissons, impr. de *L'Argus*, 1ᵉʳ juillet (A.D. et Lamartine ; A.D. et Jacques Balmat).

1939

CROCE B., « Dumas padre contra la "Mirra" », *Critica*, p. 158.

GAILLARD DE CHAUPUIS, « Un point d'histoire littéraire ».

MARIE G., « Le centenaire de *L'Alchimiste* ou l'histoire d'une collaboration », *Le Mercure de France*.

REED F. W., *Notes on English and American Translations of Alexandre Dumas père*, dactylographié, British Museum, Library of Congress.

1940

FOURCASSIÉ J., *Le Romantisme et les Pyrénées*, Gallimard, N.R.F., p. 318, 354, 418, 422.

LENÔTRE G., *Notes et souvenirs*, Calmann-Lévy, p. 88-90.

MUNRO D., « An unrecorded play by Dumas : *The Venice of the Doges*», *Times Literary Supplement*, avril.

WENGER J., « Violence as a technique in the drama and dramatization of Dumas père », *Romantic Review*, p. 265-279.

X., « Points de vue. Alexandre Dumas à Bruxelles », *La Libre Belgique*, 4 avril.

1941

BELLESSORT A., *Dix-Huitième Siècle et romantisme*, Fayard, p. 311-341 (Les voyages d'Alexandre Dumas père).

BLANCHARD C., *Mes Mémoires*, choix par C.B., Denoël, 574 et 502 p.

BRUNER E. L., *The History of Paul Jones as Treated by Alexandre Dumas*, thèse Waco (Texas), sténogr., IV-141 p.

CHÉRONET L., *Le Vert Paradis. Mémoires de jeunesse d'Alexandre Dumas*, présenté par L.C., éditions Montsouris, 96 p.

FERNANDEZ R., « Retour à Dumas père », *N.R.F.*, 1er décembre, p. 720-726.

VEINS C. P., « An exchange of notes on G. Sand », *Modern Language Notes*, p. 56.

VOX M., *Ma révolution de 1830* (extr. *Mes Mémoires*), présentation par M.V., 189 p.

1942

MUNRO D., « Bibliography of *The Three Musketeers* — a study », *The Times Literary Supplement*, 31 janvier, 7 février.

REED F. W., *A Bibliography of the Romances of Alexandre Dumas père*, dactylographié, British Museum, Library of Congress, B.N.

1943

COOK M., *Five French Negro Authors*, Washington, The Associated Publishers, p. 72-100.

KROFF A. Y., « The critics, the public and the *Tour de Nesle* », *Romantic Review*, p. 346-364.

PARKER R., « Some additional sources of Dumas's *Les Trois Mousquetaires* », *Modern Philology*, 42, p. 34-40.

PIERRE A., « Le voyage de Dumas en Russie », *R.D.D.M.*, LXXVI, p. 415-434.

1944

CONSTANTIN-WEYER M., *L'Aventure vécue de Dumas père*, Genève, éditions du Milieu du Monde, 333 p.

MUNRO D., « Dumas' *Journal de Mme Giovanni* », *The Times Literary Supplement*, 17 juin.

1945

REED F. W., *A Bibliography of Books and Periodical Articles on Alexandre Dumas père*, dactylographié, British Museum, Library of Congress.

THUZET H., *Voyageurs français en Sicile au temps du romantisme (1802-1848)*, Forbin, Didier, p. 150-184.

1946

CROCE B., « Note sul *Corricolo* de Alexandre Dumas », *Quaderni della Critica*, 6 novembre, p. 90-93.

LAUDY L, « La véritable histoire du *Comte de Monte-Cristo* », *La Défense sociale* (Bruxelles), mars-avril, p. 5, 12.

REED F. W., *A Bibliography of the Plays of Alexandre Dumas père*, 2 vol. dactylographiés, British Museum.

1947

BAILLY R., « Le centenaire de *La Reine Margot* », *Le Mercure de France*, CCC, p. 386-387.

CHARPENTIER J., *Alexandre Dumas*, Tallandier, 255 p.

CHERONNET L., « Alexandre Dumas et le théâtre historique », *Les Lettres françaises*, 15 avril.

DAUBRAY C., *Victor Hugo et ses correspondants*, Albin-Michel, p. 203-247. « Lettres inédites d'Alfred de Vigny, Lamartine, Alexandre Dumas, Béranger », *La Nef*, 29, p. 3-18.

DURILINE S., *Alexandre Dumas père en Russie*, O. Zeluck, 87 p.

MOSER F., *Marie Dorval*, Plon.

SCHWARZ W.L., « Dumas' *Monologue intérieur*, 1845 », *Modern Language Review*, 63.

VESTAL S., « An Oscar for Dumas père », *Books Abroad*, XXII, été, n° 3, p. 237-240.

1949

REED F. W., *A Bibliography of the Miscellaneous Works of Alexandre Dumas père*, dactylographié, British Museum.

SCHMIDT A.-M., *Les Petits Romantiques français*, Cahiers du Sud, p. 206-211 (A.D. père et ses fantômes).

THIRIOT H.L., *Premiers Exploits de d'Artagnan*, récit historique, *Le Capitaine d'Artagnan*, La Technique du livre, 255 p.

1950

BELL A.C., *Alexandre Dumas : a Biography and Study*, Londres, Cassell & Co., 420 p.

CHARPENTIER J., *Alexandre Dumas*, Paris, Tallandier, 250 p.

RAT M., « La vérité sur la dame de Monsoreau qui n'est pas celle d'Alexandre Dumas », *Le Figaro littéraire*, 14 octobre.

REED F. W., *The Collaborators of A. Dumas père, with References to Influences and Translations*, dactylographié (B.M., L.C.). *Chronological Notes Concerning A. Dumas père*, dactylographié.

1951

FRANCHINI R., « Con Dumas père nella Napoli felice », *Letterature moderne*.

OLIVIER J., *Paris en 1830. Journal*, publié par A. Delattre et M. Denkiger, *Le Mercure de France*.

SAUNDERS É., *The Prodigal Father. Dumas père et fils and* The Lady of · the camellias, Londres, Longmars, Creen and Co.

THOMAS M., *Lettres inédites d'Alexandre Dumas père à son fils*, La Table Ronde, mai.

THUZET H., « Les deux voyages d'Alexandre Dumas en Sicile », *Revue de littérature comparée*, n° 2, p. 195-209 (avril-juin).

1952

CHAFFIOL-DEBILLEMONT, *Petite suite excentrique*, Mercure de France.

MAUREVERT G., « Gentilshommes des lettres. Alexandre Dumas, marquis de La Pailleterie », *Le Fureteur*, 8, p. 113-121 (août).

NIELSEN A. J., *Bibliography of Alexandre Dumas père in Denmark, Norway, Translated and Printed, 1830-1852*, Copenhague, chez l'auteur.

REED F.W., *A Bibliography of A. Dumas père, Additions and Errata*.

1953

DUMAS A., *La Vie d'Alexandre Dumas racontée par Alexandre Dumas*, préface de Raymond Dumay, Julliard.

CORBET C., « Un roman oublié d'Alexandre Dumas : *Les Maîtres d'armes* », Éducation nationale, 4 juin.

GAILLARD R., *Alexandre Dumas*, Calmann-Lévy.

LEMAY P., « La logique des fous », *Le Progrès médical*, n° 23, p. 513 (décembre).

SOLLOHUB W.A. comte, « Mon ami Dumas père », *R.D.D.M.*, n° 11, p. 507-519, (1er juin).

TAUPIN R., « Le mythe d'Hamlet à l'époque romantique », *French Review*, XVII, 1, p. 15-21 (octobre).

THOORENS L., « Hommage au bon vieux Dumas », *Revue générale belge*, 15 août, p. 540-552.

VÉDÈRE X., « Alexandre Dumas à Bordeaux », *Notre Bordeaux*, 5-12 septembre.

ZIEGLER G., « Alexandre Dumas, le roi des amuseurs », *E.U.R.*, juin.

1954

DUMAS A., *Mes Mémoires*, texte présenté et annoté par Pierre Josserand, Gallimard, N.R.F., 1953-1968 : I, 1954, 531 p. ; II, 1957, 478 p. ; III, 1966, 481 p. ; IV, 1967, 513 p. ; V, 1968, 495 p. *La San Felice*, préface de Jean Grenier, Club français du livre.

BOURGIN G., « Alexandre Dumas père et l'Italie », *Attiblella Accademia nazionale dei Lincei. Rendiconti. Classe di scienze moralei, storiche et filologiche* (janvier-février).

BRUN A., *Deux Proses de théâtre*, éd. Orphys, Gap.

CLOUARD H., « Alexandre Dumas et ses femmes », *T.R.*, novembre, p. 68-76.

GARÇON M., « Plaidoyer pour *Antony* », *Plaidoyers chimériques*, Fayard, p. 57-74.

LAURENT J., « Pourquoi refuser à Dumas les armes de Stendhal », *Gazette littéraire*, 21-22 août.

LEMAY P. « Le travail d'Alexandre Dumas », *Le Progrès médical*, n° 17, p. 357 (10 septembre).

MONGRÉDIEN G., *Les Mémoires d'Alexandre Dumas*, Le Mercure de France.

SAUNDERS É., La Dame aux camélias *et les Dumas*, traduit de l'anglais par Lola Tranec, Corrêa, 280 p.

1955

CLOUARD H., *Alexandre Dumas*, Albin Michel, 437 p.

CLUZEL É., « Alexandre Dumas et la publicité », *B.B.*, 6, p. 265-277.

DELPECH J., « Le dernier amour d'Alexandre Dumas », *Nouvelles littéraires*, 17 février.

DESCOTES M., *Le Drame romantique et ses grands créateurs, 1827-1839*, P.U.F.

FINIZIO S., *Alexandre Dumas père et ses romans qui ont trait à l'Italie méridionale*, Naples, Conte ed.

HILL R., *Du Couret, French Series*, IX, 2, p. 143-153, (avril).

MAUROIS A., « La vie d'Alexandre Dumas », *Annales*, 55, p. 3-18 (I. Jeunesse et succès) ; 56, p. 35-50 (II. *Antony*) ; 57, p. 43-59 (III. *La Tour de Nesle*) ; 58, p. 42-58 (IV. *Les Trois Mousquetaires*) ; 59, p. 42-58 (V. *Le Comte de Monte-Cristo*) ; 60, p. 39-59 (VI. La mort de Porthos) [mai à octobre].

SWITZER R., « Lord Ruthwen and the vampires », *French Review*, 29, p. 107-112, 1955/1956.

VILLOT R., « Alexandre Dumas père et les survivants de Sidi-Brahim à Djemaâ Ghazouât », *Algeria*, 49, p. 9-11 (juin).

1956

X., *The Dumasian. The Magazine of Dumas Association*, n° 1, printemps, 12 p., n° 2, été, 12 p., n. 3, automne (n° éd. : Portes, 1971).

DUMAS A., *Le Comte de Monte-Cristo*, avec introduction bibliographique, notes et variantes de Jacques-Henri Bornecque, Garnier, LXXII-842 et 798 p. (nouvelle éd., 1962). *Les Trois Mousquetaires*, introduction, bibliographie et notes par Charles Samaran, Classiques Garnier, XII-862 p.

BONNEROT J., « Actualité de Dumas », *B.B.*, 1, p. 42-48.

CLUZEL É., « Alexandre Dumas et son journal *D'Artagnan* », *B.B.*, 3, p. 149-151.

ENDORE G., *King of Paris, a novel based on the lives of Alexandre Dumas father and son*, Londres, Cresset Gollancz.

HORNER L., *Baudelaire, critique de Delacroix*, Genève, Droz, p. 148.

LUCIANI V., « The Genesis of *Lorenzino* : a study in Dumas' method of composition », *Philological Quarterly*, Iowa City, 35, p. 175-185.

MAUROIS A., « Les Dumas et l'Académie », *R.D.D.M.*, 15 décembre, p. 223-229.

MURCH A.E., « Dumas and the detective novel », *The Dumasian*, 3 (automne).

N.E., « Alexandre Dumas à Bruxelles », Bruxelles, *Le Thyrse*, 5, p. 241-242 (mai).

X., « Chronological classified list of Dumas' authentic works », *The Dumasian*, 1.

1957

DUMAS A., *Le Comte de Monte-Cristo*, avant-propos de Jacques Robichon : « Histoire d'un roman », Club du livre du mois, 775 p.

BERTAUT J., « Un grand amour d'Alexandre Dumas », *Le Figaro littéraire*, 21 septembre, 5.

BILLY A., « Une lettre (inédite) de Dumas à Charles Nodier », *Le Figaro littéraire*, 22 juin.

BONNEROT J., « Dumas classique », *B.B.*, 3, p. 101-106.

BOYER F., « Alexandre Dumas en Sicile avec Garibaldi (1860) », *Archivo storico Messinese*, 3ᵉ série, vol. VIII, 1956-1957.

CAPIELLO L., « Il rancore di Dumas contro i Borboni di Napoli », *Ausonia*, 12, 3, p. 50-54 (mai, juin).

CLUZEL É., « Dumas et Joseph Méry à la chasse au chastre », *B.B.*, 2, p. 57-71.

DAGENS A., PICHOIS C., « Baudelaire, Dumas et le haschisch », *Le Mercure de France*, 331, p. 357-364, 1957.

EMERIT M., « Un collaborateur d'Alexandre Dumas : Ducouret Abd-el Hamid », *Les Cahiers de Tunisie*, juin, p. 243-249.

HASTIER L., « Le procès de *La Dame de Monsoreau* », *R.D.D.M.*, 16, p. 689-703, 15 août.

KAROUI A., *La Tunisie et son image dans la littérature française du XIXᵉ siècle et la 1ʳᵉ moitié du XXᵉ (1800-1945)*, Tunis, S.T.D.

MAUROIS A., *Les Trois Dumas*, Hachette, 502 p. (éd. dans « Le Livre de poche encyclopédique », 1961, 509 p.).

MORA G., « Dramatic presentation by mental patients in the middle of the 19th century », *Bulletin of the History of the Medecine*, 31, p. 260-277, juin.

MORLEY M., « Monte-Cristo at Drury Lane : a riot in two parts », *The Dumasian*, 4.

NIELSEN A. J., « The mystery of *Les Deux Diane* », *The Dumasian*, 5.

PLUMMER R.W., « Alexandre Dumas : a bibliography of english translations », *The Dumasian*, 4, printemps ; 5, automne ; 6, décembre 1957, 9, décembre 1958 ; 10, juin 1959, 11 août 1960.

« Dumasiana. The mysterious physician », *The Dumasian*, 4.

Ross Williamson H., « *Henri III et sa Cour* », *The Dumasian*, 4.

Samaran C., « A propos des *Trois Mousquetaires* », *Bulletin de la Société archéologique, historique, littéraire et scientifique du Gers*, p. 338-359.

« Dumas et la Méditerranée », *Annales du Centre universitaire méditerranéen*, 11, p. 227-228, 1957-1958.

X., *Œuvres* d'Alexandre Dumas, premières éditions, *Le Livre de France*, juillet.

1958

Dumas A., *Le Grand Dictionnaire de la cuisine*, revu et corrigé par Lecomte de Lisle et A. France, éditions P. Grobel.

Cadilhac P.-É., Coiplet R., « Réalité et fiction dans *Monte-Cristo* », in *Demeures inspirées et sites romanesques*, t. III, p. 143-150, édition Illustration.

Dédeyan C., « Dumas et le thème de Faust », *Revue des lettres modernes*, 5, p. 387-392.

Horn-Monval M., *Répertoire bibliographique des traductions et adaptations du théâtre étranger au XVᵉ siècle à nos jours*, C.N.R.S., 1958-1967. I, Théâtre grec antique, 1958, p. 37. IV, Théâtre espagnol, 1964, p. 40, 90. V, Théâtre anglais, 1965, p. 60, 62-63, 68. VI, Théâtre allemand, 1964, p. 97-98.

Maurois A., « Le dernier amour d'Alexandre Dumas père », *Historia*, 24, p. 445-449 (novembre).

Morley M., « Dumas' plays in London », *The Dumasian*, 9, décembre 1958 ; 10, juin 1960.

1959

Barthes R., « *Les Trois Mousquetaires*, mise en scène par R. Planchon au théâtre de l'Ambigu », *Théâtre populaire*, 36, p. 47-49.

Boyer F., « Dumas historien de Garibaldi », *Rivista di Letteratura moderne e comparate*, Florence, 12, p. 279-286.

Brandt Corstius J.C., *Prelude to the Historical Novel, in Proceedings of the 2nd Congress of international comparative litterature*, California Press, t. I, p. 272-281.

Chassé C., « Victor Hugo, Alexandre Dumas et le tombeau de Charlemagne », *Revue des sciences humaines*, 95, p. 331-334, juillet-septembre.

Grunwald C. de, « Alexandre Dumas révolutionnaire », *Miroir de l'histoire*, 117, p. 1164-1167, septembre.

Mauriac F., « A propos de *La Dame de Monsoreau*. L'absurde histoire », *Le Figaro littéraire*, 17 janvier.

Rat M., « *La Dame de Monsoreau* », *L'Illustre Théâtre*, 5, 13, p. 12-18.

Robichon J., « Usine Alexandre Dumas et Cie. *Le Comte de Monte-Cristo* », in *Le Roman des chefs-d'œuvre*, nouvelle éd. : Perrin, 1969. « Le roman du *Comte de Monte-Cristo* », *Œuvres libres*, 154, p. 67-120.

ZOURABICHVILI L., « Alexandre Dumas en Géorgie. A propos d'un daguerréotype centenaire retrouvé », *Aux carrefours de l'Histoire*, 20, p. 485-487, avril ; photographie publ. dans *Drocha*, Tbilissi, avril 1958.

1960

DUMAS A., *Le Pape devant les Évangiles, l'histoire et la raison humaine*, préface par A. Craig Bell, Gallimard, N.R.F., 212 p.
Voyage en Russie, préface par André Maurois, établissement du texte, notes et introduction par Jacques Suffel, Hermann, 667 p.

BOYER F., « Alexandre Dumas à Naples avec Garibaldi en 1860 », *Revue des Études italiennes*, 7, p. 307-323, octobre-décembre.
« *Les Garibaldiens* d'Alexandre Dumas, roman ou choses vues ? », *Studi Francese*, 4, p. 26-34.

BROGAN D.W., « Dumas and french history », *The Dumasian*, 11, août.

CLUZEL É., « *Monte-Cristo* ou de la fiction littéraire à une réalité imprévue », *B.B.*, 2, p. 76-89.

COGNY P., « Dumas par lui-même... à travers *Vingt Ans après* », *Lingue Straniere*, 9, 1, p. 7-18, janvier-février.

MONTAL R., « Un curieux plagiat littéraire : *Piquillo*, opéra-comique de Dumas et de G. de Nerval », *Le Thyrse*, 62, p. 406-413.

MORLEY M., « *Adah the Actress* », *The Dumasian*, 11, août.

NIELSEN A.-J., *Bibliographie d'Alexandre Dumas en Danemark, Norvège et Suède*, Copenhague, chez l'auteur (nouvelle éd., 1964).
« Dumas Mérimée » (trad. d'un fragment de Pouchkine), *The Dumasian*, n° 11, août.

PLUMMER R.W., « Dumas' wandering Jew », *The Dumasian*, n° 11, août.

SUFFEL J., « Un amour inconnu d'Alexandre Dumas », *Le Figaro littéraire*, 8 octobre.

1961

FEUCHTWANGER L., « Der Kitschroman : Dumas », in *Das Haus der Desdemona*, Rudolfstadt, p. 41-59.

HASTIER L., « Le procès de *La Dame de Monsoreau* », in *Vieilles Histoires, étranges énigmes*, 5ᵉ série, Fayard, p. 299-327.

MAURIAC F., « *Monte-Cristo* », *Le Figaro littéraire*, 4 mars, p. 1, 6.

MAUROIS A., « Inoubliables Trois Mousquetaires », *Atlas Magazine*, p. 134-143, novembre.

SCHAMSCHULA W., *Der russische historische Roman von Klassiszismus bis zur Romantik*, Meisenheim-am-Glan, 167 p.

1962

DUMAS A., *Les Trois Mousquetaires, Vingt Ans après*, présentés et annotés par Gilbert Sigaux, Gallimard, Bibliothèque de la Pléiade, LXIV, 1 736 p.
Vingt ans après, introduction, bibliographie et notes par Charles Samaran, Classiques Garnier, XXXV, 1 038 p. (nouvelle éd., augmentée d'une somme biographique, 1 041 p.).
Les Quarante-Cinq, présenté par Antoine Blondin, Le Livre de poche.

Les Trois Mousquetaires, Genève, éditions Rencontre. II. « Vie d'Alexandre Dumas », par Gilbert Sigaux.

Mes Mémoires, intr. par Gilbert Sigaux, Le Monde en 10/18, 315 et 316 p.

FROSSARD M., « La maison natale d'Alexandre Dumas », *Mémoires de la Fédération des sociétés d'histoire et d'archéologie de l'Aisne*, VIII, p. 198-200, 1961-1962.

PRÉBOIS L., *D'Artagnan, ou la Véritable Chronique des Mousquetaires*, Plon.

RAT M., « Qui est le véritable comte de Monte-Cristo ? », *Geographia-Historia*, juin, p. 46-51.

1963

DUMAS A., *Le Comte de Monte-Cristo*, G.P. Rouge et Or (Superspirale), 188 p.

Vingt Ans après, Genève, éditions Rencontre. « Alexandre Dumas et ses collaborateurs », par Gilbert Sigaux.

Le Vicomte de Bragelonne, Genève, éditions Rencontre. « Alexandre Dumas et l'histoire », par Gilbert Sigaux.

Le Comte de Monte-Cristo, présenté par Jacques Laurent, Le Livre de poche, 1963-1964, 512, 512 et 512 p.

CHAMARD É., « Montfaucon-sur-Moine et Alexandre Dumas père », *Société des sciences, lettres et beaux-arts de Cholet et de sa région*, p. 69-79.

MOHIEZ R., « Alexandre Dumas père : *Les Mohicans de Paris* », *Les Cahiers classiques des Célestins*, Lyon, session 1963/1964.

MONTESQUIOU P. de, *Le Vrai d'Artagnan*, Julliard.

1964

DUMAS A., *Le Comte de Monte-Cristo*, Genève, éditions Rencontre. IV, « L'esprit d'Alexandre Dumas », par Gilbert Sigaux.

Joseph Balsamo, Genève, éditions Rencontre, 1964-1965. I, préface par G. Sigaux, p. 9-16 ; II, « Le vrai visage de Joseph Balsamo », par Gilbert Sigaux, p. 7-19 ; III, « Le prince de Ligne, Casanova et Goethe, témoins de Cagliostro », par G. Sigaux, p. 7-13 ; IV, « Joseph Balsamo au théâtre », par G. Sigaux, p. 7-13.

CLUZEL É., « Dumas, Mme Ancelot et Honoré de Balzac au Salon de l'Arsenal », *Bulletin de la Librairie ancienne et moderne*, 44, p. 137-145.

DUBUCH A., « Nerval collaborateur de Dumas », *Neuphilologische Mitteillungen*, 65, p. 481-493.

DARDENNE R., « La vraie dame de Monsoreau », in *Demeures inspirées et sites romanesques*.

EMCKE J., *Das historisch-ideologische Weltbild im Comte de Monte-Cristo von Dumas*, Leipzig, thèse, XIV, p. 59 et 122.

GEORGE A.J., « Dumas », in *Short Fictions in France*, Syracuse, p. 153-157.

HARTOY M. d', *Dumas fils inconnu*, éditions Conart, 135 p.

ISNARD G., « Un chantage photographique en 1867 », *Terre d'image*, 2, p. 236-240, mars-avril.

JACQUOT J., « Mourir ! dormir... rêver peut-être ? *Hamlet* de Dumas-Meurice de Rouvière à Mounet-Sully », *Revue d'histoire du théâtre*, 16, p. 407-445, octobre-décembre.

SAMARAN C., « Encore notre D'Artagnan », *Bulletin de la Société archéologique, historique, littéraire et scientifique du Gers*, p. 397-402, 4ᵉ trimestre.

1965

DUMAS A., *Ascanio*, Gründ (collection Grand Écran littéraire), 600 p.
Les Mille et Un Fantômes, préfacé par Hubert Juin, Vervier Gérard (Marabout) [nouvelle édition 10/18].
Le Collier de la Reine, Lausanne, éditions Rencontre, 435 et 524 p. ; I. « L'affaire du collier et de Cagliostro » par G. Sigaux. « Goethe et le Grand Cophte ».
Gérard de Nerval, Œuvres complémentaires, III. Théâtre, présentation de Jean Richer, Minard.

BASSAN F., « Dumas père et le drame romantique », *L'Esprit créateur*, 5, p. 174-178.

BORDES, « D'Artagnan, un personnage historique, un héros de roman », *L'Information historique*, p. 19-25, janvier-février.

CALHOUR J., « Alexandre Dumas en Provence », *Revue du Touring-Club de France*, 1, p. 65-69, janvier.

CLUZEL É., « Le véritable abbé Faria et celui du roman de *Monte-Cristo* », *Bulletin de la Librairie ancienne et moderne*, 45, p. 157-161 (septembre) ; 46, p. 173-175 (octobre).

EAUBONNE F. d', « Un bienfait d'Alexandre Dumas ou les dangers du rewriting », *La Revue de Paris*, 72, p. 77-83, juillet-août.

GAUS H., « Utopisch socialisme in romantick in de Gentse pers, 1840-1945 », *Handelingen der Maatschappij voor geschiedenis en ondbeidkunde te Gent*, XIX.

PICHOIS C., *Philarète Chasles et la vie littéraire au temps du romantisme*, José Corti, 2 vol.

PIRES DE LIMA, « Fernando de Castro, O mito dem sereia em Alexandre Dumas », *Revista de etnografia*, octobre, p. 347-360.

VIATTE A., *Les Sources occultes du romantisme*, H. Champion.

WOOD S., « Sondages, 1830-1848. Romanciers français secondaires », *Romance Series*, 10, University of Toronto Press.

1966

DENÈS T., « Débarquant d'un ballon, ce cher prince veut conquérir Paris... », *Journal de Genève*, 22/23 octobre, p. 14.

KESSEL J., « Alexandre Dumas », in *Gloires de la France*, p. 231-240.

PERROCHON H., « Dumas cuisinier », *Culture française*, Bari, 13, p. 95-96.

ROSSI A., « Appunti... Dumas », *Paragone*, 192, p. 132-137, février.

WILLRICH J.-L., *Jules Janin et son temps d'après des lettres inédites*, thèse, Northwestern University, 1966/Dissertation abstracts, vol. XXXVII, janvier 1977.

1967

DUMAS A., *Mémoires d'un médecin. Joseph Balsamo*, préface de Jacques Perret, notices et notes de Geneviève Bulli, Le Livre de poche classique, 2132-2133, 2149-2150 ; 512 p., 512 p., 512 p., 510 p.

Les Trois Mousquetaires, chronologie et introduction par Jacques Suffel, Garnier-Flammarion, 633 p.

GAULMIER J., « Un cas privilégié de signification sociale au théâtre : du *Kean* de Dumas au *Kean* de Sartre », in *Mélanges de littérature comparée... offerts à M. Brahmer*, Varsovie, p. 103-106.

HALKIN L. E., « Alexandre Dumas à Liège », *La Vie wallonne*, 40, p. 175-194.

JACQUEMIN G., « Quand Alexandre Dumas jouait les écrivains fantastiques », *Marche romane*, 2e trimestre, p. 43-50.

MORAND P., « Préface au *Vicomte de Bragelonne* », in *Mon plaisir en littérature*, Gallimard, p. 103-106.

PICHOIS C., « Baudelaire, Alexandre Dumas et le Haschisch », in *Baudelaire. Études et témoignages*, Neuchâtel, La Baconnière, p. 145-155.

SAMARAN C., « Un Gascon gouverneur de la Bastille sous Louis XIV, François de Monlezun, marquis de Besmaux », *Bulletin de la Société de l'histoire de Paris et de l'Ile-de-France*, p. 53-66.

TABET A., « Un problème d'auteur : la collaboration au théâtre et au cinéma », *Annales*, décembre, p. 32-54.

1968

DUMAS A., *Le Comte de Monte-Cristo*, Presses de la Renaissance (Club Géant), 608 p.

Le Comte de Monte-Cristo, Hatier (Le Français universel), 128 p.

Vingt Ans après, Presses de la Renaissance (Club Géant), 635 p.

Mémoires d'un médecin. Le Collier de la Reine, notice et notes de Geneviève Bulli, Le Livre de poche classique, 2356, 2361 ; 382 p., 380 p., 446 p.

Vingt Ans après, chronologie et introduction par Jacques Suffel, Garnier-Flammarion (n. éd. 1975).

BOYER F., « Quelques documents sur Alexandre Dumas directeur du journal *L'Indipendente* à Naples », *Rassegna storica toscana*, p. 203-208 (juillet-décembre).

BRETON G., *Antiportraits*, Presses de la Cité, p. 167-176.

SAINFELD A., « Jules Verne et Dumas père et fils », *Bulletin de la Société Jules Verne*, 8, p. 14-17, 2e et 3e trimestre.

UBERSFELD A., « Structures du théâtre d'Alexandre Dumas père », *Nouvelle Critique*, n° spécial (colloque de Cluny), p. 146-156.

1969

DUMAS A., *Mémoire d'un médecin. Ange Pitou*, préface de F.A. Burguet, notice et notes de Geneviève Bulli, Le Livre de poche classique, 456 et 512 p.

BIANCHI A., « Il Romanzo d'appendice » (*Nuovi Quaderni*, 2), Turin, ERI.

COMBE J., « Alexandre Dumas à Saint-Étienne », *Bulletin du Vieux Saint-Étienne*, 76, p. 14-15, 4ᵉ trimestre).

CROUZET M., « Du mélodrame au drame romantique : le théâtre d'Alexandre Dumas père », *Mémoires de l'Académie des sciences, inscriptions et belles lettres de Toulouse*, p. 137-146.

LEVI-VALENSI J., « Romantisme et politique dans *Leo Burckart* de Gérard de Nerval et Dumas », in *Romantisme et politique, 1815-1851*, Armand Colin, p. 359-369.

TOUCHARD P.-A., *Le Drame romantique*, choix et notices de P.-A. Touchard, Cercle du bibliophile (Les ?énies du Théâtre), t. I.

YAROW P.J., « Three plays of 1829 or doubts about 1830 », *Symposium*, nᵒˢ 3/4, p. 373-383.

1970

DUMAS A., *Antony*, drame, avec une notice biographique, une notice historique et littéraire, des notes explicatives, un questionnaire, des documents, des jugements et des sujets de devoirs, par Joseph Varro, librairie Larousse, 119 p.

ABRAHAM P., « Ce nègre », *E.U.R.*, 490-491, p. 3-5, février-mars.

ALLOMBERT G., « Dumas, providence du cinéma », *E.U.R.*, 490-491, p. 151-158.
« Filmographie en guise de justification », *E.U.R.*, id., p. 158-162, février-mars.

ANDRIEU L., « Flaubert et les Dumas », *Les Amis de Flaubert*, 37, p. 31-33.

ARNOUX A., « Dumas père et la littérature », *E.U.R.*, 490-491, p. 43-48.

BEER J. de, « Dumas et les comédiens anglais », *E.U.R.*, 490-491, p. 94-100.

BONNECORSO G., « La speditizione dei Mille vissita da due scrittori francesi », in *Racine e Flaubert. Studi e ricerche di litteratura francese*, Messine, Pelontana, p. 177-183 (déjà publ. : *Archivio storico Messinese*, XI-XII, 3ᵉ série, p. 59-61).

BOUVIER-AJAM C., « Bibliographie des principales œuvres d'Alexandre Dumas », *E.U.R.*, 490-491, p. 180-192.

BOUVIER-AJAM M., « Alexandre Dumas au travail et dans sa vie », *E.U.R.*, 490-491, p. 6-26.

CATTUI G., « Anniversaire : Dumas père, commis-voyageur des mille et une nuits », *Journal de Genève*, 10/11 février.

CASTELOT A., « La vérité sur les Compagnons de Jehu », Historia, p. 30-36, mars.

CHEVALLEY S., « Dumas et la Comédie-Française », *E.U.R.*, 490-491, p. 101-107.

CLAUDE C., « Un bourgeois conquérant en habit de mousquetaire du roi », *E.U.R.*, 490-491, p. 53-58.

CLOUARD H., « Centenaire de la mort d'Alexandre Dumas père », *Revue des Lettres*, 105, 4, p. 11-22, octobre-décembre.

COUDERT M.-L., « Lettre à M. d'Artagnan », *E.U.R.*, 490-491, p. 75-78.

DEBU-BRIDEL J., « Un auteur dangereux », *E.U.R.*, 490-491, p. 49-52.

DOMANGE M., « Le phénomène Dumas », *Historia*, 289, p. 142-149, décembre.

DONTCHEV N., « Dumas en Bulgarie », *E.U.R.*, 490-491, p. 136-140.

DUBOIS J. et R., « Les jeunes lisent-ils Alexandre Dumas ? », *E.UR.*, 490-491, p. 141-151.

DUTOURD J., « Un père de France », *E.U.R.*, 490-491, p. 32-34.

FIORIOLI E., « Dumas cent ans après », *Culture française*, Bari, 17, p. 271-274.

FOURNIER A., « Sous les toits de Dumas », *E.U.R.*, 490-491, p. 162-180.

HELLENS F., « Comment j'ai lu Dumas », *E.U.R.*, 490-491, p. 26-32.

JOSSERAND P., « N'oubliez pas Dumas », *Les Nouvelles Littéraires*, 2256, p. 3, 17 décembre.

JUIN H. « Fantômes et vivants », *E.U.R.*, 490-491, p. 36-43.

MAUROIS A., « Qui a écrit *Les Trois Mousquetaires* ? », *E.U.R.*, 289, p. 150-162, décembre.

PARAF P., « Alexandre Dumas en Russie », *E.U.R.*, 490-491, p. 131-136.

PUJOL C., « La rehabilitación de Alejandro Dumas », *La Vanguardia española*, 5 décembre, p. 53.

REMACLE A., « Dumas et Marseille », *E.U.R.*, 490-491, p. 85-93.

SAMARAN C., « Alexandre Dumas Napolitain », *E.U.R.*, 490-491, p. 125-130.

« Garibaldi et Dumas ou Dumas archéologue militant », *Bulletin philologique et historique*, 1968, p. XXXII-V.

SMELKOV I., « A la mémoire d'Alexandre Dumas », *Œuvres et opinions*, novembre, p. 166-170.

SUR J., « Monte-Cristo de la Canebière », *E.U.R.*, 490-491, p. 79-85.

TEMKINE R., « Mise en pièce des *Trois Mousquetaires* », *E.U.R.*, 490-491, p. 119-124.

THIBAUDEAU J., « *Les Trois Mousquetaires* suivi de *Vingt ans après* et du *Vicomte de Bragelonne*, ou une disparition de la fiction dans les textes historiques », *E.U.R.*, 490-491, p. 59-75.

UBERSFELD A., « Désordre et génie », *E.U.R.*, 490-491, p. 34-36.

ZIEGLER G., « Dumas toujours vivant », *E.U.R.*, 490-491, p. 34-36.

X., Villers-Cotterêts. Exposition Alexandre Dumas, 30 mai-28 juin, *municipalité*.

1971

DUMAS A., *La Dame de Monsoreau*, Presses de la Renaissance (Club géant), 538 p.

Les Trois Mousquetaires. Au service du roi, Hachette (textes en français facile), 9ᵉ éd., 80 p.

B.A.A.A.D., n° 1, 12 p. (à partir de 1978, *B.S.A.A.D.*, n° 7).

DECAUX A., « Alexandre Dumas le Magnifique », *Le Miroir de l'histoire*, 1.

FEKETE S., « Petőfi et Dumas », *Acta litteraria Academiae scientiarum hungaricae*, 13, 1-4, p. 83-100.

GIGERICH W., « Dumas. *Le Comte de Monte-Cristo* und Wilhelm Raabe », *Jahrbuch der Raabe-Gesellschaft*, p. 49-71.

« Alexandre Dumas cent ans après », *Le Monde des livres*.

PERROCHON H., « Le merveilleux Dumas », *Culture française*, Bari, 18, p. 77-80.

STEVO J., « Dumas à Bruxelles », Bruxelles, *Revue nationale*, 43, p. 151-154.

TOUTTAIN P.-A., « Un rêve de pierre : le château de Monte-Cristo », *Gazette des beaux-arts*, p. 72-92, février.

1972

DUMAS A., *Le Grand Dictionnaire de la cuisine*, Veyrier H., 568 p. (éd. revue : 1978).

Les Quarante-Cinq, Presses de la Renaissance (Club Géant).

La Reine Margot, Presses de la Renaissance (Club Géant), 505 p.

Les Trois Mousquetaires, Le Livre de poche classique, 667, 799 p.

BASSAN F., CHEVALLEY S., Alexandre Dumas et la Comédie-Française, Lettres modernes, Minard (Bibliothèque de littérature et d'histoire, n° 15), 322 p.

BOUVIER-AJAM M., *Alexandre Dumas ou Cent ans après*, Les Éditeurs français réunis, 229 p.

DECAUX A., « Alexandre Dumas et l'histoire », *B.A.A.A.D.*, 2, p. 3-5, 1972.

GIVENCHY A. de, « Bal costumé donné par Alexandre Dumas », *B.A.A.A.D.*, 2, p. 18.

INFUSINO G., *Alessandro Dumas giornalista a Napoli*, Naples, ed. del Delfino, 256 p.

JOUBERT J., « A propos d'une lettre d'Alexandre Dumas à Victor Hugo », *B.A.A.A.D.*, 2, p. 17.

LAMAZE J. de, *Alexandre Dumas père*, Pierre Charron (Les Géants), 136 p.

LORGEN H. de, « La dame de Monsoreau était du Maine », *La Province du Maine*, p. 229-233, juillet-septembre.

NARDIS L. de, « Un caso di mitologia romantica. *Le Comte de Monte-Cristo* », in *L'usignolo e il fantasma... Saggi francesi sulla civilta dell' Ottocento*, Milan, Varese, p. 13-17.

NEAVE C., « Un peu d'histoire », *B.A.A.A.D.*, 2, p. 19-20.

ULLRICOVA M., « *Roméo et Juliette* de Dumas », *Philologica Pragensia*, XV, p. 193-212, 1972.

VAN MAANEN W., « *Kean* : from Dumas to Sartre », *Neophilologus*, LVI, p. 221-230.

1973

DUMAS A., *Le Chevalier de Maison-Rouge*, Presse de la Renaissance (Club Géant), 508 p.

Le Collier de la Reine, Presses de la Renaissance (Club Géant), 508 p.

Le Comte de Monte-Cristo, Le Livre de poche classique, nᵒˢ 1119, 1134, 1155, 1972, 598.

La Reine Margot, préface de Jean-François Josselin, Gallimard, Folio, 411, 691 p.

Les Trois Mousquetaires, Gallimard, Folio, nᵒˢ 526, 527, préface de Roger Nimier, 448, 448 p. (nouv. éd. : 1985).

ALDRIGDE O., « The vampire theme. Dumas and the English stage », *Revue des langues vivantes*, Bruxelles, LXXIV, p. 312-324.

BABB V. G., *La Technique du récit dans l'œuvre romanesque de Dumas père*, thèse de 3ᵉ cycle, université de Paris IV, 122 f. dact.

CHEVALLEY S., « Une collaboration Molière », *Comédie-Française*, 19, p. 21-22, mai.

CLUNY C.-M., « Dumas, l'histoire, l'imaginaire et le diable », *Magazine littéraire* (ML), 72, p. 11-14.

DETROUSSEL H., « Dumas a-t-il été initié à la franc-maçonnerie ? », *B.A.A.A.D.*, 3, p. 26-27.

GAUDU F., « Les Dumas de la Pailleterie, seigneurs de Bielleville-en-Caux », *Revue des Sociétés savantes de Haute-Normandie*, p. 39-62, 1ᵉʳ trimestre.

HENRY G., « Le Marquis de Monte-Cristo ou la véritable aventure des ancêtres d'Alexandre Dumas », *B.A.A.A.D.*, 3, p. 5-7.

HOFFMANN L.-F., *Le Nègre romantique, personnage littéraire et obsession collective*, Payot, p. 238-246.

JAN I., *Alexandre Dumas romancier*, Les Éditions ouvrières (La Butte-aux-Cailles), 165 p.

JOUBERT J., « Revue des autographes. Henri Heine et Alexandre Dumas », *B.A.A.A.D.*, 3, p. 20.

LAHJOMRI A., *L'Image du Maroc dans la littérature française*, Alger, S.N.E.D., p. 75-83.

LAMAZE J. de, « Alexandre Dumas, témoin de son temps », *Mémoires de la Fédération des Sociétés d'histoire et d'archéologie de l'Aisne*, XIX, p. 125-133.

LAURENT J., « Il m'est arrivé d'être ingrat », *M.L.*, 72, p. 9-10.

LELIÈVRE R., « Le *Don Juan* de Dumas », in *Missions et démarches de la critique. Mélanges offerts au professeur J.A. Vier*, Klincksieck, p. 537-550.

MAURIAC C., « Dumas, la politique et l'histoire », *Le Figaro littéraire*, 1410, 17, 26 mai.

PIA P., « La maison Dumas et Cie », *M.L.*, 72, p. 22-24.

SCHNEIDER C., « Alexandre Dumas et l'histoire », *B.A.A.A.D.*, 3, p. 21-25.

SIGAUX G., « Balsamo, la magie et le XVIIIᵉ siècle », *M.L.*, 72, p. 17-18.

TOUTTAIN P.-A., « Dumas fantastique », *M.L.*, 72, p. 19-21.

« Le château de Monte-Cristo », *M.L.*, 72, p. 21.

1974

BOREL J., « Réflexion à propos du roman-feuilleton », *EUR*, n° 542, juin, p. 162-166.

DUMAS A., *Georges*, édition présentée, établie et annotée par Léon-François Hoffmann (« Dumas et les noirs », p. 7-23), Gallimard, Folio, 567, 493 p.

Théâtre complet, textes présentés et annotés, inédits trouvés et établis par Fernande Bassan. I. *Comment je devins auteur dramatique, Ivanhoé, La Chasse et l'Amour, La Noce et l'Enterrement, Fiesque de Lavagna, Henri III et sa Cour*, Lettres modernes, Minard, 587 p.

Les Mille et Un Fantômes, introduction par Hubert Juin, U.G.E., 10/18, n° 911.

Les Trois Mousquetaires, Novocom, 388 p.

DECAUX A., « Quand Alexandre Dumas construisait le château de Monte-Cristo », *Les Monuments historiques de France*, 1, p. 103-105.

ENGEL, « La figure de Coligny dans la littérature », *Actes du colloque Coligny*, p. 377-388.

GOIMARD J., « Quelques structures formelles du roman populaire », *EUR*, n° 542, juin, p. 19-30.

HOYOUX J., « La mort de d'Artagnan au siège de Maastricht », *Bulletin de la société royale Le Vieux Liège*, p. 250-252 (avril-juin).

JONGUÉ S., « Histoire et fiction chez Alexandre Dumas », *EUR*, n° 542, juin, p. 94-101.

KNIBIEHLER Y. et RIPOLL R., « Les premiers pas du feuilleton : chronique historique, nouvelle, roman », *EUR*, n° 542, juin, p. 7-19.

KOUAYATE L., « A propos d'une réédition : *Georges* par Alexandre Dumas », *L'Afrique littéraire et artistique*, décembre, p. 48-49.

LANDRU R., « Les ancêtres d'Alexandre Dumas », *Mémoires de la Fédération d'histoire et d'archéologie de l'Aisne*, XXI, p. 139-144, 1974.

LÉONI A., MOUILLAUD G., RIPOLL R., « Feuilleton et révolution. *Ange Pitou* », *E.U.R.*, 542, p. 101-118, juin.

MESTRE L., « Le vrai visage de M. d'Artagnan », *Le Club français de la médaille*, bulletin, 45, p. 88-92 (4e trimestre).

SEBBAR-PIGNON L., « Dans la lignée romantique », *Quinzaine littéraire*, 193, p. 22, 1er septembre.

TOUTTAIN P.-A., « Mathias Sandorf au château de Monte-Cristo », *Cahiers de l'Herne*, 35, p. 308-310.

VAN HERP J., « Alexandre Dumas et le voyage au centre de la terre », *Cahiers de l'Herne*, 35, p. 305-307.

VIAL A., « Ce qui restera de Dumas père », *R.H.L.F.*, LXXIV, p. 1015-1031.

1975

DUMAS A., *Théâtre complet*, II, fasc. 6 : *Christine, ou Stockholm, Fontainebleau et Rome*, éd. F. Bassan, Lettres modernes, Minard, 186 p.

Le Château d'Eppstein, U.G.E., 10/18 (L'Aventure insensée), 270 p.

Vingt Ans après, préface de Dominique Fernandez, Gallimard, Folio, 682, 683 ; 544 p., 544 p.

BELLOUR R., « L'énonciateur », *Recherches poétiques,* I, p. 75-92.

BEYLIE C., « Les échecs habituels des cinéastes dans l'évocation du XVIIe siècle », *Le XVIIe aujourd'hui,* p. 141-160.

CERATI M., « Monsieur de Villenave, enragé collectionneur, vu par Alexandre Dumas », *B.A.A.A.D.,* 4, p. 28-30, 1975 ; 5, p. 14-16, 1976.

CERF M., *Le Mousquetaire de la plume, La vie d'un grand critique dramatique, Henri Bauër, fils d'Alexandre Dumas, 1851-1915,* avant-propos de Jean Savant, Académie d'histoire.

DENIS J.-E., « Alexandre Dumas père et la franc-maçonnerie », *B.A.A.A.D.,* 4, p. 31.

DETROUSSEL H., « Saint-Luc et Dumas », *B.A.A.A.D.,* 4, p. 21-22.

GALLERIA A.-M., « Su alcune fonti dell'*Estudiante de Salamanca* », *Quaderni ibero-americani,* 45-46, p. 231-240, 1974/1975.

GIVENCHY A., de « Louise Michel prend la défense d'Alexandre Dumas », *B.A.A.A.D.,* 4, p. 28-30.

JOUBERT J., « Revue des autographes », poème de Parfait à A.D., *B.A.A.A.D.,* 4, p. 19-20.

MÖLLER J., « Captain Channer and Alexandre Dumas père », *Notes and Querries,* octobre, p. 437.

NEUSCHÄFER H.-J., « Supermans gesellschaftlicher Auftrag. Über die Bedeutung historisch-ideologischer Faktoren in der Wirkung des Actionsromans. Am Beispiel des Grafen von Monte-Cristo. Die Problematik der Trivialliteratur », *Actes du congrès de Sarrebruck* (27-29 avril 1974), Sarrebruck, p. 113-135, 165-166.

SCHOPP C., « *La Tour de Nesle* et la censure », B.A.A.A.D., 4, p. 15-18.

1976

DUMAS A., *La Tulipe noire,* Four LO (Bien lire).
Le Chevalier de Maison-Rouge, Charpentier (Lecture et loisir).

BEM J., « D'Artagnan et après. Lecture symbolique et historique de la "trilogie" de Dumas », *Littérature,* 22, p. 13-29, mai.

DECAUX A., « ... face à Dumas : "Il est permis de violer l'Histoire" », *Historia,* 354, p. 28-43.
« Talma ou l'agent du destin », *B.A.A.A.D.,* 5, p. 4-5.

DETROUSSEL H., « État civil d'Alexandre Dumas », *B.A.A.A.D.,* 5, p. 11.
« Rougeville et Dumas », *B.A.A.A.D.,* 5, p. 41-42.

GERMINAT J., « Alexandre Dumas et la presse », *B.A.A.A.D.,* 5, p. 43-44.

GIVENCHY A., de, « Une œuvre peu connue d'Alexandre Dumas », *B.A.A.A.D.,* 5, p. 27.

HAMLET-METZ M., « Karl-Ludwig Sand en France : une mise au point », *Studi Francesi,* septembre-décembre, p. 531-533.

HENRY G., « Le grand-père d'Alexandre Dumas. Alexandre-Antoine Davy de La Pailleterie était-il franc-maçon ? », *B.A.A.A.D.,* 5, p. 17-22.
Monte-Cristo ou l'Extraordinaire Aventure des ancêtres d'Alexandre Dumas, préface d'Alain Decaux, librairie académique Perrin, 187 p.

JUIN H., *Lecture du XIXᵉ siècle,* U.G.E., 10/18, 1032, p. 144-184.

JULIEN B., « *Tit Coq* et *Antony.* Analogie des structures, des personnages et des destins », *Mélanges offerts au professeur Paul Wyazynski,* éditions de l'université d'Ottawa, p. 121-136.

LENÔTRE T., *Aventures de jeunesse d'après les Mémoires d'Alexandre Dumas,* éditions G.P. (Super 1000), 1976, 251 p.

LEVRON J., « *La Dame de Monsoreau :* les erreurs de Dumas », *Historia,* 364, p. 110-117, mars.

MARINETTI A., « Death, resurrection and fall in Dumas' *Comte de Monte-Cristo* », *French Research,* literature series, III, p. 168-176, décembre.

NEUSCHÄFER H.-J., *Popularromane im 19. Jahrhundert. Von D bis Z.* (UTB 524), Munich, W. Fink.
« Abenteuersehnsucht und Sekuritätsbedürfniss. Der gesellschaftliche Auftrag des Grafen von Monte-Cristo. Zur Wirkungsweise des Aktionromans. »

PERRIN J.-C., *Les Trois Mousquetaires et les Mémoires de d'Artagnan,* Larousse (Textes pour aujourd'hui).

PIA P., « Alexandre Dumas et ses œuvres », *Carrefour,* 29 janvier, p. 12-13.

RIVIÈRE M., « Les Quatre Mousquetaires d'Alexandre Dumas à la lumière de la caractérologie », *La Caractérologie,* 19, p. 93-102.

SAADA J., « A propos de la femme dans l'œuvre d'Alexandre Dumas », *B.A.A.A.D.,* 5, p. 12-13.

SCHOPP C., « Lettre de jeunesse », *B.A.A.A.D.,* 5, p. 32-35.

STOWE R. S., *Alexandre Dumas père,* Boston, Twayne Publishers, 164 p.

THOMASSEAU J.-M., « Dumas au Maroc », *B.A.A.A.D.,* 5, p. 38-40.

ULLRICHOVA M., *En suivant les traces d'Alexandre Dumas père en Bohême,* Academia, Prague, 341 p.

1977

DUMAS A., *La Regina Margot,* préface de Luigi Baciolo, Turin, Fogola (La Piazza universale), XXXVI, 523 p.
Trois Maîtres, préface d'André Ferminger, Ramsay, 288 p.
Les Trois Mousquetaires, Hachette (La Galaxie).

BASSAN F., « La meilleure comédie de Dumas père : *Kean ou Désordre et génie* », *Revue d'histoire du théâtre,* I, p. 71-78 (janvier-mars).

BLONDIN A., « Un bahut renaissance », in *Certificats d'études,* La Table ronde, p. 121-140.

GEIGER M., « Louis Boulanger, ami et illustrateur d'Alexandre Dumas », *Mémoires de l'académie des sciences, arts et belles-lettres de Dijon,* CXXII, p. 319-328, années 1973-1975.
« L'inspiration littéraire dans l'œuvre du peintre-graveur Louis Boulanger », *Bulletin de la Société des Amis des musées de Dijon,* années 1973-1975, p. 62-67.

GRIVEL C., « Le fond du texte. Alexandre Dumas : Berlick, Berlock (exercice de lecture progressive) », *Rapports Het Franse Boek,* 3, p. 105-148.

JOUBERT J., « Revue des autographes : contrat Nerval-Dumas, une lettre de Florence », *B.A.A.A.D.,* 6, p. 31.

LAMAZE J. de, « La marquise », *B.A.A.A.D.,* 6, p. 6-14.

LANDRU R., *A propos d'Alexandre Dumas. Les aïeux. Le général. Le Bailli. Premiers amis,* Vincennes, chez l'auteur, 215 p.

LAUT E., « Alexandre Dumas journaliste et collaborateur au *Petit Journal* », *B.A.A.A.D.,* 6, p. 38-41.

ROSSI A., « Fucini e Dumas », *Paragone,* XXVIII, P. 99-101, juin.

SAADA J., « A propos d'un roman trop peu connu d'Alexandre Dumas sur lady Hamilton : *Souvenirs d'une favorite* », *B.A.A.A.D.,* 6, p. 18-20.

SCHLOZ G., « Degenstück ohne Bemäntelung. Die Bochumer Theater-version der *Drei Musketieren* von Dumas », *Deutsche Zeitung,* 40, 23 septembre.

SCHOPP C., « Billets d'août 1830 d'Alexandre Dumas à Mélanie Waldor », *B.A.A.A.D.,* 6, p. 14-18.

WILSON R., *Le Général Dumas, soldat de la liberté,* préface de Christiane Neave, Ranvoze-Sainte-Foy, Québec, éditions Quisqueya, 286 p.

1978

DUMAS A., *Aventures de Lyderic, grand forestier de Flandre,* Copernic (Mythes et épopées), 160 p.

Le Comte de Monte-Cristo, Gallimard (Le Rayon d'or), 669 p.

Le Capitaine Pamphile, introduction et notes d'Emmanuel Fraisse, Lausanne, L'Age d'homme (Romantiques), 218 p.

La Route de Varennes, nouvelles éditions Baudinière, préface d'Alain Decaux, 203 p.

Romans du XVIᵉ siècle, *Les Deux Diane,* éd. Gilbert Sigaux, Club de l'honnête homme, 2 vol.

Romans du XVIᵉ siècle, *La Reine Margot* (éd. Gilbert Sigaux), Club de l'honnête homme, 2 vol.

BÄCKVALL H., « Un écho du Gotland dans la littérature française du siècle dernier », *Studia Neophilologica,* 50, p. 113-122.

BASSAN F., « État présent des travaux sur le théâtre d'Alexandre Dumas », *B.S.A.A.D.,* 7, p. 15-18.

BELLOUR R., « Le souffle au cœur », *L'Arc,* 71, p. 163 (1ᵉʳ trimestre). « Un jour la castration », *L'Arc,* 71, p. 9-23.

BONNET J., « Où le lecteur découvre comment et pourquoi il arrive que des qualités sans héros dissimulent un héros sans qualités », *L'Arc,* 71, p. 76-81.

BROCHIER J.-J., « Mangez-moi et adorez-moi », *L'Arc,* 71, p. 91-93.

CÉRATI M., « Dumas et Garibaldi », *B.S.A.A.D.,* 7, p. 30-31, 1978 ; 8, p. 30-31, 1979.

CERTAU M. de, « Quiproquo », *L'Arc,* 7, p. 29-33.

CLÉMENT C., « Un homme, quelques femmes, et deux enfants », *L'Arc,* 71, p. 29-33.

DECAUX A., « Alexandre Dumas et l'histoire », *B.S.A.A.D.,* 7, p. 4-6.

GREAVES R., « Éthopées : Dumas et Nadar », *L'Arc,* 71, p. 89-90.

Lascault G., « Commencements de Dumas », *L'Arc,* 71, p. 4-8.

Molino J., « Dumas et le roman mythique », *L'Arc,* 71, p. 56-69.

Munro D., *Alexandre Dumas. A Bibliography of Works Translated into English to 1910,* Avant-propos de Dugald Mac Arthur. New York, London, Garland (Garland reference Library of Humanities 10).

Pingaud B., « *Vingt Ans après* », *L'Arc,* 71, p. 94-95.

Sigaux G., « Du fait divers au mythe », *L'Arc,* 71, p. 82-88.

Stevenson R.-L., « Un roman de Dumas », *L'Arc,* 71, p. 70-75.

Stockmar X., *Alexandre Dumas à Berne,* précédé de *Pour saluer Dumas,* de P.O. Walzer, Porrentruy, éditions du Pré-Carré, 65 p.

Touttain P.-A., « Autour de Dumas père et de Jules Verne. Du *Comte de Monte-Cristo* à *Mathias Sandorf* », *B.S.A.A.D.,* 7, p. 7-15.

Venault P., « L'histoire et son roman », *L'Arc,* 71, p. 34-39.

1979

Dumas A., *Le Roi des Taupes et sa fille ; Tiny la vaniteuse ; La Jeunesse de Pierrot,* G.P. Rouge et or (Dauphine), 188 p.

Le Chevalier de Maison-Rouge, Gallimard (1000 Soleils d'or), 528 p.

Gabriel Lambert ou le Bagnard de l'Opéra, Autres (L'Aventure), 192 p.

Quinze Jours au Sinaï. Impressions de voyage, éditions Aujourd'hui (Les Introuvables), 299 p.

Romans du XVIe siècle, *La Dame de Monsoreau,* éd. Gilbert Sigaux, Club de l'honnête homme, 2 vol.

Romans du XVIe siècle, *Les Quarante-Cinq,* éd. Gilbert Sigaux, Club de l'honnête homme, 2 vol.

Adler A., *Dumas und die Böse Mutter. Uber zehn historische Romans,* Berlin, Eric Schmidt (Studienreihe Romania).

Bassan F., « Alexandre Dumas et la Hongrie », *B.S.A.A.D.,* 8, p. 20-22.

Bluche F., « Le Dieu de *Monte-Cristo* et de *Jane Eyre.* Un christianisme sans Christ ? », *Revue d'histoire et de philosophie religieuses,* LIX, 2, p. 161-186.

Cavalieri P.M.A., « Sulle trace di Dumas », *Culture française,* Bari, XXVI, p. 38-40.

Compagnoli R., « Il voyage come discorso specifico : Dumas a Livorno », *Micromegas,* IV, 3, p. 59-91.

Covo J., « Alexandre Dumas, le Mexique et les nègres », in *Travaux de l'Institut d'études hispaniques et portugaises de l'université de Tours* (Études hispaniques, 2), p. 47-58.

Davidson A., « Dumas chef extraordinaire », *The Virginian Quarterly,* LV ; p. 490-500.

Hemmings F.W.J., *The King of Romance,* Londres, Hamish Hamilton, 256 p.

Henry G., « Alexandre Dumas et ses ancêtres de Saint-Domingue », *B.S.A.A.D.,* 8, p. 12-17.

« La légende de Monte-Cristo », *Miroir de l'histoire,* décembre, p. 72-77.

« Monte-Cristo ou l'extraordinaire aventure des ancêtres d'Alexandre Dumas à Saint-Domingue », *Héraldique et généalogie,* mars-avril, p. 90-93.

JOUBERT J., « Revue des autographes, Dumas au ministre de l'Intérieur », *B.S.A.A.D.,* 8, p. 26-27.

KLOTZ V., « Apoteosi, passione e azione nel *Conte di Montecristo* di Dumas. Costruzione estetica e attrativa psicologica sociale di un populare romanzo d'avventure », in *Trivialliteratura di massa e di consumo.* Trieste, Edizione Lint.

« Dumas. *Der Graf von Monte-Cristo* », in *Abenteuerromane.* Munich, Vienne, Carl Hanser, p. 59-85.

KOPPEN E., « Christliche Mythen bei Alexandre Dumas und Karl May », in *Mythos und Mythologie in der deutschen Literatur des 19. Jahrhunderts,* publié par Helmut Koopmann. Francfort/Main, V. Klostermann, p. 199-211.

LACASSIN F., « L'abbé Faria ou pèlerinage au Lourdes de la littérature populaire », in *Passagers clandestins,* U.G.E., 10/18, 1319.

LAFFARGUE A., *Promenades en Gascogne. Visites chez d'Artagnan et autres Mousquetaires gascons et béarnais,* Marsolas, Edit. CTR, 1979.

RONTUS P., « Le château d'If », *Monuments historiques,* 103, p. 81-96, juin.

RICHER J., « A propos de Madame Dumas », *B.S.A.A.D.,* 8, p. 29.

SAADA J., « A propos de *Georges,* Alexandre Dumas face au racisme », *B.S.A.A.D.,* 8, p. 6-11.

SCHOPP C., « Dumas, adolescent poète », *B.S.A.A.D.,* 8, p. 18-19.

STOWE R.S., « Dumas père et le drame historique : de *Henri III* à *Charles VII* », *Nineteenth-Century French Studies,* VII, p. 175-177, 1978/1979 (printemps-été).

TRISTANI J.-L., « Une épopée indo-européenne au XIXᵉ siècle », *Critique,* XXXV, p. 315-333.

1980

DUMAS A., *Acté,* éditions France-Empire, 252 p.

Les Alpes de la Grande Chartreuse à Chamonix, présentation d'Emmanuel Fraisse, Encre (Tourisme littéraire), 274 p. (éd. : Encre, Itinéraires, 1984, 226 p.).

Le Collier de la Reine, Gallimard (1000 Soleils or).

Le Docteur mystérieux, présentation de Nicolas Wagner, Paris - Genève, Slatkine, XI, 312 p. (Ressources).

La Forêt enchantée. Saint Népomucène et le savetier. Les Mains géantes. L'Homme sans larmes, éd. Francis Lacassin, G.P. Rouge et or (Dauphine), 188 p. (n. éd. : Bibliothèque Rouge et or, n° 5 : 1986).

Histoire d'un mort racontée par lui-même, choix, préface et bibliographie par Francis Lacassin, U.G.E. (Les Maîtres de l'étrange et de la peur), 265 p.

Les Mille et Un Fantômes, présentation de Nicolas Wagner, Paris - Genève, Slatkine Reprints (Ressources), XI, 221 p.

Théâtre complet, II, fasc. 7, *Antony* (éd. F. Bassan), Lettres modernes, Minard (Bibliothèque introuvable), 114 p.

Le Trou de l'Enfer, présentation de Nicolas Wagner, Paris - Genève, Slatkine Reprints (Ressources), XIII, 364 p.

BÄCKVALL H., « Pièces de théâtre de Dumas père représentées à Stockholm », *Neophilological,* LII, p. 161-166.

BASSAN F., « Alfred de Vigny et Alexandre Dumas », *B.S.A.A.D.,* 9, p. 20-21 (déjà publié in *R.H.L.F.,* LXXIX, p. 96-97).

CÉRATI M., « Eugène de Mirecourt et Dumas », *B.S.A.A.D.,* 9, p. 30-33.

DERCHE R., « Nerval poète vu par Alexandre Dumas », *Cahiers de l'Herne,* 37, p. 201-221.

DIJOL P.M., « Alexandre Dumas et le Masque de Fer », *B.S.A.A.D.,* 9, p. 8-13.

DUMAS A., Lettre à Gérard de Nerval : « D'Alexandre Dumas à Gérard de Nerval, 14 novembre 1853 », dans *Cahiers Gérard de Nerval,* n° 3, p. 41.

FERNANDEZ D., *Le Promeneur amoureux de Venise à Syracuse,* Plon, 351 p.

FROSSART M., « Le baron Dermoncourt », *Fédération des Sociétés d'histoire et d'archéologie. Mémoires,* XXV, p. 162-178.

HIRDT W., « Dumas », in *Französische Literature des 19. Jahrhunderts. II. Realismus und l'Art pour l'Art,* publié par Wolf-Dieter Lange, Heidelberg, Quelle und Meyer (Uni-Taschen Bücher, 943), p. 230-240. Traduction : *Ensayos sobre narritiva francesa contemporanea,* Barcelone, Caracas, Editional Alfa, 1984, trad. de Rafael de la Vega.

JOUBERT J., « Revue des livres et autographes », *B.S.A.A.D.,* 9, p. 28-29.

KALBFLEISCH T., *Alexandre Dumas. Un manuscrit inédit...,* mémoire dactylographié, université de Louvain, septembre.

MERCIER A., « Alexandre Dumas sur les chemins d'A.-L. Constant : Eliphas Levi et Alphonse Esquiros », *B.S.A.A.D.,* 9, p. 16-19.

POISSON G., « La recette de la tranche d'anchois », *B.S.A.A.D.,* 9, p. 35-36.

PIPPIDJI A., « Countess Dash and Alexandre Dumas in Moldavia », *Revista de istoria si teoria Literara,* avril, juin, p. 235-244 ; juillet-septembre, p. 447-455.

SCHÄRER K., « A Alexandre Dumas. L'auteur et son miroir », *Cahiers de l'Herne,* 37, p. 223-236.

SCHOPP C., « Apollinaire et Dumas », *Revue des lettres modernes,* 576, 81 ; p. 171-172.

« Le débutant et le ministre : une lettre de Dumas à M. de Martignac », *B.S.A.A.D.,* 9. p. 14-15.

Un début dans la vie littéraire : la correspondance d'Alexandre Dumas et de Mélanie Waldor (1827-1831), textes réunis, présentés et annotés par Claude Schopp, thèse de 3e cycle, universit' de Paris X-Nanterre, 1979/1980, 548 p.

SWITZER R., « Cellini, Berlioz, Dumas and the foundry », *Nineteenth-Century French Studies,* printemps-été, p. 252-257.

TAUSSAT R., « Jules Verne et Dumas », *B.S.A.A.D.,* 9, p. 22-23.

1981

DUMAS A., *Le Chevalier de Maison-Rouge,* Four L.O., 656 p.

Histoire de la vie politique et privée de Louis-Philippe, préface de Henri Montaigu, Olivier Orban.

Histoire d'un casse-noisettes, Four L.O., 182 p.

Le Comte de Monte-Cristo, édition présentée et annotée par Gilbert Sigaux, Gallimard, N.R.F. (Bibliothèque de la Pléiade), 1476 p.

Romans du XVIIᵉ siècle, Les Trois Mousquetaires, éd. Gilbert Sigaux, Club de l'honnête homme, 2 vol.

Romans du XVIIᵉ siècle, Vingt Ans après, éd. Gilbert Sigaux, Club de l'honnête homme, 2 vol.

Romans du XVIIᵉ siècle, Le Vicomte de Bragelonne, éd. Gilbert Sigaux, Club de l'honnête homme, 1981-1982, 6 vol.

Un voyage à la lune; Pierre et son oie; Le Sifflet enchanté; L'Égoïste, éd. Francis Lacassin, G.P. Rouge et Or (Dauphine), 186 p.

BASSAN F., « Lettres de Dumas père conservées à la Pierpont Morgan Library à New York », *B.B.,* II, p. 172-194.

BÈGUE P., « Inventaire après décès du général Dumas », *B.S.A.A.D.,* 10, p. 13-17.

DECAUX A., « Genèse des *Trois Mousquetaires* », *B.S.A.A.D.,* 10, p. 4-10.

D'HULST L., « Le voyage allemand de Nerval et Dumas en 1838 », *Études nervaliennes et romantiques,* Presses universitaires de Namur, p. 53-57.

FITZLYON A., « In romantic vein », *The Times Literary Supplement,* 17 avril, p. 447.

JOUBERT J., « Revue des livres et autographes », *B.S.A.A.D.,* 10, p. 28-29.

LACOSTE-VEYSSEYRE C., *Les Alpes romantiques,* Slatkine, 4ᵉ partie, chap. II, p. 594-613 (Bibliothèque du voyage en Italie, 4).

MUNRO D., *Alexandre Dumas père. A Bibliography of Works Published in French, 1825-1900,* avant-propos de Alain Decaux, New York, Londres (Garland Reference Library of the Humanities, 257), 394 p.

PETITFILS J.-C., *Le Véritable d'Artagnan,* J. Tallandier.

SCHOPP C., « Bolleros, romance d'Alexandre Dumas », *B.S.A.A.D.,* 10, p. 20.

« Adèle et Aglaë, ou la recherche du temps perdu », *B.S.A.A.D.,* 10, p. 21-25.

« Leçon d'orthographe », *B.S.A.A.D.,* 10, p. 26-27.

« Le tombeau d'Honoré de Balzac », *L'Année balzacienne,* éditions Garnier frères, 2, p. 245-253.

« Les excursions de Dumas sur les bords du Rhin », *Études nervaliennes et romantiques,* Presses universitaires de Namur, p. 59-71.

« Le docteur Vallerand de La Fosse », *Études nervaliennes et romantiques,* presses universitaires de Namur, III, p. 117-121.

1982

DUMAS A., *Les Garibaldiens : Révolution de Sicile et de Naples,* Laffitte reprints, 328 p., préface de Max Gallo.

Impressions de voyage en Suisse, 1861, Maspero.

Alexandre Dumas à Tunis. Impressions de voyage, présentées, annotées par Moncef Charfeddine, préface de Mohamed Yalaoui, Tunis, les éditions Ibn Charaf, 150.

Les Trois Mousquetaires, édité par Bernard Noël, École des loisirs (Les Classiques abrégés), 224.

Les Trois Mousquetaires, Magnard (Le Temps d'un livre, 30-31).

Les Trois Mousquetaires, Vingt Ans après, postface de P. Chevalier, Laffont (Bouquins), 1180 p. D.

Les Trois Mousquetaires, Laffitte J. (Approches Répertoire, 14), 168 p. D.

La Tulipe noire, adaptation, Dargaud (Lecture et loisirs, 6), 82 p.

BASSAN F., « L'*Hamlet* d'Alexandre Dumas père et Paul Meurice — Évolution d'une adaptation de 1846 à 1896 », *Australian Journal of French Studies,* XIX, I, p. 27.

« Napoléon Bonaparte ou trente ans de l'Histoire de France », *B.S.A.A.D.,* II, p. 10-13.

BENMANSOUR A., *L'Espace dans la dramaturgie d'Alexandre Dumas,* thèse de 3ᵉ cycle, université Mohammed V, Rabat.

BÄCKVALL H., *Relations de Dumas père et fils avec la Suède,* Kungl. Vitterhets historie och antikvitets Akademien, Filologiskt arkiv, 28. Stockholm, Almqvist och Wiksell International, 39 p.

BÖKER U., « Ein unbekannter Beitrag A. Dumas zur Gattung der Detektivgeschichte : *Catherine Blum* (1854) », *Romanische Forschungen,* XCIV, p. 255-260.

COUSINAT HARO M.-C., « Alexandre Dumas en Russie : un carnet de voyage inconnu », in *Le Génie de la forme : mélanges de littérature offerts à Jean Mourot,* Nancy, Presses universitaires de Nancy, XV, p. 467-476.

KRAKOVITCH O., « Manuscrits des pièces d'Alexandre Dumas et procès-verbaux de censure de ces pièces conservées aux Archives nationales », *R.H.L.F.,* 4, p. 638-646 (juillet-août).

HENRY G., *Le Secret de Monte-Cristo ou les Aventures des ancêtres d'Alexandre Dumas,* nouvelle édition entièrement revue et complétée, Condé-sur-Noireau, éditions Ch. Corlet.

MARTIN R., « Présence de Cicéron sur les tréteaux français ou les métamorphoses d'un grand homme », in *Présence de Cicéron,* actes du colloque... Tours, septembre 1982, Les Belles-Lettres, 1984.

MILLER N., « *La Femme au collier de velours :* Dumas korrigiert Charles Nodier », *Lendemains,* VII, p. 25-26, 35-51.

NEAVE C., « Les prédictions faites à Joséphine », *B.S.A.A.D.,* II, p. 37-40.

SCHOPP C., *Lettres d'Alexandre Dumas à Mélanie Waldor,* textes réunis, présentés et annotés par C.S., Presses universitaires de France (Centre de recherches, d'études et d'éditions de correspondances du XIXᵉ siècle de l'université de Paris Sorbonne), 205 p.

« Une mère : Laure Labay », *B.B.,* IV, p. 543-546.

« Le neveu de César : Dumas devant l'ascension de Louis-Napoléon »,
B.S.A.A.D., II, p. 20-34.

« Napoléon en Égypte », *B.S.S.A.D.,* II, p. 35-36.

« Histoire de Monte-Cristo (I. Un bœuf nommé Porthos ; II. L'arbre de
la Liberté à Saint-Germain-en-Laye ; III. Naissance, décès à Monte-
Cristo) », *B.S.A.A.D.,* II, p. 41-45.

« Calendrier dumasien, 1827, 1828, 1829 », *B.S.A.A.D.,* II, p. 49-
55.

TADIÉ J.-Y., « Dumas », in *Le Roman d'aventures,* P.U.F. (Écriture),
p. 29-68.

1983

DUMAS A, *La Bouillie de la comtesse Berthe,* Casterman, 96 p.
Le Chevalier de Maison-Rouge, Dargaud (Archer vert).
A travers la Belgique, préface de Pierre de Boisdeffre, Entente (Impressions
de voyage), 180 p.
Les Trois Mousquetaires, Hachette (Grandes Œuvres), 388 p.
La Tulipe noire, éd. Simon René, Nathan, 188 p.

BASSAN F., « Le théâtre complet de Dumas père. Problèmes d'une édition »,
C.D., 12, p. 6-10.

« Les relations entre Dumas et ses publics », *Société des professeurs français
en Amérique,* bulletin 1982-1983.

« Écrivains et artistes en 1830. Dumas, fiche établie par F.B. »,
Romantisme, 39, p. 172.

Correspondance d'Alexandre Dumas (Huntington Library, Bibliothèque
publique et universitaire de Genève ; annotations Fernande Bassan et
Claude Schopp), *C.D.,* 12, p. 44-49.

CORDIÉ C., « Dumas », *Cultura e Scuola,* 85, p. 92-98, janvier-mars.

COVENSKY É., « Les débuts de Dumas père au théâtre : *Henri III et sa Cour,
Antony* et *La Tour de Nesle* », *Revue d'histoire du théâtre,* XXV,
p. 329-337.

DOMANGE M., « L'envers de La Colombe : ce qu'est vraiment devenu le
comte de Moret », *C.D.,* 12, p. 36-43.

GODENNE R., « Lire les nouvelles d'Alexandre Dumas », *C.D.,* 12, p. 4-5.

MUNRO D., « Two missing works of Alexandre Dumas père *(Le Comte de
Moret, Pietro Tasca)* », *Bulletin of the John Rylands University Library
of Manchester,* 3, p. 198-212, 1983/1984.

PICARD M., « Pouvoirs des feuilletons, ou d'Artagnan anonyme »,
Littérature, XIII, 50, p. 55-76, mai.

SAUREL R., « Kean-Dumas-Sartre et Jean-Claude Drouot dans le palais des
mirages », *Les Temps modernes,* XXXIX ; p. 166-181.

SCHOPP C., « La galerie de Florence. Esquisses pour un livre rare », *C.D.,*
12, p. 11-21.

« Une aventure d'amour, ou la double aventure sentimentale », *C.D.,* 12,
p. 22-35.

« Histoire de Monte-Cristo. Dumas dans ses meubles », *C.D.*, 12, p. 52-59.

« Calendrier dumasien (1830-1831) », *C.D.*, 12, p. 69-79.

THIBAUDEAU J., *Alexandre Dumas, le prince des Mousquetaires*, Hachette (collection Échos personnages), 160 p.

UBERSFELD A., « Alexandre Dumas père et le drame bourgeois », *Cahiers de l'Association internationale des études françaises*, 35, p. 121-139, 280.

1984

DUMAS A., *Acté*, introduction, notes, commentaires : Claude Aziza, Presses Pocket (Grands romans historiques), 250 p.

Le Corricolo, préface de Jean-Noël Schifano, éditions Desjonquères (Les Chemins de l'Italie), 517 p.

Voyage dans les Alpes, Nathan (Grands Textes).

Les Trois Mousquetaires, Gallimard (1000 Soleils), 748 p.

Les Trois Mousquetaires, Lito (Club, 10/15).

La Tulipe noire, Amitié (Les Maîtres de l'aventure).

BÄCKVALL H., *Documents inédits français conservés dans un château suédois*, Stockholm, Almqvist og Wiksell International (Utgina i samverkan med nyfilologiska sällskapet i Stockholm, 7), 15 p.

« Dumas dans un récit suédois du XIXe siècle », *C.D.*, 13, p. 30-34.

BASSAN F., SCHOPP C., « Correspondance d'A. Dumas », lettres de la Société des Amis d'A.D., de la Bibliothèque historique de Paris, de la collection Eugène Rossignol, annotations : F.B., C.S., *C.D.*, 13, p. 56-63.

COLLET A., « Stendhal et Dumas en 1835 », *Stendhal Club*, XXVI, p. 23-27, 1983-1984.

FELKAY N., « *La Méditerranée* d'Alexandre Dumas », *C.D.*, 13, p. 17-24.

GOETSCHEL M.-T., « De Coblence à Mayence, voyager, écrire, lire », *C.D.*, 13, p. 25-28.

GRANER M., « Un roman tombe dans l'histoire : Dumas adaptateur de Michelet dans *Ange Pitou* et *La Comtesse de Charny* », in *Récit et histoire*, études réunies par Jacques Bessière, P.U.F. (université de Picardie, Centre d'études du roman et du romanesque), p. 61-74.

MOLLIER J.-Y., *Michel et Calmann-Lévy ou la naissance de l'édition moderne, 1836-1891*, Calmann-Lévy, p. 280-286, *passim*.

MANSUI A., « Dumas et la maison de Savoie », in *Mélanges à la mémoire de Franco Simone*, III, France et Italie dans la culture européenne, XIXe, XXe siècle, Genève, Slatkine (bibliothèque Franco Simone, 8), p. 371-379.

NEAVE C., « Le château d'If dans tous ses états », *C.D.*, 13, p. 64-75.

« Adolphe de Leuven » (1802-1884), *C.D.*, 13, p. 76-79.

OLIVIER-MARTIN Y., « Physique des mémoires imaginaires. A propos de Dumas et de Courtilz de Sandras », *E.U.R.*, 662-663, p. 110-121, juin-juillet.

PREISS A., « Dumas », in *Dictionnaire des littératures de langue française*, Bordas, I, p. 686-699.

RAYMOND E., «Dumas à la Grande Chartreuse», in *Les Heures dauphinoises des écrivains français*, Didier, Richard, p. 77-80.

SCHOPP C., «Les amours de Marie. Dix lettres inédites de Marie Dorval à A. Dumas», *R.H.L.F.*, VI, p. 918-934.

«Alexandre Dumas: le Simplon et la Lombardie, Album de voyage», présenté et annoté par C.S., *C.D.*, 13, p. 4-16.

«Pour saluer une réédition, *Le Corricolo*», *C.D.*, 13, p. 28-29.

«Alexandre Dumas: la Suisse revisitée. Notes de voyage présentées et annotées par C.S., *C.D.*, 13, p. 35-55.

«Calendrier dumasien», 1832, *C.D.*, 13, p. 84-92.

«Un duel manqué pour George Sand», *Les Amis de George Sand*, 5, p. 13-19.

TULARD J., «Alexandre Dumas et la police de son temps», *Historia*.

1985

DUMAS A., *La Dame de Monsoreau*, J'ai Lu, 1841, 1985.

Une Aventure d'amour, un voyage en Italie suivi de lettres inédites de Caroline Ungher à Alexandre Dumas, préface de Dominique Fernandez, textes établis, présentés et annotés par Claude Schopp, Plon, 298 p.

Vingt Ans après, Hachette Jeunesse (Grandes Œuvres), 390, 389 p.

BASSAN F., «Alexandre Dumas juge *Les Misérables*», *C.D.*, 14, p. 72-74.

LUCE L.-F., «Dumas' *Kean*, an adaptation by Jean-Paul Sartre», *Modern Drama*, XXVIII, p. 355-361.

MUNRO D., «Dumas», *A Secondary Bibliography of French and English Sources to 1983*, New York, Londres, Garland, XI, 173 p.

RÖHL M., «Dumas Stilparadox som översätt hingsproblem. On försverskningen av förta kapitel ur *De tre Muskeörerna*», *Moderna Sprak, Saltsjöduvnäs*, LXXIX, p. 43-56.

SCHOPP C., *Alexandre Dumas. Le génie de la vie*, Mazarine (biographie), 558 p.

«Documents pour l'histoire d'une amitié. Victor Hugo, Dumas», *C.D.*, 14.

«Calendrier dumasien».

1986

DUMAS A., *Les Trois Mousquetaires*, avec une notice biographique et littéraire, des notes explicatives... par Evelyne Amon et Yves Bonati, Classiques Larousse, 304 p.

Un âne qui a peur du feu et de l'eau, présentation: Henri Lucas. Larousse (Classiques juniors), 48 p.

Les Cenci, large vision de l'Outaouais, 146 p.

La Comtesse de Saint-Géran, 154 p.

Murat, 194 p.

Mes Mémoires, textes choisis par Isabelle Chanteur, présentation et notes de Claude Schopp, préface d'Alain Decaux, Plon (Les Mémorables), 1034 p.

AVNI O., «Ils courent, ils courent les ferrets: Mauss, Lacan et les *Trois Mousquetaires*», *Poétique*, 62, p. 215-235.

BASSAN F., « Le cycle des Trois Mousquetaires — du roman au théâtre », *Studia neophilologica*, 2, p. 243-249.

« Deux lettres de Dumas père à Eugène de Nordhausen », *R.H.L.F.*, 5, p. 887-891.

BIET, BRIGHELLI, RISPAIL, *Alexandre Dumas ou les Aventures d'un romancier*, Gallimard (Découvertes. Littérature), 208 p.

GRIVEL C., « Alexandre Dumas : le bas-narrer littéraire », in *Richesses du roman populaire*, édité par René Guise et Hans-Jörg Neuschäfer, publication du Centre de recherches sur le roman populaire de l'université de Nancy II et du Romanistiches Institut de l'université de Sarrebruck, p. 293-314.

NEAVE D. S., « Bibliographie. Alexandre Dumas (1802-1870) et Alexandre Dumas fils (1824-1895). Éditions originales », *C.D.*, 15, p. 3-51.

PARGER A., « Alexandre Dumas et le comte de Moret », *La Revue de Moret*, 2, p. 43-45.

QUEFFELEC L., « Inscription romanesque de la femme au XIXᵉ siècle : le cas du roman-feuilleton sous la Monarchie de Juillet », *R.H.L.F.*, 2, p. 189-206.

SCHOPP C., « Hugo et Dumas. Les chocs d'une amitié », *Historia*, 466, p. 74-81.

L'Exil et la mémoire. A. Dumas à Bruxelles (1851-1853), thèse de doctorat d'État, université de Paris III-Sorbonne, 853 p., Lille-Thèses, 86.12.3052. A.N.R.T. université de Lille III.

1987

DUMAS A., *Dumas on food. Selections from Le Grand Dictionnaire de Cuisine*. Translation by Alan and Jane Davidson. Oxford, New York, Oxford U.P., 327 p.

BACKVALL H., *Dumas père et la langue espagnole*, *Studia Neophilologica*, 59 : 249-261.

BASSAN F., *Dumas père et l'histoire. A propos du drame La Reine Margot*, *Revue d'Histoire du Théâtre*, 4 : 384-392.

BREMER T., *Risotto und Makkaroni nach französischen Gusto. Drei Rezepte von Theophile Gautier und Dumas, Zibaldone. Zeitschrift für italienische Kultur der Gegenwart*, 4, November : 35-41 [München-Zürich].

GUENOT, H., *Le Théâtre et l'Événement. La représentation dramatique du siège de Toulon (août 93)*, in *Littérature et Révolution française. L'inscription de l'histoire dans les œuvres directement ou indirectement inspirées par la Révolution française*. Les Belles-Lettres : 261-291 (Annales littéraires de l'université de Besançon, 354).

HARLEN E., *Im Geiste von Paul Ernst. Vorträge über europäische Dichtung vornehmlich zu Novelle und Roman*. Herausgabe von Karl-August Kutzbach. Für die Mitglieder der Paul Ernst Gesellschaft. Bonn, Bouvier, XIV, 379 p. [Dumas : 144-146].

HOPER H., *Expérience musicale et empire romanesque : Hofmann musicien chez J. Janin, Champfleury et A. Dumas*, in *E.T.A. Hoffmann et la* musique. Actes du colloque international de Clermont-Ferrand, présentés par Alain Montandon. Berne, Francfort-sur-le-Main, New York, Paris, Lang : 303-314.

SCHOPP C., *Journal de campagnes. A. Dumas candidat dans l'Yonne [1848], révolutions et mutations au XIXᵉ siècle. Bulletin de la Société d'Histoire de la Révolution de 1848 et des révolutions du XIXᵉ siècle* : 51-66.
De Kean à Dumas, Historia, 485, mai : 28-35.

TRANOUEZ P., *Cave Filium ! Étude du cycle des Mousquetaires, Poétique*, 71, septembre : 321-331.

1988

ANNENKOFF P., *Souvenirs de Pauline Annenkoff*, avec en annexe les souvenirs de sa fille Olga Ivanova et des documents d'archives de la famille. Préface de V. Poroudominski. Moscou, Éditions du Progrès, 355 p. Édition russe : *Vospominania Polini Annenkovoï*, Krasnoïarskoé Knijnoé Isdatielstvo, 1977. (Pauline Annenkoff est l'héroïne des *Mémoires d'un maître d'armes*.)

DUMAS A., *Le Speronare*. Éditions Dejonquières, 492 p.
La Trilogie de la Guerre de Religion. La Reine Margot. La Dame de Monsoreau. Les Quarante-Cinq. Préface de Claude Schopp. Mercure de France, 1671 p. (Mille Pages).

BELLOUR R., *Dumas, l'homme d'une image. Magazine littéraire*, 258, octobre : 54.

CLAUDON F., « La visite aux îles Borromées du pittoresque à la narratologie », in *Goethe-Stendhal. Mitto e imagine del lago tra Settecento e Ottocento*, A cura di E. Kanceff, Genève (Biblioteca del viaggio in Italia. Studi 29).

COWARD D., *The Soulful and the Lifeless* [*Fernande* de Dumas, traduit par A. Craig Bell]. *The Times Literary Supplement*, 4453, 5 août : 856.

FAITROP-PORTA A.-C., *Alexandre Dumas. Le Comte de Monte-Cristo*, in *I Vicoli ed il popolo nella narrativa francese di soggetto romano (1800-1960)*. Roma, Edizioni Rugantino : 25-29.

HAMEL R., *Dumas insolite*. Montréal, Guérin, 124 p. (Collection Carrefour. Guérin littérature.)

HERSANT Y., *Italies. Anthologie des voyageurs français aux XVIIIᵉ et XIXᵉ siècles*. Préface, chronologie, notices biographiques, bibliographie établies par Yves Hersant. Robert Laffont, 1093 p. : 291-296, 434-442, 580-603, 652-653, 670-675, 716-719, 736-738, 746-747, 755-757, 784-790, 795-798, 865-866, 874-878, 883-889, 918-921, 933-937, 981-983, 990-992, 996-999, 1011, 1023-1026, 1062-1063 [textes cités : *Une année à Florence, Le Speronare, Le Capitaine Arena, Le Corricolo*].

MC DERMOTT E.-A., *Classical allusions in « The Count of Monte-Cristo »*, *Classical and Modern Literature*, VIII, 87/88 : 93-103.

SCHOPP C., *Érection de la guillotine. Montage et démontage par C.S.*, *Digraphe*, 45, septembre, 58-63. *Dumas-Hetzel, ou l'invention d'un collaborateur*, in *Pierre-Jules Hetzel. Un éditeur et son siècle*. ACL Édition,

Société Crocus : 79-91. *Alexandre Dumas. Genius of Life*. Translated by A.J. Koch. New York, Toronto, Franklin Watts, 596 p. [édition française : 1986].

TODA M., *Alexandre Dumas à Marly-le-Roi, Le Choc du mois*, 3 : 75-76.

1989

DUMAS A., *Le Cycle romanesque d'A.D. sur la Révolution*. Bruxelles, éditions Complexe. 1 : *Le Chevalier de Maison-Rouge*. Préface de Georges Lenotre, XIII-558 p. — 2, 3, 4, 5 : *Joseph Balsamo*. Préface, postface de Gilbert Sigaux, XIX-451 p., 465 p., 475 p., 487 p. — 6, 7 : *Le Collier de la reine*. Préface de Gilbert Sigaux, XVII-554 p., 558 p. — 8,9 : *Ange Pitou*. Préface de Gilbert Sigaux, XIX-467 p., 466 p. — 10, 11, 12, 13 : *La Comtesse de Charny*. Préface de Gilbert Sigaux, XIII-558 p., 568 p., 567 p., 558 p.

De Paris à Cadix. Impressions de voyage. Éditions François Bourin, 448 p.

En Russie. Impressions de voyage. Éditions François Bourin, 718 p.

Mes Mémoires (1802-1833). Robert Laffont, 2 volumes, 1218 et 1497 p. (Bouquins). I. Préface de Claude Schopp. Correspondance d'A.D. relative à *Mes Mémoires*. Avant-propos de Pierre Josserand. Variantes et notes établies par Pierre Josserand. — II. Quid d'Alexandre Dumas par Dominique Frémy et Claude Schopp. Bibliographie établie par Claude Schopp.

Préludes poétiques. Édités et annotés par Claude Schopp. *C.D.*, 16. Éditions Champflour, 120 p.

René Besson, un témoin de la révolution. Préface de Alain Decaux. Introduction de Claude Schopp. Éditions François Bourin, 427 p. [édition originale : 600 exemplaires sur beau papier, Éditions Champflour].

Romans de la Révolution. Introduction et pièces annexes par Claude Schopp. Préface par Jean Tulard. Chez Tallandier. I, II, III : *Joseph Balsamo*, XXX-437 p., 403 p., 389 p. — IV, V : *Le Collier de la reine*, 382 p. 403 p. — VI : *Ange Pitou*, 530 p.

Voyage en Calabre. Préface de Claude Schopp. Éditions Complexes, 301 p. (Le Regard Littéraire).

BELLOUR R., *Mademoiselle Guillotine. Cagliostro, Dumas, Œdipe et la Révolution française*. La Différence, 261 p.

JEAN M., « Alexandre Dumas à Toulon en 1835 » (Séance publique du 5 février 1988), *Bulletin de l'Académie du Var*, p. 13-39.

MARTIN D., « D'un "certain phénomène" de la lecture, ou Nerval et l'autobiographie impossible : "à propos" d'"Alexandre Dumas" », *Cahiers Gérard de Nerval*, 11, p. 33-40.

SCHOPP C., *Dumas, les romans de la révolution dans « Le Drame de la France »*. Actes du colloque de Mont-Saint-Martin (25, 26 février 1989) : Roman, roman populaire, Révolution française. *La Littérature populaire*, 11, été-automne : 47-55.

TRANOUEZ P., *Relecture. L'Air des bijoux dans Les Trois Mousquetaires*. *L'École des Lettres*, 13/14, 18 juin : 49-57.

1990

DUMAS, A., *Mémoires d'un médecin* (*Joseph Balsamo, Le Collier de la reine, Ange Pitou, La Comtesse de Charny*) et *Le Chevalier de Maison-Rouge*. Préface générale, préface, dictionnaire des personnages, index des lieux, documents, bibliographie par Claude Schopp, Robert Laffont, collection « Bouquins », Les Grands Romans d'Alexandre Dumas, 3 vol., 1460 p., 1220 p., 1640 p.

Histoire de mes bêtes. Préface d'André Bourin ; *Recettes de chasse*. Préface de Pierre Jamet ; *La Vie au désert*. Préface de Nicole Manuello, Actes-Sud, Hubert Nyssen, collection « Écrire la chasse » 187 p., 173 p., 217 p.

Ingénue. Édition présentée par D. Baruch, François Bourin éditeur, 555 p.

Romans de la Révolution. Pièces annexes par Claude Schopp, Tallandier, VII, VIII, IX : *La Comtesse de Charny*, 423 p., 447 p., 420 p. — X : *Le Chevalier de Maison-Rouge*, 373 p. — XI, XII : *Les Blancs et les Bleus*, 353 p., 359 p.

Romans du grand siècle d'Alexandre Dumas. Introduction et pièces annexes, par Claude Schopp. Préface de Jacques Laurent, Tallandier, I, II : *Les Trois Mousquetaires*, 265 p., 353 p.

Sur Gérard de Nerval. Nouveaux Mémoires. Préface et établissement du texte par Claude Schopp, Éditions Complexe, collection « Le regard littéraire », 295 p.

AUTRAND M., « Le roman d'Alexandre Dumas à l'épreuve de la Révolution », *R.H.L.F.*, 4-5, juillet-octobre, p. 679-691 (Révolution et littérature, 1789-1914).

BASSAN F., « Le cadre médiéval dans *La Tour de Nesle* d'Alexandre Dumas », *Bulletin de la Société des professeurs français en Amérique*, 1989-1990, p. 3-13.

BRIX, M., « Nerval et le *Plutarque drôlatique* », *R.H.L.F.*, n° 6, octobre-décembre, p. 959-965.

DELHASSE G., « Liège dans la vie et l'œuvre de Dumas », *La Wallonie*, 2 novembre, p. 13.

« Alexandre Dumas à Liège. Voir Liège et... déjeuner », *La Wallonie*, 2 novembre, p. 13.

DOMANGE M., *Ah ! mes aïeux* (*1830-1945*), Les éditions du Nant d'enfer (chap. II-IV consacrés à Jacques Domange).

HAMEL R. et MÉTHÉ P., *Dictionnaire Dumas. Index analytique et critique des personnages et des situations dans l'œuvre du romancier*, Montréal, Guérin littérature, 979 p.

QUEFFÉLEC L., « Figuration de la violence dans le roman de l'avant à l'après 1789 : Sade, Rétif, Dumas », *R.H.L.F.*, 4-5, juillet-octobre, p. 663-678 (Révolution et littérature, 1789-1914).

SCHOPP C., « Dumas critique dramatique », *Nineteenth-Century French studies*, vol. 18, n° 3-4, printemps-été, p. 348-362 (*Le Siècle inépuisable*. Mélanges offerts à Fernande Bassan).

« Alexandre Dumas (1802-1870). "Les Trois Mousquetaires. 1844" », in *En Français dans le texte. Dix siècles de lumière par le livre*, Bibliothèque nationale, n° 263, p. 249.

1991

DUMAS, A., *Les Bords du Rhin*. Introduction de Dominique Fernandez. «Dumas sur les bords du Rhin», par Claude Schopp. Chronologie de Jacques Suffel, GF Flammarion, 534 p.

Midi de la France. Impressions de voyage. Préface de Claude Schopp, François Bourin éditeur, 407 p.

Narcisse et Hyacinthe. Correspondance amoureuse avec Hyacinthe Meinier. Préface et établissement du texte par Claude Schopp, 63 p.

Romans de la Révolution. Pièces annexes par Claude Schopp, Tallandier, XIII, XIV : *Les Compagnons de Jéhu (Blanche de Beaulieu)*, 349 p., 313 p.

Une année à Florence. Impressions de voyage. Préface de Claude Schopp, François Bourin éditeur, 269 p.

NEAVE, C. et D., *Iconographie d'Alexandre Dumas père. Gravures, dessins, photographies, portraits et caricatures*. Introduction par Jacques Laurent ; «Images pour une image» par Claude Schopp, Éditions Champflour, Marly-le-Roi, Éd. Tallandier, 1991, 160 p.

INDEX DES LIEUX

INDEX DES LIEUX

ABRÉVIATIONS

T.M. : *Les Trois Mousquetaires.*
V.A. : *Vingt Ans après.*
V.B. : *Le Vicomte de Bragelonne.*

M

N - O

TABLE DES MATIÈRES

LES MOUSQUETAIRES

TROISIÈME PARTIE

LE VICOMTE DE BRAGELONNE
(Suite)

DOCUMENTS